OUTLANDER

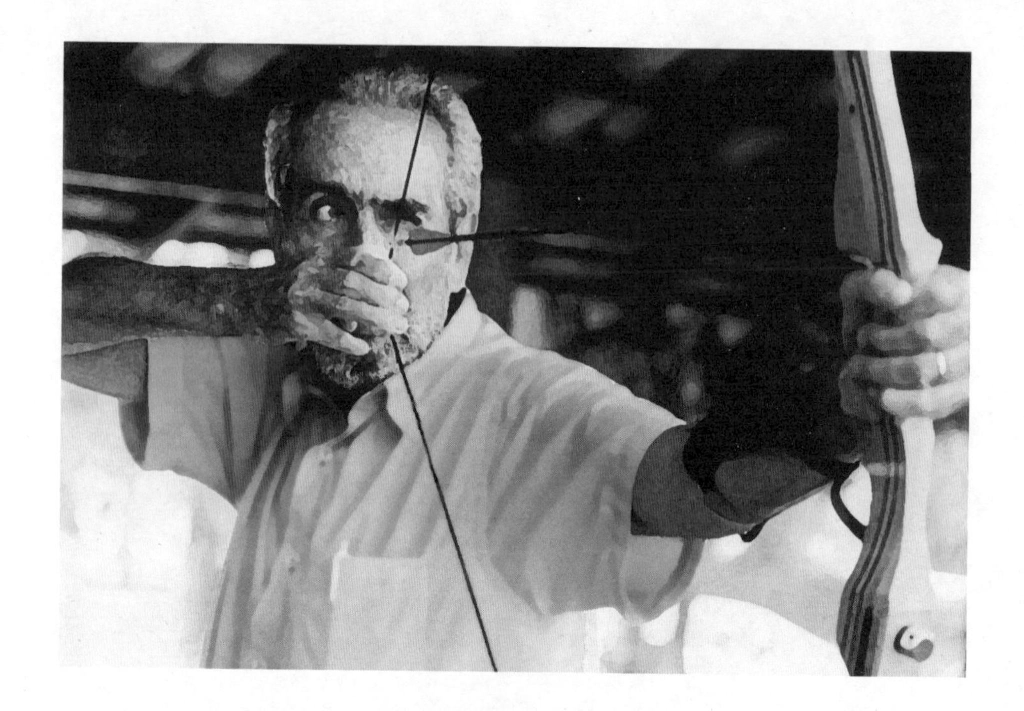

O Arqueiro

Geraldo Jordão Pereira (1938-2008) começou sua carreira aos 17 anos, quando foi trabalhar com seu pai, o célebre editor José Olympio, publicando obras marcantes como *O menino do dedo verde*, de Maurice Druon, e *Minha vida*, de Charles Chaplin.

Em 1976, fundou a Editora Salamandra com o propósito de formar uma nova geração de leitores e acabou criando um dos catálogos infantis mais premiados do Brasil. Em 1992, fugindo de sua linha editorial, lançou *Muitas vidas, muitos mestres*, de Brian Weiss, livro que deu origem à Editora Sextante.

Fã de histórias de suspense, Geraldo descobriu *O Código Da Vinci* antes mesmo de ele ser lançado nos Estados Unidos. A aposta em ficção, que não era o foco da Sextante, foi certeira: o título se transformou em um dos maiores fenômenos editoriais de todos os tempos.

Mas não foi só aos livros que se dedicou. Com seu desejo de ajudar o próximo, Geraldo desenvolveu diversos projetos sociais que se tornaram sua grande paixão.

Com a missão de publicar histórias empolgantes, tornar os livros cada vez mais acessíveis e despertar o amor pela leitura, a Editora Arqueiro é uma homenagem a esta figura extraordinária, capaz de enxergar mais além, mirar nas coisas verdadeiramente importantes e não perder o idealismo e a esperança diante dos desafios e contratempos da vida.

OUTLANDER

DIGA ÀS ABELHAS QUE NÃO ESTOU MAIS AQUI

LIVRO NOVE

DIANA GABALDON

Título original: *Go Tell The Bees That I Am Gone*

Publicado mediante acordo com a autora,
por meio da Baror International, Inc., Armonk, Nova York.

tradução: Fernanda Abreu

preparo de originais: Victor Almeida

revisão: Hermínia Totti e Luis Américo Costa

diagramação: Valéria Teixeira

capa: Duat Design

imagens de capa: © Mark Owen / Trevillion

impressão e acabamento: Lis Gráfica e Editora Ltda.

CIP-BRASIL. CATALOGAÇÃO NA PUBLICAÇÃO
SINDICATO NACIONAL DOS EDITORES DE LIVROS, RJ

G111d

Gabalton, Diana
Diga às abelhas que não estou mais aqui / Diana Gabalton ; tradução Fernanda Abreu. - 1. ed. - São Paulo : Arqueiro, 2022.
1056 p. ; 23 cm. (Outlander ; 9)

Tradução de: Go tell the bees that I am gone
Sequência de: Escrito com sangue do meu coração
ISBN 978-65-5565-377-9

1. Ficção americana. I. Abreu, Fernanda. II. Título.
III. Série.

22-79968 CDD: 813
CDU: 82-3(73)

Meri Gleice Rodrigues de Souza - Bibliotecária - CRB-7/6439

Rua Funchal, 538 – conjuntos 52 e 54 – Vila Olímpia
04551-060 – São Paulo – SP
Tel.: (11) 3868-4492 – Fax: (11) 3862-5818
E-mail: atendimento@editoraarqueiro.com.br
www.editoraarqueiro.com.br

Este é para Doug,
o norte verdadeiro.

N
VERMONT
NEW HAMPSHIRE
MASSACHUSETTS
Canajoharie
NOVA YORK
Unadilla
CONNECTICUT
RHODE ISLAND
TERRITÓRIO NOROESTE
PENSILVÂNIA
Morristown
NOVA JERSEY
Filadélfia
MARYLAND
DELAWARE
Grande Estrada
de Carroças
VIRGÍNIA
Fazenda Mount Josiah
Oceano Atlântico
Cordilheira dos Frasers
CAROLINA DO NORTE
Salisbury
Montanha dos Reis
CAROLINA DO SUL
Charleston
GEÓRGIA
Savannah
0 Milhas
300
0 Quilômetros
300
© 2021 Jeffrey L. Ward

Simon, lorde Lovat ≈ Davina Porter
Legenda
= Casamento
≈ Caso extraconjugal
≠ Divórcio
— Filhos biológicos
Filhos adotivos
Enteados
Brian Fraser = Ellen Caitriona Sileas MacKenzie
Janet MacKenzie = Ambrose MacKenzie
Flora MacKenzie
FRASERS DE LOVAT
UMA ÁRVORE GENEALÓGICA DE OUTLANDER
Ian Alastair Robert MacLeod Murray = Janet (Jenny) Flora Arabella Fraser
William Simon Murtagh MacKenzie Fraser
Robert Brian Gordon MacKenzie Fraser
James (Jamie) Alexander Malcolm MacKenzie Fraser
James (JovemJamie) Fraser Murray = Joan
Margaret (Maggie) Ellen Murray = [Desconhecido] Carmichael = Paul Lyle
Katherine (Kitty) Mary Murray = George (Geordie) Silvers
Michael Murray = Lilliane (Lillie)
Janet Ellen Murray
Ian (Jovem Ian) Fraser Murray ≠ Wakyo'teyehsnonhsa (Trabalha com as Mãos/Emily) = Rachel Hunter
Caitlin Maisri Murray
Fergus Claudel Fraser =
"Oggy"
Matthew Murray
Henry Murray
Caroline Murray
Benjamin Murray
Anthony Brian Montgomery Lyle
Angelica Lyle
Angus Walter (Wally) Edwin Murray Carmichael
Josephine Silvers
Abigail Silvers
Yeksa'a (Iseabaìl)

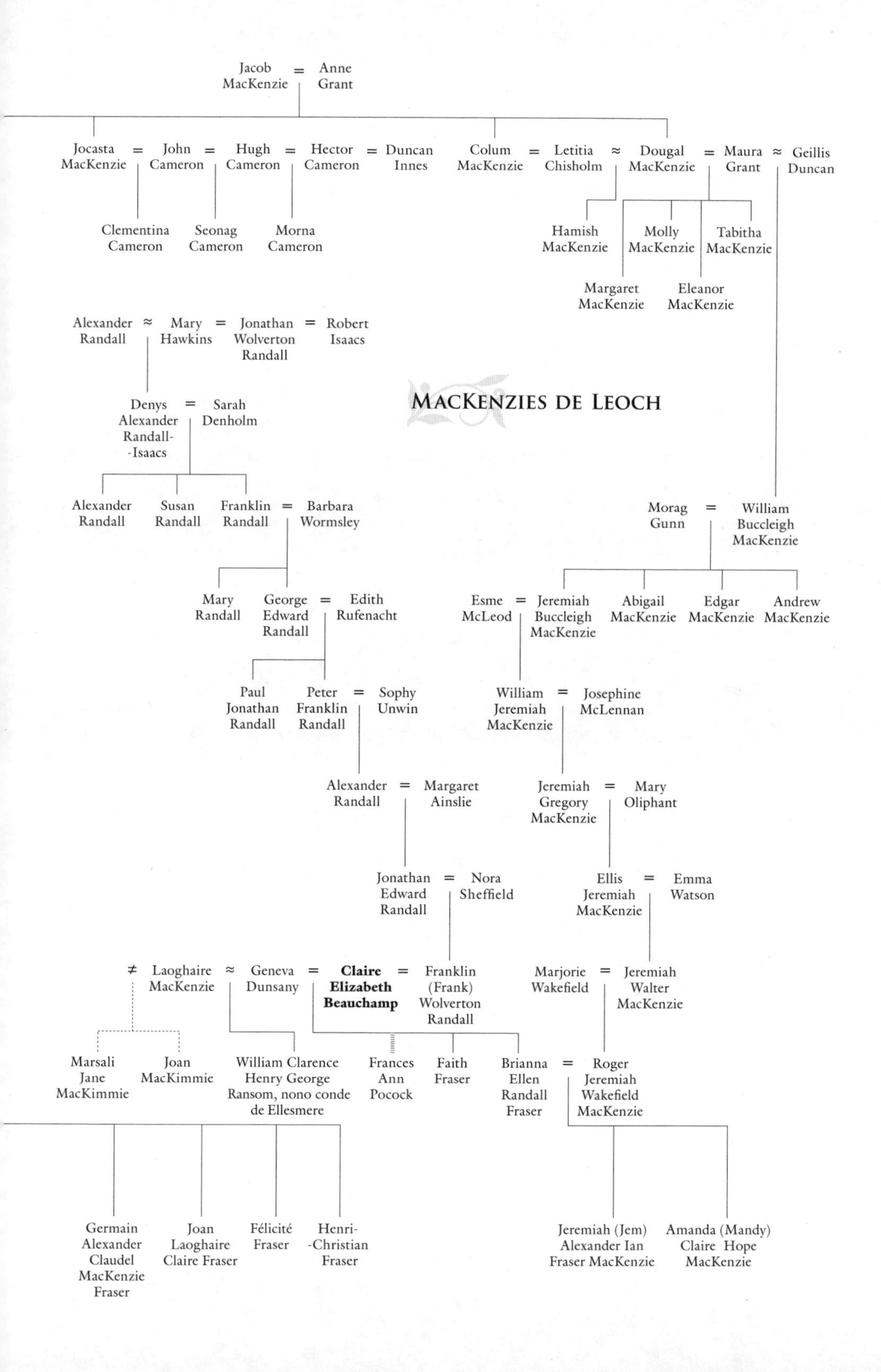
MACKENZIES DE LEOCH
Jacob MacKenzie = Anne Grant
Jocasta MacKenzie = John Cameron = Hugh Cameron = Hector Cameron = Duncan Innes
Colum MacKenzie = Letitia Chisholm ≈ Dougal MacKenzie = Maura Grant ≈ Geillis Duncan
Clementina Cameron
Seonag Cameron
Morna Cameron
Hamish MacKenzie
Molly MacKenzie
Tabitha MacKenzie
Margaret MacKenzie
Eleanor MacKenzie
Alexander Randall ≈ Mary Hawkins = Jonathan Wolverton Randall = Robert Isaacs
Denys Alexander Randall-Isaacs = Sarah Denholm
Alexander Randall
Susan Randall
Franklin Randall = Barbara Wormsley
Mary Randall
George Edward Randall = Edith Rufenacht
Paul Jonathan Randall
Peter Franklin Randall = Sophy Unwin
Alexander Randall = Margaret Ainslie
Jonathan Edward Randall = Nora Sheffield
Morag Gunn = William Buccleigh MacKenzie
Esme McLeod = Jeremiah Buccleigh MacKenzie
Abigail MacKenzie
Edgar MacKenzie
Andrew MacKenzie
William Jeremiah MacKenzie = Josephine McLennan
Jeremiah Gregory MacKenzie = Mary Oliphant
Ellis Jeremiah MacKenzie = Emma Watson
≠ Laoghaire MacKenzie ≈ Geneva Dunsany = Claire Elizabeth Beauchamp = Franklin (Frank) Wolverton Randall
Marjorie Wakefield = Jeremiah Walter MacKenzie
Marsali Jane MacKimmie
Joan MacKimmie
William Clarence Henry George Ransom, nono conde de Ellesmere
Frances Ann Pocock
Faith Fraser
Brianna Ellen Randall Fraser = Roger Jeremiah Wakefield MacKenzie
Germain Alexander Claudel MacKenzie Fraser
Joan Laoghaire Claire Fraser
Félicité Fraser
Henri-Christian Fraser
Jeremiah (Jem) Alexander Ian Fraser MacKenzie
Amanda (Mandy) Claire Hope MacKenzie

PRÓLOGO

Você sabe que algo está para acontecer. Algo específico, difícil e ruim *vai* acontecer. Você visualiza esse algo e o afasta. Mas ele avança, de modo lento e inexorável, de volta para sua mente.

Você se prepara – ou acha que se prepara –, mas sente a verdade em seus ossos: não há como se esquivar, absorver ou diminuir o impacto. *Quando* acontecer, você estará impotente diante da situação.

Você sabe disso.

Mesmo assim, por algum motivo, nunca acha que vai ser hoje.

PARTE I

Um enxame de abelhas na carcaça de um leão

1

OS MACKENZIES CHEGARAM

Cordilheira dos Frasers, colônia da Carolina do Norte
17 de junho de 1779

Sentia uma pedra debaixo da minha nádega direita, mas não queria me mexer. Os batimentos cardíacos sob meus dedos eram leves e teimosos, quase imperceptíveis, efêmeros sobressaltos de vida. O espaço que os separava parecia infinito, assim como minha conexão com o céu escuro e as chamas altas da fogueira.

– Pode mudar a bunda de lugar um pouco, Sassenach? – disse uma voz no meu ouvido. – Preciso coçar o nariz e você está sentada na minha mão.

Jamie remexeu os dedos debaixo de mim e eu me acomodei em uma nova posição enquanto segurava o corpinho de 3 anos de Mandy, que dormia no meu colo.

Ele sorriu para mim por cima da cabeça despenteada de Jem e coçou o nariz. Já devia passar da meia-noite, mas o fogo ainda estava alto e a luz se refletia nos pelos de sua barba por fazer. Reluzia tão suavemente em seus olhos quanto nos cabelos ruivos de seu neto e nas dobras escuras do pano xadrez gasto em que ambos estavam enrolados.

Do outro lado do fogo, Brianna deu uma risada silenciosa, do tipo que as pessoas dão quando crianças estão dormindo por perto.

Com os olhos semicerrados, ela pousou a cabeça no ombro de Roger. Estava exausta, com os cabelos sujos e embaraçados, e a luz do fogo deixava seu rosto profundamente abatido... mas ela parecia feliz.

– Achou graça do quê, *a nighean*? – perguntou Jamie, passando Jem para uma posição mais confortável.

O menino lutava com todas as forças para ficar acordado, mas estava perdendo a batalha. Bocejou e balançou a cabeça, piscando feito uma coruja atordoada.

– *Gaça* do quê, mamãe? – repetiu Jem, mal dando para ouvir a última palavra. Ele ficou com a boca parcialmente aberta e o olhar perdido.

Brianna deu uma bela risada de menina.

– Só perguntei ao papai se ele se lembrava de uma Reunião de que participou, anos atrás. Os clãs foram todos convocados para uma grande fogueira. Eu entreguei um galho em chamas para ele e pedi que fosse até a fogueira e avisasse que os MacKenzies tinham chegado.

– Ah. – Jem piscou algumas vezes e voltou sua atenção para o fogo que ardia à nossa frente. Então sua testa franziu de leve entre as sobrancelhas ruivas e macias. – Onde a gente tá?

– Em casa – respondeu Roger com firmeza e seu olhar fitou o meu, depois o de Jamie. – Finalmente em casa.

Jamie soltou o mesmo suspiro que eu vinha segurando desde a tarde, quando aquelas quatro figuras surgiram na clareira e nós corremos morro abaixo para ir ao encontro delas. Foi um instante de felicidade sem palavras, em que nos atiramos nos braços uns dos outros. A animação aumentou ainda mais quando Amy Higgins saiu de casa, atraída pelo barulho, seguida por Bobby e Aidan – que saltara de alegria e se jogara em cima de Jem, derrubando-o no chão. Com eles tinham vindo Orrie e o pequeno Rob.

Jo Beardsley, que se achava na mata ali perto, escutou a confusão e veio ver o que estava acontecendo. Em pouco tempo a clareira se encheu de gente. Os moradores de seis casas já sabiam da notícia antes do pôr do sol; os demais seriam informados no dia seguinte.

A demonstração de hospitalidade das Terras Altas foi instantânea e maravilhosa: mulheres e meninas correram até suas casas para buscar o que tivessem no forno ou na panela para o jantar. Enquanto isso, os homens foram catar lenha e, a pedido de Jamie, empilharam a madeira no ponto mais alto em que ficava o contorno da Casa Nova. Recebemos nossa família em grande estilo, cercados por amigos.

Centenas de perguntas foram feitas aos viajantes: de onde vieram? Como tinha sido a viagem? O que tinham visto? Ninguém perguntou se estavam felizes por terem voltado; partiam do princípio de que sim.

Jamie e eu não tínhamos feito qualquer pergunta. Haveria tempo suficiente para isso. E, agora que estávamos só nós, Roger tinha acabado de responder à única que importava.

Mas quanto ao *porquê* dessa pergunta... Senti os cabelos da nuca se eriçarem de leve.

– Basta a cada dia o próprio mal – murmurei junto aos cachos negros dos cabelos de Mandy e beijei sua orelha diminuta. Ele já nem ouvia mais nada, de tanto sono.

Meus dedos deslizaram de novo por baixo de suas roupas, imundas por causa da viagem, mas muito bem-feitas, e encontraram a finíssima cicatriz entre as costelas, o sussurro do bisturi do cirurgião que havia lhe salvado a vida dois anos antes, num lugar tão distante de mim.

O coração seguia batendo, em paz, aquele coraçãozinho corajoso sob as pontas dos meus dedos, e pisquei para conter as lágrimas; não foi a primeira vez nesse dia, e certamente não seria a última.

– Eu tinha razão, não tinha? – indagou Jamie, e me dei conta de que era a segunda vez que ele perguntava isso.

– Em relação a quê?

– A precisarmos de mais espaço – respondeu ele num tom paciente e se virou para indicar com um gesto o retângulo invisível da fundação de pedra, até agora o único indício da Casa Nova.

A planta da Casa Grande original ainda era visível na forma de uma marca escura sob a grama da clareira, mas praticamente desaparecera. Quando a Casa Nova ficasse pronta, talvez ela se tornasse apenas uma lembrança.

Brianna deu um bocejo digno de um leão, então empurrou a juba emaranhada para trás e piscou, sonolenta, fitando a escuridão.

– Provavelmente vamos dormir no porão no próximo inverno – comentou, rindo.

– Ah, essa gente de pouca fé – retrucou Jamie, nem um pouco perturbado. – A madeira está serrada, cortada e aparelhada. Vamos ter paredes, pisos e janelas para dar e vender antes de a neve chegar. Pode ser que as janelas ainda não tenham vidros – acrescentou, realista. – Mas isso pode esperar a primavera.

– Hummm. – Brianna tornou a piscar, balançou a cabeça, então se levantou para olhar. – Vocês já escolheram a pedra para fazer a base da lareira?

– Já. Uma linda placa de serpentina. Aquela pedra verde, sabe?

– Eu me lembro. E o pedaço de ferro para pôr debaixo dela?

Jamie exibiu um ar de surpresa.

– Não, ainda não. Mas vou encontrar um quando formos consagrar a lareira.

– Pois muito bem.

Ela se sentou mais ereta e tateou em meio às dobras da capa, de onde tirou uma grande bolsa de lona, pesada e cheia de objetos variados. Vasculhou lá dentro por alguns instantes, então sacou algo negro que a luz do fogo fez cintilar.

– Use isto aqui, Pa – disse Brianna, entregando o objeto a Jamie.

Ele o fitou por alguns instantes, sorriu, então o passou para mim.

– Sim, isso vai servir – falou. – Você trouxe para a lareira?

Isso era um pesado cinzel de metal preto e liso com 15 centímetros de comprimento, com a palavra "Artífice" gravada no cabo.

– Bem... para *alguma* lareira – respondeu Bree, sorrindo para o pai. Ela pousou a mão na perna de Roger. – No começo, pensei que a gente pudesse construir nossa casa. Mas... – Ela se virou e olhou por sobre a escuridão da Cordilheira, para a redoma do céu frio e puro, onde a Ursa Maior reluzia bem alto. – Talvez a gente não consiga antes do inverno. E como imagino que talvez vocês tenham que suportar nossa presença...

Ela espiou o pai por baixo das pestanas e Jamie soltou um muxoxo.

– Deixe de ser boba, menina. Se a casa é nossa, ela é sua também. E você sabe muito bem disso. – Ele arqueou a sobrancelha. – E quanto mais mãos tivermos para construí-la, melhor. Quer ver a planta?

Sem esperar resposta, ele desenrolou Jem de seu pano xadrez, colocou o menino no chão ao meu lado e se levantou. Pegou um dos galhos acesos no fogo e moveu a cabeça, num convite, em direção ao retângulo invisível da nova fundação.

Apesar de ainda grogue de sono, Bree topou. Balançou a cabeça com um ar bem-humorado, então jogou a capa por cima dos ombros e se levantou.

– Vamos? – disse, olhando para Roger.

Ele sorriu e abanou a mão, dizendo-lhe para ir andando.

– Estou exausto demais para enxergar direito, amor. Eu espero até amanhã de manhã.

Bree tocou seu ombro de leve e partiu atrás da luz da tocha de Jamie, resmungando algo entre dentes ao tropeçar numa pedra na grama. Enquanto isso, cobri Jem com uma das dobras da minha capa. Ele nem se mexeu.

Roger e eu continuamos sentados sem dizer nada, ouvindo as vozes dos dois se afastarem na escuridão. Ficamos assim por mais alguns segundos, escutando o fogo, a noite e os pensamentos um do outro.

Para eles terem se disposto a correr os riscos da viagem, sem falar nos perigos daquela época e daquele lugar... fosse lá o que tivesse acontecido na própria época...

Ele me olhou nos olhos, imaginou o que eu estava pensando e suspirou.

– É, foi ruim. Ruim o suficiente – falou baixinho. – Mesmo assim... talvez a gente tivesse voltado e encarado. Eu queria. Mas ficamos com medo de lá não ter ninguém que Mandy pudesse sentir ser forte o suficiente.

– Mandy? – Baixei os olhos para o corpinho adormecido e inerte. – Sentir quem? E como assim, "voltado"? Espere... – Pigarreei e ergui a mão para me desculpar. – Não, não precisa me explicar nada agora. Você está exausto e temos tempo de sobra. Já basta estarem aqui.

Roger então abriu um sorriso de verdade, ainda que houvesse o peso de muitos quilômetros, muitos anos e muitas coisas terríveis naquele gesto.

– Pois é – falou. – Basta mesmo.

Passamos um tempo calados e a cabeça de Roger se moveu para a frente. Pensei que estivesse quase dormindo. Eu estava prestes a me levantar e recolher todo mundo para a cama quando ele tornou a erguer a cabeça.

– Uma coisa...

– Sim?

– Você conhece ou algum dia já conheceu... um homem chamado William Buccleigh MacKenzie? Ou talvez Buck MacKenzie?

– Eu me lembro desse nome – respondi devagar. – Mas...

Roger esfregou a mão no rosto, descendo-a lentamente pelo pescoço até a cicatriz branca deixada por uma corda.

– Bom... antes de mais nada, ele é o homem que mandou me enforcar. Mas é também meu pentavô. Nenhum de nós dois sabia disso quando ele mandou me enforcar – disse ele, quase como quem pede desculpas.

– Jesus H. Roosev... Ah, desculpe. Você ainda é alguma espécie de pastor?

Isso o fez sorrir, embora as marcas da exaustão cavassem sulcos em seu rosto.

– Acho que isso nunca muda – respondeu ele. – Mas, se você estava prestes a dizer "Jesus H. Roosevelt Cristo", eu não me importaria. É adequado para a situação.

Em poucas palavras, ele me contou como Buck MacKenzie fora parar na Escócia de 1980, apenas para voltar no tempo de novo com Roger na tentativa de encontrar Jem.

– E tem muito mais coisa nessa história – garantiu ele. – Mas a conclusão, por enquanto, é que nós o deixamos na Escócia. Em 1739. Com a... com a mãe dele.

– Com *Geillis*? – Minha voz aumentou de volume sem querer e Mandy se remexeu, emitindo pequenos ruídos de incômodo. Apressei-me em acariciá-la e a mudei para uma posição mais confortável. – *Você* esteve com ela?

– Estive. Uma mulher... interessante.

Havia uma caneca ainda com cerveja pela metade no chão a seu lado. Eu podia sentir o cheiro do fermento e do lúpulo. Ele a pegou e pareceu hesitar entre beber ou derramar a cerveja na cabeça, mas acabou dando um gole.

– Eu... Nós... nós queríamos que ele viesse também. É claro que havia um risco, mas tínhamos encontrado pedras preciosas suficientes e achei que poderíamos conseguir, todos juntos. E a esposa dele está aqui. – Ele deu um aceno vago na direção da floresta distante. – Nos Estados Unidos, quero dizer. Agora.

– Eu me lembro vagamente disso, de sua árvore genealógica. – Embora a experiência tivesse me ensinado os limites de acreditar em qualquer coisa gravada em papel.

Roger aquiesceu, bebeu mais um pouco de cerveja e pigarreou com força. O cansaço estava deixando sua voz rouca e a fazendo falhar.

– Suponho que você o tenha perdoado por...

Fiz um gesto rápido em direção ao meu pescoço. Podia ver a linha da corda e a pequena cicatriz da traqueostomia de emergência que fiz com um canivete de bolso e a boquilha de âmbar de um cachimbo.

– Eu o amava – disse ele. Um débil sorriso transpareceu por entre a barba preta por fazer e o véu do cansaço. – Quantas vezes se tem a chance de amar alguém que deu a você seu sangue, sua vida, sem nunca saber quem você poderia ser ou sequer que você existia?

– Bom, quando se tem filhos a gente se arrisca – falei.

Coloquei a mão de leve na cabeça de Jem. Estava morna, os cabelos sujos mas macios sob meus dedos. Mandy e ele tinham cheiro de filhote de cachorro, um cheiro animal doce e forte, carregado de inocência.

– É – concordou Roger baixinho –, se arrisca mesmo.

Um farfalhar de grama e vozes atrás de nós anunciou a volta de nossos engenheiros, que vinham profundamente entretidos numa conversa sobre encanamento interno.

– É, pode ser – dizia Jamie em tom de dúvida. – Só não sei se vamos conseguir todas as coisas de que precisamos antes de o frio chegar. Mas já comecei a cavar uma nova latrina. Isso vai servir, por enquanto. Então, na primavera...

Brianna respondeu algo que eu não entendi e os dois foram iluminados pelo clarão da fogueira, muito parecidos no aspecto, com a luz a cintilar em seus rostos de nariz comprido e nos cabelos vermelhos. Roger se remexeu e eu me levantei com todo o cuidado, Mandy tão inerte no meu colo quanto sua boneca de pano Esmeralda.

– Que maravilha, mamãe – disse Bree e me deu um abraço, envolvendo-me com seu corpo forte e ereto, Mandy entre nós duas.

Apertou-me com força por alguns instantes, então beijou minha testa.

– Eu te amo – falou, com a voz branda e rouca.

– Eu também te amo, querida – respondi, apesar do nó na garganta, e toquei seu rosto tão cansado e radiante.

Ela deu um passo para trás e pegou Mandy do meu colo, suspendendo-a num dos ombros com uma desenvoltura experiente.

– Vamos, amiguinho – falou para Jem, cutucando o filho de leve com o bico da bota. – Hora de ir para a cama.

O menino deu um resmungo de interrogação e levantou parcialmente a cabeça. Em seguida, tornou a desabar, ferrado no sono.

– Não se preocupe. Eu pego ele. – Roger dispensou Jamie com um aceno, abaixou-se, pegou Jem no colo e se levantou com um grunhido. – Vocês também vão descer? Posso voltar e cuidar do fogo assim que colocar o Jem na cama.

Jamie fez que não com a cabeça e passou um braço à minha volta.

– Não, não precisa se preocupar. Talvez fiquemos algum tempo ainda, até o fogo se extinguir.

Eles se afastaram morro abaixo, oscilando feito cabeças de gado, acompanhados pelo clangor ruidoso da bolsa de Brianna. A casa dos Higgins, onde iriam passar a noite, era um pontinho minúsculo a cintilar na escuridão; Amy devia ter acendido uma lamparina e afastado o couro que tapava a janela.

Jamie continuava segurando o cinzel. Com os olhos fixos nas costas da filha, ergueu o objeto e o beijou como um dia havia beijado o cabo de sua adaga, e compreendi que aquilo também era uma promessa sagrada.

Ele guardou o cinzel dentro do *sporran* e me abraçou por trás, descansando o queixo no alto da minha cabeça. Observamos o grupo sumir de vista.

– Em que está pensando, Sassenach? – perguntou baixinho. – Seu olhar parece meio nublado.

Encostei-me nele. Seu calor nas minhas costas era como uma muralha.

– Nas crianças – respondi, num tom hesitante. – Quero dizer, é *maravilhoso* estarem aqui. Pensar que nunca mais fôssemos vê-los e de repente... – Engoli em seco, submergida pela alegria estonteante de me ver, de *nos* ver, mais uma vez e de modo tão inesperado, parte daquela coisa incrível chamada família. – Poder ver Jem e Mandy crescerem... ter Bree e Roger outra vez...

– Pois é – disse ele, com um sorriso na voz. – Mas...?

Precisei de alguns instantes para organizar meus pensamentos e traduzi-los em palavras.

– Roger falou que alguma coisa ruim aconteceu na época deles. E você sabe, deve ter sido uma coisa realmente horrível.

– É – concordou ele, com a voz um pouco mais dura. – Brianna falou a mesma coisa. Mas sabe, *a nighean*, eles já viveram nesta época. Quero dizer, eles sabem... sabem como é, como *vai ser*.

Ele estava se referindo à guerra em curso, e apertei suas mãos unidas junto à minha barriga.

– Eu não acho que saibam – falei, olhando para o grande vale lá embaixo. Os quatro tinham desaparecido na noite. – Ninguém que não tenha ido à guerra sabe.

– É – disse ele, e ficou me abraçando em silêncio com as mãos em minha cintura, por cima da cicatriz do tiro de uma bala de mosquete em Monmouth. – Entendo o que está dizendo, Sassenach. Pensei que meu coração fosse arrebentar quando vi Brianna e soube que era mesmo ela, e os pequenos... Mas, apesar de toda a alegria, porque sentia muita falta deles, eu me reconfortava pensando que estavam seguros. Agora...

Ele se calou e fiquei sentindo seu coração bater nas minhas costas, lento e regular. Ele suspirou fundo. De repente, o fogo estalou e um bolsão de piche explodiu em centelhas que desapareceram na noite. Um pequeno lembrete da guerra que ia crescendo aos poucos à nossa volta.

– Eu olho para eles – retomou Jamie – e meu coração se enche de...

– Pânico – sussurrei, agarrando-me nele com força. – De puro pânico.

– É – concordou ele. – É isso.

Ficamos ali um pouco, admirando a escuridão e deixando a alegria voltar. A janela da casa dos Higgins ainda luzia de leve bem do outro lado da clareira.

– Nove pessoas dentro daquela casa – falei.

Respirei profundamente o frio ar da noite, com aroma de abeto, e visualizei o calor abafado e úmido de nove corpos adormecidos a ocupar cada centímetro horizontal do espaço, junto com um caldeirão e uma chaleira fumegando no fogo.

A segunda janela se iluminou.

– Quatro delas nossas – disse Jamie e riu baixinho.

– Tomara que a casa não pegue fogo. – Alguém tinha posto mais lenha e faíscas começavam a dançar acima da chaminé.

– Não vai pegar. – Ele me virou de frente para si. – Eu quero você, *a nighean* – falou baixinho. – Quer se deitar comigo? Talvez seja a última vez que vamos ter um pouco de privacidade por um tempo.

Abri a boca para dizer "Claro!", mas, em vez disso, dei um enorme bocejo.

Levei a mão à boca com força, mas a retirei para dizer:

– Ai, puxa. Foi sem querer, *mesmo*.

Jamie emitiu um riso abafado. Balançou a cabeça, alisou o kilt amarfanhado sobre o qual eu estava sentada, ajoelhou-se em cima dele e estendeu a mão para mim.

– Venha deitar aqui comigo e ficar olhando as estrelas, Sassenach. Se ainda estiver acordada daqui a cinco minutos, eu tiro sua roupa e possuo você nua ao luar.

– E se eu estiver dormindo daqui a cinco minutos? – Tirei os sapatos e segurei sua mão.

– Nesse caso, nem me dou ao trabalho de tirar sua roupa.

O fogo estava mais fraco, mas ainda crepitava. Eu podia sentir o calor tocar meu rosto e levantar os cabelos das minhas têmporas. O céu estava salpicado de estrelas, a brilhar feito diamantes espalhados em algum assalto celestial. Comentei isso com Jamie, que produziu um ruído escocês muito desrespeitoso em resposta, mas então se deitou ao meu lado e suspirou de prazer ao olhar para o céu.

– É, estão lindas. Está vendo Cassiopeia ali?

Olhei para a parte do céu indicada pelo seu meneio de cabeça, mas fiz que não.

– Não entendo nada de constelações. Sei identificar a Ursa Maior e, em geral, reconheço o Cinturão de Órion, mas agora não estou conseguindo ver nada disso. E as Plêiades ficam em algum lugar lá em cima, não é?

– Elas fazem parte do Touro... Bem ali, ao lado do Caçador. – Ele estendeu o braço e apontou. – E aquela ali é a Camelopardalis.

– Ah, deixe de ser bobo. Não existe constelação da girafa. Eu saberia se existisse.

– Bom, ela não está no céu agora, mas existe, sim. E, pensando bem, isso por acaso é mais absurdo do que o que aconteceu hoje?

– Não – respondi baixinho. – Não é, não.

Ele passou um braço em volta de mim e eu rolei para encostar a bochecha em seu peito. Ficamos olhando as estrelas em silêncio, escutando o vento nas árvores e as batidas vagarosas de nosso coração.

Um tempo muito longo pareceu transcorrer antes de Jamie se mexer e dar um suspiro.

– Acho que não via estrelas assim desde a noite em que fizemos Faith.

Levantei a cabeça, espantada. Embora fosse raro mencionarmos Faith, sabíamos o que o outro sentia. Faith, que nascera morta, mas que estava gravada em nosso coração.

– Você *sabe* quando ela foi concebida? Nem *eu* sei isso.

Ele desceu a mão devagar pelas minhas costas e seus dedos pararam para traçar círculos na base da minha coluna. Se eu fosse um gato, teria sacudido o rabo delicadamente debaixo de seu nariz.

– Bom, posso estar errado, mas sempre pensei que aconteceu naquela noite em que fui à sua cama na abadia. Tinha uma janela alta no fim do corredor e eu vi as estrelas no caminho até seu quarto. Pensei que talvez fossem um sinal para mim... para eu poder ver meu caminho com clareza.

Passei alguns instantes tentando resgatar minhas lembranças. Raramente revisitava aquele período no Mosteiro de St. Anne, quando ele havia chegado tão perto de uma morte voluntária. Dias repletos de medo e confusão, e noites negras de desalento e desespero. Apesar disso, ao olhar para trás, encontrei um punhado de imagens vívidas a se destacar como as letras iluminadas na página de um antigo manuscrito em latim.

O rosto do padre Anselm, pálido à luz das velas, seus olhos vibrantes de compaixão, e então o brilho crescente do assombro conforme escutava minha confissão. As mãos do abade tocando a testa de Jamie, seus olhos, lábios e as palmas de suas mãos, delicadas como o toque de um beija-flor, ungindo seu sobrinho à beira da morte com o óleo sagrado da extrema-unção. O silêncio na penumbra da capela em que eu havia rezado pela vida de Jamie e ouvido minha prece ser atendida.

E um desses instantes era a noite em que eu tinha acordado e o visto em pé junto à minha cama, parecendo um espectro branco, nu e gelado, tão fraco que mal conseguia andar, mas outra vez cheio de vida e de uma firme determinação que jamais iria abandoná-lo.

– Então você se lembra de Faith?

Coloquei a mão de leve na barriga, recordando. Jamie nunca a tinha visto nem a sentido senão como chutes e empurrões aleatórios dentro de mim.

Ele me deu um beijo de leve na testa, então me encarou.

– Você sabe que sim. Não sabe?

– Sei. Só queria que me dissesse mais isso.

– Ah, pode ter certeza de que vou dizer. – Levantou-se num dos cotovelos e me puxou mais para perto para eu poder dividir com ele seu pano xadrez.

– Você se lembra disso também? – perguntei, puxando para baixo a dobra de tecido que ele havia posto em cima de mim. – De dividir seu pano xadrez comigo na noite em que nos conhecemos?

– Para você não congelar? Lembro. – Ele beijou a parte de trás do meu pescoço. – Na abadia, quem estava congelando era eu. Tinha me exaurido tentando andar e você não me deixava comer nada, então eu estava morrendo de fome e...

– Ah, você *sabe* que isso não é verdade! Você...

– Eu por acaso mentiria para você, Sassenach?

– Mentiria, sim, senhor – falei. – Você mente o tempo todo. Mas deixe isso para lá por enquanto. Você estava congelado e morto de fome. De repente, decidiu que, em vez de pedir ao irmão Paul uma coberta ou uma tigela de algo quente para comer, o melhor era cambalear nu por um corredor de pedra escuro e se meter na cama comigo.

– Existem coisas mais importantes do que comida, Sassenach. – Sua mão segurou com firmeza a minha bunda. – E descobrir se eu iria conseguir me deitar com você de novo naquele momento era mais importante do que qualquer outra coisa. Eu pensei que, se não conseguisse, simplesmente sairia andando pela neve para nunca mais voltar.

– Não lhe ocorreu esperar mais algumas semanas para recuperar as forças?

– Bom, eu tinha quase certeza de que conseguiria andar até você me apoiando nas paredes, e o resto eu faria deitado. Então por que esperar? – Ele começou a alisar de leve minha bunda. – Você deve se lembrar.

– Foi como fazer amor com um bloco de gelo. – E era verdade. Ao mesmo tempo, aquele dia deixou meu coração apertado de ternura e me encheu de uma esperança que eu pensava que nunca mais fosse sentir. – Mas até que você derreteu depois de um tempinho.

No início, eu tinha apenas ficado abraçada com ele, ninando-o, fazendo o melhor possível para gerar calor com meu corpo. Havia tirado a combinação, ansiosa para criar o máximo de contato possível entre nossas peles. Lembrei-me da curva dura e pontuda do osso de seu quadril, dos calombos de sua coluna, e por cima deles os sulcos das cicatrizes recentes.

– Você era só pele e osso.

Virei-me para Jamie, trazendo-o mais para perto de mim, querendo o conforto de seu calor atual para contrabalançar o frio da lembrança. Ele estava *mesmo* quente. E vivo. Muitíssimo vivo.

– Você passou a perna por cima de mim para não cair da cama. Eu me lembro disso.

Ele acariciou minha perna devagar e pude sentir o sorriso em sua voz apesar de seu rosto estar na penumbra, com o fogo atrás dele a faiscar em seus cabelos.

– A cama era pequena – comentou Jamie.

E era mesmo: um catre estreito de monge que mal tinha espaço para uma pessoa de tamanho normal. E, mesmo esfomeado como estava, Jamie ocupava muito espaço.

– Eu quis rolar você de costas, Sassenach, mas tive medo de jogar nós dois no chão e... bom, eu não tinha certeza se conseguiria me sustentar.

Ele tremia de frio e de fraqueza. Mas eu hoje entendia que provavelmente era de medo também. Segurei a mão que estava no meu quadril, levei-a à boca e beijei suas articulações. Seus dedos estavam frios por causa do ar da noite e se retesaram ao calor dos meus.

– Você deu conta – sussurrei e rolei de costas puxando-o comigo.

– Por um triz – murmurou ele, encontrando seu caminho por entre as camadas de colcha, pano xadrez, camisa e combinação. Soltou um longo suspiro e eu fiz o mesmo. – Ah, Sassenach, meu Deus!

Ele se mexeu, só um pouco.

– A sensação na hora – sussurrou. – Pensar que eu nunca mais fosse ter você, e então...

Ele *tinha* dado conta, e fora *mesmo* por um triz.

– Eu pensei... que faria aquilo mesmo que fosse a última coisa que eu fizesse na vida...

– E quase foi, mesmo – sussurrei de volta e o segurei pelas nádegas, firmes e redondas. – Por alguns instantes, pensei que você tivesse morrido, até começar a se mexer.

– Achei que fosse morrer – disse ele e deu um riso gutural. – Ai, meu Deus, Claire…

Ele parou por um instante e encostou a testa na minha. Tinha feito o mesmo naquela noite, com a pele fria, ansioso e desesperado. Naquele momento, eu sentia que estava lhe instilando minha vida, naquela boca tão macia e tão aberta, com seu leve cheiro de cerveja misturada com ovo, a única coisa que Jamie conseguia engolir sem vomitar.

– Eu queria… – sussurrou ele. – Eu queria você. Precisava ter você. Mas, uma vez dentro de você, eu quis…

Ele então deu um suspiro fundo e entrou mais fundo em mim.

– Pensei que fosse morrer daquilo, ali mesmo. E eu quis morrer. Quis ir embora… enquanto estivesse dentro de você.

Sua voz tinha mudado. Continuava suave, mas estava de algum modo distante, alheia… Entendi que ele havia se afastado daquele momento presente e voltado à escuridão fria da pedra. Ao pânico, ao medo e ao desejo avassalador.

– Eu quis me derramar dentro de você. Queria que aquele fosse meu último momento, mas então soube que não seria assim. Eu iria viver, e iria continuar dentro de você para sempre. Eu estava fazendo um filho em você.

Enquanto falava, Jamie tinha voltado, voltado para o agora e para dentro de mim. Segurei-o com força, grande, sólido e forte nos meus braços, mas trêmulo e indefeso quando se entregou. Senti minhas lágrimas brotarem mornas e escorrerem frias.

Depois de algum tempo, ele se mexeu e rolou de lado, mas manteve uma das mãos pousada de leve sobre a minha barriga.

– Eu dei conta, não dei? – falou e sorriu de leve, com a luz do fogo suave em seu rosto.

– Deu – respondi.

Puxei o pano xadrez de novo por cima de nós dois e fiquei deitada a seu lado, satisfeita, à luz do fogo que morria e das eternas estrelas.

2

UM DIA DE VINHO AZUL

A mais pura exaustão fez Roger apagar, apesar de a cama dos MacKenzies consistir em duas mantas acolchoadas esfarrapadas que Amy Higgins tinha conseguido de improviso em sua bolsa de retalhos para costura, pousadas por cima de uma semana da roupa suja dos Higgins. As roupas externas dos MacKenzies foram usadas no lugar de cobertores. Mas era uma cama quentinha, com o calor das brasas do fogo de um lado e o calor dos corpos de duas crianças e de uma esposa aconchegante do outro. Assim, Roger havia pegado no sono como um homem que despenca dentro de um poço, sem tempo para mais nada a não ser a mais breve, mas nem por isso menos profunda, das orações de gratidão.

Conseguimos. Obrigado.

Quando acordou, ainda estava escuro. Sentiu cheiro de madeira queimada e do conteúdo de um penico que tinha sido usado recentemente, e uma friagem repentina atrás de si. Havia se deitado de costas para o fogo, mas rolado durante a noite, e então viu o brilho fraco das últimas brasas a poucos metros do rosto, veios rubros em meio a uma massa de cinzas e madeira carbonizada. Levou uma das mãos às costas: Brianna não estava mais ali. Havia um montinho indefinido na outra ponta da manta que deviam ser Jem e Mandy; o restante da casa ainda dormia e o ar estava tomado por respirações pesadas.

– Bree? – sussurrou, erguendo-se num cotovelo.

Ela estava perto. Uma sombra sólida, com o traseiro encostado na parede ao lado do fogo, apoiando-se num pé só para calçar uma das meias. Baixou o pé e se agachou ao lado dele, roçando os dedos em seu rosto.

– Vou sair para caçar com Pa – sussurrou ela, curvando-se mais para perto. – Mamãe vai ficar com as crianças se você tiver o que fazer hoje.

– Está bem. Onde você arrumou...?

Ele desceu a mão pela lateral de seu quadril. Ela estava usando uma camisa grossa de caça e uma calça folgada com muitos remendos. Roger sentiu a textura áspera da costura sob a palma da mão.

– A roupa é de Pa – disse ela e lhe deu um beijo. A luz do fogo reluziu em seus cabelos. – Volte a dormir. Falta uma hora para o dia raiar.

Ele a observou pisar de leve por entre os corpos deitados no chão, segurando as botas nas mãos, e uma corrente de ar frio serpenteou pelo recinto quando a porta se abriu e se fechou em silêncio atrás dela. Bobby Higgins murmurou alguma coisa com uma voz arrastada de sono e um dos meninos pequenos se sentou e perguntou "O quê?" com um tom de espanto. Em seguida, tornou a desabar em cima de sua manta acolchoada, novamente adormecido.

O ar frio se dissipou em meio ao calor confortável e a casa voltou a dormir. Exceto por Roger. Ele ficou deitado de costas, sentindo paz, alívio, animação e apreensão em proporções mais ou menos equivalentes.

Eles tinham mesmo conseguido.

Todos. Ele não parava de contar sua família compulsivamente. Todos os quatro. Estavam ali, e seguros.

Fragmentos de lembranças e sensações se precipitaram por sua mente. Roger os deixou fluir, sem tentar retê-los ou captar mais do que uma imagem aqui e ali: o peso de uma pequena barra de ouro em sua mão suada, o revirar de seu estômago quando a deixara cair e a vira deslizar para longe pelo convés inclinado. O vapor morno do mingau acrescido de uísque, de modo a ter forças para enfrentar uma gélida manhã escocesa. Brianna descendo com cuidado um lance de escada saltitando num pé só, com o outro levantado envolto numa atadura, e as palavras "borboleta perneta" lhe vindo à cabeça sem que ele pudesse resistir.

O cheiro do cabelo de Buck, azedo e mal lavado, quando os dois tinham se abraçado na beira de um cais para um último adeus. Dias e noites frios, intermináveis e indistinguíveis no porão oscilante do *Constance* a caminho de Charles Town, os quatro encolhidos num canto atrás da carga, ensurdecidos pelo som da água batendo no casco, mareados demais para ter fome, cansados demais até para sentir medo, hipnotizados pela água cujo nível ia aumentando no porão, vendo-a subir mais, molhá-los a cada balanço nauseante, tentando dividir seu risível estoque de calor corporal para manter as crianças vivas...

Expirou um ar que não se dera conta de estar prendendo, levou as mãos ao sólido piso de madeira, fechou os olhos e deixou tudo aquilo se esvair.

Não olhar para trás. Eles tinham tomado uma decisão e conseguido chegar ali. Ao porto seguro.

Mas e agora?

Roger já tinha morado ali, naquela casa, por muito tempo. Agora construiria uma nova. Jamie dissera na noite anterior que as terras que tinham sido dadas pelo governador Tryon ainda lhe pertenciam e estavam escrituradas em seu nome.

Um pequeno arrepio de expectativa lhe brotou do coração. Ele tinha o dia pela frente, o começo de uma vida nova. Qual a primeira coisa que deveria fazer?

– Papai! – sussurrou uma voz acompanhada por muitos perdigotos. – Papai, preciso fazer cocô!

Ele se sentou sorrindo, afastando do caminho capas e camisas. Mandy pulava agitada de um pé para o outro, um pequeno pássaro preto destacado entre as sombras.

– Está bem, meu amor – sussurrou e segurou sua mãozinha quente e pegajosa. – Eu levo você até a latrina. Tente não pisar em ninguém.

Àquela altura, Mandy já tinha se deparado com um número razoável de latrinas e não se intimidaria diante daquela. No entanto, quando Roger abriu a porta, uma aranha imensa caiu da trave acima da porta e ficou pendurada se balançando feito um pêndulo a poucos centímetros de seu rosto. Tanto ele quanto Mandy gritaram. Bem, *ela* gritou. A tentativa de grito de Roger não passou de um ruído rouco, mas pelo menos foi um som másculo.

Ainda não havia amanhecido. Por isso, a aranha era um borrão preto com patas, o que a tornava ainda mais assustadora. Por causa dos gritos, o animal tornou a subir pelo fio de sua teia até a reentrância invisível que ocupava.

– Eu não vou entrar aí! – exclamou Mandy, recuando em direção às pernas do pai.

Roger entendia como a filha se sentia, mas conduzi-la para a mata no escuro não significava apenas a ameaça de outras aranhas (possivelmente maiores), cobras ou morcegos, mas também das coisas que caçavam na penumbra. Panteras, por exemplo... Aidan McCallum tinha lhes contado mais cedo a história de quando havia encontrado uma pantera no caminho até a latrina... aquela mesma latrina.

– Está tudo bem, querida. – Ele se abaixou e pegou a filha no colo. – Ela já foi. A aranha tem medo da gente. Não vai voltar.

– Estou com medo!

– Eu sei, meu amor. Não se preocupe. Não acho que ela vá voltar. Se voltar, eu mato.

– Com uma arma? – indagou Mandy, esperançosa.

– Sim – respondeu Roger com firmeza.

E, apertando-a junto ao peito, abaixou-se para passar por baixo do dintel, lembrando-se um pouco tarde demais da história de Claire sobre a imensa cascavel enrolada em cima do assento de sua latrina...

Mas nada fora do normal aconteceu, a não ser ele quase ter perdido Mandy no buraco quando ela soltou sua mão para tentar limpar o próprio bumbum com uma palha de milho seca.

Transpirando de leve, apesar do ar frio da manhã, ele voltou para a casa e constatou que, durante sua ausência, a família Higgins, e junto com ela Jem e Germain, tinha acordado.

Amy Higgins piscou de leve ao ficar sabendo que Brianna saíra para caçar. Quando Roger acrescentou que ela fora com o pai, a expressão de surpresa se transformou num meneio de cabeça de aceitação que fez Roger sorrir por dentro. Ele ficou satisfeito ao constatar que a personalidade de Jamie ainda dominava a Cordilheira, apesar da longa ausência. Claire havia lhe contado na noite anterior que eles só tinham voltado do exílio um mês antes.

– Muita gente nova veio morar aqui desde que fomos embora? – perguntou a Bobby, sentando-se no banco, ao lado de seu anfitrião, com uma tigela de mingau na mão.

– Muita – garantiu Bobby. – Vinte famílias, no mínimo. Um pouco de leite e mel, pastor?

Ele empurrou amistosamente o pote de mel na direção de Roger. Por ser inglês, Bobby podia incluir essas frivolidades em seu desjejum, no lugar da austera pitada de sal dos escoceses.

– Ah, desculpe... Eu deveria ter perguntado: você ainda é pastor?

Claire tinha perguntado a mesma coisa na noite anterior. Ainda assim, a pergunta o surpreendeu.

– Sou – respondeu ele e estendeu a mão para a jarra de leite.

Na verdade, ambas as perguntas tinham feito seu coração acelerar. Ele *era* pastor. Só não tinha certeza de quão oficial era essa condição. Era bem verdade que passara um ano ou mais batizando, casando e enterrando pessoas na Cordilheira, e pregando também, além de desempenhar os ofícios menores de um pastor, e que todas elas o haviam considerado como tal. Sem dúvida, ainda o consideravam.

Por outro lado, Roger ainda não tinha sido ordenado pastor presbiteriano. Não exatamente.

– Talvez eu vá visitar o pessoal novo – falou, de maneira casual. – Sabe se algum deles é católico?

Era uma pergunta retórica. Todos na Cordilheira conheciam a fé de todo mundo e não tinham qualquer pudor em falar a respeito, ainda que nem sempre cara a cara.

Amy colocou uma caneca de latão de café de chicória junto à sua tigela e se sentou com um suspiro aliviado para saborear o mingau com sal.

– Quinze famílias católicas – respondeu ela. – Doze presbiterianas e três da luz azul... metodistas, sabe? É bom tomar cuidado com essa gente, pastor. Hummm... Ah, talvez umas duas famílias anglicanas... Orrie!

Ela se levantou num pulo bem a tempo de interromper o pequeno Orrie, de 6 anos, que, de modo discreto porém decidido, estava levantando o penico cheio até acima da cabeça com a clara intenção de esvaziá-lo em cima de Jem, que, sentado de pernas cruzadas junto ao fogo, piscava sonolento para o sapato que segurava na mão.

Assustado com o grito da mãe, Orrie deixou cair o penico, errando Jem parcialmente mas despejando seu conteúdo fétido em cima do fogo recém-atiçado, e saiu correndo em direção à porta. Amy foi atrás, parando apenas para pegar uma vassoura. Gritos enfurecidos em gaélico e ganidos agudos de terror se dissiparam ao longe.

Jem, que detestava as manhãs, olhou para o que acabara de ser despejado no fogo, torceu o nariz e se levantou. Cambaleou por um instante, então caminhou devagar até a mesa e se sentou ao lado de Roger, bocejando.

O silêncio invadiu o cômodo. Um pedaço de madeira carbonizado se partiu de repente no fogo e a sujeira emitiu uma cusparada de centelhas, como se fosse um comentário final sobre a situação.

Roger pigarreou.

– O homem nasce para as dificuldades tão certamente como as fagulhas voam para cima – observou.

Bobby deixou de contemplar o fogo para encará-lo. Tinha os olhos avermelhados por causa da fumaça e o antigo "M" marcado em sua bochecha parecia branco à claridade fraca dentro da casa.

– Bem falado, pastor – disse ele. – Bem-vindo de volta.

Era o que sua mãe chamava de um dia de vinho azul. Quando o ar e o céu formavam uma coisa só e cada inspiração embriagava. Folhas de castanheiro e carvalho estalavam a cada passo, seu cheiro tão forte quanto o das agulhas de pinheiro mais acima. Eles estavam subindo a montanha, de armas em punho, e Brianna Fraser MacKenzie estava em comunhão com o dia.

Seu pai afastou um galho de tsuga para ela e Brianna se abaixou para segui-lo.

– *Feur-milis* – disse ele, indicando com um gesto a vasta campina que se estendia à sua frente. – Ainda lembra alguma coisa de *gàidhlig*, menina?

– Você disse algo sobre a grama – respondeu ela, vasculhando a memória. – Mas a outra palavra eu não conheço.

– Grama doce. É assim que chamamos esta campina. É um bom pasto, mas a subida é íngreme demais para a maior parte dos animais e não é possível deixá-los aqui por muitos dias sem ninguém vigiando por causa das panteras e dos ursos.

A campina inteira ondulava e as pontas verdes e prateadas de milhões de hastes de capim em movimento refletiam a luz do sol. Aqui e ali borboletas amarelas e brancas passeavam, e bem no outro extremo do campo se ouviu um súbito estrondo quando algum grande mamífero ungulado desapareceu na vegetação rasteira, deixando galhos a balançar pelo caminho.

– E estou vendo que eles também têm competição – disse Brianna, meneando a cabeça em direção ao ponto em que o animal havia desaparecido.

Ela ergueu a sobrancelha, querendo perguntar se não deveriam ir atrás, mas imaginou que o pai tivesse algum bom motivo para não fazer isso, uma vez que ele não se mexeu.

– Sim, um pouco – disse ele, depois virou à direita e começou a se mover pela orla das árvores que margeavam a campina. – Mas cervos não se alimentam da mesma forma que vacas ou ovelhas, pelo menos não se o pasto for bom. Aquilo era um velho macho – acrescentou distraidamente por cima do ombro. – Não precisamos matá-los no verão. Tem carne melhor e em abundância.

Ela arqueou as sobrancelhas, mas o seguiu sem comentar nada. Ele virou a cabeça e lhe sorriu.

– Nesta estação do ano, onde tem um provavelmente tem mais. As fêmeas e os filhotes novos começam a se reunir em pequenos rebanhos. Ainda está bem longe da época do cio, mas os machos não pensam em outra coisa. Ele sabe muito bem onde as fêmeas estão.

Ele meneou a cabeça na direção do cervo sumido.

Brianna reprimiu um sorriso ao recordar as opiniões sem censura da mãe sobre os homens e as funções da testosterona. Jamie percebeu e lhe lançou um olhar meio pesaroso de quem acha graça, pois sabia o que ela estava pensando. O fato de ele saber fez Brianna sentir no coração uma leve pontada de felicidade.

– Bom, sua mãe tem razão em relação aos homens – disse ele com um dar de ombros. – Não esqueça, *a nighean* – emendou, mais sério. E ergueu o rosto à brisa.

– As fêmeas estão perto da campina, mas o vento está soprando para lá e levando nosso cheiro. Só vamos conseguir chegar perto se subirmos e chegarmos pelo outro lado da crista. – Mas Jamie meneou a cabeça na direção oeste, para o lado oposto da campina. – Achei que seria bom passarmos primeiro na casa do Jovem Ian, se você não se importar.

– Eu, me importar? Claro que não! – Brianna sentiu uma onda de felicidade ao ouvir falar no primo. – Alguém à fogueira ontem à noite disse que ele se casou... com quem?

Estava curiosa em relação à esposa de Ian. Uns dez anos antes, ele tinha pedido Brianna em casamento e, embora tivesse sido um pedido desesperado, além de ridículo, Brianna sabia que se deitar com ela não era algo desagradável para Ian. Mais tarde, quando ela já estava casada e ele, divorciado da esposa indígena, uma fagulha de atração surgiu entre os dois, mas esse sentimento foi logo descartado.

Ainda assim, havia entre eles um carinho mútuo. E ela torceu para gostar da esposa desconhecida de Ian.

Jamie riu.

– Você vai gostar dela. Chama-se Rachel Hunter. É quacre.

A visão de uma pequena mulher sem graça de olhos baixos passou pela mente de Brianna, mas seu pai captou a expressão de dúvida em seu rosto e fez que não com a cabeça.

– Ela não é como você acha. Diz o que pensa. E Ian está perdidamente apaixonado por ela... e é mútuo.

– Ah. Que bom!

O comentário foi sincero, mas Jamie lhe lançou um olhar de quem acha graça, com a sobrancelha arqueada. Não disse mais nada, porém, e se virou para seguir na frente por entre as vagas ondulantes de grama perfumada.

A casa de Ian era encantadora. Não que fosse muito diferente de qualquer outra cabana que Brianna já tivesse visto, mas ficava bem no centro de um choupal e as folhas trêmulas mexiam com a luz do sol numa profusão de luzes e sombras que dava à casa certo ar de magia, como se ela pudesse desaparecer por completo em meio às árvores se a pessoa olhasse para outro lado.

Quatro cabras e dois cabritos espicharam a cabeça por cima da cerca do redil e deram início a um estardalhaço coletivo de boas-vindas, mas ninguém saiu para ver quem havia chegado.

– Eles devem ter saído – comentou Jamie, estreitando os olhos. – Aquilo ali na porta é um bilhete?

Era: um pedaço de papel pregado na porta, com uma linha de caligrafia incompreensível que Bree acabou reconhecendo como gaélico.

– A esposa do Jovem Ian é escocesa? – perguntou ela, franzindo a testa para as palavras. As únicas que conseguiu decifrar, pensou, foram "MacCrees" e "cabra".

– Não, este bilhete é de Jenny – respondeu Jamie, sacando os óculos e passando os olhos pelo papel. – Ela está dizendo que foi com Rachel à casa dos MacCrees fazer uma colcha e, se Ian voltar antes delas, é para ordenhar as cabras e separar metade do leite para fazer queijo.

Como se tivessem ouvido chamar seus nomes, um coro de altos *méééés* se fez ouvir do redil das cabras.

– E obviamente Ian também ainda não chegou – observou Brianna. – Será que elas precisam ser ordenhadas agora? Acho que ainda me lembro de como se faz.

Jamie sorriu, mas fez que não com a cabeça.

– Não, Jenny deve ter ordenhado poucas horas atrás. Elas vão ficar bem até a noite.

Até então Brianna estava supondo que "Jenny" fosse alguma ajudante, mas, ao ouvir o tom com o qual Jamie tinha pronunciado esse nome, pestanejou.

– Jenny. Sua *irmã* Jenny? – indagou, incrédula. – Ela está *aqui*?

Ele pareceu levemente espantado.

– Está, sim. Desculpe, achei que você soubesse. Espere um pouco. – Ele levantou a mão e a encarou com atenção. – As cartas. Nós escrevemos... Bom, Claire praticamente escreveu sozinha, mas...

– Nós as trouxemos.

Brianna se sentiu sem ar, a mesma sensação que tivera quando Roger trouxera de volta a caixa de madeira com o nome de Jemmy gravado na tampa e eles a haviam aberto e encontrado as cartas. E a sensação avassaladora de alívio, alegria e tristeza de quando abrira a primeira carta e lera as palavras: "*Estamos vivos...*"

A mesma sensação a percorreu naquele instante. E as lágrimas a pegaram desprevenida, fazendo tudo à volta dela perder o foco, como se a casa, seu pai e ela mesma estivessem prestes a desaparecer por completo, a se dissolver na luz tremeluzente dos choupos. Ela emitiu um pequeno ruído de engasgo e Jamie a abraçou.

– Nós nunca pensamos que iríamos vê-la de novo – sussurrou ele em seus cabelos com a voz igualmente embargada. – Nunca, *a leannan*. Eu tive medo... tanto medo de vocês não terem chegado a um lugar seguro, de que... de que tivessem morrido.

– Não tínhamos como avisar. – Ela levantou o rosto e enxugou o nariz com as costas da mão. – Mas *vocês* nos avisaram. Aquelas cartas, saber que estavam vivos... Quero dizer...

Ela se calou de repente e, ao piscar para se livrar das lágrimas que restavam, viu Jamie desviar o olhar, tentando esconder a emoção.

– Mas não estávamos – disse ele baixinho. – Quando vocês leram essas cartas, estávamos mortos.

– Não estavam, não – disse ela com veemência, segurando a mão dele com força.

– Eu não quis ler todas as cartas de uma vez. Li de modo espaçado, porque... enquanto ainda houvesse cartas por abrir, vocês continuariam vivos.

– Nada disso importa, menina – disse Jamie por fim. Ele levantou a mão da filha e beijou os nós de seus dedos; o hálito que os tocou era morno e leve. – Você está aqui. Nós também. Nada mais tem importância.

Enquanto Jamie levava a carabina boa, Brianna carregava a espingarda da família que era usada para abater aves e pequenos animais. Mas ela não queria atirar em nenhum bicho desse tipo enquanto tivesse uma chance de espantar cervos que pudessem estar próximos. Ela se pegou arfando durante a subida íngreme e sentiu o suor brotar atrás das orelhas apesar do dia fresco. Como sempre, Jamie subiu feito um cabrito-montês, sem dar qualquer demonstração de cansaço. No entanto, notou que Brianna estava com dificuldade e acenou na direção de uma pequena saliência de pedra.

– Não estamos com pressa, *a nighean* – disse ele com um sorriso. – Tem água aqui.

Hesitante, ele estendeu a mão para tocar a bochecha corada da filha.

– Desculpe, menina – falou e sorriu. – Ainda não estou acostumado com a ideia de você ser real.

– Eu entendo – disse ela baixinho, engolindo em seco antes de tocar o rosto do pai, cálido e recém-barbeado, os olhos de um azul tão profundo quanto os dela.

– Ah – murmurou ele entre dentes, e tornou a puxá-la para um abraço.

Eles ficaram assim, sem dizer nada, escutando o crocitar dos corvos que voavam em círculos pelo céu e o barulho da água escorrendo pelas pedras.

– *Trobhad agus òl, a nighean* – disse ele, soltando-a com a mesma delicadeza com que a havia abraçado e a virando de frente para um minúsculo filete de água que escorria por uma fenda entre duas pedras. – Venha beber.

A água estava gelada e tinha um leve gosto de granito, além de um travo de terebintina por causa das agulhas de pinheiro.

Brianna havia matado a sede e estava passando água no rosto quando sentiu o pai fazer um movimento repentino. Congelou no ato, semicerrando os olhos para ele. Jamie também se imobilizou, mas ergueu de leve os dois olhos e o queixo, indicando a encosta acima.

Ela então viu, e ouviu, um lento escorregar de terra solta que caiu e acertou a saliência de pedra junto a seu pé com um minúsculo crepitar de pedriscos. A isso se seguiu um silêncio, rompido apenas pelo crocitar dos corvos. O som estava mais forte, pensou ela, como se as aves estivessem se aproximando.

Elas viram alguma coisa, pensou.

Os corvos estavam *mesmo* mais próximos. Um deles voou baixo e passou assustadoramente perto de sua cabeça e outro crocitou lá do alto.

Um estrondo repentino vindo da pedra mais acima quase a fez perder o equilíbrio. Por reflexo, ela se agarrou a um punhado de brotos de árvore que se encontrava na superfície da rocha. E foi bem a tempo, pois se ouviu um baque logo acima e o barulho de algo escorregando. Algo imenso despencou pela encosta numa chuva de terra e cascalho, e acertou a saliência de pedra a seu lado numa explosão de ar e sangue antes de aterrissar com alarde nos arbustos logo abaixo.

– Miguel abençoado nos projeta – disse o pai em gaélico, fazendo o sinal da cruz.

Ele espiou para baixo em direção ao arbusto que se movia. Seja lá o que fosse aquilo, meu Deus, ainda estava vivo. Em seguida, olhou para cima.

– *Weh!* – disse uma voz masculina enfática vinda de cima. Ela não reconheceu a palavra, mas a voz sim, e sentiu uma alegria a invadir.

– Ian! – chamou.

Lá em cima o silêncio era total, a não ser pelos corvos, que estavam ficando cada vez mais agitados.

– Miguel abençoado nos proteja – disse uma voz espantada em gaélico e, um segundo depois, seu primo Ian saltou para a estreita saliência de pedra, onde se equilibrou sem qualquer dificuldade aparente.

– É você mesmo! – exclamou ela. – Ah, Ian!

– *A charaid!* – Ele a agarrou e apertou com força, rindo, sem acreditar. – Meu Deus!

Ele recuou por um instante a fim de olhá-la melhor, deu-lhe um beijo firme e a abraçou de novo. Ian tinha cheiro de pele de cervo, mingau e pólvora, e ela pôde sentir seu coração batendo junto ao próprio peito.

Quando os dois terminaram o abraço, ouviram o barulho de algo deslizando. Constataram que Jamie tinha pulado da saliência e estava deslizando pela encosta pedregosa em direção ao arbusto em que o cervo havia caído.

Jamie se deteve um instante no limiar do tufo de arbustos; estes ainda se agitavam, mas os movimentos do cervo ferido estavam ficando menos violentos. Então sacou sua adaga e, resmungando um comentário em gaélico, entrou com todo o cuidado na vegetação.

– Ali embaixo é tudo roseira selvagem, cheia de espinhos – disse Ian, espiando por cima do ombro dela. – Mas acho que ele vai chegar a tempo de cortar a garganta. *A Dhia*, eu atirei mal e tive medo de que... quero dizer, como é que você está *aqui*? – Ele recuou um pouco e a encarou de cima a baixo, e o canto de sua boca se ergueu de leve quando reparou na calça e nos sapatos de couro de caminhada. Em seguida tornou a se abaixar quando seus olhos fitaram mais uma vez o rosto dela, agora preocupados. – Seu marido não veio com você? E as crianças?

– Vieram, sim – garantiu ela. – Roger deve estar martelando alguma coisa enquanto Jem ajuda e Mandy atrapalha. Quanto ao que estamos fazendo aqui...

O dia e a alegria do reencontro tinham lhe permitido ignorar o passado recente, mas a necessidade de uma explicação fez a enormidade de tudo aquilo de repente se abater sobre ela.

– Não se preocupe, prima – disse Ian depressa. – Isso pode esperar. Você se lembra de como caçar um peru? Tem um bando passeando para lá e para cá a menos de meio quilômetro daqui.

– Ah, acho que me lembro.

Ela havia apoiado a espingarda no paredão de pedra para beber água. Como a queda do cervo tinha derrubado a arma, Brianna a pegou e inspecionou. O impacto havia tirado a pederneira do lugar e ela a reposicionou. A agitação mais abaixo havia cessado e ela podia escutar a voz do pai, trazida pelo vento em trechos entrecortados, entoando o *gralloch*, a prece que se fazia antes de começar a estripar o animal.

– Mas não seria melhor ir ajudar Pa com o cervo?

– Ah, é só um macho de 1 ano. Antes de conseguirmos piscar, ele já vai ter terminado. – Ian se debruçou na saliência de pedra e gritou lá para baixo: – Vou levar Bree para matar perus, *a bràthair mo mhàthair*!

Seguiu-se um silêncio sepulcral e então um farfalhar. A cabeça desgrenhada de Jamie surgiu de repente acima dos arbustos de espinhos. Ele tinha os cabelos soltos e embaraçados. Seu rosto estava suado e sangrava em vários pontos, bem como os braços e as mãos, e ele exibia um ar contrariado.

– Ian – disse ele num tom contido, mas com a voz alta o suficiente para ser ouvido apesar dos barulhos da floresta. – Mac Ian... mac Ian...!

– Voltamos a tempo de carregar a carne! – gritou Ian em resposta.

Ele acenou alegremente e, catando a espingarda, cruzou olhares com Bree e fez um sinal para cima com o queixo. Ela olhou para baixo, mas seu pai tinha sumido, deixando os arbustos agitados se balançando.

Brianna constatou ter perdido boa parte de sua capacidade de avaliar a floresta. O morro lhe parecia intransponível, mas Ian o escalou com a mesma facilidade de um babuíno. Após hesitar alguns instantes, ela o seguiu bem mais devagar, escorregando de vez em quando em pequenos deslizamentos de terra ao tentar usar os mesmos pontos de apoio que o primo.

– Ian mac Ian mac Ian? – perguntou Brianna ao chegar lá em cima, parando um instante para tirar a terra dos sapatos. Seu coração batia desagradavelmente depressa. – É como se eu chamasse Jem de Jeremiah Alexander Ian Fraser MacKenzie quando estivesse brava com ele?

– Algo assim – disse Ian e deu de ombros. – Ian, filho de Ian, filho de Ian... A ideia é assinalar que você é uma desgraça para seus antepassados, entende?

Ele estava usando uma camisa de algodão cru esfarrapada e imunda, mas as mangas tinham sido arrancadas e ela viu uma grande cicatriz branca no formato de uma estrela de quatro pontas na curva de seu ombro moreno nu.

– O que foi isso? – perguntou, indicando a marca com a cabeça.

Ele olhou rapidamente e fez um gesto de quem descarta a questão, virando-se para conduzi-la até o outro lado da pequena crista do morro.

– Ah, nada de mais – respondeu. – Um maldito abenaki me acertou com uma flecha em Monmouth. Denny a tirou uns dias depois... Denzell Hunter, quero dizer – emendou ao ver sua cara de incompreensão. – Irmão de Rachel. Ele é médico, igual à sua mãe.

– Rachel! – exclamou ela. – É sua esposa?

Um enorme sorriso se espalhou pelo rosto de Ian.

– Ela mesma. *Taing do Dhia.*

Ele a encarou para ver se ela havia entendido.

– Eu me lembro de "graças a Deus" – garantiu ela. – E de bastante coisa. Roger passou a maior parte da viagem desde a Escócia revisando nosso *gàidhlig*. Pa também me contou que Rachel é quacre. – Ela disse isso como se fosse uma pergunta, esticando-se para passar por cima das pedras de um minúsculo córrego.

– É, sim.

Ian manteve os olhos fixos na pedra, mas ela notou que havia falado com um pouco menos de alegria e orgulho em comparação a segundos antes. Brianna não comentou nada. Se havia algum conflito, e ela não conseguia entender como poderia *não haver*, dado o que sabia sobre o primo e o que pensava saber sobre os quacres, aquela não era a hora de fazer perguntas.

Não que tais considerações fossem um obstáculo para Ian.

– Vieram da Escócia? – disse ele, virando a cabeça para encará-la de novo por cima do ombro. – Quando?

Sua expressão então se modificou quando ele se deu conta de como "quando" era uma palavra ambígua e com um gesto de quem se desculpa descartou a pergunta.

– Saímos de Edimburgo em março – disse ela, optando pela resposta mais simples. – O resto eu conto depois.

Ele aquiesceu e os dois continuaram a caminhada, ora juntos, ora com Ian na frente, procurando picadas ou subindo um pouco a encosta para dar a volta em algum arbusto volumoso. Brianna ficou contente em segui-lo, assim podia observá-lo sem constrangê-lo com sua atenção.

Ele havia mudado, o que não era surpreendente. Continuava alto e muito magro, mas estava mais rijo, um homem no auge do vigor, os músculos compridos dos braços bem delineados sob a pele. Seus cabelos castanhos estavam mais escuros, trançados e presos por uma tira de couro, e enfeitados com o que pareciam ser penas de peru presas nas tranças.

Para dar sorte?, pensou ela.

Ele tinha pegado o arco e a aljava que deixara no alto do morro. Naquele instante, a aljava se balançava de leve em suas costas.

Mas a expressão de um homem bem-feito aparece não apenas em seu rosto, pensou ela, interessada. *Está em seus membros e articulações, está curiosamente nas articulações de seus pulsos e quadris, / Está em seu andar, na postura do pescoço, no fletir da cintura e dos joelhos, que as vestes não escondem.* O poema sempre lhe havia evocado Roger, mas agora abarcava também Ian e seu pai, por mais diferentes que os três fossem entre si.

Conforme foram subindo mais e as árvores ficaram mais espaçadas, a brisa se intensificou e esfriou, e Ian se deteve e a chamou com um pequeno movimento dos dedos.

– Está escutando? – cochichou em seu ouvido.

Ela estava, e os pelos se eriçaram agradavelmente ao longo de sua espinha. Ganidos débeis e ásperos, quase como os latidos de um cão. E mais ao longe uma espécie de ronronar intermitente, algo entre um grande felino e um pequeno motor.

– É melhor tirar as meias e esfregar terra nas pernas – sussurrou Ian, gesticulando na direção de suas meias de lã. – Nas mãos e no rosto também.

Ela assentiu, apoiou a espingarda numa árvore e retirou as folhas secas de um pedaço de solo úmido o suficiente para esfregar na pele. Ian, cuja pele já tinha praticamente a mesma cor das peles de cervo, não precisava se camuflar assim. Ele se afastou silenciosamente enquanto Brianna pintava as mãos e o rosto e, ao erguer os olhos, ela não conseguiu vê-lo por alguns instantes.

Então escutou uma série de sons que pareciam a dobradiça enferrujada de uma porta e de repente viu Ian, parado e imóvel atrás de um liquidâmbar a pouco mais de 15 metros de distância.

A floresta pareceu morrer por um instante e todos os suaves farfalhares e murmúrios das folhas cessaram. Então Brianna ouviu um gorgolejar zangado. Ela virou a cabeça o mais lentamente que conseguiu e viu um peru macho espichar a cabeça azul-clara para fora do mato e olhar de um lado para outro, com a papada vermelho-vivo a se balançar, procurando o desafiante.

Olhou então para Ian, que tinha as mãos em concha junto à boca, mas não se mexeu nem emitiu qualquer som. Prendeu a respiração e tornou a olhar para a ave, que gorgolejou bem alto, sendo dessa vez respondida por outro macho a certa distância. O peru que Brianna observava olhou para trás na direção do segundo som, levantou a cabeça e soltou um ruído, escutou por alguns instantes, então tornou a se esconder no mato alto. Ela olhou para Ian, que percebeu seu movimento e balançou a cabeça de leve.

Eles aguardaram dezesseis respirações lentas, ela contou. Ian então tornou a gorgolejar. O peru macho saltou para fora do mato e atravessou correndo um trecho de chão de terra coberto de folhas, com sangue nos olhos, as penas do peito estufadas e o rabo aberto e vibrando. Parou por um instante para permitir à mata admirar sua magnificência, então se pôs a andar numa cadência lenta, emitindo gritos ásperos e agressivos.

Movendo apenas os globos oculares, Brianna voltou a olhar alternadamente do peru macho em movimento para Ian, que calculou seus movimentos de modo a encaixá-los com os do peru para tirar o arco do ombro, parar, pegar uma flecha, parar e por fim colocar a flecha no arco ao mesmo tempo que a ave dava sua última volta.

Ou o que deveria ter sido sua última volta. Ian retesou o arco e, num movimento sincrônico, disparou a flecha e soltou um ganido espantado ao mesmo tempo que um objeto grande e escuro despencou do alto da árvore acima dele. Ian recuou com um tranco e o peru por pouco não aterrissou em sua cabeça. Brianna então viu a ave, uma fêmea, com as penas estufadas de medo, que se pôs a correr pelo terreno aberto com o pescoço esticado na direção do macho igualmente perplexo, que, por causa do choque, tinha até murchado.

Por reflexo, ela empunhou a espingarda, mirou e atirou. Errou o tiro e ambos os perus desapareceram por trás de um arbusto de samambaias, fazendo barulhos que pareciam um pequeno martelo batendo num bloco de madeira.

Os ecos se calaram e as folhas das árvores pareceram se acomodar novamente em seu murmúrio. Brianna se voltou para o primo, que olhou para o próprio arco, em seguida para o terreno aberto onde sua flecha estava cravada de modo absurdo entre duas pedras. Ele então olhou para Brianna e ambos explodiram numa gargalhada.

– Bom... – disse ele, filosófico. – Bem feito para nós, por termos deixado tio Jamie colhendo rosas sozinho.

Brianna limpou o cano da espingarda e socou lá dentro uma bucha por cima de uma nova dose de chumbo – com força, para impedir a mão de tremer.

– Desculpe ter errado o tiro – falou.

– Por quê? – Ian a encarou, surpreso. – Quando se está caçando, acertar um tiro em dez já é sorte. Você sabe muito bem disso. Além do mais, eu também errei.

– Só porque um peru caiu *na sua cabeça* – disse ela rindo. – Sua flecha quebrou?

– Sim – respondeu ele, mostrando a que havia retirado das pedras. – Mas a ponta vai servir. – Ele retirou a ponta de ferro afiada e a guardou em seu *sporran*. Depois jogou longe a haste da flecha e se levantou. – Não vamos conseguir mais nada com aqueles perus, mas... Ei, qual é o problema?

Ela tentou guardar sua vareta no cano, mas errou e a fez voar longe.

– Acho que só estou nervosa demais para acertar o peru – disse, tentando não dar atenção ao ocorrido enquanto ia buscar a vareta.

Ian sorriu, mas seus olhos estavam fixos nas mãos dela.

– Quanto tempo faz que você não dispara uma arma, prima?

– Não tanto assim – respondeu ela, tensa. Não esperava que aquilo fosse voltar. – Talvez uns seis, sete meses.

– E o que você caçou? – perguntou ele com a cabeça inclinada para o lado.

Naquele segundo ela tomou a decisão. Então, inserindo a vareta no lugar certo, encarou-o.

– Um bando de homens que estavam escondidos na minha casa, esperando para me matar e levar meus filhos – respondeu.

Ditas assim sem enfeite, as palavras soavam ridículas, melodramáticas.

As sobrancelhas castanhas de Ian se levantaram.

– E acertou? – Seu tom foi de tanto interesse que, apesar das lembranças, ela riu. Era como se estivesse perguntando se ela havia pescado um peixe grande.

– Infelizmente não. Acertei o pneu da caminhonete deles e uma das janelas da minha casa. Não os acertei. Mas eles também não me pegaram nem levaram meus filhos – acrescentou, com uma casualidade exagerada.

De repente, ela sentiu as pernas bambas e, por precaução, resolveu sentar num tronco.

Ele assentiu, aceitando o que ela acabara de dizer com uma naturalidade que a teria espantado se tivesse vindo de qualquer outro homem.

– E é por isso que você está aqui?

Ele olhou em volta quase sem querer, como se estivesse vasculhando a floresta em busca de possíveis inimigos. Brianna se perguntou de repente como seria morar com Ian, sem nunca saber se estava falando com o escocês ou com o mohawk, e então ficou *realmente* curiosa em relação a Rachel.

– Em grande parte, sim – respondeu. Ian captou seu tom e a encarou com atenção, mas tornou a assentir.

– E vai voltar para matá-los?

Foi uma pergunta séria. Com esforço, Brianna reprimiu a raiva que a dominava toda vez que pensava em Rob Cameron e seus malditos cúmplices. Não era o medo nem o passado que estavam fazendo suas mãos tremerem agora, e sim a avassaladora ânsia de matar que havia se apoderado dela assim que tocou o gatilho.

– Bem que eu gostaria, mas não dá. Fisicamente, eu quero dizer. Depois eu conto; ainda nem falamos sobre isso com Pa e mamãe. Chegamos ontem à noite. – Como se tivesse relembrado a longa e árdua subida pelos desfiladeiros, ela deu um enorme e repentino suspiro.

Então balançou a cabeça.

– Se bem me lembro, Pa me contou que você é pai – comentou, mudando de assunto.

O sorriso imenso voltou.

– Sim – respondeu Ian e seu rosto brilhou com tanta alegria que ela também sorriu. – Temos um filhinho. Ele ainda não ganhou seu nome de verdade, mas nós o chamamos de Oggy. Apelido de Oglethorpe – explicou, e viu o sorriso dela se abrir mais ainda ao escutar o nome. – Estávamos em Savannah quando a barriga começou a aparecer. Você precisa conhecê-lo!

– Eu vou adorar – disse ela, embora não tivesse entendido a ligação entre Savannah e o nome Oglethorpe. – Será que devemos…?

Um barulho distante a interrompeu e Ian na mesma hora se levantou.

– Isso foi Pa? – perguntou ela.

– Acho que sim. – Ian lhe estendeu a mão e a puxou, pegando o arco quase com o mesmo movimento. – Venha!

Brianna pegou a espingarda recém-carregada e começou a correr, sem prestar atenção em arbustos, pedras, galhos de árvore, córregos ou qualquer outra coisa. Ian deslizava pela mata feito uma cobra veloz. Ela o seguia com certa dificuldade, partindo galhos e passando a manga pelo rosto para limpar os olhos.

Duas vezes Ian estacou e segurou seu braço quando ela trombou nele. Tentaram acalmar o coração ainda disparado e a respiração ainda arquejante por tempo suficiente para escutar algo, apesar dos sons da floresta.

Da primeira vez, depois do que pareceram excruciantes minutos, escutaram uma espécie de guincho trazido pelo vento, que se dissipou em grunhidos.

– Um porco? – perguntou ela entre arquejos. Porcos-selvagens podiam ser grandes e muito perigosos.

Ian fez que não com a cabeça e engoliu em seco.

– Urso – respondeu ele e, respirando bem fundo, agarrou-a pela mão e a puxou para fazê-la recomeçar a correr.

Da segunda vez que pararam para se situar, não ouviram nada.

– Tio Jamie! – gritou Ian assim que recuperou o fôlego.

Nada. Brianna gritou "Pa!" o mais alto que conseguiu, um som ridiculamente pequeno e fútil na imensidão da montanha. Eles aguardaram, gritaram, tornaram a aguardar e, depois do último grito e do último silêncio, recomeçaram a correr, com Ian seguindo na frente em direção ao arbusto de espinhos e ao cervo morto.

Pararam atabalhoadamente no terreno mais alto acima da encosta, o peito subindo e descendo no esforço de respirar. Brianna agarrou o braço de Ian.

– Tem alguma coisa lá embaixo!

Os arbustos tremiam. Não como haviam tremido durante a agonia do cervo, mas agitados pelos movimentos intermitentes de algo maior do que Jamie Fraser. Dali ela podia escutar com clareza os grunhidos, o rasgar de tendões se rompendo, de ossos se quebrando… e de mastigação.

– Ai, meu Deus – lamentou Ian entre dentes, e o terror fez um raio de tontura negra varar o peito de Brianna. Apesar disso, ela inspirou o máximo de ar que conseguiu e gritou "*Paaaa!*" mais uma vez.

– Ah, *agora* vocês aparecem – disse uma voz escocesa grave e irada vinda de algum lugar abaixo de seus pés. – Espero que tenha trazido um peru para o jantar, menina, porque hoje não vamos comer cervo.

Ela se inclinou no penhasco, tonta de alívio ao ver o pai 3 metros mais abaixo, em pé na mesma saliência estreita à qual a tinha conduzido mais cedo. Seu cenho franzido relaxou quando ele a viu.

– Está tudo bem, menina? – perguntou.

– Sim – respondeu ela –, mas nada de peru. E o que aconteceu com *você*?

Ele estava descabelado e arranhado, com os braços e o rosto marcados por gotas e filetes de sangue seco, e uma de suas mangas ostentava um enorme rasgão. Seu pé direito estava descalço, e sua canela, toda riscada de sangue. Ele olhou da saliência para baixo, e a expressão zangada voltou.

– *Dia gam chuideachadh* – falou, movendo o queixo na direção da agitação logo abaixo. – Eu tinha acabado de esfolar o cervo de Ian quando aquele demônio gordo e peludo surgiu dos arbustos e o roubou de mim.

– *Cachd* – comentou Ian.

Agachado ao lado de Brianna, ele examinava detidamente o arbusto de espinhos. Ela desviou sua atenção do pai por um instante e viu de relance algo muito grande e muito preto no meio dos arbustos, empenhado em alguma tarefa. Os arbustos estalavam e tremiam enquanto o urso arrancava pedaços do cervo. Brianna vislumbrou a pata rígida e sem vida do cervo em meio às folhas.

A visão do urso, por mais breve que tivesse sido, causou nela uma onda de adrenalina tão visceral que seu corpo inteiro se retesou e ela ficou tonta. Inspirou o mais fundo que conseguiu, sentindo o suor escorrer pelas costas e as mãos suadas no metal da espingarda.

Voltou a si a tempo de ouvir Ian perguntar a Jamie o que tinha acontecido com sua perna.

– Eu dei um chute na cara dele – foi a curta resposta de Jamie, e ele relanceou os olhos na direção dos arbustos com uma expressão de desagrado. – Ele se ofendeu e tentou arrancar meu pé, mas só conseguiu o sapato.

Ian estremeceu de leve ao lado de Brianna, mas sabiamente não riu.

– Quer ajuda para subir, tio?

– Não, não quero – respondeu Jamie, seco. – Estou esperando o *mac na galladh* ir embora. Ele pegou minha carabina.

– Ah – fez Ian, que sabia avaliar a gravidade daquela informação.

A carabina do pai de Brianna era excelente, uma arma de cano longo fabricada na Pensilvânia, segundo lhe contara. Jamie estava preparado para esperar tanto quanto fosse preciso e decerto era bem mais teimoso que o urso, pensou ela com uma risadinha interior.

– Podem ir andando – disse Jamie, olhando para os dois. – Talvez demore um pouco.

– Talvez eu consiga acertá-lo daqui – propôs Bree, avaliando a distância. – Matar acho difícil, mas quem sabe uma dose de chumbinho o faça ir embora.

Jamie produziu um ruído escocês e fez um gesto violento de contenção.

– Nem tente – disse ele. – Tudo que vai conseguir é deixá-lo com raiva... Se eu pude descer aquela encosta, o monstro com certeza consegue subir. Agora vão! Estou ficando com o pescoço dolorido de tanto falar com vocês aí em cima.

Bree olhou de esguelha para Ian e o primo lhe respondeu com um meneio de cabeça quase imperceptível, percebendo a relutância dela em deixar o pai sem sapato numa saliência rochosa a não mais de 6 metros de um urso faminto.

– Vamos ficar só mais um pouco – anunciou ele.

Antes de Jamie conseguir fazer qualquer objeção, Ian já tinha segurado um sólido e jovem pinheiro e se projetado para baixo do paredão de pedra, onde seus pés calçados com mocassins encontraram na mesma hora um apoio.

Seguindo seu exemplo, Brianna se debruçou na borda e largou a espingarda nas mãos do pai antes de descer também, mais devagar.

– Estou surpreso por você não ter tentado atacá-lo com sua adaga, tio Jamie – comentou Ian. – "Matador de Urso", não era assim que os tuscaroras o chamavam?

Bree ficou satisfeita ao ver que Jamie havia recuperado a moderação e que só fitou Ian com um olhar de pena.

– Talvez você conheça um ditado sobre como um homem fica mais sensato com a idade – comentou ele.

– Sim – respondeu Ian, parecendo não entender.

– Bom, se você não fica mais sensato, não é muito provável que fique mais velho – disse Jamie, apoiando a espingarda na pedra. – E eu sou velho o suficiente para saber que não devo lutar contra um urso armado apenas com uma adaga por uma carcaça de cervo. Você trouxe alguma coisa para comer, menina?

Brianna havia praticamente esquecido a pequena bolsa que carregava a tiracolo, mas então a pegou, vasculhou lá dentro e retirou um pequeno embrulho de pães e queijo providenciado por Amy Higgins.

– Sente-se – falou, entregando a comida ao pai. – Quero dar uma olhada em sua perna.

– Não está muito ruim – disse ele, mas ou estava com fome demais para discutir, ou condicionado a aceitar tratamentos médicos indesejados de sua filha, pois se sentou e esticou a perna machucada.

Como ele tinha dito, não estava muito ruim, embora houvesse uma funda perfuração na batata da perna, ladeada por um ou dois arranhões longitudinais, provavelmente deixados quando puxou o pé depressa da boca do urso, pensou ela, ficando um pouco tonta ao visualizar a cena. Não tinha nada para usar a não ser um lenço grande, mas o molhou na água gelada do filete que escorria pela face da rocha e limpou a ferida do melhor jeito que conseguiu.

Será que se podia pegar tétano com uma mordida de urso? Foi a pergunta que se fez enquanto limpava e enxaguava. Tinha se certificado de atualizar todas as vacinas das crianças antes de irem embora, inclusive a antitetânica, mas essa vacina só valia o quê? Uns dez anos?

A perfuração ainda vertia sangue, mas não num esguicho. Ela torceu o lenço e o amarrou em volta da canela do pai com firmeza, mas não demasiado apertado.

– *Tapadh leat, a ghràidh* – disse ele e sorriu. – Nem sua mãe teria feito melhor. Tome.

Ele havia separado dois pãezinhos e um pedaço de queijo para Brianna. Ela se recostou na pedra entre ele e Ian e se espantou ao descobrir que estava com muita fome, e ainda mais ao se dar conta de não estar preocupada com o fato de estarem conversando calmamente bem próximos de um carnívoro de grande porte capaz de matar todos.

– Ursos são preguiçosos – disse Ian, percebendo o que ela estava observando. – Se ele… é um urso macho, tio? Se ele tiver um belo cervo ali embaixo, não vai se dar ao trabalho de subir até aqui por causa de um lanchinho magro. Falando nisso… – Ele se inclinou pela frente de Brianna para falar com Jamie. – Ele comeu seu sapato?

– Não fiquei para ver – respondeu Jamie, que parecia ter se acalmado depois de comer. – Mas tenho esperança que não. Afinal, com uma bela pilha de entranhas ainda quentes de cervo bem ao alcance, por que se preocupar com um pedaço de couro velho? Ursos não são bobos.

Ian aquiesceu ao escutar isso e se recostou no penhasco, esfregando os ombros de leve na pedra aquecida pelo sol.

– Então, prima, você disse que me contaria como voltou para casa. Como provavelmente temos um pouco de tempo para matar…

Ele meneou a cabeça em direção aos barulhos agora compassados de carne sendo rasgada e mastigada mais abaixo. Brianna sentiu um súbito peso na barriga e seu pai, ao ver sua expressão, afagou-lhe o joelho.

– Não se preocupe, *a leannan*. Há tempo de sobra. Talvez você prefira contar para todo mundo quando estiver com Roger Mac.

Ela hesitou por alguns instantes. Já tinha visualizado aquilo muitas vezes, o momento de contar tudo aos pais, e se imaginado com Roger contando a história juntos, revezando-se… No entanto, ao ver a expressão atenta nos olhos do pai, ela se deu conta de que não teria conseguido contar sinceramente sua parte da história na frente de Roger; nem sequer lhe contara tudo ao reencontrá-lo, pois vira quão furioso ele havia ficado com os detalhes que tinha revelado.

– Não – disse ela devagar. – Posso contar agora. Pelo menos a minha parte.

E, engolindo as últimas migalhas de pão com a água fria que recolheu, ela começou.

Sim, sua mãe conhecia mesmo os homens, pensou Brianna ao ver o punho de Ian se fechar sobre seu joelho e ao escutar o grunhido baixo e involuntário que seu pai produziu quando contou como Rob Cameron a havia encurralado no escritório em Lallybroch.

Ela *não* lhes contou o que ele tinha dito, as ameaças grosseiras, as ordens, tampouco o que ela havia feito, tirando a calça jeans como ele havia ordenado e então o golpeando no rosto com o brim grosso antes de derrubá-lo no chão. Mencionou ter arrebentado a caixa de madeira das cartas na cabeça dele e os dois emitiram pequenos *humpfs* de satisfação.

– De onde veio aquela caixa? – interrompeu-se para perguntar ao pai. – Roger a encontrou na garagem do pai adotivo... Ah, garagem é um lugar onde se para o carro. Quero dizer... – explicou ao ver uma expressão de incompreensão se insinuar no rosto de Jamie. – Enfim, uma espécie de barracão para guardar coisas. Mas ele ficou pensando onde você a teria posto aqui deste lado.

– Ah, aquilo? – A expressão de Jamie relaxou um pouco. – Roger Mac me contara que o pai dele era padre e que tinha morado por muitos anos num presbitério de Inverness. Fizemos três caixas; deu bastante trabalho copiar todas as cartas, sabe? Eu mandei lacrá-las e despachei para três bancos diferentes em Edimburgo, com instruções para que, nos anos tal e tal, cada caixa fosse mandada para o reverendo Wakefield no presbitério de Inverness. Torcemos para que pelo menos uma delas chegasse ao destino. Escrevi o nome de Jemmy nas três, pensando que isso fosse significar alguma coisa para você, mas para ninguém mais. Mas continue... você arrebentou a cabeça de Cameron com a caixa e depois...

– Não cheguei a fazê-lo apagar, mas consegui passar por ele e chegar ao corredor. Então fui correndo até o cabide de casacos do hall... Não é o mesmo que os seus pais têm – disse a Ian, então se lembrou do que uma das últimas cartas tinha dito. – Ai, meu Deus! Ian, seu pai... Eu sinto muito!

– Ah. É – disse ele e baixou os olhos. Brianna havia agarrado seu antebraço e ele pousou a mão grande por cima da dela, apertando-a de leve. – Não se preocupe, *a nighean*. Eu o sinto comigo de vez em quando. E tio Jamie trouxe minha mãe lá da Escócia... – Ele se deteve e ficou encarando a prima com os olhos esbugalhados. – Ah, ela não sabe que vocês voltaram!

– Logo vai descobrir – disse Jamie, impaciente. – Pode me dizer o que aconteceu com esse bosta desse Cameron?

– Menos do que ele merecia – respondeu ela, séria, e terminou a história, incluindo os cúmplices de Cameron e o tiroteio.

– Então eu peguei Jem e Mandy e fui para a Califórnia, que fica do outro lado da América, para pensar no que fazer, e acabei decidindo que não havia escolha: tínhamos que tentar encontrar Roger... Ele havia me deixado uma carta dizendo que estava na Escócia, e em que ano. Então nós fomos e... – Ela fez um gesto genérico para a natureza em volta. – Aqui estamos.

Jamie e Ian não disseram nada. Ian apenas aquiesceu rapidamente, para si mesmo. Brianna se sentiu reconfortada pela proximidade dos parentes, aliviada por ter lhes contado a história e confidenciado seus medos. Sentia-se protegida como não se sentia havia muito tempo.

– Lá vai ele – disse Ian de repente.

Brianna seguiu a direção de seu olhar e viu o súbito ondular violento quando os arbustos de espinhos se abriram para revelar a silhueta enorme do urso, que se afastou devagar com seus passos pesados. Ian se levantou e ofereceu a mão a Brianna.

Ela se espreguiçou e se sacudiu um pouco para relaxar as pernas. Estava se sentindo tão despreocupada que mal ouviu o que seu pai disse ao se levantar.

– O que você falou? – indagou, virando-se para ele.

– Eu falei: tem mais uma coisa, não tem?

– Mais uma? – retrucou ela com um meio sorriso. – Isso já não é suficiente?

Jamie produziu um ruído escocês gutural, metade pedido de desculpas, metade alerta.

– O tal Robert Cameron – disse ele. – Você disse que é provável que ele tenha lido suas cartas.

Um filete de água gelada começou a descer lentamente pelo sulco da espinha de Brianna.

– Sim. – A sensação de segurança e paz de repente se esvaiu.

– Então ele sabe sobre o ouro dos jacobitas que guardamos escondido com o uísque e também onde estamos. Se ele sabe, os amigos dele também. Pode ser que ele não consiga viajar pelas pedras, mas talvez existam outros que consigam. – Jamie a encarou com um olhar azul muito direto. – Mais cedo ou mais tarde, alguém virá procurar.

3

RÚSTICO, RURAL E MUITO ROMÂNTICO

Quando o sol despontou, Jamie já tinha saído havia muito tempo. Acordei por um instante ao senti-lo beijar minha testa, sussurrar que iria sair para caçar com Brianna, em seguida beijar minha boca e sumir na escuridão gelada. Tornei a acordar duas horas depois no ninho quente de velhas mantas acolchoadas que nos faziam as vezes de cama, doadas pelos Crombies e pelos Lindsays. Sentei-me de pernas cruzadas, de combinação, e comecei a pentear os cabelos com os dedos para tirar folhas e hastes de grama, saboreando a rara sensação de acordar devagar em vez de com a impressão de ter sido disparada por um canhão.

Experimentando um pequeno e agradável arrepio de animação, imaginei que depois que a casa estivesse habitável e os MacKenzies – com Germain, filho de Fergus e Marsali, sem esquecer Fanny, uma órfã que fora morar conosco depois da morte da irmã – estivessem todos abrigados, as manhãs iriam mais uma vez se assemelhar ao êxodo de morcegos da caverna de Carlsbad, um fenômeno que eu tinha visto certa vez num especial sobre natureza da Disney. Por enquanto, porém, o mundo estava repleto de paz.

Uma joaninha de um vermelho muito vivo caiu dos meus cabelos e escorregou pela frente da minha combinação, o que me tirou de meus devaneios. Dei um pulo e sacudi o inseto no mato alto perto do Tronco Grande. Depois entrei no meio dos arbustos para um instante de privacidade e saí trazendo um punhado de hortelã fresca. Restava água suficiente no balde para eu tomar uma xícara de chá, então deixei a hortelã sobre a mesa de trabalho que Jamie havia feito de um imenso tronco de álamo caído com o auxílio de uma enxó. Fui acender o fogo e posicionar a chaleira dentro do anel de pedras enegrecidas.

Do lado mais distante da campina, uma fina espiral de fumaça subia da chaminé dos Higgins como uma cobra que sai do cesto de um encantador de serpentes. Alguém também tinha atiçado as brasas adormecidas de seu fogo.

Quem seria meu primeiro visitante? Talvez Germain. Não. Ele havia dormido na casa dos Higgins com Jemmy na noite anterior, mas, assim como eu, não era madrugador. Fanny chegaria mais tarde. Estava razoavelmente longe, com a viúva Donaldson e sua numerosa ninhada.

Seria Roger, pensei, e senti o coração se alegrar. Roger e as crianças.

O fogo lambia a chaleira de latão. Levantei a tampa e despedacei um bom punhado de folhas de hortelã dentro da água, não sem primeiro sacudir os caules para desalojar qualquer inseto que tivesse vindo de carona. Amarrei o que sobrou com um pedaço de barbante e pendurei nas vigas do meu consultório improvisado, que consistia em quatro postes com uma treliça disposta por cima, coberta por galhos de tsuga para propiciar sombra e abrigo. Eu tinha dois banquinhos, um para mim, o outro para o paciente da vez, e uma mesa pequena de fabricação grosseira para quaisquer instrumentos que precisasse ter ao alcance.

Jamie havia montado um alpendre de lona ao lado desse abrigo, de modo a proporcionar privacidade para os casos que assim exigissem e também para servir de local de armazenagem para os remédios guardados em barris, jarros ou caixas à prova de guaxinins.

Meu consultório era rústico, rural e muito romântico. De um jeito infestado de insetos, que deixava os tornozelos encardidos e ocasionalmente fazia subir por minha nuca uma sensação de estar sendo vigiada por alguma coisa que desejava me devorar. Mesmo assim...

Lancei um olhar de anseio para a nova fundação.

A casa teria duas belas chaminés de pedra bruta; uma já fora construída até a metade e se erguia, com a solidez de um monólito, entre as madeiras que delimitavam o que em breve seria nossa cozinha e área das refeições. Jamie me garantira que iria marcar o traçado do cômodo grande e prender um telhado de lona temporário nas próximas semanas, para podermos recomeçar a dormir e a cozinhar dentro de casa. Quanto ao resto...

Isso talvez dependesse dos conceitos ambiciosos que Brianna e ele houvessem concebido durante a conversa da noite anterior. Eu ouvi comentários sobre concreto e encanamento interno, planos que não esperava que fossem se realizar, pelo menos não antes de termos um teto sobre nossas cabeças e um piso sob nossos pés. Por outro lado, teríamos mais dois pares de mãos experientes e competentes para ajudar na construção.

O som de vozes vindas da trilha mais abaixo indicava a chegada de meus esperados visitantes.

A cabeça ruiva desgrenhada de Jem surgiu e, ao me ver, abriu um enorme sorriso.

– Vovó! – gritou ele e brandiu um pãozinho de milho ligeiramente deformado. – A gente trouxe seu café da manhã!

Eles tinham me trazido o café da manhã, luxuoso pelos meus padrões atuais: dois pães de milho frescos, bolinhos de linguiça fritos envoltos em várias camadas de folhas de bardana, um ovo cozido e um vidro da geleia de *huckleberry* feita por Amy no ano anterior.

– A sra. Higgins disse para devolver o vidro – informou Jemmy ao me entregá-lo. Apenas um de seus olhos estava fixo no vidro; o outro estava olhando para o Tronco Grande, que na noite anterior ficara escondido pela noite. – Uau! Que árvore é essa?

– Álamo – respondi, fechando os olhos de deleite ao dar a primeira mordida no bolinho de linguiça.

O Tronco Grande tinha uns 20 metros de comprimento. Era bem mais comprido antes de Jamie retirar madeira da copa para construção e para queimar.

– Segundo seu avô, provavelmente tinha mais de 30 metros de altura antes de cair – acrescentei.

Mandy estava tentando subir no tronco. Jem lhe deu uma ajudinha casual, então se debruçou para olhar o comprimento da árvore. A madeira estava em grande parte lisa e clara, mas era marcada aqui e ali por resquícios de casca, cogumelos e musgo.

– Ela caiu num temporal?

– Sim – respondi. – A copa foi atingida por um raio, mas não sei se foi o mesmo temporal que a derrubou. Ela pode ter morrido por causa do raio e o temporal seguinte a fez cair. Nós a encontramos assim quando voltamos para a Cordilheira. Mandy, cuidado!

A menina tinha se levantado e estava caminhando pelo tronco, braços abertos como os de uma ginasta, um pé na frente do outro. O tronco tinha um bom metro e meio de diâmetro naquele ponto; a superfície era bastante espaçosa, mas o impacto se ela caísse seria razoável.

– Venha cá, meu amor. – Roger, que examinava com interesse o local da Casa Nova, aproximou-se e tirou a filha de cima do tronco. – Por que você e Jem não vão catar lenha para a vovó? Vocês se lembram como é a madeira boa para queimar?

– Sim, claro. – Jem adotou um ar de superioridade. – Eu mostro para ela.

– Eu sei como é! – afirmou Mandy, zangada.

– Você precisa tomar cuidado com as cobras – advertiu o irmão.

Ela se animou na mesma hora e se esqueceu da ofensa.

– Quero ver cobra!

– Jem... – começou Roger, mas Jemmy revirou os olhos.

– Eu *sei*, pai – disse ele. – Se achar uma cobra pequena, ela pode tocar. Mas a gente precisa se afastar se tiver chocalho ou a bochecha estufada.

– Meu Deus – resmungou Roger, observando-os se afastar de mãos dadas.

Engoli o que restava dos pães de milho, lambi um pouco de geleia açucarada do canto da boca e encarei meu genro com uma expressão de solidariedade.

– Ninguém morreu da última vez que moraram aqui – lembrei-lhe.

Ele abriu a boca para responder, mas tornou a fechá-la. Eu tinha me esquecido: Mandy quase tinha morrido da última vez. Ou seja, o que quer que os tivesse feito voltar...

– Tudo bem – disse ele com firmeza em resposta ao que deve ter sido uma expressão muito apreensiva em meu rosto.

Sorrindo de leve, ele me segurou pelo cotovelo, conduzindo-me até a sombra de meu consultório.

– Não tem problema – disse Roger e pigarreou. – Estamos bem – falou, dessa vez mais alto. – Estamos todos aqui, sãos e salvos. Nada mais importa agora.

– Está bem – falei, um pouco reconfortada. – Eu não vou perguntar.

Isso o fez rir e a luz entrecortada tornou seu rosto jovem outra vez.

– Nós vamos contar – garantiu Roger. – Mas a maior parte é a história de Bree. Você deveria conversar com ela. O que será que Jamie e ela estão caçando?

– Provavelmente um ao outro – respondi, brincando. – Sente-se.

Toquei seu braço e o virei em direção ao banco alto.

– Um ao outro? – Ele se acomodou confortavelmente no banco, com os pés encolhidos debaixo do corpo.

– Às vezes, quando você passa muito tempo sem ver uma pessoa, é difícil saber o que dizer, como falar com o outro... principalmente quando é alguém importante. É preciso um pouco de tempo para se sentir confortável outra vez. É mais fácil quando se está fazendo alguma tarefa. Posso dar uma olhada em seu pescoço?

– Você ainda não se sente confortável para conversar comigo? – perguntou ele num tom leve.

– Ah, sim – garanti. – Roger, médicos nunca têm dificuldade para falar com as pessoas. Pedimos logo para tirar a roupa e isso quebra o gelo. Quando acabamos de cutucar e de espiar dentro dos orifícios dos pacientes, a conversa em geral já está bastante animada, muito descontraída.

Roger riu, mas sua mão havia agarrado inconscientemente a gola da camisa e aproximado o tecido para se proteger.

– Para dizer a verdade, nós só viemos para cá para que alguém pudesse cuidar de graça das crianças – comentou ele, tentando parecer sério. – Não nos afastamos das crianças mais de 2 metros nos últimos quatro meses.

Ele sorriu, então se engasgou um pouco e a coisa acabou virando um acesso de tosse. Segurei a mão dele e retribuí o sorriso. Ele desabotoou a camisa e afastou o tecido do pescoço. Pigarreou com força.

– Não se preocupe – falei. – Sua voz está bem melhor que da última vez que o escutei.

Era verdade, e isso me deixou um tanto surpresa. A voz continuava falha e rouca, mas ele falava com muito menos esforço e não parecia sentir dor.

Roger levantou o queixo e eu estendi a mão com cuidado, encaixando os dedos em volta de seu pescoço, logo abaixo da mandíbula. Ele havia feito a barba recentemente; a pele estava fresca e um pouco úmida, e senti um leve cheiro do sabão de barbear que eu havia fabricado para Jamie, perfumado com bagas de zimbro. Jamie devia ter levado o sabão para ele cedo naquela manhã. Fiquei comovida com a cerimônia contida naquele pequeno gesto e mais ainda pela esperança no olhar de Roger. Uma esperança que tentou esconder.

– Eu conheci um médico na Escócia – disse ele. – O nome dele era Hector McEwan. Ele era… um de nós.

Meus dedos se detiveram e meu coração pareceu ter parado por um instante também.

– Um viajante, você quer dizer?

Ele aquiesceu.

– Preciso contar sobre ele e o que fez. Mas isso pode esperar um pouco.

– O que ele fez? – repeti. – Com você?

– É, mas principalmente o que fez com Buck…

Eu estava a ponto de perguntar o que tinha acontecido com Buck quando de repente Roger me encarou.

– Você algum dia já viu uma luz azul? – perguntou ele. – Quero dizer, ao tocar em alguém como médica? Para curar?

Meus braços e meu pescoço se arrepiaram, e tive que afastar os dedos do pescoço dele porque estavam tremendo.

– Não fui eu – falei, com cautela. – Mas já vi, sim. Uma vez.

Estava vendo outra vez, tão vívida na minha imaginação quanto nas sombras da minha cama no Hôpital des Anges, quando havia perdido Faith por aborto espontâneo e estava quase morrendo de febre puerperal. Quando mestre Raymond tocou em mim e eu vi os ossos do meu braço irradiarem uma luz azul através da pele.

Larguei aquela visão como se fosse um prato quente e me dei conta de que Roger estava segurando minha mão com força.

– Não quis assustar você.

– Eu não estou assustada – falei, uma verdade parcial. – Estou só chocada. Há anos não pensava nisso.

– Eu fiquei apavorado – disse ele com franqueza e soltou minha mão. – Depois do que fez com o coração de Buck, fiquei com medo de falar com ele, mas sabia que precisava. E quando eu o toquei... para fazê-lo parar, sabe, eu estava subindo uma trilha atrás dele... Quando o toquei, ele congelou. E então se virou e pôs a mão no meu peito... – A mão de Roger se levantou de modo inconsciente e foi pousar em seu peito. – E ele... ele me disse a mesma coisa que eu o tinha ouvido dizer a Buck: *Cognosco te!* Quer dizer "Eu conheço você"– esclareceu ao ver minha expressão de incompreensão. – Em latim.

– Ele soube... o que você era... pelo toque? – Uma sensação muito estranha percorreu meus ombros e desceu pelos braços. Não era medo, mas algo semelhante a assombro.

– Sim. Eu não consegui detectar nada em relação a *ele* – acrescentou Roger depressa. – Não senti nada estranho naquela hora, mas estava prestando muita atenção quando ele pôs a mão no peito de Buck... Buck teve uma espécie de ataque cardíaco quando passamos pelas pedras...

– Ele atravessou com você, Bree e as...?

Roger então fez o mesmo gesto de impotência.

– Não, isso foi... antes. Enfim, Buck estava muito mal e as pessoas que o tinham abrigado mandaram chamar um médico, esse tal de Hector McEwan. Ele pôs a mão no peito de Buck e... fez umas coisas... e eu vi... vi mesmo, Claire, eu *vi*... uma débil luz azul emanar de seus dedos e se espalhar por sua mão.

– Jesus H. Roosevelt Cristo.

Ele riu.

– Pois é. Exatamente. Só que ninguém mais viu – acrescentou ele, e o riso desapareceu de seu rosto. – Só eu.

Esfreguei as palmas das mãos devagar, imaginando a cena.

– Buck – falei. – Imagino que ele tenha sobrevivido, já que você perguntou se nós o tínhamos visto.

Ao escutar isso, a expressão de Roger mudou.

– Ele sobreviveu... na ocasião. Mas nós nos separamos depois que eu encontrei Bree e as crianças...

– Uma longa história – terminei por ele. – Talvez seja melhor esperar Jamie e Bree voltarem da caçada. Mas quanto a esse dr. McEwan... ele disse alguma coisa sobre a luz azul?

Embora fosse estranho dizer isso, eu podia visualizá-la: minhas palmas formigaram de leve ao pensar na luz azul e baixei os olhos involuntariamente para elas. Não, continuavam cor-de-rosa.

Roger balançou a cabeça.

– Não, não muita coisa. Não com palavras. Mas… ele pôs as mãos no meu pescoço. – Sua mão se ergueu e ele tocou a cicatriz irregular deixada pela corda do carrasco. – E… alguma coisa aconteceu – falou baixinho.

4

AS MULHERES VÃO TER UM CHILIQUE

– Vamos passar pela minha casa, prima? – perguntou Ian, parecendo mais tímido do que o normal. – Caso Rachel tenha voltado, eu… eu queria que a conhecesse.

– Eu adoraria conhecê-la – respondeu Bree, dando um sorriso sincero para ele. Ela arqueou a sobrancelha para o pai, mas Jamie aquiesceu.

– Vai ser bom largar isto aqui um instante – disse ele, passando uma das mangas pelo rosto suado. – E se você tiver ordenhado as cabras como sua mãe lhe pediu hoje de manhã, Ian, eu também não dispensaria um copo de leite.

Ian e Jamie estavam carregando os restos aproveitáveis do cervo, envoltos em um embrulho grandalhão dentro da pele mais intacta e pendurados numa vara grossa que tinham posto em cima dos ombros. O dia estava quente.

Havia alguém dentro da casa no choupal. A porta estava aberta e, nos degraus da frente, entre as sombras das folhas em movimento, se viam uma pequena roca de fiar e, a seu lado, um cesto baixo cheio de bolas marrons e cinzentas do que Brianna supôs devesse ser lã penteada limpa. Não havia sinal da fiandeira, mas mulheres cantavam em gaélico dentro da casa, interrompendo-se a cada poucos compassos para rir, e uma voz límpida então tornava a cantar o verso e a segunda repetia, tropeçava em uma ou outra palavra, depois ria outra vez.

Jamie sorriu ao escutar aquilo.

– Jenny está ensinando *gàidhlig* à pequena Rachel – disse ele, sem necessidade. – Deixe aqui, Ian. – Indicou com a cabeça a sombra debaixo de um tronco caído. – As mulheres vão ter um chilique se levarmos moscas para dentro de casa.

Alguém lá dentro os escutou, pois o canto cessou e uma cabeça apareceu pela porta aberta.

– Ian! – Uma moça de cabelos escuros, relativamente alta e muito bonita, saiu pela porta, desceu saltitante os degraus da varanda e agarrou Ian num abraço exuberante. – Seus primos chegaram! Já está sabendo?

– Sim, já – respondeu ele, beijando-a na boca. – Venha dizer oi para minha prima Brianna, *mo ghràidh*. Ah… e para tio Jamie também – acrescentou, virando-se.

Bree já estava sorrindo, comovida ao ver o amor evidente entre os jovens Murrays. E notou a expressão de alegria de Jamie quando este olhou para trás do casal, em direção à porta aberta, por onde acabara de sair uma mulher baixinha segurando no colo um bebê vestido apenas com um pano.

– Quem…? – perguntou Jenny, e seu olhar então recaiu em Brianna e sua boca se escancarou. – Santa Brígida abençoada nos proteja – disse ela num tom suave, mas seus olhos calorosos, azuis como os de Jamie, sorriam para Brianna. – Os gigantes chegaram! E, segundo me disseram, seu marido também é alto. E seus filhos? Todos crescendo feito ervas daninhas, imagino.

– Feito cogumelos – respondeu Bree rindo e se abaixou para abraçar a diminuta tia.

Jenny tinha cheiro de cabra, lã crua, mingau e pão tostado, e nos cabelos e roupas um leve aroma de sabão que Brianna reconheceu na hora. Jenny costumava fabricar o sabão em Lallybroch com mel, lavanda e uma erva das Terras Altas que não tinha nome em inglês.

– Que bom ver você – disse ela, e sentiu lágrimas nos olhos, pois o sabão trazia de volta Lallybroch do modo como ela vira a casa pela primeira vez.

Ela piscou para conter as lágrimas e se endireitou, com um sorriso trêmulo colado no rosto. Mas ele desapareceu na mesma hora quando se lembrou.

– Ah, tia! Eu sinto tanto… Pelo tio Ian, quero dizer.

Uma nova onda de luto a atravessou. Muito embora ela só tivesse encontrado Ian Murray uma vez, a perda agora parecia recente e chocante.

Jenny baixou os olhos e deu alguns tapinhas nas costas delicadas do bebê. Ele tinha a cabeça coberta por uma penugem entre o castanho e o louro, como um pinto de galinha-d'angola.

– Ah – disse ela baixinho. – Meu Ian ainda está comigo. Eu o vejo no rosto deste pequenino aqui, claro como o dia.

Ela virou o bebê com destreza, a fim de apoiá-lo no quadril, e ele ergueu para Brianna os grandes olhos redondos, do mesmo castanho-claro de seu primo Ian e do pai dele.

– Ah – disse Brianna, ao mesmo tempo encantada e reconfortada. Com hesitação, estendeu a mão e ofereceu um dedo ao bebê. – E seu nome é… Oggy?

Tanto Jenny quanto Rachel riram, uma achando de fato graça, a outra com pesar.

– Infelizmente ainda não conseguimos encontrar o nome certo para ele – disse Rachel, tocando de leve o ombro do filho.

Oggy se virou na direção da voz da mãe e não parou de se virar, e foi se inclinando lentamente para longe dos braços de Jenny, como um bicho-preguiça atraído por um fruto doce.

Rachel o pegou, tocando seu rosto com delicadeza. Ele virou a cabeça devagar e começou a sugar o nó de seus dedos.

– Ian disse que os filhos dos mohawks só descobrem seu nome de verdade quando são mais velhos e que até lá têm apenas o nome de berço.

As sobrancelhas pretas bem-feitas de Jenny se levantaram quando ouviu isso.

– Está me dizendo que o menino vai se chamar Oggy até… até quando?

– Ah, não – replicou Rachel. – Tenho certeza que vamos pensar num nome antes de "quando".

Ela sorriu para a sogra, que revirou os olhos e tornou a dirigir sua atenção para Brianna.

– Que bom que você não vai ter esses problemas com seus filhos, *a nighean*. Jamie falou na carta dele que os dois se chamam Jeremiah e Amanda, é isso?

Brianna tossiu e evitou cruzar olhares com Rachel.

– Hummm... Jeremiah Alexander Ian Fraser MacKenzie – disse ela. – E Amanda Hope Claire MacKenzie.

Jenny assentiu com aprovação, embora não tivesse ficado claro se foi pela qualidade ou pela quantidade dos nomes.

– Jenny! – O pai de Bree apareceu na varanda, suado e despenteado, com a camisa manchada de sangue. – Ian não está achando a cerveja.

– Nós bebemos – respondeu Jenny sem se virar.

– Ah. – Jamie tornou a desaparecer dentro da casa, decerto em busca de alguma outra coisa, deixando na varanda pegadas úmidas e levemente ensanguentadas.

– O que houve com ele? – Jenny quis saber, lançando um olhar incisivo das pegadas para Brianna, que deu de ombros.

– Um urso.

– Ah. – Jenny pareceu digerir isso por alguns instantes, então balançou a cabeça. – Nesse caso, vou ter que deixá-lo tomar a cerveja.

Ela desapareceu atrás dos homens, deixando Brianna e Rachel do lado de fora.

– Acho que é a primeira vez que conheço um quacre – disse Brianna após uma pausa levemente constrangida. – Aliás, "quacre" é o termo correto? Eu não quero...

– Nós dizemos amigo – disse Rachel, tornando a sorrir. – Embora quacre não seja ofensivo. Mas acho que você deve ter conhecido pelo menos um. Talvez não tenha percebido, se o amigo tiver optado por não usar a fala simples com você. A maioria de nós não tem listras, pintas nem qualquer outro sinal físico com o qual se possa nos discernir.

– *A maioria?*

– Bom, eu não consigo ver minhas costas, claro, mas tenho certeza de que Ian teria me dito se houvesse alguma coisa fora do normal.

Brianna riu, sentindo-se ligeiramente tonta por causa da fome, do alívio e da simples e recorrente alegria de estar com a família mais uma vez. E, pelo visto, uma família estendida encantadora.

– Estou muito feliz em conhecê-la – disse a Rachel. – Não conseguia imaginar que tipo de moça iria se casar com Ian... Desculpe, isso não soou muito bem...

– Não, você tem toda a razão – assegurou-lhe Rachel. – Eu também não podia imaginar que fosse me casar com um homem assim, mas, apesar disso, lá está ele na minha cama todos os dias de manhã. Dizem mesmo que os caminhos do Senhor são insondáveis. Venha, entre – acrescentou, mudando Oggy de posição. – Eu sei onde fica o vinho.

5

MEDITAÇÕES ACERCA DE UM HIOIDE

– "Tudo começa *in media res* e, se você tiver sorte, também termina assim."

Roger engoliu a saliva e eu senti sua laringe se mover sob meus dedos. A pele de seu pescoço estava lisa no ponto em que eu a tocava, embora eu pudesse sentir a textura levemente áspera da barba despontando roçar as articulações dos meus dedos logo abaixo de seu maxilar.

– Foi isso que o dr. McEwan falou? – perguntei, curiosa. – O que ele quis dizer com isso?

Roger tinha os olhos fechados. As pessoas normalmente fechavam os olhos quando eu as examinava, como se precisassem preservar toda a privacidade possível. Ao ouvir isso, porém, ele os abriu, um verde-escuro impressionante iluminado pelo sol da manhã.

– Eu perguntei. Ele disse que, em sua opinião, nada começa nem termina. Que as pessoas acham que a vida de uma criança começa no parto, mas obviamente não é assim... É possível ver as crianças se moverem dentro do útero, e uma criança que nasce antes do tempo em geral só vive por um curto período, e se pode ver que ela está viva em todos os sentidos, muito embora não consiga se manter com vida.

Eu agora tinha fechado os olhos, não por achar o olhar de Roger incômodo, mas para me concentrar nas vibrações de suas palavras. Desci um pouco a mão pelo seu pescoço.

– Bom, nesse ponto ele tem razão – concordei, visualizando a anatomia interna da garganta enquanto falava. – Os bebês já nascem funcionando, por assim dizer. Todos os seus processos já foram acionados bem antes do parto, exceto a respiração. Mesmo assim, é um comentário bem enigmático.

– É mesmo. – Ele tornou a engolir e senti o calor de sua respiração em meu antebraço. – Eu insisti um pouco, porque ele obviamente disse isso à guisa de explicação... ou pelo menos a melhor explicação de que foi capaz. Não acho que seja possível descrever o que se faz exatamente quando se cura alguém. Você conseguiria?

A frase me fez sorrir.

– Ah, pode ser que eu tente. Mas essa pergunta tem um erro. Na verdade, não sou *eu* que curo as pessoas. Elas se curam sozinhas. Eu só... as apoio.

Um som que não foi exatamente uma risada fez a laringe executar um complexo pinote duplo. Eu *pensei* ter sentido uma leve concavidade sob o polegar, onde estava a cartilagem parcialmente esmagada pela corda... Pus a outra mão em volta do meu pescoço, para poder comparar.

– Na verdade, foi o que ele disse também... Hector McEwan, quero dizer. Mas ele *curava* as pessoas, sim. Eu o vi fazer isso.

Soltei os pescoços e abri os olhos.

Ele me fez um resumo rápido de sua relação com William Buccleigh, desde o papel de Buck em seu enforcamento em Alamance, passando pela reaparição de seu antepassado em Inverness em 1980 e contando como Buck havia se juntado a ele na busca por Jem depois de o antigo colega de trabalho de Brianna, Rob Cameron, raptar o menino.

– Foi quando ele se tornou... um pouco mais do que um amigo – disse Roger. Então olhou para baixo e pigarreou. – Ele foi comigo procurar Jem. Jem não estava lá, claro, mas encontramos outro Jeremiah. Meu pai – concluiu ele abruptamente e sua voz se demorou nessa palavra.

Procurei sua mão por reflexo, mas Roger me dispensou com um aceno e tornou a pigarrear.

– Tudo bem. Eu... eu conto essa parte mais tarde. – Ele engoliu em seco e se endireitou um pouco, tornando a me encarar. – Mas Buck... era assim que nós o chamávamos... Bem, quando atravessamos as pedras para procurar Jem, fomos... prejudicados pela passagem. Acho que você disse que ficava pior se a pessoa passasse mais de uma vez?

– Eu não diria que uma vez só *não* prejudica – falei, sentindo um leve arrepio interior ao recordar aquele vazio, um caos em que nada a não ser ruído parece existir. Isso e a leve pulsação do pensamento, tudo aquilo que nos mantém íntegros entre uma e outra respiração. – Mas, sim, fica pior. O que aconteceu com vocês?

– Comigo, não muita coisa. Fiquei um tempo inconsciente e acordei com dificuldade para respirar. Suando frio, desorientado. Passei um tempo sem conseguir me equilibrar, cambaleando pelos cantos. Mas Buck...

Ele franziu o cenho e vi seus olhos mudarem de expressão ao relembrar a colina verde de Craigh na Dun quando acordou com a chuva no rosto. Da mesma maneira como eu havia acordado três vezes. Os cabelos de minha nuca se eriçaram devagar.

– Ele sentiu uma dor no peito, no braço esquerdo, e não conseguia respirar direito. Disse que parecia um peso no peito e não podia se levantar. Fui buscar água para ele e, depois de um tempo, Buck pareceu ficar bem. Pelo menos conseguiu andar e descartou qualquer sugestão de pararmos para descansar.

Os dois então tinham se separado, Buck para procurar a estrada em direção a Inverness, Roger com destino a Lallybroch.

– Lallybroch! – Eu o segurei pelo braço. – Você foi lá?

– Fui – respondeu ele e sorriu. Apertou minha mão que estava pousada em seu braço. – Conheci Brian Fraser.

– Você...? *Brian?* – Balancei a cabeça para clarear os pensamentos. Aquilo não fazia sentido.

– É, não faz sentido – disse ele, lendo meus pensamentos. – Nós... nós não fomos para onde... quero dizer, não fomos para *quando* pensávamos estar indo. Acabamos indo parar em 1739.

Encarei-o por alguns segundos e Roger encolheu os ombros num gesto de impotência.

– Mais tarde – falei com firmeza e estendi a mão para seu pescoço mais uma vez enquanto pensava: In media res. *O que McEwan quis dizer com isso?*

Escutei gritos de criança ao longe, vindos da direção do riacho, e o guincho agudo e entrecortado de um falcão na saliência alta de rocha do lado de lá da clareira; pude vê-lo perfeitamente com o canto do olho: uma forma grande e escura semelhante a um torpedo, pousada num galho seco. E estava começando a escutar, ou a ter a impressão de escutar, o sangue latejando no pescoço de Roger, um som débil, distinto do latejar de sua pulsação. E o fato de estar escutando isso através das pontas dos dedos me pareceu assustadoramente normal.

– Fale comigo mais um pouco – sugeri, tanto para evitar escutar o que pensei ter escutado quanto para soltar sua laringe. – Sobre qualquer assunto.

Ele então cantarolou por alguns instantes, mas isso o fez tossir. Retirei a mão para ele poder virar a cabeça.

– Desculpe – disse ele. – Bobby Higgins me contou que a Cordilheira está crescendo... muitas famílias novas, pelo que eu soube?

– Parecem ervas daninhas – falei, recolocando a mão em seu pescoço. – Quando voltamos, descobrimos que pelo menos vinte famílias tinham se instalado aqui, e três outras chegaram desde que voltamos de Savannah, para onde os ventos da guerra nos sopraram por um breve período.

Ele assentiu, com o cenho franzido, e me lançou um olhar enviesado.

– Nenhum dos colonos é pastor, suponho.

– Não – respondi na hora. – É isso que você...? Quero dizer, ainda acha que...?

– Acho. – Ele ergueu os olhos para mim, um pouco tímido. – Ainda não fui totalmente ordenado. Vou precisar dar um jeito de resolver isso. Mas, quando decidimos voltar, Bree e eu conversamos sobre o que poderíamos fazer aqui. E... – Ele ergueu os ombros com as palmas das mãos apoiadas nos joelhos. – Pode ser que eu faça isso.

– Você já foi pastor aqui antes – falei, observando seu rosto. – Precisa *mesmo* se ordenar para voltar a ser?

Ele não precisou pensar. Já tinha se decidido.

– Preciso – respondeu. – Eu não me sinto... Não acho que errei por já ter enterrado ou casado pessoas, ou batizado. Alguém precisava fazer isso e eu era a única pessoa disponível. Mas quero que fique tudo como tem que ser. – Ele sorriu de leve. –

Talvez seja como a diferença entre ter um compromisso informal e ser legalmente casado. Entre uma promessa e um juramento. Mesmo sabendo que nunca vai quebrar a promessa, você quer... – Ele se esforçou para encontrar as palavras certas: – Você quer o peso do juramento. Algo que lhe dê apoio.

Um juramento. Eu tinha feito poucos na vida. E ele estava certo: todos tinham significado alguma coisa, mesmo os que eu acabara quebrando. Todos tiveram seu peso. E alguns deles me serviram de apoio e continuavam a servir.

– Faz diferença, mesmo – concordei.

– Você tinha razão, sabe? – disse ele, soando surpreso. – É *fácil* falar com uma médica... principalmente quando ela está segurando você pelo pescoço. Quer experimentar o método de McEwan?

Endireitei as costas e flexionei as mãos, um pouco incomodada.

– O que tenho a perder? – falei, torcendo para estar certa. – Você sabe que... – acrescentei, com hesitação, e senti o pomo de adão de Roger se mover sob minha mão.

– Sei, sim – respondeu ele. – Sem expectativas. Se alguma coisa acontecer... aconteceu. Se não, eu não vou sair pior do que entrei.

Aquiesci e tateei de leve a pele, examinando-a com a ponta dos dedos. A traqueostomia que eu fizera para lhe salvar a vida havia deixado uma cicatriz menor na concavidade da garganta, uma ligeira depressão com cerca de 2,5 centímetros de comprimento. Corri o polegar por cima dela, sentindo os anéis saudáveis de cartilagem acima e abaixo. A leveza daquele toque fez Roger estremecer. Seu pescoço ficou arrepiado e ele deu uma risada sem som.

– Pode me contar de novo o que o dr. McEwan falou? Tudo que conseguir se lembrar.

Eu não havia retirado a mão, e senti o movimento de seu pomo de adão quando ele pigarreou com força.

– Ele tateou meu pescoço... bem parecido com o que você está fazendo – disse ele, sorrindo de volta para mim. – E perguntou se eu sabia o que era um osso hioide. Falou que... – A mão de Roger se ergueu em direção à garganta, mas parou a poucos centímetros de tocá-la. – Falou que o meu era uns 2 centímetros mais alto do que o habitual. Se fosse no lugar normal, eu estaria morto.

– É mesmo? – falei, interessada. Pus o polegar logo abaixo de seu maxilar. – Engula, por favor.

Ele engoliu e eu toquei meu pescoço e engoli também, sem tirar a mão do dele.

– Caramba – falei. – É uma amostragem pequena, e pode ser que haja alguma diferença atribuível ao gênero, claro... mas talvez ele tenha razão. Talvez você seja um neandertal.

– Um quê? – Ele me encarou.

– Brincadeira – tranquilizei-o. – Mas é verdade que uma das diferenças entre os neandertais e os humanos modernos é o hioide. A maioria dos cientistas acha que eles nem tinham esse osso e, portanto, não eram capazes de falar, mas meu tio Lamb tinha outra teoria – acrescentei diante de seu olhar de incompreensão. – O hioide serve de âncora para a língua. Meu tio não achava que eles pudessem ter sido mudos, então o hioide devia ter uma localização diferente.

– Fascinante – comentou Roger, educado.

Tornei a envolver o pescoço dele com a mão.

– Certo. Depois de comentar sobre seu hioide, o que McEwan fez? Como exatamente o tocou?

Roger inclinou a cabeça para trás de leve e, erguendo a mão, ajustou a posição da minha, movendo-a uns 2 centímetros mais para baixo e afastando os meus dedos.

– Mais ou menos assim – falou, e constatei que minha mão agora cobria, ou pelo menos tocava, todas as estruturas mais importantes de sua garganta, da laringe ao osso hioide.

– E depois...?

Eu estava escutando com atenção, não sua voz, mas a sensação de seu corpo. Já tinha posto as mãos em seu pescoço dezenas de vezes, em especial quando Roger estava se recuperando do enforcamento, mas fazia muitos anos que não o tocava... Pude sentir a musculatura sólida de seu pescoço, firme debaixo da pele, e também sua pulsação, forte e regular; estava um pouco acelerada, e me dei conta de como aquilo talvez fosse importante para ele. Isso me deixou preocupada. Não fazia ideia do que Hector MacEwan poderia ter feito, nem do que Roger imaginava que ele pudesse ter feito, e menos ainda de como fazer alguma coisa.

É que eu sei qual deveria ser a sensação de uma laringe normal, e estou vendo qual é *a sensação da sua, e... eu ponho os dedos ali e imagino qual deveria ser a sensação dela.* Fora isso que McEwan tinha dito em resposta às perguntas de Roger. Perguntei-me qual seria a sensação de uma laringe normal.

– Houve uma sensação de calor. – Roger voltara a fechar os olhos; estava concentrado no meu toque. A protuberância lisa de sua laringe estava sob a base de minha mão e se movia de leve quando engolia. – Nada notável. Só a sensação que se tem ao entrar num cômodo onde há um fogo aceso.

– Está achando meu toque quente agora?

– Sim – respondeu ele, sem abrir os olhos. – Só que por fora. Quando McEwan... fez o que fez, eu senti por dentro. – Ele se concentrou e suas sobrancelhas escuras se aproximaram uma da outra. – Foi... eu senti... aqui... – Ele ergueu a mão e posicionou meu polegar imediatamente à direita do centro, logo abaixo do hioide. – E... *aqui.* – Seus olhos se abriram de surpresa e ele pressionou dois dedos na pele acima da clavícula, de 3 a 5 centímetros à esquerda da incisura jugular. – Que estranho! Eu não me lembrava disso.

– E ele tocou em você aqui também?

Desci os dedos de baixo e experimentei a intensificação dos sentidos que muitas vezes acontecia quando estava inteiramente concentrada no corpo de um paciente. Roger também sentiu: seu olhar cruzou o meu, espantado.

– O quê...? – começou ele.

Antes que um de nós pudesse dizer alguma coisa, ouviu-se um barulho vindo da clareira, que foi seguido imediatamente por uma confusão de vozes jovens e o berro de Mandy:

– Você é malvado, malvado, *malvado* e eu odeio você! Você é malvado e vai para o *INFERNO!*

Roger se levantou num pulo.

– Amanda! – bradou. – Venha já aqui!

Por cima do ombro dele, vi Amanda, com o rostinho contorcido de raiva, tentando pegar sua boneca que Germain sacudia por um dos braços logo acima de sua cabeça, saltitando para se esquivar das repetidas tentativas da menina de chutá-lo.

Germain levou um susto e Amanda o acertou em cheio na canela. Ela estava calçando botinas pesadas e o estalo do impacto foi claramente audível, embora instantaneamente suplantado pelo grito de dor de Germain. Jemmy, com uma cara consternada, agarrou a boneca, empurrou-a para os braços da irmã e, lançando um olhar culpado por cima do ombro, saiu correndo em direção à mata seguido por um Germain manco.

– Jeremiah! – rugiu Roger. – Pode parar aí mesmo!

Jem congelou como se tivesse sido atingido por um raio; Germain não, e desapareceu com um farfalhar bem alto no meio dos arbustos.

Eu estava olhando para os meninos, mas um débil ruído de engasgo me fez virar os olhos para Roger. Ele havia empalidecido e estava segurando o pescoço. Agarrei seu braço.

– Você está bem?

– Eu... não sei. – Ele falou num sussurro rascante, mas me abriu um esboço de sorriso dolorido. – Talvez... talvez tenha deslocado alguma coisa.

– Papai? – disse uma vozinha ao meu lado. Amanda dava fungadas exageradas e enxugava lágrimas e catarro do rosto inteiro. – Você está bravo comigo, papai?

Roger sorveu uma inspiração imensa, tossiu, foi até a filha e se agachou para abraçá-la.

– Não, meu amor – falou baixinho, mas com voz normal, e algo que estava contraído dentro de mim começou a relaxar. – Não estou bravo, não. Mas você não pode dizer para os outros que eles vão para o inferno. Venha cá, vamos lavar esse rosto.

Ele se levantou com Mandy no colo e se virou para minha mesa de trabalho, onde havia uma bacia e uma jarra.

– Deixe que eu faço – falei, estendendo a mão para Mandy. – Talvez você queira... conversar com Jem?

– Humm – fez ele e me entregou a filha.

Dengosa por natureza, Mandy na mesma hora se agarrou ao meu pescoço e abraçou meu tronco com as pernas.

– A gente pode lavar o rosto da Esmeralda antes? – perguntou. – Aqueles meninos malvados sujaram ela!

Distraída, fiquei escutando as palavras de carinho ininteligíveis de Mandy para a boneca e suas queixas em relação ao irmão e a Germain, mas a maior parte da minha atenção estava concentrada no que acontecia na clareira.

Pude ouvir a voz de Jem, aguda e cheia de argumentos, e a de Roger, firme e bem mais baixa, mas não consegui identificar nenhuma palavra. Roger *estava* falando, porém, e não ouvi nenhum engasgo ou tossido... Isso era bom.

A lembrança de como ele havia gritado com as crianças era melhor ainda. Não era a primeira vez que Roger fazia isso. Era uma necessidade, crianças e a natureza selvagem sendo o que são. Mas eu nunca o tinha escutado gritar sem que sua voz falhasse ou sem um subsequente acesso de tosse e pigarro. McEwan tinha dito que isso era uma pequena melhora e que era preciso tempo para ele se curar.

Será que eu tinha feito alguma coisa para ajudar?

Encarei com um olhar crítico a palma da minha mão, mas esta me pareceu em grande parte como de costume: um corte de papel parcialmente cicatrizado no dedo médio, manchas por ter colhido amoras e uma bolha estourada no polegar por ter tirado do fogo uma frigideira de toucinho que estava queimando sem um pegador para proteger a mão. Certamente nenhum sinal de qualquer luz azul.

– O que foi isso, vovó? – Amanda se debruçou da mesa para olhar minha mão virada.

– O quê? Esta mancha preta? Acho que é tinta. Escrevi ontem no meu livro de casos. A irritação de pele de Kirsty Wilson.

Primeiro eu havia cogitado que fosse apenas uma reação ao sumagre, mas a irritação estava persistindo de modo preocupante... Sem febre, porém. Talvez fosse urticária? Ou algum tipo raro de psoríase?

– Não, *isso*. – Mandy apontou um dedo molhado e gordinho para a base de minha mão. – É uma letra! – Ela virou a cabeça parcialmente para ver mais de perto e seus cachos negros fizeram cócegas no meu braço. – A letra J! – pronunciou ela, triunfante. – J de Jemmy! Eu odeio o Jemmy – emendou, enrugando a testa.

– Ahn... – falei, perplexa. Era *mesmo* a letra J.

A cicatriz tinha esmaecido até virar uma fina linha branca, mas continuava visível dependendo do ângulo da luz. A cicatriz que Jamie tinha feito em mim quando eu o havia deixado em Culloden. Eu o deixara para morrer e me atirara através das pedras para salvar seu filho desconhecido ainda por nascer. Nossa filha. E se eu não tivesse feito isso?

Olhei para Mandy, para seus olhos redondos e cachos negros, perfeita como uma maçã de primavera em miniatura. Ouvi Jem lá fora, rindo com o pai. Aquilo nos custara vinte anos de separação; anos de sofrimento, dor e perigo. Mas tinha valido a pena.

– É por causa do nome do vovô. J de Jamie – falei para Amanda, que aquiesceu como se isso fizesse todo o sentido, apertando com força junto ao peito uma Esmeralda encharcada.

Toquei sua bochecha corada e imaginei por um instante que meus dedos pudessem estar manchados de azul, embora não estivessem.

– Mandy – falei por impulso –, qual é a cor do meu cabelo?

Quando seu cabelo ficar branco, você estará de posse de seus plenos poderes.

Além de muitas coisas perturbadoras, uma velha sábia tuscarora chamada Nayawenne tinha me dito uma vez que eu estaria de posse de plenos poderes quando meu cabelo estivesse completamente branco.

Mandy me encarou por um instante, então disse num tom decidido:

– Malhado.

– Hein? Onde aprendeu essa palavra, pelo amor de Deus?

– Com o tio Joe. Ele disse que o Badger é dessa cor.

– Quem é Badger?

– O cachorro da tia Gail.

– Hummm – murmurei. – Ainda não, então. Está bem, meu amor, vamos pendurar Esmeralda para secar.

6

O CAÇADOR CHEGOU EM CASA, CHEGOU LÁ DA MONTANHA

Jamie e Brianna voltaram no fim da tarde, trazendo dois pares de esquilos, catorze pombos e um pedaço grande de lona manchada e esfarrapada que, uma vez desembrulhada, revelou algo que se assemelhava aos resquícios de um assassinato particularmente medonho.

– Jantar? – perguntei, cutucando de leve um osso esmigalhado que despontava da massa de pelos e carne pegajosa.

O cheiro era de carne crua, ferro e açougue, com uma nota rançosa, embora a putrefação ainda não houvesse se instalado.

– Sim, Sassenach, se você conseguir. – Jamie se aproximou e espiou a maçaroca sanguinolenta com o cenho um pouco franzido. – Vou limpar para você. Mas antes preciso de um pouco de uísque.

Por causa das manchas de sangue em suas camisa e calça, eu não tinha reparado no trapo igualmente sujo de sangue amarrado em volta de sua perna, mas notei que Jamie estava mancando. Arqueei a sobrancelha e fui até o grande cesto onde guardávamos comida, pequenas ferramentas e instrumentos médicos simples para a Casa Nova.

– Pelo que sobrou, imagino que isso seja... ou que tenha sido um cervo. Você o estraçalhou com as próprias mãos?

– Não, mas o urso, sim – disse Bree, sem alterar a expressão.

Ela trocou olhares cúmplices com o pai.

– Urso – repeti e inspirei fundo. Indiquei com um gesto a camisa de Jamie. – Certo. Quanto desse sangue é seu?

– Não muito – respondeu ele tranquilo, sentando-se no Tronco Grande. – Uísque?

Lancei um olhar incisivo na direção de Brianna, mas ela parecia estar bem. Imunda e com a camisa manchada de excrementos verde-acinzentados de ave, mas bem. Seu rosto brilhava de sol e felicidade, e eu sorri.

– Tem uísque naquele cantil de metal pendurado ali – falei, meneando a cabeça na direção do grande abeto no outro extremo da clareira. – Quer ir buscar para seu pai enquanto olho o que sobrou da perna dele?

– Claro. E onde estão Mandy e Jem?

– Na última vez que foram vistos, estavam brincando perto do córrego com Aidan e os irmãos. Não se preocupe – acrescentei ao vê-la morder o lábio inferior. – Lá é bem raso e Fanny disse que ficaria de olho em Mandy enquanto cata sanguessugas. Fanny é *muito* confiável.

– Uhum. – Ainda assim, Bree pareceu duvidar. Mas pude vê-la reprimir o impulso materno de tirar Mandy do córrego na mesma hora. – Sei que a conheci ontem à noite, mas não tenho certeza de que me lembro de Fanny. Onde ela mora?

– Conosco – respondeu Jamie. – Ai!

– Fique quieto – falei, abrindo a perfuração de sua perna com dois dedos enquanto despejava soro fisiológico lá dentro. – Não quer morrer de tétano, quer?

– E o que você faria se eu respondesse que sim, Sassenach?

– A mesma coisa que estou fazendo agora. Não estou nem aí para o que você quer. Eu me recuso a aceitar.

– Bom, então por que me perguntou? – Ele se reclinou para trás, apoiado nas palmas das mãos e com as duas pernas esticadas, e ergueu os olhos para Bree. – Fanny é uma menininha órfã. Seu irmão assumiu a proteção dela.

A incompreensão no rosto de Bree foi tanta que chegou a ser cômica.

– Meu irmão? Willie? – perguntou ela com hesitação.

– A menos que sua mãe queira me contar algo, ele é o único irmão que você tem – garantiu Jamie. – Sim, William. Sassenach, meu Deus, você é pior do que o urso!

Ele fechou os olhos. Não ficou claro se foi para evitar ver o que eu estava fazendo com sua perna, aumentando e removendo as bordas da ferida com uma lanceta – não era uma ferida grave em si, mas a perfuração na batata da perna estava profunda e eu não estava sendo *nada* retórica em relação ao risco de tétano –, ou se era para dar a Bree um instante para recuperar a compostura.

Ela o encarou com a cabeça inclinada.

– Então… – disse ela devagar. – Isso quer dizer… que ele *sabe* que você é o pai dele?

Jamie fez uma careta sem abrir os olhos.

– Sabe.

– E não está muito feliz com isso?

Bree deu um sorrisinho torto, mas tanto seus olhos quanto sua voz transmitiam solidariedade.

– Provavelmente não.

– *Ainda* – murmurei, enxaguando o sangue da canela de Jamie.

Ele fez um muxoxo. Bree produziu uma versão mais feminina do mesmo ruído e saiu para buscar o uísque. Jamie a ouviu se afastar e abriu os olhos.

– Ainda não acabou, Sassenach?

Vi a leve vibração de seus pulsos e percebi que Jamie estava fazendo força nas palmas das mãos de modo a esconder o fato de estar tremendo de exaustão.

– Já acabei de machucar você – assegurei-lhe. Ao me levantar, toquei de leve suas costelas e seus dedos. – Vou fazer um curativo e depois você precisa ficar um tempo deitado com o pé para cima.

– Não durma, Pa – disse Brianna ao voltar, abaixando-se para lhe entregar o cantil. – Ian disse que ia trazer Rachel e Jenny para jantarem conosco. – Ela se inclinou mais um pouco e lhe deu um beijo na testa. – Não se preocupe com Willie. Ele vai mudar de ideia.

– É. Tomara que não espere eu morrer para fazer isso. – Jamie deu um sorriso torto para indicar que sua intenção era fazer graça e ergueu o cantil numa saudação.

Apesar dos protestos, insisti para Jamie ficar na sombra debaixo do abrigo do meu consultório e o fiz se deitar com meu avental dobrado debaixo da cabeça.

– Você comeu alguma coisa desde o café da manhã? – perguntei, apoiando sua perna machucada num pedaço de madeira da pilha de rejeitos.

– Comi – respondeu ele, paciente. – Amy Higgins mandou pães de frigideira e queijo por Brianna. Comemos enquanto esperávamos o urso ir embora. Você acha mesmo que eu ficaria quieto se estivesse faminto?

– Ah – respondi, me achando um tanto boba. – É só que… – Alisei seus cabelos para longe da testa. – É que eu queria fazer você se sentir melhor, e alimentá-lo foi a única coisa que me ocorreu.

Isso o fez rir e ele se espreguiçou, arqueando as costas, e se reacomodou numa posição mais confortável sobre a grama pisoteada.

– Bom, Sassenach, foi um pensamento gentil. Poderia pensar em outras formas… depois que tiver descansado um pouco. E Brianna disse que o pessoal do Ian virá jantar aqui.

Ele virou a cabeça e lançou um olhar para as montanhas distantes onde o sol descia devagar por entre pequenas nuvens gordas, pintando-as suavemente de dourado.

Demos um pequeno suspiro diante daquela visão e Jamie segurou minha mão.

– O que eu quero que você faça, Sassenach, é ficar sentada aqui comigo um instante... e me dizer que não estou sonhando. Ela está mesmo aqui? Ela, as crianças e Roger Mac?

Apertei a mão dele e senti a mesma alegria borbulhante que podia ver em seu rosto.

– É real. Eles estão aqui. *Bem aqui*, na verdade.

Eu ri um pouco, porque ainda podia ver Brianna lá embaixo, caminhando na direção das árvores que margeavam o córrego, com os longos cabelos agora soltos esmaecendo nas sombras até ficarem castanhos e se levantando com a brisa do fim do dia enquanto ela chamava os filhos.

– Mas entendo o que você quer dizer. Hoje de manhã examinei a garganta de Roger. Eu me senti São Tomé. Foi muito estranho estar com ele ali bem na minha frente, tocar nele... Ao mesmo tempo, não pareceu nem um pouco estranho.

Alisei de leve o dorso da mão dele com o polegar, sentindo as protuberâncias dos ossos e a leve aspereza da cicatriz que partia de onde antes ficava o anular.

– Eu me sinto assim o tempo todo, Sassenach – disse ele, emocionado. Seus dedos se fecharam em volta dos meus. – Às vezes, quando acordo de manhã cedinho e vejo você ali ao meu lado, tenho dúvida se você é real. Até tocar em você... ou até você soltar um pum.

Puxei a mão com força e ele rolou para outro lado e se sentou, apoiando os cotovelos nos joelhos de modo confortável.

– Mas e Roger Mac? Como está? – perguntou, ignorando meu olhar zangado. – Acha que algum dia vai recuperar a voz?

– Não sei – respondi. – Não sei mesmo. Mas deixe eu contar o que ele me disse sobre um homem chamado Hector McEwan...

Jamie escutou com bastante atenção, mexendo-se apenas para espantar nuvens de mosquitos que se aproximavam.

– Você já viu isso, *a nighean*? – perguntou Jamie quando terminei. – Essa luz azul?

Meu corpo foi transpassado por um pequeno e profundo arrepio que nada teve a ver com o ar cada vez mais frio. Olhei para outro lado, em direção a um passado enterrado. Ou que eu havia tentado enterrar.

– Eu... Bom, já – falei e engoli em seco. – Mas na época pensei que fosse uma alucinação, e é bem possível que tenha sido *mesmo*. Tenho certeza que estava à beira da morte, e pode ser que a morte iminente altere as percepções da pessoa.

Ele fitou meu rosto com atenção, pensativo.

– É, altera – disse Jamie, um tanto seco. – Mas isso não quer dizer que o que vê quando está nesse estado não seja verdade. Mas você não precisa reviver essas coisas a não ser que voltem por conta própria.

– Verdade – falei, talvez um pouco depressa demais, e me concentrei com firmeza em minha lembrança. – Não vou reviver. É que eu estava com uma infecção grave e Mestre Raymond... – Eu não estava olhando diretamente para Jamie, mas senti sua cabeça se levantar de repente ao escutar aquele nome. – Ele apareceu e me curou. Não tenho a menor ideia de como fez isso e não estava pensando de modo consciente em *nada*. Mas eu vi... – Esfreguei a mão no antebraço devagar, revendo a mesma imagem. – O osso dentro do meu braço ficou azul. Não um azul vivo, não igual àquele... – Fiz um gesto em direção à montanha, onde o céu do início da noite acima das nuvens tinha agora a mesma tonalidade das esporeiras. – Um azul bem suave, bem tênue. Mas ele estava... *brilhando* não é a palavra certa. Estava... vivo.

Estava mesmo. E eu havia sentido o azul se irradiar de meus ossos e me inundar. E havia sentido os micróbios que estavam em meu sistema explodirem e morrerem como estrelas. A lembrança daquela sensação fez os pelos de meus braços e pescoço se arrepiarem e me preencheu com uma estranha sensação de bem-estar, como um mel morno sendo mexido.

Um grito selvagem vindo da mata interrompeu o clima e Jamie se virou sorrindo.

– Ah, lá vem o pequeno Oggy! Ele berra feito um puma quando está caçando.

Levantei-me e limpei o mato grudado na saia.

– Acho que nunca vi uma criança que gritasse tão alto.

Como se o grito tivesse sido um sinal, ouvi uma algazarra no vale mais abaixo e um bando de crianças irrompeu das árvores perto do córrego seguidas por Bree e Roger. Os dois caminhavam devagar, com a cabeça inclinada na direção um do outro, entretidos no que parecia uma conversa satisfeita.

– Vou precisar de uma casa maior – disse Jamie em tom reflexivo.

Antes que ele pudesse detalhar esse conceito interessante, porém, os Murrays apareceram na trilha que descia pelo lado leste da Cordilheira, Rachel com Oggy no colo, berrando por cima de seu ombro, e Ian carregando um grande cesto coberto.

– E as crianças? – perguntou Rachel a Jamie.

Jamie se levantou sorrindo, então meneou a cabeça em direção à clareira lá embaixo.

– Veja você mesma, *a nighean*.

Jem, Mandy e Germain tinham sido separados de seus companheiros e agora vinham andando atrás de Bree e Roger, empurrando-se de modo brincalhão.

– Ah – disse Rachel, e vi seus olhos cor de avelã se suavizarem. – Ah, Jamie. Sua filha se parece tanto com você... e seu neto também!

– Eu não disse? – falou Ian, sorrindo para Rachel, e ela pôs a mão no braço dele e apertou com força.

– Jenny... – Rachel balançou a cabeça, sem conseguir pensar em nada capaz de descrever suficientemente o estado emocional dela.

– Bom, eu duvido que Jenny desmaie – disse Jamie, levantando-se com cuidado.

– Ela já encontrou Brianna uma vez, embora ainda não tenha visto as crianças. Onde ela está?

Ele ergueu os olhos para a trilha que entrava na mata, como se esperasse que a irmã fosse se materializar ali mesmo enquanto ele falava.

– Ela vai ficar na casa dos MacNeills – respondeu Rachel e pôs Oggy na grama, onde ele ficou se remexendo, à vontade. – Cairistina MacNeill e ela ficaram muito amigas quando estavam fazendo a colcha, e Cairistina nos disse que o marido tinha ido a Salisbury e que ela estava com medo de ficar sozinha à noite, já que a casa deles é bem distante do vizinho mais próximo.

Aquiesci ao escutar isso. Cairistina era muito jovem e recém-casada. Era a terceira esposa de MacNeill. Tinha vindo de Campbelton, perto de Cross Creek. A noite nas montanhas era muito escura e cheia de coisas invisíveis.

– Quanta gentileza de Jenny – comentei.

Ian fez um breve muxoxo, achando graça.

– Não vou dizer que minha mãe não é gentil – disse ele. – Mas acho muito provável ela ter ido lá tanto por causa dela mesma quanto da senhora MacNeill. – Ele meneou a cabeça para Oggy, que choramingava com um filete comprido de baba pendurado no lábio inferior. – O menino teve cólica três noites seguidas e a casa é pequena, sabe? Aposto com vocês que minha mãe está neste exato momento estirada na cama da sra. MacNeill, ferrada no sono.

– Ela passou metade da noite acordada com ele – disse Rachel para mim no tom de quem se desculpa. – Eu disse que podia ficar com ele, mas Jenny falou: "Que bobagem! Para que serve uma avó então?" – Ela se agachou e pegou Oggy antes de ele subir o tom e começar a imitar uma sirene de ataque aéreo. – O que acha de Marmaduke, Claire?

– O que acho de...? Ah, como nome para Oggy, você quer dizer? – Modifiquei depressa a expressão, mas já era tarde. Rachel riu.

– Foi o que Jenny falou. Mesmo assim – emendou ela, tirando a ponta da trança escura dos dedos curiosos do filho –, Marmaduke Stephenson era o nome de um dos mártires de Boston, um amigo muito importante. Seria um belo nome.

– Bom, uma coisa eu reconheço: não seria fácil confundi-lo com outra pessoa se vocês o batizassem de Marmaduke – disse Jamie, tentando ser cortês. – E ele aprenderia a brigar logo cedo. Mas se vocês quiserem que ele seja quacre...

– É – disse Ian para Rachel. – E tampouco vamos batizá-lo de Temente a Deus, menina. Mas Fortitude, quem sabe... É um nome de homem decente.

– Hummm – fez ela, baixando os olhos para o filho. – O que acham de Sábio? Sábio Murray? Sábio Ian Murray?

Jamie inclinou a cabeça e semicerrou os olhos para Oggy enquanto refletia, então olhou para Ian, depois para Rachel, e fez que não com a cabeça.

– Com os pais que ele tem, não acho isso provável. Mas... você já cogitou homenagear seu pai, Rachel? Qual era o nome dele?

– Mordecai – respondeu ela. – Talvez não como *primeiro* nome…

Olhei para o fogo, uma transparência avermelhada tremeluzente à luz do dia.

– Ian, quer aumentar um pouco o fogo? Vou assar os pombos nas cinzas e depois…

Tornei a olhar para o vale e contei as cabeças que vinham subindo. Os filhos dos Higgins tinham voltado para casa a fim de jantar, de modo que ficávamos então com…? Contei nos dedos rapidamente: sete adultos, quatro crianças. Eu tinha uma panela grande de lentilhas com ervas e um presunto no osso que estava cozinhando desde o meio-dia. Bree havia esfolado e limpado os esquilos que trouxera. Talvez fosse melhor picá-los e juntá-los na panela. E depois…

– Nós trouxemos um pequeno incremento para o jantar, Claire. – Rachel indicou com a cabeça o cesto que tinha no braço. – Não, Oggy, não puxe os cabelos de sua mãe. Eu posso levar um susto e deixar você cair no fogo, e isso seria uma pena, não é?

A ameaça muito quacre me fez rir, mas Oggy soltou, quase por completo, a ponta da trança da mãe e decidiu em vez disso enfiá-la na boca enquanto me encarava com um ar pensativo.

– Venha cá – falei, estendendo os braços para ele. – Você tem primos para conhecer, meu jovem Oglethorpe.

A perna de Jamie não doía muito, mas estava sensível e coberta por um hematoma, e ele aceitou de bom grado se sentar no toco grande perto do consultório improvisado de Claire e deixar seus ossos descansarem enquanto observava a família ocupada na preparação do jantar.

Ainda vestida com as roupas de caça emprestadas pelo pai, Brianna cuidava do cervo despedaçado. Orgulhoso, Jamie observava suas mãos manejarem com habilidade a faca. Ela herdou aquela habilidade dele ou da mãe? Não eram só as mãos, nem o simples conhecimento de como proceder… Era uma solidez mental, pensou ele com aprovação. Reconhecer um serviço que precisava ser feito e não precisar questioná-lo.

Olhou para Roger, que partia lenha despido até a cintura e todo suado. Aquele rapaz tinha *mesmo* questões, e provavelmente sempre teria. Mas Jamie pensou que podia sentir nele uma nova determinação, talvez; ele iria precisar.

Claire tinha comentado que ele pretendia continuar sendo pastor. Isso era bom. As pessoas precisavam de alguém que cuidasse de suas almas e Roger precisava de algo que valesse a pena fazer. Claire dissera que ele havia pensado no assunto e tomara a decisão.

Mas Brianna… como poderia ser sua vida ali? Na primeira vez que morou na Cordilheira, ela lecionara um pouco na pequena escola, mas Jamie achava que ela não tinha gostado da experiência. Provavelmente nem sentiria falta. Enquanto a observava, ela se levantou e esticou o corpo, estendendo os braços em direção ao céu.

Meu Deus, que moça bonita… Talvez ela tenha mais filhos.

Quase tinha medo de pensar isso. Não queria correr o risco de perdê-la. E Jem e Mandy precisavam dela. *Mesmo assim...* O pensamento era como uma pequena esperança verde dentro do peito e ele sorriu, ao mesmo tempo que observava o grupo de crianças trazer lenha para o fogo, largá-la no chão e sair correndo para retomar fosse qual fosse a brincadeira na qual estivessem entretidos. Esconde-esconde, talvez? Ali estava a pequena Frances, aproximando-se com gravetos e um punhado de flores.

Ela havia perdido a touca e seus cachos escuros tinham se desprendido num dos lados e pendiam soltos sobre o ombro. Seu rosto parecia afogueado por causa do esforço e ela sorria. Essa visão o deixou feliz.

Algo fez cócegas em sua perna e interrompeu seus pensamentos. Uma coisinha verde que parecia um minúsculo percevejo estava pousada em seu joelho.

Com cautela, Jamie moveu a mão em direção ao inseto, mas o bicho não teve medo, não saiu voando nem retaliou tentando se enfiar no ouvido ou na narina como as moscas faziam. Deixou que ele tocasse sua parte traseira e só remexeu as antenas, levemente irritado. No entanto, quando Jamie tentou tocar suas costas, o inseto pulou de seu joelho como um gafanhoto e foi pousar no canto da caixa de remédios de Claire, onde pareceu fazer uma pausa para avaliar as circunstâncias.

– Não faça isso – aconselhou Jamie ao inseto em gaélico. – Você vai acabar virando um tônico ou sendo moído até virar pó.

Não soube dizer se o inseto estava olhando para ele, mas o percevejo pareceu refletir, então deu outro salto repentino e desapareceu.

Fanny tinha trazido uma planta de algum tipo para Claire, que, interessada, estava virando as folhas e explicando para que servia. Fanny estava radiante e seu rosto exibia um leve sorriso pelo fato de ter sido útil.

A visão da menina aqueceu o coração de Jamie. Ela estava muito assustada quando Willie a levara até eles. E com motivo, pobrezinha. Havia no coração dele um lugar mais frio onde sua irmã Jane morava.

Ele fez uma pequena prece pelo descanso da alma de Jane e, após hesitar um segundo, fez outra por Willie. Sempre que pensava em Jane, Jamie a imaginava sozinha e abandonada na noite escura, o rosto muito branco, morta à luz de sua única vela. Morta pelas próprias mãos, portanto maldita segundo a Igreja. Mesmo assim, teimoso, ele rezou por sua alma. Ninguém podia impedi-lo.

Não se preocupe, a leannan, pensou com carinho, dirigindo as palavras a Jane. *Vou cuidar de Fanny por você e talvez um dia a veja no Céu. Não tenha medo.*

Torceu para alguém cuidar de William por ele. Por mais terrível que fosse a lembrança daquela noite, ele a guardava e a rememorava de propósito. William fora pedir sua ajuda, e isso era importante para ele. Pensar nos dois defendendo uma causa perdida numa noite de chuva e perigo, unidos por um mesmo desalento à luz daquela vela, demasiado tarde. Era uma lembrança terrível, mas que ele não queria esquecer.

Mammaidh, pensou, lembrando-se de repente da mãe, *cuide do meu belo menino.*

7
MORTO OU VIVO

William, nono conde de Ellesmere, visconde de Ashness, barão de Derwent, apoiou-se num carvalho e avaliou os recursos de que dispunha. Naquele momento, consistiam em um cavalo razoavelmente bom – um belo baio escuro de focinho branco que atendia pelo nome de Bartholomew (segundo William fora informado pelo antigo dono do animal) – e uma sacola de lona contendo uma pequena quantidade de comida e meia garrafa de cerveja choca, uma faca decente e um mosquetão que, numa situação difícil, poderia ser usado para golpear alguém, porque tentar dispará-lo sem dúvida faria explodir a mão de William, sua cara ou as duas coisas.

Bem, era verdade que ele tinha 3 libras, 7 shillings, 2 pence e um punhado de pequenas moedas e fragmentos de metal que um dia *talvez* tivessem sido moedas, o lado bom de ter travado um conhecimento passageiro com uma unidade da milícia americana encontrada numa taberna de beira de estrada. Aqueles homens tinham servido com as tropas continentais em Monmouth e seis meses antes estavam sob as ordens do general Washington no acampamento de Middlebrook, o último lugar conhecido em que Benjamin, primo de William, fora visto com vida.

Era uma questão controversa se Benjamin *ainda* estava vivo, mas William parecia decidido a partir dessa premissa enquanto não encontrasse prova do contrário.

Seu encontro com os milicianos de Nova Jersey não lhe trouxera informação alguma quanto a isso, mas resultara, isso sim, em vários homens ansiosos para jogar cartas, que foram ficando mais destemidos em suas apostas conforme a noite avançava e o estoque de bebida diminuía.

William torcia para conseguir encontrar algum lugar onde o dinheiro que havia ganhado pudesse lhe comprar um jantar e uma cama. Naquele momento, parecia bem mais provável que o fizesse ser morto. Tinha descoberto que o raiar do dia era muitas vezes uma hora de arrependimentos, e pelo visto os americanos também compartilhavam desse sentimento. Tinham acordado belicosos em vez de com ressaca, porém, e pouco depois acusado William de ter trapaceado no jogo, levando-o com isso a se despedir abruptamente.

Com cautela, ele espiou por entre as folhas da copa baixa de um carvalho-branco. A estrada ainda continuava por uns 200 metros depois de seu esconderijo e, embora estivesse vazia no momento, o caminho enlameado era evidentemente muito utilizado, esburacado e revirado como estava pela passagem recente de cavalos.

Ele os ouvira chegando, graças a Deus, a tempo de tirar Bart da estrada e se esconder num emaranhado de árvores jovens e trepadeiras. Tinha se esgueirado para mais perto da estrada bem a tempo de ver alguns dos homens de quem havia ganhado dinheiro na noite anterior, agora parcialmente restabelecidos do sono e do álcool e decididos a recuperar o prejuízo, a julgar por seus gritos incoerentes.

Ergueu os olhos para a trêmula luz verde que descia por entre as folhas; passava um pouco do meio da manhã. Que pena. Não achava seguro voltar para a taberna, onde outros membros da milícia sem dúvida deviam estar acordando, e não fazia ideia de a que distância ficava o povoado seguinte. Mudou de posição e suspirou. Não lhe agradava a ideia de ficar parado debaixo de uma árvore até o bando que o perseguia se cansar e seguir de volta na outra direção. Ou então até a noite cair, o que acontecesse primeiro. Com horror, ocorreu-lhe que a árvore tinha o tamanho e o formato perfeitos para *enforcar* um homem.

O que ouviu em seguida foi o barulho de cavalos, mas em menor quantidade. Três homens, cavalgando devagar.

Cloaca obscaena. Não disse isso em voz alta, mas as palavras ecoaram com clareza em sua mente. Um dos homens era o cavalheiro de quem ele tinha comprado Bart dois dias antes e os outros pertenciam à unidade da milícia.

A outra coisa que ficou clara para ele foi a visão da pata dianteira direita de Bart, em cuja ferradura faltava um grande pedaço triangular.

Não esperou para ver se o ex-dono de Bart conseguiria distinguir a pegada do cavalo na lama da estrada. Deu a volta no carvalho e se afastou o mais depressa que pôde pelo meio da vegetação, sem ligar para o barulho que fazia.

Bart, que ele deixara procurando algo para comer, estava parado com a cabeça erguida, orelhas empinadas e narinas dilatadas de interesse.

– Não! – disse William com um sussurro desesperado. – Não faça...

O cavalo relinchou bem alto.

William soltou as rédeas rapidamente e pulou para cima da sela, segurando as rédeas numa das mãos e estendendo a outra para pegar o mosquetão.

– Vamos! – gritou, chutando com força os flancos do animal, e eles saíram do abrigo da vegetação e entraram na estrada em meio a uma chuva de folhas e lama.

Os três cavaleiros tinham se reunido na beira da estrada e um dos homens examinava a profusão de pegadas sobrepostas agachado na lama. Todos se viraram para olhar William, boquiabertos, e ele lhes gritou algo ininteligível e brandiu o mosquetão ao mesmo tempo que se virava para a esquerda e partia em disparada na direção da taberna, abaixado bem junto ao pescoço do cavalo.

Pôde ouvir xingamentos atrás dele, mas tinha uma boa vantagem. Talvez conseguisse escapar.

Quanto ao que poderia acontecer caso escapasse... pouco importava. Não havia mais nada que pudesse fazer. Ficar encurralado entre dois grupos de cavaleiros hostis não era algo que lhe agradasse.

Bart tropeçou. Escorregou na lama e caiu, e William foi arremessado por cima de sua cabeça e aterrissou de costas no chão com um impacto que o deixou sem ar e arrancou a arma de sua mão.

Os homens o alcançaram antes mesmo que ele se lembrasse de como fazer para respirar. Estava tonto e tudo em volta era um borrão de formas em movimento. Dois dos homens o puseram de pé e ele ficou pendurado entre eles, sentindo o sangue rugir nos ouvidos, vibrando de fúria e de medo, impotente, abrindo e fechando a boca feito um peixe dourado.

Eles não perderam tempo com ameaças. O ex-dono de Bart lhe deu um soco na cara e os outros dois o soltaram e o deixaram cair na lama outra vez. Mãos vasculharam seus bolsos e tiraram a faca de seu cinto. Ele ouviu Bart bufar ali perto, pisoteando um pouco o chão enquanto um dos homens tentava lhe retirar a sela.

– Ei, deixe isso aí! – gritou o dono de Bart, levantando-se. – Esse cavalo e essa sela são meus, seu desgraçado!

– Não são, não – retrucou uma voz decidida. – Você não teria pegado esse patife sem nós! Eu fico com a sela.

– Deixe, Lowell! Deixe ele ficar com o cavalo! Nós dividimos o dinheiro.

O terceiro homem acertou Lowell para enfatizar o que dizia, pois se ouviram um ruído de soco e um gemido indignado. De repente, William se lembrou de como respirar e a névoa escura de sua visão se dissipou. Com arquejos rasos, ele rolou de bruços e começou a tentar se levantar.

Um dos homens lançou-lhe um olhar rápido, mas não o considerou uma ameaça. *Eu não devo ser mesmo*, pensou ele, tonto, mas não estava acostumado a perder brigas e a possibilidade de ir embora acuado como um cão nem lhe passou pela cabeça.

Seu mosquetão tinha caído sobre o mato espesso e florido junto à estrada. Ele enxugou sangue de um dos olhos, levantou-se, pegou a arma e golpeou atrás da cabeça o ex-dono de Bart. O homem estava a ponto de montar e seu pé ficou preso no estribo quando caiu. O cavalo se assustou e recuou com um relincho agudo de protesto, e os homens entretidos em dividir o dinheiro de William se viraram alarmados com um movimento brusco.

Um deles deu um pulo para trás e o outro se esticou para a frente e segurou o cano do mosquetão, e houve alguns segundos de confusão ofegante interrompidos pelo som de gritos e cavalos a galope.

Distraído, William olhou em volta e viu o grupo maior de jogadores da noite anterior se aproximando em grande velocidade. Soltou o mosquetão e mergulhou no meio do mato à beira da estrada.

Teria conseguido se Bart, amedrontado pela confusão e pelo peso inerte ainda pendurado em seu estribo, não tivesse escolhido o mesmo momento e o mesmo objetivo. Quase 500 quilos de cavalo fizeram William sair voando pela estrada, onde ele aterrissou de cara na lama. O chão à sua volta tremeu e ele não pôde fazer mais nada a não ser cobrir a cabeça e rezar.

Seguiu-se uma confusão de pisadas na lama, gritos e impactos. William levou um coice de raspão nas costelas e um pisão forte na nádega esquerda conforme a briga se desenrolava e passava por cima dele.

Por que eles estão brigando?, pensou, atordoado.

Então começaram os tiros.

Não era fácil melhorar sua posição. Ele continuou deitado na estrada, com os braços a proteger a cabeça. Enquanto homens gritavam e praguejavam, alarmados, mais cavalos se aproximavam a galope e as saraivadas de tiros de mosquetão estouravam acima de sua cabeça.

Saraivadas de tiros?, pensou ele de repente.

Rolou o corpo e, assombrado, viu uma companhia de infantaria britânica, alguns dos soldados bloqueando com eficiência as pessoas que tentavam fugir, outros recarregando com eficiência seus mosquetões e dois oficiais a cavalo observando a cena com grande interesse.

Limpou a lama dos olhos e fitou os oficiais. Certo de não conhecer nenhum dos dois, relaxou um pouco. Não estava ferido, mas o impacto da colisão com Bart o deixara abalado e dolorido. Continuou sentado no meio da estrada, respirando e dando tempo ao cérebro para começar a reatar suas relações com o corpo.

A altercação, fosse ela qual fosse, havia perdido força. Os soldados tinham capturado a maioria de seus companheiros de carteado e os forçado, sob a mira das baionetas, a formar um pequeno grupo, no qual um jovem corneteiro lhes amarrava eficientemente as mãos nas costas.

– Você – disse uma voz atrás dele e uma bota o cutucou com brutalidade nas costelas. – Levante-se.

Ele virou a cabeça e viu que quem lhe falava era um soldado raso, um homem mais velho bastante seguro de si. Ocorreu-lhe que os soldados de infantaria poderiam supor que ele houvesse tomado parte no recente tumulto em vez de ser a vítima. Levantou-se atabalhoadamente e encarou o soldado bem mais baixo do que ele, que deu um passo para trás e corou até ficar vermelho.

– Ponha as mãos para trás!

– Não. – Foi a curta resposta de William, que, virando as costas para o soldado, deu um passo em direção aos oficiais montados.

Indignado, o soldado raso partiu para cima dele e o agarrou pelo braço.

– Tire as mãos de mim – disse William. E, como o soldado ignorou esse pedido educado, desvencilhou-se dele com um tranco que o fez cambalear.

– Parado, maldição! Parado ou atiro!

William tornou a se virar e se deparou com outro soldado raso, com o rosto afogueado e suando muito, segurando um mosquetão apontado para ele. O mosquetão estava armado, carregado... e era de William. Ele sentiu a boca seca.

– Não... não atire. Essa arma... ela não está...

O primeiro soldado deu um passo até atrás dele e lhe desferiu um soco em cheio no rim. Suas entranhas se contraíram como se ele tivesse levado uma facada no estômago e ele viu tudo branco. Seus joelhos cederam, mas William não chegou a cair no chão. Em vez disso, encolheu-se como se fosse uma folha morta.

– Aquele – disse uma voz inglesa educada que penetrou a névoa branca ruidosa. – Aquele, aquele dali e... este aqui, o alto. Levantem-no.

Mãos seguraram William pelos ombros e os projetaram para trás. Apesar de mal conseguir respirar, ele produziu um ruído engasgado. Em meio a uma névoa de lágrimas e lama, viu um dos oficiais, ainda montado, encará-lo de cima com um olhar crítico.

– Sim – disse o oficial. – Enforquem esse daí também.

William examinou o lenço com um olhar crítico. Não restava grande coisa dele. Haviam tentado usá-lo para amarrar seus pulsos e ele o rasgara em frangalhos ao retirá-lo. Mesmo assim, assoou o nariz com toda a delicadeza. Ainda saiu sangue, que ele enxugou com cuidado. Passos vieram subindo a escada em direção ao quarto em que ele estava, vigiado por dois soldados rasos desconfiados.

– Ele está dizendo que é *quem*? – indagou uma voz irritada do lado de fora do quarto.

Alguém respondeu algo, mas a resposta se perdeu em meio ao arrastar da porta no piso irregular ao se abrir. William se levantou devagar, empertigou-se até alcançar o máximo de sua estatura e encarou o oficial que acabara de entrar, um major dos dragões. O major estacou abruptamente, forçando os dois homens que vinham atrás a parar também.

– Ele está dizendo que é o nono conde de Ellesmere – disse William num tom ameaçador, encarando o major com o olho que ainda conseguia abrir.

– E é mesmo – disse uma voz mais leve, no tom de quem acha graça. Aliás, era um tom conhecido. William piscou para o homem que adentrou o recinto, uma figura esbelta, de cabelos escuros, trajando o uniforme de capitão da infantaria. – *Capitão* lorde Ellesmere, na realidade. Olá, William.

– Eu renunciei à minha patente – disse William sem entonação. – Olá, Denys.

– Mas não a seu título.

Denys Randall o olhou de cima a baixo, mas se absteve de fazer comentários sobre seu aspecto.

– Renunciou à patente, é? – O major, um sujeito mais para jovem e socado que parecia estar usando uma calça apertada demais, encarou William com uma expressão desagradável. – Para virar a casaca e se juntar aos rebeldes, pelo que entendi?

William respirou duas vezes, de modo a evitar dizer qualquer coisa impensada.

– Não – respondeu, com uma voz pouco amistosa.

– Naturalmente não – disse Denys, repreendendo de leve o major. Tornou a se virar para William. – E naturalmente estava viajando com uma companhia de milicianos americanos porque...?

– Não estava viajando com eles – disse William, conseguindo não arrematar a frase com "seu idiota". – Encontrei aqueles cavalheiros ontem à noite numa taberna e ganhei deles uma soma considerável no carteado. Saí da taberna hoje de manhã cedo e segui viagem, mas eles foram atrás de mim, com a óbvia intenção de recuperar o dinheiro à força.

– Óbvia intenção? – repetiu o major, cético. – Como identificou essa intenção... senhor? – acrescentou com relutância.

– Imagino que ser perseguido e espancado possa servir como um bom indício – respondeu Denys. – Sente-se, Ellesmere. Seu sangue está pingando no chão. Eles conseguiram pegar o dinheiro de volta?

Ele sacou um grande lenço, branco feito neve, e o entregou a William.

– Sim. E tudo mais que eu tinha no bolso. Não sei que fim levou meu cavalo.

Ele encostou o lenço no lábio cortado. Apesar do nariz inchado, pôde sentir no pano o cheiro da água de colônia de Randall, a verdadeira Eau de Cologne, um cheiro de Itália e sândalo. Lorde John a usava de vez em quando e o cheiro o reconfortou um pouco.

– Quer dizer que o senhor alega não saber nada sobre os homens com quem o encontramos? – perguntou o outro oficial, um tenente, homem mais ou menos da mesma idade de William e nervoso como um cão terrier. O major lançou-lhe um olhar de desagrado, a indicar que não julgava precisar de ajuda para interrogar William, mas o tenente não ligou. – Certamente, se estava jogando cartas com eles, deve ter conseguido obter *alguma* informação.

– Sei alguns de seus nomes – disse William, sentindo-se muito cansado de repente. – Só isso.

Na verdade, não era só isso. Muito pelo contrário. Mas ele não queria falar sobre as coisas que havia descoberto: que Abbot era ferreiro e tinha um cachorro esperto que o ajudava em sua forja, indo pegar pequenas ferramentas ou gravetos para o fogo quando ele pedia. Que Justin Martineau tinha uma nova esposa, para cuja cama ansiava por voltar. Que a esposa de Geoffrey Gardener fabricava a melhor cerveja do vilarejo e a de sua filha era quase tão boa, embora ela tivesse apenas 12 anos. Gardener era um dos homens que o major havia decidido enforcar.

William engoliu em seco, com a garganta obstruída pela poeira e pelas palavras não ditas.

Conseguira escapar da forca em grande parte devido à sua habilidade de praguejar em latim, que havia desconcertado o major por tempo suficiente para ele conseguir se identificar, nomear seu antigo regimento e citar uma lista de proeminentes oficiais do Exército capazes de confirmar o que estava afirmando, a começar pelo general Clinton (meu Deus, onde *estaria* Clinton agora?).

Denys Randall murmurava alguma coisa para o major, que, apesar de ainda ostentar um ar de desagrado, havia passado de plena fervura a um fervilhar rabugento. O tenente observava William com atenção e os olhos semicerrados, evidentemente pensando que ele seria capaz de pular do banco e sair correndo. Não parava de tocar a cartucheira e a pistola no coldre, vislumbrando a maravilhosa possibilidade de matar William com um tiro quando ele corresse em direção à porta. William deu um grande e inesperado bocejo e ficou sentado piscando, sentindo a exaustão engolfá-lo como a maré.

Naquele momento, William não se importava com o que pudesse acontecer. Seus dedos sujos de sangue tinham deixado manchas na madeira gasta da mesa e ele as olhou fascinado, sem prestar atenção no que estava sendo dito, até uma de suas orelhas maltratadas captar as palavras "agente secreto".

Fechou os olhos. *Não. Simplesmente... não.* Mas começou a escutar outra vez, mesmo contra a vontade.

As vozes foram ficando mais altas, sobrepondo-se, interrompendo-se. Percebeu que Denys tentava convencer o major de que ele, William, estava trabalhando como espião, coletando informações de grupos de milicianos americanos como parte de um complô para... raptar George Washington?

O major pareceu tão espantado quanto ele ao escutar isso. As vozes diminuíram de volume e o major virou as costas para William, inclinando-se para junto de Denys e sibilando perguntas. Denys, o maldito, estava calmo, mas tinha abaixado a voz de modo respeitoso. *Onde* poderia estar George Washington? Não era possível que estivesse num raio de 500 quilômetros... ou era? Tirando a batalha em Monmouth Courthouse, a última coisa que William ficara sabendo sobre os movimentos de Washington era que ele estava perambulando pelas montanhas de Nova Jersey. O último lugar em que seu primo Benjamin fora visto.

Ouviram um barulho fora da taberna. Bem, tabernas podiam ser bem barulhentas, mas aqueles eram os sons indistintos de homens sendo levados, ordens, passos desordenados, protestos. Os ruídos então ficaram mais ordenados e ele reconheceu os sons de uma partida. Uma voz alta e autoritária dispensando as tropas? Homens se afastando todos juntos, mas não soldados. Não havia nada de organizado nos passos arrastados e nos resmungos que William escutava por baixo do som mais próximo da conversa de Denys com o major não-sei-das-quantas. Não havia como saber o que estava acontecendo, mas aquilo não parecia nem um pouco com um enforcamento oficial. Ele comparecera a um evento desses anos antes, quando um capitão americano chamado Hale fora executado como... espião. William não tinha comido nada de café da manhã e sentiu gosto de bile quando a palavra bateu feito chumbo no fundo de seu estômago.

Obrigado, Denys Randall... pensou, e engoliu em seco.

Já tinha considerado Denys um amigo e, embora *essa* ideia houvesse sido destruída há três anos com o sumiço abrupto de Denys em Québec, deixando William isolado pela neve e sem objetivo, ele não chegara a cogitar que o homem fosse usá-lo como instrumento. Mas um instrumento com que objetivo?

Denys parecia ter provado o que desejava provar. O major se virou e encarou William com uma expressão de avaliação, então fez que não com a cabeça, virou-se e saiu, seguido por seu tenente relutante e obediente.

Denys ficou parado, escutando os passos dos oficiais morrerem escada abaixo. Então deu uma inspiração profunda e visível, endireitou o casaco e foi se sentar de frente para William.

– Isto aqui não é uma taberna? – perguntou William antes de Denys conseguir falar.

– É. – Uma sobrancelha escura se levantou.

– Então me arrume alguma coisa para beber antes de começar a me dizer o que acabou de fazer comigo.

A cerveja estava boa e William sentiu pesar por Geoffrey Gardener, mas não havia nada que pudesse fazer por ele. Bebeu avidamente, ignorando a ardência que o álcool provocou em seu lábio cortado, e começou a se sentir um pouco mais calmo.

Denys se dedicou à própria cerveja com igual intensidade e pela primeira vez sobrou a William atenção suficiente para reparar na grossa camada de pó que manchava os punhos largos do casaco do outro homem e no estado de sujeira de suas roupas. Denys havia passado dias cavalgando. Perguntou-se se sua aparição oportuna poderia não ter sido um total acidente. Mas, caso não... por quê? E como?

Denys finalizou a cerveja e colocou a caneca na mesa, com os olhos fechados e a boca parcialmente aberta numa momentânea satisfação. Então suspirou, empertigou as costas, abriu os olhos e se sacudiu para voltar à realidade.

– Ezekiel Richardson – disse ele. – Quando o viu pela última vez?

Não era o que William esperava ouvir. Ele limpou a boca de leve com a manga e ergueu a sobrancelha e a caneca vazia para a atendente que estava por perto, que pegou as duas canecas e desapareceu escada abaixo.

– A ponto de falar com ele? – indagou. – Uma semana ou duas antes de Monmouth... um ano atrás, talvez. Mas eu não teria falado com ele. Por quê?

Ouvir o nome de Richardson o irritou. Segundo o próprio Denys, aquele homem o havia mandado para o Grande Pântano da Virgínia com a intenção de fazê-lo ser raptado ou morto pelos rebeldes em Dismal Town. Ele quase tinha morrido no pântano, e ouvir o nome de Richardson o deixara mais do que nervoso.

– Ele virou a casaca – respondeu Denys sem rodeios. – Eu já desconfiava havia algum tempo que fosse um agente americano, mas foi só quando o mandou para o pântano que comecei a ter certeza. Só que eu não tinha prova, e é perigoso acusar um oficial de espionagem sem provas.

– E agora você tem?

Denys o encarou com um olhar incisivo.

– Ele abandonou o Exército... sem ter a educação de renunciar, eu poderia acrescentar. E reapareceu em Savannah durante o inverno alegando ser major do Exército Continental. Acho que isso poderia ser considerado uma prova suficiente.

– E se for? Tem alguma coisa para comer por aqui? Não tomei café da manhã.

Denys o observou com atenção, mas então se levantou sem comentar nada e desceu a escada, em busca de comida. Na verdade, William estava bastante tonto, mas também queria alguns instantes para se acostumar com aquela revelação.

Seu pai conhecia Richardson superficialmente. Fora assim que William tinha começado a assumir pequenas missões de informação para ele. Como a maioria dos soldados, seu tio Hal considerava a espionagem uma atividade inadequada para um cavalheiro, mas seu pai não demonstrara qualquer reserva. Fora também seu pai quem o havia apresentado a Denys Randall, que na época se fazia chamar pelo nome Randall-Isaacs. Ele tinha passado alguns meses com Randall-Isaacs em Québec, investigando as redondezas com pouca finalidade aparente, até Denys partir abruptamente rumo a alguma missão confidencial, deixando William na companhia de um guia indígena. Denys com certeza era... Pela primeira vez, a convicção de que Denys era um espião e a possibilidade de que o próprio pai *talvez* fosse um lhe passaram pela cabeça. Por reflexo, ele bateu na têmpora com a base da mão na tentativa de desalojar essa ideia, mas ela não foi embora.

Savannah, durante o inverno. O Exército Britânico havia tomado a cidade no fim de dezembro. Ele estivera lá um pouco depois e tinha bons motivos para se lembrar disso. Sentiu um nó na garganta. *Jane.*

O som de vozes lá embaixo e os passos de Denys tornando a subir o tiraram de seus devaneios. William tocou o nariz: estava dolorido e parecia ter dobrado de tamanho, mas já não sangrava mais. Denys entrou com um sorriso tranquilizador.

– A comida está a caminho! *E* mais cerveja... a não ser que você precise de algo mais forte. – Ele examinou William com atenção, tomou uma decisão e girou nos calcanhares. – Vou pegar um pouco de conhaque.

– Isso pode esperar. O que Ezekiel Richardson tem a ver com meu pai? Se é que tem alguma coisa... – perguntou William.

Isso fez Denys congelar, mas só por alguns instantes. Ele foi até a mesa e se sentou devagar, os olhos cravados em William com a expressão de quem está fazendo um cálculo. Mais de um. William podia *ver* os pensamentos passando velozes por sua mente, só não conseguiu saber *quais* eram esses pensamentos.

Denys inspirou fundo e pôs as mãos em cima da mesa com as palmas viradas para baixo, como quem precisa se segurar.

– Por que acha que ele tem alguma coisa a ver com lorde John?

– Lorde John conhece o sujeito. Richardson falou com ele sobre a possibilidade de eu... ficar de olho caso alguma informação interessante surgisse.

– Entendo – disse Denys em tom seco. – Bem, se eles eram amigos, devo dizer que nenhuma relação desse tipo existe mais entre os dois. Richardson foi ouvido proferindo ameaças a seu pai, embora pelo visto não tenha se decidido a levá-las a cabo. Mesmo assim... – acrescentou com delicadeza.

– Que tipo de ameaça? – Uma sensação de alarme e raiva subiu pela espinha de William ao escutar isso.

– Tenho certeza que são infundadas – começou Denys.

William se pôs parcialmente de pé.

– Maldição, é melhor me dizer ou arrancarei essa porcaria de nariz de sua cara.

Ele estendeu a mão, com as articulações inchadas preparadas para fazer exatamente isso. Denys empurrou para trás o banco em que estava sentado, fazendo-o se arrastar ruidosamente pelo chão, e se levantou depressa.

– Vou dar um desconto pela sua situação, Ellesmere – falou, encarando William com um olhar firme do tipo que se tenta com um cachorro que está ameaçando morder. – Mas...

William produziu um ruído no fundo da garganta.

Denys deu um passo involuntário para trás.

– Está bem! – disparou. – Richardson ameaçou espalhar a informação de que lorde John é sodomita.

William piscou, petrificado por um instante. A palavra nem sequer fez sentido na hora.

Então fez, mas ele foi impedido de dizer qualquer coisa pela atendente, uma moça gorducha de ar cansado e vesga de um olho que entrou trazendo uma enorme bandeja de comida e bebida. O aroma da carne na brasa, dos legumes na manteiga e do pão fresco fez arder a mucosa de suas narinas, mas seu estômago se revirou com uma súbita urgência. Urgência que não bastou, porém, para distrair sua atenção do que Randall tinha acabado de dizer. William se levantou, enxotou a moça do quarto e fechou a porta com firmeza atrás dela antes de se virar de novo para Denys.

– É *o quê*? Isso é... – William fez um gesto largo, a indicar como aquilo era inacreditável. – Ele foi casado, pelo amor de Deus!

– Foi o que soube. Com a... a viúva alegre de um general escocês rebelde. Mas isso foi bem recente, não foi? – O canto da boca de Randall se ergueu revelando que aquela conversa o divertia um pouco, o que deixou William enfurecido.

– Não é disso que estou falando! – disparou ele. – E ele não... quero dizer, o maldito escocês não morreu! Foi um erro. Meu pai foi casado durante anos com minha mãe... minha madrasta, quero dizer... uma dama de Lake District. – Ele bufou, zangado, e tornou a se sentar. – Richardson não pode nos prejudicar com esse tipo de boato.

Denys franziu os lábios e soltou o ar devagar.

– William – disse ele, paciente –, boatos já mataram mais homens do que tiros de mosquetão.

– Bobagem.

Denys sorriu de leve e deu de ombros.

– Talvez isso seja um exagero, mas pense um pouco. Você sabe o valor que tem a palavra de um homem, seu caráter. Se o major Allbright não tivesse aceitado minha palavra sem garantias agora há pouco, você estaria morto. – Ele apontou para William um dedo comprido e de unha feita. – E se alguém antes disso tivesse dito a ele que eu vivo de trapacear no jogo ou que sou o principal investidor de uma casa de má fama de sucesso? Ele teria se disposto a aceitar meu testemunho quanto à solidez de *seu* caráter?

William o encarou com um ar de ceticismo, mas havia certa verdade no que ele dizia.

– "Quem minha bolsa rouba leva uma ninharia", esse tipo de coisa?

O sorriso se alargou.

– "Mas quem me tira a reputação rouba-me aquilo que não o enriquece e que me torna pobre de fato." Sim, esse tipo de coisa. Pense no que um boato do tipo do que Zeke Richardson tinha em mente poderia fazer com sua família. Enquanto isso, pare de me fulminar com os olhos e coma alguma coisa.

Com relutância, William pensou. Seu nariz havia parado de sangrar, mas ele podia sentir um gosto de ferro no fundo da garganta. Pigarreou e cuspiu o mais educadamente possível dentro de seu lenço em frangalhos, deixando a peça mais íntegra emprestada por Denys para se enxugar.

– Está bem. Entendo – falou William a contragosto.

– Um amigo de seu pai, major Bates, foi condenado por sodomia e enforcado há alguns anos – disse Denys. – Seu pai decidiu assistir à execução. Ele se pendurou nas pernas do major para apressar sua morte. Mas não imagino que tenha falado com você sobre esse incidente.

William fez um pequeno gesto negativo com a cabeça. Por um instante, ficou chocado demais para dizer qualquer coisa.

– Existe uma morte da alma além da morte do corpo, sabe? Ainda que ele não fosse preso, julgado nem condenado, um homem alvo dessa acusação poderia muito bem perder o status que possui.

A frase foi dita em voz baixa, num tom quase casual. Imediatamente após fazer o comentário, Denys empertigou as costas, pegou uma colher e pôs diante de William um prato com uma pilha de carne de porco assada na brasa, abóbora frita com milho e várias fatias grossas de pão de milho antes de lhe servir uma caneca generosa de conhaque para acompanhar a comida.

– Coma – repetiu Denys com firmeza. – E depois… – prosseguiu, espiando o péssimo estado geral de William. – Depois me diga o que em nome de Deus você andou fazendo. Por que renunciou à sua patente, para começar?

– Não é da sua conta – respondeu William, ríspido. – Quanto ao que estou fazendo...

Sentiu-se tentado a dizer que aquilo *tampouco* era da conta de Denys, mas não podia ignorar seu potencial como fonte de informação. Afinal, o trabalho de um agente secreto era descobrir coisas.

– Se quer mesmo saber, estou tentando descobrir o paradeiro de meu primo Benjamin Grey. Capitão Benjamin Grey – acrescentou. – Do 34º Regimento de Infantaria. Por acaso você o conhece?

Denys piscou, sem entender, e William sentiu uma leve e surpreendente pontada no fundo do estômago, a mesma sensação que tinha quando um peixe mordiscava sua isca.

– Já cruzei com ele – disse Randall com cautela. – Ele... ele sumiu?

– Por assim dizer. Foi capturado em Brandywine e levado prisioneiro para um lugar chamado acampamento de Middlebrook, nas montanhas Watchung. Meu tio recebeu uma carta oficial do secretário de Sir Henry Clinton transmitindo um recado sucinto dos americanos lamentando a morte por febre do capitão Benjamin Grey.

– Ah. – Denys relaxou uma fração de centímetro, mas seus olhos permaneceram alertas. – Meus sentimentos. Quer dizer que está querendo descobrir onde seu primo foi enterrado? Para... transferir o corpo para o... para o local de descanso da família?

– Eu tinha isso em mente – disse William. – Só que *já* encontrei o túmulo dele. E ele não estava dentro.

Uma breve lembrança daquela noite nas montanhas Watchung fez os pelos de seus antebraços se arrepiarem. Um barro frio e úmido colando em seus pés e a chuva encharcando suas roupas, bolhas esponjosas nas palmas das mãos e o cheiro de morte subindo da terra quando a pá de repente arranhou um osso...

Ele virou a cabeça para outro lado, desviando-se tanto de Denys quanto da lembrança.

– Mas *outra pessoa* estava.

– Santo Deus. – Denys estendeu a mão para pegar a caneca e, ao encontrá-la vazia, sacudiu-se por um instante como para afastar aquela visão, então estendeu a mão para a garrafa de conhaque. – Tem certeza? Quero dizer, quanto tempo...?

– Fazia um tempo que ele tinha sido enterrado. – William tomou uma golada de conhaque que fez arder sua garganta para expulsar a lembrança do cheiro. E do contato. – Mas não tempo suficiente para esconder o fato de que o homem dentro do túmulo não tinha orelhas.

O choque evidente de Denys lhe causou uma amarga satisfação.

– Isso mesmo! – disse ele. – Um ladrão. E não, não foi um caso de identificação equivocada do corpo. No túmulo estava escrito o nome "Grey" e o nome completo de Benjamin constava no registro dos enterros de prisioneiros mantido pelo acampamento.

Denys era doze anos mais velho do que William, mas de repente pareceu ter mais de 33 anos, os belos traços aguçados pela atenção.

– Então você acha que foi proposital? Bom, claro que foi proposital – interrompeu a si mesmo, impaciente. – Mas quem fez isso, e com que intenção? Se alguém tivesse assassinado seu primo e estivesse tentando ocultar sua morte, por que não enterrar *ele mesmo* como uma vítima de febre? Quero dizer, não haveria por que usar outro corpo. Sua primeira suposição é que ele esteja vivo, é isso? Acho razoável pensar assim.

William sorveu uma inspiração matizada de alívio.

– Também acho – falou. – Então existem duas possibilidades. Ben forjou a própria morte e conseguiu enterrar outro corpo para poder fugir. Ou então alguém fez isso por ele, sem seu consentimento, e o levou embora. Posso vislumbrar a primeira possibilidade, mas por nada neste mundo consigo pensar num motivo para a segunda. Mas não tem tanta importância assim. Se ele estiver vivo, eu *vou* encontrá-lo. A família precisa saber o que aconteceu.

Isso lá era verdade. Mas ele tinha que admitir para si mesmo que o desaparecimento de Ben tinha lhe proporcionado um objetivo, uma saída do pântano de culpa e tristeza deixado pela morte de Jane.

Denys esfregou a mão no rosto. O dia já ia avançado, suas suíças estavam começando a pinicar e uma sombra escura lhe cobria o maxilar.

– Ocorrem-me as palavras "agulha" e "palheiro" – disse ele. – Mas em teoria, sim, você poderia encontrá-lo, *se* ele estiver vivo.

– Certamente sim – retrucou William com firmeza. – Eu fiz uma lista... – Ele tocou o bolso do peito para se certificar de que ainda a tinha e sentiu o volume reconfortante do papel dobrado. – Uma lista de homens que pertenciam às duas companhias de milícia encarregadas de cavar as covas no acampamento de Middlebrook durante um surto de febre.

– Ah, então é isso que você está fazendo com...?

– Sim. Infelizmente as companhias de milícia americanas só se alistam por curtos períodos, depois se separam e voltam para cuidar de suas fazendas. Uma das companhias era da Carolina do Norte e a outra da Virgínia, mas os homens de ontem à noite não eram... – Ele se calou abruptamente ao se lembrar. – Sobre os homens de ontem à noite... o major Allbright pretende mesmo enforcar alguns deles?

Denys deu de ombros.

– Não o conheço bem o suficiente para responder. Pode ter sido só pelo efeito, para assustar os outros e fazê-los fugir. Mas o major levou aqueles três de volta para o acampamento. Se seu ânimo tiver esfriado quando ele chegar, provavelmente vai mandar açoitá-los e depois soltar. Ele já tem homens suficientes sob seu comando para que enforcar civis sem um bom motivo entre para seu histórico... Não é o que um oficial que deseje subir na carreira quer fazer, pelo menos não um com bom senso. Não que Allbright dê a impressão de ter algum – arrematou ele depois de pensar um pouco.

– Entendo. Falando em não ter bom senso, o que foi aquela lorota sobre eu ter planejado raptar George Washington?

Ao ouvir a pergunta, Randall de fato gargalhou e William sentiu as orelhas esquentarem.

– Bom, você pessoalmente não – garantiu ele. – Foi só uma *ruse de guerre*. Mas deu certo, não foi? E eu tinha que pensar numa explicação para essa aparência *outrée*; ser um agente secreto foi a única coisa crível que me ocorreu.

William resmungou e, com cuidado, levou à boca um pouco de *succotash*, mistura frita e amanteigada de abóbora cortada em cubos com milho verde. A comida desceu bem e ele atacou o restante da refeição com entusiasmo crescente, ignorando o leve desconforto que comer lhe causava. Denys ficou observando e sorrindo de leve enquanto comia a própria comida, mas o deixou em paz.

Um silêncio contemplativo pairou entre os dois após a refeição. Não foi um silêncio amistoso, tampouco hostil.

Denys pegou a garrafa de conhaque e a sacudiu. Um débil ruído de líquido o tranquilizou. Ele serviu o que restava da bebida em suas canecas, em seguida ergueu a dele na direção de William.

– Um acordo – falou. – Se tiver qualquer notícia sobre Ezequiel Richardson, mande me avisar. Se eu souber de alguma coisa relacionada a seu primo Benjamin, mandarei um aviso.

William hesitou por alguns segundos, mas brindou com Randall.

– Feito.

Denys bebeu, então colocou a caneca na mesa.

– Pode mandar me avisar pelo capitão Blakeney. Ele está em Nova York com as tropas de Clinton. E se eu souber de alguma coisa...?

William fez uma careta, mas não tinha muita escolha.

– Pelo meu pai. Ele e meu tio estão com a guarnição de Savannah com Prévost.

Denys aquiesceu, empurrou seu banco para trás e se levantou.

– Muito bem. Seu cavalo está lá fora. Com seu facão e seu mosquetão. Posso saber para onde está indo?

– Para a Virgínia. – Na verdade, ele não sabia disso até dizer. Mas o fato de falar lhe deu certeza. Virgínia. Mount Josiah.

Denys tateou dentro de um bolso e depositou sobre a mesa 2 guinéus e um punhado de moedas menores. Sorriu para William.

– A Virgínia é longe. Considere isso um empréstimo.

8

VISITAS

Cordilheira dos Frasers

Lá pelo meio da tarde, eu já tinha avançado bastante com meus remédios, tratado três casos de alergia a hera venenosa, um dedão do pé quebrado (quando o dono chutou uma mula num acesso de fúria) e uma mordida de guaxinim (o caçador o havia derrubado de uma árvore, pensou que estivesse morto e descobriu que se enganara. O guaxinim estava com raiva, mas não no sentido infeccioso da palavra).

Jamie, porém, havia se saído bem melhor. Durante todo o dia, pessoas tinham subido até o local da Casa Nova, um fluxo constante de boa vizinhança e curiosidade. As mulheres tinham ficado para conversar comigo sobre os MacKenzies, enquanto os homens se afastavam com Jamie para ver a fundação e voltavam com promessas de auxílio na obra em tal ou tal dia.

– Se Roger Mac e Ian puderem me ajudar a transportar madeira amanhã, os Sinclairs virão no dia seguinte me dar uma mão com a estrutura do piso. Nós instalamos a base da lareira e a consagramos na quarta, Sean McHugh e um ou dois de seus filhos colocam o piso comigo na sexta, e no dia seguinte começamos a estrutura das paredes; Tom MacLeod disse que pode vir trabalhar metade de um dia e Joe, filho de Hiram Crombie, avisou que ele e o meio-irmão também podem ajudar com isso. – Ele sorriu para mim. – Se o uísque não faltar, Sassenach, daqui a duas semanas vamos ter um telhado acima de nossa cabeça.

Olhei da fundação de pedra para o céu salpicado de nuvens com uma expressão de quem duvida.

– Telhado?

– É, bom, mais provavelmente uma lona – admitiu ele. – Mesmo assim…

Ele se levantou e se espreguiçou, fazendo uma leve careta.

– Por que não se senta um pouco? – sugeri, espiando sua perna. Ele mancava de modo perceptível e a perna era uma colcha de retalhos colorida de vermelhos e roxos contornados pelos pontos pretos da minha costura. – Amy nos deixou uma jarra de cerveja.

– Quem sabe daqui a pouco – disse ele. – O que está fazendo, Sassenach?

– Vou preparar um unguento de *gallberry* para Lizzie Beardsley, depois um pouco de remédio contra cólica para o bebê… sabe se ele já tem nome?

– Hubertus.

– Como?

– Hubertus – repetiu Jamie, sorrindo. – Foi o que Kezzie me disse anteontem. Em homenagem ao finado irmão de Monika, segundo ele.

– Ah. – Joseph Wemyss, pai de Lizzie, tomara como segunda esposa uma gentil senhora alemã já de mais idade. E Monika, que não tinha filhos, havia se tornado uma confiável avó da ninhada cada vez maior dos Beardsleys. – Quem sabe eles o apelidam de Bertie para abreviar.

– Sua casca de quina acabou, Sassenach? – Ele ergueu o queixo em direção ao baú de remédios aberto que eu pusera no chão perto dele. – Não é o que você usa para o tônico de Lizzie?

– É – falei, um tanto surpresa por ele ter notado. – Mas usei o restante três semanas atrás e não ouvi falar em ninguém que esteja indo a Wilmington ou New Bern e possa me trazer mais.

– Comentou sobre isso com Roger Mac?

– Não. Por que com ele? – perguntei, sem entender.

Jamie tornou a se recostar na pedra angular, exibindo uma daquelas expressões pacientes que indicam que o interlocutor não está sendo inteligente. Fiz um muxoxo e joguei uma *gallberry* nele. Ele interceptou a frutinha e a examinou com ar crítico.

– Isso é comestível?

– Amy disse que as abelhas gostam das flores – respondi num tom de quem duvida e despejei um punhado grande das frutinhas roxo-escuras no meu almofariz. – Mas muito provavelmente existe um motivo para as pessoas a chamarem de *gallberry*... "fruta da bile".

– Ah. – Ele atirou a baga de volta em mim e eu me esquivei. – Sassenach, você comentou que Roger Mac tinha a intenção de voltar a ser pastor. Então... – prosseguiu, paciente, ao ver que nenhuma luz de compreensão iluminava meu semblante. – Se esse fosse seu objetivo, o que ele teria que fazer primeiro?

Transferi uma quantidade razoável de banha de urso amarelo-clara do pote para o almofariz, com parte da mente pensando se deveria acrescentar uma decocção de casca de salgueiro enquanto o restante ponderava a pergunta de Jamie.

– Ah – falei, pegando meu pilão. – Eu faria a ronda de todas as pessoas que eram membros de minha congregação, por assim dizer, e lhes avisaria que MacKenzie está de volta à cidade.

Ele me encarou com ar preocupado, mas então balançou a cabeça para desalojar qualquer que fosse a imagem que eu acabara de lhe evocar.

– Isso – disse ele. – E quem sabe se apresentar às pessoas que vieram morar na Cordilheira enquanto você esteve ausente.

– E em alguns dias todo mundo na Cordilheira saberia que você voltou, além de provavelmente metade do coro da igreja de Salem.

Ele aquiesceu, afável.

– Isso. E todas essas pessoas saberiam que você precisa de casca de quina e você provavelmente a receberia em menos de um mês.

– Está precisando de casca de quina, *grand-mère*?

Germain tinha surgido da floresta atrás de mim, com um balde d'água numa das mãos, um feixe de gravetos pressionado junto ao peito na outra e o que parecia ser uma cobra morta pendurada no pescoço.

– Estou – falei. – Isso é uma…?

Mas ele já tinha me esquecido e sua atenção estava agora concentrada na perna macerada do avô.

– *Formidable!* – exclamou, deixando cair a madeira. – Posso ver, *grand-père*?

Jamie fez um gesto agradável de "Fique à vontade" em direção à própria perna e Germain se curvou para analisar com os olhos arregalados.

– Mandy disse que um urso comeu sua perna – falou, avançando um indicador hesitante em direção à fileira de pontos. – Mas eu não acreditei. Está doendo? – perguntou, olhando para o rosto de Jamie.

– Ah, nada de mais – respondeu Jamie com um gesto de quem descarta o assunto. – Preciso cavar uma latrina mais tarde. Mas que cobrinha é essa aí?

Germain tirou do pescoço a cobra flácida e a entregou para Jamie, que evidentemente não esperava tal gesto, mas aceitou com cuidado. Eu sorri e olhei para dentro do meu almofariz. Jamie tinha medo de cobra, mas escondeu masculamente esse fato segurando o bicho pela cauda. Era uma cobra-do-milho grande, quase 1 metro de escamas laranja e amarelas, brilhante feito um raio.

– Foi você quem a matou, Germain?

Franzi o cenho para a cobra e interrompi a moagem. Já tinha explicado muitas vezes para as crianças que não devíamos matar cobras não venenosas, já que eram úteis para comer camundongos e ratos, mas a maioria dos adultos na Cordilheira achava que cobra boa era cobra morta e era uma luta inglória.

– Ah, não, vovó – garantiu ele. – Ela estava em seu jardim e Fanny tentou matá-la com uma enxada, mas eu não deixei. Mas aí sua gata se esgueirou pela cerca, pulou em cima da cobra e quebrou o… – Ele franziu a testa para o animal. – Não sei se foi a coluna ou o pescoço, porque não sei como daria para distinguir os dois, mas, enfim, ela morreu. Pensei em esfolar para Fanny – explicou, olhando para trás por cima do ombro na direção do jardim. – Para fazer um cinto.

– Que bela ideia – falei, pensando se Fanny também acharia.

– Acha que eu conseguiria comprar uma fivela do funileiro? – perguntou Germain a Jamie, pegando de volta sua cobra e a pendurando no pescoço outra vez. – Eu tenho 2 pence e umas pedrinhas roxas para dar em troca.

– Que funileiro? – perguntei, encarando-o.

– Jo Beardsley me disse que tinha encontrado um funileiro em Salem há dois dias e calculava que ele fosse chegar aqui em algum momento desta semana – explicou Germain. – Disse que o funileiro tem um saco cheio de ervas, então pensei que, se a senhora estivesse precisando de alguma coisa, vovó…

Lancei um olhar rápido de cobiça para meu baú de remédios, depauperado por uma temporada de plantio cheia de ferimentos de machado e enxada, mordidas de animais e picadas de insetos, um surto de intoxicação alimentar e uma estranha praga de moléstia respiratória entre os MacNeills, acompanhada de febre baixa, tosse e manchas azuladas no tronco.

– Hummm. – Apalpei os bolsos pensando no que *eu* teria para dar em troca...

– Sobraram duas garrafas do vinho de sabugueiro – disse Jamie, empertigando-se. – Podemos trocar isso, Sassenach. E eu tenho uma pele de cervo boa e metade de um barril pequeno de terebintina.

– Não, quero ficar com a terebintina – falei. – Para vermes do intestino, você sabe – acrescentei distraída.

Jamie e Germain trocaram um olhar cínico.

– Vermes do intestino – repetiu Jamie e Germain balançou a cabeça.

Antes de eu poder instruí-los sobre os vermes intestinais, porém, um grito se fez ouvir da direção do córrego. Duncan Leslie e os dois filhos apareceram, um dos filhos com um presunto grande enfiado debaixo do braço.

Jamie se levantou para recebê-los e eles menearam a cabeça educadamente para mim, mas não pareceram esperar que eu interrompesse o que quer que estivesse fazendo para prosear.

– Matei um porco bem grande semana passada – disse Duncan, acenando para chamar o filho que trazia o presunto. – Sobrou um pouco e pensamos que teria serventia para vocês, já que sua família chegou.

– Agradeço muito, Duncan – disse Jamie. – Se não se importarem em comer ao ar livre, venham compartilhá-lo conosco... amanhã? – perguntou, virando-se para mim.

Fiz que não com a cabeça.

– Depois de amanhã – respondi. – Amanhã preciso ir à casa dos Beardsleys e não vou voltar a tempo de fazer nada além de sanduíches. – Se Amy tivesse feito pão e tivesse um pouco para me dar, acrescentei em silêncio para mim mesma.

– Sim, sim – disse Duncan, assentindo. – Minha esposa vai ficar feliz em ver a senhora. Mas, Jamie – disse ele, inclinando a cabeça em direção à fundação –, estou vendo que está com uma bela casa nova em construção... Duas chaminés, é? Onde vai ficar a cozinha?

Jamie se levantou sem dificuldade, lançou-me por cima do ombro um breve olhar de quem diz "Viu?" e, mancando de leve, conduziu os Leslies em direção à fundação.

Germain depositou a cobra em cima de minha mesa e disse:

– Pode vigiar isto aqui para mim, vovó? – E se apressou atrás dos homens.

Brianna parou no alto da trilha e enxugou o suor do rosto e do pescoço. A casa à frente dela era arrumada e limpa, muito limpa. Pedras caiadas margeavam o caminho que ia até a porta, e as janelas com vidraças, *vidraças*, estavam tão limpas que ela pôde ver nelas o próprio reflexo e o de Roger, pequenos borrões coloridos entrecortados em meio ao tremeluzir verde da floresta refletida.

– Quem caia *pedras*? – perguntou, baixando a voz como se a casa pudesse escutá-la.

– Bom, não há de ser alguém com muito tempo livre – disse Roger, meio entre dentes. – Então das duas, uma: ou é um paisagista frustrado, ou então alguém que tem uma necessidade neurótica de controlar o ambiente em que vive.

– Acho que não há motivo algum para não existir gente controladora em todas as épocas – disse ela, limpando da saia a poeira e os fragmentos de folhas. – Pense nas pessoas que projetavam aqueles labirintos elisabetanos. O que foi que Amy disse sobre eles? Cunningham? Esse é o nome?

– Sim. "Eles são metodistas. 'Da luz azul'" – citou Roger. – "Cuidado com essa gente, pastor." – E, dizendo isso, ele endireitou os ombros e pisou no caminho que avançava por entre as pedras caiadas.

– *Luz* azul? – disse Brianna e foi atrás, ajeitando o chapéu de palha de aba larga, usado com recato por cima de uma touca. Deus não permitisse que a mulher do pastor pudesse causar escândalo entre os fiéis...

A porta se abriu antes mesmo de Roger conseguir pisar nos degraus da frente. Um homem baixo e empertigado, com as sobrancelhas grisalhas e desgrenhadas, ficou parado a encará-los com uma expressão que não parecia muito amistosa. Estava bem-vestido, com uma calça e um colete amarelo-claros feitos em tecido de fabricação caseira, e a camisa de linho, embora um pouco amarelada pelo tempo, fora passada a ferro.

– Bom dia para o senhor. – Roger se curvou, e Brianna fez uma breve mesura respeitosa. – Eu me chamo Roger MacKenzie e esta é minha esposa Brianna. Nós acabamos de chegar à Cordilheira e...

– Fiquei sabendo. – O homem os encarou com um olhar semicerrado, mas pelo visto eles passaram no teste, pois ele deu um passo para trás e gesticulou para que entrassem. – Sou o capitão Charles Cunningham, ex-oficial da Marinha de Sua Majestade. Entrem.

Brianna sentiu Roger sorver uma inspiração profunda. Ela sorriu para o capitão Cunningham, que encarava Roger com um olhar incisivo para ver a reação dele àquela informação.

– Obrigada, capitão – disse ela, no tom mais encantador de que foi capaz, e passou por Roger para atravessar a soleira. – Que casa impressionante... tão linda!

– Eu... ora... – balbuciou o capitão, sem graça.

Antes que ele conseguisse reorganizar os pensamentos, entretanto, alguém pareceu se materializar diante da lareira.

– O senhor é o pastor? – perguntou a mulher, olhando para Roger.

Sim, com certeza era uma mulher, embora fosse quase tão alta quanto Brianna e estivesse inteiramente vestida de preto, tirando uma touca branca engomada, daquelas de modelo severo, com abas que desciam para esconder as orelhas. Era velha, mas impossível saber *quanto*. Tinha o rosto ossudo e os olhos argutos, e Brianna na mesma hora pensou na loba que havia amamentado Rômulo e Remo.

– Eu sou pastor, sim – disse Roger, fazendo uma profunda mesura. – A seu dispor, senhora.

– Hummm. E de que seita o senhor seria? – A mulher exigiu saber.

– Eu sou presbiteriano, senhora – respondeu Roger. – Mas...

– E a senhora? – indagou a mulher, fitando Bree com olhos azuis incisivos. – Compartilha a crença de seu marido?

– Eu sou católica – respondeu Brianna no tom mais brando de que foi capaz. Não era a primeira vez nem seria a última, mas os dois tinham decidido desde o início como lidar com aquelas perguntas. – Como meu pai... Jamie Fraser.

Essa resposta em geral causava espanto em quem perguntava e dava espaço suficiente para Roger assumir o controle. O respeito dos colonos não católicos pelo pai de Brianna, quer com base na estima pessoal ou no simples fato de ele ser o dono de suas terras, em geral os deixava pelo menos dispostos a uma conversa cortês, independentemente da opinião geral que tivessem em relação aos católicos.

A mulher – seria a sra. Cunningham? – fez um muxoxo e olhou Bree de cima a baixo de um jeito que indicava já ter visto um número incalculável de mulheres de má reputação ao longo da vida e que estava comparando desfavoravelmente Brianna com elas.

– Pff – fez ela. – Papistas! Não vamos tolerar esse tipo de coisa *nesta* casa!

– Mãe – disse o capitão, aproximando-se dela. – Eu acho que...

– Minha senhora – disse Roger, pondo-se na frente de Bree de modo a interceptar o mau-olhado apontado em sua direção. – Posso garantir que não viemos aqui para doutriná-la nem para tentar convertê-la. Eu...

– Presbiteriano, o senhor disse? – Os olhos da mulher se fixaram nele, acusadores. – *E* pastor? Como então não consegue manter sua esposa na linha? Que tipo de pastor pode ser, se permite à sua mulher ser discípula do papa e andar por aí semeando e regando as sementes do mal e da desordem entre seus vizinhos?

– Mãe! – advertiu o capitão Cunningham, ríspido. A mulher não se alterou, mas virou o rosto severo para o filho.

– Você sabe que é verdade – continuou ela. – Essa menina diz que Jamie Fraser é seu pai. Isso significa que sua mãe é Claire Fraser, não?

Bree inspirou fundo. Apesar de arrumadíssima, a casa era bem pequena e o estoque de ar dentro dela parecia estar diminuindo a cada segundo.

– É, sim – respondeu, neutra. – E ela me pediu que lhe transmitisse seus melhores votos e dissesse que, se algum membro de sua família adoecer ou se ferir, ela ficaria feliz em vir aqui cuidar dele. Ela é curandeira e...

– Pff! – fez de novo a sra. Cunningham. – Sim, imagino que ela viesse mesmo, mas garanto que ela não vai ter essa chance, menina. Assim que ouvi falar nessa mulher, plantei camomila e azevinho ao redor da porta. Garanto que nenhuma bruxa vai pôr os pés nesta casa!

Bree sentiu a mão de Roger no braço e lançou-lhe um olhar frio de viés. Não estava a ponto de perder as estribeiras com aquela mulher. Os lábios dele tremeram por um breve instante e ele a soltou e se virou não para a sra. Cunningham, mas para o capitão.

– Como disse – falou, num tom agradável –, não vim aqui doutrinar. Eu respeito as crenças sinceras. Mas estou curioso... uma de minhas vizinhas mencionou a expressão "luz azul" em referência ao senhor e à sua família, capitão. Estava pensando se o senhor estaria disposto a me explicar o que ela significa?

– Ah – disse o capitão, soando satisfeito por escutar uma pergunta à qual sua mãe não podia se opor. – Bem, já que o senhor perguntou, é a expressão usada para se referir aos capitães da Marinha que promovem em seus navios a teologia da evangelização. Somos chamados de "luzes azuis".

Ele falou com modéstia, mas sua cabeça estava erguida com orgulho. Os olhos, uma versão mais clara dos da mãe, demonstravam cautela, como a se perguntar em que direção Roger iria conduzir a conversa.

Roger sorriu.

– Quer dizer então que o senhor é uma espécie de teólogo?

– Ah – fez o capitão, arrufando-se de leve. – Eu não diria tanto, mas já escrevi, *sim*, um ou outro texto... apenas minhas opiniões pessoais sobre o assunto.

– Algum deles foi publicado? Eu teria o maior interesse em ler suas opiniões.

– Ah, bem... dois ou três... Só coisas pequenas, sem nenhum grande mérito, ouso dizer... Foram publicadas em Edimburgo pela Bell and Coxham. Infelizmente não tenho nenhum exemplar aqui comigo... – Ele relanceou os olhos para uma mesinha de madeira bruta no canto que continha uma pequena pilha de papéis, bem como um tinteiro, um mata-borrão e um vidro de penas. – Mas estou *de fato* trabalhando numa empreitada de uma escala consideravelmente maior...

– Um livro?

Roger soou interessado, e estava mesmo, pensou Bree, mas a sra. Cunningham estava ficando claramente impaciente com aquela amabilidade e pretendia cortar a conversa pela raiz antes de Roger conseguir seduzir o capitão para a blasfêmia ou coisa pior.

– Seja como for, capitão, a sogra desse cavalheiro é conhecida por todos como bruxa e a esposa dele decerto também é uma. Mande-os embora. Não estamos interessados nas ideias deles.

Roger se virou para encará-la e se empertigou até alcançar sua estatura plena, ou seja, sua cabeça quase encostou na cumeeira do telhado.

– Sra. Cunningham – disse ele, ainda educado, mas agora deixando certa frieza transparecer na voz –, leve em conta o fato de eu *ser* um ministro de Deus. As crenças de minha esposa, bem como as de seus pais, são tão virtuosas e tão morais quanto as de qualquer bom cristão. Se a senhora quiser, estou disposto a jurar isso com a mão sobre sua Bíblia.

Ele meneou a cabeça para a pequena prateleira acima da mesa, onde uma Bíblia ocupava o lugar de honra em meio a uma fileira de livros menores.

– Humm – fez o capitão, olhando para a mãe com os olhos semicerrados. – Estou de saída para chamar meus dois rapazes na lavoura... tenentes do meu último navio que decidiram me acompanhar quando desembarquei. Posso conduzir o senhor e sua senhora até o começo da trilha, se quiserem me acompanhar.

– Obrigada, capitão. – Bree aproveitou a chance para dar sua contribuição e fez uma profunda mesura para o capitão e uma segunda para a sra. Cunningham, com o máximo de dignidade de que foi capaz. – Por favor, não se esqueça de que minha mãe virá na mesma hora caso a senhora tenha algum tipo de... emergência.

A sra. Cunningham pareceu se expandir em várias direções ao mesmo tempo.

– Está me ameaçando, menina?

– O quê? Não!

– Está vendo o que deixamos entrar nesta casa, capitão? – A sra. Cunningham ignorou Brianna e fuzilou o filho com o olhar. – A menina está nos desejando mal!

– Temos mais algumas pessoas para visitar – interrompeu Roger depressa. – O senhor permite que eu abençoe sua casa com uma pequena prece antes de irmos embora?

– Ora... – O capitão olhou de relance para a mãe, então se empertigou e empinou o queixo. – Permito, sim. Nós ficaríamos muito agradecidos.

Brianna viu os lábios da sra. Cunningham posicionados para tornar a fazer "pff!", mas Roger logo se antecipou, levantando um pouco as mãos e inclinando a cabeça numa bênção.

Que Deus abençoe este lar,
Cada pedra, cada viga e cada poste,
Toda comida, toda bebida e toda roupa.
Que aqui haja sempre saúde para os homens.

– Um bom dia para a senhora – acrescentou ele depressa.

E, com um meneio, agarrou Brianna pela mão. Ela não teve tempo de dizer nada. *Ainda bem*, pensou, mas sorriu e meneou a cabeça para o basilisco quando os dois estavam saindo pela porta.

– Então agora sabemos o que quer dizer luz azul – disse ela, lançando um olhar cauteloso para trás de si quando chegaram ao final do caminho. – Como diria mamãe... Jesus H. Roosevelt Cristo!

– Bem adequado – disse Roger, rindo.

– Aquilo foi uma prece de Ano-Novo? – perguntou ela. – Parecia, mas eu não tive certeza…

– Sim… uma bênção para o lar. Já ouvi seu pai dizer algumas vezes, só que ele diz em gaélico. Pelo sotaque, os Cunninghams são gente das Terras Baixas, gente culta; se eu tivesse tentado a versão em gaélico, a sra. C. poderia muito bem ter pensado que eu estivesse tentando lhes lançar uma maldição.

– E não estava? – Brianna falou em tom leve, mas ele pareceu espantado.

– Bem… sim, de certa forma – respondeu devagar, mas então sorriu. – Os encantamentos e preces das Terras Altas muitas vezes se confundem. Mas eu acho que, se as palavras forem dirigidas a Deus, então é uma prece, e não bruxaria.

Ela olhou mais uma vez por cima do ombro, com a sensação de que os olhos da sra. Cunningham estavam abrindo um rombo na porta da casa para observar sua partida.

– Os presbiterianos acreditam em exorcismo? – indagou.

– Não acreditamos nisso – respondeu Roger, embora também tivesse olhado para trás. – Mas meu pai… o reverendo, quero dizer… me disse que, quando você visita uma casa, nunca deve ir embora sem antes fazer uma bênção de algum tipo. – Ele segurou um galho flexível de carvalho para podermos passar por baixo. – Dizia também que isso podia impedir algumas coisas de seguirem você até sua casa… mas *acho* que ele estava brincando.

Eu estava descendo a margem do córrego, catando sanguessugas, agrião e qualquer outra coisa que parecesse comestível ou útil, quando ouvi o barulho distante de rodas de carroça.

Pensando que pudesse ser o funileiro sobre o qual Jo Beardsley havia comentado com Germain, sacudi apressadamente as saias, enfiei os pés outra vez nas sandálias e comecei a andar depressa em direção ao caminho de carroças, onde o chacoalhar das rodas fora subitamente substituído por uma grande quantidade de palavrões.

– Posso ajudá-lo? – perguntei, aproveitando um instante em que ele havia se calado para respirar.

O homem levou um susto e se virou.

– De onde *a senhora* surgiu? – perguntou.

Fiz um gesto na direção das árvores atrás de mim e repeti:

– Precisa de ajuda?

Aproximando-me da carroça, ficou evidente que ele não era o funileiro. O veículo, puxado por duas mulas bem grandes, continha coisas variadas, mas não frigideiras de ferro nem fitas para os cabelos. Havia meia dúzia de mosquetões na caçamba, além de uma coleção de espadas, foices e paus. Também havia alguns pequenos barris que *poderiam* ser peixe ou porco salgado, e outro que com toda a certeza era pólvora, tanto pelas marcas externas quanto pelo leve cheiro de carvão misturado com enxofre e urina.

Minhas entranhas se contraíram.

– Aqui é a Cordilheira dos Frasers? – perguntou o homem, olhando para a floresta à nossa volta.

Estávamos um pouco abaixo da clareira onde ficava a casa dos Higgins e não havia qualquer outro sinal de habitação além do caminho de carroças, bastante encoberto pela vegetação.

– É, sim – respondi, pois de nada adiantava mentir. – O senhor tem negócios aqui?

Ele me encarou com um olhar incisivo e pela primeira vez se concentrou em mim.

– Meus negócios são assunto meu – respondeu, mas não de modo mal-educado. – Estou procurando Jamie Fraser.

– Eu sou a sra. Fraser – falei e cruzei os braços. – Os negócios dele são assunto meu.

O homem corou e me fulminou com os olhos, como se estivesse pensando que eu blefava, mas sustentei seu olhar e, depois de algum tempo, ele deu uma risada semelhante a um latido e relaxou.

– Pode ir chamar seu marido, então, ou devo procurá-lo?

– Quem deseja falar com ele? – perguntei sem sair do lugar.

– Benjamin Cleveland – respondeu ele, inflando-se um pouco de tão cheio de si. – Ele sabe quem sou eu.

Jamie posicionou o último tijolo da fileira e nivelou a argamassa com um leve sentimento de satisfação, misturado a uma leve consternação ao se dar conta de que o trabalho do dia seguinte na chaminé precisaria ser feito com uma escada. Aquilo era o mais alto que ele conseguia alcançar. Seus ombros o incomodavam. Seus joelhos logo estariam reclamando também. Ele esticou as costas e deu um suspiro.

Quem sabe minha bela menina possa me ajudar com isso? Brianna tinha mencionado alguma coisa na primeira noite depois de eles chegarem. Ela o havia acompanhado até o lugar da obra, ambos tropeçando em pedras e barbantes e rindo como se tivessem bebido, trombando com os ombros e segurando os cotovelos um do outro para se equilibrarem no escuro. Cada breve toque era uma faísca que o aquecia.

Eu posso fabricar uma estrutura móvel com uma polia. Era isso que ela tinha dito, encostando a mão na chaminé parcialmente construída. *Nós podemos pendurar nela um balde de tijolos que você pode alcançar da escada.*

– Nós – disse ele baixinho, sorrindo para si mesmo.

Então olhou por cima do ombro, sem graça, temendo que os homens que estavam transportando a madeira o tivessem escutado. Mas eles apenas colocaram a última tora no chão e pararam para saciar a sede. Amy Higgins e Fanny tinham levado cerveja e Jamie largou a pá de pedreiro dentro de um balde com água e foi se juntar a eles. Antes de chegar ao limite da fundação, porém, seu olhar captou um tremor de movimento no final da estrada de carroças e no instante seguinte Claire surgiu, parecendo minúscula em comparação com o homem que caminhava a seu lado.

– *A Naoimh Micheal Àirdaingeal, dìon sinn anns an àm a' chatha* – disse ele entre dentes.

Não conhecia aquele homem, mas algo nele fez os pelos de sua nuca se eriçarem. Olhou para seus ajudantes do dia. Eram sete homens: Bobby Higgins, três de seus homens de Ardsmuir e o restante, colonos que Jamie não conhecia muito bem. E Fanny, que havia levado o almoço para eles.

Nenhum dos homens tinha reparado na figura que vinha avançando pela clareira, mas Fanny sim. Ela franziu o cenho, então olhou depressa na direção de Jamie. Ele tranquilizou a menina com um meneio de cabeça e seu semblante relaxou, embora ela continuasse a olhar encosta abaixo, inclusive enquanto respondia a algo que algum dos homens lhe perguntou.

Jamie passou por cima da fundação. Teve a sensação de que teria preferido encontrar aquele homem dentro da própria casa e na companhia de homens de sua confiança, mas teve uma sensação mais forte ainda de que queria se interpor entre ele e Claire.

Claire sorria com educação para o visitante enquanto os dois conversavam, mas Jamie pôde ver a cautela estampada com clareza em sua expressão. Ela ergueu o rosto, porém, e o viu se aproximando. O alívio tomou conta de seus traços e ele reagiu sentindo o coração bater com força. Andou na direção dos dois, sem sorrir, mas pelo menos com um ar agradável.

– General Fraser? – indagou o homem, olhando-o de cima a baixo com interesse.

Bem, aquilo explicava a cautela de Claire.

– Não mais – respondeu ele, ainda agradável, e estendeu a mão. – Jamie Fraser, a seu dispor.

– Igualmente. Benjamin Cleveland.

Uma mão suada e graúda apertou a de Jamie de um modo que deu a entender que poderia machucá-lo caso assim houvesse desejado.

Jamie soltou-a sem dizer nada e sorriu. *Tente só para ver, filho da mãe.*

– Eu conheço seu nome. Já ouvi falar do senhor algumas vezes.

Com o canto do olho, viu a sobrancelha de Claire se erguer.

– O sr. Cleveland é um famoso adversário dos indígenas, *a nighean* – falou, sem tirar os olhos do homem. – Segundo ele mesmo afirma, já matou um grande número de crees e cherokees.

– Caughnawagas também. Já perdi a conta de quantos – completou Cleveland, rindo de um jeito que dava a entender que se lembrava de cada homem que havia matado e que essas lembranças o deixavam feliz. – Imagino que suas relações com os indígenas sejam um pouco mais amistosas, não?

– Eu tenho amigos nas aldeias dos cherokees. – Nem todos os seus amigos nas aldeias eram indígenas, mas Scotchee Cameron não era da conta de Cleveland.

– Esplêndido! – O rosto avermelhado de Cleveland ficou ainda mais vermelho. – Estava torcendo por isso.

Jamie inclinou a cabeça e produziu na garganta um ruído vago.

Claire detectou algum indício do que ele estava sentindo, pois pigarreou, deu um passo à frente até ficar do seu lado e lhe tocou o braço.

– A carroça do sr. Cleveland quebrou mais ou menos 1,5 quilômetro estrada abaixo... Uma das rodas se soltou. Quem sabe você não vai dar uma olhada?

– Claro – disse Jamie e se virou para Cleveland para prosseguir: – Espero que sua carga não tenha estragado quando a roda quebrou. Se o senhor estiver transportando alguma coisa frágil, talvez...

– Ah, não – disse Cleveland, casual. – É só um punhado de armas e um pouco de pólvora.

Ele sorriu para Jamie exibindo uma fileira de bons dentes sólidos, embora preso entre dois deles estivesse um pedaço úmido de tabaco marrom-escuro.

– Aliás, falando em armas... – prosseguiu ele. – Essa era uma das coisas sobre as quais eu queria falar. Mas, sim, façamos como sua senhora sugeriu.

Ele se curvou diante de Claire para lhe agradecer, então se virou e segurou o braço de Jamie para conduzi-lo em direção ao caminho de carroças.

Jamie se soltou sem dizer nada e falou para Claire:

– Mande Bobby e Aaron nos seguirem com ferramentas, sim, Sassenach? E quem sabe um pouco de cerveja, se tiver sobrado alguma.

Cleveland estava esperando e se virou na mesma hora em direção ao caminho de carroças, deixando Jamie à vontade para segui-lo quando quisesse. Ele assim o fez, mantendo os olhos fixos nas costas largas e pernas semelhantes a troncos de árvore. Um cinto de couro muito gasto, no qual se podiam ver as marcas de uma cartucheira e de um chifre de pólvora, agora sustentava uma faca grande dentro de uma bainha igualmente grande e decorada com espinhos de porco-espinho tingidos formando um desenho indígena.

O homem devia ter uns vinte anos a mais do que ele, talvez, e era no mínimo 50 quilos mais pesado, embora fosse de 2 a 5 centímetros mais baixo. *Ele provavelmente sempre foi o maior de qualquer grupo do qual fez parte. Então nunca teve que se importar se as pessoas gostavam dele ou não.*

A carroça estava escondida na sombra, num ponto em que o caminho de carroças corria entre dois morros, ambos cobertos por uma densa camada de abetos-balsâmicos, tsugas e pinheiros. Jamie sentiu o frescor lhe tocar o rosto como se fosse a mão de alguém e aspirou o cheiro puro de terebintina e bagas de cipreste.

Ficou satisfeito ao ver que a roda em si não estava danificada: a chapa de ferro que a rodeava tinha se soltado, mas a madeira não havia se partido. Ele talvez conseguisse fazer aquele homem seguir viagem antes de a hospitalidade exigir que os Frasers lhe oferecessem um almoço e uma cama.

Para ele e para suas armas, pensou, lançando um olhar na direção do conteúdo da carroça.

– O senhor veio me procurar – falou sem rodeios, erguendo os olhos da roda.

Os dois não tinham trocado nem uma palavra no caminho, a não ser para falar de amenidades. Com as armas bem à vista, porém, agora estava na hora de conversar sobre negócios.

Cleveland assentiu e tirou o chapéu, avaliando Jamie. Sua barriga forçava o tecido da camisa de caça, mas aquilo parecia mais uma gordura sólida, do tipo que protege os órgãos vitais feito uma armadura.

– Sim. Ouvi falar bastante do senhor nesses últimos dois anos, de uma forma ou de outra.

– Quem dá ouvidos a fofocas não vai ouvir falar bem de si – disse Jamie em *gàidhlig*.

– O quê? – Cleveland se espantou. – Que língua é essa? Não é francês, *isso* eu escuto bastante.

– É *gàidhlig* – respondeu Jamie com um dar de ombros e repetiu o ditado em inglês. Cleveland reagiu com um sorriso.

– Quanto a isso, o senhor tem razão – falou. E, abaixando-se, pegou a pesada tira de metal como se fosse um dente-de-leão. Ficou parado, girando-a nas mãos com ar pensativo. – Há muitos boatos sobre como o senhor perdeu sua patente no Exército.

A contragosto, Jamie sentiu um calor lhe subir pelo pescoço.

– Eu renunciei minha patente depois da Batalha de Monmouth, sr. Cleveland. Tinha sido nomeado temporariamente general para poder comandar certo número de companhias de milícia independentes. Elas se dispersaram depois da contenda. Meus serviços não eram mais necessários.

– Ouvi dizer que o senhor foi embora sem avisar, deixando metade de seus homens no campo de batalha, para cuidar de sua esposa doente. – As sobrancelhas fornidas de Cleveland se ergueram numa pergunta. – Mas agora que conheci a sra. Fraser eu posso entender seus sentimentos.

Jamie se virou para encará-lo por sobre a carroça carregada de mosquetões e pólvora.

– Eu não preciso me defender perante o senhor. Se tiver alguma coisa para me dizer, diga e acabe com isso. Eu tenho uma latrina para cavar.

– Não tive a intenção de ofender, sr. Fraser. Queria só saber se o senhor tem planos de reingressar no Exército. Seja em que cargo for.

– Não. Por quê?

– Porque, caso contrário – disse Cleveland e o encarou com uma expressão de cálculo –, talvez se interesse em saber que muitos de seus vizinhos colonos aqui nas montanhas... – Ele moveu o queixo na direção geral do condado do Tennessee. – Quero dizer, proprietários de terras que têm algo a perder... muitos estão formando milícias particulares para proteger suas famílias e seus bens. Pensei que o senhor talvez pudesse estar cogitando fazer algo parecido.

Jamie sentiu seu desagrado em relação a ele se alterar um pouco e escorregar com relutância em direção à curiosidade.

– E se fosse o caso?

Cleveland deu de ombros.

– Seria bom manter contato com outros grupos. Não há como saber onde os britânicos podem aparecer. Mas quando aparecerem... Veja bem, sr. Fraser, *quando* eles aparecerem... eu, pelo menos, gostaria de ficar sabendo a tempo de agir.

Jamie baixou os olhos para a carroça: mosquetões, em sua maioria velhos, com as coronhas secas e rachadas e os canos arranhados, mas também alguns mosquetes Brown Bess militares britânicos em melhor condição. Seriam armas compradas, trocadas ou roubadas?

– Agir – repetiu ele com cuidado. – E quem seriam alguns desses homens aos quais o senhor se refere?

– Ah, eles existem – disse Cleveland, respondendo ao pensamento mais do que à pergunta. – John Sevier, Isaac Shelby, William Campbell, Frederick Hambright. E posso afirmar que muitos outros estão pensando em fazer o mesmo.

Jamie aquiesceu, mas não disse mais nada.

– Outra coisa que escutei a seu respeito, sr. Fraser – disse Cleveland, pegando um dos mosquetões na caçamba da carroça e verificando distraidamente a pederneira – é que o senhor já foi agente indígena. É verdade?

– Sim, fui.

– E dos bons, pelo que disseram. – Cleveland sorriu e de repente fez uma brincadeira canhestra: – Ouvi dizer que tem uma porção de crianças ruivas nas aldeias cherokees, hein?

Jamie sentiu como se Cleveland o tivesse acertado na cara com o mosquetão. Estaria aquele boato de fato circulando ou seria uma bobagem que Cleveland usava na esperança de fazê-lo participar de algo escuso?

– Desejo um bom dia ao senhor – falou, rígido. – Meus homens vão descer daqui a pouco trazendo ferramentas para consertar sua roda.

Ele começou a subir de novo o caminho, mas Cleveland, que apesar do tamanho se movia depressa, logo o alcançou.

– Se formos formar milícias, precisamos de armas – disse Cleveland. – É evidente, não?

Ao ver que Jamie não estava disposto a responder a perguntas retóricas, ele tentou outra estratégia.

– Os indígenas têm armas – falou. – O governo britânico fornece anualmente aos cherokees um estoque razoável de munição e pólvora para caçar. Era assim quando o senhor era agente?

– Bom dia, sr. Cleveland. – Jamie começou a andar mais depressa, muito embora o exercício estivesse fazendo sua perna ferida latejar.

Cleveland o agarrou pelo braço e lhe deu um tranco para fazê-lo parar.

– Podemos conversar sobre as armas depois – disse Cleveland. – Tem só mais uma coisa sobre a qual eu queria falar com o senhor.

– Tire a mão de mim. – O tom de voz fez Cleveland soltar, mas ele não recuou.

– Um homem chamado Cunningham – disse ele, com os olhos castanhos miúdos fitando com firmeza os de Jamie. – Ex-capitão da Marinha. Pró-britânicos. Legalista.

Aquilo abriu um pequeno buraco frio na barriga de Jamie. O capitão Cunningham era de fato pró-britânicos… assim como uma dezena de outros colonos.

– Eu detesto os legalistas – disse Cleveland num tom de reflexão. Balançou a cabeça, mas Jamie pôde ver o brilho de seus olhos sob a aba do chapéu. – Já enforquei alguns lá onde eu moro. Os outros eu assustei e foram embora.

Ele escarrou e cuspiu uma bola de catarro perto do pé de Jamie.

– Pois bem. Esse capitão Cunningham escreve cartas. Ensaios nos jornais. Alguém que pense no bem-estar dele talvez quisesse trocar uma palavrinha com o senhor a respeito. O senhor não acha?

Quando Jamie voltou para o local da obra, viu que a fogueira já tinha sido acesa e sentiu um cheiro bom de algo cozinhando dentro do caldeirão. Roger e Ian estavam lá, conversando com Claire, enquanto os gritos das crianças brincando ecoavam entre as árvores perto do córrego. Ah, sim; Jenny iria jantar com eles nesse dia. Tinha quase esquecido, de tão irritado que ficara com a conversa sem pé nem cabeça do tal Cleveland.

Alguém que pense no bem-estar dele talvez quisesse trocar uma palavrinha com o senhor a respeito. O senhor não acha?

Na verdade, não era um mau conselho. Só que saber disso não melhorava em nada seu humor. Jamie não gostava de ser ameaçado nem de ser tratado com superioridade. Muito menos de ser olhado de cima por um homem mais alto do que ele. As notícias trazidas por Cleveland tampouco lhe agradavam, mas ele não responsabilizava o outro homem por isso.

O ar de paz e domesticidade lhe estendeu a mão, tranquilizador, convidando-o a se juntar à família, beber a cerveja fresca que Fanny havia tirado do poço, sentar-se e descansar a perna dolorida. Mas a conversa com Cleveland ainda fervia em seu cérebro e ele não queria falar com ninguém a respeito antes de ter digerido a informação.

Deu um aceno breve para Claire enquanto atravessava a obra até a pá, cravada no chão junto à latrina parcialmente cavada; o esforço de cavar o acalmaria enquanto pensava nas coisas. Pelo menos, assim esperava.

Roger tinha visto Jamie desaparecer sem dizer nada atrás da chaminé semiconstruída, mas concluiu que ele tivesse ido urinar. Quando ele não reapareceu poucos minutos depois, entretanto, afastou-se da conversa, agora concentrada nas sugestões de nome para o pequeno Oglethorpe, e foi atrás do sogro.

Encontrou Jamie em pé próximo a um buraco retangular no chão, perdido na contemplação de suas profundezas.

– Latrina nova? – perguntou Roger, meneando a cabeça para a vala.

Jamie ergueu os olhos e sorriu ao vê-lo, e Roger experimentou uma onda de calor, por mais de um motivo.

– É. Eu só queria que fosse igual a todas, sabe? Com um assento só. – Jamie fez um gesto em direção ao buraco. Os últimos raios de sol tingiam seus cabelos e sua pele com uma luz dourada. – Mas com quatro pessoas... e quem sabe quantas outras mais? Quero dizer, já que vocês disseram que pretendem ficar.

Ele olhou de lado para Roger e o sorriso tornou a aparecer.

– E tem também os pacientes de Claire – acrescentou Jamie. – Um dos meninos dos Crombies veio aqui na semana passada buscar um remédio para diarreia e passou tanto tempo gemendo e grunhindo na latrina de Bobby Higgins que a família inteira teve que usar o mato, e Amy não ficou nada feliz com a condição da latrina quando ele foi embora.

Roger aquiesceu.

– Então você pretende construir algo maior ou fazer duas latrinas?

– A questão é justamente essa. – Jamie pareceu satisfeito por Roger ter entendido tão depressa a essência do problema. – A maioria das casas onde moram famílias tem um sanitário que acomoda duas pessoas por vez... Os McHughs têm uma latrina de três buracos que é uma beleza. Sean McHugh sabe manejar suas ferramentas, e é bom que saiba mesmo, tendo sete filhos. Mas a questão é... – Ele enrugou de leve a testa e se virou para olhar mais uma vez na direção do fogo, agora escondido atrás do vulto escuro da chaminé. – As mulheres, sabe?

– Claire e Brianna. – Roger entendeu na hora a que Jamie se referia. – É, elas gostam de privacidade. Mas um pequeno trinco do lado de dentro da porta...?

– É, pensei nisso. – Jamie descartou a ideia com um aceno. – A dificuldade é mais o que elas pensam em relação a... germes.

Ele pronunciou a palavra com muito cuidado e olhou para Roger, a fim de verificar se tinha pronunciado corretamente ou como se não tivesse certeza de que aquilo fosse mesmo uma palavra de verdade.

– Ah. Não tinha pensado nisso. Quer dizer que as pessoas doentes que vêm aqui…? Elas podem deixar… – Ele acenou por sua vez em direção ao buraco.

– Isso. Você deveria ter visto o escarcéu quando Claire insistiu para escaldar a latrina de Amy com água fervente e sabão de lixívia, e para despejar terebintina dentro depois de Crombie ir embora. – A lembrança o fez erguer os ombros em direção às orelhas. – Se ela for fazer isso todas as vezes que alguém passar mal em nossa latrina, também seremos obrigados a fazer cocô no mato.

Mas ele riu, e Roger também.

– Então faça as duas coisas – disse Roger. – Uma com dois buracos para a família e uma separada para as visitas… ou melhor, para o consultório. Diga que é por praticidade. Não vai querer parecer arrogante não deixando as pessoas usarem sua latrina.

– Não, isso não seria nada bom.

Jamie oscilou por alguns instantes, então se imobilizou, mas ainda passou vários instantes olhando para baixo, com um meio sorriso ainda estampado no rosto. O cheiro de terra úmida recém-escavada e de madeira recém-cortada estava forte à sua volta, misturado ao cheiro do fogo, e Roger quase foi capaz de se imaginar sentindo a casa se solidificando a partir da fumaça.

Jamie então deixou de lado aquilo em que estava pensando para encarar Roger.

– Senti sua falta, Roger Mac – falou.

Roger abriu a boca para responder, mas a garganta se fechou com força e nada saiu, exceto um grunhido abafado.

Jamie sorriu e lhe tocou o braço, direcionando-o para uma pedra grande que Roger supôs fosse formar a frente da casa. A fundação de pedra formava um ângulo de noventa graus a partir da pedra grande. A casa iria ter um tamanho razoável… talvez fosse até maior do que a Casa Grande original.

– Vamos dar uma volta pela fundação?

Roger assentiu e seguiu o sogro até a pedra grande, onde se espantou ao ver que a palavra "FRASER" fora gravada na superfície, e abaixo dela a data "1779".

– Minha pedra angular – disse Jamie. – Pensei que, se a casa pegasse fogo outra vez, pelo menos as pessoas saberiam que estivemos aqui, entende?

– Ah… hummm. – Foi o que Roger conseguiu responder. Ele pigarreou com força, tossiu e encontrou ar suficiente para umas poucas palavras: – Lallybroch, s-seu pai… – Ele apontou para cima, como quem indica um dintel. – Ele pôs… a data.

O rosto de Jamie se iluminou.

– Sim, pôs – falou. – Quer dizer que a casa continua de pé?

– Continuava da última vez que eu… a vi. – A garganta de Roger se soltou à medida que a pressão da emoção se dissipava. – Mas… pensando bem…

Ele se deteve, tentando recordar exatamente *quando* tinha visto Lallybroch.

– Eu não sabia ao certo. – Jamie tinha virado as costas para ele e caminhava na frente, margeando o que seria a lateral da casa. Um cheiro de carne na brasa vinha da fogueira. – Brianna me contou sobre os homens que apareceram. – Ele olhou para trás por um instante e encarou Roger com uma expressão de cautela. – Você não estava, claro. Tinha ido procurar Jem.

– Sim.

Bree fora forçada a sair da casa, abandoná-la nas mãos de ladrões e sequestradores. Foi como se uma pedra tivesse afundado de sua garganta até o peito. Mas de nada adiantava pensar nisso agora e ele afastou da mente a visão de pessoas atirando em sua mulher e seus filhos... por enquanto.

– Na verdade – falou, alcançando Jamie –, a última vez que vi Lallybroch foi... um pouco *antes* disso.

Jamie parou de andar por um instante e ergueu a sobrancelha, e Roger limpou a garganta com um pigarro. Era isso que tinha ido lá dizer. Não haveria momento melhor para dizê-lo.

– Quando fui procurar Jem, comecei voltando a Lallybroch. Ele conhecia o lugar, era sua casa... e eu presumi que ele voltaria para lá caso tivesse dado um jeito de fugir de Cameron.

Jamie o encarou por alguns segundos, então inspirou fundo e assentiu.

– Brianna disse... 1739?

– Você devia ter 18 anos. Estava na universidade, em Paris. Sua família tinha muito orgulho de você – acrescentou Roger baixinho.

Jamie virou a cabeça para o lado com um movimento brusco e ficou sem se mexer. Roger pôde ouvir sua voz engasgar.

– Jenny – disse ele. – Você conheceu Jenny. *Naquela* época.

– Sim, conheci. Ela devia ter uns 20 anos. Naquela época. – E *aquela* época, para ele, era menos de um ano antes. E Jenny agora tinha o quê? Uns 60 anos? – Eu pensei... que talvez devesse dizer alguma coisa a você antes de voltar a encontrá-la.

– Caso a surpresa a derrubasse no chão?

– Algo assim.

Jamie agora estava de frente para ele e sua expressão hesitava entre felicidade e choque. Podia sentir uma sensação de incredulidade, desorientação, de não saber onde pôr os pés. Jamie balançou a cabeça como um touro tentando afastar uma mosca.

Eu conheço esse sentimento, companheiro... Conheço bem.

– Você foi muito... atencioso por pensar nisso. – Jamie engoliu em seco, então ergueu o rosto quando o pensamento seguinte conseguiu romper o choque... e renová-lo. – Meu pai. Você disse... a minha família. Ele...?

Sua voz se calou.

– Ele estava lá.

As vozes junto à fogueira distante tinham se aquietado e se transformado no zum-zum regular de mulheres trabalhando: ruídos de metal e água, arranhões, vozes que quase não podiam ser ouvidas pontuadas por pequenos rompantes de riso, um chamado ríspido ocasional dirigido a uma criança desgarrada. Roger tocou o braço de Jamie e inclinou a cabeça em direção ao caminho que subia na direção da despensa fria e do jardim.

– Talvez fosse melhor sentarmos um pouco – disse Roger. – Para que eu possa contar tudo antes de sua irmã chegar.

Para você poder reagir sem testemunhas.

Jamie deu um suspiro, apertou os lábios por um instante, então aquiesceu e seguiu na frente, passando pela grande pedra angular quadrada. Roger reparou que a pedra era muito parecida com as que tinha visto no campo de Culloden, grandes pedras cinzentas que lançavam sombras compridas à luz do fim do dia, cada uma gravada com a lembrança de um nome: McGillivray, Cameron, MacDonald... Fraser.

Com um ar de admiração e em pé com Jamie num barranco coberto de musgo acima do córrego, Roger observou a despensa fria ainda incompleta do outro lado da água veloz.

– Ainda não está grande coisa – disse Jamie com modéstia, olhando para a construção. – Mas foi o que eu tive tempo de fazer. Vou precisar construir outra maior em breve... talvez antes da primavera. As chuvas de verão vão inundar essa daí.

A despensa no momento era pouco mais do que uma cobertura de pedra à qual tinham sido acrescentadas paredes de pedra de um lado e do outro, com aberturas na base de cada uma para deixar a água passar. Tábuas de madeira corriam entre as paredes, suspensas cerca de meio metro acima da água marrom mas límpida do córrego. Em cima delas havia naquele momento três baldes de leite, todos cobertos por panos presos com o auxílio de pesos de modo a impedir moscas ou sapos de caírem lá dentro, e metade de um queijo morávio de casca encerada do tamanho da cabeça de Roger.

– Jenny fabrica belos queijos – disse Jamie, meneando a cabeça para o último item. – Mas, como ela ainda não encontrou uma boa cultura-mãe, eu trouxe esse daí de Salem.

Debaixo das tábuas, uma modesta coleção de panelas de barro semiafundadas no córrego continham, segundo Jamie, manteiga, creme, creme azedo e leitelho. Era um lugar tranquilo, com uma brisa refrescante e um córrego em um constante murmúrio ensimesmado. Na outra margem, para lá do vulto rochoso da despensa fria, um denso bosque de salgueiros deixava seus galhos finos dançarem ao sabor da correnteza.

– Parecem moças lavando os cabelos, não é? – disse Roger, indicando as árvores com um gesto, e Jamie sorriu de leve, mas sua mente não estava com a menor inclinação para poesia no momento.

– Por aqui – disse ele, virando as costas para o córrego e afastando os galhos de um jovem carvalho-vermelho.

Roger o seguiu pela pequena encosta até chegar a uma superfície de pedra plana, onde duas ou três outras jovens árvores tinham se fixado nas reentrâncias. Havia espaço suficiente para se sentar confortavelmente na borda da pedra, de onde Roger constatou que podiam ver a margem oposta e a pequena despensa fria, além de uma boa parte da trilha que vinha do local da obra.

– Se alguém chegar, nós vamos ver – disse Jamie, acomodando-se de pernas cruzadas com as costas apoiadas numa das jovens árvores. – Então, você tem uma coisinha ou duas para me contar?

Roger se sentou a uma sombra, tirou os sapatos e as meias e deixou as pernas se dependurarem ao vento fresco na borda da pedra, esperando que aquilo lhe acalmasse o coração. Não havia outro jeito de começar a não ser pelo princípio.

– Como disse, fui a Lallybroch procurar Jem… e é claro que ele não estava lá. Mas Brian, seu pai…

– Eu sei o nome dele – disse Jamie, seco.

– Já o chamou assim? – perguntou Roger por impulso.

– Não – respondeu Jamie, surpreso. – Os homens chamam os pais pelo primeiro nome em sua época?

– Não. – Roger fez um pequeno gesto de quem descarta o assunto. – É que… eu não deveria ter dito isso. Faz parte da minha história, não da sua.

Jamie olhou para o céu que escurecia.

– Ainda falta um bom tempo para o jantar – disse. – É provável que tenhamos tempo para as duas.

– É uma história para outra ocasião – disse Roger e deu de ombros. – Mas… basicamente, quando fui procurar Jem, encontrei… Bem, em vez dele encontrei meu pai. O nome dele também era Jeremiah… as pessoas o chamavam de Jerry.

Jamie disse alguma coisa em gaélico e se benzeu.

– Pois é – respondeu Roger. – Como disse, contarei essa história algum outro dia. O fato é que, quando o encontrei, ele tinha só 22 anos. Eu tinha a idade que tenho agora; quase poderia ter sido o pai *dele*. Então eu o chamei de Jerry. Era assim que pensava nele. Ao mesmo tempo, sabia que ele era o meu… Enfim, não podia revelar quem eu era. Não havia tempo.

Ele sentiu a garganta se contrair outra vez e pigarreou.

– Pois bem, foi antes disso que encontrei seu pai em Lallybroch. Quase caí para trás de choque quando ele abriu a porta e disse seu nome. – A lembrança o fez abrir um leve sorriso triste. – Ele tinha mais ou menos a minha idade, talvez alguns anos a mais. Nós nos conhecemos… como dois homens. Sr. MacKenzie. Sr. Fraser.

Jamie fez um breve meneio de cabeça; seus olhos estavam curiosos.

– Então sua irmã chegou e os dois me acolheram e me deram comida. Eu disse para seu pai que estava procurando meu filho pequeno que fora raptado.

Brian tinha oferecido uma cama a Roger, depois o levara na manhã seguinte para visitar todas as fazendas das redondezas e perguntar por Jem e Rob Cameron, sem sucesso. Mas no dia seguinte ele sugerira ir a cavalo até Fort William, para perguntar na guarnição do Exército.

Roger tinha os olhos fixos num pedaço de musgo perto de seu joelho. O musgo cobria as pedras, formando tufos verdes semelhantes a cabeças de brócolis novos. Podia sentir Jamie o escutando. Ele não se mexia, mas Roger sentiu a leve tensão nele ao ouvir o nome Fort William. *Ou pode ser minha tensão…* Enfiou os dedos no meio do musgo frio e úmido, talvez para se ancorar à realidade.

– O comandante do forte era um oficial chamado Buncombe. Segundo seu pai, "um sujeito decente para um *sassenach*", e era mesmo. Brian tinha levado duas garrafas de uísque… coisa fina – acrescentou, olhando para Jamie, e viu que isso provocou uma centelha de sorriso. – Bebemos com Buncombe e ele prometeu mandar seus soldados investigarem. Aquilo me deixou… esperançoso. Como se talvez tivesse mesmo uma chance de encontrar Jem.

Ele hesitou por um instante, tentando pensar em como dizer o que queria. Afinal, Jamie *tinha* conhecido Brian.

– Não foi tanto pela cortesia de Buncombe. Foi Brian Dhu – falou Roger, encarando Jamie. – Ele foi… gentil, muito gentil, mas foi mais do que isso. – Tinha uma lembrança muito nítida de tudo: Brian a cavalo subindo um morro, o gorro e os ombros largos escuros de chuva, as costas retas e firmes. – Era como… *Eu* senti que… as coisas ficariam bem, contanto que aquele homem estivesse ao meu lado.

– Todo mundo sentia isso com ele – disse Jamie baixinho.

Roger assentiu. A cabeça ruiva de Jamie estava abaixada, o olhar cravado nos joelhos, mas Roger a viu se virar uma fração de centímetro, como se em reação a um toque, e um minúsculo tremor de algo entre o assombro e o simples reconhecimento arrepiou os fios de seu couro cabeludo.

Aí está, pensou.

Já tinha visto, ou melhor, sentido aquilo antes, mas fora preciso várias repetições antes de entender com exatidão o que era. O clamor dos mortos quando são citados por aqueles que os amam. Podia sentir Brian Dhu ali, junto àquele córrego, com a mesma certeza com que o sentira naquele dia de chuva nas Terras Altas.

Roger fez um breve aceno com a cabeça para o fantasma que estava ali. *Me perdoe*, pensou e prosseguiu. Contou sobre William Buccleigh MacKenzie, que agora tentava se redimir na busca por Jem. Contou como os dois tinham encontrado Dougal MacKenzie, que saíra com seus homens para coletar os aluguéis…

– Meu Deus – disse Jamie, embora Roger tivesse reparado que ele não se benzeu ao ouvir o nome de Dougal. – Dougal sabia que... que esse homem era filho dele?

– Não – respondeu Roger, seco. – Buck ainda não tinha nascido. Mas Buck sabia que Dougal era seu pai. Foi um choque para ele.

Não só para ele.

– Imagino que deva ter sido – murmurou Jamie.

Seu rosto ostentava uma levíssima expressão bem-humorada e Roger se perguntou, não pela primeira vez, se os nativos das Terras Altas teriam a capacidade de transitar entre este mundo e o outro. Jamie havia matado o tio quando fora preciso, mas tinha feito as pazes com ele depois de Dougal morrer. Roger o escutara pedir ajuda a Dougal durante o combate... pedir e receber, aliás.

Roger e Buck também tinham recebido ajuda. Dougal lhes havia emprestado cavalos para a viagem.

Mas aquilo não tinha a ver com sua busca pelo filho e pelo pai. Tinha a ver com o que ele devia a outro pai e a outro filho. À sombra de Brian Dhu... e a Jamie.

– Algum dia eu conto o resto. Mas hoje... Bem, nós voltamos para Lallybroch, porque Brian tinha mandado avisar que havia encontrado algo que talvez tivesse a ver com minha busca. O objeto era uma espécie de pingente que lhe fora enviado pelo comandante da guarnição em Fort William. Parecia estranha e tinha o nome "MacKenzie" gravado, então tanto o comandante quanto Brian pensaram que eu deveria ver.

Roger sentiu um aperto no peito ao visualizar mentalmente os discos: feitos de papelão prensado, um vermelho, o outro verde, ambos gravados com o nome "J. W. MacKenzie" e uma fieira de números indecifráveis: as plaquinhas de identificação de um aviador da RAF, prova de que eles estavam à procura de outro Jeremiah.

– Precisávamos descobrir de onde aquelas plaquinhas tinham vindo, sabe? Então voltamos a Fort William. E... – Ele precisou parar e respirar fundo para conseguir falar: – O capitão Buncombe tinha ido embora. O novo comandante da guarnição agora era um tal de capitão Randall.

Todo o bom humor abandonou o semblante de Jamie, que estava agora duro feito um pedaço de rocha.

– É – disse Roger e tossiu um pouco. – Ele mesmo. O novo comandante havia sido cordial, agradável. Ele foi prestativo. Foi... Foi estranho. Quero dizer, eu sabia... *sabia*... o que ele tinha...

– Feito comigo? – Jamie tinha os olhos cravados nos dele, inescrutáveis.

– O que ele tinha feito com você. Claire me contou... contou para nós. Quando ela... – Ele viu a expressão de Jamie e se apressou em explicar: – Quero dizer, ela achava que você estivesse morto. Do contrário, com certeza não teria...

– Então ela contou tudo para vocês.

O rosto de Jamie estava pálido.

Merda.

– Bom, só as... as linhas ger... – Ele se interrompeu. *Você nunca vai ser um pastor decente se não conseguir ser honesto.* Buck dissera isso para Roger uma vez e ele tinha razão. Roger respirou fundo.

– Sim – disse apenas e sentiu as entranhas se esvaziarem.

Sem dizer nada, Jamie se levantou, virou as costas, deu vários passos para dentro da vegetação rasteira, parou e vomitou.

Ai, meu Deus. Onde eu estava com a cabeça?

Roger teve a sensação de passar uma hora prendendo a respiração, então sorveu um pouco de ar. Estava pensando muito à frente: no que precisava dizer a Jamie, explicar, e pelo que precisava pedir desculpas e perdão. Tinha que fazer isso se Bree e ele quisessem morar ali de novo. Mas não havia cogitado que Jamie não pudesse saber que Roger... *e Bree, pelo amor de Deus!...* conhecessem os detalhes íntimos de seu Getsêmani pessoal; já fazia muitos anos que ele sabia.

Maldição, maldição, maldição... Ai, que inferno!

Roger continuou sentado, com os punhos cerrados, escutando Jamie engolir golfadas de ar, cuspir e ofegar. Manteve os olhos cravados em uma joaninha que pousara em seu joelho. O inseto andava para lá e para cá sobre o tecido cinza de fabricação caseira e suas antenas curiosas tateavam o pano. Por fim, os arbustos farfalharam e Jamie voltou, sentou-se e apoiou as costas na jovem árvore. Roger abriu a boca e Jamie fez um gesto com a mão para impedi-lo de falar.

– Não – disse ele.

Sua camisa estava molhada de suor, murcha sobre as clavículas. Todos os insetos do fim do dia escolheram aquele momento para aparecer: nuvens de mosquitos flutuavam acima da cabeça deles e os grilos tinham começado a cantar. Um mosquito passou zumbindo pelo ouvido de Roger, mas ele não ergueu a mão para espantá-lo.

Jamie deu um suspiro e o fitou com um olhar muito direto.

– Continue, então – disse ele. – Conte-me o resto.

Roger aquiesceu e sustentou o olhar de Jamie.

– Eu sabia sobre Randall e sabia o que ele era – falou sem rodeios. – E o que iria acontecer. Não só com você... com sua irmã. E com seu pai.

Dessa vez Jamie se benzeu e sussurrou alguma coisa em gaélico que Roger não entendeu, mas não pediu que ele repetisse.

– Eu então contei para Buck... sobre o... açoitamento. Não falei sobre... – Os dedos da mão aleijada de Jamie estremeceram, como se ele estivesse prestes a fazer o mesmo gesto de quem interrompe. – Sobre seu pai e sobre o que aconteceu com ele.

Tornou a sentir o horror daquela conversa. Se não fizesse nada para deter Jack Randall, Brian Dhu Fraser estaria morto dali a menos de um ano, vítima de uma apoplexia sofrida enquanto assistia ao filho ser açoitado até a morte (assim pensava) pelo capitão Randall. Jamie viraria um fora da lei, ferido no corpo e na alma, e carregaria a culpa de saber que a morte do pai era responsabilidade sua, de saber que tinha abandonado sua casa e seus arrendatários nas costas da irmã enlutada e destroçada. E Jenny, aquela linda jovem, deixada inteiramente só, sem sequer a proteção de um irmão.

Jamie não se retraiu ao ouvir o relato, mas Roger pôde sentir as palavras penetrarem como dardos na própria carne.

Jenny. Meu Deus, como vou encará-la?

Respirou fundo. Estava quase lá.

– Buck quis matá-lo... Randall. Ali mesmo, sem hesitar.

A voz de Jamie traiu a ínfima sugestão de uma risada, embora tivesse saído um pouco trêmula.

– Ele era *mesmo* filho de Dougal, então.

– Sem dúvida – garantiu Roger. – Você deveria ter visto os dois juntos.

– Bem que eu queria.

Roger esfregou a mão no rosto e balançou a cabeça.

– O fato é que... nós poderíamos ter parado Randall. Matado, quero dizer. Estávamos armados. Eu já tinha ido falar com ele antes, com seu *da*. Ele não teria medo de mim. Eu poderia ter entrado na sala dele com Buck e pronto. Ou poderíamos ter seguido até onde ele dormia e o matado lá; teríamos tido uma chance muito boa de escapar.

Jamie tinha se retraído um pouco ao ouvir a palavra "*da*". Apesar disso, continuou calado. Seus olhos eram a única parte do que parecia ainda ter vida.

– Eu não deixei Buck fazer isso – disse Roger num rompante. – Eu *sabia* o que iria acontecer... e deixei que acontecesse. Com sua família. Com você.

Jamie baixou os olhos, mas não falou nada. Roger sentiu o ar fresco do córrego subir e a sombra fria das árvores tocar seu rosto quente.

Por fim, Jamie se moveu. Meneou a cabeça uma vez, depois outra, tomando uma decisão.

– E se vocês o tivessem matado? – falou baixinho. – Se eu não tivesse virado um fora da lei, não teria estado perto de Craigh na Dun e muito menos teria precisado de uma curandeira naquele dia em que...

Ele arqueou a sobrancelha.

Roger assentiu, sem palavras.

– Brianna? – disse Jamie baixinho. O nome em gaélico tinha a mesma sonoridade da brisa fresca. – Será que *ela* teria acontecido? Ou as crianças? Ou você, aliás?

– Isso... nós... talvez ainda tivéssemos acontecido – respondeu Roger e engoliu em seco. – De outra forma, mas sim. Eu tive medo de que não. Mas não estou...

Ele engoliu o que ia dizer. Jamie sabia que ele não estava usando aquilo como desculpa.

– É, bem. – Jamie se levantou, fazendo uma nuvem de mosquitos se dissipar como uma chuva de poeira dourada à luz do crepúsculo. – Então não se preocupe. Não vou deixar Jenny matar você. Vamos, antes que queimem o jantar.

Roger sentiu como se um tapete houvesse sido puxado de baixo dele. Não sabia o que estava esperando, mas não era uma aceitação calma.

– Você... você não...? – começou, hesitante.

– Não.

Jamie estendeu uma das mãos para baixo e, quando Roger a segurou, puxou-o de pé para que pudessem ficar cara a cara, com as árvores começando a farfalhar a seu redor à brisa do início da noite.

– Eu passei muito tempo pensando, sabe? – disse Jamie, inclinando a cabeça em direção ao córrego. – No período em que vivi como fora da lei, depois de Culloden. Ao ar livre sob as estrelas, ouvindo as vozes que surgem no vento. Olhava para trás e ficava pensando nas coisas que havia feito e nas que não tinha. E se eu tivesse feito diferente? Se não tivéssemos decidido tentar deter Carlos Stuart, teria sido diferente para nós, pelo menos, mesmo que não para as Terras Altas. Eu talvez tivesse conseguido manter Claire comigo. Se eu não tivesse travado um duelo com Jack Randall no Bois de Boulogne, será que agora teria duas filhas?

Ele balançou a cabeça, as marcas profundas no rosto e os olhos escurecidos de sombras.

– Homem nenhum é dono da própria vida – concluiu Jamie. – Parte de nós está sempre nas mãos de outro alguém. Tudo que podemos fazer é torcer para estarmos principalmente nas mãos de Deus. – Ele tocou Roger no ombro e meneou a cabeça em direção à trilha. – Temos que ir.

Roger o seguiu, com a mente tranquila, mas incapaz de olhar para a camisa suja e áspera a cobrir as costas de Jamie sem continuar a ver as cicatrizes embaixo dela.

– Uma coisa – disse Jamie, virando-se para ele no começo da trilha. – Talvez você não devesse contar para Jenny o que acabou de me contar. Quero dizer, não logo de cara. Deixe que ela se acostume com você.

Jamie pegou os gravetos das mãos de Fanny e Mandy e pediu que prestassem atenção para aprender como colocá-los da maneira segura para fazer uma fogueira crescer. O fogo tinha passado o dia inteiro aceso, mas baixo, uma vez que só era necessário para ferver água e cozinhar o ensopado que Claire havia preparado: pedaços de gambá na brasa para dar sabor a uma profusão de batatas novas acrescida de cenouras, ervilhas, cogumelos selvagens e cebolas. Ele olhou por cima do ombro para ter certeza de que ela estava ocupada com outra coisa, então acenou para chamar as meninas com um ar de conspirador.

– Vamos dar uma olhadinha no ensopado? – cochichou, e as duas deram risadinhas e se encostaram em seus ombros enquanto ele estendia o pegador de panela e erguia a tampa devagar, deixando escapar uma lufada de vapor úmido com aroma de carne, vinho e cebola.

As meninas sentiram o forte aroma da comida e Jamie deixou o ar entrar pelo nariz e chegar até o fundo da garganta. O cheiro delicioso fez sua barriga roncar e, ao ouvir esse barulho, as meninas tornaram a explodir em risadinhas enquanto olhavam em volta com expressão culpada.

– O que está fazendo aí, Pa? – Ele se virou e deu com a filha em pé acima dele, o rosto tomado por uma expressão de censura. – Mandy, cuidado! Você está quase pondo Esmeralda dentro da fogueira!

– Estou só ensinando um pouco de culinária às meninas – disse ele, distraído.

Ele entregou o pegador de panela para ela e se afastou, ainda ouvindo as risadas das meninas.

Era um bom momento para se retirar: o jantar logo estaria pronto e a luz do dia morria aos poucos. Ele estivera à procura de Jenny, com a intenção de chamá-la a um canto e prepará-la um pouco antes de ela encontrar Roger Mac.

Prepará-la como?, pensou. *Você se lembra de um homem que esteve em Lallybroch quarenta anos atrás procurando o filho? Não? Ah. Bom, ele está aqui!*

Talvez ela se lembrasse. Era uma moça jovem e Roger Mac não era feio. E, pelo que ele tinha contado, Da havia passado um bom tempo o ajudando a procurar, então talvez...

A consciência de ter pensado em Da de modo tão casual, pensado nele como se ainda estivesse vivo, deu-lhe a sensação de ter errado o último degrau de uma escada e descido aos tropeços.

– Ahn? – Ele se deu conta de que Claire tinha lhe perguntado alguma coisa e esperava a resposta. – Desculpe, Sassenach. O que disse?

Ela ergueu uma sobrancelha, mas sorriu e lhe passou uma garrafa.

– Eu perguntei: você poderia abrir isto aqui, por favor?

Era uma garrafa do vinho moscatel do ano anterior, que Jimmy Robertson tinha dado a Claire em agradecimento por ter consertado o braço quebrado de seu caçula.

– Acha que vai valer a pena beber? – perguntou ele, pegando a garrafa e a examinando com olhar crítico.

A rolha estava bem firme no gargalo, mas seca e esfarelada. Claire pelo visto havia tentado sacá-la e a maior parte tinha se desprendido e se desfeito em sua mão.

– Não – disse ela. – Mas desde quando esse pensamento algum dia impediu um escocês de beber qualquer coisa?

– Também nunca impediu os ingleses que conheci. Talvez um francês tivesse mais critério. Pelo menos não está com cheiro de vinagre.

Ele segurou a garrafa de vidro marrom contra a luz a fim de verificar o nível do vinho lá dentro, então sacou a adaga e acertou o gargalo com um golpe seco da lâmina, causando um retinir. O vidro se partiu perfeitamente, embora num ângulo oblíquo e ele lhe devolveu a garrafa.

– Ah, que bom. Eu vou... Você ouviu isso? Foi o Oggy? Ou um puma?

– Parece um puma com uma crise de cólica e gases, então deve ter sido o Oggy.

Ela riu, o que o fez se sentir feliz. Jamie tomou um gole do vinho, fez uma careta e devolveu a garrafa.

– A quem está planejando servir isso?

– A ninguém – respondeu ela, farejando com cautela. – Vou usar para marinar um pedaço duro de alce de hoje para amanhã com o resto das cebolas de primavera, depois ferver com feijão e arroz. *Que nome* afinal será que vão dar a essa criança… e *quando*?

– Eles não precisam ter pressa. Ninguém vai confundir o menino com outra criança da Cordilheira.

Ninguém iria mesmo. O rapazinho de Rachel tinha os melhores pulmões que Jamie já havia escutado e raramente deixava de usá-los. Naquele exato instante não parecia chateado, apenas berrando por pura diversão.

– Vou lá recebê-los – disse ele. – Quero falar com Jenny antes de ela encontrar Roger Mac.

Claire por um instante pareceu não entender, então virou a cabeça depressa na direção das árvores, onde Jamie viu Brianna e Roger Mac muito entretidos em uma conversa.

Será que ele está contando a ela o que me contou, pensou? A sensação de estar caindo de uma escada tornou a brotar em sua barriga.

– Nossa – disse Claire e seus olhos exibiram a mesma expressão de interesse que exibia ao ver as verrugas anais do funileiro, que pareciam uma couve-flor bem carnuda a brotar de um traseiro. – Não tinha pensado nisso.

– Bom, não acho que ela vá desmaiar – disse ele. – Mas talvez seja melhor deixar uma dose de alguma coisa a postos, só para garantir.

No fim das contas, Jenny não estava com Ian e Rachel. Rachel explicou que Jenny tinha feito um desvio para pedir um pouco de mãe do vinagre a Morag MacAuley, mas que desceria em seguida. Foi uma sorte e ele lhe agradeceu, parando para afagar rapidamente o cocuruto de Oggy. Como sempre, o menino riu ao receber o carinho e Jamie começou a subir a trilha se sentindo um pouco mais tranquilo.

Encontrou Jenny sentada num toco de árvore junto à trilha, tirando uma pedra do sapato. Ao vê-lo, ela se levantou com um pulo e se atirou em seus braços, ignorando o sapato.

– Jamie, *a chuisle!* Sua linda menina! Estou explodindo de alegria por você!

Ela ergueu os olhos marejados para ele, que também começava a chorar, embora não conseguisse evitar de rir ao mesmo tempo. A alegria dela o fazia se lembrar da dele.

– É, eu também – falou. Ele enxugou os olhos na manga e ajeitou a touca da irmã. – Quanto tempo faz que você conheceu Brianna? Ela disse que foi a Lallybroch procurar a mãe e a mim. E conheceu você, Ian e todos. *E Laoghaire* – acrescentou ele, recordando.

Jenny se benzeu ao ouvir esse nome, mas sorriu.

– Virgem abençoada, a cara de Laoghaire quando viu a menina! E depois a cara que *ela* fez quando tentou ficar com as pérolas de mamãe e Brianna fechou a tampa dela como se fosse uma escrivaninha!

– Foi mesmo? – Jamie lamentou não ter visto isso, mas em seguida se lembrou do que o tinha feito sair à procura de Jenny.

– O marido de Brianna – falou para o alto da cabeça da irmã quando ela se curvou para tornar a calçar o sapato. – Roger MacKenzie.

– Sim, que tipo de homem ele é? Nas suas cartas você dizia que gostava dele.

– E ainda gosto – garantiu ele. – É só que... você se lembra de quando Claire e eu fomos à Escócia enterrar o general Simon em Balnain?

– Como poderia esquecer? – disse ela e seu semblante ficou mais sombrio.

Aquilo fora durante a prolongada doença de Ian, uma época terrível para todos, mas de longe pior para Jenny. Jamie detestava fazê-la pensar naquilo, nem que fosse por um instante, mas não conseguiu pensar em outro jeito de começar.

– Então deve se lembrar de tudo que Claire contou... sobre de onde ela veio?

Jenny o encarou sem entender, com a mente ainda obscurecida por lembranças, mas então piscou e franziu a testa.

– Sim... – falou, cautelosa. – Alguma baboseira sobre círculos de pedras e fadas, se bem me lembro.

– É, essa mesmo. Então... talvez você consiga se lembrar de um pouco antes, quando... quando eu estava em Paris, pouco antes de Da morrer?

– Eu me lembro – respondeu ela, tensa, encarando-o com um ar zangado. – Mas não quero me lembrar. Por que está me importunando com essa história logo agora?

Ele fez no ar o gesto de quem dá alguns tapinhas, pedindo que o escutasse até o fim.

– Um homem foi a Lallybroch à procura do filho raptado. Um homem de cabelos escuros chamado Roger MacKenzie, de Lochalsh, segundo ele. Você se lembra?

O sol estava se pondo, mas ainda havia luz de sobra para que Jamie pudesse ver o sangue se esvair do rosto de Jenny. Ela engoliu em seco e meneou a cabeça uma única vez.

– O filhinho dele se chamava Jeremiah – disse ela. – Eu me lembro porque Da recebeu um pequeno objeto do comandante da guarnição... – Os lábios dela se contraíram e Jamie soube que ela estava pensando em Jack Randall. – E quando o... quando o homem de cabelos escuros voltou, Da lhe deu o objeto e eu escutei o sr. MacKenzie conversando com o amigo e dizendo que aquilo devia ter pertencido ao próprio pai, que se chamava Jeremiah igual a... igual a Jemmy. O nome do filho dele era Jeremiah e as pessoas o chamavam de Jemmy. – Ela parou de falar e o encarou. – Está me dizendo que seu neto é *aquele* Jemmy e que o homem de cabelos escuros é...

– Estou – disse Jamie e soltou uma expiração.

Jenny tornou a se sentar, bem devagar.

Ele a deixou quieta, lembrando-se muito bem do misto de incredulidade, atordoamento e medo que sentira quando Claire, abalada e histérica depois de ele a resgatar do julgamento por bruxaria em Cranesmuir, finalmente lhe revelou o que era.

Lembrou-se também do que tinha dito na época. *Mas teria sido muito mais fácil se você fosse apenas uma bruxa.* Isso o fez sorrir e ele se agachou na frente da irmã.

– É, eu sei – disse a ela. – Mas é como se eles tivessem vindo da... da Espanha, talvez. Ou de Tombuctu, digamos.

Ela lhe lançou um olhar incisivo e fez um muxoxo, mas as mãos que estavam contraídas em seu colo relaxaram.

– Então o que aconteceu foi que Roger Mac e Brianna estiveram os dois em Lallybroch... tempos atrás. Você conheceu Brianna quando ela foi nos procurar. Mas tinha conhecido Roger Mac anos antes, quando ele estava procurando o filho. Brianna apareceu de novo um pouco depois com as crianças, procurando por Roger. Você não a encontrou nessa ocasião, mas ela esteve com Da.

Ele se calou alguns instantes, à espera. A expressão de Jenny mudou de repente e ela se sentou mais ereta.

– Ela conheceu Da? Mas ele já tinha morrido... – Sua voz se calou enquanto ela tentava encaixar tudo aquilo na mente.

– Conheceu – respondeu Jamie. – E Roger Mac também passou algum tempo com Da, procurando. Ele... me contou coisas sobre Da. Você entende... para os dois, tem só uns poucos meses que o viram – disse ele suavemente e segurou a mão da irmã e apertou com força. – Ouvir Roger Mac falar sobre ele assim... como se Da estivesse ao meu lado.

Jenny soltou o ar com um pequeno soluço e apertou sua mão com força. Seus olhos estavam úmidos outra vez, mas ela não estava com medo e piscou para conter as lágrimas, dando uma fungada.

– Talvez seja mais fácil você pensar nisso como um milagre – disse ele, tentando ajudá-la. – Quero dizer... e é mesmo, não é?

Ela o encarou, pegou um lenço e assoou o nariz.

– *Fag mi* – disse ela. *Não me provoque.*

– Venha – disse ele e a puxou ao se levantar. – Você tem um novo sobrinho para conhecer. De novo.

Roger viu Jamie primeiro, saindo das sombras da chaminé. Ele próprio era uma sombra. E a impressão de Roger era de que ele se encontrava acompanhado por alguém, mas estava tão escuro que não tinha certeza. Então se pegou de pé, avançando ao encontro daquelas duas figuras no limiar da luz do fogo. O tremeluzir das chamas revelou os olhos de uma linda moça, alguém que ele já havia conhecido.

– Srta. Fraser – disse ele baixinho e segurou com as duas mãos a dela, firme e com os ossos finos como a pata de um passarinho. – Prazer em conhecê-la.

Jenny deu uma risada gutural e as linhas se vincaram em volta de seus olhos.

– Na última vez que nos encontramos, pensei que teria gostado se você beijasse a minha mão, mas você não beijou – disse ela.

Ele podia ver o ritmo veloz da pulsação dela na lateral de seu pescoço, mas a mão dela estava firme e ele a ergueu e beijou com uma ternura de modo algum forçada.

– Achei que seu pai pudesse não gostar – disse ele, rindo.

Uma expressão de leve espanto cruzou o semblante dela.

– É verdade – sussurrou Jenny, erguendo os olhos para ele. – Você viu Da, falou com ele... uns poucos meses atrás? Sua voz não está... Você parece não considerar que ele está morto. – A voz dela estava tomada de assombro.

Jamie fez um ruído suave no fundo da garganta, emergiu das sombras e tocou o braço da irmã.

– Brianna também – disse ele baixinho.

E inclinou a cabeça em direção ao fogo, onde Roger viu Bree com Oggy no colo conversando com as outras crianças, os cabelos ruivos compridos a esvoaçar no ar quente que subia do fogo. Ela estava fazendo gestos imperiosos com a mãozinha rechonchuda do bebê e falando como se fosse ele com uma voz grave e cômica. Todas as crianças estavam rindo.

– Ela também viu Da, embora não tenha chegado a falar com ele. Foi no cemitério de Lallybroch. Da estava ajoelhado junto à lápide de *mammeigh* e tinha levado para ela azevinho e teixo amarrados com barbante vermelho.

– *Mammaidh*...

A voz de Jenny ficou presa na garganta e Roger viu seus olhos se marejarem de repente. Soltou-lhe a mão ao mesmo tempo que Jamie passava o braço em volta da irmã e a puxava para si, e os dois irmãos ficaram abraçados, com o rosto escondido um no outro, segurando o amor entre si.

Roger ainda os estava olhando quando sentiu Claire a seu lado. Ela também os observava, com o semblante suave e os olhos cheios de emoção. Sem dizer nada, segurou sua mão.

9

HISTÓRIAS DE ANIMAIS PARA CRIANÇAS

Foi preciso um mês, e não duas semanas, mas, quando as uvas silvestres começaram a amadurecer, Jamie, Roger e Bree, sem muita cerimônia e acompanhados por muitas risadas das crianças, prenderam na estrutura da cozinha da Casa Nova um grande pedaço de lona branca suja (recuperada e costurada a partir de pedaços da vela principal danificada de uma chalupa da Marinha Real que estava sendo reformada em Wilmington quando Fergus por acaso passou pelo cais).

Nós tínhamos um telhado. Nosso.

Passei muito tempo em pé debaixo dele. Apenas sorrindo.

Pessoas não paravam de entrar e sair, trazendo coisas do alpendre, da casa dos Higgins, da despensa fria, do abrigo do Tronco Grande, do jardim mais abaixo. Aquilo me fez lembrar, de repente e sem aviso, quando acampava numa expedição com meu tio Lamb: a mesma confusão de objetos, os mesmos sentimentos de animação, alívio e felicidade, a mesma expectativa.

Jamie pôs no chão o armário de tortas, pousando-o com toda a delicadeza sobre o piso de madeira para não marcar nem danificar as tábuas.

– Um desperdício de esforço – disse ele, sorrindo para mim. – Daqui a uma semana vai ser como se tivéssemos atravessado isto aqui com um rebanho de porcos. Por que está sorrindo? Gosta dessa ideia?

– Não, mas gosto de você – falei, e ele riu. Aproximou-se, me enlaçou com o braço e olhamos os dois para cima.

A lona brilhava com um branco ofuscante e o sol do fim da manhã entrava pelas bordas. O pano se ergueu um pouco, sussurrando na brisa, e várias manchas de água salgada, sujeira e do que poderia ser sangue de peixes ou homens formaram sombras que tremeluziram no chão ao redor de nossos pés, o chão de nossa nova vida.

– Olhe – sussurrou ele no meu ouvido e encostou o queixo na minha bochecha para direcionar meu olhar.

Fanny estava parada do outro lado do recinto, olhando para cima. Estava perdida na luz branca, sem reparar no gato Adso, que se enroscava em seus tornozelos na esperança de receber alguma comida. Ela sorria.

Jamie cavou o buraco, um sulco raso na terra preta salpicada de mica sob a parte da chaminé que se projetava para fora da parede, com cerca de 25 centímetros de comprimento.

Roger, Ian e ele, bufando, arfando e praguejando em gaélico, francês, inglês e mohawk, tinham trazido de Green Spring na véspera a grande placa de serpentina que formaria a base da lareira. A pedra agora aguardava, encostada na chaminé.

Sua borda inferior estava toda marcada de sujeira e pedaços de raiz, e vi uma pequena aranha sair de um buraco, aventurar-se a andar no máximo 5 centímetros, em seguida se imobilizar de espanto.

– Espere – falei para Jamie, apoiado nos calcanhares e estendendo a mão em direção a Bree, que aguardava com o cinzel preto na mão.

Ele arqueou a sobrancelha, mas assentiu, e as crianças se juntaram à minha volta para ver a que se devia o atraso. Segurei a barra do meu avental e tentei colocá-la debaixo da aranha sem assustá-la. Na mesma hora ela subiu correndo até o alto da placa de pedra, deu um salto no ar e aterrissou na camisa de Jamie. Ele a capturou com a mão em concha e, ainda com a sobrancelha erguida, levantou-se com cuidado, foi até a outra ponta do cômodo e, tirando a mão, segurou a barra da camisa e a sacudiu vigorosamente entre as estacas de madeira.

– *Thalla le Dia!* – exclamou Jemmy.

– O que foi? – perguntou Fanny, que vinha assistindo à cena com um assombro boquiaberto.

– Vá com Deus – disse Jemmy, sensato. – O que mais se poderia dizer a uma aranha?

– O que mais, de fato? – disse Jamie.

Ele deu um tapinha no ombro de Jem, tornou a se ajoelhar junto à base da lareira e ergueu a mão para a filha. Para minha surpresa, Bree beijou o cinzel como se este fosse um crucifixo, em seguida o entregou para Jamie.

Ele também o levou aos lábios e o beijou como se fosse sua adaga, então o pousou com delicadeza no sulco e usou a mão esquerda para cobri-lo de terra. Tornou a se sentar nos calcanhares e correu os olhos de rosto em rosto. Só a família estava presente: nós dois, Brianna, Roger, Jem e Mandy, Germain, Fanny, Ian, Rachel e Jenny, com Oggy adormecido no colo. Jamie recitou:

Abençoa, ó Deus, a casa
E todos que aqui vão dormir esta noite;
Abençoa, ó Deus, aqueles que eu amo
Em todos os lugares nos quais eles durmam;
Nesta noite de hoje,
E em todas as noites;
Neste dia de hoje,
E em todos os dias.
Que este ferro sagrado dê fé
Do amor de Deus e da proteção desta casa.

A solene atenção de todos perdurou por cinco segundos de silêncio.

– Agora vamos comer! – exclamou Mandy, animada.

Jamie riu junto com os outros, mas se interrompeu e tocou a neta na bochecha.

– Sim, *m'annsachd*. Mas só depois de instalada a pedra. Chegue para trás um pouco, para não ficar no caminho.

Brianna pegou Mandy e a puxou bem para trás, indicando com um gesto para Jem, Fanny e Germain também recuarem, ainda que relutantes. Os homens flexionaram algumas vezes os ombros e as mãos, e então, a um sinal de Jamie, abaixaram-se e seguraram a pedra.

– *Ahhhhrrr!* – gritaram Jem e Germain, imitando com entusiasmo os homens, que produziam ruídos semelhantes.

Oggy acordou com um sobressalto, a boquinha aberta de perplexidade. Jenny aproveitou e enfiou ali o polegar. O bebê fechou a boca por reflexo e começou a sugar, embora continuasse com os olhos arregalados de assombro.

Houve vários grunhidos, manobras, instruções resmungadas, gritos de alarme quando a pedra escorregou, risos e conversas entre os espectadores quando ela foi aparada... Por fim, com um último arquejo de esforço, a pedra foi virada na horizontal e colocada no lugar.

Jamie estava curvado para a frente com as mãos nos joelhos, arfando. Endireitou as costas devagar, com o rosto muito vermelho e suor escorrendo pelo pescoço, e olhou para mim.

– Tomara que goste desta casa, Sassenach – falou e sorveu uma grande golfada de ar. – Porque eu nunca mais vou construir outra.

Aos poucos, todo mundo se acomodou e tornamos a nos reunir ao redor da nova base da lareira para a última bênção. Para minha surpresa, e também a deles, Jamie chamou Roger e Ian com um aceno e os fez se postarem de um lado e de outro de onde estava, em frente à pedra. Ele recitou:

Abençoa para mim, ó Deus, a lua lá em cima.
Abençoa para mim, ó Deus, a terra aqui embaixo,
Abençoa para mim, ó Deus, minha esposa e meus filhos,
E abençoa, ó Deus, a mim que deles cuido;

Abençoa para mim minha esposa e meus filhos,
E abençoa, ó Deus, a mim que deles cuido.
Abençoa, ó Deus, aquilo que meu olho vê.
Abençoa, ó Deus, aquilo que sustenta minha esperança,
Abençoa, ó Deus, minha razão e meu propósito.
Abençoa, ó Deus, abençoa a eles, Deus da vida;
Abençoa, ó Deus, minha razão e meu propósito,
Abençoa, ó Deus, abençoa a eles, Deus da vida.

Abençoa minha amada companheira de leito.
Abençoa a lida de minhas mãos.
Abençoa para mim, ó Deus, a cerca que me defende.
E abençoa para mim a proteção do meu descanso;
Abençoa para mim, ó Deus, a cerca que me defende.
E abençoa para mim a proteção do meu repouso.

Com um meneio de cabeça, ele indicou que deveríamos nos juntar a ele e assim fizemos.

Abençoa, ó Deus, a casa
E todos que aqui vão dormir esta noite;
Abençoa, ó Deus, aqueles que eu amo
Em todos os lugares nos quais eles durmam;
Nesta noite de hoje,
E em todas as noites;
Neste dia de hoje,
E em todos os dias.

Entre instruções murmuradas, cada um pegou um pedaço de madeira e o levou até a base da lareira, onde Brianna os dispôs e cuidadosamente preencheu o espaço debaixo de sua construção com punhados de pequenos gravetos.

Inspirei fundo, peguei o pedaço de palha enrolado que Jamie me passou, joguei-o dentro de um recipiente especial do meu consultório, então me ajoelhei em cima da nova pedra verde e acendi o fogo.

Como a cozinha ainda não tinha nem mesa nem bancos, jantamos uma refeição fria nos degraus da frente de nossa nova casa. Em respeito à cerimônia, eu havia preparado massa de biscoitos de melado mais cedo e guardado. Todos entraram, estenderam suas várias modalidades de cama – Jamie e eu tínhamos uma cama de verdade, mas todos os outros iriam dormir sobre colchões de palha em frente à lareira nova – e se sentaram com intensa expectativa para me ver despejar a massa na frigideira e fazer o círculo de ferro preto deslizar de volta para dentro do calor em brasa do pequeno buraco revestido de tijolos que Jamie tinha construído na lateral da imensa lareira para servir de forno e assar rapidamente.

– Quanto tempo, quanto tempo, quanto tempo, vovó?

Nas pontas dos pés atrás de mim, Mandy tentava espiar. Virei-me e a levantei do chão para ela poder ver a frigideira e os biscoitos. O fogo que tínhamos acendido naquela manhã fora alimentado o dia inteiro e o espaço revestido de tijolos irradiava calor e continuaria a fazê-lo noite adentro.

– Está vendo como a massa está no formato de bolas? E dá para sentir como está quente? *Nunca* ponha a mão dentro do fogo. Bem, o calor vai fazer essas bolas se achatarem e depois dourarem, e quando isso acontecer os biscoitos vão estar prontos. Leva uns dez minutos – concluí, colocando-a no chão. – Mas, como o forno é novo, vou ter que ficar de olho.

– Que gostoso, que gostoso, que gostoso, que gostoso! – Mandy saltitou, encantada, e se atirou nos braços de Brianna. – Mamãe! Lê uma história para mim enquanto os biscoitos não ficam prontos?

As sobrancelhas de Bree se levantaram e ela olhou para Roger, que sorriu e ergueu os ombros.

– Por que não? – disse ele e foi revirar a pilha de pertences encostada na parede da cozinha.

– Você trouxe um livro para as crianças? Que bom – disse Jamie a Bree. – Onde o conseguiu?

– Agora fazem livros para crianças da idade de Mandy? – perguntei, baixando os olhos para ela.

Bree respondeu que Mandy já sabia ler um pouco, mas eu nunca tinha visto nada num ateliê de impressão do século XVIII que pudesse ser compreensível, quanto mais atraente, para uma criança de 3 anos.

– Bem, mais ou menos – disse Roger, tirando da pilha a bolsa de lona de Bree. – Quero dizer, existiam… enfim, existem… poucos livros *feitos* para crianças. Embora os únicos títulos que me ocorram no momento sejam *Hinos para a diversão das crianças, A história dos dois sapatos* e *Descrições de trezentos animais.*

– Que tipos de animal? – indagou Jamie, soando interessado.

– Não tenho a menor ideia – confessou Roger. – Nunca vi nenhum desses livros. Só li os títulos numa lista.

– Você já imprimiu algum livro para crianças em Edimburgo? – perguntei a Jamie, que fez que não com a cabeça. – Bom, o que você lia quando estava na escola?

– Quando criança? A Bíblia – respondeu ele, como se isso devesse ser uma obviedade. – E o almanaque. Enfim, após aprendermos o alfabeto. Depois líamos um pouco de latim.

– Eu quero *meu* livro – disse Mandy com firmeza. – Me dá, papai. Por favor? – pediu ao ver a boca da mãe escancarada.

Bree fechou a boca e sorriu, e Roger espiou dentro da bolsa e pegou um livro de um laranja tão vivo que me fez piscar.

– O que é? – perguntou Jamie, inclinando-se para espiar. Olhou para mim com as sobrancelhas arqueadas. Encolhi os ombros. Ele logo iria descobrir.

– Lê, mamãe! – Mandy se aconchegou junto à mãe, empurrando o livro para as mãos de Bree.

– Está bem – disse Bree e abriu o livro. – *Você gosta de ovos verdes e presunto? Eu não, Sam-I-Am.*

– O quê? – disse Fanny, sem acreditar, e se aproximou para espiar por cima do ombro de Bree, seguida de perto por Germain.

– O que é *isso*? – perguntou Germain, fascinado.

– É o Sam-I-Am! – respondeu Mandy, apontando para a página.

– Ah, *oui.* E o que é essa outra coisa então? O Sam-I-Am-Not?

Fanny, Jemmy e Roger riram, deixando Mandy enfurecida. Ela podia não ter os cabelos ruivos, pensei, mas tinha o temperamento dos Frasers para dar e vender.

– Cala a boca, cala a boca, cala a *boca*! – guinchou ela.

E, pondo-se de pé, partiu para cima de Germain com a clara intenção de arrancar suas entranhas com as próprias mãos.

– Ei! – Roger interceptou a filha com agilidade e a ergueu do chão. – Calma, querida, ele não teve a intenção de...

Eu poderia ter avisado que a última coisa que se deve dizer para alguém descontrolado é "calma", mas, se Roger não tinha aprendido isso compartilhando uma casa com Frasers ao longo de anos, de nada adiantaria dizer agora. Seria como apagar um incêndio causado por óleo queimando em seu fogão jogando um copo d'água em cima.

Jamie pegou Mandy em um abraço e colocou sua enorme mão na nuca da neta.

– Shh, *a nighean* – falou e ela se calou. Estava bufando como um pequeno motor a vapor, com o rosto vermelho e choroso, mas parou. – Vamos lá fora um instante, que tal? – disse o avô e meneou a cabeça para o resto das pessoas reunidas na cozinha. – Ninguém toca no livro dela enquanto estivermos lá fora. Entenderam?

Um débil murmúrio de obediência foi seguido por um silêncio completo enquanto Jamie e Mandy desapareciam lá fora.

– Os biscoitos!

Senti o cheiro forte da massa começando a queimar, corri até o forno, retirei a frigideira depressa e virei os biscoitos rapidamente sobre o Prato Grande, a única peça de louça que possuíamos no momento, mas que comportava tudo, até um peru pequeno.

– Os biscoitos ficaram bons? – Com total desinteresse pela situação imediata da irmã, Jem logo veio olhar.

– Sim – garanti. – Um pouco marronzinhos nas bordas, mas ficaram ótimos.

Fanny também tinha vindo olhar, mas sua inclinação à gula era menor.

– O sr. Fraser vai bater nela? – sussurrou a menina com ar aflito.

– Não – garantiu Germain. – Ela é muito pequena.

– Ah, não é não – garantiu Jemmy, lançando um olhar cauteloso para a mãe, que tinha o rosto afogueado, embora não tão vermelho quanto o de Mandy.

Todas as crianças tinham se juntado à minha volta, por interesse nos biscoitos ou instinto de autopreservação. Ergui a sobrancelha para Roger, que se adiantou e se sentou ao lado de Brianna. Virei as costas de modo a lhes proporcionar um pouco de privacidade conjugal e mandei Fanny e Jem saírem para buscar a jarra grande de leite, agora pendurada dentro do poço, torcendo para nenhum dos sapos das redondezas ter decidido saboreá-lo, apesar do pano preso com pedras com o qual havia coberto a boca da jarra.

– Desculpe, vovó – disse Germain em voz baixa, chegando mais perto de mim. – Eu não queria causar confusão.

– Eu sei, meu amor. Todo mundo sabe, menos Mandy. E o vovô vai explicar para ela.

– Ah. – Ele relaxou na mesma hora, com total confiança na capacidade do avô de enfeitiçar qualquer coisa, de um cavalo bravo a um ouriço raivoso.

– Vá pegar as canecas – falei. – Todo mundo vai voltar logo.

As canecas de metal tinham sido enxaguadas depois do jantar e deixadas de cabeça para baixo sobre os degraus da frente para secar. Germain saiu apressado, tomando cuidado para não encarar Bree.

Germain achava que Bree estivesse brava com ele, mas estava claro para mim que ela estava apenas chateada. E não era de espantar, pensei. Ela havia se esforçado muito, e durante muito tempo, para garantir a segurança e a felicidade de Jem e Mandy... Primeiro, durante a longa e difícil ausência de Roger, depois na busca por ele, na travessia das pedras e na longa jornada para chegar até ali. Não era nenhuma surpresa que Bree estivesse com os nervos à flor da pele. Por sorte, os instintos maritais de Roger eram bastante afiados.

Ele passou um braço em volta dela e a puxou, a fim de que Bree ficasse com a cabeça apoiada em seu ombro enquanto ele lhe murmurava coisas numa voz demasiado baixa para eu distinguir as palavras, mas o tom era amoroso e tranquilizador, e os traços do rosto dela logo relaxaram.

Ouvi vozes suaves vindas também da outra direção, pela porta aberta da cozinha: eram Jamie e Mandy, apontando um para o outro as estrelas de que mais gostavam. Sorri enquanto arrumava os biscoitos no prato. Jamie seria *mesmo* capaz de enfeitiçar um ouriço raivoso, pensei.

Usando seus bons instintos, Jamie esperou todos terem se reaproximado e estarem farejando ansiosos os biscoitos ainda mornos. Então trouxe Mandy de volta para dentro e a deixou sem dizer nada no meio das outras crianças.

– Trinta e quatro? – indagou Jamie, avaliando numa olhada a travessa. – Um para Oggy, é?

– Sim. Como você *consegue* fazer isso?

– Ah, Sassenach, não é difícil. – Ele se inclinou por cima da travessa, fechou os olhos e sorveu o aroma, deliciado. – Afinal, é mais fácil do que cabras e ovelhas... biscoitos não têm patas.

– Patas? – estranhou Fanny.

– Ah, sim – disse ele, abrindo os olhos e sorrindo para a menina. – Para saber quantas cabras se tem, basta contar as patas e dividir por quatro.

Os adultos do grupo gemeram e Germain e Jem, que já tinham aprendido a fazer contas de divisão, riram.

– Isso... – começou Fanny, então se calou, com a testa enrugada.

– Sentem-se – falei depressa. – Jem, por favor, sirva o leite. E quantos biscoitos cada pessoa ganha então, sr. Sabe-Tudo?

– Três! – entoaram os meninos em coro. A opinião contrária de Mandy, para quem cada um deveria ganhar cinco, foi silenciada sem incidentes e todos no recinto relaxaram e se entregaram a um delicioso momento de leite frio e cremoso e migalhas perfumadas.

– Então – disse Jamie e fez uma pausa para varrer com todo o cuidado as migalhas da frente da camisa para a palma da mão e em seguida lamber. – Então – repetiu ele. – Amanda me disse que consegue ler o livro dela sozinha. Quer ler para nós, *a leannan*?

– Quero!

E com apenas uma breve interrupção para limpar as mãos e o rosto sujos de biscoito, ela foi mais uma vez se aninhar no colo da mãe, só que dessa vez com o livro laranja-vivo no colo. Abriu a capa e fuzilou sua plateia com o olhar.

– Cala a boca, todo mundo – falou firme. – *Eu* vou ler.

Como o consultório era o único cômodo a ter paredes completas, uma vez que todas as migalhas de biscoitos foram devoradas e que o livro de Mandy foi lido diversas vezes, Ian e a família se retiraram rumo à própria casa e as crianças trouxeram seus colchões de palha, puxando-os pelo hall de entrada rudimentar, animadas com a perspectiva de dormir em seu lar.

Fui com elas acender um fogo no braseiro, uma vez que a segunda chaminé ainda não estava pronta, e pendurei mantas acolchoadas esfarrapadas para tapar a janela aberta e o vão da porta e desencorajar morcegos, mosquitos, raposas e roedores curiosos.

– Se um guaxinim ou um gambá entrarem, *não* tentem afastá-los – falei. – É só saírem do consultório e irem chamar seu pai ou seu avô. Ou sua mãe – acrescentei. Bree com certeza saberia cuidar de um guaxinim rebelde.

Lancei um beijo para o recinto inteiro e voltei para a cozinha.

O cheiro de melado tinha se dissipado, mas o ar continuava doce, agora com o aroma de uísque. Sentada num caixote de madeira de índigo, Brianna ergueu para mim a caneca de metal.

– Chegou bem na hora – disse ela.

– Bem na hora de quê?

Jamie me passou uma caneca cheia e nós brindamos.

– *Slàinte* – disse ele. – À nova lareira.

– Hora dos presentes – disse Bree, meio como quem se desculpa. – Passei muito tempo pensando nisso. Não sabia se algum dia iria encontrar vocês… qualquer um de vocês… – arrematou, fitando Roger com um olhar sério. – E queria trazer alguma coisa que fosse durar, mesmo que acabasse destruída ou perdida.

Jamie e eu trocamos olhares intrigados, mas ela já estava enfiando a mão na bolsa de lona. Tirou lá de dentro um livro azul grosso e o entregou a mim.

– O que é…? – Mas pelo tato entendi na hora o que era e emiti um ruído que só podia ser qualificado de guincho: – Bree!

Jamie estava sorrindo, mas ainda sem entender. Estendi o livro para ele, então o apertei junto ao peito antes de ele poder pegá-lo.

– Ah! – tornei a dizer. – Obrigada, Bree! Que *maravilha*.

Ela estava corada de prazer e minha animação fazia seus olhos brilharem.

– Achei que fosse gostar.

– Ah…!

– Deixe-me ver, *mo nighean donn* – pediu Jamie, estendendo a mão gentilmente para pegar o livro. Quase não suportei soltá-lo, mas acabei lhe entregando.

– *Manual Merck, Décima Terceira Edição* – leu ele na capa e ergueu o rosto com o cenho franzido. – Pelo visto, Merck é um autor de sucesso… ou isso, ou ele comete muitos erros.

– É um… manual de medicina – expliquei, começando a me controlar, embora arrepios de empolgação continuassem a me percorrer. – *Manual Merck: diagnóstico e tratamento*. Uma espécie de compêndio de… do estado atual do conhecimento médico geral.

– Ah! – Ele olhou para o livro com interesse e o abriu, embora eu pudesse ver que ainda não tinha entendido toda a sua importância. – *Controlar o contágio da* E. histolytica *requer impedir o contato de fezes humanas com a boca* – leu ele e olhou para cima. – Ah – murmurou ao ver a expressão do meu rosto e sorriu. – É o que as pessoas já descobriram… naquela época. Coisas sobre medicina que até você ainda não sabe. Se bem que… você sabe que não deve comer cocô, não?

Aquiesci e ele fechou o livro devagar e me devolveu. Agarrei-o junto ao peito, subjugada pela expectativa. Décima terceira edição… de 1977!

Roger tossiu. Quando Brianna o encarou, ele moveu a cabeça em direção à bolsa.

– E… – disse ela, olhando para Jamie. – Para você, Pa. – Pegou um livro de bolso pequeno e grosso e lhe entregou. – E para você… – Um segundo livro se seguiu ao primeiro. – E este daqui também é para você. – O terceiro.

– São um conjunto – disse Roger, abrupto. – Quero dizer, é tudo uma história só, mas impressa em três volumes.

– Ah, é? – Jamie virou um dos livros com cuidado, como se temesse que pudesse se desintegrar em suas mãos.

– A encadernação é colada?

– Sim – respondeu Roger sorrindo. – Esse tipo de livro se chama brochura. É barato e leve.

Jamie sopesou o livro na mão e assentiu, mas já estava lendo a contracapa.

– Frodo Bolseiro – leu em voz alta e ergueu o rosto, sem entender. – Um galês?

– Não exatamente. Brianna achou que você poderia gostar da história – disse Roger e seu sorriso se alargou um pouco mais quando a encarou. – E eu acho que ela tem razão.

– Hummm. – Jamie juntou o trio de livros e, com uma olhada pensativa para as marcas pegajosas de dedos que Mandy tinha deixado em sua caneca, colocou-os em cima do meu armário de ervas. Deu um beijo em Bree e meneou a cabeça em direção à sua bolsa.

– Muito obrigado... sei que vão ser ótimos. O que trouxe para você mesma, menina?

– Bem... principalmente pequenas ferramentas – disse ela. – A maioria são coisas que já existem, mas de melhor qualidade, que eu não poderia conseguir aqui sem muito trabalho e muita despesa.

– Como assim, nenhum livro? – indagou Jamie sorrindo. – Vai ser a única analfabeta da família?

Bree já estava afogueada de prazer e animação, mas essa pergunta a deixou perceptivelmente mais rosada.

– Hummm. Bem... só um. – Ela me lançou um olhar, pigarreou, então levou a mão ao interior quase vazio da bolsa.

– Ah! – exclamei.

E meu tom de voz fez Jamie olhar para mim em vez de para o livro de capa dura envolto em sobrecapa coberta de plástico. *A alma de um rebelde*, dizia o título. *As raízes escocesas da Revolução Americana*. De Franklin W. Randall, Ph.D.

Bree encarava Jamie com a testa um pouco franzida de ansiedade, mas então se virou para mim.

– Eu ainda não li – disse ela. – Mas vocês... qualquer um dos dois – acrescentou, olhando alternadamente para mim e para Jamie – Fiquem à vontade para ler a qualquer hora. Se quiserem.

Cruzei olhares com Jamie. As sobrancelhas dele se ergueram por um breve instante e ele olhou para outro lado.

Brianna e Roger levaram as canecas sujas, a tigela de massa, a colher e a jarra de leite para lavar em casa e eu me sentei ao lado de Jamie num saco grande de feijões para me maravilhar por alguns minutos com meu *Manual Merck*. Ele revirava nas mãos o livro de Frank com um ar desconfiado de quem pensava que o objeto pudesse explodir, mas o deixou de lado ao me ver acariciar a capa azul texturizada do meu novo bebê.

– Pretende ler do início ao fim, igual à Bíblia? – perguntou. – Ou vai só esperar alguém aparecer com pintinhas azuis e pesquisar nele?

– Ah, as duas coisas – garanti, sopesando o pequeno e grosso volume. – Talvez ele tenha novos tratamentos para coisas que eu sei reconhecer... mas com certeza descreve também coisas que nunca vi e das quais nunca ouvi falar.

– Posso olhar de novo? – Ele estendeu a mão, e eu com cuidado depositei nela o livro. Jamie abriu e começou a ler aleatoriamente: – Tripanossomíase. – Suas sobrancelhas se ergueram. – Você consegue fazer alguma coisa em relação à tripanossomíase, Sassenach?

– Bom, não – admiti. – Mas... na eventualidade remota de eu cruzar com a tripanossomíase, pelo menos saberia do que se trata e isso poderia evitar que o paciente fosse submetido a um tratamento ineficaz ou perigoso.

– Sim, daria tempo de ele fazer o testamento e chamar um padre – disse Jamie, fechando o livro e me devolvendo.

– Hummm – fiz, sem querer pensar nessa possibilidade, ou melhor, nessa certeza: eu iria diagnosticar doenças fatais que não poderia tratar. – E seus livros? Parecem interessantes?

Meneei a cabeça em direção à pilha de grossas brochuras e o rosto dele se iluminou. Pegou o primeiro volume e folheou as páginas devagar, então voltou à primeira e leu, com voz grave:

– *Com relação aos hobbits. Este livro trata em grande parte dos hobbits e em suas páginas o leitor poderá descobrir muitas coisas sobre seu temperamento e sua história.*

– Isso é só o prólogo – garanti. – Você pode pular, se quiser.

Ele fez que não com a cabeça, olhos cravados na página, sorrindo.

– Se o autor julgou que valia a pena escrever isso, então vale a pena eu ler. Pretendo ler até o fim.

Fui percorrida então por uma forte pontada de emoção ao ver a reverência com que ele segurava o livro, virando as páginas com o indicador. Um livro, qualquer livro, significava muito mais do que seu conteúdo para um homem que passara anos vivendo numa época com pouco ou nenhum acesso à palavra impressa e apenas a lembrança das histórias para proporcionar a si mesmo e a seus companheiros uma fuga de situações desesperadoras.

– Você já leu, Sassenach? – perguntou, olhando para cima.

– Não, mas li *O hobbit*, que é do mesmo autor. Bree e eu lemos juntas quando ela estava no sexto ano... quando tinha uns 12 anos, quero dizer.

– Ah. Então você não diria que são livros libidinosos?

– O quê? Não, de jeito nenhum – falei, rindo. – O que o fez pensar isso?

– Nada, a tirar pela capa... nunca vi tanta coisa impressa do lado de fora de um livro... mas não dá para saber, não é? – Ele fechou o livro com uma relutância evidente. – Estava pensando que poderíamos ler estes aqui no início da noite, quem sabe cada um se revezando para ler um capítulo. Jem e Germain têm idade suficiente para dar conta. Você acha que Frances sabe ler?

– Sim, ela me disse que a irmã ensinou. – Levantei-me e fui até ele, inclinando-me por cima de seu ombro para espiar *A Sociedade do Anel*. – Que ideia maravilhosa.

Tínhamos feito isso com Jenny e Ian durante os curtos meses passados em Lallybroch no início de nosso casamento: horas de paz e felicidade passadas à luz da lareira no início da noite, enquanto uma ou outra pessoa lia em voz alta e as outras cerziam meias, remendavam roupas ou consertavam pequenas peças de mobília. A visão perfeita de noites com nossa família em nossa casa fez meu coração se aquecer dentro do peito.

Jamie produziu um ruído escocês indicativo de satisfação e pousou o livro ao lado do volume de capa dura que Bree havia comprado para si. O livro de Frank. Meu coração já emocionado se apertou um pouco mais, ao mesmo tempo feliz e triste por ela o ter comprado para recordá-lo, para trazê-lo consigo para aquela nova vida.

Jamie me viu olhando para o livro e produziu outro ruído escocês, dessa vez expressando um interesse cauteloso. Meneei a cabeça para *A alma de um rebelde.*

– Você vai ler esse?

– Não sei – reconheceu ele, olhando para o livro. – *Você* leu, Sassenach?

– Não.

Senti uma pontada de culpa ao admitir isso. O fato era que, embora tivesse lido todos os artigos, livros e ensaios de Frank durante o que costumava considerar nosso primeiro casamento, não conseguia me forçar a ler nenhum dos livros que ele havia escrito durante nossa segunda tentativa, tirando uma breve olhada em um que falava sobre as consequências de Culloden, quando havia começado a procurar os homens de Lallybroch.

– Esse foi publicado depois de eu... voltar – falei, com a garganta apertada. – Foi o último livro que ele escreveu. Eu nunca tinha visto.

Perguntei-me por um instante se Bree escolhera aquele porque a fotografia de Frank era como ele estava da última vez que o vira ou se o escolhera por causa do título.

Jamie captou meu tom de voz e me encarou com um olhar incisivo, mas não disse nada. Em vez disso, pegou o *Ovos verdes e presunto* de Mandy para examiná-lo melhor. Jem tinha levado para a cama seu livro especial, *O menino cientista americano.* Provavelmente o estava lendo para Germain e Fanny à luz do fogo. Não havia nada que eu pudesse fazer quanto a isso, exceto torcer para que o livro não incluísse nenhuma instrução para a construção de uma máquina de guerra.

10

SALSA, SÁLVIA, ALECRIM E TOMILHO

Uma semana depois, ficamos sabendo do resto.

Fanny e Germain tinham subido até a casa de Ian para ajudar a pentear as cabras de Jenny. Jemmy, que não pôde se juntar a eles por causa de uma torção no polegar, havia decidido ficar em casa jogando xadrez com Jamie.

Roger estava dedilhando "Scarborough Fair" numa espécie de saltério simples que tinha fabricado, em contraponto às conversas igualmente rudimentares que aconteciam pela cozinha. Mas depois de Bree e eu sovarmos a massa de pão do dia seguinte e a deixarmos descansar, de colocarmos uma perna de cervo para macerar em ervas e vinagre, e de debatermos se o chão precisava ser esfregado ou apenas varrido, o recinto havia silenciado. A partida de xadrez tinha terminado – com um esforço heroico, Jamie conseguiu perder –, o saltério se calara e tanto Mandy quanto Jemmy haviam pegado no sono, caídos como sacos de feijão nos cantos do canapé.

Por acordo tácito, os quatro adultos se reuniram em volta da mesa com quatro canecas e uma garrafa de um bom vinho tinto, presente de Michael Lindsay por eu ter ajudado a costurar duas feridas compridas no flanco de seu cavalo, provocadas por um urso.

– Seu saltério está com um som tão bonito, Roger Mac – disse Jamie, erguendo a caneca em direção ao instrumento agora pousado por segurança em cima do armário de ervas.

Surpreso, Roger arqueou as sobrancelhas.

– Você... consegue discernir? – perguntou. – Quero dizer... sabe que é uma canção?

– Não – respondeu Jamie, espantado. – Era uma canção? Mas o som que ele faz é bonito. Parecem sininhos tocando.

– É uma canção de... de nossa época – disse Brianna com certa hesitação e relanceou os olhos para as crianças.

– Não tem problema – garantiu Roger. – A letra poderia ter vindo de qualquer época depois da Idade Média.

– Que bom. Precisamos tomar cuidado – disse Bree, com um meio sorriso para mim. – Seria melhor que Mandy não cantasse "Twist and Shout" na igreja.

– Bom, não na nossa – disse Roger. – Embora com certeza devam existir igrejas mais... ahn, atléticas agora nas quais isso seria mais ou menos adequado. Fico pensando se existe alguma igreja que lida com cobras por aqui – acrescentou, interessado. – Não sei quando isso começou.

– Cobras na igreja... de propósito? – indagou Jamie, cético. – Por que alguém faria isso?

– Marcos 16:17-18 – respondeu Roger. – "Estes sinais acompanharão os que crerem: em meu nome expulsarão demônios; falarão novas línguas; pegarão em serpentes; e, se beberem algum veneno mortal, não lhes fará mal nenhum; imporão as mãos sobre os doentes e estes ficarão curados." Eles fazem isso, ou vão fazer, para provar sua fé – explicou. – Pegar cascavéis e bocas-de-algodão com as mãos.

– Meu Deus – disse Jamie e se persignou.

– Exato – disse Roger, aquiescendo. – Qualquer coisa na Bíblia é segura – disse ele para Bree. – Mas talvez seja melhor não nos demorarmos em coisas que possam sugerir algo mais moderno.

Involuntariamente, olhei para minhas mãos ao ouvir Roger citar o versículo da Bíblia, mas ao ouvir isso ergui os olhos. Jamie não parecia estar entendendo.

Bree inspirou fundo e se voltou mais uma vez para as crianças.

– Não é que queiramos que eles esqueçam – falou em voz baixa. – Houve... ainda há pessoas e coisas que eles amavam em nossa... época. E não sabemos se algum dia vão acabar voltando. Mas precisamos tomar cuidado com quais lembranças dessa época compartilhamos, falamos ou recordamos. – Vi seu pescoço comprido se mover de leve quando ela engoliu em seco. – *Provavelmente* não seria um problema se Mandy contasse às pessoas sobre banheiros, por exemplo... ainda mais se eu construir um – acrescentou ela, abrindo um breve sorriso. – Mas existem questões mais complexas.

– É – disse Jamie baixinho. – Imagino que sim.

Ele colocou mão na minha coxa e eu a cobri com a minha. Estava percebendo o mesmo que eu: a expressão no rosto deles, tanto no de Roger quanto no de Brianna. Eu tinha visto essa mesma expressão próximo ao fim da Segunda Guerra Mundial; ele a vira nos meses e anos depois de Culloden. A expressão dos exilados, cuja necessidade sobrepujava o luto, que viram corajosamente as costas para lembranças que jamais ficariam para trás, por mais fundo que fossem enterradas.

Fez-se um longo intervalo de silêncio. Jamie pigarreou.

– Eu sei *por que* voltaram – disse ele. – Mas como?

O simples aspecto prático da pergunta rompeu o breve encantamento de nostalgia. Bree e Roger se entreolharam, então olharam para nós.

– Tem mais vinho? – perguntou Roger.

– Não sabíamos se era possível atravessar de uma vez só o tempo *e* o espaço – explicou Bree diante de uma nova caneca cheia. – Não conhecemos ninguém que tenha feito isso e não parecia um bom momento para experimentos.

– Imagino que não – falei, um tanto fraco.

Na maior parte do tempo eu conseguia não me lembrar de como era entrar dentro... *daquilo*... mas a lembrança estava ali, sim. Era como ver algo grande e escuro passando logo abaixo da superfície e você estar dentro de um barquinho bem pequenininho num mar sem fim.

– Então essa decisão foi bem fácil – disse Roger, com uma careta que indicava que "fácil" era uma palavra relativa. – De qualquer forma, precisaríamos fazer a viagem da Escócia até os Estados Unidos. Em parte, era uma questão de saber se a travessia das pedras seria melhor do círculo de pedra perto de Inverness ou daquele em Ocracoke.

– Pessoas morreram atravessando em Ocracoke – disse Bree baixinho, pondo a mão sobre a de Roger. – Wendigo Donner contou isso a você, não foi, mamãe?

– Foi.

Senti minha garganta se contrair, tanto pelas lembranças que o nome de Donner evocava quanto por outras coisas associadas à palavra "Ocracoke", nenhuma delas positiva. Bree estava pálida e pensei que ela devia ter as próprias lembranças de lá: era o lugar onde Stephen Bonnet a mantivera prisioneira.

– E mesmo os que não morreram tiveram... anomalias – disse Roger e olhou para mim. – Dente de Lontra... Robert Springer. Ele queria que todo o seu grupo voltasse para… quando mesmo? Meados do século XVI ou antes? Enfim, bastante. Ele conseguiu voltar mais do que qualquer um dos outros. Mesmo assim, não tanto quanto pretendia. Mas a questão é que a viagem não foi a mesma para todos os membros do grupo.

– Pensamos que talvez fosse porque eles tinham atravessado um de cada vez, caminhando em formação e entoando cânticos – interveio Bree. – Nós… – Ela indicou com um gesto as crianças que dormiam. – Nós passamos todos juntos, abraçados. Pode ser que tenha feito diferença.

– E já *tínhamos* atravessado juntos por Ocracoke – disse Roger. – Se tínhamos conseguido uma vez, talvez pudéssemos conseguir de novo.

– Então tudo se resumia a uma questão de navios, não? – Jamie até então tinha ficado sentado prestando atenção, tamborilando de leve na coxa, mas então se empertigou. – Vocês acham que faria grande diferença? Um navio construído em 1739 e outro em 1775 ou por aí?

– Nós achávamos que sim – respondeu Brianna com certa ênfase. – Os navios tinham ficado maiores e mais velozes… mas o clima é o clima, e se você topasse com um iceberg ou um furacão… – Ela meneou a cabeça para mim. – Pouco importaria se estivesse num barco a remo ou no *Titanic*.

– É, sei – concordou Jamie e eu ri. Eu tinha lhe contado, de modo sucinto, sobre o *Titanic*.

– De nosso ponto de vista, uma tábua boiando no laguinho de trutas seria tão ruim quanto o *Queen Mary*… que é um navio *bem* grande.

– É, bem, suponho que a comida fosse melhor no segundo – disse Jamie, sem se deixar abalar pela minha provocação. – E, contanto que eu estivesse com aquelas suas agulhinhas na cara, seria esse o meu critério de escolha. Mas você sabia que o clima tinha mudado muito em quarenta anos? – perguntou ele, voltando a se dirigir a Bree, que fez que não com a cabeça.

– Não o clima das tempestades e do vento… quero dizer, pode ser que sim, mas não tínhamos como saber. O que *sabíamos* era sobre o clima político.

– A guerra – disse Roger, interpretando corretamente meu ar de incompreensão. – Os britânicos estavam… digo, *estão*… fazendo bloqueios, interrompendo o comércio e capturando navios americanos a torto e a direito agora. E se escolhêssemos o navio errado e acabássemos afundados ou capturados, ou se eu fosse obrigado a me alistar na Marinha Britânica e deixasse Bree e as crianças sozinhas para decidir se atravessariam as pedras ou se ficariam na Jamaica ou onde quer que eu estivesse para tentar me encontrar?

– Faz sentido – disse Jamie. – Então vocês embarcaram num navio em 1739. Como foi?

– Horrível – respondeu Bree na hora, ao mesmo tempo que Roger dizia "Terrível!".

Eles se entreolharam e riram. Aquele era o riso nervoso de sobreviventes que ainda não tinham total certeza de terem escapado.

Eles viajaram num brigue chamado *Kermanagh* de Inverness a Edimburgo, onde conseguiram lugares no *Constance*, um pequeno navio mercante com destino a Charles Town.

– Não numa cabine – disse Roger. – Era só um pequeno nicho no compartimento de carga, entre os barris de água e pilhas de baús cheios de tecido: linho, musselina, lã, seda. O cheiro era bem forte: argila, goma, corantes e urina, sabem? Mas poderia ter sido pior. As pessoas no outro extremo do porão estavam imprensadas entre caixotes de peixe salgado e barris de gim. Com as emanações, a maioria estava inconsciente.

– Nesse caso, elas tiveram sorte – disse Brianna com pesar. – Enfrentamos *quatro* tempestades no caminho. Entre ter certeza de que íamos afundar a qualquer momento e ricochetear nos baús de carga no momento seguinte, ficamos cobertos de hematomas... com exceção de Mandy. Passei a viagem inteira com ela no colo, com a capa em volta de nós duas para nos proteger do frio.

O simples fato de escutar isso deixou Jamie enjoado. Eu mesma senti as entranhas se revirarem em solidariedade.

– O que vocês comiam? – perguntei, na esperança de estabilizar a mim mesma e a conversa.

– Mingau frio – respondeu Roger com um dar de ombros. – Principalmente. Um pouco de toucinho frio também. E nabo, muito nabo.

– Nabo *cru*? – perguntei.

– E daí? – replicou Bree. – É igual a maçã, só que sem ser doce. E eu também levei maçãs, uvas-passas, cenouras, um vidro de espinafre cozido e outro de picles... e tínhamos os barris de peixe salgado...

– Ai, meu Deus – disse Roger com veemência. – Pensei que fosse morrer de sede depois de comer *um* desses peixes...

– Ninguém avisou que vocês deveriam deixar de molho até dessalgar? – perguntou Jamie, sorrindo.

– Tínhamos queijo também – disse Bree, mas ficou claro que ela estava travando uma batalha perdida.

– Bom, o queijo não estava tão ruim assim, fazendo descer com gim... Você já viu um bicho de queijo de perto?

– Dava para *ver*? – perguntou Jamie, interessado. – Já viajei mais de uma vez no compartimento de carga de um navio e não conseguia ver nem a mão na frente do rosto.

– Pois é – disse Roger. – Não dava para acender fogo no porão, claro, então as únicas horas em que *tínhamos* luz era quando abriam o alçapão. E eles faziam isso sempre que o tempo estava bom – acrescentou, numa tentativa de ser justo.

– Não parece ter sido tão ruim assim – comentou Jamie. – Quando você está com fome, nem repara nos bichos do queijo. E nabo cru enche bem a barriga...

Bree produziu um pequeno ruído de quem acha graça; eu não. Ele estava provocando, mas não brincando. Reconheci a lembrança vívida de longos anos de quase inanição nas Terras Altas depois de Culloden e algo não muito distante disso na prisão de Ardsmuir.

– Quanto tempo passaram no mar? – perguntei.

– Sete semanas, quatro dias e treze horas e meia – respondeu Brianna. – Foi uma viagem bem rápida, graças a Deus.

– É, foi mesmo – concordou Roger. – Mas a última tempestade nos pegou perto da costa e fomos obrigados a desembarcar em Savannah. Não pensei que fosse conseguir fazer esse pessoal embarcar em outro navio... – Ele indicou a esposa e os filhos com um aceno casual. – Mas quando perguntamos qual era a distância, e diante da possibilidade de caminhar mais de 700 quilômetros... nós encontramos outro navio. Dessa vez era um barco de pesca.

– Uma embarcação aberta, graças a Deus – disse Bree com fervor. – Nós dormimos no convés.

– Então chegaram finalmente às pedras – concluiu Jamie. – Como foi?

– Quase não conseguimos – respondeu Roger baixinho. Ele olhou para as crianças adormecidas no canapé. Mandy estava estatelada de bruços, tão flácida quanto Esmeralda. – Mas quem nos fez atravessar foi Mandy... e você – acrescentou ele, erguendo a sobrancelha para Jamie com um leve sorriso.

– Eu?

– Você escreveu um livro – disse Bree em voz baixa, olhando para ele. – *Histórias de um avô*. E se lembrou de pôr um exemplar na caixa junto com suas cartas.

A expressão de Jamie mudou e ele baixou os olhos para o chão, um pouco envergonhado.

– Vocês... leram? – perguntou e limpou a garganta com um pigarro.

– Lemos. – A voz de Roger saiu suave. – Várias vezes.

– Várias – reiterou Bree. A lembrança aquecia seu olhar. – Mandy sabia recitar de cor algumas de suas histórias preferidas.

– Ora, bem... – Jamie esfregou o nariz. – Mas o que isso tem a ver com...?

– Ela encontrou você – disse Roger. – Nas pedras. Estávamos todos nos concentrando ao máximo, pensando em você, em Claire e na Cordilheira... e em tudo de que nos lembrávamos, eu acho. Talvez tenha sido demais... coisas diferentes em excesso.

– Nem sei como descrever – disse Bree, e é claro que era impossível, mas a sombra daquilo estava estampada em seu rosto. – Nós não... não conseguíamos sair. Entramos e fomos... é meio como explodir, Pa – disse ela, tentando. – Mas tão lentamente que é possível... parecia que eu estava me desintegrando. Quando atravessamos da vez anterior também foi assim, mas acabou bem rápido. Desta vez... desta vez não parou.

Ao ouvir as palavras dela, pude sentir a lembrança daquilo e tudo dentro de mim se revirou como se eu tivesse sido atirada de um penhasco. Bree tinha ficado lívida, mas engoliu em seco e continuou a falar:

– Na verdade, não há como *falar*, mas você meio que tem consciência de quem está junto, de quem está segurando. Mas Mandy… e Jem, um pouco… eles são… meio que são mais fortes do que Roger e eu. E… nós conseguimos *ouvir* Mandy dizendo "Vovô! Duende azul!" E de repente ficamos… ficamos todos sincronizados, acho que se poderia dizer.

A expressão fez Roger sorrir e ele assumiu o relato da história:

– Começamos todos a pensar em você e nessa história específica, a que tem a ilustração de um duende azul. E… e depois estávamos caídos no chão, quase em pedaços, mas vivos. E na época certa. E juntos.

Jamie produziu um leve ruído na garganta, o único ruído escocês desarticulado que eu já o escutei fazer. Olhei para outro lado e vi que Jem estava acordado: não tinha se mexido, mas estava de olhos abertos. Sentou-se devagar e se inclinou para a frente com os cotovelos apoiados nos joelhos.

– Tudo bem, vovô – disse ele com a voz embargada de sono. – Não precisa chorar. A gente chegou são e salvo.

PARTE II

Não existe lei a leste do Pecos

11

RAIOS

Roger parou de modo tão abrupto na clareira que Bree quase trombou nele e só se salvou agarrando seu cotovelo.

– Caramba – disse ela baixinho, olhando para a ruína à sua frente.

– Para… para não dizer outra coisa.

Ele sabia, claro. Todo mundo tinha lhe contado, de Jamie a Rodney Beardsley, de 5 anos de idade. Sabia que a casinha que costumava servir de igreja, escola e loja maçônica na Cordilheira fora atingida por um raio e pegara fogo um ano antes, durante a ausência de Jamie e Claire. Vê-la, porém, foi um choque inesperado.

Os troncos que formavam a moldura da porta, apesar de queimados, continuavam de pé, um frágil portal enegrecido para o vazio carbonizado.

– Levaram embora a maior parte da madeira queimada. – Brianna inspirou fundo, andou até o vão da porta e olhou em volta. – Provavelmente usaram para defumar carne ou fabricar pólvora. Fico pensando como deve ser difícil encontrar enxofre nesta época.

Roger não sabia se ela estava falando sério ou se tentava manter a conversa leve até o choque de ver sua primeira e única igreja destruída passar. O único lugar em que ele fora um pastor de verdade, mesmo que tivesse sido por um curto período. Sentiu o peito e a garganta se contraírem, mas por ora deixou de lado aquela sensação de inquietação e tossiu.

– Você está pretendendo fabricar pólvora? Depois do que aconteceu com os fósforos?

Bree semicerrou os olhos e Roger percebeu que ela estava tentando manter a conversa leve.

– Você *sabe* que a culpa não foi minha. E eu *poderia*. Conheço a fórmula da pólvora e poderíamos arrumar salitre escavando as latrinas antigas.

– Se cavar latrinas velhas for seu conceito de diversão, *você* pode fazer isso – disse ele, sorrindo a contragosto. – Suas pesquisas lhe ensinaram como não se explodir ao fabricar pólvora?

– Não, mas sei a quem perguntar – disse Brianna, sem se abalar. – Mary Patton.

Quer ela tivesse ou não essa intenção, a distração da conversa estava funcionando. A sensação de ter levado um soco no baixo-ventre tinha passado e, embora ainda pudesse sentir as fisgadas da memória, conseguiu deixá-las de lado para lidar com elas depois.

– E quem é Mary Patton?

– Uma fabricante de pólvora... Não sei se existe um nome para essa profissão. Mas ela e o marido têm uma fábrica de pólvora no Braço da Pólvora do rio Wautauga... Na verdade, é daí que vem o nome Braço da Pólvora. Fica a uns 60, 70 quilômetros daqui – disse ela casualmente, agachando-se para pegar um pedaço enegrecido de carvão. – Pensei em ir até lá a cavalo na semana que vem. Tem uma trilha, uma estrada até, em parte do caminho.

– Por quê? – perguntou ele, desconfiado. – E o que está planejando fazer com esse carvão?

– Desenhar – respondeu ela e enfiou o carvão na bolsa. – Quanto à sra. Patton, vamos precisar de pólvora. Você sabe disso.

Agora ela estava falando sério.

– Muita pólvora – disse ele devagar. – Não só para caçar.

Ele não sabia de quanta pólvora a família dispunha. Como não era bom de pontaria, não caçava com arma de fogo.

– Isso. – Ela virou a cabeça e ele notou seu pescoço comprido se mover quando engoliu a saliva. – Li parte do livro de papai. *A alma de um rebelde.*

– Ai, meu Deus – disse ele, e o arrependimento que sentira ao ver sua ex-igreja voltou. – E?

– Já ouviu falar em um soldado britânico chamado Patrick Ferguson?

– Não. Quem é ele?

– Ele inventou o primeiro mosquetão de retrocarga. E vai começar uma luta *aqui* – Ela acenou para o espaço em volta. – Muito em breve. E a luta vai acabar em um lugar chamado Montanha dos Reis no ano que vem.

Roger vasculhou a memória em busca de alguma referência a esse lugar, mas não encontrou nada.

– Onde fica isso?

– Um dia vai acabar ficando na divisa entre as Carolinas do Norte e do Sul. Atualmente fica a uns 160 quilômetros daqui, algo assim... – Ela se virou, semicerrou os olhos na direção do sol para se orientar, então apontou com um dedo comprido sujo de carvão na direção de um bosque de jovens carvalhos-brancos. – Por ali.

– Você conhece o ditado que diz que cem anos é muito tempo para um americano e que 100 milhas é muito longe para um inglês? – perguntou ele. – Se o pessoal por aqui nem todo é inglês, com certeza ainda não é americano. Quero dizer, 160 quilômetros é *bem* longe. Está me dizendo que teremos que ir até a Montanha dos Reis por algum motivo?

Para seu grande alívio, ela fez que não com a cabeça.

– Não. Estou só dizendo que Patrick Ferguson vai começar uma luta *aqui*... aqui mesmo. Nas montanhas do interior.

Ela puxou um lenço sujo do bolso e começou a esfregar distraidamente as manchas de carvão dos dedos.

– Ele vai reunir uma milícia pró-britânica – continuou em voz baixa. – Entre os vizinhos. Não vamos conseguir ficar de fora. Nem mesmo aqui.

Isso ele já sabia. *Os dois* sabiam. Tinham conversado a respeito antes de decidirem tentar encontrar os pais dela. Um refúgio. Mesmo enquanto tentavam alcançar esse refúgio, eles já sabiam que a guerra toca tudo e todos em seu caminho.

– Eu sei – disse ele e passou um braço pela cintura dela.

Eles passaram um tempo parados, apenas escutando a floresta. Duas cotovias-machos travavam uma guerra particular nas árvores próximas, entoando seu canto metálico a plenos pulmões. Apesar da ruína calcinada, a pequena clareira irradiava uma profunda sensação de paz. Brotos verdes e pequenos arbustos tinham despontado das cinzas e se destacavam diante do preto. Sem encontrar resistência, a floresta pacientemente curaria a cicatriz, recuperaria seu terreno e prosseguiria como se nada tivesse acontecido, como se a pequena igreja jamais houvesse existido.

– Você se lembra do primeiro sermão que fez aqui? – perguntou ela com os olhos fixos no chão.

– Sim – respondeu ele e sorriu de leve. – Um dos garotos soltou uma cobra no meio dos fiéis e Jamie a segurou antes de ela causar um pandemônio. Uma das melhores coisas que ele já fez por mim.

Brianna riu e ele sentiu a vibração morna da risada através de suas roupas.

– A *cara* que ele fez. Pobre Pa, ele tem tanto medo de cobra…

– E ele tem um bom motivo – disse Roger com um dar de ombros. – Uma quase o matou.

Ele sentiu um longo estremecimento ao recordar aquela noite interminável na floresta escura, ouvindo Jamie lhe dizer o que fazer quando ele, Roger, se visse subitamente responsável por toda a Cordilheira.

– Muitas coisas quase o mataram – disse ela. O riso tinha sumido. – Um dia desses…

Sua voz saiu rouca. Roger tocou seu ombro com a mão e o massageou de leve.

– Vai ser "um dia desses" para todo mundo, *mo ghràidh*. Se não fosse assim, as pessoas não precisariam de um pastor. Quanto a seu *da*… contanto que sua mãe esteja aqui, eu acho que ele vai ficar bem.

Ela suspirou profundamente e a tensão de seu corpo relaxou.

– Acho que todo mundo sente isso em relação aos dois. Contanto que estejam aqui, tudo vai ficar bem.

Você sente isso em relação a eles, pensou Roger. E, para ser justo, ele também. *Espero que as crianças sintam isso em relação a nós.*

– É. O serviço público básico da Cordilheira dos Frasers – disse ele, seco. – Sua mãe é a ambulância e seu pai, a polícia.

Sorrindo, Brianna se virou para ele e o abraçou.

– E você é a Igreja – falou. – Tenho orgulho de você.

Soltando-o, ela acenou na direção da porta fantasmagórica.

– Bem, se mamãe e Pa podem reconstruir das cinzas, nós também podemos. Vamos reconstruir aqui ou queremos escolher outro lugar? Quero dizer, não sei se as pessoas vão ficar supersticiosas pelo fato de a igreja ter sido destruída por um raio.

Ele deu de ombros, sentindo-se acalentado pelas palavras dela.

– Dizem que um raio não cai duas vezes no mesmo lugar, não é? Que outro local poderia ser mais seguro? Mas vamos. Lizzie e seu *ménage* devem estar esperando.

– É mais do que um *ménage* agora – disse Bree, recolhendo as saias para poder caminhar até a casa dos Beardsleys. – Lizzie, Jo, Kezzie e... esqueci quantos filhos mamãe disse que eles têm agora.

– Eu também – confessou Roger. – Mas podemos contar quando chegarmos.

Foi só quando a floresta se fechou atrás deles e o caminho surgiu à sua frente que ocorreu a Roger perguntar. Durante a parte mais difícil de sua viagem, ela não quisera planejar nada além da sobrevivência diária, mas ele tinha certeza de que sua visão do presente não se limitava a lavar roupa e caçar perus.

– Qual você acha que pode ser sua ocupação? Aqui.

Ela virou a cabeça em sua direção por um instante e o sol encheu seus cabelos de fogo.

– Eu? – disse Brianna. – Acho que eu vou ser a armeira. – Ela sorriu, mas a expressão em seus olhos era séria. – Vamos precisar de uma.

12

ANTIGOS COMPANHEIROS

Fazenda Mount Josiah, real colônia da Virgínia

William sentiu cheiro de fumaça. Não era uma fogueira doméstica nem um fogo no mato, apenas um odor de cinzas trazido pelo vento, matizado de carvão, gordura... e peixe. Não vinha da casa em ruínas: a chaminé ruíra levando consigo parte do telhado e uma grande trepadeira em tons de vermelho recobria as pedras e telhas espalhadas.

Álamos também brotavam por entre as tábuas tortas da pequena varanda; a floresta tinha dado início a seu discreto trabalho de reconquista. Mas a floresta não defumava carne. Havia *alguém* ali.

Ele desceu do cavalo, amarrou Bart a uma das jovens árvores, soltou a trava da pistola e começou a andar em direção à casa. Podiam ser indígenas no meio de uma caçada, defumando a carne antes de levá-la para casa. William não tinha nada contra caçadores, mas eles teriam dificuldade se fossem invasores com intenções de ocupar a propriedade. Aquele lugar era dele.

Eram *mesmo* indígenas... ou pelo menos um indígena. Um homem seminu estava agachado à sombra de uma imensa bétula, cuidando de uma pequena fogueira com o auxílio de aniagem úmida. William sentiu cheiro de toras de nogueira recém-cortadas misturado com o odor de sangue, carne fresca, fumaça e o forte aroma de peixe secando: ao lado do fogo havia uma pequena treliça de trutas abertas. Sua barriga roncou.

Embora fosse grande e musculoso, o indígena parecia jovem. Estava de costas para William e ocupado em limpar com destreza a carcaça de um pequeno porco-selvagem, pousada sobre um saco de aniagem estendido ao lado do buraco onde ardia a fogueira.

– Olá – disse William, levantando a voz.

O homem olhou em volta, piscou por causa da fumaça e agitou a mão para afastá-la do rosto. Levantou-se devagar, ainda com a faca na mão, mas William tinha falado em tom amistoso e o desconhecido não era ameaçador. Tampouco era um desconhecido. Ele se afastou da sombra da árvore, a luz do sol bateu em seus cabelos e William sentiu um choque de espanto e reconhecimento.

Pela expressão em seu rosto, o rapaz sentiu a mesma coisa.

– Tenente? – perguntou, incrédulo. Analisou William de cima a baixo, registrando a ausência de uniforme, e os grandes olhos escuros fitaram seu rosto. – Tenente... lorde Ellesmere?

– Antigamente, sim. Sr. Cinnamon, não é?

Não pôde evitar sorrir ao pronunciar esse nome. Os cabelos do rapaz tinham agora pouco mais de 3 centímetros de comprimento, mas somente raspagem completa teria conseguido disfarçar seu tom singular de ruivo-acastanhado ou a exuberância de seus cachos. Um órfão da missão francesa, ele devia seu nome àqueles cabelos: Cinnamon, "canela".

– John Cinnamon, sim. A seu dispor, senhor... – O antigo batedor lhe fez uma meia mesura apresentável, embora o "senhor" tivesse sido pronunciado com certo tom de interrogação.

– William Ransom. Igualmente a seu dispor – disse William e estendeu a mão.

John Cinnamon era uns 5 centímetros mais baixo do que ele e uns 5 centímetros mais largo. O batedor tinha virado um homem feito nos últimos dois anos e seu aperto de mão era muito sólido.

– Queira perdoar minha curiosidade, sr. Cinnamon... mas como veio parar aqui? – perguntou William ao soltar a mão dele.

A última vez que tinha visto John Cinnamon fora três anos antes, em Québec, onde havia passado a maior parte de um longo e frio inverno caçando e instalando armadilhas com o batedor mestiço de indígena, que tinha uma idade próxima da dele.

Perguntou-se se Cinnamon teria ido até ali à procura dele, mas isso era absurdo. Não achava que algum dia tivesse mencionado o nome Mount Josiah. Mesmo que tivesse, Cinnamon não poderia de modo algum ter esperado encontrá-lo na fazenda. Ele não ia lá desde os 16 anos.

– Ah. – Para surpresa de William, um lento rubor se espalhou pelas bochechas largas de Cinnamon. – Eu... ahn... eu... bem, estou a caminho do sul.

O rubor ficou mais pronunciado.

William arqueou a sobrancelha. Embora a Virgínia de fato estivesse localizada ao sul de Québec e houvesse um bom pedaço de terras mais ao sul ainda, Mount Josiah não ficava no caminho para lugar algum. Nenhuma estrada ia dar ali. Ele mesmo havia subido o rio com seu cavalo de barcaça até as Corredeiras, o trecho de cascatas e águas turbulentas do rio James onde o terreno se fechava e impedia a viagem por via fluvial. Só tinha visto três pessoas ao prosseguir a cavalo depois das Corredeiras, todas elas seguindo na direção contrária.

Mas de repente os ombros largos de Cinnamon relaxaram e a expressão de cautela foi apagada pelo alívio.

– Na verdade, eu vim ver meu amigo – respondeu ele.

E meneou a cabeça em direção à casa. William se virou depressa e viu um segundo indígena abrindo caminho entre os arbustos de framboesa que ocupavam o que antes fora um pequeno gramado de croquê.

– Manoke! – exclamou.

Então repetiu o nome, gritando, e o homem mais velho ergueu o rosto. O semblante do indígena mais velho se iluminou de alegria e uma felicidade repentina e descomplicada inundou o coração de William, tão purificadora quanto uma chuva de primavera.

O indígena estava tão flexível e magro quanto sempre fora e tinha o rosto um pouco mais enrugado. William sentiu cheiro de fumaça de madeira em seus cabelos quando o abraçou, mas estes continuavam tão fartos e grossos quanto antes. Foi fácil notar isso: William via seus cabelos de cima e Manoke tinha a face encostada em seu ombro.

– O que você falou? – perguntou, soltando Manoke.

– Eu falei: "Minha nossa, garoto, como você cresceu" – respondeu Manoke, sorrindo para ele. – Precisa de comida?

Manoke era amigo de seu pai. Lorde John nunca o chamava por nenhum outro nome. O indígena se deslocava como queria, em geral sem atrair atenção, embora passasse a maior parte do tempo em Mount Josiah. Não era escravo nem empregado remunerado, mas preparava a comida e cuidava da roupa e das galinhas quando estava lá. Sim, ainda havia galinhas. William podia ouvir seus cacarejos e o farfalhar das árvores nas quais elas estavam acomodadas, perto das ruínas da casa. Manoke ajudava também quando era preciso limpar e esquartejar alguma caça.

– O porco é seu? – perguntou William a Cinnamon com um breve movimento de cabeça em direção à fogueira coberta.

Tinha posto Bart para pastar. Em seguida, havia se juntado aos dois indígenas na varanda desabada, onde os três ficaram aproveitando o ar ameno do início da noite, de olho no peixe que secava para caso aparecesse um guaxinim, uma raposa ou outro bicho faminto qualquer.

– *Oui*. Por ali – disse Cinnamon, acenando com a mão grandalhona em direção ao norte. – A duas horas de caminhada. Tem alguns porcos na mata ali, não muitos.

William assentiu.

– Você tem um cavalo? – perguntou.

O porco era pequeno, com uns 30 quilos talvez, mas era pesado para ser carregado durante duas horas. Além disso, Cinnamon provavelmente não sabia a distância que teria que percorrer. Ele já tinha dito a William que era a primeira vez que visitava Mount Josiah.

Cinnamon aquiesceu, com a boca cheia, e moveu o queixo na direção dos barracões e do celeiro de tabaco caindo aos pedaços. William se perguntou há quanto tempo Manoke estaria morando ali. O lugar parecia abandonado há anos. Mesmo assim, havia galinhas...

Os cacarejos e os breves pios das aves se acomodando lhe trouxeram uma súbita e intensa lembrança de Rachel Hunter, e na inspiração seguinte ele detectou cheiro de chuva, galinhas... e moça molhada.

– Todas, menos uma que meu irmão chama de a Grande Prostituta da Babilônia. Nenhuma galinha possui nada que se assemelhe a inteligência, mas essa é mais perversa do que o normal.

– Perversa?

Evidentemente, ela percebeu que ele estava contemplando as possibilidades inerentes a essa descrição e as achando engraçadas, pois resfolegou e se abaixou para abrir o baú de cobertores.

– A criatura está empoleirada a uns 6 metros no alto de um pinheiro, no meio de uma tempestade. Perversa.

Retirou uma toalha de linho da arca e começou a secar os cabelos. O barulho da chuva mudou de repente, o granizo batendo como cascalhos arremessados contra as persianas.

– Humm – murmurou Rachel, com um olhar sombrio para a janela. – Espero que ela seja derrubada pelo granizo e devorada pela primeira raposa que passar. Seria bem feito. – Continuou a enxugar os cabelos. – Não tem importância. Ficarei feliz de nunca mais ver essas galinhas outra vez.

O cheiro dos cabelos molhados de Rachel continuava forte em sua lembrança: escuros, escorrendo em pontas pelas costas, a água tornando sua combinação já gasta transparente em alguns pontos, com sombras da pele macia e branca por baixo.

– O quê? Quero dizer, o que disse?

Manoke tinha lhe dito alguma coisa e o cheiro da chuva desapareceu e foi substituído por fumaça de nogueira, farinha de milho frita e peixe.

Manoke o encarou com um ar de quem acha graça, mas repetiu:

– Perguntei se tinha vindo para ficar. Caso tenha, talvez queira consertar a chaminé.

William olhou por cima do ombro. Dava para ver o entulho coberto por trepadeiras depois da quina da varanda.

– Não sei – falou e deu de ombros.

Manoke assentiu e voltou a conversar com Cinnamon. Os dois estavam falando francês. Subitamente subjugado por um cansaço que se infiltrou até a medula, William não conseguiu fazer o esforço necessário para entender.

Será que ele *iria* ficar? Não agora. Quem sabe mais tarde, quando tivesse feito seu trabalho e encontrado o primo Ben ou então uma prova irrefutável de sua morte. Talvez então voltasse. Não sabia o que pretendera indo até ali. Era apenas o único lugar onde conseguiria pensar em paz sem ser obrigado a dar explicações constantes. Sua madrasta tinha lhe deixado a fazenda; sua madrasta, mas ele sempre pensava nela apenas como Mãe Isobel. Perguntou-se de repente se ela algum dia vira a casa.

Havia encontrado mais membros da milícia que estavam no acampamento de Middlebrook quando Ben ficara lá como prisioneiro. A maioria nunca tinha ouvido falar no capitão Benjamin Grey e os poucos que tinham sabiam apenas que ele estava morto.

Só que Benjamin não estava morto. William se agarrava com teimosia a essa convicção. Ou então, *se* estivesse, não tinha morrido de febre nem de bexiga, conforme informado pelos americanos.

Iria descobrir o que acontecera com o primo. E depois que descobrisse... Bem, depois disso haveria outras coisas nas quais pensar. Precisava esvaziar a mente. Entender tudo, decidir o que fazer. Em primeiro lugar, é claro, Ben. Mas depois precisaria se levantar e agir, para consertar as coisas.

– Consertar – falou, entre dentes. – Que inferno. – *Nada* podia ser consertado.

Rachel agora estava casada com o desgraçado do Ian Murray, um homem que era algo entre um escocês das Terras Altas e um mohawk, e que, *além do mais*, era primo de sangue de William, só para pôr sal na ferida. *Isso* não tinha conserto.

Jane... Sua mente recuou diante da última visão que tivera. Isso também não podia ser consertado, nem apagado de sua memória. Jane era uma pedrinha pequena e dura que às vezes chacoalhava nos cantos escondidos de seu coração.

A verdade em relação à identidade do pai de William e a seus milhares de ramificações tampouco tinha conserto. Colocado frente a frente com Jamie Fraser e tendo passado uma noite infernal em sua companhia na vã esperança de resgatar Jane, não havia como negar a verdade. Ele havia sido gerado por um traidor jacobita, um criminoso escocês. Um maldito *cavalariço*, pelo amor de Deus. No entanto... o escocês oferecera ajuda para qualquer empreitada.

E Fraser tinha dado essa ajuda, não tinha? De imediato e sem questionar. Não só no caso de Jane, mas também no de Frances, sua irmã menor.

William mal conseguira falar quando enterraram Jane. A lembrança da tristeza o havia dominado e ele curvou a cabeça acima do pedaço de peixe parcialmente comido que segurava.

Ele havia empurrado a pequena Frances para os braços de Fraser e ido embora. E agora, pela primeira vez, perguntava-se por que tinha feito aquilo. Lorde John também estava presente no triste e minúsculo funeral. O próprio pai. Ele poderia ter confiado Fanny com segurança aos cuidados de lorde John. Só que não tinha. Isso nem sequer lhe ocorrera.

Não, eu não me arrependo. As palavras ecoaram em seus ouvidos e o contato da mão grande e morna de alguém envolveu sua bochecha por um instante. Uma espinha de peixe ficou presa em sua garganta e ele engasgou, tossiu e engasgou outra vez.

Manoke o encarou por um instante, mas William acenou com a mão e o indígena retomou a acalorada conversa de algonquinos com John Cinnamon. William se levantou e, tossindo, rodeou a casa em direção ao poço.

Com certo esforço, conseguiu desalojar a espinha de peixe e bebeu a água doce e fria. Em seguida, despejou-a na cabeça. À medida que lavava a sujeira do rosto, começou a se sentir invadido por uma sensação de calma. Não era paz, nem mesmo resignação, mas a consciência de que, se tudo não podia ser resolvido de imediato, talvez não precisasse ser. Ele agora estava com 21 anos, já era maior de idade, mas o patrimônio de Ellesmere continuava administrado por representantes e advogados. Todos aqueles arrendatários e fazendas ainda eram responsabilidade de outra pessoa. Até ele voltar para a Inglaterra para reivindicá-los e cuidar deles. Isso *se* voltasse. Ou então... o quê?

Era agora o auge do crepúsculo, um de seus horários preferidos. A floresta se acalmava com o cair da luz, mas o ar se erguia, livrando-se do peso do calor do dia, e passava a correr fresco por entre as folhas murmurantes... como se fosse um espírito, tocando pacificamente sua pele quente.

Ele *ficaria* ali, pensou, passando a mão pelo rosto molhado. Por um tempo. Sem pensar. Sem lutar. Apenas ficar parado por um tempo. Talvez as coisas começassem a se organizar em sua mente.

Caminhou de volta até a varanda e lá encontrou Manoke e Cinnamon encarando-o com uma expressão de estranhamento.

– O que foi? – perguntou, passando a mão pelo alto da cabeça em um gesto encabulado. – Estou com carrapichos grudados nos cabelos?

– Sim, mas não faz mal – respondeu Manoke. – Só que nosso amigo tem algo a dizer.

William olhou para Cinnamon, surpreso. Estava escuro demais para ver se ele estava ruborizado, mas achou que sim, a julgar pelos ombros caídos e por seu aspecto de constrangimento beligerante.

– Vamos – instou Manoke, cutucando Cinnamon de leve. – Alguma hora você vai ter que contar para ele. Agora é uma boa hora.

– Contar o quê?

William se sentou junto ao fogo de pernas cruzadas, para poder encarar Cinnamon na mesma altura. Os lábios do outro rapaz estavam contraídos em uma linha, mas ele sustentou seu olhar.

– Aquilo que eu falei – disse ele sem preâmbulo. – Antes. Sobre por que vim aqui. Eu vim para o caso de... pensei que talvez... Bom, foi o único lugar que me ocorreu para começar a procurar.

– A procurar o quê? – perguntou William, sem entender.

– A procurar lorde John Grey – respondeu Cinnamon, engolindo em seco. – Meu pai.

Manoke não caçava muito, mas era um bom pescador. Tinha ensinado William a armar uma arapuca para peixes, a lançar uma linha e até mesmo a pegar um peixe-gato na unha enfiando corajosamente a mão em buracos nas margens da água barrenta onde viviam, depois puxando o peixe para fora quando este mordesse sua mão.

Um eco dessa sensação voltou à lembrança de William nessa hora, um breve arrepio a lhe subir pela espinha e a sensação de água turva escorrendo fria e devagar por sua cabeça, de seus dedos formigando ao pensar na súbita e forte pressão de uma mandíbula invisível.

– Seu pai – disse ele com cuidado.

– Sim – respondeu John Cinnamon.

Ele estava de cabeça baixa, os olhos cravados no bolinho frito de milho que comia.

William olhou para Manoke. Sua sensação era de que alguém o havia atingido na nuca com uma pele de lampreia recheada. O indígena mais velho assentiu. Sua expressão estava séria, mas ele parecia feliz.

– É mesmo? – disse William com educação, apesar de sentir o estômago se revirar. – Meus parabéns.

Ninguém falou mais nada durante vários minutos depois da bomba lançada por Cinnamon, que parecia quase tão chocado com ela quanto William.

– Lorde John é... um homem bom – disse William, sentindo que precisava dizer alguma coisa.

Cinnamon murmurou algo ininteligível, assentindo, então estendeu a mão depressa para pegar uma pequena truta frita, que de tão agitado enfiou inteira na boca, passando a produzir então apenas ruídos de mastigação pontuados por leves tossidos.

Manoke permaneceu calado, comendo com toda a calma seu peixe frito e seus bolinhos de milho, sem dar a mínima atenção para o turbilhão dentro do peito de seus dois companheiros. William mal conseguia olhar para Cinnamon. Apesar disso, seus olhos não paravam de se virar para o outro homem com um fascínio mórbido.

Bastante atraente, Cinnamon exibia marcas evidentes de sangue mestiço. E aqueles cabelos só poderiam mesmo ter vindo de um pai ou mãe europeu. Só que os cachos fechados e exuberantes não tinham qualquer semelhança com os fartos tufos de cabelos louros de lorde John.

Cinnamon se levantou de repente da varanda desmoronada na qual haviam se acomodado para comer no crepúsculo cada vez mais denso.

– Para onde vai, *mon ami*? – perguntou Manoke, espantado.

– Cuidar do fogo – respondeu Cinnamon, fazendo um movimento de cabeça em direção à fogueira debaixo do grande carvalho.

A cobertura de aniagem estava ficando demasiado seca e começava a chamuscar e soltar fumaça. William sentiu o mau cheiro um segundo depois.

A mãe de Cinnamon era metade francesa. Ele já tinha contado isso a William quando os dois passaram o inverno caçando em Québec. Era comum os franceses terem cabelos encaracolados?

Debaixo da árvore havia um balde e uma jarra d'água grande de barro, que William reconheceu: era cinza, muito lascada e pintada com duas faixas brancas. Lorde John a tinha comprado de um mercador no rio logo depois de eles chegarem a Mount Josiah. Cinnamon despejou água na palma da mão e a salpicou sobre a aniagem, que parou de fumegar e recomeçou a soltar seu vapor silencioso, deixando apenas filetes de fumaça do fogo que cobria escaparem pelas laterais presas.

Ele se agachou e enfiou vários pequenos feixes de gravetos no fogo sob a treliça de peixe que secava junto ao buraco da fogueira, então se levantou e virou a cabeça na direção da varanda. Na penumbra, seu rosto era quase branco. William baixou os olhos e esfarelou um pedaço do bolinho de milho entre os dedos. Sentiu o sangue quente lhe acorrer às faces como se tivesse sido flagrado fazendo algo vergonhoso.

Os olhos... talvez algo no formato dos olhos lembrasse papai... Ele se deteve, sem conseguir concluir um pensamento que contivesse a palavra "papai" relacionada àquele... àquele...

O pensamento era um golpe no fundo de seu estômago. *Filho*. O filho de lorde John. Era impossível, droga. Mesmo assim, ali estava ele.

Manoke nunca mentia. Tampouco era um homem fácil de enganar. E nunca faria nada que pudesse prejudicar lorde John. William tinha certeza disso. Se Manoke dizia que a história de Cinnamon era verdade... então era. Mas... devia haver algum engano.

Apesar de muito bem-vinda, a presença de Manoke tinha destruído a ideia de William sobre passeios solitários pela fazenda, sozinho com seus pensamentos por dias a fio. A revelação de John Cinnamon havia anulado por completo o conceito de recuo. Ele poderia andar até onde quisesse; não conseguiria escapar à realidade daquele homem, grande, sólido, indígena... e daquele pensamento: *Ele é o filho verdadeiro de papai. E eu não.*

O fato de William não ter qualquer parentesco de sangue com John Grey nunca parecera importante para nenhum dos dois. Até agora.

Mesmo assim, se lorde John tivesse tido um encontro casual com uma indígena, ou então, que Deus o livrasse, uma amante indígena em Québec, isso não era da conta de mais ninguém. Segundo Cinnamon, sua mãe tinha morrido quando ele era pequeno. Garantir que o menino tivesse alguém para cuidar dele condizia com a noção de honra de lorde John.

E o que papai vai fazer quando vir esse... esse... fruto do relacionamento de suas entranhas com prostitutas?

Aquilo era demais. Ele se levantou e saiu andando.

Queria apenas urinar e ter alguns instantes de privacidade para acalmar a mente, mas isso era impossível. Assim, seguiu andando apesar do cair da noite.

Não importava para onde estava indo. Virou as costas para a fogueira e seguiu na direção dos campos que ficavam atrás da casa. Mount Josiah podia se gabar de uma lavoura de 8 hectares de tabaco anos antes, quando William conhecera a fazenda. Como estariam as terras agora?

Para sua surpresa, estavam muito bem. Era cedo demais para colher a safra, mas o cheiro resinoso de tabaco cru pairava no ar da noite como se fosse incenso. O cheiro o acalmou e ele foi atravessando a plantação devagar em direção ao vulto negro do celeiro de tabaco. Estaria em uso ainda?

Estava. Chamado de celeiro por cortesia, era pouco mais que um barracão grande, mas nos fundos ficava um espaço amplo e arejado onde os caules eram pendurados para a retirada das folhas. Havia apenas uns poucos ali agora, pendurados nas vigas, quase invisíveis à luz fraca das estrelas que vazava pelo espaço entre as tábuas das paredes. Sua entrada fez as poucas folhas secas empilhadas sobre a larga bancada se moverem e farfalharem, como se o barracão reconhecesse sua presença. Foi um pensamento estranho, mas não perturbador. William meneou a cabeça para a escuridão, consciente da acolhida.

Esbarrou em algo que se afastou com um barulho oco: uma barrica vazia. Tateou por perto e contou mais de vinte, à espera. Algumas velhas e poucas novas, a julgar pelo cheiro forte de madeira nova que vinha se somar ao odor do barracão.

Alguém estava operando a lavoura, e não era Manoke. O indígena gostava de fumar tabaco de vez em quando, mas William nunca o vira participar do cultivo ou da colheita de qualquer safra. Ele tampouco exalava seu cheiro característico. Era impossível tocar tabaco cru sem que uma espécie de seiva preta e pegajosa grudasse nas mãos, e o cheiro de uma plantação madura de tabaco bastava para deixar tonto um homem adulto.

Quando ele havia morado ali com lorde John – o nome lhe causou incômodo, mas ele ignorou esse fato –, seu pai tinha contratado trabalhadores da fazenda vizinha, localizada mais acima no rio, um estabelecimento grande chamado Bobwhite, que podia facilmente cuidar da modesta safra de Mount Josiah além de sua grande produção. Talvez o mesmo arranjo continuasse vigente?

Pensar que a fazenda ainda funcionava, mesmo daquele jeito fantasmagórico, deixou-o um pouco mais animado. William julgara que o lugar estivesse abandonado.

Pensar na casa o fez olhar para trás. A luz tremeluzente da fogueira brilhava através das janelas da frente vazias, dando a ilusão de que alguém ainda morava ali. Ele suspirou e deu início à lenta caminhada de volta.

Não tinha encontrado paz, mas o esforço que sua mente fez para evitar pensar em seu pai, em seu título, em suas responsabilidades, no maldito resto de sua vida, e *ainda por cima* no maldito do filho do maldito lorde John a tinha feito escapulir em outra direção e se interessar pelo problema de Ben.

Alguém havia enterrado um desconhecido sem orelhas no túmulo identificado com o nome *Benjamin Grey* e, fosse quem fosse essa pessoa, quase certamente sabia o que tinha acontecido com Ben.

Pelas suas últimas contas, Ben havia conversado com 23 membros da milícia que estavam nas montanhas Watchung com Washington na época em que Ben teoricamente morrera. Quatro membros da milícia tinham *ouvido falar* em Ben e afirmaram que ele estava morto, mas nenhum deles vira o corpo ou o túmulo. Ao mesmo tempo, William poderia jurar que nenhum estava mentindo.

Tio Hal tinha recebido uma carta informando sobre a morte de Ben. Ela lhe fora entregue por um ordenança do general Clinton, que, por sua vez, recebera a carta de um oficial do lado americano. Quem a teria escrito?

– Por que você não pediu para vê-la, maldição? – resmungou para si mesmo.

Porque estava ocupado demais tentando manter a pose em relação à própria dignidade, respondeu sua mente.

Mas *essa* era a próxima coisa lógica a fazer. Descobrir o nome do oficial americano que tinha escrito a carta e então… encontrá-lo, caso ele não tivesse sido fuzilado, capturado ou morrido de sífilis nesse meio-tempo.

O passo seguinte também era lógico: tio Hal com certeza devia ter guardado a carta… e tio Hal (e papai…) tinha o tipo de contato no Exército que talvez lhe permitisse averiguar o paradeiro de um oficial americano específico.

Ele teria que ir a Savannah, então, e torcer para o Exército Britânico ainda estar dominando a cidade. E para seu pai e tio Hal ainda estarem com ele.

Manoke e Cinnamon estavam fumando tabaco na varanda quando William voltou. A fumaça se misturava à névoa que subia do chão, um vapor adocicado e fresco com cheiro de planta.

Os dois pareciam estar debatendo a questão durante sua ausência, pois Manoke tirou o cachimbo da boca quando William se sentou.

– Você sabe onde está? – perguntou ele sem rodeios. – Nosso inglês?

Nosso inglês, pensou William. E relanceou os olhos para Cinnamon. O indígena tinha a cabeça abaixada, ocupado em pôr fumo no cachimbo, mas ele pensou ter detectado certo retesamento daqueles ombros largos.

– Não – respondeu, mas a honestidade o fez se explicar: – Da última vez que o vi ele estava com o Exército em Savannah. Fica na Geórgia.

Manoke assentiu, mas com certa expressão de incompreensão que comunicava total ignorância em relação ao que era ou onde poderia ficar a Geórgia. Para onde quer que os caminhos pessoais de Manoke pudessem levá-lo, não era para o sul.

– Fica a que distância? – perguntou Cinnamon em tom casual.

– Uns 650 quilômetros, talvez? – arriscou William.

Tinha levado quase dois meses para fazer a viagem até a Virgínia, mas não viajara com nenhum propósito específico em mente. Foi perguntando sobre Ben pelo caminho, mas na verdade estava apenas se deixando levar sem qualquer certeza em direção ao único lugar onde sempre se sentira feliz desde que saíra de Helwater: seu lar no Lake District da Inglaterra.

Se não dissesse mais nada, Cinnamon decerto partiria rumo à Geórgia, deixando William sozinho para encontrar ali a paz que conseguisse. Ele limpou o rosto com a manga. O cheiro de carne defumada, peixe e fumo lhe impregnava as roupas. Mount Josiah iria viajar com ele por algum tempo.

Ele poderia mandar uma carta por Cinnamon pedindo a tio Hal que investigasse o oficial americano que mandara avisar sobre a morte de Ben. Poderia fazer o que tinha ido até ali fazer: ficar parado e pensar.

E deixar papai conhecer esse sujeito sem aviso? Teve honestidade suficiente para reconhecer que essa reticência em deixar isso acontecer nada tinha a ver com os potenciais constrangimentos para lorde John ou a inconveniência para Cinnamon, mas sim com um misto de curiosidade com... simples inveja. Se lorde John iria conhecer seu filho já homem feito, William queria estar presente para testemunhar o encontro.

– O exército se desloca bastante, você sabe – disse ele por fim e Manoke sorriu.

Cinnamon produziu um ruído suave de quem concorda e fez que sim com a cabeça, embora mantivesse os olhos fixos na bolsinha de fumo enfeitada com miçangas sobre o joelho.

– Quer que eu leve você até ele? – perguntou William com a voz um pouco mais alta do que pretendia. – Até lorde John?

Cinnamon ergueu a cabeça, espantado, e passou longos e inescrutáveis segundos a encará-lo.

– Sim – respondeu por fim, baixinho, e então, baixando a cabeça outra vez, arrematou com uma voz ainda mais baixa: – Obrigado.

Bem, pensou William, pegando o cachimbo que Manoke lhe estendia. *Eu posso pensar no caminho.*

13

"O QUE NÃO É BOM PARA O ENXAME NÃO É BOM PARA A ABELHA"

Cordilheira dos Frasers, Carolina do Norte

O térreo agora já estava fechado pelas paredes externas, embora boa parte do interior ainda consistisse apenas em uma estrutura de madeira, o que dava ao espaço uma sensação de informalidade bastante agradável quando atravessávamos alegremente as paredes vazias.

Meu consultório não tinha nada para tapar as duas grandes janelas e a porta, mas as paredes estavam completas (ainda sem acabamento), havia uma longa bancada encimada por um par de prateleiras para meus jarros e instrumentos, uma mesa alta e larga feita de madeira de pinheiro para exames e procedimentos cirúrgicos (eu mesma a havia lixado, esforçando-me muito para proteger meus futuros pacientes de farpas no traseiro), e um banco alto para eu me sentar.

Jamie e Roger já tinham começado o telhado, mas por enquanto havia apenas vigas, com pedaços encardidos de lona marrom desbotada e suja (pegos em uma pilha de barracas militares decrépitas encontradas em um armazém em Cross Creek) a proporcionar uma proteção contra a chuva e o vento.

Jamie me prometera que o primeiro andar e meu telhado estariam prontos antes do final da semana, mas por enquanto eu havia disposto estrategicamente uma tigela grande e um penico de metal amassado para aparar as goteiras. Tinha chovido na véspera e ergui os olhos para me certificar de que não havia nenhum pedaço afundado e cheio d'água na lona molhada lá de cima antes de tirar meu livro de casos de sua bolsa de oleado.

– O que é isso? – perguntou Fanny ao ver o volume.

Eu a pusera para trabalhar separando e juntando as partes mais secas das cascas de um enorme cesto de cebolas para deixar de molho e fazer corante amarelo, e ela espichou o pescoço para olhar, mantendo os dedos que cheiravam a cebola cuidadosamente afastados.

– É meu livro de casos – respondi, sentindo satisfação com o peso do volume. – Eu anoto aqui os nomes das pessoas que me procuram com problemas médicos, descrevo o estado de cada uma, depois anoto o que fiz ou receitei para elas e se funcionou ou não.

Ela espiava o livro com respeito, e interesse também.

– Elas sempre melhoram?

– Não – admiti. – Infelizmente nem sempre... mas com muita frequência sim. "Eu sou médica, não escada rolante" – falei, citando *Star Trek*, e ri ao me lembrar que não era com Brianna que estava falando.

Fanny apenas meneou a cabeça, muito séria, arquivando aquele fragmento de informação.

Tossi.

– Hummm. Eu estava citando um amigo meu, médico, chamado McCoy. Acho que a ideia geral é que, por mais competente que uma pessoa seja, toda habilidade tem seus limites e o melhor a fazer é se ater àquilo que se sabe fazer bem.

Ela tornou a assentir, com os olhos ainda fixos no livro.

– A senhora acha... que eu poderia ler? – perguntou, tímida. – Só uma ou duas páginas – acrescentou depressa.

Hesitei por um instante, mas então coloquei o livro na mesa, abri e passei as páginas até o ponto em que havia feito uma anotação sobre usar unguento de *gallberry* para a malária de Lizzie Wemyss, já que estava sem casca de quina. Fanny tinha me ouvido conversar com Jamie sobre a situação e todos na Cordilheira sabiam da febre recorrente de Lizzie.

– Pode, sim... mas só as páginas antes deste marcador. – Peguei uma fina pena de corvo preta no jarro de penas e a pus na página de Lizzie junto à lombada do livro.

– Os pacientes têm direito a privacidade – expliquei. – Você não deve ler sobre pessoas que são nossas vizinhas. Mas as páginas antes do marcador são sobre gente que tratei em outros lugares, e há muito tempo atrás... na maioria dos casos.

– Eu prrrometo – disse ela, com os erres enfatizados pela animação, e eu sorri. Fazia só poucos meses que conhecia Fanny, mas nunca a tinha visto mentir sequer uma vez em relação a nada.

– Eu sei – falei. – Você...

– Olá, sra. Fraser!

Um grito distante lá de fora me interrompeu e olhei rapidamente pela janela para alguém que já estava virando uma trilha bem demarcada do córrego até a casa. Pisquei, então tornei a olhar. Eu conhecia aquela figura alta, magra e desengonçada...

– John Quincy! – exclamei e, empurrando o livro de casos para as mãos surpresas de Fanny, saí apressada a seu encontro.

– Sr. Myers!

Quase o abracei, mas fui impedida pelo fato de ele estar carregando um cesto de palha grande e surrado, além de estar coberto por um enxame de abelhas. Elas zumbiam tão alto que eu mal consegui entender o que dizia. Myers percebeu e, com um gesto de cortesia, inclinou-se em minha direção, trazendo as abelhas para uma distância desconfortavelmente próxima.

– Eu trouxe abelhas para a senhora! – gritou, mais alto do que o zumbido de suas passageiras.

– Estou vendo! – gritei de volta. – Que beleza!

Corpos peludos e listrados se chocavam e caminhavam formando um tapete amarronzado sobre o tecido de fabricação caseira puído de seu casaco. Havia rastros e grãozinhos de pólen em sua barba agora um pouco mais comprida, mais grisalha e mais desgrenhada do que na primeira vez que eu o encontrara nas ruas de Wilmington, doze anos antes.

Bree e Rachel tinham escutado o barulho e vindo da cozinha junto com Oggy. Agora observavam Myers fascinadas.

– Minha filha! – gritei, apontando e ficando na ponta dos pés na esperança de alcançar seu ouvido. Myers media uns bons 2 metros e fazia até mesmo Brianna ficar baixinha. – E Rachel Murray... a esposa do Jovem Ian!

– A mulher do Jovem Ian? – O sorriso de Myers, sempre adorável, ainda que meio banguela, alargou-se. – E esse pequenino? Muito prazer, senhora, de verdade!

Ele estendeu para Rachel um braço comprido e ela empalideceu ao olhar para a multidão de abelhas em movimento, mas engoliu em seco e chegou perto o bastante para apertar a mão que ele lhe estendia, mantendo Oggy o mais para trás de si que conseguiu com uma única mão. Dei um passo de lado depressa e peguei o bebê de seu colo, e ela soltou uma longa expiração.

Eu fiz o mesmo. O zumbido estava fazendo minha pele formigar e me recordei do som que havia escutado entre as pedras verticais.

– Prazer em conhecê-lo, amigo Myers – disse Rachel, falando alto. – Ian fala de você com muito carinho!

– Agradeço muito a ele pela boa conta, senhora. – Ele apertou calorosamente sua mão, então se virou para Bree, que se antecipou e o cumprimentou, com um olho cauteloso pousado nas abelhas.

– Prazer em conhecê-lo, sr. Myers! – gritou ela.

– Ah, não precisa dessa cerimônia toda... John Quincy está bom.

– Certo, John Quincy. Eu sou Brianna Fraser MacKenzie. – Ela lhe sorriu, então moveu a cabeça delicadamente em direção a seu colete vivo. – Podemos oferecer às suas abelhas alguma... ahn... alguma hospitalidade? A elas e ao senhor?

– As senhoras têm um pouco de cerveja?

Myers colocou o cesto no chão e reparei que era uma caixa de abelhas toda manchada e esfarrapada, virada de cabeça para baixo, com um pedaço de favo pingando mel no interior. O favo também estava cheio de abelhas em volta, o que não era de espantar.

– Bem... sim – falei, trocando olhares com Bree. – Claro. Ahn... Leve-as para a obra da Casa Nova. Nós vamos... acomodá-las – falei, espiando o enxame com desconfiança.

As abelhas não pareciam hostis. Vi várias delas pousarem nos ombros e nos cabelos de Bree. Ela também viu e se contraiu um pouco, mas não as espantou. Um dos insetos passou voando devagar em frente ao nariz de Oggy. O menino o acompanhou com um olhar vesgo e tentou agarrá-lo, mas por sorte só conseguiu pegar um punhado de meus cabelos.

As crianças tinham se juntado na trilha mais acima, com os olhos arregalados, mas Jem e Mandy haviam descido para se juntar à mãe. Mandy estava agarrada à perna de Brianna, mas Jem chegava cada vez mais perto, fascinado pelo enxame.

– As abelhas bebem cerveja? – perguntou ele a seu dono.

– Bebem sim, filho, bebem sim – respondeu Myers, com uma expressão radiante do meio de uma nuvem de abelhas. – A abelha é o inseto mais inteligente que existe.

– É mesmo – falei, desembaraçando os dedos gorduchos de Oggy e sorvendo uma profunda inspiração do ar perfumado de mel. – Jem, pode procurar seu avô para mim?

No fim das contas, acabei encontrando Jamie. Vi-o descendo por entre as árvores com quatro coelhos que tinha pegado em armadilhas.

– Bem na hora – falei, ficando na ponta dos pés para lhe dar um beijo. Ele estava com cheiro de carne de caça fresca e abetos úmidos. – Temos companhia para o jantar, e como se trata de John Quincy...

O rosto dele se iluminou.

– Myers? – disse ele, passando-me o saco de coelhos. – Você perguntou sobre as bolas dele?

– Não – respondi. – Mas ele me contou mesmo assim. Parece que continua tudo onde coloquei. Tudo funcionando bem, segundo me garantiu. Ele nos trouxe um enxame de abelhas, entre outras coisas.

– Trouxe mesmo? Como as carregou?

– Ele vestiu as abelhas – respondi, dando de ombros.

– Ah, sim – disse Jamie. – Que outras coisas ele trouxe?

– Cartas. Disse que tem uma para você.

Jamie não diminuiu o passo, mas captei uma levíssima hesitação quando ele virou a cabeça para me olhar.

– De quem?

– Não sei. Ele estava ocupado se despindo das abelhas e, como Jem não estava conseguindo encontrar você, saí à sua procura. – Quase acrescentei "Talvez seja de lorde John", porque durante muitos anos poderia ter sido mesmo, e uma carta de boas-vindas além do mais, para reforçar os vínculos de uma amizade longeva entre Jamie e John Grey. Felizmente, me contive a tempo. Embora os dois estivessem se falando, não eram mais amigos. E embora eu, caso pressionada, fosse negar que a culpa era minha. Tinha, *sim*, sido por minha causa.

Mantive os olhos na trilha, só para o caso de Jamie captar alguma expressão perturbada em meu rosto e tirar conclusões precipitadas. Mas ele não era a única pessoa capaz de ler pensamentos. Tive uma impressão muito forte de que, quando falei "carta", o nome de lorde John surgiu em sua mente do mesmo jeito que tinha surgido na minha.

– Vou me limpar um pouco no córrego antes de entrar, Sassenach – disse ele, tocando de leve minhas costas. – Quer que traga um pouco de agrião para o jantar?

– Por favor – falei e fiquei na ponta dos pés para beijá-lo.

Instantes depois, quando voltei para casa, vi Brianna subindo a ladeira do chalé dos Higgins com vários pães nos braços e tirei da cabeça qualquer pensamento sobre Jamie e John Grey.

– Eu faço isso, mamãe – disse ela, meneando a cabeça para o saco de coelhos. – O sr. Myers disse que o sol está se pondo e que você deveria abençoar suas abelhas novas antes de elas irem dormir.

– Ah – falei, sem muito ânimo. Já tinha tido abelhas algumas vezes, mas nosso relacionamento não fora tão cerimonioso assim. – Ele por acaso disse que tipo de bênção as abelhas desejam?

– Para mim, não – respondeu ela, tirando o saco manchado de sangue de minha mão. – Mas ele deve saber. Falou que encontraria você na horta.

A horta parecia uma pequena fortaleza marrom pontiaguda dentro de sua paliçada à prova de cervos. Mas a cerca não protegia de tudo e, como sempre, abri o portão com cautela. Certa vez tinha surpreendido três guaxinins se fartando entre os resquícios de meu milho. Em outra ocasião, a intrusa fora uma imensa águia, empoleirada em meu barril de água com as asas abertas para pegar o sol da manhã. Quando abri o portão, a ave guinchara quase tão alto quanto eu antes de levantar voo por cima de minha cabeça como uma bala de canhão apavorada. E...

Um breve e violento arrepio percorreu meu corpo quando pensei nas colmeias de minha antiga horta, derrubadas pela fuga de um assassino, e no perfume dos favos partidos a se misturar com o de folhas pisadas e o cheiro doce e espesso de sangue derramado.

Mas dessa vez o único corpo estranho dentro da cerca era John Quincy Myers, alto e maltrapilho feito um espantalho, e pelo visto bastante à vontade entre as trepadeiras de folhas vermelhas dos feijões e os brotos de nabo.

– Aí está a senhora! – disse ele, abrindo um largo sorriso. – Chegou bem em sua hora, como diz o livro santo.

– Ele diz isso? – Eu tinha uma vaga ideia de que a Bíblia talvez incluísse alguma referência a abelhas. Talvez a bênção de John Quincy fosse tirada dos Salmos ou algo assim? – Ahn... Brianna disse que era para eu vir aqui... abençoar as abelhas?

– Bela mulher, sua filha – disse Myers, balançando a cabeça com admiração. – Vi bem poucas mulheres dessa altura, e nenhuma delas era o que se poderia chamar de bonita. Mas elas eram todas bem animadas. Como aconteceu de ela se casar com um pastor? Não seria de imaginar que um homem de rezas fosse conseguir dar conta dela... Quero dizer, do ponto de vista carnal, como se poderia...?

– As *abelhas* – falei, um pouco mais alto. – O senhor sabe o que eu deveria dizer a elas?

– Ah, com certeza. – Chamado de volta ao assunto em pauta, ele se virou para a cerca oeste da horta, onde a caixa de abelhas fora posta sobre uma tábua em cima de um banco bambo. Para minha surpresa, Myers mergulhou a mão em sua volumosa mochila e pegou quatro tigelinhas de cerâmica rasas feitas da suave porcelana esmaltada de branco conhecida como *creamware*, o que deu à ocasião um toque formal desconcertante.

– Para afastar as formigas – falou, entregando-me as tigelas. – Então, muita gente cria abelhas. Os cherokees as criam, e os creeks e os choctaws, e sem dúvida também outros tipos de indígena cujos nomes desconheço. Mas tem também os morávios daqui até Salem... Foi lá que consegui as tigelas de formigas e a caixa. E eles também têm os próprios costumes.

Tive uma visão de John Quincy Myers passeando pelas ruas de Salem todo coberto de abelhas zumbindo e sorri.

– Espere – falei. – O senhor trouxe essas abelhas desde Salem?

– Ah, não – respondeu ele, aparentando uma leve surpresa. – Encontrei-as em uma árvore a menos de 2 quilômetros de sua casa. Mas, assim que ouvi falar que a senhora e Jamie tinham voltado para suas terras, tive a ideia de lhes trazer algumas abelhas. Então eu as estava procurando, entende?

– Foi uma ideia muito gentil – assegurei com sinceridade.

Estava mesmo sendo sincera, mas uma pequena e inquietante pergunta surgiu no fundo de minha mente. John Quincy era um homem que fazia a própria lei e, como nesse dia estávamos sendo bíblicos, era o que se poderia chamar de um "amigo das corujas". Ele vagava pelas montanhas. Se alguém sabia para onde ia ou por quê, nunca tinha me dito.

Mas ele mencionou que veio até a Cordilheira dos Frasers pois sabia que Jamie e eu estávamos lá. Havia as cartas que trouxera, claro... mas o funcionamento do correio nas montanhas do interior consistia em passar a correspondência de mão em mão, e tanto amigos quanto desconhecidos podiam transportá-la contanto que o destinatário da carta estivesse em seu caminho, ou entregá-la a outra pessoa quando seus caminhos divergissem. O fato de John Quincy ter ido até ali com o objetivo específico de entregar cartas dava a entender que elas tinham algo de bastante especial.

Mas não tive tempo de me preocupar com as possibilidades: Myers estava desfiando uma breve exegese sobre apicultores da Irlanda e da Escócia e chegando ao ponto em questão.

– Conheço algumas das bênçãos que as pessoas usam para colmeias – informou ele. – Não que o que os alemães dizem me soe muito como uma bênção.

– O que eles dizem? – perguntei, intrigada.

Suas fartas sobrancelhas grisalhas se uniram no esforço de recordar.

– Bom, é... é o que se poderia chamar de poema. Deixe-me ver...

Ele fechou os olhos e ergueu o queixo.

Jesus, o enxame de abelhas chegou!
Agora voem, meus bichinhos, vamos.
Na paz do Senhor, na proteção de Deus,
cheguem em casa em boa saúde.

Fiquem, abelhas, fiquem.

Assim lhes ordena Santa Maria.
Vocês não têm férias; não voem para a mata;
Nem devem fugir de mim.
Ou escapar de mim.

Fiquem totalmente paradas.

– *Façam a vontade de Deus* – concluiu. E abriu os olhos e balançou a cabeça. – Essa não é a melhor? Mandar uma abelha ficar parada, quanto mais mil delas ao mesmo tempo? Por que as abelhas iriam tolerar algo tão sem propósito?

– Bom, deve funcionar – falei. – Jamie já trouxe mel de Salem muitas vezes. Talvez essas sejam abelhas alemãs. O senhor conhece uma bênção mais... elegante?

Ele franziu os lábios com ar de dúvida e pude entrever um ou dois dentes amarelados e lascados. *Será que ele ainda consegue mastigar carne?*, pensei, reconsiderando o cardápio do jantar. Eu poderia cortar o coelho em cubinhos e misturar com ovos mexidos e cebolas picadas...

– Acho que me lembro de quase tudo... *Ó Deus, criador de todas as criaturas, abençoai a semente e tornai-a produtiva...* É isso mesmo, produtiva? Sim, acho que é... *tornai-a produtiva para nosso uso. Pela intervenção de...* Bem, nesse ponto há uma multidão de santos ou coisa assim, mas o único de que consigo me lembrar é João Batista... Se alguém podia saber sobre mel, provavelmente seria ele, a senhora não acha? Por causa dos gafanhotos, e vivendo enrolado em uma pele de urso... No entanto, por que alguém faria isso em um lugar quente como a Terra Santa? Eu não faço ideia. Enfim...

Ele tornou a fechar os olhos e estendeu a mão de modo quase inconsciente na direção da caixa, envolto por uma nuvem de abelhas voando em movimentos vagarosos.

– *Pela intercessão de quem quer que deseje interceder, escutai misericordiosamente nossas preces. Abençoai e santificai estas abelhas pela Vossa compaixão, para que possam...* Bem... – disse ele, abrindo os olhos e franzindo o cenho para mim. – O texto diz *dar frutos abundantes*, embora qualquer bobo saiba que é mel em abundância que se quer que elas produzam. Seja como for. – As pálpebras franzidas tornaram a se fechar sob a luz enfraquecida do sol e ele concluiu: – ... *para a beleza e o adorno de Vosso sagrado templo e para nosso humilde uso*. Tem mais um trecho – acrescentou, baixando a mão e se virando para mim –, mas a essência é essa. A verdade é que se pode abençoar abelhas de qualquer modo que se julgar conveniente. A única coisa importante, e isso a senhora talvez já saiba, é que se deve falar sempre com elas.

– Sobre algum assunto em especial? – perguntei, desconfiada, fechando os dedos e tentando me lembrar se algum dia eu já tivera uma conversa com minhas colmeias.

Provavelmente sim, mas não de modo consciente. Como a maioria das pessoas que cuida de hortas, eu tinha o costume de ficar murmurando sozinha entre as ervas daninhas e os legumes e verduras, praguejando contra insetos e coelhos e louvando as plantas. Só Deus sabia o que poderia ter dito às abelhas...

– Abelhas são muito sociáveis – explicou Myers e soprou uma delas delicadamente das costas da mão. – E curiosas, o que faz total sentido, já que vivem para lá e para cá colhendo informações com seu pólen. Então conte a elas o que anda acontecendo. Se alguém veio visitar, se um bebê novo nasceu, se alguém novo veio morar aqui ou algum colono foi embora... ou morreu. Se alguém vai embora ou morre – concluiu, enxotando uma abelha de meu ombro – e nós *não* contamos para as abelhas, elas se ofendem, sabe? E todas saem voando e vão embora na mesma hora.

Pude ver um número razoável de semelhanças entre John Quincy Myers e uma abelha em termos de coleta de informações, e pensar nisso me fez sorrir. Perguntei-me se ele se ofenderia caso descobrisse que alguém deixara de lhe contar alguma fofoca interessante, mas de modo geral eu duvidava que alguém fosse fazer isso. Myers possuía uma delicadeza que era um convite às confidências e eu tinha certeza de que guardava segredos de muita gente.

– Pois bem, então. – O sol agora estava baixando depressa. O cheiro úmido das plantas estava forte e raios de luz penetravam por entre as estacas da paliçada e brilhavam forte em meio às sombras farfalhantes da horta. – Acho que é melhor andarmos logo com isso.

Considerando os exemplos díspares propostos por John Quincy, eu estava segura de que conseguiria me virar sozinha com relação à bênção. Enchemos as quatro tigelinhas com água e as posicionamos sob as pernas do banco, para impedir as formigas de subirem para a colmeia atraídas pelo cheiro do mel. Alguns desses insetos vorazes já estavam subindo pelas pernas do banco e eu os enxotei com uma dobra da saia, meu primeiro gesto de proteção para com minhas novas abelhas.

John Quincy sorriu e assentiu enquanto eu me endireitava. Em resposta, estendi a mão com hesitação no meio da nuvem de abelhas que entrava na colmeia e toquei a palha trançada e lisa da caixa. Talvez tivesse sido minha imaginação, mas pude sentir uma vibração pela pele, logo abaixo do patamar do audível, um zum-zum forte e decidido.

– Ó Senhor – falei, e desejei saber o nome do santo padroeiro das abelhas, pois certamente devia haver um –, por favor, faça com que estas abelhas se sintam acolhidas em seu novo lar. Ajude-me a protegê-las e a cuidar delas, e que elas possam sempre encontrar flores e um descanso tranquilo ao final de cada dia. Amém.

– Está ótimo assim, sra. Claire – disse John Quincy, e sua voz saiu tão grave e amistosa quanto o zumbido das abelhas.

Saímos, tomando cuidado para fechar e trancar bem o portão, e começamos a descer, nos distanciando da sombra da chaminé muito alta e margeando a parede leste da casa. Escurecia depressa agora e o fogo parecia mais vívido quando entramos na cozinha, iluminando minha família que me aguardava. *Meu lar.*

– Falando em notícias – disse para Myers em tom casual. – O senhor mencionou que tinha trazido cartas. Se uma é para Jamie, para quem são as outras?

– Ora, uma é para o menino – disse ele, margeando o buraco que Jamie tinha cavado para a nova latrina. – O menino do sr. Fergus Fraser, Germain. E a outra é para alguém chamada Frances Pocock. Vocês têm alguém aqui com esse nome?

14

MON CHER PETIT AMI

Eu não me espantava mais com a quantidade de comida necessária para alimentar oito pessoas, mas ver imensos e fumegantes montes de coelho, codorna, truta, presunto, feijão, *succotash*, cebolas, batatas e agrião desaparecerem em minutos nas barrigas de 22 pessoas me fez sentir uma nova pontada de apreensão ao pensar no inverno que estava por vir.

Ainda era verão, é verdade, e com sorte teríamos bom tempo durante todo o outono, mas isso representava só uns três ou quatro meses, no máximo. Quase não tínhamos animais além dos cavalos, de Clarence e de um par de cabras para o leite e o queijo.

Jamie e Bree passavam metade de seu tempo caçando e tínhamos no momento um bom estoque de carne de cervo e de porco pendurado no barracão de defumar. No entanto, mesmo com todo mundo caçando, armando arapucas e pescando, provavelmente teríamos que trocar algo por carne (ah, e manteiga!) antes das primeiras nevascas e alguém seria obrigado a descer até Salem ou Cross Creek para trazer aveia, arroz, feijão, milho seco, farinha, sal, açúcar... Enquanto isso, eu precisaria plantar, colher, cavar e fazer conservas feito louca de modo a ter alimentos suficientes para evitar o escorbuto: nabos, cenouras e batatas na despensa de legumes, além de alho, maçãs, cebolas, cogumelos e uvas postos para secar, tomates conservados por secagem ao sol ou por imersão em óleo se as malditas lagartas não os pegassem... Ah, meu Deus, eu não podia perder um só dia da temporada dos girassóis. Precisaria de todas as sementes que conseguisse colher, tanto por causa do óleo quanto das proteínas... sem falar nas ervas medicinais.

Minha lista mental foi interrompida pelo anúncio de Brianna de que o jantar estava na mesa e me sentei diante dela e ao lado de Jamie, dando-me conta de repente de como estava faminta, cansada e grata por aquele descanso, assim como pela comida.

Os Higgins tinham subido para jantar e escutar as notícias de John Quincy. Assim, somando Ian, Rachel, Jenny e o bebê, a cozinha era uma massa compacta de pessoas e conversas. Por sorte, Rachel tinha trazido um cesto generoso e Amy Higgins havia contribuído com dois enormes empadões feitos com carne de pombo e peru, além do pão, e o cheiro onipresente de comida teve o mesmo efeito de um sedativo. Em segundos, as únicas palavras que se ouviam eram pedidos abafados para passar o molho de milho, mais empadão ou a carne de coelho moída e a cozinha produziu sua magia cotidiana de nutrição e paz.

Aos poucos, à medida que as pessoas ficavam saciadas, as conversas retomaram, só que em volume mais baixo. Por fim, John Quincy empurrou para longe seu prato de metal com um profundo suspiro de saciedade e correu os olhos pela mesa com uma expressão simpática.

– Sra. Fraser, sra. MacKenzie, sra. Murray, sra. Higgins... as senhoras cuidaram bem de nós esta noite. Não comia tanto assim desde o último Natal.

– Foi um prazer – assegurei. – Eu não via ninguém comer tanto assim desde o último Natal.

Pensei ter escutado uma risadinha abafada atrás de mim, mas a ignorei.

– Enquanto tivermos uma casca de pão nesta casa, o senhor vai sempre comer conosco – disse Jamie. – E beber também, espero – acrescentou, tirando de baixo do banco em que estava sentado uma garrafa cheia de algo indubitavelmente alcoólico.

– Não poderia recusar, sr. Fraser. – John Quincy deu um pequeno arroto e encarou Jamie com um ar radiante e afável. – Não posso ofender sua hospitalidade, não é mesmo?

Dez adultos. Passei rapidamente em revista os recipientes disponíveis para beber, levantei-me e consegui reunir quatro xícaras de chá, duas canecas de chifre, três canecas de estanho e uma taça de vinho, dispondo orgulhosa essa coleção sobre a mesa diante de Jamie.

Enquanto estava ocupada, porém, John Quincy abriu o baile, por assim dizer, retirando de dentro de algum lugar do casaco esfarrapado um punhado de cartas. Observou-as com ar pensativo e olhos semicerrados e fez uma delas deslizar pela mesa na direção de Jamie.

– Esta aqui é para o senhor – falou, meneando a cabeça para a carta. – E esta aqui é para um tal de capitão Cunningham… Não o conheço, mas está escrito *Cordilheira dos Frasers*. Ele é um de seus colonos?

– Sim. Vou providenciar para que a receba. – Jamie estendeu a mão e pegou os dois envelopes.

– Muito agradecido. E esta aqui é para a srta. Frances Pocock.

Ele acenou de leve com a carta remanescente, olhando em volta à procura da destinatária.

– Fanny! – gritou Mandy. – Fanny, você recebeu uma carta!

Com o rosto vermelho de animação, Fanny estava ao lado de Roger. Curiosos, todos se viraram à procura dela.

Fanny, por sua vez, levantou-se devagar da barrica de peixe salgado sobre a qual estava sentada. Olhou em volta, confusa, mas Jamie a chamou com um aceno e ela se adiantou com relutância.

– Ah, eis aqui então a srta. Frances! Ora, se você não é uma menina bonita. – John Quincy se levantou do banco, fez para ela uma profunda e elegante mesura e depositou a carta na mão que ela não resistiu a lhe estender.

Fanny apertou a carta junto ao peito. Seus olhos estavam imensos e exibiam a mesma expressão de um cavalo apavorado a ponto de disparar.

– Ninguém nunca escreveu uma carta para você antes, Fanny? – perguntou Jem, curioso. – Abra para ver quem mandou!

Ela o encarou por alguns instantes e seus olhos então se desviaram para mim, em busca de apoio. Pus a manteiga de lado e lhe indiquei com um gesto para se aproximar e pôr a carta em cima da mesa. Ela assim o fez, com toda a delicadeza, como se o papel pudesse quebrar.

A carta nada mais era do que um pedaço simples de papel grosseiro dobrado em três e selado com um pedacinho cinza-amarelado de algo que parecia ser cera de vela. A gordura da cera tinha se entranhado no papel e dava para ler algumas palavras escritas em preto no pedaço que ficara transparente. Peguei o papel com a maior delicadeza que consegui e o virei.

– Sim, com certeza é para você – assegurei. – *Srta. Frances Pocock, aos cuidados de James Fraser, Cordilheira dos Frasers, colônia real da Carolina do Norte.*

– Abra, vovó! – disse Mandy, saltitando no esforço de tentar ver.

– Não, a carta é para Fanny – respondi. – Quem vai abrir é ela. E ela não precisa mostrar para ninguém se não quiser.

Fanny se virou para John Quincy e, erguendo os olhos para ele com grande seriedade, perguntou:

– Quem deu esta carta ao senhor? Veio da Filadélfia?

Seu rosto pareceu ficar um tom mais pálido quando ela disse isso, mas Myers fez que não com a cabeça e ergueu um dos ombros.

– Provavelmente não deve ter vindo da Filadélfia, mas não sei dizer com certeza *de onde* veio, querida. Ela me foi entregue em New Bern no mês passado, mas quem me entregou não foi o homem que a escreveu. Ele estava só passando a carta adiante, como as pessoas fazem.

– Ah. – A tensão abandonou os ombros de Fanny e ela respirou mais livremente. – Entendi. Obrigada ao senhor por ter trazido.

Ela já tinha *visto* cartas antes, pensei. Fanny correu o polegar por sob a dobra sem a menor hesitação, soltando o selo em vez de quebrá-lo, e o pousou ao lado da carta desdobrada. Estava parada bem perto da mesa, com os olhos fixos na carta, mas eu podia ver facilmente por cima de seu ombro. Leu a carta em voz alta, devagar, mas com clareza, acompanhando as palavras com o dedo:

Do sr. William Ransom
Para a srta. Frances Pocock

Cara Frances,

Escrevo para me informar sobre sua saúde e seu bem-estar. Espero que esteja feliz em sua atual condição e começando a se sentir acomodada.

Queira transmitir meus sinceros agradecimentos ao senhor e à senhora Fraser por sua generosidade.

Eu estou bem, apesar de muito ocupado no momento. Escreverei novamente quando a oportunidade de um mensageiro se apresentar.

Seu mui humilde e obediente criado,
William Ransom

– Wil-liam – murmurou para si mesma, tocando com o dedo as letras do nome dele. Sua expressão tinha se modificado em um instante e agora brilhava com uma espécie de felicidade repleta de assombro.

Jamie fez um leve movimento a meu lado e ergui os olhos para ele. Seus olhos acesos pela luz do fogo refletiam o mesmo brilho dos de Fanny.

Fanny fugiu com sua carta e eu, intrigada, inclinei-me na direção de John Quincy.

– O senhor não disse que tinha trazido também uma carta para Germain? – perguntei mais baixo do que o burburinho cada vez mais forte das conversas.

John Quincy assentiu.

– Ah, disse sim, senhora. Só que já entreguei para ele. Eu o encontrei voltando da latrina. – Ele correu os olhos pelo recinto, então encolheu os ombros. – Acho que ele talvez tenha se escondido para ler sozinho… A carta era da mãe dele.

Troquei olhares cautelosos com Jamie. Fergus tinha escrito no início da primavera, dando garantias de que estava tudo bem com sua família. Marsali passava tão bem quanto seria sensato esperar de uma mulher no oitavo mês de gestação e ele havia listado também os diversos objetos que estava despachando rumo ao norte até Cross Creek. Em ambas as ocasiões, tinha mandado lembranças breves, porém carinhosas, para Germain. Eu lera para ele uma das cartas, e Jamie a outra, e nas duas vezes Germain só aquiescera com uma expressão neutra no rosto.

Como ele não apareceu para a sobremesa – fatias do pão de Amy com a manteiga de maçã preparada por Sarah Chisholm como pagamento por ter ajudado no parto de sua filha mais nova –, comecei a ficar preocupada. Talvez ele tivesse resolvido comer ou passar a noite com um amigo. Muitas vezes fazia isso, com ou sem Jemmy, mas o combinado era avisar quando fosse visitar alguém, coisa que em geral fazia.

Além do mais, não conseguia pensar em nenhum motivo que o levasse a preferir estar ausente em um dia com visita. Ainda mais uma visita interessante como Quincy Myers, cuja vinda por si só já prometia, além de notícias, histórias divertidas. Pessoas apareceriam em nossa casa nas noites seguintes para ouvi-lo; eu sabia que ele ficaria alguns dias, mas nesta noite era só nosso.

Mandy estava aninhada no colo de Myers, olhando assombrada para ele. Bem, ela parecia mais interessada na imensa barba grisalha do que na história que ele contava – algo sobre um caso de adultério em Cross Creek no mês anterior, cujo resultado fora um duelo com pistolas no meio da Hay Street no qual ambos os participantes tinham errado o adversário, mas acertado um barril de água e um cavalo amarrado a uma charrete. Como o ferimento fora de raspão, mas dera um susto no cavalo, este saíra correndo levando junto a esposa do juiz Alderdyce, que se encontrava sentada na charrete enquanto seu valete ia buscar um pacote para ela.

– Coitada. Ela se machucou? – perguntou Bree, tentando não rir.

– Ah, não, senhora – garantiu John Quincy. – Mas ficou mais brava do que um marimbondo molhado. Quando conseguiram parar a charrete e ajudá-la a saltar, ela desceu marchando a rua e foi direto para o escritório do advogado Forbes, que abriu um processo na mesma hora contra o homem que havia acertado seu cavalo.

A expressão bem-humorada de Bree mudou no mesmo segundo em que escutou o nome de Neil Forbes, que a havia raptado e vendido para Stephen Bonnet. Roger apertou sua mão. Ela franziu a testa por alguns segundos, mas então se virou para ele por um breve instante, meneou a cabeça e relaxou.

– Ela não cuidou primeiro do cavalo? – perguntou Jemmy, reprovando a decisão.

– Jim-Bob Hooper cuidou – garantiu Myers. – É o valete da esposa do juiz, o que conduzia a charrete. Um pouco de bálsamo e um pouco de comida... e não demorou nem um minuto para o pobre cavalo ficar bonzinho.

Satisfeitos, Jamie e Jemmy aquiesceram em um só movimento.

A conversa voltou à causa do duelo, mas não fiquei para ouvir. Fanny tinha tornado a entrar e estava sentada na ponta de um banco na cozinha, sorrindo para si mesma enquanto escutava John Quincy falar. Ao passar por ela, curvei-me para cochichar em seu ouvido.

– Você sabe onde está Germain?

Ela piscou, distraída do feitiço de John Quincy, mas respondeu:

– Sim, senhora. Acho que está no telhado. Disse que não queria companhia.

Germain estava *mesmo* no telhado. Encolhido no alpendre do segundo andar que nos servia de quarto, com os joelhos levantados, os braços cruzados por cima e a cabeça enterrada nos antebraços, um vulto escuro em contraste com a cor clara das roupas de cama. Ele era o retrato do desconsolo, e também o de alguém desesperado para que lhe perguntassem qual era o problema na esperança de ser tranquilizado.

Bem, pensei, *como diz Jenny: para que serve uma avó, afinal?*

Avancei com todo o cuidado pela borda do piso, segurando-me na estrutura de madeira para me equilibrar e agradecendo a Deus por não estar nem chovendo nem armando um furacão. Na verdade, a noite estava calma e estrelada, repleta dos sussurros entreouvidos dos pinheiros e insetos noturnos.

Abaixei-me ao lado dele, sentindo as mãos só um pouco suadas.

– Então – falei. – Qual é o problema, meu amor?

– Eu... – começou ele, mas parou. Olhou por cima do ombro, então chegou mais perto de mim. – Recebi uma carta – sussurrou, levando a mão ao peito. – O sr. Myers me trouxe.

Ele deve ter levado um susto, pensei. Como no caso de Fanny, aquela era sem dúvida a primeira carta pessoal que recebia na vida.

– De quem é? – perguntei e o ouvi engolir em seco.

– De minha mãe – respondeu. – Eu... eu conheço a letra dela.

– Ainda não abriu? – perguntei.

Ele fez que não com a cabeça, apertando a carta de encontro ao peito, como se tivesse medo de que saísse voando sozinha.

– Germain – falei baixinho e esfreguei suas costas, sentindo as escápulas sob a camisa de flanela. – Sua mãe ama você. Não precisa ter...

– Não ama, nada! – disparou ele e se encolheu mais ainda para tentar conter a mágoa. – Ela não ama, não pode me amar... Eu... eu matei Henri-Christian. Ela não consegue... Não consegue nem olhar para mim!

Envolvi-o nos braços e o puxei mais para perto. Ele não era um menino pequeno, de jeito nenhum, mas segurei sua cabeça junto ao ombro e o embalei como se fosse um bebê, produzindo ruídos reconfortantes bem baixinho enquanto ele chorava e dava grandes soluços engasgados que era incapaz de conter.

O que eu poderia dizer? Não podia dizer que ele estava errado. Contradições simples nunca funcionam com crianças, mesmo quando são uma verdade evidente. E, para ser bem sincera, aquilo não era evidente.

– Você não matou Henri-Christian – falei, mantendo a voz firme à custa de algum esforço. – Germain, eu estava lá.

De fato eu estava, e não queria voltar àquele momento. Bastara apenas o nome de Henri-Christian para tudo retornar: o cheiro de fumaça e o estouro de barris de tinta e verniz explodindo, o rugido do fogo subindo pelo sótão, Germain agarrado em uma corda, pendurado acima das pedras do calçamento. Tentando alcançar o irmão caçula...

Não adiantou. Não consegui segurar as lágrimas e o abracei com força, com o rosto encostado em seus cabelos com cheiro de menino e inocência.

– Foi horrível – sussurrei. – Terrível, mesmo. Mas, Germain, foi um acidente. Você tentou de tudo para salvá-lo. Sabe que tentou.

– Sim, mas *não consegui!* Ah, vovó, *não consegui!*

– Eu sei – sussurrei várias vezes enquanto o embalava. – Eu sei.

E, aos poucos, o horror e o choque foram dando lugar à tristeza. Nós fungamos, choramos e eu achei um lenço para ele e assoei meu nariz no avental que estava usando.

– Me dê a carta, Germain – falei, limpando a garganta com um pigarro. Recostei-me na cama. – Não sei o que ela diz, mas você precisa ler. Tem coisas que é preciso encarar.

– Não consigo ler – disse ele e deu uma leve risada de impotência. – Está escuro demais.

– Vou pegar uma vela no consultório. – Encolhi as pernas debaixo do corpo e me levantei. Estava dolorida de tanto ter ficado agachada e levei alguns instantes para recuperar o equilíbrio. – Tem água em cima da mesa ali. Beba um pouco e deite na cama. Eu já volto.

Desci a escada com aquela resignação sombria que se abate sobre a pessoa quando não há mais nada a fazer e tornei a subir com a luz da vela a iluminar suavemente as tábuas ásperas da escada, lançando sombras diante de meus passos.

A verdade era que, embora Marsali não culpasse Germain por Henri-Christian, ele estava certo ao dizer que ela não conseguia olhar para Germain sem ser dilacerada pela lembrança. Fora por isso que, sem que muita coisa fosse dita a respeito, o tínhamos levado para a Cordilheira, na esperança de que tanto ele quanto a família se curassem com um pouco de distância.

Ele agora devia estar pensando que a mãe lhe escrevera para dizer que nunca mais o queria de volta.

– Coitadinhos – sussurrei, referindo-me a Germain, Henri-Christian e sua mãe. Eu tinha certeza... bom, quase certeza de que essa não era a intenção de Marsali, mas podia sentir o medo dele.

Germain estava sentado na borda da cama, segurando os joelhos, e ergueu para mim os olhos imensos e escuros de anseio. A carta estava perto dele na cama. Eu a peguei, sentei-me a seu lado e abri. Fiz um gesto para oferecê-la a ele, mas ele balançou a cabeça.

– Está bem – falei, limpei a garganta e comecei a ler.

– *Mon cher petit ami...*

Parei, tanto por estar surpresa quando pelo fato de Germain ter se retesado.

– Ah – disse ele em uma voz muito baixa. – Ah.

– Ah! – falei também, compreendendo de repente, e meu coração apertado relaxou. *Mon cher petit ami* era como Marsali costumava chamá-lo quando ele era bem pequeno, antes de as meninas nascerem.

Tudo iria ficar bem, então.

– O que a carta diz, vovó? O que ela diz?

Germain tinha se encostado em meu flanco, ansioso para ver.

– Quer ler sozinho? – perguntei, sorrindo e lhe estendendo a carta. Ele balançou a cabeça com violência, fazendo os cabelos louros voarem.

– Leia para mim, vovó – falou. – Por favor.

> *Mon cher petit ami,*
>
> *Acabamos de encontrar uma casa nova, mas ela só vai ser um lar de fato quando você chegar.*
>
> *Suas irmãs estão com muita saudade (elas mandaram mechas de cabelos, caso esteja se perguntando o que são essas coisas esfiapadas, ou caso tenha se esquecido de como as duas são, segundo elas. Os cabelos de Joanie são os castanho-claros, e os de Félicité, os escuros. Os amarelos são os pelos do gato) e Papa está ansioso para você vir ajudá-lo. Ele proíbe as meninas de entrarem nas tabernas para distribuir os jornais e cartazes – mesmo elas querendo!*
>
> *Você tem também dois irmãozinhos novos que...*

– Dois? – Germain arrancou o papel de minha mão e o segurou junto à vela o mais perto que podia sem fazê-lo pegar fogo. – Ela disse *dois*?

– Sim! – Eu estava quase tão animada quanto ele para saber e me curvei sobre a carta, ombro a ombro com ele. – Leia a parte seguinte!

Ele endireitou um pouco as costas e continuou a ler:

> *Ficamos todos muito surpresos, como pode imaginar! Para ser sincera, eu tinha passado a gravidez toda com medo, pensando como o novo bebê poderia ser.*

Porque eu queria ver uma criança igualzinha a Henri-Christian, claro, para ter a sensação de que ele havia voltado, mas sabia que isso não podia acontecer. Ao mesmo tempo, tinha medo de que o novo bebê pudesse ser anão também... Sua avó talvez tenha contado a você que pessoas que nascem assim têm muitos problemas. Henri-Christian quase morreu várias vezes quando era bebê e Papa me contou muito tempo atrás sobre algumas das crianças anãs que havia conhecido em Paris e que a maioria não tinha vivido muito.

Mas um novo bebê é sempre uma surpresa e um milagre, e nunca é o que se espera. Quando você nasceu, eu fiquei tão encantada que ficava sentada ao lado de seu berço olhando você dormir. E deixava a vela queimar até o toco, porque não suportava a ideia de apagá-la e deixar a noite esconder você de mim.

No começo, quando os bebês nasceram, cogitamos chamar um de Henri e o outro de Christian, mas as meninas não quiseram. As duas disseram que Henri-Christian não era igual a mais ninguém e mais ninguém deveria se chamar como ele.

– *Papa e eu concordamos com elas...* – Germain meneava a cabeça enquanto lia. – *Por isso, um de seus irmãos se chama Alexandre e o outro Charles-Claire...*

– O quê? – falei, sem acreditar. – Charles-*Claire*?

– *... em homenagem ao seu avô e à sua avó* – Germain leu e ergueu os olhos para mim com um sorriso imenso.

– Continue – falei, cutucando-o.

Ele aquiesceu e tornou a olhar para o papel, correndo os dedos pelas palavras para encontrar o ponto em que havia parado.

– *Então* – continuou Germain, e sua voz de repente engasgou. – *Então, por favor, mon cher fils, volte para casa. Eu te amo e preciso de você aqui, para a casa nova virar um lar outra vez.*

"Com meu amor sempre..."

Ele apertou os lábios com força e vi lágrimas brotarem de seus olhos ainda cravados no papel.

– *Maman* – sussurrou ele e apertou a carta contra o peito.

Demorou mais uma hora para as crianças serem postas na cama, inclusive Germain. Depois fui ao encontro de Jamie no nosso quarto arejado. Só de camisa, ele estava parado na borda do piso sem paredes, olhando para a noite, enquanto eu me espremia para tirar o espartilho e suspirava de alívio ao sentir a brisa fresca da noite através da combinação.

– Seus ouvidos estão chiando, Sassenach? – perguntou, virando-se e sorrindo para mim. – Fazia algum tempo que eu não escutava tanta falação em um espaço tão pequeno.

– Aham. – Aproximei-me e passei o braço em volta de sua cintura, sentindo o peso do dia ir embora. – Quanto silêncio aqui em cima. Dá para escutar os grilos na madressilva em volta da latrina.

Ele gemeu e descansou o queixo no alto de minha cabeça, deixando que eu sustentasse parte de seu peso.

– Nem me fale em latrinas. Não cheguei nem na metade das latrinas de seu consultório. E, se formos receber outras visitas como as de hoje, vou ter que cavar outra para a casa daqui a um mês.

– Roger faria isso se você pedisse – comentei. – Só que você não deixa.

– Hummm. Ele não faria direito.

– Existe alguma arte para se cavar latrinas? – perguntei, brincando. Se Jamie era perfeccionista com alguma coisa, era com cavar direito uma latrina, embora ele fosse perfeccionista em relação a diversas coisas, quase todas relacionadas a ferramentas ou armas. – Não foi Voltaire quem disse que o ótimo é inimigo do bom?

– *Le mieux est le mortel ennemi du bien* – disse ele. – O melhor é o inimigo mortal do bom. E tenho certeza que Voltaire nunca cavou uma latrina na vida. O que ele poderia saber sobre isso?

Ele endireitou as costas e se espreguiçou lenta e languidamente.

– Meu Deus, como eu quero me deitar.

– Por que não se deita?

– Quero saborear a expectativa tanto quanto a realidade. Além do mais, estou com fome. Temos alguma comida à mão?

– Se nenhuma das crianças tiver encontrado, sim. – Abaixei-me, vasculhei debaixo da cama e puxei para fora o cesto que tinha escondido ali durante a tarde para um caso como aquele. – Serve queijo e um pedaço de torta de maçã?

Ele produziu um ruído escocês indicativo de agradecimento e contentamento profundo e se sentou para comer.

– Germain recebeu uma carta de Marsali – falei. As palhas de milho do colchão farfalharam quando me sentei a seu lado. – John Quincy contou para você?

– Germain me contou – respondeu ele e sorriu. – Quando saí para mandar as crianças entrarem, ele estava perto do poço contando para Jem e Fanny sobre seus novos irmãozinhos, todo animado. Disse que nem conseguia dormir de tanto que queria ver a família, então dei a ele papel e tinta para escrever uma carta para a mãe. Fanny o está ajudando com a ortografia – arrematou, limpando as migalhas da camisa. – Quem você acha que ensinou a menina a ler? Com certeza não é uma habilidade que tenha valor em um bordel.

– Alguém precisa manter as contas em dia e escrever de vez em quando uma elegante carta de chantagem, mas talvez isso seja um trabalho para a cafetina. Quanto a Fanny, ela nunca disse nada. Deve ter sido ensinada pela irmã.

Senti o coração um pouco apertado por esse lembrete do passado recente de Fanny. Ela nunca falava no assunto nem na irmã.

– Sim – disse Jamie e seu semblante ficou triste quando escutou o nome de Jane Pocock. Presa e condenada à morte por ter matado um cliente sádico que tinha comprado a virgindade de sua irmã mais nova, ela havia se matado na noite anterior ao seu enforcamento, apenas horas antes de William e Jamie a encontrarem.

Ele pressionou os lábios por um instante, então balançou a cabeça.

– É, bom. Temos que mandar Germain para casa assim que pudermos, claro. Mas tenho medo de que Frances sinta falta dele.

Eu havia me abaixado para recolher nossas roupas externas do chão, mas ao ouvir isso me levantei.

– Acha que devemos mandar Fanny com ele? Para passar um tempo com Fergus e Marsali? Ela poderia ajudar com as crianças.

Ele se deteve por um instante, com uma fatia de queijo na mão, então balançou a cabeça.

– Não. Sete bocas é mais do que suficiente para Fergus alimentar, e acho que a menina está bem contente aqui. Está acostumada conosco. Não quero que ela pense que nós não a amamos... Ela precisa de apoio, sabe? Além disso... – Ele hesitou, então concluiu, em tom casual: – William a deixou comigo. Ele quer que eu a mantenha segura.

– E você acha que ele talvez venha aqui para vê-la – acrescentei, com delicadeza.

– Sim – concordou ele, um pouco rabugento. – Quero dizer, eu não iria querer que ele aparecesse e não a encontrasse.

Ele pegou um pedaço de queijo e mastigou devagar, olhando para outro lado.

Afaguei-lhe o braço, então me levantei e comecei a ajeitar as roupas que tínhamos tirado, fazendo o melhor possível para estendê-las de um jeito que não ficassem amarfanhadas nem que fossem levadas do telhado no caso de um vento mais forte. Ao pôr o *sporran* de Jamie por cima da pilha junto com meus sapatos, para ajudar a manter tudo no lugar, vi um pedacinho da borda de um papel dobrado para fora.

– Ah... Myers disse que tinha trazido uma carta para você também – falei. – É isto aqui?

– Sim, é. – Sua resposta soou cautelosa, como se não quisesse que eu tocasse a carta, e retirei a mão. Mas ele terminou o pedaço de queijo que estava comendo e meneou a cabeça na direção do papel. – Pode ler, Sassenach.

– Notícias perturbadoras? – perguntei, hesitante.

Depois do abalo emocional provocado pela carta de Marsali, eu não queria estragar a paz daquela noite de verão com algo que pudesse esperar até de manhã.

– Na verdade, não. É de Joshua Greenhow... lembra-se dele? De Monmouth?

– Sim – respondi, sentindo-me um pouco tonta.

Eu estava costurando um ferimento na testa do cabo Greenhow quando levei um tiro durante a batalha, e seu rosto consternado, com minha agulha e o fio pendurados na testa ensanguentada, foi a última coisa que vi antes de cair. Não seria exagero dizer que o que aconteceu a seguir foi a pior experiência física de toda a minha vida, deitada no chão dentro de um mundo rodopiante feito de folhas, céu e uma dor insuportável, esvaindo-me em sangue e escutando um mensageiro do general Lee tentar convencer Jamie a me abandonar na lama.

Olhei para a carta, mas a luz estava fraca demais para eu a ler, mesmo se estivesse com os óculos à mão.

– O que ele diz?

– Ah, apenas onde está e o que está fazendo... ou seja, não muita coisa no momento, já que se encontra na Filadélfia sem fazer nada. Mas tem um trecho sobre o general Arnold aí. – Ele meneou a cabeça para a carta. – Joshua diz que ele se casou com Peggy Shippen... Você deve se lembrar *dela*, imagino. E que foi submetido a corte marcial por especulação. Arnold, digo, não o sr. Greenhow.

– Especulação em quê? – perguntei, dobrando o papel.

É claro que eu me lembrava de Peggy: uma moça de 18 anos, linda e que sabia disso, oferecendo-se ao general de 38 como uma isca de truta.

– Posso entender por que ele se casaria com *ela*... – acrescentei. – Mas por que cargas d'água ela iria querer se casar com *ele*?

Benedict Arnold tinha um charme considerável, mas tinha também uma perna mais curta do que a outra e, até onde eu sabia, não possuía bens nem dinheiro.

Jamie me lançou um olhar paciente.

– Para começar, ele é governador militar da Filadélfia. E a família dela é pró-britânica. Você sabe o que os Filhos da Liberdade fizeram com o primo dela... Talvez Peggy esteja pensando que prefere que eles não voltem e toquem fogo na casa de seu pai com ela dentro.

– Faz sentido. – A brisa da noite estava começando a me deixar com frio através da combinação úmida e eu estremeci. – Pode me passar aquele xale, por favor?

– Quanto àquilo em que Arnold está especulando – acrescentou Jamie, envolvendo meus ombros com o xale –, poderia ser qualquer coisa. A maior parte da cidade vai estar à venda, pelo preço certo.

Aquiesci e olhei para a noite lá fora, que espalhava seu manto de veludo à nossa volta. O manto foi momentaneamente salpicado por uma chuva de faíscas cuspidas pela chaminé do outro lado da casa e voltou a ficar negro antes de elas tocarem o chão.

– Não posso deter Benedict Arnold – falei baixinho. – Não poderia detê-lo nem se estivesse aqui em minha frente neste instante. Poderia?

Virei a cabeça para Jamie com um ar de súplica.

– Não – respondeu ele e segurou minha mão. A mão dele era grande e forte, mas estava tão fria quanto a minha. – Venha se deitar comigo, Sassenach. Vou esquentar você e ficaremos vendo a lua descer no céu.

• • •

Algum tempo depois, estávamos deitados abraçados, nus e felizes com o calor do corpo um do outro. A lua descia no oeste, uma nesga prateada que deixava as estrelas brilharem com força. A lona clara farfalhava e murmurava acima de nós, os aromas de abeto, carvalho e cipreste nos rodeavam, e um vaga-lume desgarrado, distraído de seus afazeres por uma corrente de vento passageira, pousou no travesseiro ao lado de minha cabeça e ficou um instante parado, o abdômen pulsando com uma luz verde e fria regular.

– *Oidhche mhath, a charaid* – disse Jamie ao inseto.

O vaga-lume agitou as antenas de um jeito amistoso, levantou voo e desceu voando em círculos na direção do piscar distante de seus companheiros lá no chão.

– Queria que pudéssemos deixar nosso quarto assim – falei, sonhadora, ao ver a luz traseira do inseto desaparecer na escuridão. – É tão bonito fazer parte da noite.

– Quando chove, nem tanto. – Jamie ergueu o queixo em direção a nosso telhado de lona. – Mas não se preocupe. Vou pôr um telhado sólido antes de a neve cair.

– Acho que você tem razão – falei e ri. – Lembra de nosso primeiro chalé, quando nevou e tinha goteiras no telhado? Você insistiu em subir e consertar *no meio* da nevasca… e nu em pelo.

– Bom, e de quem foi a culpa? – perguntou ele sem rancor. – Você não me deixou subir de camisa. Que escolha eu tive?

– Você sendo você? Nenhuma. – Rolei de frente para ele e o beijei. – Está com gosto de torta de maçã. Sobrou um pouco?

– Não, mas posso descer e pegar alguma coisa para você comer.

Eu o impedi pondo a mão em seu braço.

– Não, não precisa. Não estou com fome e prefiro ficar assim como estamos.

– Hummm.

Ele rolou em minha direção, então desceu pela cama e se apoiou nos cotovelos entre minhas coxas.

– O que está fazendo? – perguntei enquanto Jamie se acomodava em uma posição confortável.

– Não é óbvio, Sassenach?

– Mas você acabou de comer torta de maçã!

– Não encheu tanto assim minha barriga.

– Não… não foi bem isso que eu quis dizer…

Ele acariciava o alto de minhas coxas com os polegares e seu hálito morno agitava os pelos de meu corpo de um jeito muito perturbador.

– Se estiver com medo das migalhas, Sassenach, não precisa se preocupar… Eu tiro quando acabar. Que animal mesmo você disse que fazia isso? Os babuínos? Ou eram pulgas que eles catavam?

– Eu *não tenho* pulgas!

Foi o melhor que consegui em matéria de resposta espirituosa, mas ele riu, ajeitou os ombros e deu início aos trabalhos.

– Eu gosto quando você berra, Sassenach – murmurou ele um pouco mais tarde, parando para respirar.

– Tem crianças lá embaixo! – sibilei, com os dedos enterrados em seus cabelos.

– Bom, então tente ser silenciosa como um puma...

Um pouco mais tarde, perguntei:

– Qual a distância daqui até a Filadélfia?

Ele não respondeu na hora, mas ficou massageando minha bunda com a mão. Por fim, falou:

– Sabe o que Roger Mac me disse uma vez? Que 100 milhas é muito longe para um inglês e que cem anos é muito tempo para um americano.

Virei um pouco a cabeça para encará-lo. Jamie tinha os olhos fixos no céu e uma expressão tranquila no rosto, e eu compreendi o que ele estava dizendo.

– Quanto tempo, então? – perguntei baixinho.

E pousei a mão sobre seu coração para sentir o reconfortante som das batidas lentas e fortes. Ele exalava o cheiro de nosso suor e um último estremecimento em relação ao que acontecera pouco antes subiu pela minha espinha.

– Quanto tempo nós temos? – perguntei de novo.

– Não muito, Sassenach – respondeu ele baixinho. – Hoje à noite está tão longe quanto a Lua. Amanhã pode estar em nosso quintal. – Os pelos de seu peito tinham se arrepiado, quer por causa do ar gelado ou da conversa. Jamie segurou minha mão, beijou-a e se sentou.

– Sassenach, você já ouviu falar em um homem chamado Francis Marion?

Interrompi o gesto de pegar minha combinação. Ele tinha feito a pergunta em um tom muito casual e olhei por um instante em sua direção. Jamie estava de costas e as cicatrizes em sua pele formavam uma teia de linhas prateadas.

– Talvez – respondi, examinando com olhar crítico a bainha de minha combinação. Estava um pouco encardida, mas serviria por mais um dia. Vesti-a por cima da cabeça e estendi a mão para minhas meias. – Francis Marion... Ele por acaso era conhecido como Raposa do Pântano?

Eu tinha vagas lembranças de ter assistido a um programa da Disney com esse nome e *achava* que o nome do personagem fosse alguma coisa Marion...

– Ainda não – respondeu Jamie. – O que sabe sobre ele?

– Muito pouco, e o que sei é só por causa de um programa de televisão. Mas Bree provavelmente ainda é capaz de cantar a música-tema... Bem, a música que era tocada no começo de cada... ahn, de cada programa.

– A mesma música todas as vezes, você quer dizer? – Sua sobrancelha estava arqueada de interesse.

– Sim. Francis Marion... lembro de ele ter sido capturado por um casaco-vermelho britânico e amarrado em uma árvore em um dos episódios, então ele provavelmente era...

Parei de falar na mesma hora.

– Agora – falei, com a mesma estranha onda de apreensão e assombro que sempre vinha quando esbarrava com um deles. Primeiro Benedict Arnold e agora... – Francis Marion é... *agora*, você quer dizer.

– Segundo Brianna, sim. Mas ela não se lembrava de muita coisa em relação a ele.

– Por que está interessado nele?

– Ah. – Ele relaxou, de volta a um terreno seguro. – Já ouviu falar em um bando de partidários, Sassenach?

– Não, a menos que esteja se referindo a um partido político, e tenho quase certeza de que não está.

– Como os liberais e os conservadores? Não, não é isso. – Ele pegou a jarra de vinho, serviu uma caneca e me passou. – Um bando de partidários é bem parecido com um bando de mercenários, tirando o fato de que em geral não trabalham por dinheiro. É um pouco parecido com uma milícia particular, só que com hábitos bem menos organizados.

Eu tinha visto uma boa quantidade de companhias de milícia durante a campanha de Monmouth e aquilo me fez rir.

– Entendi. Então o que partidários fazem?

Ele serviu uma caneca para si e a ergueu para mim em um brinde rápido.

– Pelo visto, andam por aí infernizando os legalistas, matando escravos forros e, de modo geral, sendo uma pedra no sapato do Exército da Grã-Bretanha.

Pestanejei. Walt Disney pelo visto tinha decidido omitir algumas coisas na versão dos anos 1950 da Raposa do Pântano, e não era de espantar.

– Matando escravos forros? Por que fazem isso?

– Os britânicos têm o costume de alforriar os escravos que se comprometem a entrar para o Exército. Roger Mac me contou isso. Parece que o sr. Marion não gostou disso... ou *não vai gostar*? – Ele franziu o cenho. – Talvez ainda não esteja agindo. Pelo menos não ouvi falar em nada desse tipo.

Tomei um gole do vinho. Era um moscatel, fresco e doce, e desceu bem em uma noite repleta de sombras.

– E onde o sr. Raposa do Pântano está fazendo isso?

– Em algum lugar da Carolina do Sul. Não prestei atenção nos detalhes, mas fiquei interessado nessa ideia, sabe?

– De formar um grupo assim, você quer dizer?

Eu estava nervosa desde que calçara as meias e tive a ideia um tanto absurda de que talvez as devesse tirar outra vez. Mas não havia como fugir daquela conversa.

Os dedos da mão direita dele se moveram devagar sobre a coxa direita, o tamborilar silencioso de seu pensamento.

– Sim – respondeu ele por fim e dobrou os dedos até cerrar o punho. – Foi o que Benjamin Cleveland me propôs… aquele desgraçado grande e gordo do outro lado das montanhas que tentou me ameaçar, sabe? Ele não chegou a ir direto ao ponto, mas foi claro o suficiente.

Ele baixou os olhos para mim, uns olhos escuros e sérios no débil tremeluzir da noite.

– Eu não vou lutar de novo com o Exército Continental – disse Jamie. – Para mim, chega de exércitos. E, de toda forma, não acho que o general Washington vá me querer de volta.

Disse isso e sorriu, com um pouquinho de tristeza.

– Pelo que Judah Bixby me falou, você desistiu de seu cargo de modo irreversível. Que pena eu ter perdido isso.

Também sorri com certa tristeza. Tinha perdido porque, no momento em que Jamie havia renunciado ao cargo, eu estava caída no chão a seus pés me esvaindo em sangue. Na verdade, Judah, um dos jovens tenentes que estiveram presentes, tinha me dito que Jamie escrevera sua breve carta de recusa com lama misturada com meu sangue.

– É – disse Jamie, seco. – Eu não ouvi o que Washington achou, mas pelo menos ele não me mandou ser preso e enforcado por deserção.

– Imagino que ele tenha tido algumas outras coisinhas em mente desde então.

Depois da Batalha de Monmouth, eu não estava em condições de ouvir ou de me importar com a evolução da guerra. Mas não podíamos evitar isso por muito tempo. Estávamos morando em Savannah quando os britânicos invadiram e ocuparam a cidade. Até onde eu sabia, eles continuavam lá. Mas as notícias, assim como a água, correm morro abaixo e tinham tendência a empoçar nas cidades costeiras onde existiam jornais, comércio marítimo e o recém-criado serviço postal. Subir com elas até as montanhas era um processo lento e difícil.

– Devo deduzir que está com planos de criar o próprio grupo? – perguntei, tentando manter o tom leve.

– Ah, eu pensei que talvez pudesse – respondeu ele em um tom parecido. – Nem tanto pelos ataques e mortes, veja bem… Já faz tempo que não participo de um ataque – acrescentou com um tom de nostalgia perceptível. – Mas para a proteção da Cordilheira. E depois… conforme a guerra for avançando, bem… pode ser que uma pequena gangue venha a ser útil aqui e ali.

A última frase foi dita de modo tão casual que me sentei mais ereta e o encarei com os olhos semicerrados.

– Gangue? Você quer formar uma *gangue*?

A pergunta pareceu espantá-lo.

– Sim. Nunca escutou essa palavra, Sassenach?

– Já, sim – falei e tomei um golinho do vinho na esperança de induzir calma. – Mas não pensei que *você* pudesse ter ouvido.

– Bem, é claro que já ouvi – disse Jamie, erguendo uma sobrancelha para mim. – É uma palavra escocesa, não?

– Ah, é?

– Sim. O importante são os homens com quem você forma a gangue, Sassenach. *Slàinte*.

Ele tirou a caneca da minha mão, ergueu-a em uma breve saudação e a esvaziou.

15

QUAL BRUXA VELHA?

Mandy e eu estávamos em pé em lados opostos da mesa, ela olhando com intensa concentração para dentro da pequena tigela amarela posicionada entre nós duas.

– Quanto *tempo*, vovó?

– Dez minutos – respondi e relanceei os olhos para o relógio de filigrana de prata com badalo que Jenny tinha me emprestado. – Só passaram dois. Pode sentar. Não vai acontecer mais depressa só porque estamos olhando.

– Vai, sim. – Ela fez esse pronunciamento com uma segurança e uma calma que me fizeram sorrir. Ao ver isso, moveu a cabeça e emendou: – Jemmy disse que tem que ficar olhando ou eles fogem.

Ao perceber que tinha tirado os olhos da tigela, ela deu um tranco para a frente com a cabeça e cravou ali dois olhos zangados e sérios, proibindo o fermento de escorrer pelas laterais e fugir.

– Não acho que Jemmy estivesse falando de fermento, meu amor. Devia ser sobre coelhos.

Apesar disso, não consegui me forçar a desviar os olhos. Farejei o ar acima da tigela e Mandy fez o mesmo com muito vigor.

– Estou certa de que o fermento está bom – falei. – Está com cheiro de... fermento.

– Fermeeeeentoo – repetiu ela, assentindo e soltando o ar pelo nariz.

– Se não estivesse mais ativo... se não estivesse bom, estaria com um cheiro ruim – expliquei.

Eu iria aguardar os dez minutos, de modo a poder lhe mostrar a espuma que o fermento ativo produz quando misturado com água morna e açúcar, mas em minha mente tinha certeza de que o fermento estava bom, e isso me deixou aliviada. Até *dava* para fazer biscoitos fermentados usando barrilha, mas era bem mais complicado.

– Vamos pôr um pouco do fermento no leite – falei, pegando uma colherada grande no pequeno pote em que guardava a cultura-mãe e despejando em um pote limpo. – Para fazer mais para a próxima vez.

A cabeça de Jamie apareceu no vão da porta.

– Sassenach, você me empresta a pequena um instante?

– Sim – respondi na hora, interceptando a mão de Mandy a menos de 3 centímetros do saco de farinha cheio em cima da mesa. – Vovô está precisando de sua ajuda, meu amor.

– Está bem – disse ela, dócil, e, antes que eu pudesse impedi-la, enfiou na boca um dos biscoitos de passas que tínhamos feito antes. – O que foi, vovô?

– Preciso que você sente um instante em uma coisa.

O nariz comprido e reto de Jamie se remexeu ao farejar o cheiro de manteiga e passas, e sua mão se estendeu em direção à travessa.

– Está bem – falei, resignada. – *Um*. Mas coma aqui dentro, pelo amor de Deus! Se os meninos virem você com isso, vão aparecer aqui feito uma praga de gafanhotos.

– Oqugafnhot?

– Mandy! Está com *outro* biscoito na boca?

Os olhos de Mandy se esbugalharam quando ela fez um esforço heroico e engoliu a maior parte do que tinha na boca.

– Não – respondeu, cuspindo migalhas.

Jamie terminou seu biscoito e o engoliu de um modo um pouco menos grosseiro.

– Está gostoso, Sassenach – disse ele, meneando a cabeça para a travessa. – Você ainda vai virar uma cozinheira decente.

Ele sorriu para mim, pegou Mandy pela mão e se encaminhou para a porta.

Eu não tinha nada que se assemelhasse a um vidro de biscoitos. Será que conseguiria fabricar um? Brianna sem dúvida conseguiria quando estivesse com seu forno de cerâmica funcionando de novo. Sendo assim, despejei os biscoitos fresquinhos dentro da panela menor e pus um prato grande por cima, então peguei duas das grandes pedras de rio que ficavam perto da lareira para serem usadas como aquecedores de cama quando o frio começasse para valer e as pus sobre o prato. Aquilo não deteria os meninos, mas impediria a entrada de insetos e, quem sabe, de guaxinins ladrões. As paredes da cozinha eram sólidas, mas a maioria das janelas ainda estava sem vidraça.

Passei um tempinho encarando a panela com ar pensativo, considerando as possibilidades, então a levei até o outro lado do hall, onde ficava o consultório, e a fechei dentro do armário em que guardava os destilados, os vidros de soro fisiológico e outros objetos pouco propensos a atrair o interesse de alguém. Ouvi Jamie e Mandy conversando na varanda da frente e fui até a porta da casa ver o que estavam aprontando.

Jamie estava ajoelhado raspando a madeira do que tinha a intenção de ser uma tampa de privada… do tamanho de Mandy.

– Experimente isso – disse ele, sentando-se nos calcanhares. – Sente em cima.

Mandy deu uma risadinha, mas sentou.

– Para que é, vovô?

– Sabe o camundongo que entrou em seu quarto semana passada?

– Sei. Você pegou ele com a mão. Ele mordeu você, vovô? – perguntou ela, preocupada.

– Não, *a leannan*. Ele subiu correndo pela minha manga, pulou pela gola de minha roupa, saiu correndo pelo patamar da escada até nosso quarto e foi se esconder debaixo dos sapatos bons de sua avó. Você não se lembra?

A pequena testa de Mandy se franziu de concentração.

– Lembro. Você gritou.

– Sim. Bom, de vez em quando uns camundongos e outros animais pequenos correm para se esconder na latrina quando algo os assusta do lado de fora. A maioria dessas coisas não vai fazer mal a você – disse ele, erguendo um dedo para a neta. – Mas podem assustá-la. Se isso acontecer, não quero que caia no buraco da latrina.

– Ecaaaa! – exclamou Mandy, rindo.

– Não ria – disse Jamie com um sorriso. – Seu tio William caiu em uma privada uns anos atrás e não ficou nem um pouco satisfeito.

– Quem é tio William?

– Irmão de sua mãe. Você ainda não conheceu.

Os pequenos olhos negros de Mandy se aproximaram quando ela franziu o cenho.

Jamie ergueu os olhos para mim e deu de ombros.

– Não adianta não falar nele – disse Jamie para mim. – É provável que o encontremos de novo.

– Você tem certeza disso? – perguntei, em tom de dúvida.

Era verdade que não houvera nenhuma mágoa explícita da última vez que Jamie e William tinham se encontrado, mas tampouco percebi qualquer indicação de que o rapaz tivesse atingido um estado de resignação em relação às circunstâncias de seu nascimento.

– Tenho – respondeu Jamie, concentrado em seu trabalho. – Ele vai vir decidir o que fazer com Frances.

Ouvi um minúsculo arquejo atrás de mim. Quando me virei, dei de cara com Fanny, que tinha descido a trilha do jardim com um cesto cheio de verduras no braço. Seu rosto bonito havia ficado pálido e os olhos bem redondos estavam fixos em Jamie.

– Ele vai… O senhor acha que ele vai… vir? – indagou ela. – Aqui? Para me ver? – Sua voz aumentou de volume e falhou um pouco na última palavra.

Jamie a encarou por um instante por cima do ombro, então assentiu.

– Eu teria voltado, Frances – disse ele apenas. – Ele também vai.

Voltei à cozinha para verificar o fermento. Sim, ali estava: uma espuma com aspecto sujo na superfície da água, e o relógio indicava que fazia onze minutos. Quando fui separar os ingredientes para os biscoitos, porém, descobri que algum patife havia comido toda a manteiga do pote e que não tínhamos banha. O problema é que não havia ninguém em casa. Jamie e Mandy continuavam conversando na varanda. Eu teria que ir até a despensa fria buscar creme suficiente para bater mais manteiga enquanto a massa do biscoito crescia.

Estava voltando pelo caminho da despensa fria, carregando dois pesados baldes de leite misturado com creme, quando vi uma mulher se aproximando da casa. Era alta, tinha o passo decidido e usava um vestido preto com um chapéu de palha de aba larga que segurava com uma das mãos para impedir que o vento o levasse.

Jamie tinha desaparecido, decerto para buscar alguma ferramenta, mas Mandy continuava na varanda, sentada em sua tampa de privada nova e cantando para Esmeralda. Ela não prestou atenção na mulher, uma senhora de mais idade do que eu pensara a julgar por sua postura ereta e passo ágil: mais de perto, pude ver as rugas em seu rosto e os cabelos grisalhos que apareciam nas têmporas por baixo da touca que usava sob o chapéu.

– Onde está seu pai, menina? – indagou ela, parando em frente a Mandy.

– Não sei – respondeu Mandy. – Esta é Esmeralda – emendou, levantando a boneca.

– Eu quero falar com seu pai.

– Está bem – respondeu Mandy, afável, e recomeçou a cantar. – *Frère Jacques, frère Jacques, dormez-vous…*

– Pare com isso – disse a mulher, ríspida. – Olhe para mim.

– Por quê?

– Você é uma menina muito malcriada. Seu pai deveria bater em você!

Mandy ficou com o rosto muito vermelho, levantou-se com dificuldade e ficou de pé em cima de seu novo assento.

– Vá embora! – exclamou ela. – Vou jogar você na privada! – Ela moveu a mão no ar, fazendo a mímica de uma descarga. – CHUÁÁ!

– O que você quer dizer com isso, sua menina malvada?

O rosto da mulher também estava ficando muito vermelho. Eu tinha parado, fascinada, mas nessa hora pus os baldes no chão, sentindo que era melhor intervir antes que as coisas desandassem. Tarde demais.

– Vou jogar você na privada e dar a descarga igual a um COCÔ! – gritou Mandy, batendo com o pé no chão.

Rápida como uma cobra, a mão da mulher estalou na bochecha da menina. Uma fração de segundo transcorreu e então várias coisas aconteceram ao mesmo tempo. Eu corri na direção da varanda, tropecei em um dos baldes e caí estatelada no caminho em meio a um dilúvio de leite. Mandy soltou um grito esganiçado que poderia ter sido ouvido até o caminho das carroças. Por fim, Jamie irrompeu pela porta da frente da casa feito o Diabo Rei em uma peça de teatro.

Ele agarrou Mandy em um dos braços, pulou da varanda e ficou cara a cara com a mulher antes mesmo de eu conseguir me ajoelhar.

– Saia da minha casa! – falou, com o tipo de voz calma que deixava bem claro que a alternativa era uma morte instantânea.

Verdade seja dita, a mulher não recuou. Tirou da cabeça o chapéu preto de aba larga para melhor fuzilá-lo com os olhos.

– A menina foi grosseira comigo, senhor. E isso eu não tolero! É óbvio que ninguém a disciplinou como se deve. Não é de espantar.

Seu olhar o percorreu de cima a baixo com desdém. Mandy tinha parado de gritar, mas agora soluçava com o rosto afundado no peito da camisa de Jamie.

– Bem, falando em grosseria – intervim com voz branda, torcendo meu avental molhado. – Não creio termos tido a honra de sermos apresentados, não é? – Enxuguei a mão na lateral da saia e a estendi. – Eu sou Claire Fraser.

O rosto dela não perdeu a expressão indignada, mas congelou. Sem dizer uma palavra, recuou para longe de mim, um passo de cada vez. Jamie não havia se mexido, a não ser para reconfortar Mandy com uns tapinhas; tinha a expressão tão fixa e dura quanto a da mulher.

Ela chegou à borda do caminho, estacou e ergueu o queixo na direção de Jamie.

– Todos vocês vão para o Inferno! – praguejou, agitando o chapéu em um círculo que incluía Jamie, Mandy, a casa, assim como eu.

E, com esse pronunciamento, jogou um pequeno embrulho na varanda, virou-nos as costas e seu vulto preto se afastou como se fosse uma ave de mau agouro.

– Quem era ela? – perguntou Jamie.

– A bruxa má – respondeu Mandy na mesma hora. Seu rosto ainda estava vermelho e ela esticou o lábio inferior ao máximo. – Eu *odeio* ela!

– É bem possível mesmo que seja – falei.

Abaixei-me e, com cuidado, recolhi o pequeno embrulho. Estava envolto em seda impermeabilizada com óleo e amarrado com um barbante de aspecto estranho preso com vários nós. Levei-o ao nariz e cheirei com cautela.

Mesmo através do cheiro de lama da seda impermeabilizada, o aroma amargo de quinino era forte o suficiente para eu poder senti-lo na garganta.

– Jesus H. Roosevelt Cristo – falei, encarando Jamie assombrada. – Ela me trouxe casca de quina.

– Bem, Sassenach, eu falei que, se você comentasse com Roger Mac e Brianna que estava precisando, era provável que conseguisse. E nesse caso… – disse ele devagar, olhando na direção em que nossa visitante tinha desaparecido. – acho que aquela mulher talvez seja a sra. Cunningham.

16

SABUJO DO CÉU

Duas semanas mais tarde

Eu estava em um sono profundo, mas subi à superfície do meu sonho como um peixe puxado para fora d'água, agitada e me debatendo.

– Ai...

Não conseguia me lembrar de onde estava, de quem era ou de como se fazia para falar. Então o barulho que tinha me acordado soou outra vez e todos os pelos de meu corpo se arrepiaram.

– Jesus H. Roosevelt Cristo! – As palavras e a consciência retornaram e estendi as duas mãos para tentar me agarrar a alguma âncora física.

Lençóis. Colchão. Cama. Eu estava na cama. Mas sem Jamie: o espaço a meu lado estava vazio. Pisquei e virei a cabeça à sua procura. Ele estava de pé em frente à janela sem vidraça, nu, banhado pelo luar. Tinha os punhos cerrados e todos os seus músculos estavam visíveis sob a pele.

– Jamie!

Ele não se virou nem pareceu escutar, fosse minha voz ou as pancadas e a agitação das outras pessoas da casa, que também tinham sido acordadas pelos uivos vindos lá de fora. Pude ouvir Mandy começar a chorar de medo e as vozes de Roger e Brianna se atropelando na pressa de tranquilizá-la.

Saí da cama e cheguei com cuidado por trás de Jamie, embora o que realmente quisesse fazer fosse mergulhar debaixo das cobertas e puxar o travesseiro por cima da cabeça. Aquele *barulho*... Espiei por cima do ombro dele, mas, apesar de intenso, o luar nada revelou na clareira em frente à casa que não devesse estar ali.

Talvez estivesse vindo da mata. As árvores e a montanha eram um paredão negro insondável.

– Jamie – falei, mais calma, e envolvi seu antebraço com firmeza com uma das mãos. – O que foi isso? Lobos? Digo, um lobo?

Eu *torci* para haver um só do que quer que estivesse produzindo aquele barulho.

Meu toque o fez se sobressaltar e ele se virou de frente para mim e balançou a cabeça para tentar se livrar de... alguma coisa.

– Eu... – começou, com uma voz rouca de sono, e então simplesmente passou o braço à minha volta e me puxou para si. – Eu pensei que fosse um sonho.

Senti que Jamie estava tremendo um pouco e o abracei o mais forte que fui capaz. Palavras sinistras na língua celta, como *ban-sithe* e *tathasg*, flutuavam em volta de minha cabeça e sussurravam em meu ouvido. Dizia-se que um *ban-sithe* vinha uivar no telhado quando alguém da casa estava próximo da morte. Bem... pelo menos na porcaria do telhado ele não estava. A casa ainda não tinha telhado...

– Seus sonhos costumam ser altos assim? – perguntei, retraindo-me ao escutar outro uivo.

Ele não tinha passado muito tempo fora da cama: sua pele estava fresca, mas não gelada.

– Sim. Às vezes.

Ele deu uma risada curta e me soltou. Uma trovoada de pequenos pés atravessou o hall e eu rapidamente tornei a me atirar em seus braços ao mesmo tempo que a porta se abria e Jem entrava correndo com Fanny logo atrás.

– Vovô! Tem um lobo lá fora! Ele vai comer os porquinhos!

Fanny arquejou e tapou a boca com a mão. Seus olhos estavam arregalados de pavor. Não por pensar no fim iminente dos porquinhos, mas por perceber que Jamie estava pelado. Protegi-o quanto pude com minha camisola, mas não havia muita camisola e havia bastante Jamie.

– Volte para a cama, meu amor – falei, com a maior calma possível. – Se for um lobo, o sr. Fraser vai cuidar dele.

– *Moran taing*, Sassenach – sussurrou ele pelo canto da boca. – Jem, jogue aqui meu pano xadrez, sim?

Jem, para quem um avô pelado era uma visão corriqueira, foi pegar o pano em seu gancho perto da porta.

– Posso ajudar a matar o lobo? – perguntou ele, esperançoso. – Eu poderia dar um tiro nele. Atiro melhor do que Da, foi ele quem disse!

– Não é um lobo – respondeu Jamie, sucinto, envolvendo o baixo-ventre no pano desbotado. – Vão avisar a Mandy que está tudo bem antes que os berros dela derrubem o telhado.

Os uivos tinham ficado mais altos, e os berros de Mandy, em uma reação histérica, também. Pela expressão de seu rosto, Fanny estava a ponto de começar a gritar também.

Bree surgiu no vão da porta, parecendo o arcanjo Miguel: roupas brancas esvoaçantes, cabelos desgrenhados e a espada de Roger na mão. Fanny deixou escapar um leve gemido ao vê-la.

– O que estava planejando fazer com isso, *a nighean*? – perguntou Jamie, meneando a cabeça para a espada enquanto se preparava para vestir a camisa por cima da cabeça. – Não acho que se possa traspassar um fantasma com uma espada.

Com os olhos esbugalhados, Fanny encarou alternadamente Bree e Jamie. Então se sentou no chão com um baque e enterrou a cabeça nos joelhos.

Jem também tinha os olhos esbugalhados.

– Um fantasma – disse ele, sem entonação. – Um lobo *fantasma*?

Nervosa, relanceei os olhos para a janela. Jemmy tinha idade suficiente para já ter ouvido falar em *lobisomens*... A palavra evocou em minha mente uma imagem desagradavelmente vívida ao mesmo tempo que um uivo desconsolado e penetrante rompia o silêncio momentâneo.

– Eu já disse. Não é um lobo – falou Jamie, soando ao mesmo tempo irritado e resignado. – É um cachorro.

– Rollo? – exclamou Jemmy em um tom horrorizado. – Ele *voltou*?

Fanny levantou a cabeça com um tranco. Bree emitiu um som involuntário, e de modo igualmente involuntário eu tornei a agarrar o braço de Jamie.

– Meu Deus do céu! – exclamou ele, de modo um tanto moderado consideradas as circunstâncias, e soltou minha mão. – Duvido que seja.

Mas eu tinha sentido os pelos grossos de seu braço se arrepiarem ao pensar nessa possibilidade.

– Fiquem aqui – disse ele apenas e se virou na direção da porta.

Abandonando Bree sem qualquer sensibilidade para lidar com a histeria das crianças, fui atrás dele. Nenhum de nós tinha acendido uma vela e a escada se encontrava escura e fria feito um poço. Os uivos ali estavam abafados, o que foi um pequeno alívio.

– Tem certeza de que é um cachorro? – perguntei para as costas de Jamie.

– Tenho – respondeu ele.

Sua voz saiu firme, mas eu o ouvi engolir em seco e um arrepio de apreensão percorreu-me a espinha. Ele dobrou à esquerda no pé da escada e entrou na cozinha.

Soltei o ar quando o calor armazenado do grande recinto me envolveu. O fogo quase apagado brilhava debilmente e delineava as formas arredondadas e sólidas do caldeirão e da panela pendurados em seus lugares e o tênue brilho do estanho sobre o aparador. O trinco da porta estava fechado. Apesar da sensação de aconchego da cozinha, senti o couro cabeludo formigar de medo. O barulho agora estava mais alto e aumentava e diminuía em um ritmo que não combinava em nada com minha respiração. Eu não conseguia saber ao certo, mas tive a impressão de que estava mais alto, mais próximo do que antes.

Jamie tinha posto um pedaço de madeira no meio das brasas do fogo; então o puxou para fora e soprou a ponta lascada com cuidado até uma pequena chama surgir na madeira em brasa. Seu cenho franzido relaxou um pouco quando o fogo pegou e ele me deu um breve sorriso.

– Não se preocupe, *a nighean* – falou. – É só um cachorro.

Sorri de volta para Jamie, mas ainda havia um quê de incerteza em sua voz. Sem dizer nada, peguei o rolo de massa de pedra e o segui em direção à porta. Ele retirou a barra pesada que a prendia, colocou-a no chão, então levantou o trinco e abriu a porta com um empurrão. O frio úmido da montanha entrou, fazendo esvoaçar minha camisola e me lembrando que eu deveria ter vestido a capa. Só que não dava mais tempo, e corajosamente saí atrás de Jamie para os degraus de trás da casa.

O barulho estava mais alto ali, mas de repente sua agitação pareceu diminuir. Ele foi se aquietando até virar algo semelhante ao pio de uma coruja. Corri os olhos pela encosta que subia atrás da casa, mas não consegui ver nada à luz débil da tocha. Apesar de estar tão exposta, senti-me mais corajosa. Jamie podia ter lá suas dúvidas, mas não achava que aquele misterioso cão fosse perigoso. Caso contrário, não me deixaria ficar parada ali a seu lado.

Ele deu um suspiro profundo, levou dois dedos à boca e soltou um assobio agudo. O barulho cessou.

– Bem, venha cá então – disse ele, levantando um pouco a voz, e deu um segundo assobio mais baixo.

A mata estava silenciosa. Durante um minuto ou mais, nada aconteceu. Então algo se mexeu. Um borrão se destacou das trepadeiras de tomates que cresciam em volta da latrina e veio devagar em nossa direção. Ouvi pés descendo a escada ao longe e um ruído abafado de vozes, mas toda a minha atenção estava concentrada no cachorro.

Pois era mesmo um cachorro: captei de relance o lampejo de dois olhos dourados brilhando no escuro e ele então se aproximou o suficiente para podermos ver o passo desengonçado das patas compridas e a curva sinuosa da espinha dorsal e da cauda.

– Um sabujo? – perguntei.

– É.

Jamie me passou a tocha, agachou-se nos calcanhares e estendeu a mão. O cachorro, que era um daqueles cães de caça conhecidos como cão azul por causa das pintas negro-azuladas que salpicavam a maior parte de seu pelo, pareceu afundar um pouco ao se aproximar, de cabeça baixa.

– Está tudo bem, *a nighean* – sussurrou ele para o animal.

– Uma cadela? Você a *conhece*?

– Conheço – respondeu ele, e pensei detectar em sua voz um quê de arrependimento.

Jamie fez carinho em sua cabeça e a cadela se aproximou, abanando o rabo com hesitação.

– Coitadinha, está morrendo de fome – falei. Mesmo à luz da tocha dava para ver as costelas do animal.

– Temos um pouco de carne, Sassenach?

– Tenho certeza que sim.

Os outros estavam na cozinha, mas tinham parado de falar ao ouvir nossas vozes do lado de fora. Dali a poucos segundos iriam sair.

– Jamie – falei, colocando a mão em suas costas nuas –, onde você já viu essa cadela?

Senti-o engolir em seco.

– Eu a deixei uivando no túmulo de seu dono – respondeu ele baixinho. – Não comente com as crianças, sim?

...

A cadela parecia espantada ao ver tantas pessoas saindo para a varanda e quase fugiu para dentro da mata. Só que não conseguiu se afastar do cheiro da comida e ficou rodando em círculos enquanto dava abanões curtos com a longa cauda de pelos compridos, como quem pede desculpas.

Por fim, Jamie conseguiu silenciar o burburinho e fazer todo mundo entrar na cozinha enquanto atraía a cadela mais para perto com pedacinhos de pão de milho dormido embebidos em gordura de toucinho. Fiquei atrás dele com a tocha na mão. A cadela se aproximou de bom grado para comer, abaixando a cabeça em uma postura de submissão. Ela aceitou o carinho de Jamie atrás das orelhas, abanando o rabo com mais vigor.

– Boa menina – murmurou ele e lhe deu outro pedaço de pão.

Apesar da fome, ela o pegou de sua mão com delicadeza, sem abocanhar.

– Ela não tem medo de você – falei baixinho.

Não tinha a intenção de lhe perguntar; jamais lhe perguntaria. Mas isso não queria dizer que eu não estava curiosa.

– Não, ela não tem – sussurrou ele. – Ela me viu enterrá-lo.

– Você não fica... incomodado com ela? Digo, com o fato de ela ter vindo para cá?

Jamie *tinha* ficado incomodado com os uivos. Quem não teria? Mas eu agora não sabia mais: seu rosto parecia calmo à luz tremeluzente da tocha.

– Não – respondeu ele e olhou por cima do ombro para ter certeza de que as crianças não conseguiriam escutar. – Fiquei quando a vi, mas... – Sua mão toda engordurada se imobilizou e repousou por um instante no pelo áspero da cadela. – Acho que ela ter vindo me procurar talvez seja uma absolvição...

Dentro de casa, a cadela comeu com vontade, mas com estranha delicadeza, mordiscando os pedaços de pão e carne com pequenos movimentos rápidos da cabeça. Aquilo por algum motivo não me pareceu certo e comecei a observá-la mais de perto. Fascinadas, as crianças se revezavam para alimentá-la, mas vi Jamie franzir o cenho de leve ao ver essa cena.

– Acho que tem alguma coisa errada com a boca dessa cadela – concluiu ele após alguns instantes. – Vamos dar uma olhada?

– Ah, sr. Fraser, por favor, deixa ela acabar de comer – pediu Fanny, erguendo para ele os olhos aflitos. – Ela está com *tanta* fome!

– Está, mesmo – respondeu Jamie, acocorando-se ao lado deles. Ele correu a mão de leve pelas costas ossudas da cadela e o rabo se moveu por um breve instante, mas toda a atenção do animal estava concentrada na comida. – Por que ela está morta de fome?

– Por quê? – repeti. Olhei para ele, tomando cuidado com o que iria dizer: – Ela perdeu o dono, talvez?

– Sim, mas ela é um sabujo. Consegue caçar sozinha... e é verão, tem comida por toda parte. Com ou sem dono, ela não deveria estar nesse estado.

Curiosa, ajoelhei-me no chão e fui examinar mais de perto. Jamie tinha razão: a cadela engolia os pequenos pedaços de comida inteiros, simplesmente deglutindo após pouca ou nenhuma mastigação. Isso talvez fosse um hábito dela, ou talvez os cães fizessem isso com pedaços pequenos de comida, mas... havia *alguma coisa* errada. Algo que não chegava a ser um recuo de dor, mas...

– Tem razão – falei. – Deixe ela terminar e eu dou uma olhada.

A cadela terminou de comer os últimos restos e farejou para ver se havia mais, muito embora sua barriga já estivesse distendida. Então tomou um pouco d'água e, após correr os olhos pelas pessoas ali reunidas, cutucou a perna de Jamie com o focinho e se deitou a seu lado.

– *Bi sàmhach, a choin*... – disse ele, correndo a mão de leve por suas costas compridas. A cadela abanou o rabo com delicadeza e soltou um longo suspiro, parecendo derreter sobre as tábuas do piso. – Bem, então – disse ele com a mesma voz suave – venha cá e me deixe ver sua boca, *mo nighean gorm*.

A cadela adotou um ar surpreso, mas não resistiu quando ele a rolou de lado.

– Ela é *mesmo* azul, não é? – Fanny engatinhou mais para perto, fascinada, e estendeu a mão com hesitação, embora não chegasse a tocar na cadela.

– Sim, algumas pessoas chamam essa raça de sabujo azul. As manchas pretas ficam parecendo azuis porque a pele é clara. Deixe ela cheirar seus dedos, menina, assim vai saber quem você é. Depois é só se mexer devagar. Mas ela parece uma cadela mansa.

Fanny piscou ao ouvir a palavra "cadela" e relanceou os olhos para Jamie.

– Você nunca teve um cachorro, Fanny? – perguntou Bree ao notar a reação dela.

– Não – respondeu Fanny, hesitante. – Quero dizer... eu me lembro de um cachorro. Quando era muito pequena. Ele... era um macho... lembro de fazer festinha nele.

Ela tocou o dorso da cadela com a mão e o rabo do sabujo se moveu.

– Foi no navio – continuou Fanny. – Quando o tempo estava bom, eu ia me sentar debaixo da vela grande e o cachorro vinha sentar comigo.

Bree trocou um olhar rápido com Roger, que estava no canapé segurando no colo Amanda já quase adormecida.

– O navio – disse ela a Fanny em tom leve e casual. – Você já esteve em um navio? Antes de chegar à Filadélfia?

Fanny aquiesceu, um pouco desatenta. Estava me observando enquanto eu tateava o interior do lábio escuro, afastando-o dos dentes da cadela. Até onde pude constatar à luz do fogo, as gengivas estavam boas: não havia sangramento e talvez estivessem um pouco pálidas. Era comum encontrar em cães parasitas que faziam as gengivas ficarem sem cor por causa de uma hemorragia interna, mas eu não conhecia nenhuma infecção causada por parasitas que ocorresse *dentro* da boca...

Jem tinha vindo se sentar no chão conosco e coçava a cadela atrás das orelhas com uma mão experiente.

– Assim, Fanny – disse ele. – Os cachorros gostam que a gente coce as orelhas deles.

A cadela suspirou de contentamento e relaxou um pouco, permitindo que eu lhe abrisse a boca. Os dentes estavam muito bons, muito limpos...

– Por que as pessoas dizem "limpo como o dente de um sabujo"? – perguntei, apalpando o contorno de seu maxilar. – Os dentes dela estão limpos, mas os sabujos têm mesmo dentes mais limpos do que os de outros cães?

As articulações temporomandibulares não apresentavam nenhuma sensibilidade aparente e os linfonodos do pescoço não estavam inchados. No entanto, havia, *sim*, um inchaço na lateral da mandíbula inferior e meu toque fez a cadela se retrair e soltar um ganido.

– Ah, talvez. – Jamie chegou mais perto para olhar a boca do animal. – Ela é uma cadela nova... Não deve ter mais de 1 ano ou algo assim. Mas os cães de caça que devoram suas presas em geral têm os dentes limpos, sim... por causa dos ossos.

– É mesmo? – comentei, distraída. Ao virar a cabeça da cadela um pouco mais em direção ao fogo, tinha visto a sombra de algo. – Jamie... pode trazer uma vela ou algo assim mais aqui para perto? Acho que ela está com alguma coisa presa entre os dentes.

– Seus pais estavam com você, Fanny? – Roger falou baixo, com uma voz que mal sobressaiu do crepitar do fogo. – No navio?

A mão de Fanny se imobilizou por um instante na cabeça da cadela, mas então recomeçou a coçar, um pouco mais devagar.

– Acho que sim – respondeu ela com hesitação.

A chama da vela oscilou quando Jamie olhou para Fanny, em seguida se estabilizou.

– Tem, sim! – Era uma pequena lasca de osso, alojada bem firme entre os pré--molares inferiores do animal. Era bem afiada. A gengiva tinha sido cortada e estava inchada e esponjosa em volta da ferida. Pressionei de leve e a cadela ganiu e tentou afastar a cabeça.

– Jemmy, corra até o consultório e pegue a caixinha de primeiros socorros... sabe qual é?

– Claro, vovó!

Ele se levantou em um pulo e saiu para a escuridão do hall de entrada sem qualquer hesitação.

– Ela vai ficar bem, *senhoga*... senhora Fraser? – Fanny se inclinou para a frente, ansiosa, a fim de ver melhor.

– Acho que sim – falei, tentando mover a lasca de osso com a unha do polegar. A cadela não gostou, mas não rosnou nem tentou me morder. – Ela está com um pedaço de osso preso entre os dentes e por isso ficou com a boca dolorida, mas não chegou a formar um abscesso. Pode soltá-la um instante, Jamie. Só vou conseguir continuar depois que Jem voltar com minha pinça.

Ao ser solta, a cadela se levantou com um pulo, sacudiu-se vigorosamente, então partiu correndo em disparada pelo hall atrás de Jem. Fanny se levantou sobre os joelhos, mas, antes de conseguir se pôr de pé por completo, a cadela voltou correndo, batendo as patas com força no piso de madeira. Deu um latido animado ao nos ver, correu em círculos pelo recinto e, por fim, se jogou em cima de Fanny, derrubando-a de lado. Ficou parada em cima dela, abanando o rabo e ofegando feliz.

– Saia daqui! – ordenou Fanny, rindo enquanto se espremia para sair de baixo da cadela. – Sua bobinha.

Eu sorri e, ao olhar para Jamie, vi que ele estava sorrindo também. Fanny ria com os meninos, mas raramente em outras situações.

– Tome, vovó!

Jem deixou cair a caixa de primeiros socorros em meu colo, em seguida se ajoelhou e começou a lutar com a cadela, fingindo dar tapas em um dos lados de seu focinho, depois no outro. O sabujo ofegava alegremente e dava pequenas bufadas, movendo a cabeça atrás da mão de Jem.

– Ela vai mordiscá-lo, Jem – disse Jamie, achando graça. – É mais rápida do que você.

Era mesmo. E mordiscou, mas não com força. Jem gemeu, em seguida riu.

– Sua bobinha – disse ele. – Que tal a batizarmos de Bobinha?

– Não – respondeu Fanny, rindo também. – É um nome bobinho.

– Essa pobre cadela nunca vai ficar boa se vocês não pararem de atazaná-la – falei, severa, pois Brianna e Jamie também estavam rindo.

Roger sorria baixinho. Não queria acordar Mandy, que estava aconchegada em seu ombro.

Bree acalmou a situação indo até o armário de tortas e tirando lá de dentro metade de uma grande torta de maçã seca que distribuiu para todo mundo, dando inclusive um pedacinho de massa para a cadela, que o engoliu toda contente.

– Certo. Então vamos lá.

Engoli a última mordida amanteigada com sabor de canela, limpei dos dedos as migalhas, que a cadela prontamente lambeu do chão, e preparei minha pequena pinça de farpas, o menor tenáculo que tinha, um quadradinho de gaze grossa e, após pensar alguns instantes, o frasco de água com mel, o mais suave bactericida de que dispunha.

Uma vez imobilizada de lado – o que não foi nada simples, pois a cadela se contorceu feito uma enguia, mas Jem se jogou em cima de sua metade traseira enquanto Jamie a mantinha parada com uma das mãos em seu ombro e a outra no pescoço –, não foi preciso mais do que dois minutos para soltar a lasca de osso, enquanto Fanny segurava a vela com todo o cuidado para não deixar pingar cera nem em mim nem na cadela.

– Pronto! – Ergui a lasca na ponta da pinça sob aplausos gerais e a joguei no fogo. – Agora é só limpar um pouco…

Pressionei a gaze na gengiva com firmeza. A cadela gemeu baixinho, mas não se debateu. Saiu um pouco de sangue da gengiva lacerada e o que talvez fossem vestígios de pus. Era difícil ter certeza à luz da vela, mas levei a gaze ao nariz e não detectei odor de putrefação. Senti cheiro de restos de carne, torta de maçã e hálito de cachorro, mas nenhum odor discernível de infecção.

Uma vez retirada a lasca de osso, o interesse por minhas atividades diminuiu e a conversa retornou ao tema "nomes para a cadela". Lulu, Sassafrás, Ginny, Monstro (sugestão de Bree, e cruzei olhares com ela, sorrindo enquanto visualizava mentalmente a baleia do desenho *Pinóquio*), *Seasaidh*...

Jamie não participou do debate. Em vez disso, ficou acariciando a cabeça da cadela pela primeira vez. Será que ele sabia como ela se chamava? Enxaguei bem a gengiva com a água de mel, que a cadela lambeu e engoliu, mesmo deitada, mas a maior parte de minha atenção estava concentrada nele.

Eu a deixei uivando no túmulo de seu dono. Algo tênue demais para ser um arrepio me percorreu e senti os pelos de meu antebraço se eriçarem e ondularem na corrente de ar aquecida que vinha do fogo. Estava certa de que Jamie tinha *posto* o dono da cadela no túmulo... e que a causa involuntária disso era eu.

O rosto dele agora estava calmo, coberto pelas sombras que o fogo lançava. O que quer que estivesse pensando, nada transparecia. E sua mão estava pousada na pelagem sarapintada da cadela.

Absolvição, tinha dito ele.

– Qual era o nome de seu cachorro, Fanny? – perguntou Jem atrás de mim. – O que tinha no navio.

– Sa-salpico – respondeu ela. Fazia apenas poucos meses que eu havia cortado o freio de sua língua e ela ainda tinha dificuldade com alguns sons. – Ele tinha uma pinta branca. No nariz.

– A gente poderia chamar esta aqui de Salpico também – sugeriu Jem, generoso. – Se quiser. Ela tem várias pintas salpicadas pelo pelo. Pelo – repetiu ele e riu. – Várias pintas salpicadas por todo o pelo.

– Agora quem está sendo bobinho é *você* – disse Fanny, rindo.

– Talvez seja melhor esperar e ver se seu avô quer ficar com ela, Jem – disse Roger. – Antes de batizar a cadela.

Estava claro que a possibilidade de não ficarmos com a cadela não havia passado pela cabeça das crianças, e pensar nisso as deixou consternadas.

– Ah, sr. Fraser, por favor! – disse Fanny com urgência. – Eu prometo que dou comida para ela!

– E eu tiro os carrapatos do pelo dela, vovô! – contribuiu Jemmy. – Por favor, por favor, a gente pode ficar com ela?

Jamie cruzou olhares comigo e sua boca se ergueu um pouco de lado, mais de resignação do que por achar graça.

– Ela veio me pedir ajuda – disse ele para mim. – Não posso simplesmente mandá-la embora.

– Então talvez você devesse escolher o nome dela, Pa – interveio Bree, interrompendo as expressões de alívio e exultação de Jem e Fanny. – Que nome escolheria?

– Bluebell – respondeu ele sem hesitar. – Quer dizer jacinto, a flor azul. É um bom nome escocês e combina com ela, não?

– Bulu-Buluebell – Fanny alisou o dorso da cadela e o rabo comprido e emplumado se moveu preguiçosamente de um lado para outro. – Posso chamar ela de Bluey? É mais fácil.

Jamie riu e se levantou devagar, fazendo os joelhos estalarem por ter passado tanto tempo ajoelhado no chão de tábuas.

– Você pode chamá-la do nome que quiser, menina. Mas no momento ela precisa descansar, e eu também.

As crianças chamaram a recém-batizada Bluebell para acompanhá-las, oferecendo-lhe mais pedaços de massa de torta. Enquanto isso, começamos a nos ajeitar e a nos preparar para dormir. Um silêncio momentâneo se fez quando Bree pegou Mandy do colo de Roger. No instante em que me ajoelhei para abafar o fogo, ouvi as vozes de Jem e Fanny no patamar da escada.

– O que houve com seu cachorro Salpico? – Jem quis saber.

A pergunta soou distante, porém clara. A resposta de Fanny foi igualmente clara e eu vi a cabeça de Jamie se virar na direção da porta aberta quando a escutou.

– Os homens maus jogaram ele no mar – respondeu ela. – A Bluey pode dormir comigo hoje? Você fica com ela amanhã.

17

LEITURA À LUZ DO FOGO

A estrutura do segundo piso estava pronta. Ainda demoraria um pouco para o telhado e as paredes ficarem prontos, mas as noites *al fresco* sob as estrelas com Claire estavam contadas. Jamie sentiu uma leve pontada de pena ao pensar nisso, mas esta foi logo superada pela visão aconchegante dos dois dormindo em uma cama de penas diante de uma lareira quentinha dali a três meses, com as janelas fechadas para impedir a entrada do vento uivante e da neve úmida.

Ele se deixou cair na grande cadeira junto ao fogo, quase saboreando a dor quando suas articulações relaxaram, pois tanto sua mente quanto seus joelhos sabiam que a felicidade do descanso estava próxima. Todos na casa dormiam, mas Claire fora ajudar em um parto na parte mais funda do vale.

Ele sentia falta dela, mas era uma dor agradável, como esticar a coluna. Claire iria voltar, provavelmente no dia seguinte. Por enquanto, tinha um bom fogo para esquentar os pés, uma taça de vinho tinto suave e livros para ler. Tirou os óculos do bolso, abriu-os e os pousou sobre o nariz.

Toda a biblioteca da casa estava disposta em duas pilhas modestas em cima da mesa, junto à sua taça de vinho. Uma pequena Bíblia encadernada em tecido verde, em estado precário de tanto ser manuseada. Ele a tocou de leve, como fazia sempre que a via. Era uma velha companheira, uma amiga que o havia ajudado a passar por maus momentos. Um exemplar sem capa de *Os segredos de lady Roxana*... Bem, melhor levá-lo para o quarto de cima. Jem ainda não tinha manifestado interesse pelo livro, mas o menino já sabia o suficiente para entender de que se tratava.

Um exemplar em estado não muito precário da tradução da *Odisseia* assinada pelo sr. Pope. Talvez ele lesse um pouco daquele ali com Jem: seu neto decerto acharia os navios e monstros interessantes, e isso poderia ser uma desculpa para aproveitar e enfiar um pouco de latim na cabeça do menino. *Joseph Andrews*... aquele era um desperdício de papel. Quem sabe ele o trocasse com Hugh Grant, que gostava de bobagens. *Manon Lescaut*, em francês e encadernado em um belo marroquim. Aquele o fez franzir o cenho por um instante; ele ainda não o havia aberto. Fora John Grey quem havia lhe mandado, antes de...

Ele deu um grunhido impaciente e, por impulso, pegou o volume no final da pilha: o livro laranja berrante de Mandy, *Ovos verdes e presunto*. A cor, o título e o bicho engraçado na capa o fizeram sorrir e uns poucos minutos com Sam acalmaram seus ânimos.

Os sons de passos descendo a escada o fizeram se sentar mais ereto, mas era apenas Bluebell, que veio até ele mansamente, abanando o rabo, farejou-o para o caso de estar portando alguma comida, desistiu e foi se postar de modo significativo perto da porta dos fundos.

– Sim, *a nighean* – disse ele, abrindo a porta. – Cuidado com as panteras.

A cadela desapareceu na noite com uma sacudidela do rabo, mas Jamie ainda ficou ali em pé por mais alguns instantes, olhando para fora e escutando a escuridão.

Estava tudo em silêncio, a não ser pelas árvores que conversavam entre si. Ele saiu pela porta e ficou admirando as estrelas, libertando-se do resto da irritação provocada por *Manon Lescaut* e se deixando preencher pela paz. Inspirou o ar fresco com aroma de pinheiro e o soltou bem devagar.

– Sim, seu sodomitazinho de uma figa, eu perdoo você – falou para John Grey e sentiu a alma mais leve, algo que vinha buscando inconscientemente.

Um farfalhar dos arbustos anunciou a volta da cadela. Jamie aguardou que ela encerrasse seu afã de farejar e segurou a porta para ela entrar. Bluebell passou por ele com uma leve sacudida do rabo e subiu a escada saltitando sem fazer barulho.

Mais tranquilo, caminhou um pouco sob a luz das estrelas até o cedro-vermelho que ficava perto do poço, a fim de beber água e colher um de seus galhos. Gostava do cheiro das bagas. Claire tinha lhe dito que eram usadas para aromatizar gim, bebida para a qual ele não ligava muito, mas o cheiro era bom.

Dentro de casa, com o fogo atiçado e o trinco passado na porta, voltou aos livros. O galho de cedro exalava um leve cheiro fresco que combinava bem com o vinho. Pegou um dos grossos livrinhos sobre hobbits que Bree lhe trouxera, mas mesmo de óculos o texto era denso o suficiente para deixá-lo cansado só de olhar, então tornou a guardar o volume e procurou outra coisa na pilha.

Manon não, ainda não. Seu perdão era sincero, mas também algo que sentia a contragosto. Jamie sabia muito bem que precisaria repeti-lo algumas vezes antes de voltar a falar com John Grey.

Foi sem dúvida a noção de um perdão relutante que o fez pegar o livro que Brianna trouxera para si: o livro de Frank Randall. *A alma de um rebelde.*

– Hummm – fez ele.

Tirou-o da pilha e o virou nas mãos. O volume lhe causou uma impressão estranha: tinha um peso e um tamanho razoáveis e a encadernação era de boa qualidade, mas na capa de papel estava impresso um fundo xadrez muito esquisito, cor-de-rosa e verde, sobre o qual havia um quadrado verde-claro com um desenho decente do cabo em formato de cesto de uma espada escocesa e um pedaço da lâmina. Abaixo do quadrado se lia o subtítulo: *As raízes escocesas da Revolução Americana.* Mas a sensação estranha era o fato de o livro estar envolto em uma folha transparente de algo que não era papel, de textura lisa. Plástico, tinha lhe dito Brianna quando ele perguntara. Jamie até conhecia a palavra, mas não com esse significado. Virou o livro para olhar a fotografia. Estava ficando quase acostumado com fotos, mas ainda se espantava um pouco ao ver o sujeito a encará-lo daquele jeito.

Pressionou o polegar com firmeza sobre o nariz de Frank Randall, em seguida o ergueu. Inclinou o livro para um lado e para outro, deixando a luz do fogo se mover pela capa de plástico. Tinha deixado uma marca muito leve, que não era visível a quem olhasse de frente.

Subitamente envergonhado daquela infantilidade, apagou a marca com a manga da camisa e pôs o livro sobre os joelhos. A foto o encarou de volta através de óculos de armação escura.

O que o perturbava não era apenas o autor. Ouvir Claire, Bree e Roger falando de fragmentos do que estava para acontecer o deixava alarmado, mas sua presença era reconfortante. Fossem quais fossem as circunstâncias horríveis por vir, muitas pessoas tinham sobrevivido. Apesar disso, Jamie sabia muito bem que, embora ninguém em sua família fosse lhe mentir, eles muitas vezes amenizavam as coisas. Frank Randall era diferente: era um historiador, cujo relato do que iria acontecer nos próximos anos seria…

Bem, ele não sabia *o que* poderia ser esse relato. Assustador, talvez. Perturbador, possivelmente. Talvez tranquilizador… em alguns trechos.

Apesar de não estar sorrindo, Frank Randall tinha uma aparência simpática. Seu rosto exibia vincos profundos. Bem, ele tinha sobrevivido a uma guerra.

– Sem falar que foi casado com Claire – disse Jamie bem alto e se espantou com o som da própria voz.

Pegou sua taça de vinho e deu um gole. Deixou o vinho dentro da boca por alguns segundos, mas em seguida engoliu e virou o livro outra vez.

– Bom, inglês, não sei se perdoo você ou não – murmurou, abrindo a capa e dando uma cafungada refrescante no cedro. – Ou você a mim, mas vamos ver o que tem para me dizer.

Jamie acordou na manhã seguinte com a cama vazia, suspirou, espreguiçou-se e se levantou. Pensava que fosse sonhar com os acontecimentos descritos no livro de Randall, mas não. Tinha sonhado com os navios de Aquiles, um sonho bastante agradável que teria que contar a Claire. Livrou-se dos resquícios de sono e foi lavar o rosto enquanto anotava mentalmente algumas das coisas com as quais havia sonhado para não esquecê-las. Com sorte, ela chegaria em casa antes do jantar.

– Sr. Fraser? – Alguém bateu de leve à porta; era a voz de Frances. – Sua filha disse que o desjejum está pronto.

– Ah, é? – Ele não estava sentindo nenhum cheiro de comida, mas "pronto" era um termo relativo. – Já estou indo, menina. *Taing.*

– O quê? – indagou ela, soando espantada.

Ele sorriu, vestiu por cima da cabeça uma camisa limpa e abriu a porta. Fanny parecia uma margarida-do-campo, delicada mas bem ereta na ponta do caule, e ele lhe fez uma mesura.

– *Taing* – repetiu, pronunciando com o maior cuidado de que foi capaz. – Significa "obrigado" em gaélico.

– Tem certeza? – perguntou ela, enrugando de leve a testa.

– Tenho – assegurou ele. – *Moran taing* significa "muito obrigado", se quiser algo mais forte.

Um leve rubor coloriu as faces da menina.

– Desculpe, não foi o que quis dizer – corrigiu-se ela. – É claro que o senhor tem certeza. É que Germain me disse que "obrigada" é "*tabag leet*". Está errado? Ele podia estar brincando comigo, mas eu não achei.

– *Tapadh leat* – disse ele, segurando a vontade de rir. – Não, está certo. É que *moran taing* é… casual, por assim dizer. A outra forma é para quando quiser ser formal. Se alguém tiver salvado sua vida ou pagado suas dívidas, por exemplo, você diria *tapadh leat*, enquanto, se a pessoa tiver passado o pão à mesa, você diria *taing*, entendeu?

– *Aye* – respondeu ela e enrubesceu mais ainda quando ele sorriu.

Mas sorriu de volta e Jamie a seguiu escada abaixo pensando em como ela era estranhamente curiosa: reticente, mas sem ser tímida. Supunha que ninguém pudesse ser tímido tendo sido criado com a expectativa de se prostituir.

Então sentiu cheiro de mingau; um mingau levemente queimado. Remexeu o nariz, ajustou a expressão do rosto para uma afabilidade estoica e seguiu até a cozinha, lançando um olhar para as paredes inacabadas de seu escritório e para o cômodo da frente, cuja estrutura mal parava de pé. Talvez passasse uma hora trabalhando no escritório à tarde, se voltasse a tempo de...

– *Madainn mhath* – falou, parando no vão em que a porta ficaria, na semana seguinte, quem sabe, para cumprimentar os membros reunidos da família.

– Vovô!

Mandy desceu atabalhoadamente do banco em que estava sentada, derrubando a tigela de mingau dentro da jarra de leite. Brianna, que estava a ponto de se sentar, esticou-se toda e segurou a tigela bem a tempo.

Ele pegou Mandy no colo e a suspendeu nos braços enquanto sorria para Jem, Fanny, Germain e Brianna.

– Mamãe queimou o mingau – informou Jem. – Mas como tem mel a gente não percebe tanto.

– Não faz mal – disse ele, sentando-se e posicionando Mandy sobre um dos joelhos. – O mel não é das abelhas de Claire, é? Elas ainda precisam se acomodar um pouco, não?

– Sim – respondeu Brianna e empurrou em sua direção uma tigela seguida pela jarra de leite e pelo pote de mel. Ela estava corada, sem dúvida devido ao calor do fogo. – Esse mel foi parte da remuneração de mamãe por ter consertado a perna quebrada de Hector MacDonald. Desculpe pelo mingau. Achei que daria tempo de ir até o barracão de defumar e voltar antes que fosse preciso mexer outra vez.

Ela meneou a cabeça em direção ao fogo, onde fatias de toucinho começavam a chiar na frigideira grande.

– Onde está seu marido, menina? – perguntou ele, ignorando com tato o pedido de desculpas dela e se servindo de um fiozinho modesto de mel.

– Um dos filhos dos MacKinnons veio buscá-lo logo depois de o dia raiar. Você estava cansado – acrescentou ela quando viu o pai franzir o cenho ao pensar que não tinha escutado o visitante. – E não é de espantar. Não se preocupe, não era uma emergência de verdade. Vovó MacKinnon acordou morrendo outra vez... É a terceira este mês, e ela queria um pastor. Ai, o toucinho!

Ela se levantou com um pulo, mas Fanny já tinha se adiantado para virar as fatias que chiavam. A barriga de Jamie se contraiu de um jeito agradável quando sentiu o cheiro.

– Obrigada, Fanny. – Bree tornou a se sentar e a empunhar sua colher.

– Sr. Fraser? – disse Fanny, agitando a mão para afastar a fumaça dos olhos.

– Sim, menina?

– Como é que se diz "de nada" em gaélico?

18

TROVOADA DISTANTE

Encontrei um lugar raso com fundo de cascalho no córrego e me espremi depressa para tirar o avental e o vestido, tentando não respirar. Tirando membros gangrenados e cadáveres mortos há muito tempo, nada fede mais do que cocô de porco. *Nada.*

Ainda prendendo a respiração, embolei as peças sujas e as lancei na água rasa. Tirei os sapatos sem tocá-los e entrei na água atrás das roupas, segurando duas pedras grandes que havia catado. O vestido já tinha começado a se abrir, espalhando dobras de cor índigo desbotadas por sobre o cascalho, como a sombra de uma arraia que passa nadando. Larguei uma das pedras em cima dele e, estendendo o avental de lona com o pé descalço, prendi-o com uma pedra também.

Com a crise por ora administrada, entrei mais um pouco no córrego, parei com água, fria e veloz, na altura dos tornozelos e respirei agradecida.

A criação de animais não era minha especialidade, a menos que isso incluísse Jamie e as crianças. Mas a necessidade nos transforma todos em veterinários. Eu fora ao chalé do jovem Elmo Cairn ver como estava progredindo seu braço quebrado, mas sua porca, que estava explodindo de grávida, começou a dar mostras de dificuldade com o nascimento de sua primeira ninhada de leitões. A porca estava esparramada no chão aos pés do dono, por ser, segundo ele, "uma espécie de animal de estimação".

Como Elmo estava incapacitado pelo braço quebrado, fiz o que precisava ser feito. E, embora o resultado fosse gratificante – uma ninhada saudável de oito leitões, seis deles fêmeas (e uma minha, garantira-me Elmo, "se a porca não devorar todo mundo") –, não achava que fosse conseguir percorrer todo o caminho de volta para casa com a roupa toda suja com os subprodutos da operação.

O dia estava quente e pairava no ar aquela imobilidade pesada que anuncia o trovão. Foi agradável ficar em pé na água fria com o ar fresco a soprar através das roupas de baixo. Decidi que tirar o espartilho suado deixaria aquilo ainda mais agradável. Estava justamente puxando a peça por cima da cabeça quando escutei um tossido alto na margem do córrego.

– Jesus H. Roosevelt Cristo! – exclamei, arrancando o espartilho com um tranco e me virando. – Quem são vocês?

Eram dois cavalheiros com trajes um tanto inapropriados. Não que eu estivesse em condições de fazer qualquer preleção quanto à adequação das vestimentas, mas eles tinham mato preso nas meias de seda, as fivelas dos sapatos cobertas de lama e as roupas de algodão sujas de resina de pinheiro. Além do mais, um deles exibia um grande rasgo no casaco que me permitia entrever o forro de seda amarelo.

Ambos me observavam da cabeça (despenteada) aos pés (descalços), com a boca levemente entreaberta e os olhos se demorando em meus seios expostos, já que a musselina molhada da combinação tinha grudado na pele e o ar frio que subia da água havia deixado os mamilos duros. Inadequado, de fato...

Com toda a delicadeza, desgrudei a musselina da pele e a soltei, sustentando o olhar de ambos.

O do rasgo no casaco foi o primeiro a se recuperar e meneou a cabeça para mim com uma expressão de interesse cauteloso.

– Meu nome é Adam Granger e este... é meu sobrinho, sr. Nicodemus Partland. Poderia nos indicar o caminho até a casa do capitão Cunningham, minha boa senhora?

– Mas é claro – respondi, resistindo ao impulso de tentar arrumar os cabelos. – Fica por ali... – Apontei na direção nordeste. – Mas devem ser quase 5 quilômetros. Acho que os senhores vão ser pegos pela chuva.

E iriam mesmo. Uma lufada de vento agitou as folhas dos salgueiros que margeavam o córrego e nuvens cinza-escuras começavam a se juntar a oeste. Dava para ver uma tempestade na montanha chegando de bem longe, mas ela avançava depressa.

Movida em parte pelas exigências da hospitalidade, e mais ainda pela curiosidade, andei pela água até a margem e recolhi minhas roupas molhadas.

– É melhor irem até nossa casa – falei para o sr. Granger enquanto torcia as roupas e as embrulhava no espartilho. – Fica bem perto e os senhores podem se abrigar lá até a tempestade passar. Um dos meninos pode guiá-los até a casa do capitão Cunningham quando parar de chover. A casa dele fica bem isolada.

Os dois se entreolharam, ergueram os olhos para o céu que escurecia, então menearam a cabeça ao mesmo tempo e se prepararam para me seguir. Eu não tinha apreciado o jeito com que o sr. Partland havia encarado meus seios. E, como não queria que ficasse olhando meu traseiro enquanto eu andava, indiquei com um gesto firme que entrassem na trilha na minha frente, calcei os sapatos e parti em direção a minha casa pingando água.

Calculei que o sr. Granger devesse ter talvez 50 anos, e Partland menos, 30 e poucos. Nenhum dos dois era gordo, mas Nicodemus Partland era alto e esguio e tinha olhos desconfiados. Não parava de espiar por cima do ombro, para se certificar de que eu continuava ali.

Chegamos em casa em menos de vinte minutos, mas o ar já tinha adquirido um cheiro de ozônio e eu podia ouvir trovoadas rugindo ao longe.

– Bem-vindos à Casa Nova, cavalheiros – falei, indicando a porta da frente com um movimento de cabeça.

Jamie apareceu no vão da porta segurando o gato Adso, que pulou de seu colo e passou por mim correndo perseguido por Bluebell, que latia alegremente. A cadela estacou derrapando ao ver os desconhecidos e começou a latir para eles, com o pelo eriçado e uma determinação grave.

Jamie desceu da varanda e a segurou pelo cangote.

– Já chega, menina – falou e com uma leve sacudida a soltou. – Queiram desculpar, cavalheiros.

O sr. Partland havia recuado quando Bluebell os ameaçara e estava com a mão no bolso de um jeito que sugeria a presença de uma pequena pistola. Não tirou os olhos da cadela nem mesmo quando Fanny saiu chamada por Jamie e convenceu o animal a entrar em casa.

O sr. Granger, porém, não estava prestando a menor atenção em cachorros. Estava encarando Jamie. Jamie notou isso e estendeu a mão fazendo uma leve mesura.

– James Fraser, meu senhor. A seu dispor.

– Eu... quero dizer... – O sr. Granger balançou a cabeça depressa e apertou a mão de Jamie. – Adam Granger, senhor. O senhor... o senhor é o *general* Fraser?

– Eu fui – respondeu Jamie, sucinto. – E o senhor é?

Ele se virou para Partland, que agora também o examinava como se fosse um cavalo que tivesse a intenção de comprar.

– Nicodemus Partland, seu mais humilde criado, senhor – disse ele com um sorriso, mas seu tom sugeria que humildade era a última coisa que pretendia demonstrar. Ou respeito, aliás.

– Sua, ahn... – Recordando com algum atraso minha presença, o sr. Granger se virou para mim. – Sua mulher sugeriu que talvez pudéssemos nos abrigar da tempestade aqui. Mas se nossa presença for inconveniente...

– De modo algum. – A boca de Jamie se moveu de leve quando me olhou de cima a baixo. – Permitam-me apresentar minha esposa... *sra.* general Fraser.

Fanny apareceu na porta para ver o que estava fazendo Bluebell latir e Brianna veio atrás dela. Jamie fez as apresentações, em seguida gesticulou para que as visitas entrassem e arqueou a sobrancelha para Bree, que entendeu e meneou a cabeça.

– Minha filha vai providenciar tudo de que precisarem, cavalheiros. Irei me juntar aos senhores daqui a pouco.

Ele aguardou apenas o suficiente para eles entrarem antes de se virar para mim.

– Que andou fazendo, Sassenach? – sibilou.

– O parto de uma porca – respondi, sucinta, e entreguei a trouxa de roupas molhadas que ainda exalava o cheiro inconfundível de excrementos para corroborar minha história.

– Meu Deus – disse ele, segurando a trouxa com o braço esticado. – Frances, menina, pegue isto aqui, sim? Deixe de molho em alguma coisa... ou será melhor queimar? – perguntou, virando-se para mim.

– Deixe de molho em água fria com sabão suave e vinagre – falei. – Depois fervemos. E obrigada, Fanny.

Ela aquiesceu e pegou a trouxa, torcendo o nariz.

– Quem são esses homens? – perguntou Jamie, apontando em direção à porta onde Partland e Granger tinham desaparecido. – E por que você os estava acompanhando só de combinação?

– Eu estava me limpando no córrego quando eles apareceram – respondi, um tanto irritada. – Não os convidei para entrar comigo.

– Não, é claro que não. – Ele respirou fundo e começou a se acalmar. – É que eu não gostei do jeito como o mais jovem estava olhando para você.

– Nem eu. Quanto a quem eles são... – comecei, mas fui interrompida por Fanny, que se encaminhava para o quintal lateral e o tanque de lavar roupa com Bluebell, mas se virou ao ouvir isso.

– O mais jovem é oficial – disse ela e assentiu para confirmar a própria observação. – Eles sempre acham que podem fazer o que querem.

Encarei-a perplexa enquanto ela desaparecia.

– Eles não parecem soldados – falei, dando de ombros. – Mas o mais velho me chamou de "minha boa mulher". Deve ter achado que eu era sua diarista.

– A minha quê? – Ele fez cara de espantado, em seguida de ofendido.

– Ah... quer dizer só uma mulher que limpa a casa – falei. – Enfim, eles estão procurando pelo capitão Cunningham. E como estava prestes a chover...

E estava mesmo. O vento se movia pelo meio do capim e das folhas, agulhas e gravetos. A floresta inteira respirava e as nuvens agora tinham coberto mais da metade do céu – nuvens grandes, pretas e que relampejavam de modo ameaçador.

Brianna saiu da casa trazendo uma toalha, que me estendeu.

– Mandei os homens para seu escritório, Pa – disse ela. – Tudo bem?

– Sim, está bem assim – garantiu Jamie.

– Espere, Bree – falei, emergindo de dentro da toalha. – Será que você e Fanny poderiam ir até a despensa de legumes pegar alguns e quem sabe... não sei, algo doce... geleia, uvas-passas... Sejam quem forem, vamos ter que alimentá-los.

– Claro – respondeu ela. – Vocês não sabem quem eles são?

– Fanny disse que o mais novo é oficial – falou Jamie. – Mais do que isso... veremos. Venha, Sassenach, vamos entrar – disse ele, passando um braço à minha volta para me conduzir para dentro. – Você precisa se secar...

– E me vestir.

– É, isso também.

...

A despensa de legumes não ficava muito longe do barracão de defumar, mas era preciso atravessar a grande clareira. Sem o anteparo de árvores ou construções, o vento as atingiu por trás, fazendo as saias se levantarem e arrancando a touca de Fanny.

Brianna levantou a mão e interceptou o pedaço de musselina que passava voando. Seus cabelos soltos se agitavam em volta do rosto e os de Fanny também. Quase sem conseguir ver, elas se entreolharam e riram. Foi então que as primeiras gotas de chuva começaram a cair e as duas saíram correndo, aos arquejos e gritos, em direção ao abrigo da despensa de legumes.

Escavada na encosta de um morro, a despensa era uma porta de madeira rústica ladeada por pilhas de pedras de ambos os lados. A porta estava emperrada, mas Bree a soltou com um tranco forte e elas entraram, molhadas por algumas gotas mas a salvo da chuva grossa que começava a cair.

– Tome. – Brianna entregou a touca para Fanny ainda ofegante. – Mas não acho que isso vá proteger você da chuva.

Fanny balançou a cabeça, espirrou, riu e tornou a espirrar.

– Onde está a sua? – perguntou, farejando o ar enquanto acomodava os cachos bagunçados pelo vento debaixo da touca.

– Não gosto muito de toucas – respondeu Bree e sorriu para Fanny. – Posso usar uma para cozinhar ou fazer algo que respingue. Às vezes uso um chapéu mole para caçar, mas, tirando isso, prefiro apenas prender os cabelos.

– Ah – disse Fanny, sem muita convicção. – Então deve ser... deve ser por *isso* que a sra. Fraser... sua mãe... tampouco as usa?

– Bom, no caso de mamãe é um pouco diferente – disse Bree, correndo os dedos pelos cabelos ruivos compridos para desembaraçá-los. – No caso dela faz parte da guerra que... – Ela se calou por alguns instantes, pensando em como dizer aquilo, mas, afinal de contas, se Fanny agora fazia parte da família, mais cedo ou mais tarde iria se inteirar daquelas questões. – ... que ela trava com quem acha que tem o direito de lhe dizer como fazer as coisas.

Os olhos de Fanny se arregalaram.

– E elas não têm?

– Eu gostaria de ver alguém tentar – respondeu Bree e, após torcer os cabelos para formar um coque bagunçado, virou-se para avaliar o que a despensa continha.

Sentiu uma onda de alívio e segurança ao ver que pelo menos três quartos das prateleiras estreitas estavam ocupados: batatas, nabos, maçãs, inhames e as formas ovaladas verde-vivas de mamões que amadureciam devagar. Encostados na parede mais afastada havia dois grandes e volumosos sacos de juta, decerto cheios de castanhas de algum tipo (mas as castanhas dos arredores não tinham amadurecido ainda. Talvez seus pais tivessem trocado aquelas por alguma coisa...). A despensa estava tomada pelo cheiro de vinho das uvas moscatel que secavam penduradas em cachos, para enrugarem até virar passas.

– Mamãe andou ocupada – disse ela, revirando as batatas em uma das prateleiras de modo a escolher uma dúzia para levar. – Acho que você também – acrescentou para Fanny com um sorriso. – Tenho certeza de que ajudou a colher tudo isto.

Fanny baixou os olhos com modéstia, mas seu rosto se acendeu um pouco.

– Eu desenterrei os nabos e algumas das batatas – disse. – Tinha muitas naquele lugar que eles chamam de Horta Velha. Debaixo das ervas daninhas.

– Horta Velha – repetiu Bree. – É, imagino que sim.

Um arrepio que nada tinha a ver com o frio da despensa subiu por seu pescoço. Ela ficara sabendo da morte de Malva Christie e de seu filho ainda por nascer. Debaixo das ervas daninhas.

Olhou de esguelha para Fanny, ocupada em destacar uma cebola de sua réstia, mas a menina não demonstrou qualquer emoção em relação à horta; provavelmente ninguém tinha lhe contado o que acontecera ali e por que a horta fora abandonada às ervas daninhas.

– Será que levamos mais batatas? – perguntou Fanny, largando dentro do cesto duas gordas cebolas amarelas. – E maçãs, quem sabe, para fazer bolinhos? Se não parar de chover, aqueles homens vão passar a noite. E não temos nenhum ovo para o desjejum.

– Boa ideia – disse Bree, bastante impressionada com o planejamento doméstico de Fanny. O comentário, contudo, a fez começar a pensar nos misteriosos visitantes. – Aquilo que você disse a Pa... sobre um dos homens ser oficial. Como você sabia? – E ela acrescentou em silêncio: *e como Pa sabia que você* saberia *uma coisa dessas?*

Fanny a fitou por vários instantes com o rosto quase sem expressão. Então de repente pareceu tomar uma decisão em relação a algo, pois aquiesceu para si mesma.

– Eu os vi – disse ela apenas. – Muitas vezes. No bordel.

– No...?

Brianna quase deixou cair o mamão que tinha pegado na última prateleira de cima. Sua mãe tinha lhe falado sobre o passado de Fanny, mas não esperava que a menina fosse mencioná-lo.

– Bordel – repetiu Fanny, engolindo um pouco a palavra. Bree tinha se virado para encará-la: a menina estava lívida, mas os olhos abaixo da touca estavam firmes. – Na Filadélfia.

– Entendi. – Torceu para a voz sair tão firme quanto a de Fanny e tentou falar com calma apesar da voz interior consternada que dizia: *Meu Deus do céu, ela tem só 11 ou 12 anos agora!* – Foi lá que... ahn... foi lá que Pa... encontrou você?

Os olhos de Fanny ficaram marejados e ela se virou depressa e se pôs a revirar uma prateleira de maçãs.

– Não – respondeu, com voz abafada. – Minha irmã... Nós... fugimos juntas.

– Sua irmã – repetiu Bree com cuidado. – Onde...?

– Ela *mogueu*.

– Ah, Fanny! – Ela havia deixado cair o mamão, mas não tinha problema. Agarrou Fanny e a abraçou com força, como se pudesse de alguma forma sufocar a terrível tristeza que escorria entre elas e espremê-la até fazê-la deixar de existir. Fanny tremia em silêncio. – Ah, Fanny – repetiu Brianna baixinho e afagou as costas da menina como teria feito com Jem ou Mandy, sentindo os ossos delicados sob os dedos.

Não durou muito tempo. Depois de alguns instantes, Fanny se controlou, deu um passo para trás e se desvencilhou do abraço.

– Não tem problema – disse Fanny, piscando depressa para impedir mais lágrimas de brotar. – Não tem problema. Ela... ela está segura agora. – Inspirou fundo e endireitou as costas. – Depois... depois do que aconteceu, William me deu para o sr. Fraser. Ah! – Um pensamento lhe ocorreu e ela encarou Bree com hesitação. – Você... você sabe sobre William?

Por alguns segundos, a mente de Bree ficou vazia. *William?* Mas de repente a ficha caiu.

– William. Você quer dizer... o filho do sr. Fraser... de Pa?

Dizer a palavra lhe deu vida: o rapaz alto, de olhos puxados e nariz comprido como ela, mas de cabelos escuros, falando com ela no cais de Wilmington.

– Sim – disse Fanny, ainda um pouco ressabiada. – Eu acho que... isso quer dizer que ele é seu irmão?

– Meio-irmão, sim. – Atordoada, Brianna se abaixou para pegar a fruta caída. – Você disse que ele *deu* você para Pa?

– Sim. – Fanny sorveu outra inspiração e se abaixou para pegar a última maçã. Pôs-se de pé e encarou Bree nos olhos. – Você acha ruim?

– Não – respondeu Bree e tocou a bochecha macia de Fanny. – Ah, Fanny, não. Nem um pouco.

Jamie viu na hora que o homem mais jovem era de fato um soldado. Porém, o mais velho, não. E, embora o mais jovem tomasse cuidado para demonstrar deferência a Granger, Jamie achou que Partland tinha alguma ascendência sobre o homem mais velho... e mais rico.

Ou pelo menos acha que tem, pensou, sorrindo de modo agradável enquanto servia vinho para as visitas em seu escritório.

Não fora muito com a cara de Partland e estava inclinado a pensar que o sentimento era recíproco, embora não soubesse por quê. Ainda.

– Vão ficar até de manhã, sr. Granger? – perguntou, lançando um olhar desconfiado para o teto. – A noite está caindo e pelo visto o temporal vai durar. Não queremos que saiam pela mata em plena escuridão.

A chuva tinha começado a tamborilar no telhado e ele sentiu o misto do orgulho de um homem cujo telhado sólido ele próprio construiu com a pontinha de medo de que talvez não fosse tão sólido quanto esperava.

– Vamos sim, general – respondeu Partland. – E meu tio lhe agradece por sua gentil hospitalidade.

Ele ergueu sua caneca em um cumprimento.

Granger pareceu um pouco espantado com aquela usurpação de sua primazia de mais velho, mas os dois trocaram olhares e, qualquer que tivesse sido a comunicação entre eles, pareceu eficaz. Granger relaxou e murmurou um agradecimento.

– Disponham sempre, cavalheiros – disse Jamie, sentando-se atrás de sua mesa com a própria caneca.

Jamie teve que pegar um banquinho na cozinha para Partland, uma vez que eu só dispunha de uma única cadeira decente para os convidados em seu escritório. Pelo menos tinha conseguido erguer as paredes do cômodo, criando uma sensação de aconchego e privacidade separada da cozinha, onde eu, agora vestida com decência, parecia estar castigando um pedaço de carne de cervo recalcitrante com uma marreta para torná-lo comestível.

– Mas preciso lhes pedir que me chamem de sr. Fraser – acrescentou ele, sorrindo para não dar a entender que os estava repreendendo. – Renunciei à minha patente depois de Monmouth e não tenho qualquer relação com o Exército Continental.

– Ah, não? – Granger se empertigou um pouco e ajeitou o casaco para esconder o rasgo. – É muita modéstia sua, senhor. Em geral, sempre constatei que qualquer homem detentor de um cargo militar de alguma importância se agarrava a esse título pela vida inteira.

Partland manteve a expressão neutra. Jamie achou que ele estivesse escondendo um sorriso de ironia e sentiu uma leve onda de irritação, mas deixou aquilo para lá.

– Tudo que posso dizer é que muitos oficiais merecem manter sua patente como resultado de uma aposentadoria após longos e honrados serviços. Tenho certeza de que é o caso de seu amigo capitão Cunningham, não?

– Bem… sim. – Granger pareceu um pouco encabulado. – Peço desculpas, sr. Fraser. Não tive intenção alguma de ofendê-lo com relação à sua decisão no que diz respeito à sua patente.

– Eu não me ofendi. Quer dizer que o senhor conhece o capitão há algum tempo?

– Ora, conheço, sim – respondeu Granger, relaxando um pouco. – O capitão me ajudou muito alguns anos atrás, quando resgatou um de meus navios de um corsário francês na costa da Martinica. Procurei-o para lhe agradecer e, durante a conversa, descobrimos ter muitas opiniões em comum. Ficamos amigos e mantivemos correspondência pelos últimos… puxa, já deve fazer no mínimo uns vinte anos.

– Ah. Então o senhor é comerciante?

Isso explicava o forro de seda amarelo do casaco que vestia, e que provavelmente havia custado a mesma coisa que as roupas de todos os moradores da casa de Jamie somadas.

– Sim. Comércio de rum, principalmente. Mas temo que a guerra em curso tenha causado dificuldades consideráveis.

Jamie produziu um ruído vago cuja intenção era transmitir um pesar cortês e uma falta de inclinação para se envolver em debates políticos. O sr. Granger pareceu bastante disposto a encerrar o assunto ali, mas Partland se inclinou para a frente e colocou a caneca na mesa.

– Espero que perdoe minha impertinência… sr. Fraser. – Ele sorriu sem mostrar os dentes. – Com certeza é só minha curiosidade. Qual foi o motivo que o fez deixar o exército de Washington, se me permite a pergunta?

A vontade de Jamie foi dizer que não permitia, mas, como ele também queria saber coisas sobre Partland, respondeu com calma:

– O general Washington me nomeou em uma medida emergencial: o general Henry Taylor morrera apenas uns poucos dias antes da batalha e Washington precisava de alguém com experiência para liderar as companhias de milícia do general Taylor. Mas a maioria dessas companhias estava alistada por apenas três meses e seu alistamento expirou pouco depois de Monmouth. Não havia necessidade alguma dos meus serviços.

– Ah.

Partland o olhava com ar intrigado, tentando decidir se contava ou não o que tinha em mente. Por fim, contou. E Jamie levou um susto ao constatar que vinha fazendo uma lista mental, na qual fez um x ao lado da palavra "temerário". Logo abaixo de "lambe-botas".

– Mas certamente o Exército Continental poderia ter arrumado um uso posterior para um soldado com sua experiência. Pelo que soube, estão passando a peneira nos exércitos da Europa atrás de oficiais, seja qual for sua experiência ou reputação.

Jamie emitiu o mesmo ruído, um pouco mais alto. Granger produziu uma versão inglesa da mesma coisa, mas Partland ignorou ambos.

– Eu escutei alguns boatos. Tenho certeza de que são apenas fofocas mal-intencionadas… – Ele fez um gesto vago com a mão. – … de que o senhor abandonou o campo de batalha antes de ser dispensado de seu dever. E de que esse… *contretemps*… tinha de algum modo acarretado sua renúncia.

– As fofocas nesse caso estão mais bem informadas do que de costume – respondeu Jamie com calma. – Minha esposa foi gravemente ferida no campo de batalha… Ela é médica e estava cuidando das vítimas. Eu renunciei à minha patente para salvar a vida dela.

E isso é tudo que vai ouvir sobre esse assunto, a gobaire.

Granger pigarreou e olhou com reprovação para o sobrinho, que se recostou no assento e tornou a pegar a caneca com um ar negligente, embora ainda com um olhar de soslaio. As batidas abafadas e regulares da marreta de Claire eram audíveis pela parede, em um ritmo um pouco mais lento do que o coração de Jamie, que havia se acelerado perceptivelmente.

Ele inspirou fundo para desacelerá-lo, pegou a garrafa de vinho e a sopesou. Estava pela metade; o suficiente para mantê-los servidos até a hora do jantar.

– Poderia me dizer algo sobre o comércio de rum, senhor? – pediu, tornando a encher a caneca de Granger. – Trabalhei durante algum tempo em Paris, negociando sobretudo vinho, mas também fazia algum comércio no ramo dos destilados. Só que isso já faz 35 anos... Imagino que algumas coisas tenham mudado.

A atmosfera no escritório se desanuviou e as marretadas cessaram. A conversa se tornou genérica e amistosa. O telhado não tinha goteiras. Jamie relaxou, por ora, e se pôs a bebericar seu vinho. Teria que falar com Bobby e Roger Mac sobre o capitão Cunningham no dia seguinte.

No dia seguinte, Bobby Higgins apareceu nos degraus em frente à casa logo depois do meio-dia. Usava camisa e calça limpas, com seu colete de boa qualidade e um lenço de pescoço debruado de renda, o que deixou Jamie um tanto alarmado. Aquele nível de detalhe significava que Bobby estava preocupado com alguma coisa e esperava aplacar a ira dos deuses às custas de cabelos trançados e tecidos engomados.

– Amy falou que a sra. Goodwin falou que sua irmã falou que o senhor queria falar comigo.

Ele moveu a cabeça, ansioso e com os olhos fixos em Jamie, à espera de alguma pista em relação ao que poderia estar por vir.

– Ah, Bobby, está tudo bem – disse Jamie, recuando alguns passos e fazendo um gesto para que entrasse. – Só queria perguntar o que você poderia saber sobre o capitão Cunningham. Apareceram dois sujeitos ontem a caminho da casa dele.

– Ah – fez Bobby, relaxando de modo visível. – Os homens maus.

– Os quê?

– Foi assim que Mandy os chamou – disse Bobby. – Disse que pareciam homens maus e que queria que eu desse um tiro neles.

Jamie sorriu, não muito surpreso com a forte sensibilidade da neta, mas satisfeito.

– E você, Bobby, o que achou deles?

Bobby balançou a cabeça.

– Não os vi. As crianças estavam brincando perto da despensa fria e viram dois homens estranhos passarem. Voltaram para casa e me contaram, e eu me perguntei quem poderiam ser. Germain me contou que estavam à procura do capitão Cunningham. Então imagino que devam ser os mesmos sujeitos.

– Imagino que sim. Quer dividir uma lata de cerveja comigo, Bobby?

A cerveja fabricada por Fanny e Brianna estava particularmente ruim, mas com forte teor alcoólico, e eles beberam sem reclamar enquanto conversavam sobre os colonos e quaisquer preocupações que Bobby pudesse ter.

– Bobby, andei pensando que talvez estivesse na hora de formarmos uma milícia – disse Jamie.

Para sua surpresa, Bobby aquiesceu com gravidade.

– Talvez já tenha passado da hora, se o senhor me perdoar por dizer isso.

– Eu perdoo – respondeu Jamie, cauteloso. – Mas por que está dizendo isso?

– Josiah Beardsley passou lá em casa há dois dias e disse ter visto um grupo de homens na floresta entre aqui e a Pedra do Vento. Homens armados... e estava certo de ter visto pelo menos um casaco-vermelho entre eles. – Bobby tomou um gole de cerveja e limpou a boca. – Não é a primeira vez que ouço falar em um grupo assim, mas esses homens estavam mais perto do que quaisquer outros de quem eu tenha ouvido falar.

– Sim – disse Jamie baixinho.

Lembrou-se do que dissera a Brianna quando ela havia lhe contado sobre Rob Cameron e sentiu os pelos se eriçarem na base da espinha. *Alguém virá.* Duvidava que aqueles homens tivessem algo a ver com os desgraçados que tentaram matar sua filha em sua época. Mesmo assim, *alguém* podia aparecer e ser uma ameaça.

– Quanto antes melhor, então. Me faça uma lista, sim, Bobby? Que tipo de arma cada homem na Cordilheira tem em casa... de mosquetes a foices. Qualquer faca de esfolar serve.

Na verdade, quem lhe contou tudo sobre o capitão Cunningham foi Rachel. Ele pretendia ajudar Roger Mac e Richard MacNeill com a cumeeira da igreja nova e fora à casa de Ian ver se o rapaz queria acompanhá-lo. A oito mãos, poderiam erguer metade do telhado antes de o sol se pôr. A construção não era grande.

Mas encontrou Rachel sozinha, batendo manteiga tranquilamente na varanda de casa, com as sombras dos álamos se agitando acima dela feito uma nuvem de borboletas transparentes.

– Ian foi caçar com um dos Beardsleys, Jamie – disse ela, sem parar de bater. – Sua irmã levou Oggy para visitar Aggie McElroy, acho que para exibir o menino como um péssimo exemplo na esperança de impedir a filha mais nova de Aggie de se casar com o primeiro homem que pedir sua mão.

– Caitriona, você quer dizer? – perguntou ele, percorrendo seu mapa mental da Cordilheira. – Mas ela não deve ter mais do que 14 anos.

– Treze... mas madura, creio eu. Não vai esperar muito. A menina não tem muita coisa na cabeça – disse ela. Tomou ar antes de prosseguir: – Mas, justiça seja feita, é tanto por medo quanto por luxúria ou por desejo de novidade – acrescentou, arfando de leve, embora os ombros tivessem continuado seu movimento regular. – Afinal, ela é a mais velha… e tem medo de ser obrigada… a ficar solteira para cuidar dos pais… quando eles ficarem mais velhos, se não escapar… antes de eles começarem de fato a declinar.

Gordon McElroy tinha cinco anos a menos do que ele, refletiu Jamie, e Aggie devia ter 45. Pensou se perceberia quando estivesse declinando ou não.

– Você é uma boa observadora da natureza humana, menina – comentou Jamie.

– Sou – disse ela, sorrindo. – Embora não possa me gabar de ter sido muito observadora no caso de Caitriona… já que ela mesma me disse o que estava sentindo.

Rachel já estava trabalhando havia algum tempo. Embora não fizesse calor, o suor tinha escurecido a barra do xale em seu pescoço. Sua pele, em geral cor de creme com uma colherada de café, tinha adquirido um tom rosado.

Num impulso, Jamie subiu na varanda a seu lado, estendeu a mão e segurou a manivela da batedeira, empurrando-a para o lado sem perder o ritmo.

– Sente-se, menina – falou. – Descanse um pouco e me diga tudo que souber sobre o capitão Cunningham.

– Você é alto demais para essa batedeira – comentou ela. Mesmo assim, sentou-se com um suspiro de alívio.

– A manteiga logo vai pegar – disse ele. – Não vai?

Fazia tempo que ele não batia manteiga. Uns… cinquenta anos? Pensar nisso o perturbou e ele começou a bater um pouco mais depressa.

– Vai – disse ela, franzindo o cenho. – Mas só se bater mais devagar.

– Ah, sim. – Obediente, ele desacelerou até o ritmo em que ela estava batendo, apreciando a sensação do líquido grosso se movendo para lá e para cá dentro da batedeira com um ruído suave e ritmado. – Alguma vez já viu o capitão?

– Ah, já – respondeu ela, levemente espantada. – Conheci a mãe dele poucas semanas atrás, pouco depois de eles chegarem. Na floresta, colhendo confrei. Conversamos um pouco e eu a ajudei a levar seus cestos até sua casa. O filho foi muito gentil e me ofereceu chá.

Ela arqueou a sobrancelha para ver se ele entendia o significado daquela informação. Jamie entendeu.

– Suponho que ninguém aqui nas montanhas tenha sequer visto chá nos últimos cinco anos.

– É – disse ela, pensativa. – Ele disse que tem amigos da época de sua carreira naval que têm a bondade de lhe mandar um pequeno caixote de chá e outras iguarias de vez em quando.

– Você disse "pouco depois de eles chegarem"… Quando eles chegaram?

– No final de abril. Bobby Higgins me disse que o capitão lhe contou que, como Odisseu, tinha caminhado para longe do mar com um remo no ombro até chegar a um lugar em que ninguém sabia o que era aquilo… e, tendo encontrado esse lugar, pretendia ficar, se pudesse.

Jamie não pôde evitar sorrir ao escutar isso.

– Bobby sabe quem foi Odisseu?

– Ele não sabia, mas eu lhe contei um pouco da história e expliquei que o capitão estava falando metaforicamente. Acho que o capitão deixou Bobby bastante nervoso – acrescentou ela com delicadeza. – Mas não havia um bom motivo para recusá-lo e ele pagou cinco anos de aluguel adiantado. Em espécie.

Qualquer autoridade do governo deixaria Bobby nervoso, com seu rosto marcado pelo símbolo de um assassino depois que uma escaramuça em Boston, onde ele era soldado, deixara morto um morador da cidade.

– Pelo visto as pessoas contam muitas coisas para você, Rachel – disse Jamie.

Ela o encarou com seus olhos cor de avelã e seu rosto franco e assentiu.

– Eu escuto – falou apenas.

Ela sabia algumas coisinhas sobre os Cunninghams, pois passava em sua casa de tempos em tempos quando ia colher coisas por perto, para dividir caso tivesse algo sobrando. Eles moravam a 2,5 quilômetros dali. Porém, nenhuma das coisas que sabia era incomum, exceto o fato de Cunningham ter confidenciado o desejo de pregar.

– Pregar? – Jamie quase parou de bater, mas certa resistência lhe lembrou que a manteiga estava ficando no ponto e ele continuou. – Ele falou por quê? Ou como?

– Obviamente ele era um pregador em seus tempos de capitão na Marinha. Quero dizer, aos domingos, para os marinheiros a bordo de seu navio. Entendi que achava isso gratificante e que pretendia se tornar pregador laico ao se aposentar. Na verdade, não tem ideia de como fazer isso, mas sua mãe lhe garantiu que Deus encontraria um jeito.

A notícia do desejo do capitão de ser pregador era surpreendente, mas reconfortante. Mesmo assim, lembrou Jamie a si mesmo, havia muitos pregadores capazes de combater ferozmente como membros de um exército, e ter vocação para pregar não limitava as crenças de um homem em relação a outros assuntos. Não era provável um capitão aposentado da Marinha Britânica ter fortes tendências a favor da independência das colônias americanas. E ele não achava que as observações da pequena Frances com relação ao sr. Partland estivessem de modo algum equivocadas.

– Você sabia que Roger e Brianna foram à casa deles e que foram postos para fora? – perguntou ele. – Acho que a manteiga pegou.

Ela se levantou, ajeitando os cabelos escuros debaixo da touca, e foi olhar. Segurou a manivela da batedeira, acionou-a algumas vezes e assentiu.

– Sim. Brianna me contou. Talvez Roger devesse tentar falar com o amigo Cunningham sem a presença da mãe dele – acrescentou com delicadeza.

– Talvez ele devesse.

Jamie abriu a tampa da batedeira e os dois olharam para dentro e viram os flocos e grumos da manteiga dourado-clara nadando dentro do creme.

19

ASSOMBRAÇÃO DIURNA

O dia estava lindo e, com alguma dificuldade, eu havia convencido Jamie de que o mundo não iria acabar caso ele não pendurasse a lona na porta da cozinha naquele dia. Em vez disso, juntamos as crianças e subimos pela mata em direção ao chalé de Ian levando presentinhos para Rachel, Jenny e Oggy.

– Aposta comigo que eles decidiram o nome do homenzinho, Sassenach?

– Apostar o quê? – perguntei, distraída da paisagem. – E está apostando que eles escolheram ou que não escolheram?

– Cinco contra dois que não. Quanto ao que apostar… – Ele olhou em volta para ver se nosso grupo estava perto o suficiente para ouvir e baixou a voz: – Sua calcinha.

Minha "calcinha" era a parte de baixo de um pijama de flanela que eu estava planejando fazer em preparação para o inverno que se aproximava.

– E o que é que pretende fazer com minha calcinha?

– Queimar.

– Aposto nada. Além do mais, também acho que não escolheram um nome. As últimas sugestões que ouvi foram Shadrach, Gilbert e seja lá qual for a expressão em mohawk equivalente a "solta pum que nem uma cabra".

– Deixe-me adivinhar. Essa última sugestão foi de Jenny?

– Quem conheceria melhor as cabras?

Bluebell seguia farejando com energia entre as camadas de folhas que estalavam no chão, movendo o rabo de um lado para outro como se fosse um metrônomo.

– É possível treinar esse tipo de cachorro para caçar coisas específicas? – perguntei. – Quero dizer, eu sei que a raça se chama *coonhound*, mas ela não está procurando guaxinins agora.

– Ela não é um *coonhound*, embora ache que não fosse recusar um guaxinim. O que deseja caçar, Sassenach? – perguntou Jamie, sorrindo. – Trufas?

– Para isso é preciso um porco, não? Falando em porcos… Jemmy! Germain! Cuidado para ver se não aparece algum porco e fiquem de olho em Mandy! – Os meninos, agachados junto a um pinheiro, estavam ocupados removendo pedacinhos de casca no formato de peças de quebra-cabeça, mas olharam em volta ao me escutar.

– Onde está Mandy? – gritei.

– Lá em cima! – respondeu Germain, apontando para o alto da encosta. – Com Fanny.

– Germain, Germain, olhe! Achei um gongolo! Dos *grandes!*

Ao ouvir Jem chamar, Germain na mesma hora perdeu o interesse pelas meninas e foi se ajoelhar a seu lado, afastando as folhas secas.

– Acha que é melhor eu ir ver? – perguntei. – Gongolos não são venenosos, mas as lacraias têm uma picada dolorida.

– O menino sabe contar – garantiu-me Jamie. – Se ele diz que é um gongolo, é porque tem mil patas... com alguma margem de erro.

Ele deu um assobio curto e a cadela ergueu o focinho, alerta.

– Encontre Frances, *a nighean.*

Ele esticou o braço, apontando para o alto do morro, e a cadela latiu uma vez, disposta, e subiu correndo a encosta pedregosa, espalhando folhas amarelas sob as patas ansiosas.

– Acha que ela... – comecei, mas, antes de conseguir terminar, escutei as vozes das meninas mais acima, misturadas com os ganidos animados de boas-vindas de Bluebell. – Ah. Então ela *sabe* quem é Frances.

– É claro que sabe. Ela conhece todos nós agora... mas sua preferida é Frances.

Ele sorriu de leve ao pensar nisso. Era verdade: Fanny adorava a cadela e passava horas escovando seu pelo, tirando carrapatos de suas orelhas ou então aninhada junto ao fogo com um livro, com Bluebell roncando a seus pés.

– Por que a chama sempre de Frances? – perguntei, curiosa. – Todo mundo a chama de Fanny... Ela mesma se chama assim, aliás.

– Fanny é nome de prostituta – respondeu ele, tenso. Ao ver meu ar de espanto, sua expressão relaxou um pouco. – Sim, eu sei que existem mulheres respeitáveis chamadas assim. Mas Roger Mac me disse que o romance de Cleland ainda é publicado em sua época.

– Romance de Cle... Ah, John Cleland! Você quer dizer... *Fanny Hill*?

Minha voz ficou ligeiramente mais alta, menos de surpresa com o fato de o célebre romance pornográfico *Memórias de uma mulher de prazer* continuar firme e forte 250 anos depois de lançado, pois afinal de contas tem coisas que nunca saem de moda, do que pelo fato de ele ter conversado com Roger sobre o tema.

– E ele me disse que a palavra é um... termo vulgar... para se referir às partes pudendas femininas – arrematou ele, com a testa enrugada.

– Bom, vai ser mesmo – admiti. – Ou ao traseiro de uma pessoa, dependendo se for na Grã-Bretanha ou nos Estados Unidos. Mas ela não significa isso *agora*, significa?

– Não – admitiu ele com relutância. – Mesmo assim, lorde John um dia me disse que "Fanny Laycock" queria dizer prostituta. – Seu cenho se franziu. – Estive pensando... a irmã dela se fazia chamar Jane Eleanora Pocock. Achei que talvez isso pudesse ser não um sobrenome de verdade, mas um...

– *Nom de guerre*? – sugeri, seca. – Acho que não. "Po" significa penico agora?

– *Pot de chambre*? – indagou ele, surpreso. – É claro que sim.

– É claro que sim – murmurei. – Deixando isso de lado, se Pocock não fosse o verdadeiro nome dela, você acha que Fanny... quero dizer, que Frances saberia seu sobrenome de verdade?

Ele fez que não com a cabeça, parecendo perturbado.

– Não gosto da ideia de perguntar isso a ela – falou. – Ela não voltou a falar em... no que quer que tenha acontecido com seus pais, voltou?

– Comigo não. E, se ela tivesse que comentar com alguém, acho que teria sido com você ou comigo.

– Você acha que ela esqueceu?

– Acho que ela *não quer* se lembrar...

Isso o fez aquiescer e caminhamos por algum tempo em silêncio, deixando a paz da mata se acomodar com a lenta chuva de folhas que caíam. Eu podia ouvir as vozes das crianças, mais baixas e mais altas do que o farfalhar dos castanheiros, como o chamado de pássaros distantes.

– Além do mais, William a chamou de Frances – disse Jamie – quando a confiou a mim.

Seguimos caminhando, parando às vezes quando eu via algo comestível, medicinal ou fascinante.

– Ah! – exclamei, dirigindo-me a um borrão vermelho-escuro cor de sangue ao pé de uma árvore. – Olhe só!

– Parece uma fatia de fígado de cervo fresco – disse Jamie, espiando por cima de meu ombro. – Mas não tem cheiro de sangue, então deve ser uma daquelas coisas que as pessoas chamam de fungos de prateleira.

– Que astuto, você. *Fistulina hepatica* – falei, sacando meu canivete. – Tome, segure aqui, sim?

Ele aceitou meu cesto com nada além de um revirar dos olhos e ficou parado pacientemente enquanto eu ia cortando as partes carnudas da árvore, pois havia todo um ninho delas escondido sob as folhas caídas, como um grupo de folhas de ninfeia escarlates. Deixei os menores para que crescessem, mas mesmo assim consegui pelo menos 1 quilo do carnudo cogumelo. Embrulhei-os em camadas de folhas úmidas, mas parti um pedacinho e ofereci a Jamie.

– Um lado faz você crescer e o outro faz diminuir – falei, sorrindo.

– O quê?

– *Alice no País das Maravilhas*... a Lagarta. Depois eu conto. Dizem que tem um gosto parecido com carne crua – falei.

Resmungando "Lagarta" entre dentes, ele aceitou o pedaço, virou-o para um lado e para outro, inspecionando-o com um olhar crítico para ter certeza de que não continha nenhuma pata insidiosa, então o lançou dentro da boca e mastigou com os olhos semicerrados de concentração. Engoliu e relaxei um pouco.

– Talvez parecido com uma carne bem velha que passou um longo tempo pendurada – admitiu. – Mas, sim, dá para engolir.

– Na verdade, isso é um senhor elogio para um cogumelo cru – falei, satisfeita. – Se eu tivesse anchovas à mão, prepararia um belo molho tártaro para acompanhar.

– Anchovas – disse ele, pensativo. – Não como uma anchova há anos. – A lembrança o fez passar a língua pelo lábio inferior. – Quem sabe encontro alguma da próxima vez que for a Wilmington.

Olhei para ele, espantada.

– Está planejando ir a Wilmington em breve?

– Sim – respondeu ele, casual. – Quer ir também, Sassenach? Pensei que talvez fosse estar ocupada com as conservas.

– Hummm.

Embora fosse verdade que eu deveria passar cada hora de meus dias colhendo, procurando, capturando, defumando, salgando ou conservando alimentos (quando não preparando remédios por moagem, infusão ou decocção), também era verdade que deveria renovar nossos estoques de agulhas, alfinetes, açúcar (isso era um ponto importante: eu precisaria de mais açúcar para fazer as conservas de frutas) e linha, sem falar nos outros itens de ferragens para a casa e nos remédios que não podia encontrar nem fabricar, como éter.

E, para ser sincera, nada neste mundo me impediria de ir com Jamie. E ele também sabia disso: pude ver os cantos de sua boca se curvarem.

Antes de graciosamente aceitar seu convite – e lhe dar um cutucão nas costelas –, um grito lancinante se fez ouvir entre as árvores. Bluebell saiu correndo morro abaixo com todas as quatro crianças em seu encalço, igualmente aos berros.

– O que foi que disse sobre guaxinins, Sassenach?

Jamie semicerrou os olhos na direção da árvore distante na qual a cadela tinha se aboletado, com as patas dianteiras no tronco e o focinho apontado para os galhos lá em cima enquanto soltava uivos de perfurar os tímpanos.

Um tanto para minha surpresa, era *mesmo* um guaxinim, gordo, cinza, imenso e extremamente irascível por ter sido acordado antes do anoitecer. Ele ocupava um buraco irregular a meia altura de um pinheiro atingido por um raio e espiava para fora com ar beligerante. *Achei* que estivesse rosnando, mas não era possível ouvir nada por causa dos gritos descontrolados da cadela e das crianças.

Jamie fez todos se calarem, com exceção da cadela, e encarou o guaxinim com a ânsia natural de um caçador. Reparei que Jem fez o mesmo. Germain e Fanny tinham chegado mais perto um do outro e olhavam para o bicho com os olhos arregalados, enquanto Mandy ficava agarrada com força à minha perna.

– Não quero que ele me morda! – disse ela, apertando minha coxa. – Não deixa ele me morder, vovô!

– Não vou deixar, *a nighean*. Não se preocupe. – Sem tirar os olhos do guaxinim encarapitado na árvore, Jamie tirou a espingarda do ombro e levou a mão à bolsa de munição no cinto.

– Posso, vovô? Por favor, posso atirar nele?

As mãos de Jem coçavam de vontade de pegar a espingarda e ele as esfregava para cima e para baixo na calça. Jamie o encarou e sorriu, mas seu olhar então se moveu para Germain... ou assim pensei.

– Deixe Frances tentar, sim? – disse ele e estendeu a mão para a menina perplexa.

Eu quase esperava que Fanny fosse recuar horrorizada, mas, após alguns segundos de hesitação, um rubor lhe subiu às faces e ela se adiantou, valente.

– Me mostre como se faz – pediu, com uma voz que soou ofegante.

Seus olhos se moviam da espingarda para o guaxinim, como se temesse que um ou ambos fossem desaparecer.

Jamie em geral andava com a espingarda carregada, mas nem sempre com pólvora. Ele se agachou sobre um dos joelhos, pousou a espingarda na coxa, passou-lhe um cartucho já pela metade e explicou como despejar a pólvora no recipiente. Jem e Germain observavam enciumados, intrometendo-se às vezes para fazer comentários do tipo "Isso é o fuzil, Fanny" ou "É preciso segurar perto do ombro para ela não explodir seu rosto quando disparar". Tanto Jamie quanto Fanny ignoraram essas intervenções bem-intencionadas e eu afastei Mandy até uma distância segura, sentei-me em um toco velho e a pus no colo.

Bluebell e o guaxinim continuavam sua guerra verbal, e os uivos e uma espécie de guinchos agudos zangados reverberavam pela floresta. Mandy havia tapado as orelhas com um gesto exagerado, mas retirou as mãos para perguntar se eu sabia disparar uma arma.

– Sim – respondi, evitando dar qualquer detalhe.

Tecnicamente eu sabia e, de fato, havia disparado armas de fogo várias vezes na vida. Mas achava aquilo muito perturbador, ainda mais depois de ter levado um tiro na Batalha de Monmouth e compreendido seus efeitos de um modo visceral. Tudo mais levado em conta, preferia facas e meus bisturis.

– Mamãe sabe disparar qualquer coisa – comentou Mandy, franzindo o cenho com reprovação para Fanny, que agora segurava a arma bamba contra o ombro com um ar empolgado e apavorado ao mesmo tempo.

Jamie se agachou atrás de Fanny e firmou a espingarda com a mão sobre a dela, ajustando sua pegada e a mira. Sua voz era um sussurro quase inaudível em meio à confusão.

– Vão para junto de sua avó – disse ele para os meninos, levantando a voz.

Tinha os olhos fixos no guaxinim, que havia arrufado os pelos até ficar com o dobro de seu tamanho normal e cobria Bluebell de insultos, ignorando por completo os espectadores. Relutantes, porém obedientes, Jem e Germain vieram ficar ao meu lado, a uma distância segura; pelo menos, eu a julgava segura. Reprimi o impulso de fazê-los se afastar ainda mais.

A arma disparou com um *pam!* bem forte que fez Mandy gritar. Eu não gritei, mas foi por pouco. Bluebell se agachou nas quatro patas e abocanhou o guaxinim, que o tiro havia derrubado da árvore. Não soube dizer se ele já estava morto, mas ela o sacudiu com uma força capaz de quebrar seu pescoço, largou a carcaça ensanguentada e então soltou um uivo agudo e gorgolejante de triunfo.

Os meninos se aproximaram aos tropeços, gritando e batendo animados nas costas de Fanny, que estava boquiaberta de tão atordoada. Seu rosto tinha ficado lívido – a parte que podia ser vista por trás da nuvem de fumaça preta da pólvora – e ela não parava de olhar da espingarda que segurava nas mãos para o guaxinim morto, incapaz de acreditar naquilo.

– Muito bem, Frances. – Jamie a afagou na cabeça e tirou a espingarda de suas mãos trêmulas. – Quer que os meninos limpem e esfolem ele para você?

– Ahn... Chim. *Sim*. Por favor – respondeu ela.

Fanny olhou rapidamente para mim, mas, em vez de vir se sentar, andou com passos trôpegos até Bluebell e caiu de joelhos nas folhas ao lado da cadela.

– *Boa* menina – falou, abraçando o sabujo, que lhe lambeu alegremente o rosto.

Vi Jamie olhar com cuidado para a cadela ao se abaixar para recolher a carcaça ensanguentada, mas Bluebell não se opôs. Apenas bufou.

Depois do barulho da caçada – se é que se podia chamar aquilo de caçada, mas supus que sim – a floresta pareceu anormalmente silenciosa, como se até mesmo o vento tivesse parado de soprar. Os meninos ainda estavam animados, mas tinham se acalmado com a tarefa de esfolar e estripar o guaxinim, insistindo para Fanny admirar suas habilidades. Terminada essa parte, Mandy foi se juntar a eles. Ela perguntava "E *isso*, o que é?" à medida que cada pedaço da anatomia interna era revelado.

Jamie se sentou a meu lado, pousou a espingarda a seus pés e relaxou enquanto observava as crianças com um olhar benevolente. Eu estava menos relaxada. Ainda podia sentir na medula o eco do tiro de espingarda, sensação que me deixara ao mesmo tempo surpresa e perturbada.

Olhei para outro lado e inspirei fundo, tentando substituir o cheiro forte de sangue pelos aromas mais suaves da floresta e o odor almiscarado dos fungos. Esse último pensamento me fez olhar para meu cesto, onde se podiam ver rasgos do carnudo vermelho cru do *Fistulina hepatica* entre as camadas de folhas úmidas. Senti um enjoo repentino e me levantei.

– Sassenach? – A voz de Jamie soou espantada atrás de mim. – Você está bem?

Eu estava encostada em um álamo, agarrada ao tronco para me equilibrar, tentando não escutar os sons da estripação em curso a poucos metros de distância.

– Sim – respondi por entre os lábios anestesiados.

Fechei os olhos um instante. Quando os abri, vi um filete de seiva quase seca escorrendo de uma rachadura no tronco do álamo, do mesmo vermelho-escuro de sangue seco. Soltei o tronco e me sentei pesadamente nas folhas.

– Sassenach. – A voz de Jamie saiu grave e urgente, mas ele falou baixo para não alarmar as crianças. Engoli com força uma, duas vezes, então abri os olhos.

– Eu estou bem – falei. – Só fiquei um pouco tonta.

– Você ficou branca feito essa árvore, *a nighean*. Tome...

Ele levou a mão ao *sporran* e pegou um pequeno cantil. Era uísque, e bebi agradecida, deixando o líquido me encher a boca e levar embora o gosto de sangue.

Ouvi gritos e risos das crianças. Olhei por cima do ombro dele e vi que Bluebell estava rolando enlouquecida nas vísceras descartadas e que as partes brancas de seu pelo estavam agora tingidas de um tom sujo de marrom. Dobrei o corpo e vomitei, sentindo na boca o gosto de uísque e bile.

– *A Dhia* – murmurou Jamie, enxugando meu rosto com seu lenço. – Você comeu algum cogumelo? Está envenenada?

Agitei a mão para afastar o lenço enquanto respirava fundo.

– Não, estou bem. De verdade. – Tornei a engolir. – Posso...?

Estendi a mão e ele me entregou o cantil.

– Goles pequenos – aconselhou e se levantou para ir até as crianças, colocando rapidamente ordem entre elas.

A carne e a pele foram guardadas em meu cesto, os despojos levados com uma pá até atrás de uma árvore onde eu não pudesse vê-los e as crianças despachadas para o córrego distante com instruções firmes para se limparem e limparem a cadela.

– A caminhada deixou sua avó um pouco cansada, *mo leannan* – disse ele, lançando-me uma olhada rápida. – Vamos descansar um pouco até vocês voltarem. Amanda, fique perto de Frances e obedeça a ela, sim? E vocês, meninos, olho vivo! Não é uma boa ideia passear pela floresta com cheiro de sangue. Se virem algum porco, façam as meninas subirem em uma árvore e gritem. E... é melhor levarem isto aqui – acrescentou, pegando a espingarda do chão e a entregando a Jem. – Só por garantia.

Jamie entregou a Germain a bolsa de munição e ficou olhando todos eles descerem a encosta do morro em direção ao murmúrio de água, agora mais calmos, mas ainda rindo e conversando.

– Pronto. – Ele se sentou a meu lado e me examinou com atenção.

– Sério, eu estou bem – falei, e de fato estava me sentindo muito melhor, apesar do profundo tremor em meus ossos.

– Sim, posso ver que está – retrucou ele com cinismo.

Mas não insistiu mais. Apenas ficou sentado a meu lado com os antebraços apoiados nos joelhos, relaxado, mas pronto para qualquer coisa que pudesse acontecer.

– *Je suis prest* – falei, tentando sorrir apesar da fina camada de suor frio que me cobria o rosto. – Por acaso você teria sal aí dentro de seu *sporran*?

– É claro que sim – respondeu ele, surpreso, e pegou um pedacinho de papel torcido. – Faz bem quando a pessoa está se sentindo mal?

– Às vezes. – Encostei um dedo no sal e depositei alguns grãos na língua. O gosto foi purificante, o que me deixou um tanto surpresa. Tomei então um gole cauteloso de uísque e me senti significativamente melhor.

– Não sei por que perguntei – falei, devolvendo o papel. – Mas dizem que o sal faz descansar os fantasmas, não?

Um leve sorriso se insinuou em seus lábios quando Jamie me encarou.

– Sim – disse ele. – Mas o que está assombrando você, Sassenach?

Deveria ter sido fácil deixar aquilo de lado, ignorar. Mas de repente eu não consegui mais fazer isso.

– Por que a cadela não incomoda você? – perguntei sem rodeios.

Sua expressão por alguns instantes foi de incompreensão e ele olhou para outro lado, mas só para refletir. Piscou umas duas vezes, deu um suspiro, então tornou a se virar para mim com um ar de quem se prepara para algo desagradável.

– Incomodava – disse ele baixinho. – Quando escutei os uivos naquela primeira noite, pensei... Bom, talvez você saiba o que eu pensei.

– Que... que provavelmente o dono tivesse vindo com ela? Que ele... talvez a tivesse feito seguir seu rastro? – Minha voz também mal passou de um sussurro, mas ele me ouviu e aquiesceu devagar.

– Sim – respondeu Jamie, engolindo em seco. – Pensar que eu pudesse ter trazido alguma coisa para casa...

Suspirei. Eu precisava dizer:

– E trouxe mesmo.

Os olhos dele encontraram os meus e se fizeram mais incisivos, de um azul-escuro quase negro à sombra das castanheiras. Seus lábios se contraíram, mas ele não disse nada durante um minuto.

– Quando Bluebell veio me procurar sozinha em busca de abrigo, de comida... e quando as crianças se afeiçoaram a ela na hora, e vice-versa... – Ele desviou os olhos como se estivesse constrangido. – Achei que ela talvez tivesse sido mandada, sabe? Como um... como um sinal de perdão. E que talvez, se a acolhesse...

Ele fez um pequeno gesto de impotência com a mão aleijada.

– Pudesse fazer sumir o que aconteceu?

Jamie inspirou fundo e seus punhos se flexionaram por um instante, então relaxaram.

– Não. O perdão não faz as coisas sumirem. Você sabe disso tão bem quanto eu. – Ele virou a cabeça para me olhar, curioso. – Não sabe?

Poucos centímetros nos separavam, mas a distância dolorosa entre nossos corações era de muitos quilômetros. Jamie passou muito tempo calado. Eu podia ouvir meu coração batendo nos ouvidos...

– Escute – disse ele por fim.

– Estou escutando.

Ele me olhou de lado e um esboço de sorriso ameaçou surgir em seus lábios. Jamie me estendeu a palma da mão, larga e manchada de seiva.

– Me dê sua mão enquanto escuta, sim?

– Por quê?

Segurei sua mão sem hesitar. Seus dedos estavam gelados e pude ver os pelos do antebraço arrepiados de frio, pois ele havia arregaçado as mangas para ajudar Fanny com a espingarda.

– Tudo que fere você parte meu coração – disse ele baixinho. – Você sabe disso, não sabe?

– Sei – respondi. – E você sabe que isso é verdade para mim também. Mas… – Engoli em seco e mordi o lábio. – É como se… como se…

– Claire – interrompeu ele e me encarou. – O fato de ele estar morto deixa você aliviada?

– Bom… sim – respondi, infeliz. – Mas *não quero* sentir isso. Não parece certo. Quero dizer… – Esforcei-me para encontrar um jeito claro de dizer aquilo: – Por um lado, o que ele fez comigo não foi… mortal. Eu detestei, mas não me feriu. Ele não estava tentando me ferir nem me matar. Ele só…

– Está dizendo que se tivesse sido Harley Boble quem você encontrou na casa dos Beardsleys, não teria se importado se eu tivesse matado *ele* a sangue-frio? – interrompeu Jamie com certa ironia.

– Eu mesma o teria abatido com um tiro na hora. – Soltei uma longa e profunda expiração. – Mas tem isso também. Tem o que ele… o homem… Aliás, você sabe o nome dele?

– Sei, mas você não vai saber – respondeu ele, tenso.

Encarei-o com um olhar firme e Jamie me encarou de volta. Agitei a mão, descartando por ora aquele assunto.

– A outra coisa – repeti com firmeza – é que, se eu mesma tivesse atirado em Boble, você não precisaria ter feito aquilo. Eu não sentiria que você ficou… traumatizado por aquilo.

Por alguns instantes, Jamie não pareceu entender, mas então seu olhar se aguçou outra vez.

– Você acha que eu fiquei traumatizado por matar o homem que estuprou você?

Estendi a mão e segurei a dele.

– Eu sei que ficou – falei baixinho. E acrescentei em um sussurro, baixando os olhos para sua mão forte e cheia de cicatrizes: – Tudo que fere você parte *meu* coração.

Seus dedos se fecharam com força em volta dos meus. Ele passou um longo tempo sentado, de cabeça baixa, então ergueu minha mão e a beijou.

– Está tudo bem, *mo chridhe* – falou. – Não se preocupe. Tem outro lado também. E esse não tem nada a ver com você.

– E qual é? – indaguei, surpresa.

Ele apertou minha mão, mas logo a soltou e se recostou para me encarar.

– Eu não podia deixá-lo vivo – falou apenas. – Quer ele tivesse forçado você ou não. Você estava lá quando Ian me perguntou o que fazer. Eu disse: "Matem todos eles." Você me ouviu, não foi?

– Ouvi.

Senti de repente um aperto na garganta e uma cinta de ferro me cingiu o peito, o gosto de sangue coagulado me encheu a boca e o medo de morrer sufocada surgiu como uma escuridão dentro de minha mente. As sensações daquela noite se entranharam em mim feito fumaça fria.

– Eu posso até ter agido por raiva... Eu agi com muita raiva, mas teria feito a mesma coisa se meu sangue estivesse frio como gelo. – Ele tocou meu rosto para ajeitar um cacho de cabelo fujão. – Você não entende? Aqueles homens eram bandoleiros... e coisa pior. Deixar um deles vivo teria sido deixar no solo a raiz de uma planta venenosa para ela voltar a crescer.

Era uma imagem vívida; mas vívida também era minha lembrança do homem grande e desengonçado passeando sem rumo por entre os chiqueiros no posto de comércio dos Beardsleys, onde eu o vira depois. Parecendo tão diferente do homem que saíra da escuridão para me sufocar com o peso de seu corpo...

– Mas ele parecia tão... fraco de caráter – falei, com um gesto impotente. – Como alguém assim poderia reunir uma... gangue?

Jamie se levantou de repente, incapaz de ficar mais um instante sequer sentado, e se pôs a andar inquieto de um lado para outro em minha frente.

– Você não viu, Sassenach? Mesmo que fosse fraco de caráter, ele ia a lugares. Você o viu conversar com pessoas no posto dos Beardsleys, não?

– Sim – respondi devagar. – Mas...

Ele parou de andar e me fulminou com os olhos.

– E se ele um dia tivesse começado a falar sobre como tinha se juntado a Hodgepile e aos irmãos Brown, e sobre as coisas que haviam feito? Se tivesse se perdido na bebida e começado a se gabar de como tinha... – Isso o fez engasgar e ele inspirou fundo. – Do que tinha feito com você.

Tive a sensação de ter engolido algo frio, viscoso e vivo. A boca de Jamie se contraiu enquanto me encarava.

– Eu sinto muito, Sassenach – disse ele baixinho. – Mas é verdade. E eu não iria deixar isso acontecer. Por sua causa. Por minha causa. Porém, mais do que tudo, porque se as pessoas descobrissem que uma coisa dessas tinha acontecido...

– Elas descobriram – falei, com os lábios rígidos. – Elas *sabem*.

Nenhum dos homens que tinham me resgatado naquela noite poderia ter tido muitas dúvidas de que eu fora estuprada. Se eles sabiam, suas esposas também. Ninguém jamais falara comigo a respeito, nem jamais falaria, mas o conhecimento existia. E não haveria uma forma de fazê-lo desaparecer.

– Se as pessoas descobrissem que uma coisa assim tinha acontecido – repetiu ele com calma – e que um homem que tivesse tomado parte havia sido autorizado a continuar vivo, todo mundo que vive sob minha proteção se sentiria indefeso. E com razão.

Ele soltou o ar com força pelas narinas e virou as costas.

– Você não se lembra daquele homem... aquele que dizia se chamar Wendigo?

– Meu Deus.

Meus ombros se arrepiaram, e esse arrepio desceu pelos braços. Eu *tinha* me esquecido. Não o homem em si, um viajante do tempo chamado Wendigo Donner, mas sua ligação com o homem sobre quem estávamos conversando.

Integrante da gangue de Hodgepile, Donner fugira para o meio da noite quando Jamie e seus homens tinham ido me resgatar. Meses depois, aparecera na Cordilheira com outros companheiros, a fim de roubar as pedras preciosas que tínhamos. Seu ataque à Casa Grande havia causado a conflagração que acabara pondo fogo na casa e suas cinzas seguiam misturadas com o resto de nossa vida naquela clareira.

Jamie estava certo. Donner tinha escapado e voltado para tentar nos matar. Deixar o paspalho que havia me estuprado livre era correr o risco de a mesma coisa tornar a acontecer. Entender isso me deixou enjoada. Eu tinha conseguido deixar de lado a maior parte do que acontecera, lidando com os aspectos físicos e recusando a me lembrar do resto. Mas o resto continuava ali, girando como um prisma do mal para exibir as coisas sob uma luz nova e ofuscante. A luz, eu agora entendia, à qual Jamie sempre via as coisas.

E eu, que agora também via com clareza, contraí os músculos da barriga e forcei a voz a sair firme:

– E se ele não tiver sido o último?

Jamie balançou a cabeça, não como quem nega, mas com resignação.

– Não importa, Sassenach. Se houver outros... a maioria teria a sensatez de ir embora e nunca mais voltar. Mas não importa. Outra gangue vai surgir. É assim que as coisas são, não é?

– É?

Ele estava certo. Sabia que estava certo no que dizia respeito a guerras, governos e tolice humana em geral. Só não queria acreditar que fosse verdade em relação àquele lugar. Ali era nosso lar.

Ele aquiesceu, observando meu rosto não sem alguma empatia.

– Você se lembra da Escócia... da Vigia?

– Sim.

Das Vigias, ele poderia ter dito, pois houvera muitas. Gangues organizadas que extorquiam dinheiro em troca de proteção, mas que às vezes davam essa proteção. E, se elas não recebessem o dinheiro, podiam incendiar sua casa ou sua lavoura. Ou fazer coisa pior.

Pensei na casa que Jamie e Roger haviam encontrado, toda queimada, com os donos enforcados em uma árvore em frente à construção... e uma menininha viva no meio das cinzas, tão queimada que não sobreviveu. Nunca descobrimos quem tinha feito aquilo.

Jamie pôde ver os pensamentos atravessarem meu semblante. Era quase como se eu tivesse um letreiro em neon na testa, pensei irritada, e ele obviamente viu *esse* pensamento também, pois sorriu.

– Agora não existe lei, Sassenach – falou. – Não sem governo.

Não havia medo nem paixão nessa afirmação; era apenas a verdade em relação aos fatos.

– Por aqui *nunca* existiu. Digo, nenhuma que não fosse você. – Isso o fez rir, mas era verdade.

– Eu não fui resgatar você sozinho, fui? Naquela noite?

– Não – respondi. – Não foi.

Todos os homens capazes da Cordilheira tinham atendido a seu pedido de ajuda e ido com ele. De modo bem semelhante a como os membros de seu clã o teriam seguido na guerra se estivéssemos na Escócia.

– Então – falei, inspirando fundo – são esses os homens com os quais você pretende... formar uma gangue?

Ele assentiu, com um ar pensativo.

– Alguns – falou devagar, então olhou para mim. – Agora é diferente, *a nighean*. Tem homens que estavam comigo naquela noite que não querem vir comigo agora porque são homens do rei... leais à Coroa, aos britânicos. Os que me conhecem há mais tempo não se importam tanto com o fato de eu ter sido um general rebelde... mas existem novos colonos que nem sequer me conheciam.

– Não tenho certeza se "general rebelde" é um título que a pessoa possa perder – falei.

– É – concordou ele e sorriu, ainda que sem muito bom humor. – Não sem virar a casaca. – Ele se levantou e estendeu a mão para me ajudar a levantar em meio a um farfalhar de folhas. – Eu fui traidor por muito tempo, Sassenach, mas prefiro não ser traidor de dois lados ao mesmo tempo. Se puder evitar.

Gritos e latidos soaram na trilha mais acima: as crianças tinham chegado à casa de Ian. Apressamo-nos a ir atrás deles e não falamos mais nada sobre gangues, traições ou homens no escuro.

20

APOSTO QUE ACHA QUE ESSA MÚSICA É SOBRE VOCÊ

Ninguém ia à Horta Velha, como a família a chamava. As pessoas da Cordilheira a chamavam de Horta da Criança-Bruxa, embora não perto o bastante para eu escutar. Não tinha certeza se "criança-bruxa" era uma referência a Malva Christie ou a seu filhinho. Os dois tinham morrido na horta em meio ao sangue… e na minha presença. Ela não tinha mais do que 19 anos.

Eu nunca tinha dito o nome em voz alta, mas para mim aquilo ali era a Horta de Malva.

Durante algum tempo, eu não conseguia ir até lá sem uma sensação de desperdício e de terrível pesar. Mesmo assim, ia de vez em quando para me lembrar. Às vezes para rezar. Para ser bem franca, se alguns dos presbiterianos mais linha-dura da Cordilheira tivessem me visto em alguma dessas ocasiões, falando em voz alta com os mortos ou com Deus, teriam certeza de ter acertado o nome, mas errado de bruxa.

Mas a floresta tinha sua magia própria e vagarosa e estava mais uma vez se apossando da horta que se curava por baixo do capim e do musgo, o sangue se transformando na flor carmim da monarda e a tristeza se desfazendo até se tornar paz.

No entanto, apesar da transformação em curso, ainda sobravam resquícios da horta e pequenos tesouros brotavam de modo inesperado: em um dos cantos, havia um trecho de cebolas que teimavam em surgir, além de confreis e azedinhas abundantes disputando espaço com o mato e, para meu grande deleite, frondosos arbustos de amendoim.

Eu os havia encontrado duas semanas antes, com as folhas começando a amarelar, e os retirara da terra. Pendurara-os no consultório para secar, removera os amendoins do emaranhado de terra e radículas, e os assara na casca, povoando a casa com lembranças de circos e partidas de beisebol.

E naquela noite, pensei ao despejá-los na bacia de latão que usava para descascar leguminosas, iríamos jantar sanduíches de manteiga de amendoim com geleia.

Uma brisa soprava na varanda e fiquei grata ao senti-la no rosto depois do calor do sol e do fogão. Grata também por um pouco de solidão bem-vinda: Bree tinha ido com Roger fazer uma visita aos colonos em quem eu ainda pensava como os pescadores, emigrantes de Thurso, um sisudo bando de presbiterianos desconfiados de Jamie por ser católico e mais ainda de mim. Eu não apenas era católica como também uma conjuradora, e essa combinação os deixava muito melindrados. Mas eles gostavam de Roger de um modo um pouco relutante, apreço esse que parecia recíproco. Segundo o próprio, ele os compreendia.

As crianças tinham dado conta de suas obrigações e estavam espalhadas aos quatro ventos. Ouvia suas vozes de vez em quando, rindo e guinchando na mata atrás da casa, mas só Deus sabia o que faziam. Sentia-me grata por não estarem fazendo na minha frente.

Jamie estava no escritório aproveitando a solidão. Eu tinha passado por lá ao levar minha bacia de amendoins para fora e o vira reclinado em sua poltrona, com os óculos na ponta do nariz, absorto na leitura de *Ovos verdes com presunto*.

Sorri ao pensar nisso e puxei a fita para soltar os cabelos e deixar a brisa fresca soprar através deles.

Tínhamos perdido quase todos os nossos livros no incêndio que destruíra a Casa Grande, mas estávamos começando a montar nossa minúscula biblioteca outra vez. As contribuições de Brianna a tinham feito quase dobrar de tamanho. Tirando os livros comprados por ela – e pensar em meu precioso *Manual Merck* ainda provocava em mim um leve arrepio de posse –, tínhamos a pequena Bíblia verde de Jamie, uma gramática de latim, *As aventuras completas de Robinson Crusoé* (sem capa, mas ainda com a maioria das vívidas ilustrações) e *Viagens a várias nações remotas do mundo, em quatro partes, por Lemuel Gulliver, primeiro médico, depois capitão de vários navios*, de Jonathan Swift, além de um ou outro romance em francês ou inglês.

As cascas se partiram com facilidade, mas a pele dos amendoins dentro delas estava leve e seca e grudava em meus dedos. Eu os limpava na saia, que agora me dava o aspecto de alguém que havia sido atacado por uma horda de mariposas marrom-claras. Perguntei-me se Bree pegaria algo interessante emprestado para ler quando estivesse fazendo a ronda das casas com Roger. Hiram Crombie, o líder do pessoal de Thurso, apreciava a leitura, embora seu gosto tendesse mais para coletâneas de sermões e relatos históricos. Ele considerava os romances obras depravadas. Mas tinha um exemplar da *Eneida*; eu já vira o livro.

Jamie escrevera uma carta para seu amigo Andrew Bell, impressor e editor de Edimburgo, pedindo que mandasse uma seleção de livros, entre eles exemplares de *Histórias de um avô*, da própria autoria, e minha modesta versão de medicina caseira do tipo "Faça você mesmo", e que investisse qualquer dinheiro nosso relativo a vendas que pudesse ter se acumulado nos últimos dois anos na compra dos outros títulos da encomenda. Perguntei-me quando e se os livros iriam chegar. Até onde eu sabia, os britânicos continuavam controlando Savannah, mas Charles Town seguia nas mãos dos americanos. Se o sr. Bell agisse rápido, havia esperança de um navio retardatário aparecer carregado de livros antes das nevascas do inverno.

Passos atrás de mim interromperam meus pensamentos literários. Ao me virar, vi Jamie, descalço e amarfanhado, guardando os óculos dentro do *sporran*.

– Está gostando da leitura? – perguntei com um sorriso.

– Sim. – Ele se sentou a meu lado, pegou um amendoim na bacia, partiu a casca e o jogou na boca. – Brianna disse que o dr. Seuss escreveu muitos livros. Você leu todos, Sassenach? – Ele pronunciou o nome do autor como "sóice", em um alemão correto, e eu ri.

– Ah, sim. Muitas vezes. Bree tinha a coleção inteira... ou pelos menos tantos quanto estivessem publicados na época. Imagino que Roger e ela compraram outros para Jem e Mandy, caso o dr. Seuss... os americanos pronunciam o nome como "suss", aliás... tenha continuado a escrever. Não sei quanto tempo ele viv... vai viver – corrigi-me. – Em 1968, ele ainda escrevia.

Jamie assentiu, com certo ar de nostalgia.

– Eu queria vê-los – falou. – Mas quem sabe Brianna se lembre pelo menos de algumas das rimas.

– Pergunte a Jem – sugeri. – Bree disse que lê os livros para Mandy desde que ela era bebê, e ele tem uma memória excelente. – Eu ri ao pensar em algumas das ilustrações de Seuss. – Pergunte a Bree se ela consegue desenhar para você o elefante Horton ou a tartaruga Yertle de memória.

– Yertle? – O rosto dele se iluminou, bem-humorado. – Não é um nome de verdade, é?

– Não, mas rima com *turtle*, tartaruga. – Parti outra casca de amendoim e atirei os pedaços na grama.

– *Myrtle* também – assinalou ele.

– Sim, mas Yertle é menino. Nenhuma tartaruga-fêmea teria feito o que ele fez.

A atenção de Jamie foi atraída. Ele se imobilizou com a mão dentro da bacia.

– O que ele fez?

– Fez todas as tartarugas de Sala-ma-sond ficarem umas em cima das outras e formarem uma torre para poder ser rei de tudo que via sentado em cima delas. É uma alegoria sobre arrogância e orgulho. Não que as fêmeas não sejam capazes dessas emoções, mas jamais fariam algo que fosse tão fácil de ilustrar.

Jamie pegou um punhado de amendoins e os esmagou distraidamente enquanto assentia.

– Ah, é? E que tipo de alegoria é aquele *Ovos verdes e presunto*? – perguntou.

– Acho que a intenção é estimular as crianças a não serem chatas para comer – falei, pouco convicta. – Ou a não terem medo de experimentar coisas novas. O que está fazendo?

Jamie havia largado seu punhado de amendoins quebrados de volta dentro da bacia, com as cascas.

– Ajudando você – respondeu ele, pegando outro punhado. – Se fizer um de cada vez vai passar o dia inteiro nisso, Sassenach. – Ele esmagou o segundo punhado e o despejou na bacia, com cascas e tudo.

– Mas separar todas as cascas daí vai ser…

– Vamos usar o vento – interrompeu ele, virando-se e apontando com o queixo para a encosta distante da Roan Mountain. – Está vendo o vento descendo por entre as árvores? Tem uma tempestade se armando.

Ele tinha razão: as nuvens se acumulavam por trás do cume. Os trechos de álamos na encosta estremeciam quando o vento balançava cada vez mais forte suas folhas e os pinheiros ondulavam formando vagas verde-escuras. Fiz que sim com a cabeça e peguei um punhado de amendoins inteiros para esmigalhar entre as palmas das mãos.

– Frank – disse Jamie abruptamente e eu congelei. – Falando em livros…

– O quê? – falei, sem a menor certeza de ter acabado de ouvi-lo dizer *Frank*. Mas era o que ele tinha dito e uma leve sensação de incômodo se alojou na base de minha coluna.

– Preciso que me diga uma coisa sobre ele. – Apesar de concentrado na bacia de amendoins, Jamie não estava falando em tom casual.

– O quê? – tornei a perguntar, só que em um tom distinto.

Sacudi as cascas de amendoim das saias com os olhos cravados em seu rosto. Jamie ainda não estava olhando para mim, mas seus lábios se contraíram por um breve instante quando esmigalhou um novo punhado.

– O retrato dele no livro... a fotografia. Estava só pensando: que idade ele tinha quando foi tirada?

Fiquei surpresa, mas pensei no assunto.

– Deixe eu pensar... ele estava com 60 quando morreu...

Mais jovem do que eu agora... Mordi o lábio inferior por um instante de modo um tanto involuntário e Jamie me encarou com um olhar incisivo. Olhei para baixo e sacudi mais fragmentos de amendoim.

– Cinquenta e nove – continuei. – Ele mandou tirar essa foto para a capa do livro. Eu me lembro porque antes disso tinha usado a mesma em no mínimo outros seis e brincava que não queria que as pessoas que cruzassem com ele pela primeira vez ficassem olhando por cima de seu ombro à procura de um homem com metade de sua idade. – Abri um leve sorriso ao me lembrar disso, mas encarei Jamie com certa cautela. – Por que a pergunta?

– Eu às vezes... às vezes ficava pensando em como ele seria. – Ele baixou os olhos e levou a mão à bacia, mas com a expressão de alguém que procura alguma atividade para se distrair. – Quando rezava por ele.

– Você *rezava* por ele?

Não tentei esconder o assombro em minha voz. Jamie olhou para mim e logo desviou o rosto.

– Sim. Eu... Bom, o que mais podia fazer por qualquer um na época a não ser rezar? – A frase foi dita com um quê de amargura. – "Deus o abençoe, seu inglês maldito!", era o que eu dizia. À noite, quando pensava em você e no bebê. – Seus lábios se contraíram por um instante, então relaxaram. – Ficava pensando também como seria o bebê.

Estendi a mão e envolvi seu pulso grande e ossudo, com a pele fria por causa do vento. Ele parou de esmigalhar os amendoins e eu aumentei delicadamente a pressão. Ele soltou o ar e seus ombros relaxaram um pouco.

– Frank se parece com o que você imaginava? – perguntei, curiosa. Tirei a mão de seu pulso e ele pegou outro punhado de amendoins.

– Não. Você nunca me disse como ele era...

E por um bom motivo, droga. Você nunca perguntou, pensei.

– Por que agora?

Ele deu de ombros e seus lábios tornaram a se mover, só que agora com uma pitada de bom humor:

– Eu gostava de pensar nele como um homenzinho de bunda caída, quem sabe meio careca e barrigudo. – Ele olhou para mim e deu de ombros. – Mas achava que fosse inteligente... Você não teria amado um homem burro. E acertei em relação aos óculos. Só achei que fossem ter armação dourada, não preta. São de chifre? Ou de tartaruga?

Fiz um muxoxo curto e bem-humorado. Mesmo assim, a sensação de incômodo tinha retornado.

– São de plástico. E não, ele não era burro. – *Nem um pouco.* E senti a pele dos ombros se arrepiar por um instante.

– Ele era um homem honesto?

Um ruído suave de algo sendo esmagado e o crepitar de amendoins e cascas partidas caindo dentro da bacia de latão. O ar começava a ficar permeado com o cheiro da chuva que estava por vir e a doçura pungente e oleosa dos amendoins.

– Na maioria dos casos – respondi devagar, observando Jamie. Ele estava com a cabeça curvada acima da bacia, concentrado na tarefa. – Sabia guardar segredos. Mas eu também.

O amor tem lugar para segredos... você me disse isso uma vez. Eu agora não achava que houvesse espaço para nada entre nós dois que não fosse a verdade.

Ele produziu um pequeno ruído gutural escocês. Não soube dizer o que significava. Então largou dentro da bacia o último punhado de amendoins esmigalhados e ergueu o rosto para mim.

– Você acha que posso confiar nele?

O céu nublado ainda estava claro e Jamie estava na contraluz, com fios de cabelo esvoaçando livres ao redor da cabeça. Estremeci por alguns instantes e senti a barriga se contrair com a convicção absurda, porém absoluta, de que havia alguém em pé atrás de mim.

– Como assim? – Eu estava nervosa e isso transparecia em minha voz. – Você confiou nele, não? Em relação a... nós. Brianna e eu.

– Eu não tive escolha em relação a isso, não é? Agora tenho.

Ele se endireitou e esfregou as palmas uma na outra, e os últimos fragmentos de pele de amendoim saíram rodopiando no vento cada vez mais forte.

Inspirei fundo para impedir a voz de tremer e sacudi pedacinhos de casca do corpete do vestido.

– Agora tem? Quer dizer que está se perguntando se pode acreditar no que ele escreveu naquele livro?

– Estou.

– Ele era historiador – falei com firmeza, recusando-me a virar a cabeça e olhar para trás de mim. – Ele não iria... não *seria capaz* de falsificar nada, assim como

Roger não seria capaz de mudar o que a Bíblia diz. Ou você de mentir para mim de propósito.

– E você sabe muito bem o que significa a história – disse ele e se levantou, fazendo os joelhos estalarem. – Quanto a mentir... todo mundo mente, Sassenach, mesmo que não seja com frequência. Eu com certeza já menti.

– Não para mim – falei. Não era uma pergunta e ele não respondeu. – Pode pegar uma tigela para mim?

Ele pegou a bacia e saiu para o quintal, onde o vento levantou sua camisa e fez o pano inflar nas costas. As nuvens agora ferviam por trás das montanhas e o vento trazia um cheiro pronunciado de chuva. Não iria demorar muito.

Fiquei parada, sentindo-me estranha. A porta da frente estava aberta e vazia, com a lona que a fechava afastada de lado. Senti o vento passar depressa por mim, agitando minhas saias, e o escutei atravessar o hall e entrar pelos cômodos na minha frente, fazendo tilintar os pequenos vidros em meu consultório e farfalhar os papéis no escritório de Jamie.

No caminho para a cozinha, vi de relance o livro de Frank em cima da mesa do escritório. Entrei por impulso, depois de olhar involuntariamente por cima do ombro apesar de estar sozinha.

A alma de um rebelde: Raízes escocesas da Revolução Americana. Por Franklin W. Randall, Ph.D.

Jamie tinha deixado o livro aberto de cabeça para baixo. Ele nunca tratava os livros assim. Usava qualquer coisa para marcar a página: folhas, penas de pássaro, uma fita de cabelo... Certa vez, abri um livro que ele estava lendo e encontrei o pequeno cadáver ressecado de uma lagartixa. Mas ele sempre fechava os livros, para não estragar a encadernação.

Frank me olhou da contracapa, calmo e inescrutável. Toquei seu rosto com toda a delicadeza através da capa de plástico transparente e senti um pesar distante, um arrependimento misturado com... por que não ser honesta agora? Não havia por que guardar segredos de mim mesma: misturado com alívio. Tinha acabado.

Estranhamente, a sensação de alguém em pé atrás de mim tinha desaparecido quando eu entrara na casa.

Peguei o livro para fechar e, ao fazê-lo, espiei lá dentro. *Capítulo 16*, dizia o cabeçalho no alto da página. *Milícias independentistas.*

Fui buscar a grande tigela clara de porcelana esmaltada que Jamie tinha me trazido de Salem e a levei para fora, sem olhar para o livro agora devidamente fechado sobre a escrivaninha, mas muito consciente de sua presença.

Jamie começou a tirar as cascas: pegava um punhado na bacia e ia despejando a mistura de amendoins e cascas de uma mão para outra, várias vezes, deixando os pedaços de casca e pele saírem voando enquanto os amendoins, mais pesados, caíam dentro da tigela fazendo *plim-plim-plim*. O vento estava forte o suficiente. Em pouco tempo, ficaria forte demais e começaria a levar embora também os amendoins. Sentei-me no chão ao lado da tigela e comecei a retirar quaisquer fragmentos de casca que tivessem caído dentro dela com os amendoins limpos.

– Você leu o livro? – perguntei após alguns instantes e Jamie aquiesceu. – O que achou?

Ele emitiu outro ruído escocês, deixou os últimos amendoins caírem tilintando na tigela e se sentou a meu lado na grama.

– Que o desgraçado escreveu para mim, é isso que eu acho – falou, abrupto.

Levei um susto.

– Para você?

– É, ele está falando comigo. – Jamie encolheu um ombro, encabulado. – Ou pelo menos acho que está. Nas entrelinhas. Quero dizer, talvez eu esteja apenas ficando louco. Deve ser o mais provável. Mas…

– Falando com você no sentido de… de o texto parecer relevante para você? – perguntei com cuidado. – Não teria como ser diferente, não é? Digo, considerando onde e quando estamos agora.

Ele deu um suspiro e agitou os ombros como se a camisa estivesse apertada, o que não era o caso: o pano inflava acima dos ombros feito uma vela ao vento. Tinha *muito* tempo que não o via fazer aquilo e um formigamento de ansiedade apertou meu peito.

– Ele está… – Balançou a cabeça enquanto tentava encontrar as palavras. – Ele está falando comigo – repetiu, teimoso. – Sabe quem eu sou… quem eu *sou* – disse com ênfase e me fitou com os olhos azul-escuros. – Sabe que eu sou o escocês que tirou a esposa dele e está falando comigo. Posso senti-lo, como se estivesse em pé atrás de mim, cochichando em meu ouvido. – Eu me retraí violentamente e ele piscou, espantado.

– Parece… desagradável – falei.

Os pelos finíssimos se eriçaram na linha de meu maxilar. Ele deu um sorrisinho torto. Parou o que estava fazendo e segurou minha mão, e eu me senti melhor.

– Bem, Sassenach, é um tiquinho perturbador. Eu não achei exatamente *ruim*… quero dizer, Deus sabe que ele tem o direito de me dizer algumas coisas. Mas… por que ele faria isso?

– Talvez… quem sabe… por nossa causa?

Meneei e cabeça em direção ao córrego ao longe, onde Jem, Germain, Mandy e Fanny catavam enguias, atividade acompanhada por uma saraivada de gritos. Senti os lábios secos e os umedeci.

– Talvez ele tenha descoberto que você não morreu. E adivinhado que Bree voltaria para procurar você. Talvez ele… tenha me encontrado também. Na história, quero dizer.

Dizer essas palavras fez com que eu me sentisse um tanto oca. Pensar que Frank teria descoberto algo a meu respeito no turbilhão de documentos espalhados. E que decidira, *enquanto eu ainda estava com ele*, não me contar e seguir pesquisando.

– Ele não... menciona meu nome, menciona? No livro? – Forcei as palavras a saírem, só um pouco mais altas do que o vento.

Uma gota fria caiu em minha bochecha e quatro marcas escuras surgiram no mesmo instante em meu avental.

– Não – respondeu Jamie e se levantou enquanto estendia a mão para mim. – Vamos entrar, *a nighean,* está começando a chover.

Mal deu tempo de chegarmos em casa com a bacia e nossa colheita de amendoins, seguidos de perto por Germain, Jemmy, Fanny, Mandy, Aidan McCallum e Aodh MacLennan, respingados de chuva e com os braços repletos de legumes molhados da horta.

Com tudo que houve para fazer – moer os amendoins, pôr o pão para assar, lavar os nabos para tirar a terra, guardar as folhas em uma tigela com água fria para evitar que murchassem, distribuir para as crianças cenouras frescas e cheias de calombos, em seguida fatiar o pão recém-assado e montar os sanduíches ao mesmo tempo que assava batatas-doces nas cinzas e preparava um molho de toucinho morno para pôr por cima das folhas cozidas –, não se falou mais nada sobre o livro de Frank. E, se havia alguém parado atrás de mim, a pessoa teve consideração suficiente para deixar espaço para eu trabalhar.

Continuou chovendo durante o jantar e, depois de eu me certificar de que os McCallums e os MacLennans não ficariam preocupados pensando onde poderiam estar seus meninos, Jamie pegou os colchões e a criançada se deitou para dormir em uma mesma pilha úmida e quentinha diante do fogo.

Jamie e eu acendemos um fogo em nosso quarto e o cheiro de gravetos secos de pinheiro e pedaços de nogueira se sobrepôs ao aroma de terebintina das toras recém-abatidas que formavam as paredes. Ele estava deitado na cama, usando sua camisa de dormir e exalando um cheiro de animais quentes, feno frio e manteiga de amendoim, folheando distraído meu *Manual Merck* que eu havia deixado sobre a mesinha de cabeceira.

– Praticando bibliomancia, é? – perguntei, sentando-me a seu lado e soltando os cabelos da fita que os prendia. – A maioria das pessoas usa a Bíblia, mas acho que o *Merck* também serve.

– Não tinha pensado nisso – respondeu ele sorrindo e fechou o livro antes de me entregar. – Por que não? Escolha você.

– Está bem. – Sopesei o livro nas mãos por um instante, apreciando seu peso considerável e a sensação da capa rugosa sob a ponta dos dedos. Fechei os olhos, abri-o aleatoriamente e corri os dedos pela página. – O que saiu?

Jamie tirou os óculos e se inclinou por cima de meu braço para ver o ponto que eu havia marcado.

– *A sintomatologia desse distúrbio é ao mesmo tempo variada e misteriosa, o que exige observação extensa e testagens repetidas antes de um diagnóstico* – leu. Ergueu os olhos para mim. – Bem, sim, isso mais ou menos resume a situação, não é?

– Sim – falei e fechei o livro, sentindo-me estranhamente reconfortada. Jamie fez um leve muxoxo, mas o pegou de minha mão e tornou a colocá-lo sobre a mesinha.

– A observação extensa você pode considerar obrigatória – falou, seco. – Mas com relação à testagem repetida... – Sua expressão se modificou. – É, pode ser. Talvez. Vou ter que pensar a respeito.

– Então pense – falei, um pouco nervosa com sua expressão de interesse contemplativo.

Não fazia ideia de como se poderia testar uma hipótese daquelas... ou talvez fizesse, sim. Engoli em seco.

– Você... quer que eu leia? – perguntei. – O livro de Frank? A perspectiva de ler *A alma de um rebelde*, o último livro de Frank, provocou em mim uma sensação que eu teria diagnosticado sem qualquer tipo de teste como pânico. E isso sem levar em conta a ideia de que Frank tivera a intenção de que o livro fosse um recado pessoal para *Jamie*.

Ele me encarou, surpreso.

– Você? Não.

Risadinhas e pequenos guinchos irromperam subitamente no andar de baixo. Jamie fez um ruído escocês, levantou-se e calçou as botas. Erguendo uma sobrancelha para mim, saiu para o hall e caminhou até o alto da escada, batendo os pés com força no chão. Quando desceu o quarto degrau, o barulho lá embaixo cessou de forma abrupta. Ouvi um débil muxoxo bem-humorado e ele desceu depressa. Pude ouvir sua voz na cozinha e um dócil e obediente coro das crianças, mas só consegui distinguir uma ou outra palavra aqui e ali. Daí a mais um minuto, ele tornou a subir a escada.

– O menino dos MacLennans se chama mesmo "ugh"? – perguntei, curiosa, quando ele se sentou para tirar as botas.

– Aodh, sim – respondeu ele, pronunciando o nome com um som levemente mais gutural no fim, mas ainda assim era um "ugh" bem audível. – Se estivéssemos falando inglês, imagino que o nome dele seria Hugh. Tome, Sassenach.

Ele me entregou um pano de linho da cozinha embrulhando o que se revelou um deliciosamente perfumado sanduíche de manteiga de amendoim com geleia de amora em um pão fresquinho.

– Você não ganhou sua parte justa no jantar – disse ele, sorrindo para mim. – Estava ocupada demais enchendo todas aquelas pequenas bocas. Então guardei um para você no alto de seu armário de ervas. Lembrei agora há pouco.

– Ah... – Fechei os olhos e inspirei deliciada. – Ah, Jamie. Que maravilha!

Ele produziu um som satisfeito na garganta, serviu-me um copo d'água e se sentou com as mãos unidas em volta dos joelhos para me ver comer. Saboreei cada deliciosa mordida, incluindo os pedaços maiores de amendoim, as sementes das amoras e o pão recheado de grãos, e engoli até a última migalha com um suspiro de satisfação e nostalgia.

– Já contei a você que trouxe um sanduíche de manteiga de amendoim e geleia comigo quando atravessei as pedras para voltar?

– Não contou, não. Por quê?

É mesmo, por quê?

– Bom... acho que foi porque me fazia pensar em Brianna. Eu sempre preparava sanduíches de manteiga de amendoim para ela levar na merenda. Bree tinha uma lancheira do Zorro com uma garrafinha térmica.

Jamie arqueou as sobrancelhas.

– Zorro? Era uma raposa?

Descartei o assunto com um gesto da mão.

– Depois eu conto sobre ele. Você teria gostado. Mas não levei uma lancheira, só embrulhei meu sanduíche em um pedaço de... plástico.

As sobrancelhas de Jamie continuavam erguidas.

– Como o material dos óculos do sr. Randall?

– Não, não. – Agitei a mão, tentando pensar em como descrever plástico-filme. – Mais como... como a capa transparente do livro dele... só que mais leve. Tipo um lenço de bolso muito leve e transparente.

Senti uma pontada de nostalgia ao pensar nesse dia.

– Foi quando fui para Edimburgo procurar A. Malcolm, Impressor. Fiquei tonta, principalmente de medo, então sentei, desembrulhei meu sanduíche e comi. Na hora pensei que fosse o último sanduíche de manteiga de amendoim que fosse comer. Foi a melhor coisa que já comi na vida. Quando terminei, joguei fora o pedaço de plástico. De nada adiantava guardar. – Podia visualizá-lo agora, o plástico frágil e transparente amassado se abrindo, levantando voo por sobre as pedras do calçamento, perdido fora do tempo.

– Eu me senti mais ou menos igual – falei e dei uma pigarreada. – Perdida, digo. Na hora pensei se alguém poderia encontrar e o que acharia daquilo. Provavelmente nada, a não ser um segundo de curiosidade.

– Acho que sim – murmurou ele, estendendo um canto do pano para limpar um pouco de geleia de minha boca e em seguida me beijando. – Mas então você me encontrou e não ficou mais perdida, espero.

– Não fiquei. Não estou.

Coloquei a cabeça em seu ombro e ele beijou minha testa.

– As crianças dormiram, Sassenach. Venha se deitar comigo, sim?

Eu fui e fizemos amor devagar à luz das brasas, com o barulho do vento e da chuva passando depressa na noite lá fora.

Algum tempo depois, já quase dormindo, com a mão sobre a forma redonda e morna da nádega de Jamie, fiquei pensando no rosto de Frank. Sua fotografia passou flutuando pela minha mente, os conhecidos olhos cor de avelã por trás dos óculos de armação preta. Intensos, inteligentes, eruditos... honestos.

21

PAVIO ACESO

A primeira coisa que eles sentiram foi o cheiro. Brianna sentiu o nariz formigar com o fedor de urina misturado com enxofre. A seu lado no banco da carroça, com as rédeas na mão, Jamie tossiu. *Com uma boa camada de pó de carvão...*

– Mamãe diz que ela tem propriedades medicinais... ou pelo menos algumas pessoas pensavam assim.

– O quê? A pólvora?

Ele deu uma olhada de lado, mas a maior parte de sua atenção estava concentrada no pequeno grupo de construções que acabara de surgir em nosso campo de visão, encantadoramente situado em uma curva do rio.

– Hummm. *Um pouco de pólvora amarrada em um trapo e levada à boca de modo a poder tocar o dente dolorido alivia instantaneamente a dor.* Nicholas Culpeper, 1647.

Seu pai grunhiu.

– Deve funcionar. Você ficaria ocupado demais tentando decidir se vomita ou se tosse para se preocupar com os dentes.

Dois homens ocupados em fumar cachimbo na beira do rio, a uma distância segura das construções, observou Brianna, viraram-se para olhá-los. Um deles inclinou a cabeça, avaliando-os, e decidiu que valia a pena conversar com eles: jogou o resto do fumo do cachimbo no rio e, guardando o instrumento de barro de haste comprida no cinto, encaminhou-se a passos tranquilos para a estrada seguido pelo companheiro.

– Olá! – chamou o primeiro homem com um aceno.

Jamie puxou as rédeas dos cavalos para fazê-los parar e acenou de volta.

– Boa tarde, senhor. Sou Jamie Fraser e esta é minha filha, sra. MacKenzie. Estamos querendo comprar pólvora.

– Imagino que sim – retrucou o homem em tom um tanto seco. – Ninguém vem aqui por outro motivo.

Irlandês, pensou ela, sorrindo para ele.

– Ah, John, não é verdade. – Seu amigo, um homem atarracado com cerca de 30 anos, deu-lhe um cutucão amigável nas costelas e sorriu para Brianna. – Alguns vêm beber seu vinho e fumar seu tabaco.

– John Patton, senhor – disse o irlandês, ignorando o amigo. Estendeu a mão para Jamie e, depois de apertá-la, os convidou a aproximar a carroça até o lado da construção de pedra mais próxima do rio.

– É a menos propensa a explodir – disse rindo o outro homem, que tinha se apresentado como Isaac Shelby. Brianna reparou que John Patton não riu.

A construção de pedra era um moinho. Uma vibração abafada e constante emanava das paredes, mais baixa do que o ruído do movimento da roda-d'água, e o cheiro ali era bem diferente: pedra úmida, plantas aquáticas e um leve odor que a fez pensar em fogueiras de acampamento apagadas e chuva sobre as cinzas de uma casa incendiada na floresta. Aquilo lhe provocou um tremor esquisito no baixo-ventre.

Seu pai saltou e começou a desatrelar os cavalos. Mirou os olhos nela e moveu a cabeça em direção a um dos barracões mambembes situados mais acima na margem, onde três pessoas debatiam alguma coisa. Uma delas era mulher e sua postura dizia que era A Chefe: braços cruzados e cabeça inclinada, mas de um modo que sugeria não submissão, e sim uma ânsia mal reprimida de dar uma cabeçada no nariz do interlocutor.

Brianna aquiesceu e partiu na direção do barracão, consciente devido ao silêncio repentino atrás de si que o sr. Patton, o sr. Shelby ou os dois estavam avaliando sua perspectiva traseira. Não que fossem ver grande coisa: ela estava usando uma camisa de caça que descia quase até os joelhos, mas o simples fato de estar de calça por baixo...

Ouviu Shelby tossir de repente e deduziu que ele acabara de cruzar olhares com seu pai.

– Jamie Fraser – ouviu Shelby dizer, tentando parecer informal. – Eu conheço muitos Frasers. O senhor por acaso é do outro lado do Nolichucky?

– Não, nossas terras ficam perto da Linha do Tratado, no condado de Rowan – respondeu Jamie. – Chamam-se Cordilheira dos Frasers.

– Ah! Então eu sei quem o senhor é! – Shelby soou aliviado. – Benjamin Cleveland me disse que o tinha encontrado. Ele...

As vozes atrás dela ficaram inaudíveis quando o grupo perto do barracão notou sua presença. Todos pareceram espantados, mas a expressão da mulher se transformou na mesma hora em um bom humor severo.

– Bom dia para a senhora – disse ela, observando o traje de caça de Brianna. Tinha mais ou menos sua idade e estava vestida com um avental de lona muito gasto e manchado, com pequenos furos enegrecidos onde pelo visto tinham caído fagulhas. A saia marrom-escura e a camisa masculina de mangas compridas por baixo eram de rústico tecido caseiro, mas estavam razoavelmente limpas. – Em que podemos ajudá-la?

– Eu sou Brianna MacKenzie – disse Bree, pensando se deveria estender a mão para um cumprimento. Como a sra. Patton não estendeu a dela, Brianna se contentou com um meneio de cabeça cordial. – Meu pai e eu queremos comprar um pouco de pólvora. A senhora por acaso é a sra. Patton? – acrescentou, já que a mulher não fez qualquer movimento para se apresentar.

A senhora em questão olhou por cima do ombro, então correu os olhos em volta devagar, de um lado para outro, como quem procura alguém. Um dos rapazes com quem ela estivera discutindo deu uma risadinha, mas se calou quando o olhar da sra. Patton recaiu sobre ele.

– Não sei quem mais eu seria – respondeu ela, mas não de um jeito desagradável. – Que tipo de pólvora vocês querem, e quanto?

Isso deixou Brianna sem palavras. Ela não sabia nada sobre tipos de pólvora, muito menos como se referir a eles. O que queria saber era como fabricar a substância em quantidade e com um nível razoável de segurança.

– Para caçar – falou, optando pela simplicidade. – E quem sabe um pouco para… explodir tocos de árvore.

A sra. Patton piscou, então riu. Os dois rapazes a imitaram.

– Tocos de árvore?

– Bom, imagino que daria para pôr fogo em um toco acendendo um tiquinho de pólvora em cima – disse o mais velho dos rapazes, sorrindo para ela.

A expressão "em cima" fez Brianna se dar conta com atraso do que tinha dito e ela deu um tapa na própria cabeça, irritada.

– Seria preciso moldar a pólvora, claro – falou Brianna. – Então… algo mais como uma granada.

O rosto bastante quadrado da sra. Patton registrou surpresa na mesma hora e com igual rapidez adquiriu uma expressão de cálculo cauteloso.

– Granadas, é? – disse e encarou Brianna com mais interesse. Então olhou para trás de Bree e a compreensão iluminou seus olhos.

– Seu pai é aquele ali?

– Sim.

A mulher a olhava de um jeito que fez Bree se virar para olhar por cima do ombro. Seu pai havia levado os cavalos até mais abaixo do rio para beber água e estava ali em pé no cascalho conversando com o sr. Shelby. Tinha tirado o chapéu para molhar o rosto e o sol se refletia em seus cabelos, que, embora rajados de cinza, ainda eram de modo geral ruivos.

– Jamie Fraser Vermelho? – A sra. Patton tornou a encará-la com um olhar incisivo. – Aquele que chamavam de Jamie Vermelho lá no velho país?

– Eu… acho que sim. – Bree estava estupefata. – Como a senhora conhece esse nome?

– Hummm. – A sra. Patton aquiesceu de um jeito satisfeito, ainda com os olhos fixos em Jamie. – Os irmãos mais velhos de meu pai, dois deles, lutaram de ambos os lados do Levante Jacobita. Um deles foi levado para as Índias, mas o outro foi lá e o encontrou, comprou sua liberdade e os dois vieram morar aqui onde John e eu tínhamos terras. Aqueles são os filhos deles.

Ela indicou com um meneio desdenhoso de cabeça os dois rapazes, que haviam se afastado até uma distância respeitosa.

– Uma empresa familiar, então? – Bree indicou com a cabeça o moinho e os barracões, reparando então que havia um grupo menor de chalés e uma casa de tamanho razoável a talvez uns 500 metros de distância, no meio de um arvoredo de bordos.

– É, sim – concordou a sra. Patton, agora amistosa. – Um de meus tios falava sempre de seu pai, tinha lutado com ele em Prestonpans e Falkirk. Ele guardava alguns pequenos objetos, recordações da guerra. E uma das coisas que tinha era um pergaminho com o desenho de Jamie Vermelho e a oferta de uma recompensa. Um belo homem, até em um retrato falado. A Coroa estava oferecendo 500 libras por ele! Quanto será que vale agora? – perguntou ela e riu enquanto lançava para o homem outro olhar, dessa ver mais demorado.

Bree supôs que isso fosse uma brincadeira e reagiu com um sorriso tenso. Só para garantir, comentou educadamente que o pai fora perdoado depois do Levante e então dirigiu com firmeza a conversa de volta para o tema da pólvora.

A sra. Patton parecia sentir que as duas agora tinham travado amizade e de bom grado lhe mostrou os dois barracões de moagem, fazendo uma observação casual sobre a construção grosseira das paredes.

– Se alguma coisa explodir, o telhado vai sair voando e as paredes vão desabar. Mas não dá muito trabalho para levantar de novo.

– Esses são barracões de moagem... mas o moinho com certeza fica ali, não? – Bree indicou com a cabeça a construção de pedra, evidentemente um moinho, com sua roda-d'água a girar placidamente à luz dourada do fim de tarde.

– Sim. É preciso moer o carvão, depois o salitre... A senhora sabe o que é?

– Sei, sim.

– Sim, e o enxofre. Isso se faz com água, sabe? Derrete-se o salitre e depois se mói tudo junto. Enquanto está úmido não queima, não é?

– Não.

A sra. Patton assentiu, satisfeita com essa óbvia compreensão.

– Pois bem. É assim que se obtém a pólvora negra, mas é uma coisa grosseira, cheia de pedaços grandes de carvão que não foram moídos, pedaços de madeira e pedra, excrementos de rato, todo tipo de coisa. Então se seca isso em bolos, que ficam armazenados no outro barracão, e depois, com toda a calma, por assim dizer, esmaga-se e esse material é moído... e isso é feito aqui nesse barracão, longe de todo o resto, porque com certeza a coisa *vai* explodir se você acender uma fagulha enquanto estiver moendo... Se já tiver produzido uma nuvem do pó quando a fagulha pegar, que Deus ajude, vai voar pelos ares como se fosse uma tocha!

Essa probabilidade não pareceu afetá-la.

– Depois você separa... ou seja, passa por peneiras para dividir em tamanhos diferentes. Os menores são para pistolas e espingardas... É isso que a senhora usaria para caçar, em grande parte. Os tamanhos maiores são para canhões, granadas, bombas, esse tipo de coisa.

– Entendi.

Pela explicação, o processo era simples. No entanto, a julgar pela condição do avental da sra. Patton e pelas marcas de chamuscado em algumas das tábuas do barracão, um tanto perigoso. Ela provavelmente conseguiria fabricar pólvora suficiente para caçar, se precisassem, mas descartou a ideia de tentar fazer isso em grandes quantidades.

– Bem, pois então. Qual é seu preço para o tipo de pólvora que se usaria para caçar?

– Caçar, é?

A sra. Patton tinha olhos azul-claros que usou para fitar Brianna com uma expressão astuta, em seguida olhou de relance para o sr. Shelby e seu pai, que continuavam conversando na beira do rio.

Por quê?, perguntou-se ela. *Ela acha que eu preciso da permissão dele?*

– Bem, meu preço é 1 dólar por cada 500 gramas. Só vendo a dinheiro vivo e não negocio o preço.

– Posso imaginar – retrucou Bree, seca.

Levou a mão até dentro da bolsa em sua cintura e de lá tirou uma das finas placas de ouro que havia costurado na bainha da roupa quando ela e as crianças tinham ido encontrar Roger. E fez uma prece silenciosa e distraída de agradecimento por eles o terem encontrado, como tinha feito umas mil vezes desde então.

– Não é exatamente dinheiro vivo, mas talvez baste – falou, entregando-a à mulher.

As sobrancelhas claras da sra. Patton subiram até a aba de sua touca. Ela pegou a plaquinha, sentiu seu peso e lançou um olhar incisivo para Bree. Para deleite de Brianna, chegou a dar uma dentada, em seguida examinou com ar crítico a pequeníssima depressão no metal. A placa estava gravada, mas, além de *14K* e *0,3kg*, ela não pensou que as marcações fossem significar alguma coisa para a sra. Patton, e pelo visto não significaram.

– Feito – disse a senhora da pólvora. – Quantos?

Após pesar minuciosamente tanto a pólvora quanto o ouro, concordaram que uma plaquinha era um equivalente justo de 20 dólares e Brianna apertou a mão da sra. Patton, que pareceu intrigada porém não chocada com o gesto, e voltou para a carroça levando duas barricas de 4,5 quilos de pólvora, seguida pelos dois primos que carregavam outras duas cada um.

Seu pai ainda conversava com o sr. Shelby, mas se virou ao ouvir passos. Suas sobrancelhas subiram mais do que as da sra. Patton.

– Quando…?

Ele não completou a frase. Pressionando os lábios, tirou as barricas de suas mãos e as colocou na carroça ao lado dos sacos de arroz, feijão, aveia e sal que tinham trocado por outras mercadorias no Moinho de Woolam.

Terminado o serviço, estendeu a mão para o *sporran* que carregava no cinto, mas um dos primos fez que não com a cabeça.

– Ela já pagou – disse o rapaz.

E, com um breve movimento de cabeça em direção a Bree, virou-se e voltou para o barracão de moagem seguido pelo outro rapaz, que lançou um olhar por cima do ombro enquanto dizia algo em voz baixa que fez o primeiro rapaz balançar a cabeça em negativa.

Jamie não disse nada até estarem bem avançados na estrada a caminho de casa.

– Como você pagou, menina? – perguntou em tom brando. – Por acaso trouxe algum dinheiro quando... atravessou?

– Eu tinha umas moedas... o que consegui carregar sem ter muito trabalho ou despesa...

Isso o fez assentir em um gesto de aprovação, mas ele parou quando ela retirou outra plaquinha de ouro da bolsa. Aquilo mal se qualificava a ser chamado de barra.

– E peguei trinta destas aqui e costurei em nossas roupas e nas solas de meus sapatos.

Seu pai disse algo em gaélico que ela não entendeu, mas a expressão de seu rosto bastou.

– Qual é o problema? – perguntou ela, incisiva. – Ouro funciona em qualquer lugar.

Ele inspirou fundo pelo nariz, mas o oxigênio suplementar pareceu bastar para fazê-lo se controlar, pois seu maxilar relaxou e o rubor em seu rosto cedeu um pouco.

– É, funciona mesmo. – Os dedos de sua mão direita se contraíram, então relaxaram quando mudou um pouco a posição das rédeas.

– O problema é justamente esse, menina – falou, com os olhos cravados na estrada à frente. – Ouro funciona *mesmo* em todo lugar. Por isso todo mundo quer. Por esse motivo não se quer que muitas pessoas saibam que você o tem... ainda mais em quantidade. – Ele virou a cabeça para ela por uma fração de segundo, com a sobrancelha arqueada. – Eu pensei que... quero dizer, pelo que você me contou sobre Rob Cameron... pensei que você soubesse disso.

A discreta reprimenda fez um rubor quente subir do peito até o couro cabeludo de Brianna e ela fechou o punho em volta da plaquinha de ouro. Sentiu-se uma idiota, mas também injustamente acusada.

– Bom, então como *você* faria para gastar ouro? – perguntou.

– Eu não gasto – respondeu seu pai, abrupto. – Tento nunca tocar no que está escondido. Para começar, não sinto que seja meu, e só vou usar em caso de necessidade urgente para defender minha família ou meus colonos. Mesmo nesse caso não o usaria diretamente.

Ele olhou por cima do ombro, e ela também. A casa dos Pattons já tinha ficado bem para trás e a estrada estava vazia.

– Se eu precisar usar o ouro, e vou precisar se tiver que equipar uma milícia, raspo pedacinhos, martelo até transformá-los em pelotas, esfrego em terra e depois limpo. Então despacho Bobby Higgins, Tom MacLeod e quem sabe um ou dois outros homens a quem confiaria a vida de meus parentes, cada qual com uma bolsinha cheia de pelotas. Não ao mesmo tempo nem para o mesmo lugar, e raramente para o mesmo lugar duas vezes. E eles trocam por dinheiro, pedacinho por pedacinho, comprando algo e recebendo o troco em moedas, quem sabe vendendo uma pelota ou duas para um joalheiro, trocando um pouco mais com um ourives… Eu gasto o dinheiro que *eles* trouxerem de volta, e com cautela.

A expressão "confiaria a vida de meus parentes" formou um incômodo na barriga de Bree. Agora era muito fácil ver o perigo ao qual acabara de expor Jem, Mandy e Roger, e todos os outros moradores da Casa Nova.

– Ah, não se preocupe – disse o pai ao ver sua aflição. – Provavelmente vai ficar tudo bem.

Jamie lhe abriu um meio sorriso e apertou de leve seu joelho. Os cavalos agora avançavam a um ritmo bem mais veloz e Brianna se deu conta de que ele estava tentando se afastar o máximo possível do Braço da Pólvora antes do cair da noite.

– Você… – As palavras morreram em sua garganta, afogadas pelo chacoalhar da carroça, e ela tornou a tentar: – Você acha que aqueles homens… – Ela fez um gesto para trás. – Que eles virão atrás de nós?

Ele fez que não com a cabeça e se inclinou para a frente, concentrado na direção.

– Não é provável. Os Pattons sabem que valemos mais como clientes do que o que temos no bolso. Mas aposto que um ou outro daqueles rapazes vai comentar algo sobre a mocinha bonita vestida de homem com uma bolsa cheia de ouro no cinto. É questão de sorte se vão comentar isso com alguém que possa se sentir tentado a nos fazer uma visita… Vamos rezar para que não.

– Sim.

A primeira onda de choque e raiva estava passando e ela ficou tonta. Então se lembrou de mais alguma coisa que foi como um soco no estômago.

– O que foi? – Seu pai soou alarmado.

Ela havia feito um barulho como se houvesse levado um soco. Jamie tratou de fazer os cavalos diminuírem o ritmo e ela acenou e balançou a cabeça.

– Eu estou… é que… eles sabem quem você é. A sra. Patton o reconheceu.

– Quem eu sou? Eu disse a eles quem eu sou. – Por alguns segundos, ele fez os cavalos diminuírem ainda mais o passo para ouvir o que a filha tinha a dizer.

– Ela sabe que você é Jamie Vermelho – disse ela depressa.

– Isso? – Ele pareceu surpreso, mas não preocupado. Na verdade, pareceu achar certa graça. – Como ela sabia uma coisa dessas? A menina é mais nova do que você; nem tinha nascido da última vez que alguém me chamou assim.

Ela lhe contou sobre os tios da sra. Patton e o retrato falado.

– Pelo visto, você ainda tem cara de quem poderia ter feito o tipo de coisa que levaria seu retrato a ser estampado em um cartaz de *Procura-se* – falou, em uma débil tentativa de fazer piada.

– Humm.

Com os cavalos seguindo a passo, a trégua dos sacolejos e do barulho a acalmou. Ela relanceou os olhos para o pai: Jamie não parecia mais zangado, nem perturbado. Apenas pensativo, com uma expressão que ela pensou poder ser descrita como pesar.

– Veja bem – disse ele por fim. – Não é uma coisa boa ter feito o tipo de coisa capaz de lhe valer a reputação de um louco que mata sem pensar e sem misericórdia. Por outro lado, não é ruim *ter* uma reputação assim.

Ele estalou a língua para os cavalos, e estes começaram devagar a trotar e em seguida apressaram o andamento. Mas a sensação de urgência parecia ter passado. Brianna observou o pai de esguelha, aliviada por ele não estar preocupado com o fato de ser conhecido como Jamie Vermelho... e mais aliviada ainda com o fato de ele *ser* conhecido pelo visto o ter deixado menos nervoso em relação ao ouro.

Eles seguiram sem dizer mais nada, em um silêncio despreocupado. Quando pararam para acampar, pouco antes de a lua nascer, comeram sem acender nenhuma fogueira. Ela dormiu um sono leve e acordou várias vezes, e em todas elas o viu perto de si, à sombra negra de uma árvore, com a espingarda junto à mão direita e uma pistola carregada na esquerda.

22

CINZAS, CINZAS...

Fui seguindo Roger por entre um grupo de imensos álamos cujas copas se erguiam tão altas acima da trilha que estávamos percorrendo que era como se tivéssemos adentrado uma igreja silenciosa, em cujas vigas do telhado piavam passarinhos no lugar de morcegos. Muito adequado, pensei, considerando nossa missão.

Meu papel, porém, estava mais para capa e espada do que para diplomacia. Levei a mão à fenda da saia para verificar meu bolso pela terceira vez: três raízes de gengibre cheias de calombos, de tamanho razoável, e por cima alguns pacotes de ervas secas que não se podia encontrar por ali.

Minha tarefa, supondo que Roger conseguisse fazer as apresentações antes de sermos enxotados, era entabular uma longa conversa com a sra. Cunningham. Primeiro com profusos agradecimentos pela casca de quina (acompanhados por um discreto pedido de desculpas pelo rompante de Mandy), em seguida com a apresentação de meus presentes recíprocos, um de cada vez, com explicações detalhadas de sua origem, seus usos e preparação.

Tudo isso deveria dar a Roger tempo suficiente para atrair o capitão Cunningham até o lado de fora, uma vez que homens de verdade não iriam querer escutar duas herboristas trocando opiniões relacionadas à preparação de um clister capaz de curar o mais teimoso caso de prisão de ventre. Depois disso, tudo dependeria de Roger. Ele caminhava decidido à minha frente, com os ombros retesados de determinação.

Tínhamos saído do meio dos álamos e estávamos subindo outra vez, entrando em um trecho pedregoso de pinheiros e tsugas que o sol fazia exalar um cheiro forte de resina.

– Que cheiro natalino – comentou Roger, sorrindo por cima do ombro enquanto afastava um galho grande para eu passar. – Suponho que vamos fazer um Natal em família, não? Digo, para Jem e Mandy. É com isso que estão acostumados, e eles têm idade suficiente para se lembrar.

O Natal entre os escoceses era um feriado puramente religioso; a comemoração acontecia em Hogmanay, na véspera do Ano-Novo.

– Seria maravilhoso – falei, com certa nostalgia.

Os natais de minha infância, os que eu recordava, tinham sido passados em sua maioria em países não cristãos e incluíam *crackers* e pudim de Natal enlatado ingleses e um presépio enfeitado com sinetas e povoado por Maria, José, o menino Jesus e reis, pastores e anjos, todos com roupinhas.

Fazer um Natal de verdade para Brianna tinha sido maravilhoso. Minha sensação era de que a comemoração era para mim também: a alegria de fazer coisas sobre as quais tinha lido ou ouvido falar, mas que nunca tinha feito nem visto. Frank, o único de nós a ter de fato vivido o Natal britânico tradicional, era a autoridade em matéria de cardápios, embrulhos de presente, cantorias e outros costumes misteriosos. Desde a decoração da árvore até sua retirada depois do Ano-Novo, a casa ficava tomada por segredos animados, acompanhados por um forte sentimento subjacente de paz. Ter aquilo em nossa Casa Nova, com todo mundo junto…

– Mas olhe só – falei, voltando a mim bem a tempo de me abaixar para passar sob a copa baixa de um abeto-azul. – Não mencione o Papai Noel quando estiver conversando com o capitão Cunningham.

– Vou pôr isso em minha lista de coisas a evitar – garantiu Roger com gravidade.

– Qual é a primeira coisa de sua lista?

– Bom, em tempo normal seria você – respondeu ele com franqueza. – Mas na atual circunstância os Beardsleys e o uísque de Jamie estão empatados. Enfim, os Cunninghams vão ficar sabendo sobre os dois, isso se já não souberem, mas não há motivo algum para ficarem sabendo por mim.

– Aposto que sabem sobre os Beardsleys – falei. – Quero dizer, a sra. Cunningham me deu a casca de quina. Alguém deve ter dito a ela que eu estava precisando… e muito provavelmente para quê. E nesse caso ninguém resistiria a lhe contar sobre Lizzie e seus dois maridos.

– É verdade. – Roger olhou para mim com um sorriso de canto de boca. – Não imagino que você por acaso saiba se… enfim…

– Os dois ao mesmo tempo? – Eu ri. – Só Deus sabe, mas tem três crianças pequenas naquela casa e pelo menos duas delas ainda dormem na cama dos pais. Elas devem ter um sono muito pesado... – acrescentei depois de pensar um pouco. – Mas as restrições de espaço por si sós...

– Quem quer arruma um jeito – garantiu Roger. – E o tempo ainda está bom do lado de fora.

A trilha tinha ficado larga o suficiente para caminharmos lado a lado por um tempo.

– De toda forma, me espanta a velha senhora ter feito esse gesto, depois do que disse para Brianna e para mim sobre bruxas, mas...

– Bem, ela garantiu que todos nós, inclusive eu e Mandy, iríamos para o inferno.

Isso o fez rir.

– Já viu Mandy imitar a sra. Cunningham dizendo isso?

– Mal posso esperar para ver. Quanto falta para chegarmos?

– Estamos quase lá. Ainda estou decente? – perguntou ele, limpando folhas de bordo da barra do colete.

Ele tinha se vestido com apuro para a visita: uma calça boa, uma camisa limpa e um colete com humildes botões de madeira, substituição feita de última hora por Brianna dos botões de bronze que a peça normalmente ostentava. Além disso, Brianna havia trançado seus cabelos e Jamie, bem mais experiente nessas questões, os prendera para ele, dobrando a trança com cuidado e a amarrando com firmeza na nuca com sua fita larga de gorgorão preto.

– Vá com Deus, *a charaid* – dissera ele para Roger com um sorriso. Com Deus, de fato...

– Você está perfeito – garanti.

– Então vamos em frente.

Eu nunca tinha ido ao chalé dos Cunninghams. Era uma construção nova e distante, para os lados do limite sul da Cordilheira. Já estávamos andando havia mais de uma hora, limpando as folhas e afastando mosquitos, vespas e aranhas que caíam das árvores decíduas. Contudo, o ar estava bem ameno. Eu começava a desejar ter levado algum tipo de bebida refrescante quando Roger parou pouco antes de uma clareira.

Brianna já tinha me contado sobre as pedras caiadas e as vidraças brilhantes. Havia também uma grande horta e um herbário dispostos atrás da casa, mas era óbvio que a sra. Cunningham ainda não tinha conseguido bolar uma cerca que mantivesse os veados e coelhos afastados. Fiquei chateada ao ver o chão pisoteado, as hastes quebradas e os topos arredondados dos nabos mordiscados e já sem as folhas, mas pelo lado positivo isso talvez tornasse mais desejáveis os artigos que trazia no bolso.

Tirei o chapéu e ajeitei às pressas os cabelos, tanto quanto possível após ter caminhado 6,5 quilômetros em um dia quente.

A porta se abriu antes de eu conseguir pôr o chapéu de volta.

O capitão Cunningham levou um susto visível ao nos ver. Se estava esperando alguém, não éramos nós. Meu coração se acelerou um pouco enquanto repassava minhas primeiras palavras de gratidão.

– Boa tarde, capitão! – cumprimentou Roger sorrindo. – Eu trouxe minha sogra, sra. Fraser, para visitar a sra. Cunningham.

A boca do capitão se escancarou de leve e seu olhar se moveu para mim. Ele não tinha vocação para jogador de pôquer e pude vê-lo direitinho tentando conciliar o que quer que a mãe tivesse dito a meu respeito com minha aparência, que eu havia tornado a mais respeitável possível.

– Eu... ela... – começou ele a dizer.

Roger havia segurado meu braço e estava me conduzindo depressa pelo caminho até a porta enquanto fazia algum comentário cordial sobre o tempo, mas o capitão não estava prestando a menor atenção.

– Digo... boa tarde, senhora. – Ele curvou a cabeça para mim em um gesto brusco ao mesmo tempo que eu parava e lhe fazia uma mesura.

– Infelizmente minha mãe não está – disse ele, encarando-me desconfiado. – Eu sinto muito.

– Ah, ela foi fazer alguma visita? – perguntei. – Que pena. Queria lhe agradecer pelo presente. E trouxe umas coisas para ela...

Olhei para Roger de esguelha como quem pergunta: *E agora?*

– Não, ela foi só catar algumas coisas na beira do córrego – disse o capitão com um aceno vago em direção à mata. – Ela...

– Ah, nesse caso vou ver se consigo encontrá-la – falei depressa. – Roger, por que você e o capitão não conversam enquanto procuro por ela?

Antes de Cunningham conseguir dizer mais alguma coisa, recolhi as saias, passei por cima da linha de pedras brancas e parti em direção à floresta, deixando Roger sozinho para se virar.

– Ah... Queira entrar, por favor. – Cunningham se adaptou à situação com alguma elegância, abrindo a porta e acenando para Roger.

– Obrigado, capitão.

A casa estava tão arrumada quanto em sua primeira visita, mas tinha um cheiro diferente. Ele pôde jurar que o fantasma de um café pairava de modo convidativo no ar.

Meu Deus, café...

– Sente-se, sr. MacKenzie.

Embora refeito do susto, Cunningham ainda lhe lançava olhares de esguelha. Roger havia bolado alguns comentários iniciais, mas estes tinham sido pensados para desviar os ataques da sra. Cunningham até Claire poder intervir.

Melhor falar logo antes que as duas voltem...

– Tive recentemente uma conversa interessante com Rachel Murray, que é casada com o primo de minha esposa – disse ele.

Cunningham, que estava se abaixando para pegar uma cafeteira posicionada junto ao fogo para conservar o calor, sobressaltou-se feito um joão-bobo, escapou por pouco de abrir a cabeça na prateleira da lareira e se virou.

– O quê?

– A sra. Ian Murray – disse Roger. – Uma jovem quacre? Mais para alta, morena, bem bonita? Mãe de um bebê que grita muito?

O rosto do capitão adquiriu um aspecto um pouco afogueado e congestionado.

– Eu sei a quem o senhor está se referindo – disse em tom bastante frio. – Mas me espanta que ela tenha repetido nossa conversa para o senhor.

Houve uma leve ênfase no *senhor*, que Roger ignorou.

– Ela não repetiu – disse ele com calma. – Mas me falou que o senhor tinha dito algo que ela achava que eu devesse saber e recomendou que eu viesse conversar com o senhor a respeito.

Ele ergueu a mão para indicar o ambiente em volta.

– Ela me disse que o senhor pregava aos domingos para seus homens na Marinha… e que achava isso… "gratificante," foi a palavra que ela usou. É verdade?

O rubor estava cedendo um pouco. Cunningham fez um meneio de cabeça curto e relutante.

– Não vejo em que isso possa ser de sua conta, mas eu pregava quando fazíamos cultos a bordo, nas raras vezes que zarpávamos sem capelão.

– Pois bem. Tenho uma proposta para o senhor, capitão. Podemos nos sentar?

A curiosidade venceu. Cunningham meneou a cabeça em direção a uma cadeira de espaldar redondo grande posicionada de um dos lados da lareira e se acomodou em uma menor do outro lado.

– Como o senhor sabe, eu sou presbiteriano e, por cortesia, as pessoas se referem a mim como pastor – disse Roger, inclinando-se para a frente. – O que quero dizer com isso é que ainda não fui ordenado, embora tenha concluído todos os estudos e exames necessários e tenha esperança de ser ordenado em breve. O senhor também sabe que meu sogro é católico, como, aliás, minha esposa, minha sogra e meus filhos.

– Sim, sei. – Cunningham havia relaxado o suficiente para demonstrar reprovação. – Como o senhor consegue conciliar uma situação dessas com sua consciência?

– Um dia de cada vez, basicamente – respondeu Roger, erguendo os ombros sem dar muita importância à pergunta. – Mas a questão é que eu me dou bem com meu sogro. Quando ele mandou construir um chalé para servir de escola, também me convidou para usá-lo aos domingos para celebrar cultos. Na época, e isso já faz mais de três anos, fundamos uma pequena loja maçônica e o sr. Fraser também autorizou a loja a usar o chalé no período noturno para fazer suas reuniões.

Até então ele vinha observando com atenção o rosto de Cunningham, mas ao mencionar os franco-maçons olhou para as brasas da lareira, de modo a dar ao capitão um instante para tomar uma decisão, se é que havia alguma decisão a ser tomada.

Possivelmente havia. O constrangimento e a reprovação anteriores do capitão tinham desaparecido como uma geleira que derrete: de forma lenta, porém segura. Ele não disse nada, mas seu silêncio agora tinha uma qualidade distinta. Ele encarava Roger com um ar de avaliação.

Não há nada a perder...

– Nos encontramos no compasso – disse Roger baixinho.

Cunningham sorveu uma inspiração audível e aquiesceu bem de leve.

– E nos despedimos no esquadro – disse ele, com a voz igualmente baixa.

O clima no recinto mudou.

– Permita-me servir-lhe um pouco de café.

Cunningham se levantou, foi pegar canecas em um armário que parecia ter sido raptado de sua casa londrina e entregou uma delas a Roger.

Era mesmo café. Moído na hora. Roger fechou os olhos em um êxtase momentâneo e se lembrou do que Rachel tinha dito sobre o chá que lhe fora servido. O capitão pelo visto tinha mantido seus contatos marítimos. Seria essa a natureza dos dois misteriosos visitantes? Meros contrabandistas?

Passaram um ou dois minutos bebendo em um silêncio cauteloso e cúmplice. Roger deu um último e luxuoso gole.

– Infelizmente esse chalé foi atingido por um raio há um ano e pegou fogo – disse.

– Foi o que a sra. Murray me contou. – O capitão terminou seu café e arqueou uma sobrancelha para Roger enquanto indicava com a cabeça o bule.

– Por favor. – Roger lhe passou sua caneca. – Se Jamie Fraser estivesse morando na Cordilheira na época, teria mandado reconstruir... Mas por causa dos... reveses da guerra... ele e sua família não puderam voltar de imediato. Mas imagino que o senhor já saiba disso.

– Sim. Robert Higgins me informou a respeito quando me candidatei a ser colono aqui. – A sombra de reprovação tornou a lhe escurecer o semblante. – O sr. Fraser pelo visto é um cavalheiro de princípios mais flexíveis do que o normal. Quero dizer, nomear um assassino condenado representante de suas terras...

– Bem, ele me considera um herege e tolera a *mim*. Imagino que seja isso que o senhor queira dizer com "princípios flexíveis"?

Ele sorriu para o capitão, que havia engasgado com o café ao ouvir a palavra "herege". *Melhor pegar leve; a irmandade da Maçonaria talvez tenha seus limites...*

Roger tossiu, de modo a dar tempo a Cunningham de fazer o mesmo.

– Quanto à proposta sobre a qual lhe falei, o sr. Fraser concordou que o chalé seja reconstruído no mesmo local e usado para todas as suas finalidades de antes.

Dispôs-se também a fornecer a madeira bruta para a construção. No entanto, como estou certo de que o senhor sabe, ele está no meio da obra da casa e só terá tempo ou dinheiro para concluir o chalé no ano que vem. Então, o que eu gostaria de lhe propor é que nós, o senhor, o sr. Fraser e eu, juntemos nossos recursos para conseguir terminar a construção o quanto antes. E, assim que o chalé estiver habitável, proponho que nos revezemos para pregar lá, em domingos alternados.

Cunningham tinha ficado petrificado, com a caneca na mão, mas a casca externa de frieza e reserva havia derretido. Pensamentos zuniam por trás de seus olhos como peixinhos velozes demais para serem capturados.

Roger colocou sua caneca ainda pela metade na mesa e se levantou.

– Gostaria de me acompanhar para ver o local?

O córrego foi fácil de achar. Como ainda não havia poço perto da casa, os Cunninghams precisavam carregar água, portanto... sim, existia uma trilha que conduzia a um anteparo de arbustos de corniso. Segundos depois, o gorgolejo de água me chegou aos ouvidos.

Encontrar a sra. Cunningham talvez fosse um pouco mais complicado. Teria ela subido ou descido a correnteza? Fiz um cara ou coroa mental e segui correnteza abaixo. Foi um bom palpite: o córrego fazia uma leve curva e um trecho de lama próximo ao leito exibia as marcas de muitos pés, ou melhor, as marcas de um ou dois pares de pés fazendo visitas frequentes, além de uma série de marcas circulares e de algo que fora arrastado revelando onde um balde tinha sido colocado.

Andara chovendo, o córrego estava cheio e a vegetação era cerrada até junto da água na outra margem. Achei que ela não teria tentado atravessar ali; no leito havia pedras que poderiam ter sido usadas para fazer a travessia sem se molhar, mas a maioria se encontrava submersa. Fui margeando o córrego correnteza abaixo, andando devagar e escutando com atenção. Não imaginava que a sra. Cunningham estivesse cantando hinos enquanto coletava plantas, mas talvez estivesse fazendo barulho suficiente para os pássaros em volta gritarem ou então se calarem.

Acabei a encontrando porque ela havia atraído a atenção de um martim-pescador que não apreciou sua presença. Fui seguindo os pios compridos e chilreantes da ave e o vi: um borrão de bico longo cor de ferrugem, branco e azul-acinzentado, balançando-se na brisa pousado em um galho comprido que se estendia por cima de um pequeno lago. Então vi a sra. Cunningham. *Dentro* do lago. Nua.

Felizmente ela não tinha me visto; agachei-me atrás de um arbusto-botão e arranquei o chapéu da cabeça.

O martim-pescador, *sim*, tinha me visto e estava tendo um chilique, com o pequeno corpo colorido a inflar de indignação enquanto trinava para mim, mas a sra. Cunningham o ignorou. Estava tomando banho sem pressa, relaxada, com os olhos semicerrados de prazer e os cabelos grisalhos compridos e molhados escorridos nas costas. Um filete de suor me escorreu pela espinha e outro pingou de meu queixo. Enxuguei-o com as costas da mão e senti inveja dela.

Por um segundo, tive o impulso absurdo de tirar a roupa e entrar na água junto com ela, mas o reprimi na mesma hora. Deveria ter ido embora, mas não fui.

Parte foi simplesmente o interesse que faz as pessoas olharem para outras pessoas quando elas estão rindo, zangadas, nuas ou praticando atos de natureza sexual. O resto foi pura curiosidade. A linha que separa o cientista do voyeur às vezes é tênue, e eu sabia que estava andando em cima dela, mas não se podia negar que a sra. Cunningham era um mistério.

Seu corpo ainda era forte, ereto e de ombros largos, e, mesmo que a pele dos braços e dos seios tivesse ficado mais flácida, a musculatura continuava visível. A pele do ventre pendia e se podiam ver com clareza as marcas de múltiplas gestações. O capitão não era seu único filho.

Sem a expressão intimidadora, ela era uma mulher atraente. Não chegava a ser bonita e fora profundamente marcada pelos anos, pela experiência e pela raiva, mas os traços fortes e simétricos conservavam seu poder de atração. Perguntei-me qual seria sua idade. O capitão parecia ter uns 45 anos, mas eu não fazia ideia se poderia ser seu primogênito ou seu caçula. Algo entre 60 e 70, então?

Ela apertou os cabelos soltos para remover a água e tornou a ajeitá-los atrás das orelhas. Do outro lado do lago havia um tronco parcialmente submerso e nele ela se recostou com cuidado, tornou a fechar os olhos e estendeu a mão dentro d'água para o meio das pernas. Pisquei, então recuei agachada, o mais silenciosamente possível, com as saias levantadas e o chapéu na mão. A linha *definitivamente* tinha sido cruzada.

Meu calcanhar ficou preso em uma raiz de árvore protuberante e quase caí, mas consegui me segurar, embora tivesse soltado tanto as saias quanto o chapéu ao fazer isso. O bolso pesado bateu em meu quadril, fazendo-me lembrar de meu propósito original.

Eu não podia ficar ali até ela terminar o que estava fazendo, sair da água e se vestir. Simplesmente voltaria para a casa do capitão, diria a ele que não conseguira encontrar sua mãe e deixaria o gengibre e as ervas com meus agradecimentos.

Estava rearrumando o vestido quanto me dei conta de que tinha deixado pegadas visíveis na lama úmida na qual ficara espiando. Praguejei entre dentes, avancei agachada até o meio dos arbustos atrás de mim, arranquei punhados de folhas mortas, gravetos e seixos e os espalhei por cima de meus vestígios reveladores. Estava esfregando um punhado de folhas úmidas entre as mãos para limpá-las quando me dei conta de que havia um seixo no meio delas.

Descartei-o, mas captei um lampejo de cor viva quando ele voou pelos ares e tornei a catá-lo do chão.

Era uma esmeralda bruta, um cristal comprido e retangular encravado em uma matriz de pedra áspera.

Passei vários instantes olhando para ela, esfregando o polegar na superfície.

– Nunca se sabe quando poderá ser útil, não é? – falei entre dentes e a guardei na bolsa.

– Quantas pessoas cabiam no primeiro chalé? – O capitão quis saber, meneando a cabeça para o frágil esqueleto da porta.

– Umas trinta, de pé. No começo não tínhamos bancos. Os irmãos da loja levavam cada qual um banquinho de casa e muitas vezes uma garrafa quando fazíamos reuniões.

Ele sorriu ao recordar Jamie passando uma das primeiras garrafas de seu uísque de mão em mão, observando com atenção cada um que bebia para ver se alguém iria desabar ou ter morte súbita.

– Ah – fez ele. – Isso me lembra uma coisa. O senhor precisa saber que o sr. Fraser é um irmão. Na verdade, ele é o Venerável Mestre. Foi ele quem criou a loja aqui.

Cunningham deixou cair seu pedaço de carvão, chocado.

– Um maçom? Mas os católicos não podem prestar o juramento da franco-maçonaria, podem? O papa proíbe…

A palavra fez seus lábios se franzirem de leve.

– O sr. Fraser virou maçom quando estava na prisão na Escócia, depois do Levante dos jacobitas. E como ele mesmo diria: "O papa não estava na prisão de Ardsmuir, mas eu estava."

Roger até então vinha sempre usando seu sotaque de Oxford para falar com o capitão, mas nessa hora deixou o sotaque das Terras Altas de Jamie transparecer por trás da frase e achou graça quando Cunningham pestanejou, embora sem saber se era por causa do sotaque ou dos atos de Jamie.

– Talvez isso seja um outro exemplo da… flexibilidade… dos princípios do sr. Fraser – observou o capitão, seco. – Ele tem algum que respeite?

– Acho que um homem que sabe ser flexível em tempos como os que vivemos é um homem sábio – contrapôs Roger, mantendo a calma. – Se ele não soubesse andar entre a cruz e a caldeirinha, já teria virado cinzas há muito tempo… e as pessoas que dependem dele também.

– O senhor é uma delas? – Não foi uma pergunta hostil, mas o viés de hostilidade foi perceptível.

– Eu sou uma delas.

Ele respirou fundo, farejando o ar, mas o cheiro de raio e o odor pungente do incêndio já tinham desaparecido havia muito tempo; com um pouco de trabalho, a clareira talvez pudesse estar mais uma vez pronta para a paz.

– Quanto a se existem princípios que Jamie Fraser respeita... sim, existem – prosseguiu Roger. – E Deus ajude qualquer um que se interponha entre ele e o que acha que deve fazer. O senhor considera que deveríamos aumentar o espaço? Há mais famílias morando na Cordilheira agora.

Cunningham assentiu enquanto olhava as costas da mão, onde havia rabiscado as medidas tomadas com passos usando um pedaço de carvão.

– Quantas, o senhor sabe? E conhece as inclinações religiosas de cada uma? O sr. Higgins me disse que o sr. Fraser não desencoraja ninguém a virar colono, contanto que sejam pessoas honestas e dispostas a trabalhar. Mesmo assim, ao que parece, a grande maioria dos colonos é escocesa.

A última frase foi dita com uma inflexão crescente e Roger concordou.

– São. Ele começou sua colônia aqui com alguns escoceses que fizeram o Levante com ele e com parentes de outros que ele conhece na região entre os Apalaches e a costa; tem muitos escoceses lá – acrescentou. – A maior parte dos colonos originais é católica, mas havia alguns protestantes entre eles, a maioria presbiterianos... da Igreja da Escócia. Um grupo grande emigrou de Thurso e são todos presbiterianos. – *Presbiterianos virulentos*... – Mas eu mesmo só voltei para a Cordilheira recentemente. Fiquei sabendo que existem algumas famílias metodistas também. Se não se importar com a pergunta, o que o fez vir morar aqui?

Cunningham fez um breve "humm", mais uma pausa para organizar o raciocínio do que uma hesitação.

– Como muitos outros, vim porque tinha conhecidos aqui. Dois de meus marujos se instalaram na Carolina do Norte, assim como o tenente Ferrell, que serviu comigo em três missões antes de ser ferido com gravidade suficiente para ser obrigado a deixar a Marinha com uma pensão. A esposa dele também está aqui.

Roger se perguntou se, e como, essa pensão poderia continuar a ser paga, mas por sorte esse problema por enquanto não era seu.

– Então isso significaria para mim uma congregação de pelo menos seis almas – continuou Cunningham, encarando Roger com uma expressão de ironia.

Roger sorriu com benevolência, mas disse a verdade ao assegurar a Cunningham que o entretenimento ali era suficientemente escasso para garantir casa cheia a qualquer pessoa disposta a se apresentar diante de uma plateia.

– Entretenimento – disse Cunningham com certo pesar. – De fato. – Ele tossiu. – Posso perguntar *por que* o senhor propôs esse arranjo, sr. MacKenzie? Parece-me capaz de entreter sozinho qualquer quantidade de pessoas.

Porque Jamie quer saber se o senhor é pró-Coroa e o que poderia estar inclinado a fazer em relação a isso caso seja. Atraí-lo para pregar e conversar com as pessoas em público provavelmente será o melhor caminho para descobrir isso.

Ele não queria mentir para Cunningham, mas não se importou em lhe apresentar uma verdade alternativa:

– Como disse, mais da metade dos colonos agora é católica. Embora venham me ouvir se não houver nada melhor à disposição, suponho que também pudessem ouvir o senhor. E considerando minha situação familiar pouco ortodoxa… – ele arqueou a sobrancelha com desdém – … acho que as pessoas devem ter permissão para escutar pontos de vista diferentes.

– De fato, devem – disse com bom humor uma voz suave atrás dele. – Inclusive a voz de Cristo que fala dentro de seus corações.

Cunningham tornou a deixar cair seu carvão.

– Sra. Murray – disse ele e se curvou. – A seu dispor!

Ver Rachel Murray sempre deixava o coração de Roger mais leve, e vê-la ali naquele momento lhe deu vontade de rir.

– Olá, Rachel – disse ele. – Onde está seu homenzinho?

– Com Brianna e Jenny – respondeu ela. – Amanda está tentando fazê-lo dizer "cocô".

– Bom, é mais fácil do que ensiná-lo a dizer "excremento".

– Verdade. – Rachel sorriu para ele, em seguida para Cunningham. – Brianna disse que você estaria aqui com o capitão, discutindo questões relacionadas à nova casa de encontros, então achei que deveria participar da conversa.

Ela usava um vestido de algodão cinza-claro com um xale azul-escuro e a combinação dava a seus olhos um tom de verde escuro e misterioso.

Embora galante, Cunningham parecia um pouco perplexo. Roger não, embora estivesse surpreso.

– Você quer dizer… usar a capela também? Para… ahn… para encontros?

– Certamente.

– Espere… está querendo dizer um encontro de quacres? – O capitão franziu o cenho. – Quantos quacres vivem hoje na Cordilheira?

– Só uma, até onde sei – respondeu Rachel. – Embora eu suponha que devesse contar Oggy, então dois. Mas os amigos não dão importância nenhuma ao quórum e nenhum amigo excluiria visitantes de um encontro ordinário. Ian e Jenny virão comigo… meu marido e minha sogra, capitão. E Claire avisou que Jamie e ela também virão. Naturalmente você e Brianna estão convidados, Roger. E você também, amigo Cunningham, com sua mãe.

Ela abriu para o capitão um de seus sorrisos e ele sorriu de volta por reflexo e então tossiu, um pouco encabulado. Estava um tanto corado. Pensando que talvez o homem estivesse à beira de uma overdose ecumênica, Roger interveio:

– Quando gostaria de ter o espaço, Rachel?

– No primeiro dia… domingo, como vocês diriam – explicou ela para Cunningham. – Não usamos nomes pagãos, mas o horário não importa. Não iríamos querer atrapalhar qualquer combinação que já tenham feito.

– Pagãos? – Cunningham parecia estarrecido. – A senhora considera domingo um nome *pagão*?

– Bem, é claro que é – retrucou ela, sensata. – Domingo significa "dia do sol", uma referência ao antigo festival romano assim chamado, o *dies solis*, que em inglês virou *Sunnendaeg* e depois *Sunday*. Reconheço que soa menos pagão do que *Tuesday*, a terça-feira, batizada em homenagem a um antigo deus nórdico – disse, exibindo as covinhas para Roger. – Ainda assim… – Ela agitou a mão e se virou para ir embora. – Avisem-me em que horário pretendem pregar e organizarei as coisas a partir daí. Ah… – e acrescentou por cima do ombro: – Nós naturalmente ajudaremos na construção.

Os dois homens a observaram desaparecer entre os carvalhos sem dizer nada.

Cunningham tinha pegado outro pedaço de carvão e o esfregava distraído entre o polegar e o indicador. Aquilo fez Roger pensar em quando fora assistir à missa da Quarta-feira de Cinzas com Brianna certa vez, na Igreja de Santa Maria em Inverness. Com um pratinho de cinzas na mão – Bree tinha explicado que eram cinzas de palmas que haviam sobrado do Domingo de Ramos do ano anterior –, o padre tinha passado o polegar na fuligem e, em seguida, desenhado rapidamente uma cruz na testa de cada fiel presente, murmurando para cada um: "Lembra, homem, que tu és pó e ao pó tornarás."

Roger tinha se aproximado para sua vez e se lembrava tanto da textura estranha e áspera das cinzas quanto da estranha sensação que experimentara, um misto de inquietação e aceitação.

Bem parecido com agora.

23

PESCA DE TRUTAS NA AMÉRICA, PARTE DOIS

Alguns dias depois…

A mosca desceu voando, verde e amarela como uma folha, e aterrissou entre os anéis causados pela eclosão dos ovos. Ficou boiando na superfície por um segundo, talvez dois, então desapareceu com um leve ruído de água, puxada para baixo por mandíbulas vorazes. Roger deu um tranco forte na ponta da vara para cravar o anzol, mas não houve necessidade. As trutas estavam com fome nesse início de noite e se atiravam sobre qualquer coisa, e aquela ali tinha se fincado no anzol tão profundamente que puxá-la não requereu nada além de força bruta.

A truta emergiu lutando, contorcendo-se prateada na réstia de luz. Ele pôde sentir sua vida percorrer a extensão da vara, feroz e vívida, muito maior do que o peixe em si, e sentiu pena do animal.

– Quem lhe ensinou a pescar, Roger Mac?

Jamie pegou a truta quando o peixe caiu no chão, ainda se contorcendo, e o bateu em uma pedra com um gesto preciso. – Foi um dos lançamentos mais bonitos que eu já vi.

Roger fez um gesto de modéstia como quem descarta o assunto, mas o elogio o deixou corado. Jamie não fazia elogios à toa.

– Meu pai – respondeu.

– Ah, sim? – Jamie pareceu espantado.

Roger se apressou em corrigir:

– Digo, o reverendo. Na verdade, ele era meu tio-avô... Ele me adotou.

– Mesmo assim, ele foi seu pai – disse Jamie sorrindo.

Olhou para o outro lado do lago, onde Germain e Jemmy disputavam para ver quem havia pescado o maior peixe. Os dois exibiam uma fieira respeitável, mas não tinham se lembrado de separar os peixes fisgados por cada um, então não sabiam dizer qual era de quem.

– Você não acha que faz diferença, acha? Jem ser meu neto de sangue e Germain do coração?

– Você sabe que não.

Roger também sorriu ao olhar para os dois meninos. Germain era pouco mais de um ano mais velho do que Jem, mas com a constituição delicada do pai e da mãe. Jem tinha ossos compridos e ombros largos como o avô... *e* como o pai, pensou Roger, endireitando os seus. Os dois meninos tinham quase a mesma altura e os cabelos de ambos agora luziam ruivos, pois a luz avermelhada do poente parecia pôr fogo no topete louro de Germain.

– Onde está Fanny, aliás? Ela resolveria essa briga.

Apesar de ter 12 anos, Frances às vezes parecia bem mais nova e muitas vezes espantosamente mais velha. Era muito próxima de Germain quando Jem chegou à Cordilheira e havia se mostrado bastante reticente, temendo que Jem fosse se intrometer entre ela e seu único amigo.

Mas Jem sempre foi um menino dado, de temperamento afável, e Germain sabia muito bem como as pessoas funcionavam. Em pouco tempo, os três podiam ser vistos por toda parte juntos, rindo ao serpentear entre os arbustos, concentrados em alguma missão misteriosa, ou surgindo no final do processo de bater a manteiga, tarde demais para ajudar na tarefa, mas bem a tempo para um copo de leitelho fresco.

– Minha irmã está mostrando a ela como se penteia uma cabra.

– Ah, é?

– Por causa dos pelos. Quero misturar os pelos na argamassa para emboçar as paredes.

– Ah, sim.

Roger assentiu enquanto passava uma linha pela fenda vermelho-escura da guelra do peixe para pendurá-lo.

O sol já se encontrava bem baixo por entre as árvores, mas as trutas continuavam a morder as iscas e a água estava salpicada com dezenas de anéis brilhantes e os ruídos frequentes de peixes saltando. Os dedos de Roger se tensionaram por um instante na vara e ele se sentiu tentado, mas já havia o suficiente para o jantar e também para o desjejum do dia seguinte. De nada adiantava pescar mais: uma dezena de barricas de peixe defumado e salgado já se encontravam na despensa fria. Além disso, estava escurecendo.

Mas Jamie não deu sinais de que iria se mover dali. Estava sentado em um toco confortável, com as pernas nuas e sem nenhuma outra roupa além da camisa. Seu velho pano xadrez de caça permanecia no chão atrás dele; tinha sido um dia quente e o calor ainda pairava no ar. Ele olhou para os meninos, que haviam se esquecido da discussão e estavam de volta às suas linhas de pesca, concentrados como uma dupla de martins-pescadores.

Jamie então se virou para Roger e perguntou, em um tom de voz bastante normal:

– Os presbiterianos têm o sacramento da confissão, *mac mo chinnidh*?

Roger passou alguns instantes sem dizer nada, surpreendido tanto pela pergunta quanto por suas implicações imediatas e pelo fato de Jamie ter se referido a ele como "filho de minha casa", coisa que havia feito apenas uma vez, na convocação dos clãs no monte Hélicon alguns anos antes.

Porém, a pergunta em si era bem direta e foi assim que ele a respondeu:

– Não. Os católicos têm sete sacramentos, mas os presbiterianos só reconhecem dois: o batismo e a santa ceia. – Poderia ter parado por aí, mas a primeira implicação da pergunta era óbvia. – Tem algo que você queira me dizer, Jamie? – Pensou que aquela talvez fosse a segunda vez que chamava o sogro de Jamie. – Eu não posso absolvê-lo… mas posso escutar.

Ele não teria dito que o rosto de Jamie antes estivesse exibindo qualquer indício de tensão. Mas nessa hora sua fisionomia relaxou e a diferença foi suficientemente visível para que seu coração se abrisse para o outro homem, preparado para o que quer que pudesse dizer. Ou assim ele pensou.

– Sim. – A voz de Jamie saiu rouca e ele pigarreou e encolheu a cabeça, um pouco tímido. – Sim, isso basta. Você se lembra da noite em que trouxemos Claire de volta dos bandidos?

– Não conseguiria esquecer – respondeu Roger, encarando-o. Relanceou os olhos para os meninos, mas eles continuavam pescando; tornou a olhar para Jamie. – Por quê? – perguntou, ressabiado.

– Você estava comigo no final, quando quebrei o pescoço de Hodgepile e Ian me perguntou o que fazer com o resto? Eu disse: "Matem todo mundo."

– Eu estava lá.

Estava mesmo. E não queria voltar. Bastaram três palavras e tudo continuava ali, logo abaixo da superfície da memória, ainda gelado em seus ossos: a noite negra na floresta, um forte calor de fogo passando diante de seus olhos, o vento gélido e o cheiro de sangue. E os tambores: um *bodhran* retumbando encostado em seu braço, dois outros atrás dele. Gritos na escuridão. O brilho repentino de olhos e a sensação de retesar as entranhas de um crânio afundando.

– Eu matei um – falou, abrupto. – Você sabia?

Jamie não tinha desviado os olhos e não o fez nessa hora: sua boca se contraiu por um instante e ele aquiesceu.

– Não vi você matando – disse. – Mas isso estava bem claro em seu rosto no dia seguinte.

– Não duvido.

A garganta de Roger estava contraída e as palavras saíram com dificuldade. Estava surpreso por Jamie ter reparado em qualquer coisa naquele dia que não fosse Claire. A imagem dela ajoelhada na beira de um córrego endireitando o nariz quebrado guiada pelo próprio reflexo na água, com o sangue a escorrer pelo corpo nu cheio de hematomas, voltou-lhe à mente com a mesma força de um soco no plexo solar.

– Você nunca sabe como vai ser. – Jamie deu de ombros. Havia perdido a fita que prendia seus cabelos e as mechas grossas e ruivas se agitaram à brisa da noite que se aproximava. – Quero dizer, em uma luta como aquela. O que vai se lembrar e o que não. Mas eu me lembro de *tudo* em relação àquela noite… e ao dia seguinte.

Roger aquiesceu, mas não disse nada. Era verdade que os presbiterianos não tinham um sacramento da confissão, e ele lamentava um pouco que assim fosse. Era uma carta útil de se ter na manga. Em especial quando se tinha tido o tipo de vida que Jamie tivera. Mas qualquer pastor conhecia a necessidade que a alma tinha de falar e ser compreendida, e isso ele podia dar.

– Imagino que sim – falou. – Está querendo dizer que se arrepende? Digo, de mandar os homens matarem todo mundo.

– Nem por um segundo. – Jamie o fitou com um olhar breve e feroz. – Você se arrepende de sua participação?

– Eu… – Roger se calou. Não que não tivesse pensado naquele assunto, mas… – Eu me arrependo de ter tido que fazer o que fiz – falou, cauteloso. – Muito. Mas tenho certeza de que era preciso.

Jamie suspirou.

– Imagino que você saiba que Claire foi estuprada.

Não era uma pergunta, mas Roger aquiesceu. Claire não tinha falado no assunto, nem mesmo com Brianna, mas não fora preciso.

– O responsável não morreu naquela noite. Ela o viu vivo dois meses depois, no entreposto dos Beardsleys.

A brisa da noite havia ficado gelada, mas não foi isso que arrepiou os pelos dos antebraços de Roger. Jamie era um homem de discurso preciso e tinha começado aquela conversa com a palavra "confissão". Roger não se apressou em falar.

– Imagino que não esteja pedindo minha opinião quanto ao que fazer em relação a isso – acabou por dizer.

– Não – respondeu Jamie baixinho. – Não estou.

– Vovô! Olhe!

Jem e Germain vinham correndo por cima das pedras e por entre os arbustos, cada qual trazendo uma fieira de trutas reluzentes que vertiam filetes escuros de sangue e água em suas calças enquanto cintilavam, cor de bronze e de prata, aos últimos raios de luz.

Roger virou as costas para os meninos a tempo de ver a faísca nos olhos de Jamie ao fitar os netos e a súbita luz em seu rosto revelou uma expressão atormentada e íntima que desapareceu em um instante quando Jamie sorriu e levantou a mão para os meninos, estendendo-a para admirar os peixes.

Meu Deus do céu!, pensou Roger. Teve a sensação de que um fio de eletricidade acabara de varar seu peito por um segundo, pequeno e sibilante. *Ele se perguntou se os dois tinham idade suficiente para saber dessas coisas.*

– A gente decidiu que pegou seis cada um – explicava Jemmy enquanto segurava orgulhoso a sua fieira e a virava de modo que o pai e o avô pudessem apreciar o tamanho e a beleza das trutas que havia pescado.

– E estes são os de Fanny – disse Germain, erguendo uma fieira menor da qual pendiam três trutas gordas. – Decidimos que ela teria pescado algumas se estivesse aqui.

– Foi uma ideia gentil, rapazes – disse Jamie com um sorriso. – Tenho certeza que ela vai gostar.

– Humm – fez Germain, embora enrugasse um pouco a testa. – Ela ainda vai poder vir pescar conosco, *grand-père*? A sra. Wilson disse que não vai mais poder depois que virar mulher.

Jemmy produziu um ruído de repulsa e deu uma cotovelada em Germain.

– Deixe de ser bobo – falou. – Minha mãe é mulher e pesca. E caça também, não é?

Germain assentiu, mas sem parecer convencido.

– Sim, é – reconheceu. – Mas o sr. Crombie não gosta, nem Garça.

Hiram Crombie era da opinião de que mulheres deviam cozinhar, limpar, fiar, costurar, cuidar das crianças, alimentar os animais e ficar caladas exceto quando estivessem rezando. Mas Garça em Pé Bradshaw era um cherokee que havia desposado uma das jovens morávias de Salem e fora morar do outro lado da Cordilheira.

– Garça? – repetiu Roger, surpreso. – Por quê? As mulheres cherokees cultivam as próprias lavouras, e tenho certeza que já as vi capturando peixes com redes e arapucas perto dos campos.

– Garça não disse nada sobre capturar peixes – explicou Jem. – Mas, segundo ele, as mulheres não podem caçar porque fedem a sangue e isso afasta as presas.

– Bem, isso é verdade – disse Jamie, para surpresa de Roger. – Mas só quando estão no período. Mesmo assim, se a mulher ficar contra o vento…

– Uma mulher com cheiro de sangue não atrairia ursos ou panteras? – perguntou Germain. A ideia pareceu deixá-lo um pouco preocupado.

– Provavelmente não – respondeu Roger, torcendo para estar certo. – E se eu fosse você não sugeriria uma coisa dessas para sua tia. Ela pode não gostar.

Jamie fez um ruído baixo e bem-humorado e dispensou os garotos.

– Vão indo, rapazes. Ainda temos umas coisas para conversar. Digam à sua avó que vamos chegar a tempo do jantar, sim?

Eles aguardaram e ficaram olhando até os meninos se afastarem o suficiente para não poderem mais ouvi-los. A brisa agora tinha parado de soprar e os últimos e lentos círculos na superfície da água foram perdendo força até sumirem nas sombras cada vez mais escuras. O ar começou a se encher de minúsculas moscas, as sobreviventes da eclosão dos ovos.

– Então você já fez? – perguntou Roger. Estava nervoso com a resposta: e se não tivesse feito ainda e Jamie quisesse sua ajuda com o assunto?

Mas Jamie aquiesceu e seus ombros largos relaxaram.

– Claire não me contou. É claro que eu vi na hora que algo a estava perturbando... – Um fio de bom humor pesaroso permeou sua voz; a incapacidade de esconder os próprios sentimentos de Claire era notória. – Mas, quando comentei, ela me disse para deixar aquilo quieto e para lhe dar tempo para pensar.

– E você deixou?

– Não. – O bom humor tinha desaparecido. – Vi que era algo sério. Perguntei para minha irmã e ela me contou. Jenny estava com Claire no entreposto dos Beardsleys, entende? Ela também viu o sujeito e conseguiu arrancar de Claire qual era o problema. Quando deixei claro que sabia o que estava acontecendo, Claire me disse que estava tudo bem. Estava tentando perdoar o desgraçado. E achava que estivesse progredindo nesse sentido. De modo geral.

A voz de Jamie saiu casual, mas Roger pensou ter escutado nela um viés de arrependimento.

– Você... você acha que deveria ter deixado que ela lidasse com o assunto? O perdão é *de fato* um... processo. Quero dizer, não é um ato único. – Ele estava se sentindo incomodado e pigarreou para limpar a garganta.

– Eu sei – disse Jamie com uma voz seca como areia. – Poucos homens sabem melhor.

Um rubor quente de constrangimento subiu pelo peito de Roger até seu pescoço. Ele pôde sentir aquilo agarrá-lo pela garganta e durante alguns segundos não conseguiu dizer nada.

– É – disse Jamie depois de um instante. – Sim, isso é verdade. Mas talvez seja mais fácil perdoar um morto do que um homem que está andando por aí bem debaixo de seu nariz. E desse ponto de vista eu achei que seria mais fácil para ela perdoar do que para mim. – Ele ergueu um ombro e o deixou cair. – E quer ela fosse ou não capaz de suportar a ideia de aquele homem morar perto de nós... eu não fui.

Roger produziu um pequeno ruído dando a entender que tinha escutado. Não pareceu haver mais nada de útil a dizer.

Jamie não se mexeu nem disse nada. Ficou sentado com a cabeça virada ligeiramente para outro lado, contemplando a água onde uma luz desgarrada cintilava na superfície tocada pela brisa.

– Talvez tenha sido a pior coisa que já fiz – disse por fim, muito baixinho.

– Moralmente, você quer dizer? – indagou Roger, tomando cuidado para usar um tom de voz neutro.

Jamie virou a cabeça em sua direção e ele pôde captar um lampejo azul de surpresa quando os últimos raios de sol tocaram a lateral de seu rosto.

– Ah, não – respondeu seu sogro na mesma hora. – Só difícil de fazer.

– Entendo.

Roger deixou o silêncio se instalar mais uma vez. Podia *sentir* Jamie pensando, apesar de ele não ter se mexido. Será que ele precisava contar aquilo para alguém, reviver tudo, e assim tranquilizar a própria alma por meio de uma confissão completa? Sentiu em si mesmo uma curiosidade terrível e, ao mesmo tempo, o desejo de não escutar. Respirou fundo e falou de modo abrupto:

– Eu contei para Brianna. Que tinha matado Boble e... e como. Talvez não devesse ter contado.

O rosto de Jamie estava todo nas sombras, mas Roger pôde sentir os olhos azuis no próprio rosto, acesos pelo sol poente. Com esforço, não baixou os dele.

– Ah, é? – disse Jamie com uma voz calma, mas curiosa. – O que ela disse? Quero dizer, se não se importar em me contar.

– Eu... bom. Para dizer a verdade, a única coisa de que me lembro com certeza é de ela dizer "Eu te amo".

Era a única coisa que ele havia escutado em meio ao eco dos tambores e às batidas da própria pulsação nos ouvidos. Tinha lhe contado ajoelhado, com a cabeça em seu colo. E Brianna não parava de repetir "Eu te amo" com os braços em volta de seus ombros, abrigando-o com a cascata dos cabelos, absolvendo-o com suas lágrimas.

Por um instante, Roger se viu outra vez dentro daquela lembrança e voltou a si com um sobressalto ao se dar conta de que Jamie tinha dito alguma coisa.

– O que disse?

– Eu disse: e como é mesmo que os presbiterianos não consideram o matrimônio um sacramento?

Jamie se mexeu na pedra e ficou de frente para Roger. O sol tinha praticamente se posto e não passava de um halo de bronze em seus cabelos. Seus traços estavam na penumbra.

– Você é um religioso, Roger Mac – disse ele, com o mesmo tom que poderia ter usado para descrever qualquer fenômeno natural, como, por exemplo, um cavalo malhado ou uma revoada de patos. – Está claro para mim, e para você, que Deus o chamou para isso e trouxe você para este lugar e para esta época para fazer isso.

– Bem, a parte em relação a ser pastor está clara – disse Roger, seco. – Quanto ao resto, seu palpite vale tanto quanto o meu. E *eu mesmo* só posso fazer isso, dar palpite.

– É bem mais do que o restante de nós pode fazer, homem – retrucou Jamie sorrindo. Ele se levantou, uma sombra com a vara de pescar na mão, e se abaixou para pegar o cesto de junco trançado contendo os peixes. – Melhor voltarmos, não?

Não havia uma passagem de verdade entre a margem do lago de trutas e a trilha de cervos que percorria as encostas mais baixas da Cordilheira, e o esforço de passar por cima de rochedos e de atravessar a vegetação rasteira cerrada à luz cada vez mais fraca os impediu de dizer muita coisa.

– Quantos anos tinha a primeira vez que viu um homem ser morto? – perguntou Roger para as costas do sogro.

– Oito – respondeu Jamie sem hesitar. – Foi em uma briga durante minha primeira expedição para roubar gado. Não fiquei muito perturbado.

Uma pedra rolou sob seu pé e ele escorregou e agarrou um galho de abeto bem a tempo de se salvar. Tornando a firmar os pés, benzeu-se e resmungou algo entre dentes.

O cheiro de agulhas de abeto pisoteadas pairava forte no ar quando eles começaram a andar mais devagar, prestando atenção no solo. Roger se perguntou se as coisas de fato tinham um cheiro mais intenso no crepúsculo ou se, quando a visão diminuía, você simplesmente prestava mais atenção nos outros sentidos.

– Na Escócia, durante o Levante, vi meu tio Dougal matar um de seus homens – disse Jamie de repente. – Foi uma coisa terrível, mesmo tendo sido por misericórdia.

Roger soltou um arquejo, com a intenção de dizer... Bem, ele não soube ao certo, mas pouco importava.

– E depois eu matei Dougal pouco antes da batalha. – Jamie não se virou; apenas continuou a subir, lento e incansável, fazendo o cascalho escorregar de vez em quando sob os pés.

– Eu sei – disse Roger. – E sei por quê. Claire nos contou quando voltou – acrescentou ao ver os ombros de Jamie se retesarem. – Quando achou que *você* tivesse morrido.

Fez-se um longo silêncio, rompido apenas pelo som de respirações pesadas e das andorinhas caçando.

– Não sei se poderia me forçar a morrer por uma ideia – disse Jamie, tomando cuidado com as palavras. – Não que não seja uma bela coisa – emendou depressa. – Mas... eu perguntei para Brianna se algum daqueles homens, aqueles que bolavam as palavras e os conceitos necessários para transformar ideias em realidade, se algum desses homens de fato entrava na briga.

– Na Revolução, você quer dizer? Eu acho que não – disse Roger sem convicção. – Digo, não vão entrar. A menos que inclua George Washington na lista, e não creio que ele fale muito.

– Ele fala com seus soldados, pode acreditar – disse Jamie com um humor irônico na voz. – Mas pode ser que não fale com o rei nem com os jornais.

– Não. Mas enfim – acrescentou Roger para ser justo, tirando da frente um galho de pinheiro grosso e com um visgo de cheiro forte que deixou sua mão grudenta. – John Adams, Ben Franklin, todos os pensadores e faladores... estão arriscando o pescoço tanto quanto você, tanto quanto nós.

– É.

O terreno agora era íngreme e nada mais foi dito enquanto eles subiam, tateando para encontrar seu caminho pelo chão irregular coberto de cascalho.

– Estou pensando que talvez eu não seja capaz de morrer nem de conduzir outros homens para a morte apenas em nome do conceito de liberdade. Não hoje em dia.

– Não hoje em dia? – repetiu Roger, espantado. – Teria sido capaz... antes?

– Sim. Quando você, a menina e seus pequenos estavam... lá. – Roger captou o breve movimento da mão dele, estendida em direção a um futuro distante. – Porque nesse caso tudo que eu fizesse aqui seria... teria *importância*, não é? Para todos vocês... e por vocês eu sou capaz de lutar. – Sua voz se fez mais branda: – Foi o que nasci para fazer, não é?

– Eu entendo – disse Roger baixinho. – Mas você sempre soube disso, não? O que tinha nascido para fazer.

Jamie produziu na garganta um som de certa surpresa.

– Não sei quando entendi isso – disse com um sorriso na voz. – Talvez em Leoch, ao descobrir que conseguia levar os outros meninos a fazer bobagem... Talvez devesse estar confessando isso?

Roger descartou a questão com um aceno.

– Isso vai ter importância para Jem e Mandy... e para todos de seu sangue que vierem depois deles – falou.

Contanto que Jem e Mandy sobrevivam para ter os próprios filhos, acrescentou mentalmente, e sentiu uma fria apreensão no fundo do estômago ao pensar nisso.

Jamie estacou de modo um tanto súbito e Roger teve que dar um passo para um lado para não trombar com ele.

– Olhe ali – disse Jamie, e ele olhou.

Os dois estavam no alto de um pequeno promontório onde as árvores se abriam por um instante e a Cordilheira e o flanco norte do vale mais abaixo se estendiam à frente, uma imensa massa negra e sólida contra o fundo azul-escuro do céu quase apagado. Mas luzinhas minúsculas pontuavam a escuridão: as janelas e chaminés faiscantes de uma dúzia de casas.

– Não são só nossas mulheres e nossos filhos, sabe? – disse Jamie e meneou a cabeça em direção às luzes. – São eles também. Todos eles.

Sua voz tinha um tom esquisito: uma espécie de orgulho, mas também pesar e resignação.

Todos eles.

São 73 famílias ao todo, Roger sabia. Tinha visto os registros mantidos por Jamie, escritos com um cuidado meticuloso, para anotar as contas e o bem-estar de cada família que ocupava suas terras... e sua mente.

Agora, pois, diga a meu servo Davi: Assim diz o Senhor dos Exércitos: Eu o tirei das pastagens, onde cuidava dos rebanhos, para ser o soberano de meu povo Israel. A citação lhe veio à mente e ele a recitou antes de conseguir pensar.

Jamie inspirou de modo profundo e audível.

– É – falou. – Rebanhos seriam mais fáceis. – Então arrematou: – Frank Randall... o livro dele diz que a guerra virá do sul; não que eu precisasse dele para me dizer isso. Mas Claire, Brianna e as crianças... e todos eles... não vou conseguir protegê-los se ela chegar perto.

Jamie meneou a cabeça em direção às fagulhas distantes e ficou claro para Roger que estava se referindo a seus colonos... seu povo. Não parou para responder, mas ajustou a posição do cesto de peixes no ombro e começou a descer.

A trilha se estreitou. O ombro de Roger roçou no de Jamie, bem perto, e ele recuou um passo para seguir atrás do sogro. A lua demorou a sair e quando surgiu não passava de uma nesga. Estava escuro e o ar agora ardia de tão frio.

– Eu o ajudo a protegê-los – disse Roger para as costas de Jamie. Sua voz saiu rouca.

– Eu sei – respondeu Jamie baixinho. Houve uma pausa curta, como se Jamie estivesse esperando que ele dissesse alguma outra coisa, e Roger se deu conta de que deveria:

– Com meu corpo. E com minha alma se for preciso.

Viu Jamie em um contorno breve, viu-o inspirar profundamente, e viu seus ombros relaxarem quando expirou. Eles agora andavam mais depressa; a trilha estava escura e eles saíram dela algumas vezes, sentindo os arbustos se enroscarem nas pernas nuas.

Na orla de sua clareira, Jamie parou para deixar Roger alcançá-lo e pousou a mão no braço dele.

– As coisas que acontecem numa guerra... as coisas que você faz... elas deixam marcas – disse baixinho. – Não acho que ser um religioso vá poupá-lo, é isso que estou dizendo, e lamento muito por isso.

Elas deixam marcas. E lamento muito por isso. Mas Roger não respondeu. Apenas tocou de leve a mão de Jamie onde esta repousava em seu braço. Jamie então retirou a mão e os dois caminharam juntos para casa, em silêncio.

24

ALARMES NOTURNOS

Deitado languidamente como um xale em cima da mesa, Adso abriu os olhos e soltou um débil "miau" de interrogação para o ruído de algo sendo raspado.

– Não é de comer – falei para ele enquanto batia a colher para remover o último pedaço de unguento de genciana.

Os grandes olhos verde-acinzentados voltaram a se tornar meras fendas. Mas não estavam totalmente fechados e a ponta do rabo do gato começou a se mover. Ele observava alguma coisa e, ao me virar, vi Jemmy na porta, vestido com a velha camisa puída de algodão azul do pai. A camisa lhe descia quase até os pés e caía de pequenos ombros ossudos, mas isso não tinha importância: ele estava desperto e sua expressão era de urgência.

– Vovó! Fanny está passando ruim!

– Mal – corrigi, arrolhando o vidro de banha para impedir Adso de lambê-la. – O que houve?

– Ela está encolhida feito um tatu-bola e gemendo como se estivesse com dor de barriga... mas, vovó, tem sangue na camisola dela!

– Ah – falei, tirando a mão do vidro de folhas de hortelã que pretendia pegar e a estendendo para um pequeno embrulho de gaze na prateleira mais alta. Eu já estava com ele preparado havia dois meses, de prontidão. – Acho que ela está bem, meu amor. Ou vai ficar. Onde está Mandy?

As crianças dormiam no mesmo quarto, com frequência na mesma cama. Era normal entrar lá tarde da noite e encontrar um colchão no chão e todos os quatro esparramados em um emaranhado de pernas, braços e roupas. Germain tinha saído para caçar com Bobby Higgins e Aidan; Jemmy não pudera ir por ter cortado o pé na véspera. Mas Mandy estava em casa e eu não achava que sua curiosidade insistente ou suas opiniões volúveis fossem ajudar na atual situação.

– Está dormindo – respondeu Jem, observando-me jogar as ervas embrulhadas em gaze dentro de um bule de argila e despejar água fervente por cima. – Essa poção é para quê, vovó?

– É só um chá feito com gengibre e alecrim – falei. – E um pouco de milefólio. É um emenagogo. – Soletrei a palavra para ele antes de explicar: – É para ajudar no fluxo das mulheres. Você já ouviu falar?

Os olhos de Jemmy ficaram bastante arregalados.

– Quer dizer que Fanny está no cio? – disse ele sem pensar. – Quem vai cruzar com ela?

– Bom, no caso das pessoas não é *exatamente* assim que funciona – falei. – Peça à sua mãe para lhe explicar tudo de manhã – acrescentei, astuta. – E agora por que você não vai dormir com o vovô enquanto eu levo isto aqui para Fanny?

Antes de sair do consultório, porém, tirei de baixo da mesa a caixa de pedras de rio e peguei minha preferida: um pedaço liso de calcita cinzenta do tamanho do punho fechado de Jamie, com uma linha fina e brilhante de esmeralda incrustada em um dos lados que me fez pensar na esmeralda que havia catado perto do córrego. Eu a tinha guardado em minha bolsa de remédios, meu amuleto. Pus a pedra na borda da lareira e usei a pá para cobri-la de brasas quentes, para o caso de ser necessário algum calor.

A vela no quarto das crianças estava acesa e Fanny permanecia deitada em sua cama estreita, descoberta e encolhida feito um ouriço, de costas para a porta. Não olhou para trás ao ouvir o barulho de meus passos, mas seus ombros subiram mais um pouco para junto das orelhas.

– Fanny? – falei baixinho. – Está tudo bem, meu amor?

A preocupação evidente de Jemmy com o sangue tinha me deixado um pouco apreensiva, mas tudo que pude ver foi uma única mancha pequena de sangue e um ou dois pingos na musselina de sua camisola, do marrom cor de ferrugem da primeira menstruação.

– Eu estou bem – disse uma vozinha fria. – É *chó*… é *só* sangue.

– Isso mesmo – falei com calma, embora o tom com o qual ela falou tivesse me deixado alarmada.

Sentei-me a seu lado e pus a mão em seu ombro. Estava tenso, duro como madeira, e a pele, fria. Há quanto tempo ela estaria deitada ali, descoberta?

– Eu estou bem – repetiu. – Já peguei os panos. Vou lavar minha camichola… minha *camisola* de manhã.

– Não se preocupe com isso – falei.

E afaguei muito de leve a parte de trás de sua cabeça, como se Fanny fosse uma gata um pouco temperamental. Não achava que ela pudesse ficar mais tensa, mas ficou. Retirei a mão.

– Está doendo? – perguntei, com a voz profissional que usava ao perguntar sobre o histórico físico de um paciente.

Ela já tinha escutado aquela voz antes e os ombros magros relaxaram só um tiquinho.

– Na veg… Na verdade, não – respondeu, pronunciando as palavras de modo bem distinto.

Fora preciso bastante treino para Fanny conseguir pronunciá-las corretamente depois que fiz a frenectomia que a libertara da língua presa, e eu podia ver quanto qualquer recaída no modo de falar de seus tempos de escravidão a irritava.

– Está só *apertado* – disse ela. – Parece um punho me apertando bem aqui.

Ela pressionou os punhos no baixo-ventre para ilustrar.

– Está parecendo bem normal – tranquilizei-a. – É só seu útero acordando, por assim dizer. Ele nunca se mexeu de modo perceptível antes, então você não devia ter percebido que ele existia. – Eu já tinha lhe explicado a estrutura interna do aparelho reprodutor feminino com desenhos. Embora Fanny houvesse aparentado uma leve repulsa ao escutar a palavra "útero", tinha, *sim*, prestado atenção.

Para minha surpresa, sua nuca empalideceu quando escutou o que eu disse e os ombros tornaram a subir. Olhei por cima de meu ombro, mas Mandy roncava entre as colchas, inteiramente apagada.

– Fanny? – falei e me aventurei a tocá-la outra vez, alisando seu braço. – Você já viu meninas terem o primeiro fluxo, não?

Até onde podíamos avaliar, ela havia morado em um bordel da Filadélfia desde mais ou menos os 5 anos. Eu teria me espantado se não tivesse visto quase tudo de que o sistema reprodutor feminino é capaz. E foi então que me ocorreu, e repreendi a mim mesma por ser tão tola. É claro. Ela tinha *mesmo* visto tudo.

– Já – respondeu ela daquele seu jeito frio e alheado. – Significa duas coisas: você já pode embuchar e já pode começar a ganhar dinheiro.

Respirei fundo.

– Fanny – falei –, sente-se e olhe para mim.

Ela permaneceu imóvel por um instante, mas estava acostumada a obedecer. Após alguns segundos, sentou-se na cama. Não olhou para mim, mas manteve os olhos fixos nos próprios joelhos, pequenos e pontiagudos sob a musselina.

– Meu amor – falei, em tom mais suave, e levei a mão até debaixo de seu queixo para erguer seu rosto.

Seus olhos fitaram os meus como uma pancada, o marrom suave quase negro de medo. Seu queixo estava rígido, o maxilar contraído com força, e eu retirei a mão.

– Não acha mesmo que temos a intenção de prostituir você, acha, Fanny? – Ela ouviu a incredulidade em minha voz e piscou. Uma vez. Então tornou a abaixar o rosto.

– Eu... eu não presto para mais nada – disse ela com uma vozinha. – Mas valho muito dinheiro... por... por *isso*.

Ela moveu a mão pelo baixo-ventre em um gesto rápido, quase ressentido.

Tive a sensação de ter levado um soco na barriga. Será que ela pensava mesmo...? Mas era óbvio que sim. Devia ter pensado assim o tempo todo que passara vivendo conosco. No início parecera desabrochar, a salvo dos perigos e bem alimentada, com os meninos para lhe fazer companhia. Mas no último mês ou algo assim vinha parecendo retraída, pensativa e comendo bem menos. Eu tinha visto os sinais físicos e imaginado que se devessem à sua percepção da mudança iminente. Havia preparado as ervas emenagogas como precaução. Pelo visto eu estava certa, mas não tinha adivinhado nem a metade.

– Isso não é verdade, Fanny – falei e segurei sua mão. Ela deixou, mas a mão dela parecia um passarinho morto dentro da minha. – Esse *não é* seu único valor.

Ah, meu Deus, será que dizer aquilo fazia parecer que ela tinha outro e que fora por isso que nós...

– Quero dizer... não a trouxemos para morar conosco porque pensamos que você... nos renderia algum lucro. De jeito nenhum.

Ela olhou para outro lado e deu uma fungada quase inaudível. Aquilo estava piorando a cada segundo. Tive uma lembrança repentina de Brianna no início da adolescência, quando passava horas a fio no quarto, soterrada por frases fúteis de conforto. *Não, você não é feia; é claro que vai ter um namorado quando chegar a hora; não, todo mundo não odeia você.* Eu não tinha muito talento para elas na época, e obviamente essas habilidades maternas específicas não melhoraram com a idade.

– Nós a trouxemos porque queríamos você, meu amor – falei, acariciando a mão inerte. – Porque queríamos cuidar de você.

Ela se desvencilhou e tornou a se encolher, escondendo o rosto no travesseiro.

– Não queriam, não. – Sua voz saiu pastosa e ela pigarreou com força para limpar a garganta. – William obrigou o sr. Fraser a ficar comigo.

Eu ri alto e ela virou a cabeça do travesseiro para me encarar, espantada.

– De verdade, Fanny – falei. – Falando como alguém que conhece ambos bastante bem, posso garantir que ninguém no mundo seria capaz de obrigar qualquer um desses dois a fazer qualquer coisa contra sua vontade. O sr. Fraser é teimoso feito uma rocha e o filho é igualzinho. Há quanto tempo você conhece William?

– Não... não muito – respondeu ela, hesitante. – Mas... mas ele tentou salvar Jane. Ela gostava dele.

Lágrimas repentinas marejaram seus olhos e ela virou o rosto outra vez para o travesseiro.

– Ah – fiz eu bem mais baixo. – Entendi. Você está pensando nela. Em Jane.

Ela assentiu. Seus pequenos ombros estavam encolhidos e trêmulos. A trança havia se desfeito e os cachos castanhos sedosos se soltavam, deixando à mostra a pele branca do pescoço, esguio feito um caule de aspargo fervido.

– Foi a única vez que a vi chorar – disse ela, as palavras quase inaudíveis de tão embargadas e abafadas.

– Jane? Quando?

– Na primeira... na primeira vez dela. Com... com um homem. Quando voltou e mostrou o pano manchado de sangue para a sra. Abbott. Ela fez isso, depois entrou na cama comigo e chorou. Fiquei segurando ela... afagando... mas... mas não consegui fazer ela parar de chorar.

Ela recolheu os braços sob o corpo e se sacudiu com soluços silenciosos.

– Sassenach? – A voz rouca de sono de Jamie veio da porta. – Qual é o problema? Rolei para o lado e encontrei Jem em minha cama em vez de você.

Ele falou com calma, mas seus olhos estavam pregados nas costas trêmulas de Fanny. Jamie olhou para mim com a sobrancelha erguida e moveu a cabeça de leve em direção ao batente da porta. Eu queria que ele fosse embora?

Olhei para Fanny, em seguida para Jamie, e dei de ombros em um gesto de impotência. Ele entrou no quarto na mesma hora e puxou um banquinho para o lado da cama de Fanny. Reparou na mesma hora nas manchas de sangue e tornou a olhar para mim: certamente aquilo era um assunto de mulheres? Mas eu fiz que não com a cabeça, sem tirar a mão das costas dela.

– Fanny está com saudade da irmã – falei, abordando o único aspecto das coisas com o qual julgava ser possível lidar de modo eficaz no momento.

– Ah – fez Jamie baixinho e, antes que eu pudesse detê-lo, abaixou-se e tomou Fanny delicadamente nos braços.

Retesei-me por um instante, temendo que o toque de um homem naquele exato instante… mas ela se virou para ele na mesma hora, enlaçando-o pelo pescoço e se pondo a soluçar junto a seu peito.

Ele se sentou, segurando-a sobre o joelho, e eu senti a tensão infeliz de meus ombros se aliviar ao vê-lo acariciar os cabelos e murmurar coisas em um *gàidhlig* que ela não falava, mas compreendia.

Fanny continuou a soluçar por algum tempo, mas aos poucos foi se acalmando com o toque dele e passou a dar apenas soluços esparsos.

– Eu só vi sua irmã uma vez – disse ele suavemente. – Era Jane o nome dela, não? Jane Eleanora. Uma menina bonita. E ela amava você, Frances. Eu sei que amava.

Fanny assentiu enquanto as lágrimas escorriam por suas bochechas e olhei para o canto onde Mandy estava deitada na cama de armar. Ela continuava apagada, com o polegar enfiado na boca. Fanny se controlou em poucos segundos, porém, e me perguntei se teria apanhado no bordel por chorar ou exibir emoções violentas.

– Ela fez aquilo por mim – disse em um tom de absoluta desolação. – Quando matou o capitão Harkness. E agora está morta. É tudo culpa minha.

Apesar de estar fechando a mão com tanta força que as articulações chegavam a estar brancas, novas lágrimas lhe marejaram os olhos. Jamie me olhou por cima de sua cabeça, então engoliu a saliva para controlar a voz.

– Você teria feito qualquer coisa por sua irmã, não é? – perguntou, esfregando delicadamente suas costas entre as pequenas escápulas ossudas.

– Sim – respondeu Fanny com a voz abafada pelo ombro dele.

– É claro que teria. E ela teria feito o mesmo por você… e fez. Você não teria hesitado um segundo em dar a vida por ela, e Jane tampouco hesitou. Não foi culpa sua, *a nighean*.

– Foi, *sim*! Eu não deveria ter armado um escarcéu, deveria ter…

Ela se agarrou nele, entregando-se à tristeza. Jamie a afagou e a deixou chorar, mas olhou para mim por cima do cocuruto despenteado dela e arqueou as sobrancelhas.

Levantei-me e fui me postar atrás dele, com uma das mãos em seu ombro. Murmurando em francês, contei-lhe em poucas palavras a outra causa da aflição de Fanny. Ele franziu os lábios por um instante, mas então assentiu, sem nunca parar de acariciá-la e fazer ruídos tranquilizadores. O chá havia esfriado e partículas de alecrim e gengibre moído flutuavam na superfície turva. Peguei o bule e saí sem fazer barulho para preparar mais.

Jemmy estava em pé no escuro logo depois da porta e quase trombei com ele.

– Jesus H. Roosevelt Cristo! – exclamei, conseguindo apenas sussurrar as palavras. – O que está fazendo aqui? Por que não está dormindo?

Ele ignorou a pergunta e fitou a luz mortiça do quarto e a sombra curvada na parede com uma expressão de profunda perturbação.

– O que houve com a irmã da Fanny, vovó?

Hesitei, com os olhos abaixados em sua direção. Ele tinha apenas 9 anos. E certamente cabia aos pais lhe contar o que julgassem que devesse saber. Mas Fanny era sua amiga… e Deus sabia que precisava de um amigo em quem pudesse confiar.

– Desça comigo – falei, virando-o na direção da escada com a mão em seu ombro. – Vou contar enquanto faço mais chá. E *não* diga para sua mãe que eu contei, droga.

E foi o que fiz, do modo mais simples que consegui, omitindo as coisas que Fanny tinha me revelado sobre os hábitos do finado capitão Harkness.

– Você conhece a palavra "prostituta"?

– Claro. Germain me contou. Prostitutas são damas que vão para a cama com homens que não são seus maridos. Mas Fanny não é prostituta… A irmã dela era?

A ideia pareceu perturbá-lo.

– Bem, era sim – admiti. – Falando de modo genérico. Mas mulheres ou meninas que viram prostitutas fazem isso porque não têm outro jeito de ganhar a vida. Não é porque elas querem.

Ele pareceu não entender.

– Como ganham dinheiro?

– Ah. Os homens pagam para… ir para a cama com elas. Pode acreditar – confirmei, ao ver seus olhos se arregalarem de assombro.

– Eu vou para a cama com Mandy e Fanny o tempo todo – protestou ele. – E Germain também. Eu não pagaria a elas porque são meninas!

– Jeremiah – falei, despejando água no bule –, "ir para a cama" é um eufemismo… você conhece essa palavra? Significa dizer algo que soa melhor do que aquilo a que você está realmente se referindo… no caso, relações sexuais.

– Ah, *isso* – disse ele e seu semblante se desanuviou. – Como os porcos? Ou as galinhas?

– É, mais ou menos assim. Pegue um pano limpo para mim, sim? Deve ter alguns na parte de baixo do armário. – Ajoelhei-me, fazendo os joelhos estalarem de leve, e catei a pedra quente do meio das cinzas com o atiçador. Ela emitiu um leve silvo quando o ar frio do consultório tocou a superfície quente.

– Então – falei, estendendo a mão para o pano e tentando manter a voz o mais casual possível. – Os pais de Jane e Fanny morreram, e elas não tinham como se sustentar, então Jane virou prostituta. Mas tem homens que são muito maus… acho que você já sabe disso, não sabe? – acrescentei, erguendo os olhos para ele, e Jemmy aquiesceu, sério.

– Sim. Bom, um homem mau foi ao lugar onde Jane e Fanny moravam e quis obrigar Fanny a ir para a cama com ele, apesar de ela ser jovem demais para fazer uma coisa dessas. E... Jane o matou.

– Uau!

Pestanejei, mas a interjeição fora proferida com o mais profundo respeito. Tossi e comecei a dobrar o pano.

– Foi muito heroico o que ela fez, sim. Mas ela...

– Matou como?

– Com uma faca – respondi um pouco tensa, torcendo para ele não pedir detalhes. – Mas o homem era um soldado. Quando o Exército Britânico descobriu, mandou prender Jane.

– Ai, meu Deus – disse Jem em tom de assombro e horror. – Eles enforcaram ela como tentaram enforcar papai?

Tentei pensar se deveria lhe dizer ou não para não usar o nome do Senhor em vão, mas, por um lado, essa não tinha sido sua intenção, e, por outro, eu não era exemplo nenhum nesse quesito específico.

– Eles pretendiam. Ela estava sozinha e com muito medo... e... bom, querido, ela se matou.

Ele passou vários segundos me encarando, com o rosto inexpressivo, então engoliu em seco.

– A Jane foi para o inferno, vovó? – perguntou, com uma voz miúda. – É por isso que a Fanny está tão triste?

Eu havia embrulhado a pedra em várias camadas de pano; o calor esquentava as palmas de minhas mãos.

– Não, meu amor – falei, com o máximo de convicção que fui capaz de reunir. – Tenho quase certeza que não. Deus iria entender as circunstâncias. Não, Fanny está só com saudade da irmã.

Ele assentiu, muito sério.

– Eu sentiria saudade da Mandy se ela matasse alguém e fosse... – Fiquei um pouco preocupada ao notar que a ideia de Mandy matar alguém aparentemente era algo razoável para ele, mas pensando bem...

– Tenho bastante certeza de que nada desse tipo aconteceria com Mandy. Tome. – Entreguei a pedra embrulhada. – Cuidado com isso.

Subimos devagar, deixando um rastro de vapor morno de gengibre, e encontramos Jamie sentado na cama ao lado de Fanny com uma pequena coleção de coisas espalhada pela colcha entre os dois. Ele ergueu os olhos para mim, fez um movimento rápido das sobrancelhas para indicar Jem, então meneou a cabeça para a colcha.

– Frances estava me mostrando um retrato da irmã. Você deixa a sra. Fraser e Jem darem uma olhada também, *a nighean*?

O rosto de Fanny ainda estava congestionado de tanto chorar, mas ela havia mais ou menos se controlado e aquiesceu muito séria, afastando-se um pouco para o lado.

A pequena trouxa de bens pessoais que ela trouxera estava desembrulhada e havia revelado uma magra e desoladora pilha de objetos: um pente fino para lêndeas, a rolha de uma garrafa de vinho, duas meadas de linha bem dobradas, uma delas com uma agulha espetada, um papel cheio de alfinetes e umas poucas peças de joias de má qualidade. Em cima da colcha estava um pedaço de papel, muito dobrado e gasto nos vincos, com um desenho a lápis de uma moça.

– Um dos homens fez esse desenho uma noite no *salon* – disse Fanny, chegando um pouco para o lado para podermos olhar.

Mal passava de um esboço, mas o artista soubera captar uma centelha de vida. Jane tinha um belo contorno, o nariz reto e uma boca delicada e carnuda, mas sua expressão não denotava flerte nem modéstia. Estava olhando parcialmente por cima do ombro, meio sorrindo, mas com um ar de leve desdém na expressão.

– Que bonita, Fanny – disse Jemmy e foi ficar em pé a seu lado. Afagou-lhe o braço como teria afagado um cachorro, e com a mesma ausência de constrangimento.

Vi que Jamie tinha passado um lenço para Fanny; ela fungou e assoou o nariz enquanto assentia.

– É tudo que tenho – falou, com a voz tão rouca quanto a de um jovem sapo. – Só isso e o medalhão dela.

– Isto aqui? – Jamie remexeu a pequena pilha com um indicador grande e pegou um pequeno medalhão de bronze oval pendurado em uma corrente. – É uma miniatura de Jane ou quem sabe um cacho de cabelo dela?

Fanny fez que não com a cabeça e pegou o medalhão da mão dele.

– Não – falou. – É um retrato de nossa mãe.

Deslizou a unha do polegar pela lateral da peça e abriu a tampa. Curvei-me para olhar, mas a miniatura lá dentro estava difícil de ver, com o corpo de Jamie fazendo sombra como estava.

– Posso?

Fanny me passou o medalhão e me virei para segurá-lo junto da vela. A mulher lá dentro tinha cabelos escuros e cacheados como os de Fanny e detectei uma semelhança com Jane no nariz e no formato do queixo, embora o retrato não fosse especialmente habilidoso.

Atrás de mim, ouvi Jamie dizer, em tom bastante casual:

– Frances, homem nenhum nunca vai possuir você contra sua vontade enquanto eu viver.

Fez-se um silêncio espantado. Ao me virar, vi Fanny encarando Jamie. Ele tocou sua mão muito de leve.

– Acredita em mim? – perguntou baixinho.

– Sim – sussurrou ela após uma longa pausa, e toda a tensão abandonou seu corpo em um suspiro como o vento leste.

Jemmy se encostou em mim, com a cabeça em meu cotovelo, e me dei conta de que estava parada ali com os olhos cheios de lágrimas. Enxuguei-as na manga e fechei o medalhão. Ou tentei fechar: ele escorregou dos meus dedos e vi que havia um nome gravado dentro, do lado oposto ao da miniatura.

Faith.

Não consegui dormir. Tinha dado a Fanny seu chá, providenciado para ela panos adequados – que, sem qualquer surpresa para mim, ela já sabia usar – e conversado com ela gentilmente, tomando cuidado para não despertar mais nenhum de seus fantasmas particulares.

Quando Fanny fora morar conosco, Jamie e eu tínhamos combinado não tentar interrogá-la em relação a qualquer lembrança que ela deixasse escapar em voz alta, como os homens maus no navio e o que tinha acontecido com o cachorro Salpico, a não ser que Fanny quisesse falar a respeito. Eu achava que ela fosse querer, mais cedo ou mais tarde. Bree e Roger também haviam concordado, embora eu pudesse ver como Brianna estava curiosa.

Fanny havia mencionado Jane uma vez ou outra, de modo casual, mas com o intuito de manter viva a memória de sua irmã. No entanto, ao ver seu estado naquela noite, compreendi que Jane estava muito mais perto dela do que eu pensara. E agora que eu tinha visto o rosto dela... não conseguia esquecê-lo.

Já era perturbador saber sobre a vida das meninas no bordel da Filadélfia. Não queria descobrir como elas foram parar lá. Continuava não querendo, mas não conseguia controlar o bichinho da especulação: ele havia se entranhado em meu cérebro e se contorcia ocupadíssimo em meio a meus pensamentos, acabando com meu sono.

Homens maus em um navio. Um cachorro atirado ao mar. Um cachorro de estimação? Uma família... Se Fanny e Jane estivessem com os pais em um navio que houvesse topado com piratas... ou mesmo com um capitão malvado como Stephen Bonnet... Senti os pelos dos antebraços se eriçarem ao pensar nele, mas foi pela lembrança da raiva, não do medo. Alguém como ele poderia ter dado uma olhada nas duas belas mocinhas e decidido que os pais delas podiam ser dispensados.

Faith. *Nossa mãe*, tinha dito Fanny. Eu havia olhado mais de uma vez para a miniatura no medalhão, mas o retrato era pequeno demais para mostrar qualquer coisa além de uma jovem de cabelos escuros, talvez naturalmente cacheados, ou talvez cacheados e penteados segundo a moda da época.

Não. Não pode ser. Rolei para outro lado pela décima segunda vez, deitei-me de bruços e enterrei o rosto no travesseiro na esperança de me perder no aroma do linho limpo e das plumas de ganso.

– O que não pode ser, Sassenach? – A voz de Jamie falou em meu ouvido, sonolenta e resignada. – E, se não pode ser, não dá para esperar o dia raiar?

Rolei de lado, fazendo a roupa de cama farfalhar, e fiquei de frente para ele.

– Desculpe – falei e o toquei para me desculpar. Sua mão segurou a minha automaticamente, quente e firme. – Não me dei conta de que tinha falado em voz alta. Estava... estava só pensando no medalhão de Fanny.

Faith.

– É – disse ele e se espreguiçou um pouco com um gemido. – O nome, você quer dizer? Faith?

– Bem... sim. Quero dizer... não tem possibilidade alguma de... ter algo a ver com...

– Não é um nome incomum, Sassenach. – Ele acariciou os nós de meus dedos com o polegar. – É claro que você iria... sentir alguma coisa. Eu também senti.

– Sentiu? – perguntei baixinho. – Eu... eu não faço mais isso, mas durante algum tempo, só de vez em quando, eu pensava nela, em nossa Faith... do nada. Imaginava que podia senti-la perto de mim.

– Imaginava como ela poderia ser... adulta? – A voz dele também estava suave. – Eu fazia isso às vezes. Na prisão, principalmente; tempo demais para pensar à noite. Sozinho.

Fiz um pequeno ruído e cheguei mais perto. Deitei a cabeça na curva de seu ombro e seu braço me envolveu. Ficamos parados, em silêncio, escutando a noite e a casa à nossa volta. Ocupada pela nossa família... mas com um pequeno anjo a pairar no ar calmo e agradável, tão tranquilo quanto uma fumaça que sobe.

– O medalhão – falei por fim. – Não existe a menor possibilidade de ele ter algo a ver com...?

– Não – respondeu ele com um viés de cautela na voz. – Mas o que está pensando, Sassenach? Porque não está pensando o que acabou de dizer, e sei muito bem disso.

Era verdade, e um espasmo de culpa por ter sido desmascarada retesou meu corpo.

– *Não pode* ser – falei e engoli em seco. – É só que...

Minhas palavras se extinguiram e a mão dele massageou o ponto entre minhas escápulas.

– Bom, é melhor me dizer, Sassenach – disse ele. – Por mais bobo que seja, nenhum de nós dois vai dormir até você falar.

– Bom... sabe aquilo que Roger me disse, sobre o médico que encontrou nas Terras Altas e a luz azul?

– Sei. O que...?

– Roger me perguntou se eu já tinha visto uma luz azul assim... quando estava curando as pessoas.

A mão em minhas costas se imobilizou.

– Você já?

Ele soou ressabiado, mas eu não soube dizer se estava com medo de descobrir algo que não queria saber ou de descobrir que eu estava perdendo a razão.

– Não – respondi. – Mas eu… já *vi*. Duas vezes. Só um clarão, quando o bebê de Malva morreu. – *Morreu em minhas mãos, coberto com o sangue da mãe.* – Quando Faith nasceu, quando eu fiquei muito doente. Eu estava morrendo… morrendo de verdade, senti que estava… e Mestre Raymond apareceu.

– Até aí você me contou – disse ele. – Tem mais?

– Não sei – respondi com sinceridade. – Mas o que eu *acho* que aconteceu foi o seguinte.

E lhe contei sobre ter visto meus ossos brilhando azuis através da carne dos braços, sobre a sensação da luz se espalhando pelo meu corpo e da infecção morrendo e me deixando exaurida, mas inteira e no caminho da cura.

– Então… ahn… eu *sei* que isso não passa de pura fantasia, o tipo de coisa que se pensa no meio da noite quando o sono não vem…

Ele emitiu um ruído baixo indicando que eu deveria parar de me desculpar e falar logo. De modo que inspirei fundo e falei, sussurrando as palavras em seu peito:

– Mestre Raymond apareceu. E se… ele tivesse encontrado… Faith… e conseguido… de alguma forma trazer ela… de volta?

Silêncio de morte. Engoli a saliva e retomei:

– As pessoas… nem sempre estão mortas, mesmo quando parecem estar. Veja a velha sra. Wilson! Todo médico sabe ou já ouviu falar em gente que foi declarada morta e depois acordou no necrotério.

– Ou dentro de um caixão. – A voz dele soou sombria e um calafrio me percorreu. – É, já ouvi histórias assim. Mas um bebê pequeno, e nascido antes do tempo? Como…?

– Eu *não sei* como! – explodi. – Já *disse* que é uma fantasia, que não pode ser verdade! Mas… mas…

Minha garganta se contraiu e minha voz ficou esganiçada.

– Mas você queria que fosse? – A mão dele segurou minha cabeça por trás e sua voz tornou a baixar: – É. Mas… se fosse, *mo chridhe*, por que ele não contou para você? Você tornou a vê-lo, não? Digo, depois de ficar boa.

– Sim.

Estremeci, sentindo por um instante a Câmara da Estrela do rei da França à minha volta, o cheiro do perfume do rei, de sangue do dragão e vinho no ar… e dois homens na minha frente aguardando minha sentença de morte.

– Sim, eu sei. Mas… quando o *comte* morreu, Raymond foi banido e levado embora. Ele não podia ter me contado ali e talvez não tenha conseguido voltar antes de sairmos de Paris.

Aquilo soava insano até para mim. Mas eu podia até ver… Mestre Raymond saindo sem se fazer notar do Hôpital des Anges depois de me deixar, talvez se esgueirando pelos cantos para evitar ser visto, escondendo-se no lugar em que as freiras talvez tivessem deixado Faith em cima de uma prateleira, enrolada em seus cueiros. Ele a teria reconhecido, assim como me reconhecera…

– Todo mundo tem uma cor em volta – disse ele apenas. – A toda a volta, feito uma nuvem. A sua é azul, *madonna*. Como o manto da Virgem. Como a minha.

Uma das suas. O pensamento veio do nada e me enrijeci.

– Jesus H. Roosevelt Cristo. – E se...? Certo, eu *estava* louca, mas era tarde demais para isso fazer diferença.

– E se ele... se nós... e se Mestre Raymond for... fosse... de alguma forma um parente meu?

Jamie não respondeu, mas senti sua mão se mover entre meus cabelos. Seu dedo médio se dobrou para baixo e os das extremidades se esticaram, fazendo o sinal dos chifres para afastar o mal.

– E se não fosse? – perguntou ele, seco.

Jamie se virou para mim de modo a ficarmos cara a cara. A escuridão esmaecia aos poucos e pude ver seu rosto contraído de cansaço, marcado pela tristeza e pela ternura, mas decidido.

– Mesmo se *tudo* que você inventou fosse de alguma forma verdade... e não é, Sassenach; você sabe que não... Mas *se* fosse de alguma forma verdade, não faria diferença. A mulher no medalhão de Fanny já morreu, e nossa Faith também.

As palavras dele tocaram o ponto em carne viva de meu coração e assenti enquanto as lágrimas brotavam.

– Eu sei – sussurrei.

– Eu também – sussurrou ele e ficou me abraçando enquanto eu chorava.

25

VOULEZ-VOUS COUCHER AVEC MOI?

O tempo ainda estava bom durante o dia, mas o barracão de defumar ficava na sombra de um penhasco pedregoso. Fazia mais de um mês que um fogo não era aceso ali e o ar recendia a cinza amarga e sangue velho e pungente.

– Quanto acha que este negócio pesa?

Brianna pôs as mãos no ombro do imenso porco preto e branco deitado sobre a mesa grosseira rente à parede dos fundos, e apoiou seu peso nele para fazer uma experiência. O ombro se mexeu um pouco, o *rigor mortis* já tendo passado havia um bom tempo, mas o porco não se moveu 1 centímetro.

– Meu palpite é que ele pesava bem mais do que seu pai. Talvez uns 200 quilos, vivo?

Jamie havia sangrado e eviscerado o porco depois de matá-lo. Isso decerto diminuíra seu peso em uns 50 quilos mais ou menos. Ainda assim, era muita carne. Um pensamento agradável em relação à comida do inverno, mas, naquele momento, uma árdua empreitada.

Desenrolei o pano com divisórias onde guardava meus instrumentos cirúrgicos maiores; aquilo não era trabalho para uma faca de cozinha comum.

– O que acha das tripas? – perguntei. – Acha que dá para aproveitar?

Ela franziu o nariz enquanto refletia. Jamie não conseguira carregar muita coisa além da carcaça, mas fora previdente a ponto de salvar 10 ou 15 quilos dos intestinos. Removera grosseiramente o conteúdo, mas dois dias embaladas em lona não tinham melhorado a condição das entranhas não lavadas, que já não eram muito apetitosas, para início de conversa. Eu as havia olhado com um olhar de dúvida, mas as deixara de molho de um dia para outro em uma tina com água e sal, para a remota eventualidade de o tecido não ter se rompido demais para impedir seu uso como invólucro de linguiça.

– Não sei, mamãe – respondeu Bree com relutância. – Acho que estão bem destruídas. Mas talvez possamos salvar uma parte.

– Se não der, não deu. – Avaliei a maior de minhas serras de amputação. – Afinal, podemos fazer bolinhos de linguiça.

Linguiças envoltas em tripa eram bem mais fáceis de armazenar: uma vez defumadas, duravam por muito tempo. Linguiças sem invólucro eram boas, mas necessitavam um manuseio mais cuidadoso e precisavam ser acondicionadas em barricas ou caixas de madeira intercaladas com camadas de banha para se conservarem... Não tínhamos barricas, mas...

– Banha! – exclamei, erguendo os olhos. – Mas que droga! Eu tinha me esquecido inteiramente. Não temos nenhuma panela grande, exceto o caldeirão da cozinha, e não podemos usá-lo.

Extrair banha levava dias e o caldeirão da cozinha fornecia pelo menos metade de nossa comida cozida, sem falar na água quente.

– Podemos pedir uma emprestada? – Bree olhou na direção da porta, onde foi possível ver uma centelha de movimento. – É você, Jem?

– Não, titia, sou eu. – Germain espichou a cabeça para dentro e farejou o ar com cautela. – Mandy queria visitar o *petit bonbon* de Rachel e *grand-père* disse que ela podia ir se Jem ou eu a levássemos. Jogamos ossos para ver quem ia e ele perdeu.

– Ah. Então tudo bem. Pode subir até a cozinha e pegar o saco de sal no consultório da vovó?

– Não tem mais – falei, segurando o porco por uma das orelhas e posicionando a serra na dobra do pescoço. – Já não tinha muito, e só sobrou um punhado depois de usarmos para deixar as tripas de molho. Vamos ter que pedir emprestado também.

Arrastei a serra para o primeiro corte e fiquei satisfeita ao constatar que, embora a fáscia entre a pele e o músculo começasse a ceder, fazendo a pele escorregar um pouco se manuseada com vigor, a carne por baixo ainda estava firme.

– Olhe só, Bree – falei, fazendo força na serra ao sentir os dentes encontrarem os ossos do pescoço. – Vou demorar um pouco para esfolar e desossar isto aqui. Por que não faz uma ronda para ver qual das senhoras pode nos emprestar sua panela de verter banha por uns dois dias e um quarto de quilo de sal para acompanhar?

– Certo – disse Bree, agarrando a oportunidade com um alívio evidente. – O que devo oferecer em troca? Um dos presuntos?

– Ah, não, titia – protestou Germain, um tanto chocado. – É demais em troca de uma panela emprestada! De qualquer forma, a senhora não deveria oferecer – acrescentou, franzindo a testa. – Não se negocia um favor. Ela vai saber que vamos lhe dar o que é certo.

Brianna o encarou com um olhar metade interrogativo, metade bem-humorado, então olhou para mim. Aquiesci.

– Estou vendo que passei tempo demais fora – disse ela em tom leve e, após afagar a cabeça de Germain, desapareceu para tratar de sua incumbência.

Foi preciso um pouco de força, mas tive sorte ao posicionar a serra... Bem, modéstia à parte, sorte e perícia. Foram necessários apenas alguns minutos para remover a cabeça. As últimas fibras de músculo se romperam e a cabeçorra despencou os poucos centímetros que a separavam do tampo da mesa com um *tum*, fazendo as orelhas flácidas estremecerem com o impacto. Peguei-a e estimei seu peso em algo por volta dos 15 quilos... mas é claro que isso incluía a língua e as bochechas; estas eu removeria antes de aferventá-la para retirar a carne. Isso podia ser feito durante a noite no panelão da cozinha. Precisava deixar a aveia de molho na véspera e de manhã poderia aquecer o mingau nas cinzas... ou quem sabe fritar a aveia com maçãs secas?

O esforço me fazia suar um pouco, o que aliviava a friagem. Retirei os pés, joguei-os dentro de um pequeno balde para fazer conserva, então deixei a serra de lado e escolhi a faca grande com a lâmina serrilhada: mesmo sem estar curtido, couro de porco-selvagem era duro. Estava ofegante quando consegui esfolar metade da carcaça e, ao abaixar o rosto para enxugá-lo no avental, descobri que Germain continuava ali, sentado em uma barrica de peixe salgado que Jamie conseguira em uma troca com Georg Feinbeck, um dos morávios de Salem.

– Isto aqui não é um esporte com público, sabia? – falei e o chamei com um gesto para ajudar. – Aqui, pegue isto... – Entreguei uma das facas menores. – ... e vá puxando a pele. Na verdade, não precisa cortar muito. Só usar a lâmina da faca para afastar a pele do corpo.

– Eu sei fazer, vovó – disse ele, paciente, pegando a faca. – É feito esfolar um esquilo, só que maior.

– Até certo ponto, sim – falei, segurando seu pulso para ajustar o corte. – Mas em um esquilo você esfola tudo inteiro, para ficar com a pele. O couro deste porco precisamos tirar em pedaços, mas nos certificando de que sejam grandes o suficiente para terem utilidade... Dá para fabricar um par de sapatos com o couro de uma das ancas. – Tracei a linha dos cortes, rodeando a anca e descendo pela parte interna da pata, e o deixei fazer enquanto cuidava do quarto dianteiro.

Passamos alguns minutos trabalhando sem dizer nada. O silêncio não era nem um pouco típico de Germain, mas pensei que estivesse concentrado na tarefa. Então ele parou.

– Vovó... – começou, e algo em sua voz me fez parar também.

Olhei-o de verdade pela primeira vez desde que ele havia entrado.

– A senhora sabe o que quer dizer *voulez-vous coucher avec moi*? – perguntou. Seu rosto estava pálido e contraído, mas ficou muito vermelho ao dizer isso, deixando bem claro que *ele* sabia.

– Sei – respondi, com a maior calma possível. – Alguém disse isso para você, meu amor?

Quem teria sido?, pensei. Não sabia de ninguém que falasse francês em um raio de quilômetros da Cordilheira. Ainda mais um que pudesse...

– Foi a Fanny – disparou ele outra vez e ficou roxo.

Ainda estava segurando a faca de desossar, os ossos pequeninos de sua mão brancos de tanto apertá-la. Atônita, pensei: *Fanny?*

– É mesmo? – indaguei, cautelosa. Estiquei o braço com cuidado, peguei a faca de sua mão e a coloquei ao lado do porco parcialmente esfolado. – Está meio abafado aqui. Que tal sairmos para pegar um pouco de ar fresco?

Não tinha me dado conta de como a atmosfera dentro do barracão de defumar estava opressiva até sairmos para um redemoinho de vento fresco e repleto de folhas amarelas. Ouvi Germain inspirar fundo com um arquejo e eu também inspirei. Apesar do que ele havia me dito, senti-me um pouco melhor. E ele também. Embora ainda rosado nas orelhas, seu rosto tinha voltado a uma cor próxima da normal. Dei um sorriso e ele retribuiu com hesitação.

– Vamos até a despensa fria – falei, virando na direção do caminho. – Estou com vontade de tomar uma caneca de leite e acho que o vovô gostaria de um pouco de queijo com seu jantar.

– Então – retomei a conversa casualmente enquanto avançava na frente pelo caminho. – Onde você e Fanny estavam quando ela falou isso?

– Perto do córrego, vovó – respondeu ele sem dificuldade. – Ela estava com sanguessugas grudadas na perna e eu estava tirando.

Ora, que cena mais romântica, pensei, mas não disse, ao visualizar Fanny sentada em uma pedra, com a saia levantada e as pernas compridas como as de um potro brancas e coalhadas de sanguessugas.

– Eu estava ensinando *le français* para ela, entende? – continuou ele e veio até o meu lado, agora ansioso para explicar. – Então mostrei como se dizia sanguessuga e agrião, e como se dizia coisas como "Me dê comida, por favor" e "Vá embora, seu malvado!".

– E como é que se diz "Vá embora, seu malvado!"? – perguntei, interessada.

– *Va-t'en, espèce de méchant!* – respondeu ele, dando de ombros.

– Não vou esquecer – falei. – Nunca se sabe quando pode vir a calhar.

Ele não respondeu. A questão que lhe ocupava a mente era séria demais para distrações. Vi que tinha ficado muito chocado.

– Como sabia o que significa *voulez-vous coucher*, Germain? – perguntei, curiosa. – Foi Fanny quem disse?

Ele encolheu os ombros e inflou as bochechas como um sapo, então fez que não com a cabeça enquanto soltava o ar.

– Não. Papai disse isso para *maman* um dia quando ela preparava o jantar e ela riu e disse... alguma coisa que eu não escutei direito... – Ele olhou para outro lado. – Então no dia seguinte eu perguntei a papai e ele me contou.

– Entendi.

Provavelmente tinha contado mesmo, e de modo bem direto. Fergus nascera e fora criado em um bordel de Paris até os 9 anos, quando Jamie o resgatou. Lidava com seu passado sendo honesto em relação a ele e eu não supunha que fosse ter lhe ocorrido se esquivar das perguntas dos filhos, fossem quais fossem.

Tínhamos chegado à despensa fria, estrutura de pedra atarracada construída sobre uma vala revestida também de pedra pela qual corria a água da Nascente da Casa. Baldes de leite e potes de manteiga estavam mergulhados na água para se manterem resfriados, e queijos embalados maturavam tranquilamente em uma prateleira mais acima, fora do alcance de eventuais ratos-almiscarados. O interior estava escuro e muito frio; nossa respiração se condensou quando entramos.

Peguei a concha pendurada no gancho, agachei-me e tirei a tampa do balde que continha o leite da manhã. Mexi para fazer submergir o creme que viera à tona, enchi uma concha e bebi. O leite estava frio o suficiente para que eu o sentisse escorrer pela minha goela, e delicioso. Dei um último gole e passei a concha para Germain.

– Você acha que Fanny sabia o que estava dizendo? – perguntei, observando-o enquanto se agachava para se servir de leite.

Ele não ergueu os olhos, mas assentiu, e o topo de sua cabeça loura balançou acima da concha.

– Sim – respondeu por fim e se levantou, virando-me as costas ao se esticar para pendurar a concha no gancho. – Sim, ela sabia o que estava dizendo. Ela... ela me... tocou quando disse.

Por mais escuro que estivesse, pude ver a parte de trás de seu pescoço se arrepiar.

– E o que você falou? – perguntei, torcendo para estar soando calma.

Ele girou e me encarou com raiva, como se por algum motivo aquilo fosse culpa minha. Estava com um bigode de creme tocante.

– Eu disse: "Sai daqui! Que história é essa?!" O que mais?

– O que mais, de fato – falei, em tom leve. – Vou conversar com *grand-père* sobre o assunto.

– Não vai contar a ele o que Fanny me disse, vai? Não queria causar problemas para ela!

– Ela não vai ter problemas – assegurei. Pelo menos não do tipo a que ele estava se referindo. – Só quero a opinião de seu avô sobre um assunto. Agora vá andando… – Fiz um gesto para que saísse. – Tenho um porco para cuidar.

Em comparação com o que acabara de me contar, 140 quilos de costeletas, banha e tripas podres de porco pareciam uma trivialidade.

26

NO MEIO DAS UVAS

Brianna puxou um punhado de uvas do galho, descartando as que estavam partidas, murchas ou muito mordidas por insetos. Falando em insetos, soprou várias formigas que tinham saído das uvas para a palma de sua mão. Eram minúsculas, mas picavam muito.

– Ai!

Havia deixado escapar um dos bichinhos, que acabara de picá-la na pele entre os dedos médio e anular. Largou as uvas dentro do balde e esfregou a mão com força na calça para aliviar o ardor.

– *Gu sealladh sealbh orm!* – disse Amy na mesma hora, deixando cair um punhado de uvas e sacudindo a mão. – Tem centenas dessas pequenas *a phlàigh bhalgair* nas uvas!

– Ontem não estava tão ruim – comentou Bree, tentando coçar a picada de formiga entre os dedos com os dentes da frente. A coceira era de enlouquecer. – O que será que as atraiu?

– Ah, foi a chuva – respondeu Amy. – Ela sempre as faz sair do… Jesus, Maria e Santa Brígida! – Ela recuou para longe da vinha, sacudindo as saias e batendo com os pés no chão. – Saiam de cima de mim, suas idiotas!

– Vamos mudar de lugar – sugeriu Brianna. – Tem toneladas de uvas aqui. As formigas não podem estar em todas elas.

– Não tenho certeza disso – resmungou Amy, pessimista, mas pegou seu balde e seguiu Brianna um pouco mais para dentro do pequeno desfiladeiro.

Bree não tinha exagerado: o paredão estava coberto por grossas trepadeiras agarradas na pedra e serpenteando em direção ao sol, repletas de frutas peroladas cor de bronze que reluziam sob as folhas escuras e perfumavam o ar com o aroma de vinho novo.

– Jem! – gritou ela. – Vamos mudar de lugar! Não perca Mandy de vista!

Um débil "Tá!" se fez ouvir de mais acima: as crianças brincavam na borda da fenda da rocha, onde um córrego havia rachado as pedras e deixado pequenos afloramentos cravejados de trepadeiras e árvores que davam belos fortes e castelos.

– Cuidado com as cobras! – gritou ela. – Não entrem debaixo dessas trepadeiras!

– Eu *sei!* – Uma forma ruiva surgiu lá em cima por um breve instante, brandiu um graveto para Brianna e sumiu. Ela sorriu e se abaixou para pegar seus baldes, um agradavelmente pesado, outro apenas pela metade.

Amy deu um arquejo repentino de susto e Brianna se virou.

Ela não estava ali. As vinhas ondulavam diante do paredão e Brianna viu uma mancha escura na pedra.

– O que…? – falou, sentindo o cheiro forte de sangue e tateando às cegas em busca da primeira coisa que conseguiu encontrar: o balde pela metade.

Um lampejo de branco, a anágua de Amy. Ela estava caída no chão a 3 metros de distância. Havia sangue em suas roupas e um urso estava com sua cabeça na boca, produzindo um ruído gorgolejante enquanto a roía.

Brianna jogou o balde por reflexo. Ele acertou o paredão e caiu, espalhando uvas cor de bronze por cima de Amy e pelo chão. O urso levantou a cabeça com sangue nos dentes e rosnou, e Brianna começou a subir atabalhoadamente pelas trepadeiras, guinchando para as crianças fugirem.

Os galhos estalaram sob seu peso, cederam, um deles se partiu e ela escorregou e caiu de joelhos no chão. Recuou engatinhando de costas, para longe, para longe… Meu Deus, meu Deus… Levantou-se cambaleando e pulou outra vez para cima das vinhas, e o terror em estado puro que sentiu pelas crianças a fez escalar a pedra em meio a uma chuva de folhas, uvas esmagadas, pedaços de terra, pedras e formigas.

– Mamãe! Mamãe! – Jem e Germain estavam debruçados para fora da borda para tentar lhe dar a mão e ajudar.

– Para trás! – arquejou ela, agarrando-se à pedra. Arriscou-se a olhar para baixo e desejou não ter feito isso. – Jem, para *trás*! Pegue Mandy, mande os outros recuarem! *Agora!*

Foi tarde demais para impedir que vissem: um coro de gritos se fez ouvir e rostinhos tomados de pavor se aglomeraram no alto do paredão de pedra.

– *Mamãe! MAMÃE!*

Foi essa palavra que a fez subir o resto do caminho, toda rasgada e sangrando. No alto do paredão, prosseguiu de quatro, agarrando crianças aos prantos, empurrando-as para trás, puxando-as em um abraço. Contando. Quantas, quantas deveria haver? Jem, Mandy, Germain, Orrie, o pequeno Rob…

– Aidan – arquejou ela. – Onde está Aidan?

Jem a encarou, lívido e sem palavras, e virou a cabeça para olhar. Aidan estava na borda do paredão, começando a descer pelas vinhas para chegar à mãe.

– Aidan! – gritou Germain. – Não!

Bree empurrou as outras crianças para Jem.

– Fique com eles! – falou, esbaforida, e se esticou para pegar Aidan.

Agarrou-o pelo braço bem na hora em que ele sumiu pela borda. Puxou-o usando toda a sua força e o segurou com vigor contra si enquanto o menino se debatia e chorava.

– Preciso ir! Preciso pegar mamãe, me solta, me *solta*...!

As lágrimas dele estavam quentes sobre sua pele e seu corpo magrelo se contorcia feito uma cobra, feito as vinhas cor de bronze, feito as formigas que picavam.

– Não – disse ela, só escutando a própria voz em meio ao rugido em seus ouvidos. – Não.

E o segurou com força.

Estava mostrando a Fanny como usar o microscópio, adorando seu deleite espantado diante dos mundos que existiam dentro das coisas, embora em alguns casos fosse apenas choque, como quando ela descobriu o que nadava em nossa água potável.

– Não se preocupe – assegurei. – A maioria dessas coisas é praticamente inofensiva e o ácido de seu estômago as dissolve. Mas veja bem... às vezes pode haver coisas que fazem mal na água, em especial se estiver misturada com excrementos... cocô, digo – acrescentei ao ver seus lábios articularem em silêncio a palavra "excrementos". Ela então registrou o resto do que eu tinha dito e seus olhos se arregalaram.

– Ácido? – falou e baixou os olhos enquanto apertava o meio do corpo. – Em meu *estômago*?

– Bom, sim – falei, tomando cuidado para não rir. Fanny tinha senso de humor, mas ainda era muito hesitante naquela nova vida e temia ser motivo de riso ou de zombaria. – É assim que você digere a comida.

– Mas é...? – Ela se calou e franziu o cenho. – Ácido é foch... *forte*. E... corrói as coisas. – Ela havia empalidecido sob o leve bronzeado conferido pelo sol da montanha.

– Sim – falei, encarando-a. – Mas seu estômago tem paredes bem grossas e elas são recobertas de muco, então...

– Meu estômago é cheio de *meleca*? – Ela soou tão horrorizada que precisei morder a língua e virar as costas por um instante, sob o pretexto de pegar uma lâmina limpa.

– Bom, você tem muco praticamente por toda parte dentro do corpo – falei quando voltei a controlar meu rosto. – Tem as chamadas membranas mucosas e as membranas serosas, que secretam muco sempre que você precisa que as coisas fiquem um pouco escorregadias.

– Ah. – Sua expressão ficou vazia e ela então baixou os olhos para as próprias mãos. – É... é isso que a gente tem entre as pernas? Para ficar... escorregadia quando...

– Sim – respondi depressa. – E, quando você fica grávida, estar escorregadia ajuda o bebê a sair. Venha, deixe eu mostrar...

Eu tinha contado a Jamie o que ela dissera para Germain. Ele havia arqueado as sobrancelhas e depois balançado a cabeça.

– Não me espanta, considerando por onde ela andou – comentou. – Vamos dar tempo ao tempo. Ela é uma menina astuta; vai encontrar seu caminho.

Eu estava desenhando células caliciformes nas últimas páginas de meu caderno preto quando escutei passos rápidos na varanda. Um segundo depois, Jem entrou derrapando no consultório, lívido e com um olhar desvairado.

– A sra. Higgins – arquejou ele. – Foi morta por um urso. Mamãe está trazendo ela.

– Morta? – falei automaticamente e então emendei: – *O quê?*

Fanny soltou um grito diminuto e sem palavras, e cobriu a cabeça com seu avental. Os joelhos de Jem fraquejaram e ele se sentou no chão com um baque, ofegante.

Escutei vozes distantes, urgentes. Peguei meu kit de emergência e corri para ver o que estava acontecendo.

Pelo visto, Brianna havia encontrado Jamie no caminho: era ele quem trazia Amy Higgins no colo, descendo a encosta o mais depressa que conseguia, com Bree cambaleando atrás dele como se estivesse bêbada. Todos os três estavam cobertos de sangue.

– Ai, meu Deus! – exclamei e subi correndo o morro para ir ao encontro deles.

A gritaria era grande: crianças por toda parte, chorando e gemendo, enquanto Bree tentava explicar com o peito arfando na tentativa de respirar e Jamie fazia perguntas incisivas. Ele me viu e, atendendo a meus gestos frenéticos, depositou Amy no chão.

Caí de joelhos a seu lado e vi o pequeno e ritmado jorro de sangue que saía de um vaso rompido em sua têmpora.

– Ela não está morta – falei e tirei do kit rolos de atadura e punhados de estopa. – Ainda.

– Vou chamar Bobby – disse Jamie baixinho em meu ouvido. – Brianna… cuide dos pequenos, sim?

Primeiro estancar a hemorragia. *E boa sorte com isso*, acrescentei para mim mesma. Um bom pedaço do lado esquerdo de seu rosto tinha sido dilacerado. O couro cabeludo estava em carne viva e um dos olhos fora arrancado da órbita. A órbita em si e o osso malar estavam lascados, e o osso branco da mandíbula quebrada estava exposto, fazendo o sangue que brotava empoçar em volta dos dentes manchados de vermelho e escorrer pela lateral do pescoço.

Amy estava deitada de um jeito estranho, torto, e percebi que o ombro esquerdo havia sido esmagado: o corpete e a manga verde-escuros do vestido estavam pretos, empapados de sangue. Fiz um torniquete em volta do braço, sentindo as extremidades quebradas do osso rasparem quando o movimentei. Pressionei um pano com a maior delicadeza que pude sobre o lado estraçalhado do rosto e vi o pano escurecer na mesma hora, encharcado. Com uma sensação de total impotência, pressionei o polegar sobre a minúscula artéria que jorrava sangue na têmpora. O sangramento parou.

Ergui os olhos e vi Mandy, branca feito a morte e sem palavras de tão chocada, agarrada com força a Rob, que choramingava e se debatia tentando chegar à mãe.

Amy ainda estava viva. Eu podia sentir o tremor de sua carne sob as mãos. Mas tanta coisa tinha sido perdida, havia tanto sangue, tanto trauma, tanto choque, que eu sabia que ela em breve iria partir. Com essa consciência, minha atitude mudou. Não poderia curá-la. Tudo que poderia fazer era ficar com ela e tentar apaziguá-la.

Ela produzia um leve som de tosse e bolhas de sangue surgiram no canto visível de sua boca. Uma das mãos se ergueu no ar em uma busca vã por algo em que se segurar. Roger atravessou correndo o capim, caiu de joelhos do outro lado do corpo dela e segurou a mão suspensa.

– Amy – falou, quase sem ar. – Amy, Bobby está chegando. Ele está quase aqui.

As pálpebras dela se ergueram, fecharam-se com um tremor por causa da luz e tornaram a se abrir com cautela, uma nesga apenas.

– *Mammaidh! Mamãe! Mãe!* – Os gritos de seus filhos chegavam débeis e estridentes, e sua boca destruída estremeceu e se abriu no esforço de lhes responder.

– Fique comigo, Orrie. Aidan... Aidan, não!

Ajoelhada no capim, Bree segurava Aidan pelo pulso enquanto ele lutava para ir até a mãe, e o pequeno Orrie, apavorado, se agarrava à sua camisa de caça.

O sangue não jorrava mais: agora se espalhava, veloz e silencioso, encharcando o chão. Minhas mãos estavam vermelhas até os pulsos.

– Amy! *Amy!*

Com um olhar desvairado, Bobby veio subindo a encosta a toda velocidade, com Jamie logo atrás. Ele cambaleou e caiu parcialmente ajoelhado, com o peito arfando no esforço de respirar. Roger segurou sua mão e pôs a de Amy nela.

– Não – disse Bobby, lutando para respirar. – Não. Por favor, Amy, não vá, por favor! – Vi os dedos dela estremecerem, se moverem e apertarem por um segundo os dele, depois mais nada.

– Meu Deus – murmurou Roger. – Ai, meu Deus!

Ele me olhou por um instante e leu minha expressão. Levantou a cabeça e olhou para onde estavam Bree e as crianças, e vi seu semblante se modificar com uma decisão repentina.

– Traga os meninos – disse ele, erguendo a voz o suficiente para se fazer ouvir apesar dos choros e gritos. – Depressa!

Brianna balançou a cabeça, com os olhos cravados na ruína que era o rosto de Amy. Será que os meninos deveriam lembrar da mãe *daquele jeito*?

– Traga os meninos – disse Roger mais alto. – Agora!

Ela aquiesceu com um pequeno meneio brusco da cabeça e soltou Aidan, que correu até a mãe e caiu no chão ao lado de Bobby, a quem se agarrou aos soluços. Bree chegou atrás dele segurando pela mão Orrie e Rob; os rostos de todos estavam banhados em lágrimas.

Roger pegou os três meninos e os abraçou, perto da mãe.

– Amy – disse ele em meio aos soluços –, seus filhos estão aqui com você. E Bobby.

– Ele hesitou, olhou para mim, mas soltou Orrie e colocou a mão de leve no peito dela quando aquiesci. – Deus, nosso Senhor, tende piedade – sussurrou. – Tende piedade de nós. Segurai-a na palma da Vossa mão. Guardai-a para sempre no coração de seus filhos.

Amy se moveu. Sua cabeça se virou de leve na direção dos meninos e ela abriu seu único olho devagar, bem devagar, como se fosse um esforço equivalente a sustentar o mundo. Sua boca estremeceu uma vez e ela então morreu.

27

COBRIR SEU ROSTO

Não houve tempo para delicadezas. Os homens tinham levado o corpo de Amy até a casa e, sob minhas instruções, a deitaram sobre a mesa de meu consultório. O dia estava quente e Amy ainda estava morna ao tato, mas seu corpo tinha um peso inerte desconcertante, como um saco de juta cheio de areia molhada. A rigidez cadavérica em breve levaria embora a macia elasticidade da vida. Eu precisaria despi-la antes de ela ficar dura demais.

Mas primeiro cobri seu rosto com uma toalha de linho. Havia tempo para o respeito. E fiquei feliz por ter feito isso quando me virei ao escutar passos na soleira da porta e vi Bree, ainda vestida com a camisa de caça toda ensanguentada e com o rosto bem mais branco do que o velho lençol que trazia dobrado por cima do braço. Assenti na direção da bancada atrás de mim.

– Deixe isso aí e vá se sentar com as crianças lá fora – falei, firme. – Elas precisam de alguém para abraçá-las. Onde está Roger?

Brianna balançou a cabeça, sem conseguir tirar os olhos da mesa. O xale de Amy fora puxado até a metade para fora do corpete do vestido e pendia, encharcado com um sangue que secava rapidamente e deixava leves marcas pela mesa. Puxei o pano para soltá-lo e o deixei cair no balde de água fria a meus pés.

– Roger está com Bobby – respondeu ela com uma voz sem emoção. – Fanny está cuidando de Mandy e dos meninos menores. Você… vai precisar de ajuda? Com…

Ela se interrompeu, engoliu em seco de modo audível e olhou para outro lado.

– Alguém logo virá – respondi, e pensar nisso me reconfortou um pouco. Eu conhecia bem a morte, mas isso não significava que tivesse me acostumado com ela. – Seu pai mandou Germain chamar o Jovem Ian. Rachel e Jenny também vão descer. E Jem foi chamar Gilly MacMillan. A esposa dele vai reunir as mulheres que vivem às margens do córrego.

Ela assentiu, parecendo um pouco mais calma, mas suas mãos ainda tremiam.

– Por que Pa mandou chamar o sr. MacMillan? – indagou.

– Ele tem dois bons cães de caça – respondi, neutra. – E uma estaca de caçar javali.

– Santo Deus. Ele… eles… vão sair atrás do urso? *Agora?*

– Bem, sim – falei, suave. – Antes que ele vá longe demais. Onde está Aidan? – perguntei, dando-me conta de que ela havia mencionado "os meninos menores". Aidan tinha 12 anos, mas ainda se qualificava como menino na minha cartilha. – Ele foi com Jem?

– Não – respondeu ela em um tom de voz esquisito. – Ele está com Pa.

Aidan estava branco feito leite e não parava de piscar os olhos inchados e vermelhos. Havia parado de gritar, mas não de tremer. Jamie pôs a mão em seu ombro e pôde sentir o tremor que subia da terra pelos pés do menino.

– Eu v-v-vou... – disse Aidan, embora seu queixo tremesse tanto que mal se conseguia entender – ... ca-caçar o u-u-urso.

– É claro que vai. – Jamie apertou o ombro frágil e, após hesitar por um instante, soltou e se virou na direção da casa. – Venha comigo, *a bhalaich* – falou. – Vamos ter que nos preparar antes de sair.

Todos os seus instintos lhe diziam para evitar a casa, onde Claire e as mulheres deviam estar preparando o corpo de Amy. Mas ele era mais jovem do que Aidan quando sua mãe morrera e podia recordar a desolação de ser excluído e mandado para longe da casa enquanto as mulheres abriam janelas e portas, cobriam o espelho e andavam para lá e para cá, atarefadas com tigelas de água e ervas, para concluir os rituais secretos de levar sua mãe embora para longe dele.

Além do mais, pensou Jamie com pesar, baixando os olhos para o pequeno menino pálido que cambaleava a seu lado, Aidan tinha visto a mãe morrer em meio ao sangue pouco mais de uma hora antes, com metade do rosto arrancada. Nada que pudesse ver ou ouvir agora poderia ser pior.

Eles pararam diante do poço e Jamie fez Aidan beber água fria e lavar o rosto e as mãos. Ele fez o mesmo e recitou para o menino o início da Consagração da Caça:

Em nome da Santíssima Trindade que é uma só,
Na palavra, nos atos e no pensamento,
Eu aqui banho minhas mãos,
Sob a luz e os elementos do céu.

E juro nunca voltar enquanto viver
Sem ter pescado, sem ter também abatido aves,
Sem carne, sem caça da montanha,
Sem gordura de animais da terra e da água.

O choque da água fria tinha deixado Aidan ofegante, mas ele agora conseguia falar outra vez.

– Ursos têm gordura – disse ele.

– Sim. E vamos tirar a gordura dele.

Jamie encheu a mão em concha de água e, molhando três dedos na poça, fez o sinal da cruz na testa, no peito e nos ombros de Aidan.

Que haja vida em meu discurso
E tino em minhas palavras,
Tenham meus lábios a cor das cerejas
Até a hora em que eu voltar.

Por sobre córregos, por dentro de matas,
Por entre vales longos e selvagens,
Que a bela e branca Maria me sustente,
Que o pastor Jesus seja meu escudo.

– Repita comigo essa última parte, rapaz.

Aidan se empertigou um pouco e entoou depois dele:

Que a bela e branca Maria me sustente,
Que o pastor Jesus seja meu escudo.

– Pois então. – Jamie puxou a barra da camisa e enxugou o rosto de Aidan e o seu. – Já ouviu essa prece antes?

Aidan fez que não com a cabeça. Jamie já imaginava isso. O verdadeiro pai de Aidan, Orem McCallum, talvez tivesse lhe ensinado, mas Bobby Higgins era inglês e não devia conhecer os antigos costumes.

Como se o pensamento o tivesse invocado, Aidan perguntou, sério:

– Papai Bobby vai caçar o urso conosco?

Jamie esperava que não: Bobby era um ex-soldado, mas não um caçador. Seu pesar e sua distração poderiam facilmente causar sua morte ou a de outra pessoa. E era preciso pensar nos pequenos. Mas respondeu:

– Se ele sentir que deve, vai. Mas eu espero que não. – Roger tinha levado Bobby, completamente destroçado, de volta para o chalé dos Higgins.

Jamie prendeu o balde na trave do poço e colocou a mão no ombro de Aidan: sentiu-o mais firme agora e o queixo do menino tinha parado de tremer.

– Então vamos – falou. – Vamos pegar minha espingarda e arrumar tudo. Ian Òg e o sr. MacMillan não vão demorar a chegar.

– Vá – falei para Bree, embora em tom mais brando.

Aproximei-me, peguei o lençol que ela ainda segurava com força e a abracei.

– Entendo – falei baixinho. – Ela é sua amiga e você quer fazer o que ainda *pode* fazer por ela. E não sabe por que ela está ali deitada e você aqui em pé, ainda viva. Tudo parece ter desmoronado.

Brianna produziu um leve ruído de quem concorda e um soluço cortou sua respiração. Apertou-me com força por alguns instantes, então soltou. Lágrimas estremeciam em seus cílios, mas agora ela estava aguentando a dor com a própria força.

– Me diga o que fazer – falou, endireitando as costas. – Eu preciso *fazer* alguma coisa.

– Cuide dos filhos de Amy – falei. – É o que ela iria querer que você fizesse, mais do que todo o resto.

Brianna aquiesceu, unindo os lábios em uma expressão determinada, mas então olhou para a forma inerte em cima da mesa, recendendo a urina, fezes e ao odor denso de carne dilacerada. Moscas começavam a entrar pela janela. Elas voavam em círculos preguiçosos farejando uma oportunidade, em busca de um lugar para pôr seus ovos. Aquilo não era mais Amy, e as moscas tinham vindo reivindicá-la para si.

Brianna era quase tão boa quanto Jamie em esconder o que sentia, mas eu podia ver o medo e a angústia por baixo do choque. Ela não conseguia suportar lidar com o corpo destroçado de Amy... e, portanto, era o que tinha vindo fazer.

É uma Fraser, pensei, comovida tanto por sua coragem quanto por seu pesar.

Peguei outro pano e o estalei contra a bancada, matando duas moscas incautas o bastante para terem pousado perto de mim.

– Alguém virá – repeti. – Vá. Leve Fanny com você.

28

MATH-GHAMHAINN

Sem qualquer surpresa, Ian foi o primeiro a entrar pela porta da frente aberta. Jamie escutou os passos macios de seus mocassins um segundo antes de ele falar com Claire no consultório. Ouviu-se uma breve exclamação de choque, pois Germain devia ter lhe contado o acontecido, mas nem mesmo um mohawk deixaria de se comover com a visão do corpo de Amy Higgins, e sua voz então baixou para um murmúrio respeitoso antes de as pisadas macias seguirem na direção da cozinha.

– Deve ser Ian – disse Jamie para Aidan.

Lenta e meticulosamente, o menino enchia cartuchos sobre a mesa da cozinha, com a língua espichada para fora da boca enquanto despejava pólvora do cantil de Jamie. As palavras deste o fizeram se deter e olhar na direção da porta.

Ian não desapontou o rapaz. Vinha trazendo a própria espingarda de cano longo, com a bolsa de munição e a caixa de cartuchos, mas trouxera também uma faca bem grande e de aspecto cruel, pendurada sem bainha no cinto, além de um arco e uma aljava de flechas de casca de bétula no ombro. Estava sem camisa, usando perneiras de couro de veado e um tapa-sexo, mas tinha se dado ao trabalho de fazer as próprias preces e de pintar o rosto para a caça: a testa estava vermelha acima das sobrancelhas e uma listra branca grossa descia pelo osso do nariz, com duas outras de um lado e outro do alto dos malares até o maxilar. Branco significava vingança, segundo ele tinha dito a Jamie, ou então uma homenagem aos mortos.

Aidan, que conhecia Ian bem o suficiente em sua versão escocesa, nunca o tinha visto no puro estado mohawk. Assombrado, o menino soltou uma leve bufada. Jamie disfarçou um sorriso e pegou a própria adaga e a pedra untada com óleo para afiá-la.

– Ah, Ian – falou, reparando de repente no peito nu do sobrinho –, por acaso sabe onde foi parar minha garra? A garra de urso que os tuscaroras me deram, quero dizer. – Havia anos que ele não pensava nisso. Tinha emprestado a garra a Ian algum tempo antes, para ele usar em uma expedição de caça. Mas talvez ela não fosse uma coisa ruim de ter consigo naquela ocasião, se estivesse à mão.

– Sei, sim. – Ian tinha se sentado para fechar os cartuchos de Aidan com gestos rápidos e precisos e não ergueu os olhos. – Dei para meu primo William.

– Seu pri... Ah. – Jamie ficou observando o sobrinho, que seguiu sem levantar o rosto. – E quando foi isso?

– Ah, algum tempo atrás – respondeu Ian, distraído. – Quando o tirei do pântano, sabe? Disse que você queria que ele ficasse com a garra. – Ele então ergueu o rosto com uma sobrancelha fina arqueada, igualzinho ao pai. – Eu estava errado?

– Não – respondeu Jamie e sentiu um súbito calor, embora os pelos de seu pescoço tivessem se arrepiado. – Não estava.

Bluebell, que vinha farejando junto à porta dos fundos, de repente se virou e disparou latindo em direção à frente da casa. Um coro de latidos graves lhe respondeu do pé da encosta diante desta.

– Deve ser Gillebride – disse Jamie e embainhou a adaga. – Estamos prontos, rapazes?

Eu havia tirado o espartilho e a saia de Amy. A saia não estava rasgada. Depois de lavada, iria servir. Amy não tinha filha que pudesse usá-la, mas alguém na Cordilheira ficaria feliz em ter aquela saia. Coloquei-a de lado para lavar depois. O espartilho estava muito rasgado perto do ombro e rijo de sangue. Coloquei-o do outro lado: iria recuperar as finas barbatanas, depois queimar o tecido. A combinação... rasgada também, embora talvez pudesse ser recosturada ou então usada para remendos ou retalhos. Mas eu não achava que ela devesse ser enterrada usando aquilo: a peça estava ensanguentada e suja. Ela estava usando apenas uma anágua leve e as meias; lavá-las então, e depois...

Ouvi os latidos dos cachorros de Gillebride não muito longe e então os de Bluebell quando ela atravessou em disparada o hall. Os animais se dariam bem juntos: os dois cães de MacMillan eram machos. Bluey era fêmea e não estava no cio e, como Jamie me dissera em um momento de ironia, cães não mordem cadelas.

– Mas nem sempre funciona no outro sentido, veja bem – ressaltara ele. Não cheguei a sorrir com essa lembrança, mas senti o ar ficar mais leve por um instante.

Então ouvi passos no hall e ergui o rosto pensando que fosse Gillebride. Não era, e o ar dentro de meu peito de repente se adensou.

– Sra. Fraser.

Era a alta silhueta da sra. Cunningham, ossuda e severa como a Morte, com um pano dobrado pendurado em um dos braços. Ela permaneceu parada na soleira da porta, pouco à vontade. Igualmente pouco à vontade, acenei para que entrasse.

– Sra. Cunningham – falei e me calei, sem saber o que poderia lhe dizer além disso.

Ela pigarreou, olhou para o cadáver seminu de Amy, em seguida desviou os olhos depressa. Embora a cabeça estivesse coberta, o braço e o ombro estraçalhados estavam à vista, com os ossos partidos e esmigalhados despontando afiados pela carne rígida.

– Eu estava perto do córrego. Seu neto passou por mim a caminho da casa de MacMillan e me contou o que aconteceu. Então fui até a casa do sr. Higgins e lhe pedi a mortalha de sua esposa.

Ela ergueu o pano de leve para ilustrar o que dizia e vi o contorno bordado de verde, azul e cor-de-rosa.

– Ah. – O fato de Amy ter a mortalha já pronta não tinha sequer me ocorrido... embora devesse. – Ahn... obrigada, sra. Cunningham. A senhora foi muito prestativa.

Ela ergueu um ombro de leve e, após sorver uma inspiração funda, caminhou até a mesa. Examinou a situação sem pressa por alguns instantes, soltou o ar pelo nariz, então estendeu a mão para desatar a fita da combinação de Amy.

– Se a senhora puder segurá-la, eu tiro por baixo.

Abri a boca para protestar que não precisava de ajuda, mas então tornei a fechá-la. Precisava, sim, e ela devia ter alguma experiência na preparação dos mortos. Qualquer mulher de sua idade teria. Baixamos a combinação dos ombros de Amy e pus a mão com firmeza na axila direita, sentindo os pelos úmidos ali desconcertantemente mornos e vivos, e então, com uma sensação incontrolável de repulsa, fui enfiando os dedos no espaço úmido debaixo do ombro esquerdo estraçalhado e encontrei algo firme o bastante para segurar.

Assim tão de perto, o cheiro de urso nela estava forte o suficiente para eu sentir um arrepio atávico me descer pela espinha. A sra. Cunningham também sentiu: respirava pela boca de forma audível. Mesmo assim, conseguiu desamarrar a anágua e puxou a combinação e as meias para tirá-las.

– Bem... – disse ela e, ao olhar em volta, reparou que eu tinha separado a saia para lavar e acrescentou o restante das roupas à pilha. – Quando as outras mulheres chegarem, vamos pedir que lavem logo estas daqui – falou, no tom de alguém acostumado a dar ordens e vê-las serem obedecidas. – Não queremos o cheiro de...

– Sim – falei, com uma irritação perceptível que a fez me lançar um olhar incisivo. – Agora precisamos limpá-la. Pode ir até a cozinha buscar um balde de água quente? Vou rasgar isso para fazer tiras de amarrar – falei, indicando com a cabeça o lençol gasto que Brianna tinha trazido.

Ela contraiu os lábios, mas não por ter ficado ofendida, e sim de um modo que sugeriu um bom humor sombrio diante de minha débil tentativa de exercer autoridade, e se retirou sem dizer nada.

Uma boa quantidade de latidos vinha da frente da casa e ouvi Gillebride – ele me contou uma vez que seu nome significava "apanhador de ostras" – chamar os cachorros. Rasguei o lençol velho em faixas largas: iríamos amarrar as pernas de Amy uma na outra e os braços na lateral do corpo... até onde fosse possível. Olhei com ar de dúvida para o ombro esquerdo. As faixas garantiriam o decoro de seu corpo antes de trançarmos seus cabelos e a envolvermos na mortalha.

A sra. Cunningham tornou a aparecer com as mangas arregaçadas, um balde d'água fumegante do caldeirão em uma das mãos e um martelo na outra, e com uma colcha de minha cama pendurada no braço.

– Daqui a poucos instantes vão começar a passar homens para lá e para cá – disse ela, dando um tranco com a cabeça na direção do hall.

– Ah – murmurei.

Eu teria fechado a porta do consultório, só que ainda não havia uma. Ela aquiesceu, pôs o balde no chão, tirou do bolso um punhado de pregos de três polegadas e pendurou a colcha no vão aberto da porta com algumas batidas secas do martelo.

A janela grande fazia entrar bastante luz, mas a colcha parecia de certa forma abafar tanto a luz quanto o som, dando ao recinto algo semelhante a uma atmosfera de reverência apesar do barulho cada vez maior lá fora. Peguei um punhado de lavanda e esfreguei entre as palmas das mãos dentro da água quente. Em seguida, rasguei folhas perfumadas de manjericão e hortelã e as joguei na água também. Para minha surpresa, a sra. Cunningham examinou os jarros em minhas prateleiras, pegou o sal e jogou dentro da água um pequeno punhado.

– Para lavar os pecados – informou-me ela, sucinta, ao ver minha expressão. – E evitar que o fantasma dela ande por aí.

Assenti ao escutar isso, com a sensação de que ela acabara de lançar um seixo na pequena piscina de tranquilidade que eu estava cultivando, fazendo ondulações de inquietação percorrerem meu corpo.

Conseguimos limpar e amarrar o corpo em silêncio. Ela se movia com um toque seguro e trabalhamos surpreendentemente bem juntas, cada qual consciente dos movimentos da outra, adiantando-se para fazer o que fosse preciso sem que fosse necessário pedir. Então chegamos à cabeça.

Inspirei pela boca e retirei o pano. Havia manchas de sangue nele e o tecido grudou um pouco. A sra. Cunningham fez um leve movimento de recuo.

– Pensei que talvez pudéssemos simplesmente manter a cabeça coberta – falei, em um tom de quem se desculpa. – Com um pano limpo, digo.

A sra. Cunningham fitava o rosto de Amy com o cenho franzido e as rugas do lábio superior unidas feito um acordeão.

– Não pode fazer algo para melhorar o aspecto dela?

– Bom, posso costurar o que sobrou do couro cabeludo de volta no lugar e podemos cobrir a orelha que falta com um pouco de cabelo, mas não tem nada que eu possa fazer em relação a... ahn... ao... – O globo ocular arrancado pendia de forma grotesca sobre a bochecha esmagada, a superfície coberta por um filme opaco, mas ainda sem dúvida alguma um olho fixo. – Por isso pensei... em cobrir o rosto.

A cabeça da sra. Cunningham se moveu lentamente de um lado para outro.

– Não – disse ela baixinho, com os olhos fixos em Amy. – Eu mesma já enterrei três maridos e quatro filhos. Você sempre quer ver o rosto de quem morreu uma última vez. Pouco importa o que tenha acontecido com ele.

Frank. Eu tinha olhado para ele e me despedido uma última vez. E me sentia feliz por ter tido essa oportunidade.

Assenti e estendi a mão para pegar minha tesoura cirúrgica.

– Germain me disse onde o urso as encontrou – falou Ian. – Passei por lá quando estava descendo e consegui ver onde ele tinha passado por entre as vinhas no final do pequeno desfiladeiro. Vamos começar por lá, sim?

Jamie e MacMillan assentiram, e MacMillan se virou para dizer algo em tom de repreensão a seus cachorros, que farejavam animadamente de um extremo a outro da cozinha, enfiando a cabeçorra na lareira e cutucando com o focinho a panela tampada de água usada.

– Falando em Germain, onde está ele? – perguntou Jamie, subitamente consciente da ausência do neto.

Não era comum Germain estar ausente de qualquer situação inusitada. Com frequência ele estava bem no meio dos...

– Ele foi com você procurar o rastro do urso? – perguntou Jamie, interrompendo as recriminações de Gillebride.

Ian não exibiu expressão alguma por alguns instantes enquanto rememorava os fatos, mas assentiu.

– Sim, foi. Mas... eu tinha certeza de que estava logo atrás de mim quando desci...

Ele então se virou, como se esperasse que Germain fosse surgir entre as tábuas do piso. Com um profundo mau pressentimento no coração, Jamie girou nos calcanhares e ficou de frente para Gillebride.

– Jem voltou com você, Gilly?

MacMillan, um homem alto de fala mansa, tirou o chapéu e coçou a cabeça calva.

– Sim – respondeu devagar. – Eu acho que sim. Mas ele saiu correndo na frente enquanto eu reunia os cachorros. Não tornei a vê-lo.

– *Crìosd eadar sinn agus olc.* – Jamie fez o sinal dos chifres contra o diabo e se benzeu apressadamente. – Cristo entre nós e o mal. Vamos.

Quantos anos teria a sra. Cunningham?, pensei.

Parecia mais velha. Três maridos, quatro filhos... mas a morte era uma visita casual e frequente naquela época. Tinha as mãos envelhecidas, com grossas veias azuis e juntas nodosas, mas ainda ágeis. Limpou o sangue com um pano molhado, escovou os cabelos castanhos macios para longe do lado intacto do crânio de Amy e, ajeitando-os com cuidado para esconder o máximo possível dos ferimentos, prendeu-os em uma única trança grossa que pousou no colo da morta.

Eu tinha cuidado do olho, que estava pousado na bancada atrás de mim. Iria embrulhá-lo discretamente e pôr dentro da mortalha. Havia inserido uma pequena bola de algodão dentro da órbita esmagada e costurado a pálpebra por cima. Não era possível esconder a morte violenta de Amy, mas pelo menos sua família ainda conseguiria olhar para ela.

– Senhora... importa-se se eu a chamar pelo primeiro nome? – perguntei abruptamente.

– Elspeth – respondeu ela.

– Claire – falei e sorri.

Pensei ter visto um sorriso se esboçar em seus lábios, mas, antes que eu pudesse ter certeza, a colcha que estava pendurada no vão da porta se mexeu e um dos grandes cães de caçar urso de Gillebride a empurrou com o ombro e entrou, pondo-se a farejar avidamente pelo chão.

– E *você*, o que acha que está fazendo? – perguntei.

O cachorro me ignorou e traçou uma reta até a bancada, onde se levantou graciosamente sobre as patas traseiras, engoliu o olho, em seguida tornou a ficar de quatro e saiu correndo em resposta ao grito irritado de seu dono vindo do hall.

Elspeth e eu ficamos paralisadas e mudas enquanto a expedição de caça partia ruidosamente pela porta da frente, com os cães ganindo de felicidade e animação.

Conforme o silêncio recaiu sobre a casa, Elspeth piscou. Baixou os olhos para Amy, tranquila e composta sob a mortalha bordada que havia tecido enquanto esperava seu primeiro filho. O debrum era enfeitado com uma trepadeira sinuosa, flores cor-de-rosa e azuis e abelhas amarelas.

– É, bem... – disse ela por fim. – Acho que não faz muita diferença se a pessoa é devorada por vermes ou por cães.

Ela não soou segura ao falar aquilo e eu reprimi um súbito e insano impulso de rir.

– Ser devorada por cães está na Bíblia – falei em vez de rir. – Jezebel.

Ela arqueou uma sobrancelha grisalha falhada, obviamente surpresa com a inesperada revelação de que eu tinha lido a Bíblia, mas em seguida assentiu.

– Bem, então... – falou.

A sensação de urgência de Jamie aumentava por já ser o meio da tarde, mas havia mais uma coisa que era preciso fazer. Ele precisava avisar Bobby Higgins de sua intenção e torcer para que o homem estivesse destroçado demais para participar ou fosse sensato o suficiente para não fazê-lo. Precisava também convencê-lo de que era certo Aidan ir. Deveria ter levado os meninos menores, o melhor motivo para Bobby ficar onde estava, mas não tinha pensado nisso a tempo.

Sua ansiedade foi bastante aliviada pela visão de Jem, à espreita em frente ao chalé dos Higgins. Seu alívio por encontrar o menino, contudo, foi imediatamente contraposto pelo desejo arrebatado de Jem de se juntar à expedição.

– Se Aidan pode ir... – disse Jem pelo que devia ser a quarta vez, espichando o queixo.

Jamie se abaixou, segurou-o pelo braço e falou baixo de modo a não impressionar Aidan:

– *Sua* mãe não foi comida por um urso e não vai ficar nem um pouco satisfeita se você for. Você fica.

– Então Aidan não deveria ir! O pai dele não vai gostar se ele for comido, vai?

Era um pensamento que Jamie vinha remoendo, mas ele não se arrependia de ter permitido que o menino fosse para a caçada.

– A mãe dele *foi* comida por um urso e ele tem o direito de vingá-la – disse ao neto. Soltou o braço do menino, segurou-o pelo ombro e o virou na direção da casa. – Vá chamar seu *da*. Quero falar com ele.

Os outros integrantes da expedição de caça estavam indóceis e ele disse a Ian para seguir na frente com Gillebride e os cachorros e ver se conseguiam encontrar o rastro de Germain. Aidan tinha um aspecto desnorteado, ainda lívido e com os cabelos pretos arrepiados, e Jamie o abraçou para tranquilizá-lo.

– Fique perto de mim, Aidan. Não vamos demorar mais de um minuto, mas precisamos avisar a seu pai o que está acontecendo.

Bem menos de um minuto se passou antes de Roger sair do chalé piscando por causa do sol, com Jem em seu encalço exibindo uma expressão animada, mas solene. Roger Mac exibia os mesmos indícios de choque de todos eles, embora estivesse se controlando. Seu rosto relaxou um pouco ao ver Jamie. Então franziu o cenho quando viu a espingarda.

– Vocês vão...?

– Vamos. – Jamie acenou com firmeza para os meninos se afastarem e baixou a voz: – Preciso avisar Bobby, mas não quero que ele vá. Você me ajuda a convencê-lo?

– Claro. Mas… – Ele olhou para Aidan e Jemmy, de ombros caídos junto à lateral do chalé. – Não pretende levar *aqueles dois*, certo?

– Não vou levar Jemmy se você não permitir… É você quem decide. Mas acho que Aidan deve ir.

Roger o encarou com uma expressão de intenso ceticismo e Jamie deu de ombros.

– Ele tem que ir – repetiu, teimoso.

Todos os motivos pelos quais o menino *não* deveria ir circulavam feito moscas em volta de sua cabeça, mas a lembrança da sensação de desespero impotente de um menino órfão era uma farpa de ferro em seu coração… e isso tinha mais peso do que o resto.

O fogo tinha se apagado. Dentro do chalé e de Bobby. Ele estava sentado com as costas curvadas e afundado no canto do canapé junto à lareira fria, com a cabeça abaixada sobre as mãos abertas, como se estivesse procurando algum significado nas linhas das palmas. Não levantou a cabeça quando entraram.

Jamie se abaixou sobre um dos joelhos e pôs a mão por cima da de Bobby. Sentiu-a fria e flácida, mas os dedos se moveram um pouco.

– Robert, *a charaid* – disse baixinho. – Estou saindo para caçar o urso. Com a ajuda de Deus, vamos encontrá-lo e matá-lo. Aidan quer vir conosco e eu acho certo ele ir.

A cabeça de Bobby se ergueu com um tranco.

– Aidan? Você quer levar Aidan atrás do urso que… que…?

– Quero. – Jamie segurou a outra mão de Bobby e apertou as duas. – Eu juro, pela cabeça de meu neto, que não vou deixar nada de ruim acontecer com ele.

– Você… Jem, você quer dizer? Vai levar ele também? – A confusão transpareceu por um breve instante nos olhos mortos de Bobby e ele olhou por cima do ombro de Jamie para Roger Mac. – Ele vai?

– Vai. – A voz de Roger Mac falhou quando disse isso, mas ele disse, que Deus o abençoe.

Uma inspiração brotou na mente de Jamie e, fazendo uma prece dentro de si, ele lançou seus dados.

– Roger Mac também vai – falou, esperando soar seguro do que dizia. – Vai cuidar dos dois rapazes e garantir que fiquem seguros.

Pôde sentir os olhos de Roger Mac abrindo um rombo na parte de trás de sua cabeça, mas teve certeza de que aquilo era a coisa certa. *Miguel abençoado, guia minha língua…*

– Meu sobrinho Ian e Gillebride MacMillan vão comigo, levando cachorros. Nós três e três cachorros vamos conseguir vencer um urso, por mais feroz que seja. Roger Mac e os rapazes só vão estar lá para servirem de testemunhas. A uma distância segura – acrescentou Jamie.

Bobby se sentou mais ereto, soltou as mãos e olhou de um lado para outro, agitado.

– Mas... mas então eu deveria ir também. Não deveria?

Roger identificou sua deixa e pigarreou.

– Seus menininhos precisam de você, Bobby – falou com gentileza. – Você precisa cuidar deles, sim? É tudo que eles têm agora.

Jamie sentiu aquelas palavras o atingirem fundo no ventre, de repente e sem aviso. Tornou a sentir uma trouxa de roupa apertada com força junto ao peito, a sentir os minúsculos movimentos do bebê de poucas horas embrulhado nela, e ele tremendo de pavor com o que acabara de fazer para salvar o menino... seu filho.

Era aquilo que ele tinha pensado. O único pensamento a atravessar a névoa de medo e choque: *A mãe dele morreu. Eu sou tudo que ele tem.*

E viu acontecer com Bobby o mesmo que acontecera consigo. Viu a vida voltar para dentro de seus olhos, para os ossos de seu corpo, derretida com a tristeza, e começar a endurecer e a tomar forma de novo. Com os lábios contraídos, Bobby aquiesceu. Lágrimas ainda escorriam por seu rosto, mas ele se levantou do canapé, lento como um velho, mas se movendo.

– Onde eles estão? – perguntou, rouco. – Orrie e Rob?

– Com minha filha – respondeu Jamie. – Na casa.

Ele ergueu a sobrancelha para Roger Mac, que assentiu.

– Eu subo com você, Bobby – disse Roger Mac. Então falou com Jamie: – Já alcanço vocês. Você e os rapazes.

As mulheres estavam chegando. Pude ouvir suas vozes vindas do córrego, débeis ao longe. Deviam ser a esposa de Gillebride com sua filha mais velha, Kirsty, e Peggy Chisholm, que morava perto, com suas duas mais velhas, Mairi e Agnes, e sua extremamente velha sogra, Auld Mam, que não "batia bem da cabeça" e portanto não podia ser deixada sozinha. Então vozes femininas mais próximas se fizeram ouvir, e passos no hall, e Fanny entrou com uma expressão solene acompanhada por Rachel e Jenny. Olhou para o vão da porta coberto pela colcha, então desviou os olhos.

Expirei aliviada ao vê-las, e junto com a expiração veio a sensação de estar preparada para enfrentar algo terrível, algo que me acompanhava desde que Jem entrara cambaleando e ofegante no consultório para me contar o que havia acontecido.

Jenny colocou seu cesto no chão, me deu um abraço rápido e forte, e então, sem dizer nada, abaixou-se para entrar no consultório por baixo da colcha pendurada. Rachel também trazia um cesto em um braço e Oggy no outro. Ela entregou o bebê a Fanny, que pareceu aliviada por ter algo para fazer.

– Você está bem, Claire? – perguntou ela. Em seguida, olhou para a sra. Cunningham, que tinha assumido um posto ao lado da porta coberta do consultório, com as mãos unidas na cintura. – E você, amiga Cunningham?

– Estou bem – respondi.

A estranha sensação de estar em uma bolha de intimidade junto com Elspeth Cunningham tinha explodido na mesma hora com a chegada de amigas e parentes, mas a experiência havia me deixado uma sensação estranha de estar úmida e exposta, como um marisco aberto. Elspeth, por sua vez, tinha fechado sua concha com força, mas meneou a cabeça para as recém-chegadas. Suas vizinhas mais próximas deveriam vir assim que recebessem a notícia, mas levaria algum tempo: os diversos chalés dos Crombies e dos Wilsons ficavam a pelo menos 3 quilômetros de nós.

Jenny rezava baixinho em gaélico. Não consegui identificar as palavras com clareza suficiente, mas captei na prece a cadência distinta do luto.

– Venha – disse Rachel.

E afastou um pouco a colcha. Com um meneio sóbrio de cabeça, ela me chamou. Jenny acabara de terminar sua prece. Estendeu a mão e a pousou com toda a delicadeza por um instante na cabeça coberta pela touca branca de Amy.

– *Biodh sith na Màthair Beannaichte agus a mac Iosa Ort, a nighean* – disse ela baixinho. "Que a paz da Mãe Abençoada e de seu filho Jesus a acompanhem, filha."

Rachel olhou para o corpo de Amy e engoliu em seco, mas não se retraiu nem desviou os olhos.

– Germain disse que foi um urso – falou, e vi seus olhos se moverem na direção da desolada pilha de peças de roupa esfarrapadas e ensanguentadas. – Você estava... presente, Claire?

– Não. Brianna estava com ela quando aconteceu, colhendo uvas. Algumas das crianças também. Jemmy, Germain e Aidan. Os meninos pequenos. E Mandy.

– Santo Deus! Eles *viram*? – indagou Rachel, chocada.

Fiz que não com a cabeça.

– Estavam brincando mais em cima. Bree e Amy colhiam uvas moscatel naquele pequeno desfiladeiro depois do córrego. Brianna... tirou as crianças de lá e correu para chamar Jamie. Amy já estava morrendo quando cheguei.

Minha garganta se apertou ao rever a pequena mão branca, inerte dentro da de Roger, o tremor no canto de sua boca quando ela tentara se despedir dos filhos. Apesar de minha determinação, uma pequena lágrima quente me escorreu pela bochecha.

Rachel fez um pequeno ruído de aflição e ajeitou meus cabelos para longe do rosto. Jenny levou a mão ao bolso e me passou um lenço limpo.

– Bom, a porta da frente estava aberta quando entramos – disse Jenny, repassando uma lista mental. Olhou para as imensas janelas sem vidraças do consultório, abertas para o dia lá fora. – E não vai ser preciso abrir as janelas.

Esse toque de humor seco, por mais ínfimo que fosse, aliviou a tensão e eu senti um leve *crac* entre as escápulas quando minha espinha relaxou pelo que pareceu ser a primeira vez em anos, não em horas.

– Não – falei. Enxuguei as lágrimas e funguei. – O que mais...? Espelhos? Só tem o espelho de mão de meu quarto e ele já está virado.

– Nenhum passarinho na casa? Vi que você tem sal... – Alguns grãos tinham caído sobre a bancada quando Elspeth jogou sal dentro da água. – ... e pão não vai ser um problema.

Jenny arqueou uma sobrancelha ainda preta na direção da cozinha. Eu podia ouvir as vozes das mulheres cumprimentando recém-chegadas, esvaziando cestos, aprontando tudo. Perguntei-me se deveria organizar as coisas, dizer a elas onde pôr o caixão... Seria melhor no cômodo da frente ou na cozinha, que era bem maior? Ah, meu Deus, um caixão! Não tinha nem pensado nisso.

– Ah – fez Jenny em um tom de voz diferente. – Lá vem Bobby subindo o morro com Roger Mac.

Olhamos para o corpo de Amy ao mesmo tempo com um ar de interrogação. Nós a tínhamos deixado o mais composta possível, mas será que poderíamos deixar Bobby a sós com ela? Isso não parecia certo, mas tampouco parecia certo ter uma multidão de mulheres, que provavelmente iriam instigar umas às outras se uma começasse a chorar...

– Eu fico com ele – disse Rachel, engolindo em seco. Jenny olhou para mim com a sobrancelha arqueada, então assentiu. Rachel tinha um dom para ficar quieta.

– Eu cuido de nosso homenzinho – disse Jenny e, após beijar Rachel na testa, retirou-se.

Elspeth Cunningham já havia sumido, decerto para ajudar as mulheres que agora murmuravam na cozinha, atarefadas porém discretas, fazendo um barulho como o de cupins roendo as paredes da casa.

Fiquei esperando com Rachel para receber Bobby. Nesse meio-tempo, elaborei uma lista mental. Havia um tonel de uísque cheio e outro pela metade na despensa, mas nenhuma cerveja. Caitlin Breuer talvez trouxesse alguma; eu deveria mandar Jem e Germain irem perguntar... E quem sabe Roger poderia falar com Tom MacLeod sobre o caixão.

Passos no hall, depois o som de uma respiração engasgada. Bobby apareceu no vão da porta, mas para minha surpresa quem o amparava era Brianna, não Roger. Ela parecia quase tão destroçada quanto Bobby, mas seu braço ao redor dos ombros dele estava firme. Com 10 centímetros a mais do que ele, apesar de obviamente abalada, ela aparentava a mesma solidez de uma rocha.

– Amy – disse ele ao ver a mortalha branca, e o nome não passou de uma respiração angustiada. – Ah, meu Deus... Amy...

Ele olhou para mim com os olhos vermelhos cheios de súplica e desespero mudo. Como eu podia tê-la deixado morrer? Nada a poderia ter salvado e nós dois sabíamos disso. Mesmo assim, senti o ardor da impotência e da culpa.

Bobby começou a chorar, aquele choro terrível e desesperado que os homens têm. Brianna antes tinha o rosto pálido e marcado de tristeza e choque; nessa hora enrubesceu e seus olhos também se marejaram.

Quando dei por mim, Rachel já tinha tirado Bobby de Bree com a mesma facilidade com que aceitaria segurar um ovo cru, ao mesmo tempo cuidadosa e tranquila.

– Vamos sentar um pouco com sua esposa – disse ela e o conduziu até um banquinho. Lançou um olhar rápido para Brianna por cima do ombro e aquiesceu para mim antes de se sentar ao lado de Bobby.

Conduzi Bree para fora do consultório e para fora da casa, pensando que ela não fosse querer que as outras mulheres a vissem tão abalada. Precisava lhe dar algo para o choque, pensei. No entanto, antes de conseguir sugerir qualquer coisa, ela já tinha se virado e me agarrado pelo cotovelo, com os olhos molhados chispando através das lágrimas.

– Pa saiu – disse ela. – E levou Roger, Jem e Aidan *junto!* Para caçar o maldito urso!

– Ah, sim – disse Jenny atrás de mim antes de eu conseguir falar. Tocou o braço de Brianna e o apertou. – Não se preocupe, menina. Jamie é um homem difícil de matar e Ian pintou a cara. E eu recitei a bênção para os dois, a que se diz para um guerreiro antes do combate. Eles vão ficar bem.

Roger alcançou Jamie e os dois meninos pouco antes da entrada do pequeno desfiladeiro onde as vinhas cresciam fartas. Ficou contente ao ver que tinham encontrado Germain no caminho. O grupo o ouvira se aproximar fazendo barulho na mata e havia parado para esperá-lo.

Ele parou, ofegante, e meneou a cabeça em direção ao paredão de rocha no qual as vinhas ondulavam e tremiam à brisa leve.

– Foi aqui que aconteceu?

O cheiro forte e doce das uvas maduras sobressaía ao cheiro rústico e amargo das folhas e seu estômago reagiu com um ronco: ele não tinha comido nada desde o desjejum. Jamie levou a mão até dentro do *sporran* e lhe passou metade de um bolinho esfarelado sem comentar nada.

– Mais para a frente, pai – disse Jemmy. – A gente estava ali em cima, no alto do penhasco. Mamãe e a sra. Higgins estavam aqui embaixo… Está vendo onde tem aquela sombra grande? Foi lá que… – Ele se interrompeu abruptamente, olhando a área sombreada, então deu um grito agudo: – O urso! O urso! Ele está ali!

Roger deixou cair o bolinho e seu cajado, segurou Jemmy pelo braço e Aidan pela gola da roupa e arrastou os dois para trás. Jamie e Ian não se mexeram. Olharam para dentro do desfiladeiro, entreolharam-se, então balançaram a cabeça.

– Não se preocupe, *a bhalaich* – disse Jamie para Aidan com brandura. – Não é o urso.

– Tem… tem certeza?

Roger estava sem fôlego e viu o que Jemmy tinha visto: um pequeno aglomerado de arbustos de cicuta na borda esquerda do desfiladeiro lançava uma sombra sobre as vinhas à direita e algo se movia nessa sombra.

– Raposas – disse Ian, erguendo um dos ombros. – Venham até… ah…

Ele se interrompeu ao reparar em Aidan, que respirava como uma locomotiva a vapor.

– *Sanguinem culum lingere* – disse Jamie, tenso. – Bluebell! Venha cá, *a nighean.*

Todos os cães estavam interessados nas raposas, puxando as guias das coleiras e ganindo, mas sem latir.

Estão lambendo o sangue. A mente de Roger fez a tradução do latim e sentiu uma pedra no estômago.

Jamie agora conversava com Ian e Gillebride em gaélico enquanto gesticulava apontando mais para dentro do desfiladeiro. Jem e Aidan chegaram mais perto de Roger, calados e com os olhos arregalados. A brisa havia mudado de direção e ele escutou os guinchos e latidos das raposas.

– Você viu o que aconteceu com a sra. Higgins? – perguntou Roger a Jem em voz baixa.

Jem fez que não com a cabeça.

– Mandy viu – disse ele. – Mamãe subiu pelas vinhas e pegou a gente. Igual ao Tarzan – acrescentou ele.

– Igual a quem?

Ian tinha escutado e se virado para encarar Jem com ar intrigado. Roger fez um gesto de quem descarta o assunto e Ian se virou de volta para a conversa. Esta não durou mais do que alguns segundos e eles começaram a andar margeando a borda do desfiladeiro, com os cachorros farejando animados.

29

RELEMBRE, HOMEM...

– Vá – dissera sua mãe com firmeza. – Você tem que se mexer e alguém precisa avisar a Tom MacLeod que vamos precisar de um caixão. Quanto antes. – Sua mãe lançou um olhar rápido e angustiado para trás, na direção da casa. – Se pudesse ser para hoje à noite, a tempo do velório…

– Cedo assim? – Brianna havia pensado que estivesse anestesiada pelos choques do dia, mas esse foi mais um. – Ela… ela… faz só poucas horas!

Sua mãe suspirou e assentiu.

– Eu sei. Mas o tempo ainda está quente.

– Moscas – acrescentou a sra. Cunningham sem rodeios. Ela havia aparecido à porta, decerto à procura de Claire. Meneou a cabeça para Brianna com pesar. – Já fui a velórios em tempo quente nos quais vermes caíam da mortalha e ficavam se contorcendo pelo chão. Se houver um caixão, pelo menos eles…

– Por enquanto vamos pôr o corpo dela na despensa fria – disse Claire depressa, lançando um olhar de reprovação para Elspeth Cunningham. – Vai ficar tudo bem. Pode ir, querida.

Brianna foi.

Tom MacLeod se gabava de ser o único fabricante de caixões entre a Linha Cherokee e Salem. Se era verdade, Brianna não sabia. Mas ele tinha um caixão em curso de fabricação, para o caso de alguma necessidade repentina.

– Esse aqui está quase pronto – falou, conduzindo Brianna até um barracão com as laterais abertas que recendia a lascas de madeira fresca que cobriam o chão. – Higgins, a senhora disse? Não tenho certeza se sei quem é essa senhora. De que tamanho, a senhora diria?

Sem dizer nada, Brianna levou a mão à altura do peito e o sr. MacLeod aquiesceu. Era velho, tinha a pele grossa feito couro e a cabeça quase careca, uma barba grisalha rala e os ombros vergados por viver curvado sobre seu trabalho, mas exalava uma sensação de competência e calma.

– Então esse vai servir. Agora, quanto ao prazo…

Ele semicerrou os olhos para o caixão inacabado equilibrado sobre cavaletes de madeira. Encostadas nas paredes havia tábuas de pinheiro em diversos estágios de preparação. Brianna ouviu o farfalhar do que deviam ser camundongos nas sombras e achou aquilo estranhamente tranquilizador, quase doméstico.

– Eu poderia ajudá-lo – falou em um rompante, e ele ergueu os olhos para ela, espantado.

– Sou boa construtora – explicou ela.

Numa das paredes havia ferramentas penduradas e ela foi até lá e pegou uma plaina, que empunhou com a segurança de alguém que sabe o que fazer com a ferramenta. Ele reparou e piscou devagar enquanto refletia. Então seus olhos percorreram o corpo dela, observando sua altura… e suas roupas sujas de sangue.

– A senhora é a filha dele, não é? – perguntou e assentiu para si mesmo. – Bem, se conseguir pregar um prego reto… ótimo. Caso contrário, pode lixar a madeira.

Roger fez uma prece silenciosa quando atravessaram o desfiladeiro. Uma pela alma de Amy Higgins e outra pela segurança da expedição. Os meninos caminhavam sérios, sempre perto dele, olhando de um lado para outro, como se esperassem que o urso fosse pular de dentro das vinhas.

Cerca de meia hora depois, as paredes do desfiladeiro se separaram e se aplainaram até se transformarem na floresta, e eles entraram nas sombras de altos pinheiros e álamos. Os cães abriam caminho avançando rente ao chão, mergulhados até os ombros nas folhas e agulhas secas caídas. Ian ia na frente; ele parou no sopé de uma encosta íngreme e meneou a cabeça para os outros ao mesmo tempo que apontava para cima.

– O urso está lá em cima? – sussurrou Aidan para Roger.

– Não sei. – Roger segurou com mais força o cajado. Estava levando uma faca no cinto, mas ela nem de longe conseguiria penetrar o couro e a gordura de um urso.

– Os cachorros sabem – observou Germain.

E sabiam mesmo. Um dos cães levantou a cabeça e soltou um som grave e empolgado que soou como *aruuu, aruuu*, então se precipitou para a frente. Gillebride o soltou na mesma hora e o animal subiu a encosta em disparada para o meio das árvores, seguido por Bluebell e pelo outro cão de caça, os três velozes como água, repetindo seu chamado conforme avançavam.

E todos se puseram a correr o mais rápido que conseguiram sobre as folhas, que estalavam. O peito de Roger começou a queimar e ele pôde ouvir os meninos respirando com arquejos e arfando, mas os três conseguiram acompanhar.

Todos os cachorros haviam farejado o cheiro e uivavam de animação, sacudindo atrás de si o rabo comprido e retesado.

Ian e Jamie subiam depressa a encosta com suas pernas compridas, pulando por cima de troncos caídos e se esquivando de árvores. Gillebride se esfalfava ao lado de Roger, encontrando de tanto em tanto fôlego suficiente para gritar palavras de incentivo para os cães.

– *Sin e! An sin e!*

Roger não soube qual dos homens tinha gritado. Jamie e Ian estavam fora de seu campo de visão, mas as palavras em gaélico ecoaram débeis por entre as árvores.

Ali! Ele está ali!

Aidan emitiu um ruído alto de quem se engasga, baixou a cabeça e começou a correr como se sua vida dependesse disso, subindo a encosta em disparada. Roger agarrou a mão de Jemmy e foi atrás com Germain, cravando o cajado com força no chão para ajudá-lo na subida.

Chegaram ao ponto mais alto da encosta, perderam o equilíbrio, escorregaram e desceram rolando até um pequeno vale, onde os cães saltavam feito as chamas de um fogo em volta de uma árvore alta, latindo e uivando para uma silhueta muito, muito grande a 10 metros do chão, encaixada na forquilha entre dois galhos.

Roger se levantou atabalhoadamente, livrando-se das folhas secas e procurando os meninos. Aidan estava ali perto: petrificado de quatro no chão, olhando para cima. Sua boca se movia, mas o garoto não dizia nada. Roger olhou em volta à procura de Jemmy.

– Jem! Cadê você?

– Estou bem aqui, Da – disse Jem atrás dele, mais alto do que o barulho dos cães. – Aidan está bem?

Ele sentiu um baque de alívio ao ver a cabeça ruiva de Jem. Sua trança havia se soltado e seus cabelos estavam cheios de agulhas de pinheiro. Apesar do arranhão na bochecha, não tinha se machucado. Roger o apalpou rapidamente e, virando-se para Aidan, agachou-se ao lado do menino.

– Aidan? Você está bem?

– Sim. – O menino parecia atordoado, o que não era de espantar. Não tinha tirado os olhos do urso. – Ele vai descer e nos comer?

Roger lançou um olhar desconfiado para o urso no alto da árvore. Droga, poderia muito bem ser que sim.

– Eles sabem o que fazer – garantiu a Aidan enquanto afagava as pequenas costas ossudas do menino para reconfortá-lo. Torceu para estar certo.

Se ele vier para cima de você, acerte-o no focinho com o máximo de força de que for capaz, Jamie tinha lhe dito. *Se ele ameaçar uma mordida, enfie seu cajado na garganta dele...*

Ele tinha perdido o cajado na descida. Onde...? Ali estava. Desceu aos tropeços a encosta sem tirar os olhos do urso, um borrão preto e sólido contra o céu azul. O animal não parecia disposto a se mover, mas ele se sentiu muito melhor com o cajado na mão.

Os caçadores tinham se reunido a pequena distância e observavam o urso com os olhos semicerrados. Os cães pulavam em êxtase, arranhavam o tronco, latiam e ganiam, dispostos a continuar fazendo aquilo pelo tempo que fosse necessário.

– Vamos.

Roger reuniu os meninos e os conduziu encosta acima, atrás de Jamie e dos outros. Agora que conseguira trazer os três em segurança para junto de si, teve um instante para olhar de verdade para o urso. O animal movia a cabeça inquieto de um lado para outro, olhando para os cachorros lá embaixo e pensando: *E agora?* Roger espantou-se ao experimentar um sentimento de empatia com o animal encurralado na árvore. Então se lembrou de Amy e a empatia morreu.

– Não consigo uma mira decente – dizia Jamie enquanto tentava posicionar a arma. Abaixou-a e olhou para Ian. – Pode fazer ele mudar de posição para mim?

– Ah, posso.

Sem qualquer movimento brusco, Ian tirou o arco do ombro, pegou uma flecha e a disparou bem no traseiro do urso. O animal bramiu de raiva e desceu até a metade do tronco. Olhou rapidamente para os cachorros e então, com uma graça assombrosa, pulou para outra árvore a 3 metros de distância e se agarrou ao tronco.

Os homens gritaram e os cães na mesma hora rodearam a outra árvore bem quando o urso começava a descer. Com a flecha cravada no traseiro, o animal tornou a subir. Olhou em volta em busca de uma ideia melhor e, ao não encontrar nenhuma, pulou de volta para a primeira árvore. Jamie o acertou com um tiro e o urso desabou no chão feito um imenso saco de farinha.

– Caramba! – exclamou Jemmy, impressionado.

Germain segurou sua mão. Aidan soltou um uivo de raiva e partiu para cima do urso caído. Roger se esticou e o segurou pela gola, mas a camisa gasta se rasgou e Aidan saiu correndo, deixando Roger com um punhado de tecido na mão.

– Fique aqui, porra! – gritou Roger para Jem, que observava boquiaberto, e saiu atrás de Aidan, trombando em galhos caídos, torcendo os tornozelos e ralando as canelas em tocos e troncos desabados.

Os outros homens também gritavam e corriam. Mas Aidan tinha sacado a faca do cinto e soltava um rugido muito agudo enquanto cambaleava os últimos metros que o separavam do urso. Os cachorros já tinham chegado lá e abocanhavam e tentavam rasgar a carcaça... se é que era mesmo uma carcaça.

Gillebride descia a encosta em disparada, segurando a lança e berrando para os cachorros. O urso se levantou de repente, cambaleando, e jogou Bluebell longe com uma patada. A cadela acertou uma árvore com um ganido e caiu, e Aidan cravou sua pequena faca no flanco do urso enquanto gritava sem parar. Só então Roger o alcançou, agarrou-o pelo meio do corpo e se jogou para longe com Aidan debaixo dele, poucos segundos antes de ouvir o *tchac!* da lança e um suspiro muito, muito longo do urso. Folhas se levantaram quando o animal bateu no chão. Elas tocaram o rosto de Roger e um dos cachorros passou por cima dele, cravando as unhas em suas costas ao se precipitar para cima do urso morto.

– Pai! Pai! Você está bem? – Jemmy o puxava, aos gritos.

Ele ouviu indistintamente Gillebride e Ian enxotando os cachorros para longe da carcaça e sentiu a mão grande e dura de alguém sob o cotovelo, puxando-o até colocá-lo de pé, e a floresta girou.

– A cadela está bem – disse Jamie, e Roger se perguntou se teria feito a pergunta sem perceber ou se Jamie estava só puxando conversa. – Talvez tenha quebrado uma costela, nada além disso. O rapazinho também está bem. Tome.

Ele tirou do *sporran* um cantil pequeno e o entregou a Roger.

– Papai?

Jem estava ajoelhado a seu lado, aflito. Roger sorriu para o filho, apesar da sensação de que seu rosto era feito de borracha derretida e não conseguia manter o formato por mais de uns poucos segundos.

– Está tudo bem, *a bhalaich*.

O cheiro forte do urso se misturou ao aroma do uísque e das folhas mortas. Ele ouviu Aidan soluçar e procurou por ele. Ian estava a seu lado com um braço à sua volta, aconchegado junto a ele enquanto os dois se recostavam em um tronco caído em meio às folhas amarelas. Ele viu que Ian tinha passado o polegar em um pouco da tinta branca misturada com banha de urso do próprio rosto e a passara na testa de Aidan.

Jamie e Gillebride estavam junto do urso, examinando-o. Germain espiava curioso de trás do avô. Com grande esforço, Roger se levantou e estendeu a mão para Jem.

– Venha.

Apesar dos ferimentos, o urso era uma coisa linda. A maciez do focinho, as cores do corpo e as curvas vívidas e perfeitas das garras, das almofadas das patas e das imensas costas arredondadas o levaram à beira das lágrimas.

Jamie se ajoelhou junto à cabeça do urso e a ergueu. O crânio pesado se moveu com facilidade quando o virou; ele afastou o lábio dos dentes grandes com o polegar e correu os dedos pela mandíbula. Fez uma careta e, enfiando a mão delicadamente na bocarra do urso, tirou de entre os dentes de trás um pedacinho minúsculo, algo que parecia um fragmento de alguma planta, algo verde-escuro. Abriu a palma da mão, tocou aquilo e o espalhou, e Roger viu que era um fragmento de tecido verde-escuro de fabricação caseira tingido de preto em uma das bordas. O preto úmido manchou a palma da mão de Jamie e Roger pôde ver que era sangue.

Jamie aquiesceu, como para si mesmo, e guardou dentro do *sporran* o pedacinho do corpete do vestido de Amy. Então se levantou, o que fez Ian e Aidan se levantarem também, e recitou a prece pela alma dos que morriam em combate.

Brianna e Tom MacLeod desceram para a Casa Nova quando o sol estava se pondo, carregando o caixão.

Brianna ficou observando sua cabeça por trás enquanto atravessavam as sombras compridas das árvores e se perguntou quantos anos ele poderia ter. O cabelo ralo e quase todo branco estava preso para trás em um rabo fino e a pele era ressecada e marrom como a de uma tartaruga. Os olhos, porém, eram brilhantes e ferozes. E suas mãos largas sabiam trabalhar a madeira.

Não tinham trocado mais de uma dúzia de palavras a tarde inteira, mas nem fora preciso.

De início, ela sentira uma profunda tristeza ao pensar em um caixão e em Amy sendo enterrada, afastada, separada. Mas o trabalho havia apaziguado sua alma, amenizando o medo, o choque e a preocupação devido à concentração necessária para manejar objetos cortantes, e ela começara a experimentar uma sensação de paz. Aquilo era algo que podia fazer por Amy: colocá-la para descansar em madeira limpa. Suas mãos agora estavam esfoladas de tanto lixar, e suas roupas, sujas de serragem. Ela cheirava a suor e madeira de pinheiro fresca e os abetos-balsâmicos perfumavam o caminho do caixão.

Incenso, pensou.

Estava quase escuro quando Brianna deixou Tom e o caixão no quintal e subiu para fazer uma toalete rápida e mudar de roupa. As peças foram caindo, pesadas de suor e serragem, e ela sentiu um instante de alívio, como se houvesse se livrado de parte do fardo daquele dia. Empurrou as roupas sujas para um canto com o pé e ficou parada, nua.

A casa lá embaixo zumbia igual à colmeia de sua mãe, com pancadas e chamados intermitentes conforme pessoas entravam pela porta aberta e vozes baixavam de volume por respeito, mas apenas por instantes. Ela fechou os olhos e correu as mãos bem devagar pelo corpo, sentindo a pele e os ossos, o suave balanço dos cabelos úmidos e pesados que desciam soltos pelas costas.

Pensou que deveria se sentir culpada. *Sentia-se* culpada em meio à névoa de exaustão, mas, como sua mãe tinha dito mais de uma vez, a carne não tem consciência. Seu corpo estava agradecido por se encontrar vivo em um cômodo fresco e escuro, sendo acalmado, limpo com uma esponja e penteado à luz de velas.

Uma leve batida à porta e Roger entrou. Ela largou a anágua que estava prestes a vestir e foi até ele de combinação e espartilho.

– O que fizeram com o urso? – murmurou junto a seu ombro alguns minutos depois. Ele estava com cheiro de sangue.

– Tiramos as vísceras, amarramos com cordas e arrastamos até aqui. Acho que seu *da* pôs na despensa de legumes para impedir outros animais de encontrarem. Disse que Gilly MacMillan e ele vão esfolar e esquartejar amanhã. Vai dar bastante carne – concluiu Roger.

Um leve arrepio desceu pelas costas dela até a barriga. Ele sentiu e a abraçou mais apertado.

– Você está bem? – perguntou baixinho em meio a seus cabelos.

Ela assentiu, sem conseguir responder, e os dois ficaram parados sem dizer nada, escutando o débil rumor da casa lá embaixo.

– E *você*, está bem? – perguntou ela, soltando-o enfim.

Deu um passo para trás e o examinou: os olhos pareciam fundos de cansaço e ele acabara de se barbear. Seu rosto estava úmido e vermelho por causa da navalha e havia um pequeno corte logo abaixo da mandíbula, uma linha escura de sangue seco.

– Foi horrível?

– Foi, sim… mas também maravilhoso. De verdade. – Ele balançou a cabeça e se abaixou para pegar sua anágua do chão. – Mais tarde eu conto. Preciso me vestir e falar com algumas pessoas.

Ele havia endireitado os ombros enquanto falava. Brianna pôde vê-lo estender a mão até além da emoção e do cansaço e agarrar sua vocação como outro homem agarraria uma espada.

– Depois – repetiu e pensou por um breve instante que talvez devesse aprender as palavras da bênção para um guerreiro que parte em combate.

Foi preciso algum tempo até ela conseguir se controlar o suficiente para deixar o santuário de seu quarto e descer.

O caixão de Amy tinha sido posto sobre cavaletes na cozinha, uma vez que a multidão de gente que viria velá-la não caberia na pequena sala. Todos haviam trazido comida. Rachel e as duas meninas Chisholm mais velhas se encarregaram de desembalar os cestos e as bolsas e arrumar tudo. Brianna deu uma inspiração tão profunda e hesitante ao entrar que fez seu espartilho ranger, mas estava tudo bem: se havia algum cheiro de urso ou de putrefação, estava disfarçado pelos aromas de fogo de lenha, cera de vela, geleia, sidra de maçã, queijo, pão, carne fria e cerveja, com o fantasma reconfortante do uísque de seu pai a flutuar no meio dos presentes.

Roger estava perto do fogo, usando sua roupa de algodão grosso preto com o lenço de pescoço branco e alto de pastor, cumprimentando as pessoas em voz baixa, segurando suas mãos, proporcionando calma e reconforto. Cruzou olhares com Brianna e a fitou com uma expressão carinhosa, mas estava entretido com Auld Mam. A senhora estava agarrada a seu braço, se equilibrando na ponta dos pés, e lhe gritava alguma coisa no ouvido.

Brianna olhou para o caixão. Precisava prestar suas homenagens... e encontrar palavras para dizer a Bobby.

É, mas quais? Não posso apenas dizer: "Eu sinto muitíssimo." Só de olhar para ele, ela já havia ficado com lágrimas nos olhos.

O marido enlutado estava fazendo um grande esforço para se manter ereto e reagir à torrente de solidariedade que ameaçava submergi-lo. Jamie tinha assumido uma posição ao lado de Bobby, de modo a ficar de olho nele e filtrar as condolências mais exigentes e a manter a caneca de Bobby sempre cheia. Ele sentiu o olhar de Brianna sobre si, voltou-se na direção da filha e ergueu uma sobrancelha pesada com uma expressão que dizia "Você está bem, menina?".

Ela assentiu e deu o melhor de si para sorrir, mas uma sensação de pânico lhe brotava por dentro. Sua respiração ficou acelerada. Ela precisava sair de lá com urgência. Quando estava descendo o hall gelado, pareceu ouvir passos lentos e pesados atrás de si e o barulho de garras arranhando a madeira.

Sua mãe lhe disse que as crianças menores já tinham sido alimentadas e postas para dormir no consultório, seguras atrás da colcha pendurada. Brianna parou para escutar e, apesar de estar tudo silencioso do outro lado, afastou o canto da colcha e espiou dentro do quarto.

Havia corpinhos encolhidos e espalhados em pilhas aconchegantes debaixo da mesa grande, ao lado da lareira – apesar de o fogo ter sido apagado e a tela protetora trazida da cozinha para evitar acidentes – e em todos os cantos do recinto, dormindo por cima e por baixo das roupas externas dos pais e das próprias. Ela viu Mandy em uma das pilhas, braços e pernas esparramados como uma estrela-do-mar. Jem devia estar em outro lugar, lá fora com os meninos mais velhos. O cômodo inteiro parecia respirar ao ritmo do sono, lento e profundo, e de repente ela ansiou por se deitar ao lado das crianças e abandonar a consciência.

Olhou pela décima vez para a grande janela que fora tapada por uma manta indígena, para não deixar o ar frio entrar. Os cabelos da nuca se arrepiaram ao olhar para aquilo: a manta não impediria a entrada de nenhuma das coisas que perambulavam à noite.

– Está tudo bem. Estou aqui.

A voz mansa viera do canto perto da lareira e lhe deu um susto. Ao olhar as sombras com mais atenção, Brianna distinguiu Fanny sentada de pernas cruzadas, com Bluebell ferrada no sono a seu lado e o focinho pousado em sua coxa, as ataduras em volta das costelas formando uma mancha branca no escuro.

– Você está bem, Fanny? – sussurrou Bree em resposta. – Quer alguma coisa para comer?

Fanny fez que não com a cabeça; sua touca branca arrumada parecia um cogumelo a despontar do chão.

– A sra. Fraser me trouxe o jantar. Eu disse que Bluey e eu ficaríamos com Orrie e Rob – disse ela, tomando cuidado com os erres. – Se eles acordarem...

– Duvido que acordem – disse Bree, sorrindo apesar do nervosismo. – Mas pode me chamar se quiser.

Um pouco da paz das crianças adormecidas a acompanhou quando saiu do consultório, mas desapareceu assim que pisou outra vez na cozinha, quente e fervilhando de gente. Seu espartilho de repente pareceu mais apertado e ela se demorou junto à parede tentando se lembrar de como respirar com a parte baixa da barriga.

– Bobby é dono de seu chalé? – perguntava Moira Talbert com os olhos fixados de modo especulativo no pequeno grupo de pessoas ao redor de Bobby Higgins. – Quem o construiu foi o patrão e sei que a filha dele e o marido moraram lá por algum tempo, mas Joseph Wemyss disse a Andrew Baldwin que o patrão tinha dado a casa para Bobby e Amy, mas não falou se tinha sido a escritura do chalé e das terras ou só o usufruto.

– Não sei – respondeu Peggy Chisholm, semicerrando os olhos. Olhou para o lado mais distante do recinto, onde suas duas filhas ajudavam a cortar e dispor fatias de um imenso bolo de frutas embebido em uísque que *Mandaidh* MacLeod tinha levado. – Mas você acha que o patrão pode estar pensando em casar sua pequena órfã com Bobby? Se fosse assim, com certeza daria o chalé para Bobby...

– Jovem demais – retrucou Sophia MacMillan balançando a cabeça.

– Sim, e ele precisa de uma mãe para seus menininhos – interveio Annie Babcock, descartando a questão. – Aquela menina não seria capaz de enxotar nem um ganso. Mas minha prima Martina tem 17 anos e...

– Mas o homem é um assassino – interrompeu Peggy. – Não acho que o quero como genro, *mesmo* com uma boa casa.

Isso fez Brianna, sufocada pelo assombro, encontrar a voz.

– Bobby não é um assassino – falou, e ficou surpresa ao escutar como sua voz estava rouca. Pigarreou com força e repetiu: – Ele *não é* um assassino. Era soldado e atirou em uma pessoa durante uma rebelião. Em Boston.

Um pequeno choque lhe varou o corpo quando disse "Boston". A antiga sede do tribunal chamada Old State House atrás dela e o cheiro do tráfego, com a grande placa de bronze redonda incrustada no asfalto a seus pés. Seus colegas do quinto ano amontoados em volta, todos tremendo com o vento que soprava do porto. *Massacre de Boston*, dizia a placa.

– Uma rebelião – repetiu com mais firmeza. – Um grupo grande de pessoas atacou um pequeno grupo de soldados. Bobby atirou em uma delas para salvar a vida dos soldados.

– Ah, foi? – disse Sarah MacBowen, arqueando a sobrancelha com uma expressão cética. – Então por que ele tem aquele *M* na cara?

A cicatriz havia esmaecido com os anos, mas naquela noite estava bem visível: Bobby estava sentado ao lado do caixão e a claridade fraca da vela exibia a marca do ferro em brasa, escura em contraste com a brancura de seu rosto. Brianna viu que ele continuava segurando a borda do caixão de madeira, como se fosse capaz de impedir Amy de partir, recusando-se a reconhecer que ela já tinha partido.

Ela precisava ir até ele. Precisava olhar para Amy. Precisava se desculpar.

– Com licença – falou, abrupta, e passou por Moira.

Um pequeno grupo de amigos de Bobby se encontrava reunido à sua volta, murmurando algumas palavras e lhe dando de vez em quando um apertão de consolo no ombro. Ela se manteve afastada para esperar uma oportunidade, sentindo o coração bater com força nos ouvidos.

– Ah, Brianna! – A mão de alguém segurou seu braço e Ruthie MacLeod se aproximou para examiná-la. – Você está bem, *a nighean*? Dizem que estava com ela quando aquele animal malvado a levou... É verdade?

– Sim – respondeu. Sentiu os lábios duros.

– O que aconteceu? – Beathag Moore e outra moça estavam se juntando atrás de Ruthie com os olhos brilhando de curiosidade. – Quão perto do urso você chegou?

Como se a palavra "urso" tivesse sido um sinal, cabeças se viraram na direção de Brianna.

– Tão perto quanto estou da senhora agora – respondeu ela.

Mal conseguiu ouvir as próprias palavras. Seu coração tinha se acelerado e... ai, meu Deus. Ele explodiu em um violento tremor dentro do peito, como se um bando de pardais estivesse preso lá dentro, e ela viu pontinhos pretos na periferia de seu campo de visão. Não estava conseguindo respirar.

– Eu... eu preciso...

Fez um gesto impotente para os rostos ávidos, virou as costas e saiu depressa da cozinha, quase correndo na direção da escada. Puxava o corpete do vestido quando chegou ao patamar da escada lá em cima e quase o rasgou ao entrar cambaleando no quarto e fechar a porta atrás de si.

Precisava tirar o espartilho. Não estava conseguindo respirar... Arrancou as alças dos ombros e se contorceu para se livrar da peça aberta pela metade, arquejando em busca de ar. Tirou a saia e a anágua e se encostou na parede, com o coração ainda disparado. *Ar.*

Suando e tremendo, escancarou a porta e começou a subir a escada em direção ao ar livre do sótão inacabado.

Roger viu Brianna ficar lívida e se retirar da cozinha aos tropeços, esbarrando na porta escorada e a fazendo se fechar pesadamente atrás de si.

Atravessou as pessoas reunidas o mais depressa que conseguiu, mas, assim que chegou ao hall de entrada, ela já tinha sumido. Talvez estivesse só precisando de ar... Deus sabia que ele estava. A brisa gelada da noite que entrou com força do quintal foi um imenso alívio.

– Bree! – chamou ele dos degraus da porta, mas ninguém respondeu.

Tudo que Roger escutou foi o arrastar de pés e os murmúrios dos visitantes subindo a encosta à luz tremeluzente de uma tocha de pinheiro.

O consultório então. Ela deve ter ido olhar as crianças...

Encontrou-a por fim, dentro de casa. Bem lá no alto, ao ar livre, agarrada a umas das toras verticais que formavam a estrutura do sótão ainda em obras, uma sombra branca a se destacar no céu noturno.

Embora tivesse tentado pisar de mansinho, Brianna devia tê-lo escutado: apenas uma camada de tábuas constituía (por enquanto) tanto o teto do segundo andar quanto o piso do sótão. Mas ela não se moveu a não ser pelos cabelos e pela combinação ondulando, todos soprados pelo vento. Uma tempestade noturna iria se abater sobre os arredores: ele pôde ver uma massa de nuvens cor de aço fervendo por trás da montanha ao longe, percorrida por constantes e vívidas rachaduras dos relâmpagos. O vento trazia um cheiro forte de ozônio.

– Você parece a figura de proa de um navio – disse ele, aproximando-se por trás dela. Abraçou-a com delicadeza, abrigando-a do frio. – E tem a mesma textura: está tão fria que parece dura como madeira.

Ela produziu um som que Roger interpretou como uma indicação de que estava feliz por vê-lo e reagiu à sua brincadeira sem graça, mas estava com frio demais para falar ou então não soube o que dizer.

– Ninguém sabe o que dizer quando uma coisa assim acontece – comentou Roger e seus lábios roçaram uma orelha branca e fria.

– Você sabe. Você soube.

– Não – disse ele. – Eu disse alguma coisa, sim, mas só Deus sabe... E digo isso a sério, aliás... Você *estava lá* – falou com uma voz mais branda. – Chamou ajuda, tomou conta das crianças. Não poderia ter feito mais.

– Eu sei. – Ela então se virou para ele e Roger sentiu a umidade no rosto de Brianna.

– É isso... é isso que é tão terrível. Não havia *nada* a fazer para consertar a situação, para melhorar as coisas. Em um segundo ela estava lá, depois...

Ela tremia. Roger devia ter se lembrado de levar uma capa, um cobertor... mas tudo que tinha era o próprio corpo, então a segurou o mais perto que pôde, sentindo a solidez daquela vida tremendo em seu abraço. E sentiu culpa do alívio por não ter sido...

– Poderia ter sido eu – sussurrou ela com voz trêmula. – Ela não estava nem a 3 metros de mim. O urso poderia ter vindo pelo outro lado e... e Jem e Mandy estariam ó-órfãos ho-hoje. – Ela deixou escapar um pequeno soluço sufocado. – Mandy estava comigo cinco minutos antes. Ela poderia ter sido...

– Você está congelando – sussurrou Roger. – Vai chover daqui a pouco. Vamos descer.

– Não consigo. Não deveríamos ter vindo – disse ela. – Não deveríamos ter vindo para cá.

Ela soltou a viga, pôs a cabeça no ombro dele e começou a chorar, apertando o corpo com força contra o dele. O frio tinha passado do corpo dela para o de Roger e as pedras frias de suas palavras pareciam chumbo de espingarda em sua mente. *Mandy*.

Roger não podia lhe dizer que tudo ficaria bem. Mas também não podia deixá-la sozinha ali parada feito um para-raios.

– Se eu precisar pegar você no colo, provavelmente vou cair do telhado e nós dois vamos morrer – falou e segurou sua mão fria. – Vamos descer, sim?

Ela assentiu, endireitou-se e enxugou os olhos na manga da combinação.

– Não é errado estar viva – disse ele baixinho. – Fico feliz que esteja.

Brianna tornou a assentir e ele a beijou. Os dois desceram pela escada de madeira no escuro um depois do outro, sozinhos mas juntos, em direção à claridade distante da lareira.

30

VOCÊ DEVERIA SABER...

Enterramos Amy no dia seguinte na pequena e alta campina que servia de cemitério na Cordilheira. O dia estava tranquilo e ensolarado, e cada passo pelo capim revelava algum lampejo de cor, os roxos e amarelos de ásteres e varas-de-ouro. O calor do sol em nossos ombros e as palavras de Roger na oração nos proporcionaram certo conforto.

Peguei-me pensando, como acontece em certa idade, que eu gostaria bastante de ter um enterro como aquele. Ao ar livre, entre amigos e parentes, com pessoas que me conheciam, a quem eu servira por muitos anos. Uma sensação de profunda tristeza, sim, mas uma sensação mais profunda ainda de solenidade, que não contrastava com a luz do sol e com o hálito verde-escuro da floresta próxima.

Todos ficaram calados enquanto a última pá de terra era lançada no montinho da cova. Roger meneou a cabeça para as crianças, amontoadas em volta do pai, mudas e chocadas, cada qual segurando um pequeno buquê de flores silvestres. Brianna as tinha ajudado a colher as flores. Mandy, é claro, insistira em montar o buquê, um punhado solto de cravos silvestres rosados e folhas de capim com sementes na ponta.

Rachel se mantinha em silêncio ao lado de Bobby Higgins. Com toda a delicadeza, pegou a mão inerte dele e pôs nela um pequeno ramo de florezinhas brancas parecidas com margaridas chamadas erva-pulgueira. Sussurrou algo em seu ouvido e ele engoliu com força a saliva, baixou os olhos para os filhos, então se adiantou para colocar as primeiras flores no túmulo de Amy, seguido por Aidan, os meninos menores, Jem, Germain, Fanny e Mandy, tão concentrada para fazer tudo certo que tinha o cenho franzido.

Outros pararam por um breve instante junto ao túmulo, tocaram os braços e as costas de Bobby e lhe murmuraram coisas. As pessoas começaram a se dispersar e a voltar para suas casas, seu trabalho, seu almoço, sua normalidade, gratas pelo fato de, por ora, a morte as ter poupado e sentindo uma vaga culpa por essa gratidão. Umas poucas continuaram ali, conversando em voz baixa. Rachel tinha tornado a aparecer ao lado de Bobby. Bree e ela se revezavam para não deixá-lo sozinho.

Chegou nossa vez. Fui atrás de Jamie, que não falou nada. Ele segurou Bobby pelos ombros e moveu sua cabeça de modo a ficarem testa contra testa por um instante, compartilhando a dor. Então levantou a cabeça e a balançou, apertou o ombro de Bobby e deu um passo para um lado para me deixar passar.

– Ela era linda, Bobby – murmurei, com a voz ainda embargada depois de todas as lágrimas derramadas. – Vamos nos lembrar dela. Para sempre.

Ele abriu a boca, mas nenhuma palavra saiu. Apertou minha mão com força e fez que sim, as lágrimas escorrendo sem que tomasse conhecimento. Tinha se barbeado para o enterro e manchas vermelhas e irritadas sobressaíam na pele pálida.

Voltamos devagar pelo caminho em direção à nossa casa. Sem dizer nada, mas nos tocando de leve conforme avançávamos.

Quando chegamos perto da horta, parei.

– Vou pegar um pouco de…

Fiz um gesto vago em direção à paliçada. *Um pouco de quê?*, pensei. O que poderia colher ou desenterrar para fazer um emplastro que curasse uma ferida mortal no coração?

Jamie assentiu, em seguida me deu um abraço e um beijo. Então recuou e tocou minha face, encarou-me como para fixar minha imagem na mente e continuou a descer.

Na verdade, não precisava de nada da horta a não ser ficar sozinha.

Apenas fiquei parada lá por algum tempo, deixando o silêncio que nunca fica silencioso me invadir: a floresta próxima farfalhando e suspirando conforme a brisa a percorria, as conversas distantes dos passarinhos, pequenos sapos coaxando no córrego ali perto. A sensação das plantas falando umas com as outras.

Era fim de tarde e o sol baixo entrava por entre as estacas contra cervos e lançava uma luz sarapintada pelas trepadeiras de feijões até a palha trançada da caixa, onde as abelhas iam e vinham com uma graça preguiçosa.

Estendi a mão e a pousei na colmeia, sentindo o belo e profundo zum-zum do trabalho em curso lá dentro. *Amy Higgins foi embora. Ela morreu. Vocês sabem quem é: o quintal em frente à porta dela é cheio de malvas-rosa e ela tem… tinha… um jasmim perto do curral de vacas, e um bom pedaço de cornisos ali perto.*

Fiquei bem parada, deixando a vibração da vida entrar pela minha mão e tocar meu coração com a força de asas transparentes.

As flores dela continuam crescendo.

PARTE III

A ferroada de abelha da etiqueta e a picada de cobra da ordem moral

31

PATER FAMILIAS

Savannah, real colônia da Geórgia

Parte de William torcia para que suas perguntas relacionadas ao paradeiro de lorde John Grey fossem resultar em total ignorância ou na notícia de que Sua Senhoria tinha voltado para a Inglaterra. Mas ele não teve essa sorte. O ordenança do major-general Prévost lhe informou na mesma hora como chegar a uma casa na St. James Square, e foi com o coração batendo forte e uma bola de chumbo no estômago que William desceu os degraus do quartel-general de Prévost ao encontro de Cinnamon, que o aguardava na rua.

Porém, seu nervosismo se dispersou um segundo depois, quando o coronel Archibald Campbell, ex-comandante da guarnição de Savannah e *bête noire* pessoal de William, surgiu subindo o caminho ladeado por dois ajudantes de ordens. Seu primeiro impulso foi pôr o chapéu, afundá-lo diante do rosto e passar depressa na esperança de não ser reconhecido. Mas seu orgulho não aceitou e, em vez disso, ele desceu reto o caminho, com a cabeça erguida, e meneou a cabeça para o coronel.

– Bom dia, coronel – falou.

Campbell, que estava dizendo algo para um dos ajudantes, ergueu a cabeça distraído e então estacou.

– O que *você* está fazendo aqui? – perguntou, irritado.

– Meus assuntos não são de sua conta, coronel – respondeu William com educação e fez menção de passar.

– Seu covarde – rosnou Campbell atrás dele com desprezo. – Saia da minha frente antes que eu mande prendê-lo!

A mente lógica de William lhe dizia que eram as relações de Campbell com tio Hal que estavam na origem dessa ofensa e ele não deveria levá-la para o lado pessoal. Precisava seguir como se não tivesse escutado.

Virou-se, fazendo o cascalho estalar sob os calcanhares, e somente o fato de a expressão em seu rosto ter feito Campbell perder a cor e dar um pulo para trás deu a John Cinnamon tempo suficiente para dar três passos largos e segurar seus braços por trás.

– *Amène-toi, imbécile!* – sibilou ele no ouvido de William. – *Vite!*

Cinnamon tinha quase 20 quilos a mais do que William e conseguiu o que queria, embora William não tivesse resistido. Em vez disso, ele andou de costas devagar em direção ao portão, com Cinnamon a conduzi-lo e os olhos abrasadores cravados no semblante congestionado de Campbell.

– Qual é o problema com você, *gonze*? – perguntou Cinnamon depois de os dois saírem em segurança pelo portão e quando não podiam mais ver a mansão de ripas de madeira.

A curiosidade simples em sua voz fez William se acalmar e ele passou a mão com força pelo rosto antes de responder.

– Desculpe – disse e respirou fundo. – Aquele... aquele homem é responsável pela morte de uma... de uma jovem dama. Uma jovem dama que eu conhecia.

– *Merde* – disse Cinnamon e fulminou a casa com um olhar. – Jane?

– O quê? Como...? Onde você ouviu esse nome? – William quis saber.

O chumbo em sua barriga pegou fogo e derreteu, deixando para trás um espaço oco e queimado. Ainda podia ver as mãos dela, pequenas, delicadas e brancas, quando as havia pousado sobre seu peito... cruzadas, com os pulsos abertos cuidadosamente enfaixados de preto.

– Você às vezes fala dormindo – disse Cinnamon, dando de ombros como quem pede desculpas. Hesitou, mas sua ânsia estava forte e não conseguiu refrear a pergunta: – E então?

– Sim. – William engoliu em seco e repetiu com mais firmeza a palavra: – Sim. Ele está aqui. Número 12 da Oglethorpe Street. Vamos, então.

A casa era modesta, mas ajeitada, revestida de ripas pintadas de branco e com uma porta azul, situada em uma rua de outras casas ajeitadas com uma igrejinha de arenito vermelho no final. Folhas rasgadas pelo vento tinham caído de uma árvore no jardim da frente e jaziam em montinhos amarelados e úmidos rentes a um muro de tijolos. William ouviu Cinnamon inspirar com um arquejo quando chegaram ao portão e o viu olhar de um lado para outro enquanto iam até a porta, tomando nota de cada detalhe.

Esmurrou a porta sem hesitação, ignorando a aldraba de bronze em formato de cabeça de cão. Houve alguns instantes de silêncio e então o choro de um bebê dentro da casa. Os dois rapazes se entreolharam.

– Deve ser o filho da cozinheira de Sua Senhoria – disse William com uma casualidade fingida. – Ou da criada. Sem dúvida a mulher vai...

A porta se abriu e revelou lorde John de cenho franzido, sem peruca e em mangas de camisa, segurando junto ao peito um bebê pequeno aos berros.

– Vocês acordaram o bebê, maldição! – disse ele. – Ah. Olá, Willie. Entre, não deixe o frio entrar. Os dentes deste pestinha começaram a nascer. Pegar um resfriado não vai melhorar em nada o humor dele. Quem é seu amigo? A seu dispor, senhor – acrescentou, cobrindo a boca do bebê com a mão e meneando a cabeça para Cinnamon com uma dose razoável de hospitalidade.

– John Cinnamon – responderam os dois rapazes ao mesmo tempo e, em seguida, calaram-se, igualmente encabulados. William foi o primeiro a se recuperar.

– É seu? – perguntou com educação meneando a cabeça para o bebê, que tinha parado de uivar e mordiscava selvagemente os nós dos dedos de lorde John.

– Você deve estar brincando, William – respondeu o pai, dando um passo para trás e os convidando a entrar. – Permita-me apresentar seu primo em segundo grau, Trevor Wattiswade Grey. Encantado em conhecê-lo, sr. Cinnamon... Aceita um pouco de cerveja? Ou algo mais forte?

– Eu... – Em pânico, Cinnamon olhou para William em busca de instruções.

– Talvez precisemos de algo mais forte, se o senhor tiver.

William estendeu os braços para o bebê, pegando-o das mãos suadas e aliviadas de lorde John. Seu pai enxugou a mão na calça e a estendeu para Cinnamon.

– A seu dispor, meu se... – Ele se calou de modo abrupto, pois acabara de dar uma boa olhada em Cinnamon pela primeira vez. – Cinnamon? – falou, com os olhos fixos no rosto do indígena. – *John* Cinnamon?

– Sim, senhor – respondeu Cinnamon com voz rouca e caiu de joelhos com um estrondo que fez a porcelana tilintar no aparador.

Com o barulho, o pequeno Trevor se retesou e guinchou como se estivesse sendo estripado por texugos.

– Ah, meu Deus! – exclamou lorde John, olhando de Trevor para Cinnamon e de novo para Trevor. – Dê-me aqui.

Ele tornou a pegar o bebê de William e o ninou de um jeito experiente.

– Sr. Cinnamon – falou –, por favor, levante-se. Não há motivo para...

– Tio John, mas *o que* está fazendo com esse bebê, pelo amor de Deus?

A voz feminina furiosa veio do vão da porta no outro extremo da sala e a cabeça de William se virou para lá. Emoldurada pela porta estava uma moça loura de estatura mediana a não ser pelo busto, que era muito grande, branco como leite, parcialmente exposto pelo roupão aberto e pela combinação desamarrada que ela vestia.

– Eu? – rebateu lorde John indignado. – Eu não fiz nada com este monstrinho. Tome, senhora, pegue-o.

Ela o fez e o pequeno Trevor na mesma hora enfiou o rosto em seu busto enquanto emitia ruídos bestiais de quem procura comida. A jovem captou de relance o rosto de William e o encarou com fúria.

– E o senhor, quem é? – exigiu saber.

William piscou.

– Meu nome é William Ransom, senhora – falou, um tanto pomposo. – A seu dispor.

– Amaranthus, este é seu primo Willie – disse lorde John, adiantando-se para dar um tapinha no alto da cabeça de Cinnamon como quem se desculpa ao empurrá-lo para passar. – William, permita-me apresentar Amaranthus, viscondessa Grey, a... viúva de seu primo Benjamin.

A pausa foi quase imperceptível, mas William a percebeu e olhou na mesma hora da jovem para o pai. No entanto, o semblante de lorde John estava calmo e afável. E ele não olhou William nos olhos.

Então... ou o corpo de Ben foi encontrado, ou estão deixando a viúva achar que ele morreu.

– Meus sentimentos, lady Grey – disse ele com uma mesura.

– Obrigada – disse ela. – Ai! Trevor, seu pequeno *Myotis* bestial!

Ela havia silenciado Trevor, guardando-o debaixo de uma das abas fechadas às pressas do roupão e abaixando a combinação com o mesmo movimento, pois o menino tinha se atracado a seu seio e agora produzia ruídos de sucção constrangedoramente altos.

– Ahn... *Myotis?* – A palavra soava grega, mas William não estava familiarizado com ela.

– É um tipo de morcego – respondeu ela, mudando de posição para ajeitar o filho com mais conforto. – Eles têm dentes muito afiados. Com sua licença, milorde.

E, dizendo isso, virou-se e sumiu.

– Humm – fez Cinnamon, que, ao ser ignorado, havia se levantado em silêncio. – Milorde, espero que o senhor me perdoe por ter vindo sem avisar. Não sabia onde encontrá-lo até meu amigo... – Ele indicou William com um meneio de cabeça. – Até William encontrar sua casa agora há pouco. Mas talvez devesse ter esperado. Se quiser, posso voltar... – acrescentou com um movimento hesitante na direção da porta.

– Não, não. – Aliviado da presença de Amaranthus e Trevor, lorde John havia recobrado a equanimidade habitual. – Por favor... sente-se, sim? Vou mandar... Na verdade, não há ninguém para *mandar*. O criado entrou para o Exército e minha cozinheira está embriagada. Eu vou buscar...

William o segurou pela manga quando ele fez menção de se retirar na direção da cozinha.

– Não precisamos de nada – falou, com bastante delicadeza.

Paradoxalmente, o caos dos últimos minutos tinha acalmado sua sensação de agitação. Ele pôs a mão no ombro do pai, sentindo os ossos duros e o calor de seu corpo, e se perguntou quando tornaria a chamá-lo de "papai".

Sem dizer nada, levou-o até John Cinnamon. O indígena havia empalidecido e parecia prestes a passar mal.

– Eu vim dizer obrigado – disse ele, sem pensar, e travou os lábios como se temesse dizer mais.

O semblante de lorde John se suavizou enquanto olhava o rapaz alto de cima a baixo. William sentiu o coração se apertar um pouco.

– De modo algum – respondeu Grey e pigarreou. – De modo algum – repetiu com mais força. – Fico muito feliz em revê-lo, sr. Cinnamon. Obrigado por ter vindo me procurar.

William constatou que estava com um nó na garganta e se virou na direção da janela com uma sensação obscura de que deveria dar aos dois um momento a sós.

– Foi Manoke quem me contou – disse Cinnamon com a voz embargada. – Que era o senhor, digo.

– Ele contou... Bem, sim, agora me lembro que *estava* em Québec quando o levei para a missão... depois que sua mãe morreu, digo. Esteve com Manoke... recentemente? – Lorde John perguntou isso em um tom esquisito e William tornou a olhar para ele. – Onde?

– Em Mount Josiah – respondeu William, virando-se. – Eu... ahn... estive lá. E encontrei o sr. Cinnamon visitando Manoke. Manoke mandou lembranças, aliás, e disse que deseja pescar com o senhor outra vez.

Um brilho muito esquisito faiscou nos olhos de lorde John, mas então desapareceu quando ele tornou a concentrar o olhar em John Cinnamon. William podia ver que o indígena ainda estava nervoso, mas não mais em pânico.

– É muita bondade do senhor me... me receber – disse ele com um meneio de cabeça encabulado na direção de lorde John. – Eu queria... digo, eu *não* quero... impor nada nem... nem causar qualquer problema. Jamais faria isso.

– Ah... claro – disse lorde John, com uma surpresa evidente na voz e no rosto.

– Não espero ser reconhecido – prosseguiu corajosamente Cinnamon. – Nem qualquer outra coisa. Não estou pedindo nada. Eu só... só... precisava vê-lo. – Sua voz falhou de repente nas últimas palavras e ele virou o rosto depressa. William viu lágrimas em suas pestanas.

– Reconhecido?

Lorde John encarava John Cinnamon com uma expressão de total incompreensão. De repente, William não conseguiu mais suportar aquilo.

– Reconhecido como seu filho – falou, rude. – Fique com ele. É melhor do que o que o senhor tem.

E, alcançando a porta com duas passadas, abriu-a com um puxão e saiu.

William caminhou decidido até o portão e parou. Queria sumir, ir embora e deixar lorde John e seu filho combinarem qualquer arranjo que fosse. Quanto menos soubesse, melhor. Mas hesitou, com a mão no trinco. Não conseguia se forçar a abandonar Cinnamon sem saber qual poderia ser o desfecho daquela conversa. Se as coisas azedassem...

Ele teve uma visão de Cinnamon, rejeitado e abalado, saindo da casa e indo embora, sabia Deus para onde, sozinho.

– Não seja bobo – murmurou para si mesmo. – Você sabe que papai não...

"Papai" entalou em sua garganta como um espinho e ele engoliu em seco.

Mesmo assim, tirou a mão do trinco e voltou. Iria esperar um quarto de hora, decidiu. Se algo terrível tivesse que acontecer, era provável que fosse rápido. Mas não podia esperar parado no minúsculo jardim da frente, muito menos ficar encolhido debaixo das janelas. Contornou o pátio e margeou a lateral da casa em direção aos fundos.

O jardim de trás tinha um tamanho razoável, com uma horta revolvida para o plantio seguinte, mas que ainda exibia alguns repolhos. No fundo da horta havia um pequeno barracão de cozinha com um caramanchão de vinhas em um dos lados. Embaixo dele havia um banco, que estava ocupado por Amaranthus. Ela segurava o pequeno Trevor apoiado no ombro e lhe dava tapinhas nas costas de modo profissional.

– Ah, olá – disse ela ao ver William. – Onde está seu amigo?

– Lá dentro – respondeu ele. – Falando com lorde John. Achei melhor esperar por ele, mas não quero incomodá-la.

Ele fez que ia se retirar, mas ela o deteve erguendo a mão por um instante antes de retomar os tapinhas.

– Sente-se – falou, encarando-o com interesse. – Então o senhor é o famoso William. Ou devo chamá-lo de Ellesmere?

– Sou eu, sim. E não, não deve. – Ele se sentou com cautela a seu lado. – Como vai o rapazinho?

– Extremamente cheio – disse ela com uma leve careta. – A qualquer momento ele vai... ops.

Trevor havia soltado um arroto alto acompanhado por uma golfada de leite aguado que escorreu pelo ombro da mãe. Pelo visto, essas explosões eram corriqueiras. William reparou que Amaranthus havia posto um guardanapo no ombro, embora o pano parecesse inadequado ao volume da golfada do bebê.

– Me passe aquilo ali, sim? – Amaranthus mudou o menino de um ombro para o outro com um gesto experiente e meneou a cabeça na direção de outro pano embolado que estava no chão perto de seus pés.

William o pegou com cuidado. Estava limpo.

– Ele não tem uma ama? – perguntou, entregando o pano.

– Tinha – respondeu Amaranthus, franzindo o cenho de leve enquanto enxugava o rosto do bebê. – Eu a mandei embora.

– Por beber? – perguntou ele, lembrando o que lorde John tinha dito sobre a cozinheira.

– Entre outras coisas. Ela bebia às vezes, em ocasiões demasiado frequentes... e não tinha bons modos.

– No sentido de higiene ou... ahn... de falta de critério em suas relações com o sexo oposto?

Apesar do tema, ela riu.

– As duas coisas. Se já não soubesse que o senhor é filho de lorde John, essa pergunta teria deixado isso claro. Ou melhor... – corrigiu-se ela, fechando mais o roupão em torno de si. – Mais pela construção da frase do que pela pergunta em si. Todos os Greys falam assim… Bem, todos os que conheci até agora.

– Eu sou enteado de Sua Senhoria – retrucou ele com calma. – Qualquer semelhança no falar deve ser portanto mais uma questão de exposição do que de hereditariedade.

Ela produziu um pequeno ruído de interesse e o encarou com uma sobrancelha loura arqueada. William reparou que a cor de seus olhos estava entre o cinza e o azul. Naquele momento, estavam da mesma cor das pombas bordadas em seu roupão amarelo.

– É possível – disse ela. – Segundo meu pai, existe um tipo de pintassilgo que aprende a cantar com os pais. Se você tirar um ovo de um ninho e puser em outro, a alguns quilômetros de distância, o filhote vai aprender as canções dos novos pais em vez daquelas dos que puseram o ovo.

Reprimindo de modo cortês o desejo de perguntar por que alguém deveria se preocupar com pintassilgos, fosse de que modo fosse, William apenas assentiu.

– A senhora não está com frio? – perguntou.

Eles estavam sentados ao sol e o banco de madeira sob suas pernas estava quente, mas a brisa que soprava na parte de trás de seu pescoço estava gelada e William sabia que ela não estava usando nada por baixo do roupão, exceto uma combinação. Lembrar-se disso trouxe de volta a imagem da primeira vez que a vira, com os seios cheios de leite e os mamilos proeminentes à mostra, e ele desviou o rosto, tentando pensar em outra coisa.

– Qual é a profissão de seu pai? – perguntou aleatoriamente.

– Ele é naturalista… quando pode se dar a esse luxo – respondeu ela. – E não, não estou com frio. Dentro da casa está sempre quente demais e não acho que a fumaça da lareira faça bem para Trevor; deixa ele com tosse.

– Talvez a chaminé não esteja funcionando direito. A senhora disse "quando pode se dar a esse luxo". O que seu pai faz quando não pode se dar ao luxo de se dedicar a seus… ahn… interesses particulares?

– Ele é livreiro – respondeu ela com um leve tom de desafio. – Na Filadélfia. Foi lá que conheci Benjamin – acrescentou, com uma hesitação quase imperceptível. – Na loja de meu pai.

Amaranthus virou ligeiramente a cabeça para observar o que William pensava sobre isso. Será que ele reprovaria o enlace agora que sabia que ela era filha de comerciante?

Não é provável, pensou ele com ironia. *Considerando as circunstâncias.*

– Aceite minhas profundas condolências pela perda de seu marido – disse ele.

Considerou o que ela saberia – ou melhor, o que teriam lhe dito sobre a morte de Benjamin –, mas pareceu indelicado perguntar. Era melhor descobrir o que o pai e tio Hal sabiam a respeito agora antes de começar a pisar em terreno desconhecido.

– Obrigada. – Ela olhou para outro lado e William notou como sua boca era bonita, embora estivesse contraída.

– Malditos continentais! – exclamou ela com súbita violência. Levantou a cabeça e William viu que, longe de estarem cheios de lágrimas, seus olhos faiscavam de raiva. – Malditos sejam eles e sua tonta filosofia republicana! De todas as baboseiras teimosas, confusas e traiçoeiras... eu...

Ela se interrompeu de repente ao notar seu espanto.

– Peço perdão, milorde – falou, rígida. – Eu... fui sobrepujada pelas emoções.

– Muito... adequado – disse ele, pouco à vontade. – Digo... é compreensível, considerando as... circunstâncias. – Ele olhou de lado na direção da casa, mas não havia som algum de porta se abrindo ou vozes erguidas em despedida. – Mas me chame de William, por favor... Afinal, nós *somos* primos, não?

Isso a fez sorrir. Era um belo sorriso.

– Somos, sim. Então você precisa me chamar de Amaranthus... É uma planta – emendou ela com o ar resignado de alguém obrigado com frequência a dar essa explicação. – *Amaranthus retroflexus*. Da família Amaranthaceae. Popularmente conhecida como caruru.

Trevor, até então empoleirado sobre os joelhos da mãe e fitando William com um olhar arregalado e bobo, produziu então um ruído urgente e lhe estendeu a mão. Temendo que o menino escapulisse das mãos da mãe e caísse de cara no caminho de tijolos, William o segurou pelo meio do tronco e o transferiu para os joelhos, onde o menininho ficou em pé, oscilando e balbuciando feliz. A contragosto, William lhe sorriu de volta. Era um menino bonito quando não estava gritando, com cabelos escuros sedosos e os olhos azul-claros frequentes na família Grey.

– Então, Trev, como vai? – disse ele, abaixando a cabeça e fingindo dar uma cabeçada no menino, que riu e agarrou seus cabelos.

– Ele é bem parecido com Benjamin – falou, tirando as orelhas das mãozinhas de Trevor. – E com meu tio. Espero não entristecê-la ao dizer isso – acrescentou, em dúvida. Mas Amaranthus balançou a cabeça e seu sorriso se fez triste.

– Não. É bom que seja assim. Acho que seu tio ficou meio desconfiado de mim. Nós nos casamos um tanto às pressas – explicou ela em resposta ao olhar intrigado de William. – E, embora Benjamin tenha escrito para contar ao pai sobre o casamento, pelo visto a carta não chegou à Inglaterra antes de Sua Graça partir para as colônias. Então, quando descobri que Sua Graça estava na Filadélfia... – Ela ergueu um dos ombros em um gesto gracioso e olhou na direção da casa. – Fale-me sobre seu amigo – pediu. – Ele é indígena?

William sentiu um peso repentino voltar, um peso do qual havia se livrado sem perceber nos últimos poucos minutos.

– Sim – respondeu. – A mãe dele era metade indígena, metade francesa, segundo ele. Mas não sei dizer a qual nação indígena ela pode ter pertencido. Morreu quando Cinnamon era bebê e ele foi criado em um orfanato católico em Québec.

Amaranthus ficou interessada. Inclinou-se para a frente e olhou para a casa.

– E o pai? – perguntou? – Ele sabe alguma coisa sobre o pai?

William tornou a olhar para a casa, mas tudo estava em silêncio.

– Quanto a isso... – falou, tentando encontrar algo para dizer que não fosse mentira, mas que não chegasse a ser toda a verdade. – É uma longa história... e não cabe a mim contá-la. Tudo que posso dizer é que seu pai era um soldado britânico.

– Reparei nos cabelos dele – disse Amaranthus, fazendo surgirem covinhas quando sorriu. – Muito vistosos. – Ela olhou para trás dele em direção à casa e estendeu os braços para pegar o bebê de volta. – Vai ficar hospedado com Sua Senhoria?

– Acho que não.

Mesmo assim, a perspectiva de estar em casa lhe traspassou o corpo com um anseio repentino, ainda que casa fosse um lugar em que William nunca tivesse estado. Amaranthus percebeu isso, pois se inclinou na direção dele e tocou sua mão.

– Não quer ficar... só um pouco? Sei que tio John iria gostar. Ele sente muito a sua falta. E eu gostaria de conhecê-lo melhor.

A sinceridade dessa afirmação o comoveu.

– Eu... eu gostaria – falou, encabulado. – Tudo... tudo depende de meu amigo. Da conversa dele com meu pai.

– Entendo.

Ela fez um carinho em Trevor, alisando seus cabelos macios e o aconchegando junto ao ombro. William sentiu uma súbita pontada de inveja ao ver aquilo. Amaranthus, porém, levantou-se e ficou se balançando com o bebê no colo, os cabelos claros a esvoaçar na brisa enquanto olhava para a casa.

– Eu gostaria de entrar, mas não quero incomodá-los. O que será que está levando tanto tempo?

32

LHUDE SING CUCCU!

John Grey ficou parado por um instante, piscando para a porta pela qual seu filho acabara de sumir e sentindo aquele imenso dilema sentado na borda de uma minúscula cadeira folheada de dourado. Sem a menor ideia do que poderia acontecer, disse a única coisa possível nas circunstâncias:

– Aceita um pouco de conhaque, sr. Cinnamon?

O rapaz se pôs de pé com um pulo na mesma hora, gracioso apesar do tamanho e da expressão de profunda ansiedade estampada nos traços largos. A mistura de apreensão e esperança nos olhos de John Cinnamon causou um aperto no coração de Grey e ele pousou a mão de leve no braço do rapaz e o virou na direção da peça de mobília mais robusta disponível, uma cadeira de braços largos com uma sólida estrutura de carvalho.

– Sente-se – falou, com um gesto em direção ao móvel. – Deseja algo para beber? Atrevo-me a dizer que o senhor está precisando. – *Eu certamente estou*, pensou, enquanto se encaminhava para a porta que ia dar na cozinha. *O que digo a ele, pelo amor de Deus?*

Nem o tempo necessário para encontrar o conhaque nem a cerimoniosa operação de servi-lo lhe proporcionaram qualquer resposta. Ele se sentou na poltrona de espaldar alto listrada de verde e pegou o próprio conhaque, sentindo um misto muito singular de consternação e entusiasmo.

– Fico muito feliz em encontrá-lo de novo, sr. Cinnamon – falou sorrindo. – Acho que o vi pela última vez aos 6 meses de idade ou algo assim. O senhor cresceu.

Ouvir isso fez Cinnamon corar de leve, o que melhorou a palidez com a qual adentrara o recinto, e ele moveu a cabeça de um modo sem graça.

– Eu... Obrigado, senhor – falou. – Por ter garantido meu bem-estar durante todos esses anos.

Grey ergueu a mão para descartar o assunto, mas perguntou:

– Quantos anos faz? Qual sua idade?

– Vinte anos, senhor... ou devo chamá-lo de "milorde" ou de "Excelência"? – perguntou ele, ainda com uma ansiedade evidente.

– "Senhor" está ótimo – garantiu Grey. – Posso saber como acabou se juntando a meu... a William?

Ter uma história clara para contar fez o jovem relaxar um pouco. Quando chegou ao fim, o conhaque em seu copo já tinha se reduzido a uma borra cor de âmbar e sua atitude estava menos ansiosa. Levando em conta o tamanho de Cinnamon, Grey fora generoso ao servi-lo.

Manoke, pensou, com um misto de irritação e bom humor. De nada adiantava ficar com raiva. Manoke sempre jogou com as próprias regras. Ao mesmo tempo, apesar da natureza esporádica e casual de sua relação, Grey confiava no indígena mais do que em qualquer outra pessoa – com exceção do irmão e de Jamie Fraser. Manoke não colocaria Cinnamon em seu caminho por maldade. Ou ele achava que Cinnamon era *mesmo* seu filho – e, portanto, tinha o direito de saber –, ou havia considerado que Grey precisava de outro filho depois de ter conhecido William adulto.

Talvez fosse isso mesmo, pensou com um leve aperto na barriga. Se William decidisse lidar com o problema de sua paternidade... mas não. Não iria dar certo, concluiu com uma sensação de pesar.

– Fico feliz que tenha vindo, sr. Cinnamon – falou, fitando o conhaque enquanto servia outro copo ao rapaz. – Preciso começar me desculpando.

– Ah, não! – exclamou Cinnamon, sentando-se mais ereto. – Jamais esperaria que o senhor... Não há por que se desculpar.

– Há, sim. Eu deveria ter escrito um breve relato de sua situação quando o confiei aos cuidados dos irmãos católicos em Gareon em vez de simplesmente deixá-lo lá sem nada exceto um nome. Mas é difícil olhar para um bebê de 6 meses e pensar no... humm... no futuro – acrescentou com um sorriso. – Por algum motivo, ninguém nunca pensa que as crianças vão crescer.

Teve uma visão passageira de Willie aos 2 anos, pequeno e destemido... e já começando a se parecer com o verdadeiro pai.

Cinnamon baixou os olhos para as próprias mãos, muito largas e unidas sobre os joelhos, e então, como se não conseguisse evitar, encarou a mão esguia de Grey, ainda fechada em volta da garrafa de conhaque. Depois ergueu os olhos para o rosto de Grey à procura do parentesco.

– Você se parece com seu pai, sim – disse Grey, encarando o rapaz. – Quisera eu ser esse homem... tanto pelo senhor quanto por mim.

Fez-se um profundo silêncio na sala. O rosto de Cinnamon exibiu incompreensão e permaneceu assim. Ele piscou uma ou duas vezes, mas não revelou nada do que sentia. Por fim, assentiu e sorveu uma inspiração que foi até a raiz de sua alma.

– O senhor pode... me falar sobre meu pai?

Bem, pensou Grey, *era isso*. Havia compreendido as escolhas que tinha: reivindicar o rapaz como seu filho ou lhe contar a verdade. Mas quanto da verdade?

O problema era que a existência de Cinnamon não era apenas um assunto dele. Havia mais pessoas envolvidas. Grey tinha o direito de se intrometer em seus assuntos sem consulta ou permissão? Mas precisava dizer *alguma coisa* ao garoto. E estendeu a mão para o copo.

– Ele era um soldado britânico, como Manoke contou – falou, cuidadoso. – Sua mãe era metade francesa, metade... Infelizmente creio não ter ideia da nação à qual ela pertencia.

– Assiniboine, foi o que eu sempre pensei – disse Cinnamon. – Quero dizer... eu sabia que alguma parte de mim devia ser indígena e ficava observando os homens que apareciam em Gareon para ver se... Tem muitos assiniboines naquela parte do país. Eles com frequência são altos e...

Sua mão se ergueu e fez um gesto semiconsciente para a largura dos ombros. Grey assentiu, surpreso, mas satisfeito com o fato de o rapaz estar recebendo a notícia com calma.

– Eu conheci sua mãe – falou e tomou outro gole de conhaque. – Só uma vez... mas ela era de fato alta para uma mulher; talvez uns 2 ou 3 centímetros mais alta do que eu. E muito linda – acrescentou.

– Ah.

Foi pouco mais do que uma expiração, dando a entender que ele havia escutado, mas Grey se espantou ao ver o rosto do garoto mudar e se comoveu também. Apenas por um instante, recordou a expressão no rosto de Jamie Fraser ao receber a comunhão da mão de um padre quando os dois tinham ido à Irlanda atrás de um criminoso. Uma expressão de reverência, de paz e gratidão.

– Ela morreu de varíola durante uma epidemia. Eu… comprei o senhor de sua avó pela quantia de 50 guinéus, duas mantas e um pequeno tonel de rum. Ela era francesa – acrescentou Grey, em uma explicação que era também um pedido de desculpas, e os lábios de Cinnamon chegaram a estremecer por um breve instante.

– E… e meu pai? – Ele se inclinou para a frente com as mãos sobre os joelhos, concentrado. – Pode me dizer o nome dele? Por favor – acrescentou, e parte da ansiedade retornou.

Grey hesitou. Vieram-lhe lembranças do que tinha acontecido quando William ficara sabendo sobre *sua* origem, vívidas e frescas. As situações eram no entanto bem diferentes, disse para si mesmo, e para ser bem sincero…

– O nome dele é Malcolm Stubbs – falou. – Não foi dele que o senhor herdou sua… humm… estatura.

Cinnamon o encarou por um instante sem entender e então, compreendendo a alusão à palavra *stub*, "cotoco", deu uma risada breve e chocada. Tapou a boca com a mão, envergonhado, mas a retirou ao ver que Grey não estava ofendido.

– Ele está… vivo, então? – Toda a esperança e todo o medo com os quais ele havia entrado na casa estavam de volta a seus olhos.

– Estava da última vez que ouvi falar nele, embora isso já faça mais de um ano. Ele mora em Londres com a esposa.

– Londres – sussurrou Cinnamon e balançou a cabeça como se Londres certamente não pudesse ser um lugar de verdade.

– Como disse, ele foi ferido quando tomamos Québec. Gravemente ferido: perdeu um pé e a parte inferior da perna com um tiro de canhão; fiquei assombrado que tenha sobrevivido, mas ele tinha muita resiliência. Tenho certeza que conseguiu transmitir esse traço ao senhor, sr. Cinnamon.

Ele abriu um sorriso caloroso para o jovem indígena. Não tinha bebido tanto conhaque quanto o rapaz, mas o suficiente.

Cinnamon aquiesceu, engoliu em seco e então, abaixando a cabeça, passou alguns instantes encarando a padronagem do tapete turco. Por fim, pigarreou e ergueu os olhos decidido.

– O senhor disse que ele está casado. Não imagino que a esposa dele… saiba de minha existência.

– Aposto cem contra um que não – garantiu Grey.

Encarou o rapaz com atenção. Seria capaz de partir rumo a Londres? Naquele momento, ele parecia firme e capaz de qualquer coisa. Grey tentou, e não conseguiu, imaginar o que a esposa de Malcolm faria se John Cinnamon aparecesse um belo dia de manhã à sua porta.

– A culpa é *minha*, suponho – murmurou entre dentes enquanto estendia a mão para o decantador. – Mais um gole, sr. Cinnamon? Eu recomendo.

– Eu… sim. Por favor. – Cinnamon cheirou o conhaque e estendeu o copo com uma expressão resoluta. – Esteja seguro de que não desejo fazer nada que cause qualquer desconforto a meu pai ou à sua esposa.

Grey tomou um gole cauteloso do copo recém-enchido.

– É muita consideração de sua parte – comentou. – Mas também um tanto prudente. Se me permite perguntar, caso eu tivesse me revelado seu pai… e lamento não o ser… – Ele ergueu o copo um pouco e Cinnamon baixou os olhos, mas reconheceu o comentário com um breve meneio de cabeça. – O que o senhor pretendia fazer? Ou melhor, o que o senhor esperava?

A boca de Cinnamon se abriu, mas então se fechou enquanto refletia. Grey estava começando a ficar impressionado com o comportamento do rapaz. Deferente, mas nem um pouco tímido; direto, porém cauteloso.

– Na verdade, eu não sei muito bem – respondeu Cinnamon. Recostou-se um pouco na cadeira para se acomodar. – Eu não esperava… e tampouco estou buscando… – acrescentou, inclinando um pouco a cabeça – … qualquer reconhecimento ou… auxílio material. Acho que foi em boa parte por curiosidade. Talvez mais o desejo de alguma sensação de… não de pertencimento, seria tolice esperar isso, mas algum reconhecimento de vínculo. O simples fato de saber que existe uma pessoa que compartilha meu sangue – concluiu com simplicidade. – E de saber como ela é. Ah! – emendou ele então, envergonhado. – E eu desejava agradecer a meu pai por ter pensado em meu bem-estar. – Ele tornou a pigarrear. – Será que posso pedir… um favor especial?

– Certamente – respondeu Grey.

Sua mente fora estimulada pela pergunta: o que uma criança abandonada *poderia* querer de um pai ou mãe desconhecidos? William com certeza não queria nada de Jamie Fraser, mas a circunstância nesse caso era bem diferente: William conhecia Jamie desde menino, embora conhecê-lo como homem fosse se revelar outra história… Além do mais, William tinha uma família, uma de verdade, pessoas que compartilhavam não só seu sangue, mas seu lugar no mundo. Grey tentou imaginar como seria se sentir sozinho e fracassou por completo.

– … se eu viesse a escrever uma carta assim – estava dizendo Cinnamon, e Grey retornou com um tranco ao momento presente.

– Mandar uma carta – repetiu. – Para Malcolm. Eu… sim, suponho que possa fazer isso. Humm… Se não se importa que eu pergunte, dizendo o quê?

– Só para agradecer sua gentileza por ter garantido meu bem-estar… e para lhe assegurar que estou a seu dispor caso algum dia precise de mim.

– Ah. Sua… sim, sua gentileza…

Cinnamon o encarou com um olhar incisivo e Grey sentiu um rubor lhe colorir as faces que nada teve a ver com o conhaque. Maldição. Deveria ter entendido que Cinnamon pensava que Malcolm fosse o responsável por ter custeado seu sustento durante todos aqueles anos. Quando, na verdade...

– Foi o senhor – disse Cinnamon, e a surpresa quase disfarçou a decepção em seu rosto. – Digo, o sr. Stubbs não...

– Ele não poderia – falou Grey depressa. – Como disse, foi gravemente ferido. Quase morreu e foi mandado de volta para a Inglaterra assim que possível. De verdade, teria sido impossível para ele...

Impossível pensar no filho que tinha feito e deixado para trás. Malcolm nunca havia mencionado o menino para Grey nem perguntado por ele.

– Entendo – disse Cinnamon em tom de pesar.

Concentrou o olhar no bule de prata pousado sobre o aparador. Grey não tentou dizer mais nada; só conseguiria piorar a situação. Por fim, Cinnamon tornou a olhar para Grey, sério. O rapaz tinha olhos escuros muito bonitos, fundos e levemente puxados. Os olhos da mãe... Grey desejou poder dizer isso a ele, mas aquele não era o momento para esse tipo de detalhe.

– Nesse caso, agradeço – disse ele e fez uma profunda reverência na direção de Grey. – Foi muita generosidade sua fazer um favor desses a seu amigo.

– Eu não fiz isso por causa de Malcolm – disse Grey sem pensar.

Seu copo estava vazio; como aquilo tinha acontecido? Ele o colocou com cuidado sobre a pequena mesa de canto redonda.

Ficaram sentados se entreolhando, nenhum dos dois sabendo o que dizer. Grey podia ouvir a cozinheira Moira falando lá fora; muitas vezes ela conversava com as fadas no jardim, mesmo quando não estava embriagada. O relógio de parede acima da lareira bateu a meia hora e Cinnamon se sobressaltou de susto e se virou para olhar. O relógio tinha sinos e uma borboleta mecânica sob um domo de vidro que levantava e abaixava suas asas de esmalte *cloisonné*.

No entanto, o movimento havia quebrado o silêncio constrangido e, ao se virar de volta, Cinnamon falou sem hesitação:

– O padre Charles disse que o senhor me deu um nome quando me deixou na missão. Não imagino que por acaso saiba como minha mãe me chamava.

– Ora, não – respondeu Grey, desconcertado. – Eu não sei.

– Então foi o senhor quem me batizou de John? – Um leve sorriso surgiu no rosto de Cinnamon. – O senhor me deu seu nome?

Grey sentiu um sorriso se formar em seu rosto e ergueu o ombro em um gesto zombeteiro.

– Ah, bem... – falou. – Eu gostei do senhor.

33
FARTAS OPÇÕES

O que quer que papai e John estivessem fazendo, estavam levando um tempo dos diabos. Após alguns minutos, durante os quais Trevor chorou sem parar, Amaranthus pediu licença e se retirou para dentro da casa em busca de panos limpos.

Sem qualquer conhecido na cidade ou no acampamento militar e relutando em entrar na casa, William se pegou sem saber o que fazer. A última coisa que queria era encontrar alguém que conhecesse. Afundou bem o chapéu na cabeça e se forçou a atravessar a cidade em direção ao acampamento a passos relaxados, e não apressados. Lá havia muitos soldados particulares, agregados e tropas de apoio; seria fácil passar despercebido.

– William!

O grito o fez se retesar, mas ele conteve o impulso momentâneo de sair correndo. Reconheceu a voz, da mesma forma que o dono da voz sem dúvida reconheceu sua altura e sua silhueta. Relutante, virou-se para cumprimentar o duque de Pardloe, seu tio, que tinha emergido de dentro de uma casa atrás dele.

– Olá, tio Hal – cumprimentou, com o máximo de graça que conseguiu.

Supôs que não tinha importância; de toda forma, lorde John iria contar ao irmão sobre a presença de William e de John Cinnamon.

– O que está fazendo aqui? – perguntou o tio, em um tom brando para seus padrões. Seu olhar arguto absorveu cada detalhe, das botas de William cobertas por uma crosta de lama à mochila manchada em seu ombro e à capa surrada pendurada em seu braço. – Veio se alistar?

– Ha-ha-ha – respondeu William com frieza, mas se sentiu melhor. – Não. Vim com um… amigo que tinha negócios a resolver no acampamento.

– Esteve com seu pai?

– Na verdade, não. – Ele não entrou em detalhes e, após uma pausa pensativa, Hal abriu sua capa cinza militar e a levou aos ombros.

– Vou descer até o rio para pegar um pouco de ar puro antes do jantar. Vem comigo?

William deu de ombros.

– Por que não?

Eles saíram da cidade e desceram o barranco do rio sem serem abordados, e William sentiu a tensão entre as escápulas relaxar. Seu tio não puxou nenhuma conversa banal e não se importou nem um pouco com o silêncio. Chegaram ao limite da estreita praia da margem sem trocar uma única palavra e foram descendo devagar por entre pequenos pinheiros e arbustos do azevinho conhecido como *yaupon* até chegarem à areia limpa e dura do trecho alcançado pela água.

William posicionou os pés com cuidado, apreciando as marcas deixadas no aluvião de areia cinza do rio. O céu de verão estava imenso e azul, e um sol resplandecente descia devagar para dentro das ondas. Eles foram seguindo a curva da praia até darem em uma minúscula ponta de cascalho arenoso habitada por um bando de ostraceiros de bico laranja, que os encararam com frieza e abriram caminho de má vontade, virando a cabeça e os fuzilando com os olhos enquanto se afastavam para o lado.

Os dois ficaram ali parados por alguns minutos, olhando para as águas do rio.

– Você sente falta da Inglaterra? – perguntou Hal de repente.

– Às vezes – respondeu William, sincero. – Mas não penso muito nisso – emendou, menos sincero.

– Eu sim. – O rosto de seu tio parecia relaxado e quase saudoso à luz que enfraquecia. – Mas você não tem esposa lá, nem filhos. Nem a própria casa, ainda.

– Não.

O barulho dos escravos trabalhando nos campos atrás deles ainda era audível, mas estava abafado pelo ritmo da água e pela passagem das nuvens silenciosas acima de suas cabeças.

O problema do silêncio era que permitia que os pensamentos adquirissem uma insistência cansativa, como o tique-taque de um relógio em um cômodo vazio. A companhia de Cinnamon, por mais perturbadora que fosse às vezes, tinha lhe permitido escapar deles quando necessário.

– Como se faz para renunciar a um título?

Na verdade, ele não tinha a intenção de perguntar isso ainda e ficou surpreso ao ouvir as palavras saírem de sua boca. Tio Hal, por sua vez, não pareceu nem um pouco espantado.

– Isso não é possível.

Irritado, William encarou o tio, que continuava olhando imperturbável rio abaixo na direção do mar enquanto o vento arrancava do rabo de cavalo fios de seus cabelos escuros.

– Como assim, não é possível? É da conta de alguém se eu renunciar ou não a meu título?

Tio Hal o encarou com uma impaciência afetuosa.

– Não estou falando de um ponto de vista retórico, seu cabeça-dura. Quero dizer de um ponto de vista literal. Não se pode renunciar a um título de nobreza. Não existe uma forma estabelecida para isso na lei ou nos costumes; ou seja, não é possível.

– Mas o senhor… – William se interrompeu, sem entender.

– Não, eu não renunciei – respondeu o tio, seco. – Se pudesse, teria feito isso na época. O máximo que *pude* fazer foi parar de usar o título "duque" e ameaçar aleijar qualquer um que o usasse para se referir ou para se dirigir à minha pessoa. Levei vários anos para deixar claro que estava falando sério – acrescentou ele, casual.

– É mesmo? – indagou William com cinismo. – Quem o senhor aleijou?

Na verdade, ele *tinha* suposto que o tio estivesse falando de um ponto de vista retórico e se espantou quando o antigo e atual duque franziu o cenho no esforço de recordar.

– Ah, vários escrevinhadores... São como baratas, sabe? Basta esmagar uma e todas as outras correm para se esconder nas sombras. No entanto, quando você se vira, dezenas delas já tornaram a aparecer para se banquetear alegremente com sua carcaça e espalhar imundície por sua vida.

– Alguém já disse que o senhor leva jeito com as palavras, tio?

– Já – respondeu o tio. – Mas, além de socar uns poucos jornalistas, eu desafiei George Mumford... Ele hoje é o marquês de Clermont, mas na época não era... Herbert Villiers, visconde de Bruno, e um cavalheiro chamado Radcliffe. Ah, e certo coronel Phillips do 34º... primo do conde Wallenberg.

– Para duelos, o senhor quer dizer? E lutou com todos eles?

– Com certeza. Bem... com Villiers não, porque ele pegou uma febre hepática e morreu antes. Tirando essa ressalva... mas isso não vem ao caso.

Hal se empertigou e balançou a cabeça para clarear os pensamentos. A noite caía e a brisa na beira do rio estava forte. Ele fechou a capa em volta do corpo e meneou a cabeça na direção da cidade.

– Vamos. A maré está subindo e vou jantar com o general Prévost daqui a meia hora.

Atravessaram lentamente o lusco-fusco, com o capim alto e áspero da beira do rio arranhando suas botas.

– Além disso, eu tinha outro título... um sem mácula – retomou seu tio, com a cabeça abaixada por causa do vento. – Recusar-me a usar o título Pardloe significou que também me recusava a usar a renda das propriedades vinculadas ao título, mas em matéria de vida cotidiana não significou praticamente nada, exceto alguns olhos revirados na sociedade. Meus amigos em grande parte continuaram meus amigos, eu continuei a ser recebido na maioria dos lugares aos quais estava acostumado a ir. E o mais importante: continuei fazendo o que pretendia fazer, que é reunir e comandar um regimento. Já você...

Ele olhou para William de cima a baixo, do chapéu até as botas pesadas.

– Para ir direto ao ponto, William... talvez fosse mais fácil perguntar o que quer fazer em vez de como não fazer o que não quer.

William parou e fechou os olhos, escutando o ruído da água por alguns instantes de abençoado alívio do tique-taque dos pensamentos. Absolutamente nada estava acontecendo dentro de sua cabeça.

– Certo – falou por fim, respirando fundo e abrindo os olhos. – O senhor nasceu sabendo o que queria fazer? – perguntou, curioso.

– Acho que sim – respondeu o tio devagar, recomeçando a andar. – Não consigo me lembrar de algum dia ter pensado em ser outra coisa que não soldado. Mas quanto a *querer* ser... não acho que essa pergunta algum dia tenha me ocorrido.

– Exato – disse William com certa secura. – O senhor nasceu em uma família em que era isso que o primogênito fazia, e por acaso isso lhe foi conveniente. Fui criado acreditando que meu sagrado dever era zelar pelas minhas terras e por meus arrendatários, e jamais me ocorreu sequer por um instante que o que eu queria tivesse algum peso… assim como não ocorreu ao senhor. Seja como for – continuou, tirando o chapéu e o prendendo debaixo do braço para impedir que fosse levado pelo vento –, não me sinto no direito de usar *qualquer um* dos títulos com os quais supostamente nasci. Além do mais…

Um pensamento lhe ocorreu e ele encarou o tio com os olhos semicerrados.

– O senhor disse que não aceitou a renda vinculada ao título de duque. Suponho que não tenha também deixado de cuidar das terras com as quais não estava lucrando.

– É claro que n… – Hal se interrompeu e encarou William com um olhar no qual a irritação aparecia temperada por certo respeito. – Quem ensinou o senhor a pensar? Seu pai?

– Imagino que lorde John possa ter tido alguma pequena influência – respondeu William com educação.

Tinha sentido um nó nas tripas ao ouvir seu antigo pai ser citado, algo que vinha acontecendo com monótona regularidade. Não conseguia se esquecer do olhar de ansiedade temerosa nos olhos de John Cinnamon… Ah, que inferno! É claro que conseguia esquecer. Era só uma questão de força de vontade. Empurrou o pensamento de lado, a segunda melhor opção.

– Mas o senhor não renunciou às suas responsabilidades, muito embora não quisesse lucrar com elas. Está me dizendo, porém, que não poderia ter feito isso. Não existe *uma* circunstância na qual um nobre possa deixar de ser nobre?

– Bem, não por capricho seu. Veja bem, um título de nobreza é um presente de um soberano agradecido. Um soberano que não se sente mais agradecido pode, sim, retirar o título de um nobre, embora eu duvide que possa fazê-lo sem apoio da Câmara dos Lordes. Nobres não gostam de se sentir ameaçados… É tão raro isso acontecer com eles hoje em dia que não estão acostumados – concluiu, sardônico.

– Mesmo assim, tampouco é uma questão de capricho real. Creio que os motivos para se revogar um título de nobreza sejam bastante limitados. O único que me vem à mente é participar de uma rebelião contra a Coroa.

– Não me diga.

William tinha falado em tom leve, mas Hal parou de andar e olhou para o sobrinho com olhos penetrantes.

– Se considera a traição a seu rei, a seu país e a sua família uma forma adequada de solucionar suas dificuldades pessoais, William, então talvez lorde John não lhe tenha ensinado tão bem quanto supus.

Sem esperar resposta, ele se virou e saiu pisando firme por cima das algas apodrecidas, deixando na areia pegadas amorfas.

...

William ainda ficou um tempinho na margem do rio. Sem pensar nem sentir muita coisa. Apenas observando a corrente se mover pelo rio e lavar seu cérebro cansado. Um esquadrão de pelicanos marrons de cabeça branca chegou flutuando pelo céu, mantendo a formação enquanto descia até meio metro da superfície da água. Não tendo visto nada de interessante, as aves tornaram a subir em um só movimento e saíram voando de novo por cima da área alagada em direção a mar aberto.

Não é de espantar que as pessoas fujam para o mar, pensou ele com uma leve sensação de nostalgia. Para aliviar as pequenas preocupações da vida cotidiana e escapar das demandas de uma vida indesejada. Nada exceto quilômetros de água e céu sem limites.

E comida ruim, náuseas, e o risco de ser morto a qualquer momento por piratas, baleias desgarradas ou muito mais provavelmente pelo clima.

Pensar em baleias desgarradas o fez rir. Pensar em comida, ruim ou não, lembrou-lhe que estava faminto. Ao se virar para partir, descobriu que, enquanto ficara ali vegetando, um grande jacaré-macho havia rastejado para fora dos arbustos e repousava a cerca de 1,5 metro de distância. Deu um grito e o réptil, surpreso e indignado, abriu um horripilante conjunto de dentes e fez um ruído que era um misto de rosnado com um imenso arroto.

William não teve a menor ideia de como havia chegado ali, mas quando parou, ofegante e encharcado de suor, estava no meio do acampamento militar. Com o coração ainda aos pulos, foi caminhando pelas fileiras de barracas bem dispostas, sentindo-se mais uma vez seguro em meio aos ruídos normais de um acampamento se acomodando para jantar, o ar tomado pelo aroma de fogo a lenha, da terra quente das cozinhas do acampamento, de carne grelhada e de ensopado fervilhando.

Estava esfaimado quando chegou à casa do pai, embora àquela altura do verão a luz ainda fosse durar no mínimo mais uma hora. Supôs que Trevor devesse estar na cama, mesmo com a luz, e sendo assim andou o mais silenciosamente possível, usando a grama úmida rente ao caminho de tijolos.

Como estava pensando em Trevor, mais especificamente na mãe de Trevor, olhou para a lateral da casa e descobriu que o banco do caramanchão de vinhas estava ocupado, sim, mas não por Amaranthus, com ou sem o bebê.

– *Guillaume!* – John Cinnamon o viu e se levantou debaixo do caramanchão frondoso com tanta força que espalhou folhas e uvas soltas pelo cascalho.

– John! Como foi? – Podia ver o rosto largo de Cinnamon brilhando de alegria e seu estômago se revirou. Teria o pai aceitado John Cinnamon como filho?

– Ah! Foi… Ele foi… Seu pai é um ótimo homem, um homem bom, *Guillaume!* Você tem muita sorte por ser filho dele.

– Eu… humm, sim – disse William com um pouco de dúvida. – Mas o que ele falou?

– Ele me contou tudo sobre meu pai – respondeu Cinnamon e parou para engolir em seco diante da enormidade daquela palavra. – Meu pai. Ele se chama Malcolm Stubbs. Você já o encontrou?

– Não tenho certeza – respondeu William, enrugando a testa no esforço de recordar. – Estou certo de que já ouvi esse nome uma ou duas vezes, mas, se já o encontrei, deve ter sido quando era bem jovem.

Cinnamon descartou isso com um gesto da mão grande.

– Ele era um soldado, um capitão. Feriu-se gravemente na grande batalha pela cidade de Québec, nas Planícies de Abraão, sabe?

– Sim, eu sei que batalha foi essa. Mas ele sobreviveu?

– Sim. Mora em Londres. – Cinnamon apertou o ombro de William, tomado de enleio ao dizer o nome da cidade, e William sentiu sua clavícula se mover.

– Entendi. E isso é bom?

– Lorde John disse que, se eu decidir escrever uma carta, vai garantir que o capitão Stubbs a receba. Em *Londres*!

Londres, que, para Cinnamon, ficava bem ao lado do país das fadas. William sorriu para o amigo, ao mesmo tempo feliz por estar empolgado com essa revelação… e secreta e desavergonhadamente aliviado por, no fim das contas, ele não ser filho ilegítimo de seu pai.

Foi preciso percorrer o pátio para lá e para cá várias vezes, escutando o relato animado de Cinnamon sobre o que tinha dito, e o que lorde John havia contado, e o que ele tinha pensado quando lorde John contou e…

– Então vai escrever uma carta? – William conseguiu interrompê-lo por tempo suficiente para fazer a pergunta.

– Ah, sim. – Cinnamon segurou sua mão e a apertou. – Você me ajuda, *Guillaume*? Me ajuda a decidir o que dizer?

– Sim, claro. – Ele puxou a mão esmagada de volta e dobrou os dedos com cuidado. – Bem, imagino que isso signifique que você gostaria de ficar aqui em Savannah por algum tempo, para o caso de haver uma resposta do capitão Stubbs.

Cinnamon pareceu empalidecer de leve, fosse diante da possibilidade de receber tal resposta ou da possibilidade de não recebê-la, mas respirou fundo e assentiu.

– Sim. Lorde John teve a gentileza de nos convidar para ficar com ele, mas não acho que seria correto. Disse que encontraria trabalho e um lugarzinho para morar. Ah, *Guillaume*, estou *tão* feliz. *Je n'arrive pas à y croire!*

– Eu também, *mon ami* – disse William e sorriu. O deleite de Cinnamon era contagiante. – Mas vou dizer uma coisa… fiquemos felizes juntos jantando. Vou morrer de fome a qualquer momento.

34

O FILHO DO PREGADOR

Cordilheira dos Frasers

A Casa de Encontros, como todo mundo passara a chamar o chalé que iria funcionar como escola, loja maçônica, igreja para cultos presbiterianos e metodistas e local de reuniões quacres da Cordilheira, estava agora concluída. Na tarde desse dia, a relutante professora, o venerável mestre maçom e os três sacerdotes se reuniram, acompanhados pelas respectivas esposas à guisa de congregação, para inspecionar e abençoar o local.

– Está com cheiro de cerveja aqui – comentou a professora nomeada, franzindo o nariz.

Estava mesmo, e o cheiro do lúpulo era forte o suficiente para competir com a fragrância da madeira crua de pinheiro das paredes e dos bancos novos, que de tão recente ainda vertia em alguns pontos uma clara seiva dourada.

– Sim – disse o mestre. – Ronnie Dugan e Bob McCaskill se desentenderam e alguém deu um chute no barril.

– Não foi uma grande perda – retrucou o marido da única quacre praticante da Cordilheira dos Frasers. – Foi a pior cerveja que já tomei desde que a pequena Markie Henderson fez xixi na barrica de cerveja da mãe e ninguém percebeu até a bebida ser servida.

– Ah, não estava *tão* ruim assim – disse o pastor presbiteriano, respeitando o princípio de não julgar, mas abafado por um burburinho generalizado de aprovação.

– Quem fabricou essa cerveja? – perguntou Rachel em voz baixa, olhando por cima do ombro para o caso de o cervejeiro relapso estar por perto.

– Envergonha-me confessar que eu forneci o barril – respondeu o capitão Cunningham com o cenho franzido. – Mas não faço ideia de quem a fabricou. Ele veio de Cross Creek junto com alguns de meus livros.

Houve um murmúrio generalizado de compreensão, pontuado por um grunhido de reprovação da sra. Cunningham, e o tópico da cerveja foi arquivado por consenso tácito.

– Bem, então. – Jamie iniciou a reunião abrindo um de seus livros-caixa, agora dedicado aos assuntos da Casa de Encontros. – Brianna disse estar disposta a ensinar os molequ... humm, as crianças por duas horas de manhã, das nove até as onze, então podem espalhar essa notícia... Ela vai começar as aulas depois da colheita. E, se algum dos meninos e meninas mais velhos ainda não souberem ler nem escrever, eles podem aprender... quando, *a nighean*?

– Com hora marcada – respondeu Bree. – Nós temos lousas?

– Não – respondeu Jamie e anotou no livro com um lápis: *Lousas – 10.*

– Só dez? – estranhei, espiando por cima de seu ombro. – Com certeza há mais crianças do que isso para ensinar.

– Elas virão depois que tiverem certeza de que Brianna não vai bater nelas – comentou Roger, sorrindo para a mulher. – Acho que podemos descobrir onde conseguir lousas com Gustav Grunewald, o professor morávio. Eu o conheço e ele é um bom sujeito. Até lá eu pinto um quadro de preto para usar.

– Eu sei onde há uma boa mina de giz – contribuí. – Amanhã trago um pouco quando subir lá para colher gerânio selvagem.

– Carteiras? – perguntou Bree com hesitação, correndo os olhos pelo espaço.

A sala era ampla e bem iluminada, com janelas ainda descobertas em três das quatro paredes, e os bancos eram a única mobília. Pelo visto, a pessoa que desejou construir um tablado tinha perdido a discussão.

– Assim que alguém tiver tempo, *mo chridhe.* Mas eles não vão morrer se passarem um tempo segurando as lousas nos joelhos. Além disso, você não vai ter mais do que uns poucos alunos antes do outono. Eles precisam trabalhar até a safra ser colhida.

Jamie virou uma página.

– Assuntos da loja... Bem, isso cabe à loja resolver. Então... da última vez que tivemos um espaço como este, o costume era fazer a reunião regular toda quarta-feira, mas, pelo que entendi, o capitão gostaria de reservar a noite de quarta para o culto...

– Se não for incomodá-lo, senhor.

– Nem um pouco – disse Roger, fazendo o capitão encará-lo depressa. – É claro que o senhor seria mais do que bem-vindo para se juntar a nós na loja, capitão.

Cunningham olhou para Jamie, que assentiu, e o capitão relaxou e inclinou a cabeça.

– Então teremos a reunião ordinária da loja às terças e... estávamos acostumados a usar o chalé como local de encontro nas outras noites, apenas socialmente, entendem?

– Cada um trazendo seu banquinho e sua bebida – explicou Roger. – E um pedaço de madeira para o fogo.

Com um muxoxo elegante, a sra. Cunningham indicou o que pensava sobre reuniões de homens sem propósito específico envolvendo garrafas. Eu achava que ela tinha certa razão, mas Jamie, Roger e Ian haviam me garantido que os encontros informais eram muito úteis para descobrir o que andava acontecendo pela Cordilheira e quem sabe ter a chance de fazer algo a respeito antes de as coisas fugirem ao controle.

– Então. – Jamie virou outra página, essa com o cabeçalho *Igreja* escrito em grandes letras pretas e sublinhado. – Como querem organizar os domingos? Os domingos ficam reservados para os amigos, Rachel?

– Sim. Eles chamam de primeiro dia, mas sim, é domingo – interveio o Jovem Ian. Rachel pareceu achar graça, mas assentiu.

– Então todos os domingos vocês três vão fazer cultos… ou reuniões? – emendou ele, meneando a cabeça para Rachel. – Ou querem se revezar?

Roger e o capitão se entreolharam, relutando em dizer qualquer coisa que sugerisse um confronto, mas decididos a reivindicar tempo e espaço para suas congregações nascentes.

– Eu virei todos os primeiros dias – disse Rachel com calma. – Mas, considerando a natureza das reuniões quacres, talvez fosse melhor se eu viesse no fim da tarde. Os que vierem ao culto mais cedo durante o dia talvez achem útil ficar sentados refletindo sobre o que escutaram no silêncio de seu coração, ou então compartilhar com outros.

– Mam e eu também viremos – disse Ian com firmeza.

Os dois pregadores pareceram espantados, mas assentiram.

– Também faremos cultos aos domingos – disse Roger. – Afinal, o terceiro mandamento não diz *Santificarás o dia do Senhor duas vezes por mês*?

– Verdade – disse o capitão, mas, antes de poder dizer mais alguma coisa, a sra. Cunningham fez a pergunta em que todos estavam pensando:

– Quem será o primeiro?

Fez-se um silêncio tenso, que Jamie rompeu levando a mão ao *sporran* e socando um xelim de prata, que lançou para o alto, pegou nas costas de uma das mãos e cobriu com a outra.

– Cara ou coroa, capitão?

– Humm… – Pego de surpresa, Cunningham hesitou e vi sua mãe começar a articular com os lábios a palavra "coroa", de modo um tanto inconsciente, em minha opinião. – Cara – disse ele com firmeza.

Jamie retirou a mão para ver a moeda, em seguida a mostrou ao grupo.

– Deu cara. O senhor prefere ir primeiro ou depois, capitão?

– O senhor sabe cantar? – perguntou Roger, dando outro susto em Cunningham.

– Eu… sim – respondeu ele, espantado. – Por quê?

– Eu não consigo – disse Roger, tocando o pescoço para ilustrar. – Se seu culto for primeiro, pode deixá-los em um espírito animado com um hino final. Assim talvez fiquem mais receptivos ao que terei a dizer.

Ele sorriu e uma pequena onda de risos percorreu os presentes, mas não achei que estivesse brincando.

Jamie aquiesceu.

– Não precisa se preocupar em ser o primeiro ou o último, capitão. De qualquer forma, diversão por aqui é coisa rara.

Durante sua curta estadia em nossa casa, John Quincy Myers comentou que os habitantes das montanhas do interior tinham tão poucas oportunidades de diversão que eram capazes de viajar 30 quilômetros para ver uma tinta secar. Esse pensamento fazia parte de sua modesta negação de que ele fosse uma diversão, e não estava errado.

Um pregador novo já teria bastado para atrair uma multidão. Dois era um fato inédito, e dois que representavam faces distintas do cristianismo então! Com Jamie em frente à nova Casa de Encontros, esperando o culto do capitão Cunningham começar, ouvi apostas sendo murmuradas atrás de mim: primeiro sobre se os dois pregadores iriam brigar e, caso brigassem, quem venceria.

Jamie, que também ouviu, virou-se para o bando de garotos taludos que estavam fazendo as apostas.

– Aposto cem contra um que não vão brigar – disse bem alto, e então arrematou em tom mais baixo: – Mas, *se* eles brigarem, aposto cinco contra um que Roger Mac ganha, 10 xelins.

Isso causou um pequeno alvoroço entre os meninos e línguas estaladas em reprovação entre os poucos metodistas e anglicanos de verdade ali presentes, que se calaram quando o capitão chegou, trajando o uniforme naval completo que incluía um chapéu de contorno dourado, mas trazendo uma sobrepeliz pendurada no braço. Estava acompanhado pela mãe, elegantemente vestida de negro com um corpete de renda preta. Ouviu-se um murmúrio de aprovação e Jamie e eu fomos até a frente do grupo para lhes dar as boas-vindas.

O capitão transpirava um pouco, pois a manhã estava quente, mas parecia bem-disposto e em pleno controle de si.

– General Fraser – cumprimentou, curvando-se diante de Jamie. – E sra. general Fraser. Espero encontrá-los bem nesta manhã abençoada.

– Sim, capitão – respondeu Jamie com outra mesura. – E obrigado. Mas eu agradeceria ainda mais se o senhor nos concedesse um título talvez mais modesto, porém mais adequado. Eu sou o coronel Fraser... e esta é minha dama.

Fiz uma mesura, torcendo para me lembrar como se fazia. Perguntei-me se o capitão teria entendido a insinuação de que Jamie havia comandado, comandava ou poderia comandar uma milícia. Sim, tinha...

O capitão havia se tensionado perceptivelmente, mas a sra. Cunningham fez uma bela mesura para Jamie e se levantou em um movimento gracioso.

– Somos nós que agradecemos, coronel – disse ela, sem dar o menor sinal de incômodo –, por dar a meu filho a oportunidade de levar a palavra de Deus aos mais necessitados.

Roger tinha demorado a decidir se assistia ou não ao culto do capitão Cunningham.

– Pa e Mamãe vão – argumentara Bree. – E Fanny e Germain *também*. Não queremos dar a entender ao pobre homem que estamos esnobando seu culto.

– Bem, não. Mas não quero dar a entender que só fui lá para avaliar a concorrência, por assim dizer. Além do mais, seu pai precisa ir. Ele não pode parecer que está... tomando partido.

Ela riu e, com os dentes, cortou a linha com a qual estava costurando a bainha de uma das saias de Mandy. De algum jeito, conseguira se desfazer de um dos lados enquanto estava ocupada ajudando vovó Claire a fazer purê de maçã.

– Digamos que Pa não gosta que aconteçam coisas na Cordilheira sem ele saber – disse ela. – Não que eu ache que o capitão Cunningham vá subir ao púlpito para apregoar motim e insurreição.

– Nem eu – assegurou ele. – Pelo menos, não de cara.

– Vamos – disse ela. – Você não está curioso?

Ele estava. Muito. Não que não tivesse escutado seu quinhão de sermões tendo crescido filho de um pastor presbiteriano, mas na época nem sequer lhe passava pela cabeça virar pastor e ele não prestava muita atenção nos detalhes. Tinha aprendido muita coisa em sua primeira temporada pregando na Cordilheira, e mais ainda durante sua tentativa de ordenação, mas isso já fazia alguns anos... e boa parte da atual plateia não iria conhecê-lo como outra coisa que não o genro do patrão.

– Além do mais, vão notar se não formos – acrescentou ela, erguendo a saia e semicerrando os olhos para avaliar seu trabalho. – E todo mundo vai estar lá para seu culto também... Lembre-se do que Pa disse sobre diversão.

Ele foi obrigado a admitir que Brianna estava certa. Jamie e Claire estavam presentes em seus melhores trajes, com um ar afável e acompanhados por Germain e Fanny, que aparentavam uma limpeza inabitual e uma obediência ainda mais rara.

Fitou os filhos com um olhar desconfiado. Ainda que não totalmente bem-comportados, pelo menos estavam confinados no banco entre Brianna e ele. Apesar de estar se remexendo de leve, Jemmy parecia quieto. Mandy estava entretida ensinando o Pai-Nosso – ou pelo menos a primeira frase da oração, a única que sabia – para Esmeralda em um sussurro alto enquanto apertava religiosamente as mãos rechonchudas da boneca.

– Quanto tempo será que vai durar o sermão? – perguntou Bree, olhando para as crianças.

– Bom, ele está acostumado a pregar para marinheiros... Talvez se sinta tentado a se demorar um pouco com uma plateia que não se atreve a ir embora nem a interromper a pessoa.

Pelo barulho de pés se arrastando e pelos murmúrios no fundo do recinto, ele percebeu que nos fundos havia vários meninos mais velhos parecidos com os que tinham soltado uma cobra durante seu primeiro sermão.

– Não está planejando importuná-lo, está? – perguntou Bree, olhando por cima do ombro.

– Não, não estou.

– Papai, o que é importunar? – Atraído pela palavra, Jem saiu de seu torpor.

– Interromper uma pessoa que está falando ou gritar grosserias para ela.

– Ah.

– E você nunca, *nunca* deve fazer isso, ouviu bem?

– Ah. – Jem perdeu o interesse e voltou a contemplar o teto.

Uma agitação interessada percorreu os fiéis quando o capitão Cunningham e sua mãe entraram. O capitão meneou a cabeça para a direita e para a esquerda, não sorrindo, mas com uma expressão agradável. A sra. Cunningham lançava olhares incisivos à sua volta, atenta a qualquer perturbação.

Seu olhar recaiu em Esmeralda e ela abriu a boca, mas seu filho pigarreou alto e, segurando-a pelo ombro, guiou-a até um lugar em um dos bancos da frente. A cabeça dela se virou rapidamente para trás, mas o capitão já tinha assumido seu posto e ela tornou a olhar para a frente em meio aos ruídos de pés se arrastando e crianças sendo silenciadas na congregação.

– Irmãos e irmãs – começou o capitão, e todos endireitaram as costas, pois ele tinha levantado a voz no que Roger julgou ser o tom usado em seu tombadilho para se fazer ouvir apesar dos estalos da vela e dos rugidos dos canhões. Cunningham tossiu e baixou a voz: – Irmãos e irmãs em Cristo, sejam bem-vindos. Muitos de vocês me conhecem. Para os que ainda não sabem, eu sou o capitão Charles Cunningham, ex-oficial da Marinha de Sua Majestade. Dois anos atrás, recebi um chamado de Deus, e tenho dado o melhor de mim para atender a esse chamado. Contarei mais sobre nossa jornada em direção a Deus, mas comecemos nosso culto nesta manhã cantando "Ó Deus, nosso auxílio no passado".

– Ele vai se sair bem – cochichou Bree para Roger enquanto os presentes se levantavam obedientes.

O capitão *de fato* se saiu bem. Depois do hino, que mais ou menos metade dos fiéis conhecia, mas cuja melodia simples o restante não teve dificuldade para cantarolar, abriu sua Bíblia de couro gasta e leu em voz alta Mateus 4: 18-22:

> *Andando à beira do mar da Galileia, Jesus viu dois irmãos: Simão, chamado Pedro, e seu irmão André. Eles estavam lançando redes ao mar, pois eram pescadores.*
>
> *E disse Jesus: "Sigam-me e eu os farei pescadores de homens."*
>
> *No mesmo instante eles deixaram suas redes e o seguiram.*
>
> *Indo adiante, viu outros dois irmãos: Tiago, filho de Zebedeu, e João, seu irmão. Eles estavam em um barco com seu pai, Zebedeu, preparando suas redes.*
>
> *Jesus os chamou e eles, deixando imediatamente o barco e seu pai, o seguiram.*

Após a leitura, ele colocou de lado a Bíblia de couro gasta e lhes disse, com grande simplicidade, o que o tinha levado até ali:

– Dois anos atrás, eu era capitão de um dos navios de Sua Majestade, o *HMS Lenox*, no Comando Norte-Americano. Nossa responsabilidade era fazer o bloqueio dos portos coloniais e realizar ataques ocasionais a comunidades rebeldes.

Roger pôde sentir a cautela instantânea que se espalhou pelo recinto, como uma névoa rente ao chão. Alguns dos presentes eram secretamente legalistas, embora a maioria dos que tinham se declarado abertamente o tivesse feito como rebeldes, apesar de ele não saber se era por convicção ou devido a um desejo pragmático de se aliar ao senhor de suas terras, o mesmo que estava sentado na terceira fila.

– Meu filho, Simon, tinha se juntado recentemente à tripulação como segundo-tenente. Fiquei muito satisfeito, pois não nos víamos havia pelo menos dois anos, uma vez que ele servira no canal da Mancha.

O capitão fez uma pausa de alguns instantes, como se estivesse contemplando o passado.

– Eu sentia orgulho de meu filho – falou baixinho. – Orgulho por ele ter escolhido seguir meus passos na Marinha e por sua conduta. Ele era um tenente muito jovem, acabara de completar 18 anos, mas era empreendedor e valente, e cuidava muito bem de seus homens.

Ele comprimiu os lábios por um instante, então inspirou de modo audível.

– Quando estávamos patrulhando o litoral de Rhode Island, encontramos e perseguimos uma chalupa rebelde, e trocamos fogo com ela. Meu filho morreu nessa ação.

Um som abafado de choque e empatia emanou da congregação, mas Cunningham não deu sinal algum de ter escutado e prosseguiu sem se interromper:

– Eu estava a poucos metros dele quando o tiro o atingiu e o segurei nos braços. Senti quando ele morreu. *Senti* quando ele morreu – repetiu. Seus olhos então buscaram a congregação. – Alguns de vocês devem conhecer esse sentimento.

Muitos conheciam.

– É claro que não há tempo para chorar a morte de ninguém no meio de uma ação, e foi quase uma hora mais tarde que capturamos a chalupa e prendemos a tripulação. Despachei a chalupa até o porto sob o comando de meu imediato... normalmente esse dever teria cabido a meu filho na condição de tenente. Mas naquele momento qualquer atividade, qualquer movimento, qualquer necessidade de liderança e comando... tudo isso tinha desaparecido. E fui me despedir de meu filho.

Roger baixou os olhos para Jemmy, para o redemoinho sedoso de cabelos em seu cocuruto, para a parte de trás de suas orelhas limpas e rosadas.

– Ele estava no porão, deitado em um catre na parte reservada aos doentes, e fui me sentar a seu lado. Não sei dizer o que senti nem o que pensei; eu estava vazio por dentro. É claro que sabia o que tinha me acontecido, a perda de uma parte de mim, uma perda maior do que qualquer perda de um membro ou ferimento físico... Mesmo assim, nada senti. Eu acho... – Ele se interrompeu e pigarreou. – Acho que estava com medo de sentir. Mas, enquanto estava ali sentado, olhando para o rosto dele... para aquele rosto que conhecia tão bem... eu vi a luz entrar nele outra vez.

"Ele se modificou", disse o capitão, olhando para cada rosto na ânsia de ser compreendido. "O rosto dele ficou... transcendente. E lindo; de repente, virou o rosto de um anjo. E então abriu os olhos."

O choque fez todos no recinto se empertigarem. Roger notou que a sra. Cunningham estava tão ereta quanto possível para alguém provido de uma espinha dorsal. Mantinha-se sentada, rígida e imóvel, com o rosto virado para outro lado.

– Ele falou comigo – disse o capitão, e sua voz saiu rouca. – Falou: "Não se preocupe, pai. Eu o verei de novo. Daqui a sete anos." – Ele tornou a pigarrear, dessa vez com mais força. – E então... fechou os olhos e... morreu.

Foram necessários vários instantes para os murmúrios e arquejos silenciarem, e Cunningham aguardou com paciência até o silêncio voltar.

– Quando me levantei da cabeceira de meu filho, me dei conta de que o Senhor tinha me concedido ao mesmo tempo uma bênção e um sinal – disse ele. – A consciência... a *certeza*... de que a alma não é destruída pela morte, e a convicção de que o Senhor havia me chamado para a partir dali transmitir essa mensagem a Seu povo.

"Assim, vim até vocês em resposta a esse chamado. Para lhes trazer a palavra da bondade de Deus, para oferecer humildemente minha orientação quando me for possível... e para prestar homenagem à memória de meu filho, primeiro-tenente Simon Elmore Cunningham, que serviu a seu rei, a seu país e a seu Deus sempre de modo honrado e leal."

Roger se levantou para o hino final palpitando de emoção. Havia acompanhado Cunningham em cada palavra, absorto, repleto de tristeza, orgulho, solidariedade, entusiasmo... Mesmo deixando de lado os aspectos puramente emocionais do sermão do capitão, precisava admitir que este fora um trabalho bem-feito em matéria de religião.

À medida que o canto ia ficando mais alto, virou-se para Brianna e exclamou:

– Meu Deus! – Não teve intenção alguma de usar o nome de Deus em vão.

– Nem me fale – retrucou ela.

Fiquei me perguntando como Roger pretendia dar sequência à apresentação do capitão Cunningham. Os fiéis haviam se espalhado debaixo das árvores para comer, mas todos os grupos pelos quais passei conversavam com grande animação e concentração sobre o que o capitão tinha dito, e era natural que o fizessem. O feitiço da história dele não me saía da cabeça, causando-me uma sensação de assombro e esperança.

Bree parecia estar se perguntando a mesma coisa: vi-a muito entretida em uma conversa com Roger à sombra de um grande carvalho *chinkapin*. Ele, porém, balançou a cabeça, sorriu e ajeitou-lhe a touca. Ela havia escolhido a roupa certa para o papel de modesta esposa de pastor e alisou a saia e o corpete do vestido.

– Daqui a dois meses ela vai estar vindo à igreja de calça de couro – comentou Jamie, seguindo a direção de meu olhar.

– Quais são as chances de isso acontecer? – perguntei.

– Três contra um. Quer apostar, Sassenach?

– Apostar em um domingo? Você vai direto para o inferno, Jamie Fraser.

– Não me importo. Você vai estar lá para me fazer companhia. Me perguntando sobre as chances… Além do mais, ir à igreja três vezes no mesmo dia deve valer pelo menos alguns dias a menos no purgatório.

Assenti.

– Pronta para a segunda rodada?

Roger deu um beijo em Brianna e saiu da sombra a passos largos para o dia claro. Alto, moreno e bonito, trajando seu melhor… bom, seu único terno preto. Veio andando em nossa direção, com Bree em seu encalço, e vi várias pessoas dos grupos mais próximos repararem nisso e começarem a guardar seus pedaços de pão e queijo e sua cerveja, a se retirar até atrás dos arbustos para um instante de privacidade e a ajeitar as crianças que tinham se desarrumado.

Esbocei uma continência quando Roger se aproximou de nós.

– Rumo ao combate?

– Lá vou eu – respondeu ele apenas.

Endireitando os ombros, virou-se para cumprimentar seu rebanho e conduzi-lo para dentro do chalé.

Lá dentro estava mais quente, embora graças a Deus ainda não fizesse calor. O cheiro de pinheiro recém-cortado estava mais fraco agora, abrandado pelo farfalhar dos tecidos de fabricação caseira, pelos leves aromas de comida no fogo e do trabalho da terra, e pela confusa ocupação de criar filhos que se erguia em uma bruma agradavelmente doméstica.

Roger deu alguns instantes para todos se acomodarem, mas não o suficiente para que começassem a conversar. Entrou de braços dados com Bree, deixou-a no banco da primeira fila e sorriu para a congregação.

– Tem alguém aqui que já não me conheça? – perguntou, e houve uma leve onda de risos.

– É, bem, o fato de me conhecerem e mesmo assim estarem aqui é um conforto. Às vezes o importante é aquilo que sabemos, em parte porque o conhecemos bem e compreendemos sua força. Queiram então se levantar, por favor, e rezemos juntos o Pai-Nosso.

Todos se levantaram obedientemente e recitaram junto com ele a oração; reparei que alguns falaram *gàidhlig*, embora a maioria tivesse falado um inglês com graus variados de sotaque.

Quando tornamos a nos sentar, Roger limpou a garganta e eu comecei a me preocupar. Tinha certeza de que sua voz estava melhor do que antes, quer devido a um processo natural de cura ou aos tratamentos que eu vinha lhe ministrando uma vez por mês, isso caso algo tão simples e incomum quanto a imposição de mãos do dr. McEwan pudesse ser qualificado com esse nome. Mas fazia muito tempo que ele não falava em público, que dirá pregar... que dirá *cantar*, e o estresse da expectativa era uma pressão muito grande.

– Sei que alguns de vocês vêm das ilhas... e do norte. Então devem saber o que é um responsório.

Vi Hiram Crombie baixar os olhos para a família reunida no banco e senti o movimento de interesse dos outros presentes que de fato sabiam.

– Para quem tiver chegado depois de outras partes, não tem problema: é só um jeito de entoar coisas como salmos e hinos quando só se tem um livro de preces para todos usarem. Ou pouco mais de um.

Ele ergueu seu hinário surrado, uma coleção sem capa de páginas esfrangalhadas que Jamie tinha achado em uma taberna de Salisbury e comprado por 3 *pence* e dois pés de porco, estes últimos arrematados pouco antes em uma partida de cartas.

– Vamos cantar o Salmo 133 hoje. É um salmo curto, mas eu gosto dele. Eu vou cantar... ou quem sabe entoar a primeira linha... – Ele lhes sorriu e tornou a limpar a garganta, mas dessa vez com um pigarro curto. – E vocês vão repetir cantando. Eu canto a linha seguinte e continuamos assim, está bem?

Ele abriu o livro na página que havia marcado e, com uma voz que teve pelo menos força suficiente para ser ouvida e ritmo suficiente para ser repetida, leu a primeira frase:

– Vejam só como é bom!

Houve uma pausa de um instante e então diversas vozes confiantes repetiram:

– *Vejam só como é bom!*

Uma expressão de alegria surgiu em seu rosto e só então me dei conta de que ele não tinha certeza se iria funcionar.

– E como é agradável...

– *E como é agradável!*

Mais vozes, uma confiança que se alastrou, e na terceira frase estávamos todos compartilhando a alegria de Roger, absorvendo as palavras e seu significado.

O salmo era bem curto, mas as pessoas estavam se divertindo tanto que o recitaram duas vezes e por fim pararam, suando em bicas e afogueadas devido ao esforço, com "Até a vida eterna!" ainda a ecoar pelo recinto.

– Foi muito bom – disse Roger com voz áspera e todos riram, mas foram risos gentis. – Jamie, pode vir ler um trecho do Antigo Testamento para nós?

Olhei para Jamie espantada, mas pelo visto ele estava preparado para aquilo, pois pegou sua pequena Bíblia verde e foi até a frente do recinto. Estava usando o melhor de seus dois kilts junto com o único casaco em tons sóbrios que possuía. Tirando os óculos do bolso, colocou-os na ponta do nariz e lançou um olhar severo por sobre a cabeça de todos para os garotos lá atrás, que na mesma hora pararam de cochichar.

Obviamente convencido de que o olhar severo fosse bastar, abriu o livro e leu no Gênesis a história dos anjos que visitam Abraão. Ao receberem sua hospitalidade, os anjos lhe garantiram que, quando voltassem a visitá-lo, sua mulher, Sara, teria gerado um filho seu: – *Por isso riu consigo mesma quando pensou: "Depois de já estar velha e meu senhor já idoso, ainda terei esse prazer?"*

A frase o fez erguer o rosto por um breve instante e seu olhar cruzou o meu.

– Humm – fez ele no fundo da garganta e concluiu: – *Existe alguma coisa impossível para o Senhor? Na primavera voltarei a você e Sara terá um filho.*

Ouvi uma risadinha zombeteira em algum lugar atrás de mim, mas ela foi na mesma hora abafada pelo versículo final:

– *Sara teve medo, e por isso mentiu: "Eu não ri." Mas ele disse: "Não negue, você riu."*

Jamie fechou o livro com um gesto firme e decidido, entregou-o a Roger, sentou-se a meu lado e guardou os óculos.

– Não sei como as pessoas podem pensar que Deus não tem um belo senso de humor – sussurrou para mim.

Fui poupada de responder por Roger, que anunciou que iriam tentar agora cantar um hino curto, e quantos deles conheciam "Jesus irá reinar?" Ao ver um número satisfatório de mãos se erguerem, deu início ao canto. Embora sua voz tivesse rachado feito uma caneca quebrada no meio da primeira estrofe, um número suficiente de pessoas *conhecia* o hino para seguir cantando, enquanto Roger modulava o tom com a mão espalmada e conseguia entoar as primeiras palavras de cada verso.

Mesmo que não estivesse fazendo 32 graus dentro do pequeno recinto, com uma umidade relativa do ar de mil por cento, eu teria ficado encharcada de suor por pura solidariedade a ele.

Bree tinha levado um cantil e nessa hora se levantou e o entregou ao marido. Ele bebeu bastante, respirou e enxugou o rosto com a manga da camisa.

– Sim – falou, com a voz ainda áspera, mas audível. – Pedi à minha mulher que lesse para vocês um trechinho do Novo Testamento.

Com um gesto, chamou Brianna, corada devido ao calor do recinto, mas que ficou então significativamente mais rosada. Apesar disso, ela correu os olhos pelo espaço com uma expressão grave, travando contato visual, e então, sem preliminares, abriu a pequena Bíblia verde de Jamie e leu o trecho que descrevia o banquete de casamento de Canaã, onde Jesus, a pedido da mãe, havia poupado o noivo da humilhação transformando água em vinho.

Ela leu com uma voz nítida e potente, e se sentou diante de meneios de cabeça de uma aceitação um tanto relutante. Roger, que havia se sentado durante a leitura, levantou-se mais uma vez.

– Como já devem ter notado, não vou conseguir falar por muito tempo. De modo que o sermão vai ser curto.

Isso pareceu convir aos fiéis, que assentiram e se acomodaram.

– Sei que a maioria de vocês ouviu o sr. Cunningham falar hoje de manhã e se comoveu com seu testemunho. Eu também me comovi. – Sua voz estava rascante feito uma lixa, mas compreensível.

Um zum-zum e meneios sóbrios de cabeça lhe responderam.

– É importante ouvir falar de grandes acontecimentos, revelações e milagres. Eles nos fazem lembrar a grandiosidade de Deus e Sua glória. Mas a maioria de nós... não vive situações de grande perigo ou aventura. Não é frequente sermos chamados para um gesto grandioso, para sermos heróis, apesar de haver alguns aqui presentes.

Ele lhes sorriu, cruzando olhares aqui e ali entre as pessoas reunidas.

– Mas cada um de nós é chamado para viver sua vida nos pequenos instantes: para praticar a gentileza, arriscar os sentimentos, apostar em outra pessoa, prover às necessidades daqueles que nos são caros. Porque Deus está em tudo e vive em todos. Esses pequenos instantes são d'Ele. E Ele transformará essas pequenas coisas em glória... e permitirá que a Sua... grandiosidade... brilhe... em vocês.

Ele mal conseguiu chegar à última frase e precisou forçar o ar para sustentar cada palavra e se deter, com a boca um pouco aberta, no esforço de respirar.

– Amém – disse Jamie com sua voz mais decidida e as pessoas responderam em coro com grande entusiasmo:

– Amém!

Roger foi na mesma hora soterrado por aqueles que foram até a frente lhe agradecer. Vi Brianna, um pouco afastada de lado, sorrindo entre lágrimas. Só então me ocorreu que eu estava fazendo a mesma coisa.

Supus que a maioria das pessoas perderia o interesse pela religião depois das primeiras duas rodadas, e pelo menos metade de fato tomou o rumo de casa para almoçar, ainda debatendo as virtudes e os defeitos das liturgias concorrentes. Mas pelo menos vinte pessoas, sem contar nossa família, voltaram pela floresta no fim da tarde. Munidos de paciência, adentraram mais uma vez a Casa de Encontros, claramente se perguntando o que estariam prestes a encontrar.

Rachel e Jenny haviam rearrumado os bancos para formar um quadrado virado para o meio do espaço. No centro estava minha pequena mesa de instrumentos, sobre a qual agora se encontravam uma jarra d'água e uma caneca de metal.

Rachel se postou ao lado da porta para receber as pessoas, ladeada por Jenny e Ian.

– Desejo as boas-vindas, amigo McHugh, e à sua família também – disse ela para Sean McHugh. – Nosso costume é as mulheres se sentarem de um lado e os homens do outro. – Ela sorriu para Mairi McHugh. – Como você é a primeira mulher, pode escolher o lado.

– Ah. Bem, então. Humm… obrigada a você? É assim que se diz? – sussurrou ela para o marido.

– Como vou saber? – retrucou ele, sensato. – Temos que tratar todo mundo de você enquanto estivermos aqui? – perguntou para Rachel, que, com um semblante impassível, respondeu que não era preciso a menos que seu espírito os levasse a fazê-lo, mas que ninguém riria caso o fizessem.

Ouvi um murmúrio de alívio das pessoas atrás de mim e um leve relaxamento quando os meninos McHughs, altos e fortes, entraram com cuidado pela porta, um de cada vez.

Jamie e eu esperamos todo mundo entrar.

– Você vai se sair bem, menina – disse Jamie a Rachel, dando-lhe um tapinha no ombro enquanto se virava para entrar.

– Ah, eu não pretendo fazer nada – garantiu ela. – A menos que seja impelida pelo espírito a falar, e nesse caso imagino que vá dizer algo adequado.

– Isso não quer dizer que não vá causar confusão – resmungou Ian. – O espírito dela tende a ser bem livre.

O jantar foi simples porque ninguém ficou em casa e cozinhou durante o dia. Pela manhã eu havia preparado um panelão de creme de milho com leite e cebola, toucinho defumado e batatas fatiadas para encorpar. Após a habitual e obsessiva verificação da lareira e dos carvões, cobri o caldeirão e o deixei fervilhando acompanhando com uma prece para a casa não pegar fogo em nossa ausência. Havia pão dormido e, de sobremesa, quatro tortas frias de maçã com um pouco de queijo.

– Isso não é pudim – protestou Mandy ao me ouvir pronunciar a palavra *pudding*. – É torta!

– É verdade, querida – falei. – É só um jeito inglês de falar, nós chamamos sobremesa de *pudding*.

– Por quê?

– Porque os ingleses não sabem das coisas – respondeu Jamie.

– Diz o escocês que chama sobremesa de *creamed crud* – retruquei, fazendo Jem e Mandy rolarem no chão de tanto rir enquanto repetiam *creamed crud* um para o outro toda vez que paravam para recuperar o fôlego.

Germain, que comia *creamed curd* de sobremesa desde que nascera, mas que pronunciava *crud* à moda escocesa, balançou a cabeça para os outros e suspirou de um jeito superior, olhando na direção de Fanny para compartilhar seu fastio. Fanny, que nunca tinha deparado com nada no departamento de sobremesas além de pão com manteiga ou torta, não pareceu entender.

– Seja como for – falei, servindo o creme de milho em tigelas. – Pode pegar o pão, Jem? Nossa! É bom poder sentar para jantar, não? O dia foi bem longo – acrescentei, sorrindo para Roger e depois para Rachel.

– Você foi maravilhoso, Roger – disse Rachel, sorrindo para ele. – Nunca tinha escutado um responsório. Você já, Ian?

– Ah, sim. Tinha uma igreja presbiteriana em Skye, onde parei certa vez com meu pai para comprar uma ovelha. Não tem nada mais para fazer em Skye em um domingo – explicou ele. – Além de ir à igreja, digo, não comprar ovelhas.

– Tive a sensação de já conhecer – comentei, sacudindo um molde para soltar um pedaço grande de manteiga fria. – Mas não sei por que deveria.

Roger deu um débil sorriso. Não conseguia falar mais alto do que um sussurro, mas seus olhos brilhavam de felicidade.

– Escravos africanos – respondeu ele em um volume quase inaudível. – Eles fazem isso. Canto e resposta, como às vezes é chamado. Pode ser que você tenha... escutado em River Run?

– Ah! Sim, pode ser – falei, duvidando um pouco. – Mas é como se fosse mais... recente?

O arquear de uma sobrancelha escura indicou que Roger tinha entendido o que eu queria dizer com "recente".

– Sim. – Ele pegou sua cerveja e deu um gole generoso. – Sim. Cantores negros, depois outros... continuaram a fazer a mesma coisa. É uma das... – Ele olhou para Fanny, em seguida para Rachel. – Uma das raízes da música mais moderna, entendem?

Rock and roll, imaginei que ele quisesse dizer, ou quem sabe *rhythm and blues*? Eu não era uma especialista em música.

– Falando em música, Rachel, você tem uma voz linda – comentou Bree, inclinando-se por cima da mesa para acenar sob o nariz de Oggy com um pedaço de pão.

– Obrigada, Brianna – disse Rachel. – Embora eu talvez tenha contribuído para o argumento de que cantar durante o culto seja uma distração.

Ela pegou o pão e deixou Oggy amassá-lo.

– Fiquei satisfeita por tantas pessoas terem decidido participar de nossa reunião... embora suponha que tenha sido em grande parte por curiosidade. Agora que conhecem a terrível verdade sobre os amigos, é provável que não apareçam mais.

– Qual é a terrível verdade sobre os amigos, tia Rachel? – perguntou Germain, fascinado.

– Que somos maçantes – respondeu Rachel. – Você não reparou?

– Tirando Bluebell, foi meio maçante mesmo – concordou Jem, cutucando sua tigela de creme de milho com a colher para tentar pescar pedaços crocantes de toucinho defumado. – Mas não de um jeito ruim – emendou ele depressa ao perceber Ian o encarando. – Só... tranquilo, sabe?

Ele se pôs a sorver a sopa e baixou a cabeça.

– É essa a ideia, não? Temos pimenta? – Jamie tinha posto sal na sopa e passado o saleiro para a frente na mesa, mas a pimenteira havia rolado e caído no chão.

– Temos, sim. Ah... está com Bluebell. Aqui, menina...

Abaixei-me para alcançar debaixo da mesa, onde Bluey farejava desconfiada a pimenta. A cadela deu vários espirros e eu me levantei trazendo a pimenteira toda salpicada de muco, que enxuguei no avental.

– Melhor tomar cuidado com essa pimenta – disse Roger com uma voz roufenha, espiando debaixo da mesa. – É ruim para suas cordas vocais.

Bluebell respondeu emitindo um *roooouuu* amistoso e abanando o rabo. Rachel havia garantido a Fanny que Bluebell, deixada solta durante os cultos da manhã para percorrer a floresta na companhia dos cães que acompanharam seus donos, também seria bem-vinda na reunião. Bluey retribuiu essa cortesia se unindo com entusiasmo ao coro do hino que Rachel se sentira impelida a cantar. Ela havia me contado que as reuniões em geral não tinham música, devido a uma pressuposição de que isso interferiria com a espontaneidade do louvor, mas que era aceitável uma pessoa só cantar caso se sentisse inclinada. E a música tinha contribuído tanto para animar a congregação como os sermões do capitão e de Roger.

– Gostei de sua reunião, *a leannan* – disse Jamie, sorrindo para Rachel enquanto moía uma quantidade generosa de pimenta por cima da sopa. – E acho que vai ter uma surpresa na semana que vem. As pessoas comentam, sabe?

– Sei, sim – assegurou ela. – E só Deus sabe o que vão dizer. Mas obrigada por ter ido, Jamie... Obrigada a todos – acrescentou, sorrindo para mim, Bree, Roger e para as crianças, que assistiram aos três cultos.

Raquel até incentivou as crianças a falarem. Ela havia explicado aos participantes o funcionamento básico de uma reunião de amigos: ficava-se sentado em silêncio escutando sua luz interior, a menos ou até que o espírito levasse a pessoa a se manifestar, fosse externando uma preocupação que desejasse compartilhar, uma prece que desejasse fazer, uma canção ou um pensamento que pudesse querer debater.

Ela acrescentou que, embora a maioria das reuniões começasse e terminasse em silêncio, sentira-se movida pelo espírito a iniciar a daquele dia cantando. E, embora não tivesse a pretensão de fazê-lo com a mesma habilidade do amigo Cunningham ou do amigo Roger (os MacKenzies tinham comparecido, claro, mas os Cunninghams não, o que não me causava espanto), seria uma satisfação se alguém desejasse se juntar a ela.

Depois de a canção e a contribuição de Bluebell criarem um ambiente bastante caloroso, todos permaneceram alguns minutos sentados sem dizer nada. Eu sentira Jamie a meu lado se empertigar um pouco, como se tivesse tomado uma decisão. Ele então contou aos presentes sobre Silvia Hardman, uma quacre que conhecera por acaso em sua casa perto da Filadélfia e que havia cuidado dele por vários dias quando se encontrou incapacitado.

– Além de sua imensa gentileza – falou –, fiquei impressionado com suas três filhas pequenas. Elas foram tão gentis quanto a mãe, mas o que mais gostei foi do nome delas. Cada nome representava uma virtude: paciência, prudência e castidade. Rachel, é comum os amigos batizarem os filhos em homenagem a virtudes?

– Sim – respondeu ela, sorrindo para Jemmy, que havia começado a se remexer um pouco. – Jeremiah, que nome escolheria se pudesse? Quero dizer, se precisasse ser batizado em homenagem a uma virtude?

– O que é virtude? – perguntou Mandy, enrugando a testa para o irmão.

– Uma coisa boa – respondeu Germain. – Por exemplo... – Ele olhou para Rachel com um ar hesitante, em busca de confirmação. – Paz? Ou talvez bondade?

– Exatamente – disse ela, meneando a cabeça com um ar grave. – Que nome você escolheria, Germain, enquanto Jemmy está pensando? Piedade? Ou quem sabe Obediência?

– Não! – exclamou ele horrorizado.

Assim, em meio a risos generalizados, todos começaram a propor *noms de vertu* tanto para si quanto para diversos membros da família, suscitando gargalhadas ou, em uma ou duas ocasiões, acalorados debates quanto à adequação de alguma sugestão.

– Foi você quem começou, Pa – disse Brianna, achando graça. – Mas reparei que não escolheu um nome virtuoso na reunião.

– Ele já tem o nome de três reis escoceses – protestou Roger. – Se alguém der mais um, ele vai começar a ficar arrogante.

– Você também não escolheu nenhum, não foi, mamãe? – Pude ver as engrenagens girando na mente de Bree e me apressei em brecá-la.

– Humm... que tal Delicadeza? – falei, fazendo muitos dos presentes ao redor da mesa gargalharem.

– Implacabilidade é uma virtude? – perguntou Jamie, sorrindo para mim.

– Provavelmente não – respondi, um tanto fria. – Embora eu ache que dependa das circunstâncias.

– É verdade – disse ele, beijando minha mão. – Decisão, então... ou quem sabe Determinação?

– Bem, Determinação Fraser até que soa bem – falei. – Também tenho um para você.

– Ah, é?

– Resistência.

Ele não parou de sorrir, mas surgiu certo ar de tristeza em seus olhos.

– É – disse ele. – Esse serve.

35

PAR DE ASES

De capitão Judah M. Bixby
Para o general James Fraser, Cordilheira dos Frasers,
colônia da Carolina do Norte

Prezado general Fraser,

Espero que esta carta o encontre bem, assim como a sra. Fraser. Sou agora capitão de uma Companhia de Infantaria sob o comando do general Wayne, que o senhor conhece e que pediu para transmitir seus melhores votos. O general Wayne me disse ter ouvido falar que o senhor havia voltado para sua casa na Carolina do Norte. Espero que seja verdade e que esta carta possa lhe chegar às mãos.

Caso contrário, serei breve e mais tarde escreverei outra que poderá receber, com notícias suplementares.

Por ora, desejo lhe avisar que na semana passada tivemos uma escaramuça com os britânicos perto de um forte deles chamado Stony Point, às margens do rio Hudson. Não atacamos o forte, mas os fizemos correr de volta para dentro bem depressa!

Em segundo lugar, lamento muito informar que o doutor Hunter foi capturado em combate e se encontra atualmente prisioneiro lá. Até onde sei, ele não foi ferido. E estou certo de que, sendo médico e quacre, os britânicos hão de tratá-lo bem e não enforcá-lo.

Sei que o doutor é um bom amigo seu e da sra. Fraser, e que os senhores iriam gostar de saber o que aconteceu com ele. Rezo pelos dois em minhas preces à noite e farei o mesmo pelo doutor e sua esposa.

Seu mais humilde e obediente criado (e ordenança),
Judah Mordecai Bixby, capitão do Exército Continental

Jamie pegou a carta de minhas mãos e a releu com o cenho franzido. Estávamos sentados em um tronco bem ao lado de minha horta e eu me aproximei para olhar por cima do ombro dele. Meu estômago tinha dado um nó ao ler a palavra "capturado" e subiu até a garganta quando li "enforcá-lo".

– Stony Point – falei, tentando manter a calma. – Você sabe onde fica?

Jamie fez que não com a cabeça, mantendo os olhos fixos no papel.

– Em algum lugar de Nova York, eu acho. – Ele me entregou a carta. – Sua esposa? Acha que Dottie sabe onde Denny está? Ou que possa estar com ele?

– Na prisão? – indaguei, incrédula.

Fazia quase um ano desde que tínhamos visto Denzell e Dottie pela última vez. Ao ver as palavras "doutor Hunter", minha mão desceu involuntariamente até a lateral de meu corpo. O ponto em que Denny havia retirado uma bala de mosquete de meu fígado depois da Batalha de Monmouth tinha cicatrizado bem, mas ainda sentia uma pontada no flanco quando me virava para pegar alguma coisa. Às vezes, ainda acordava no meio da noite com uma sensação de profunda confusão e o corpo vibrando com a lembrança do impacto. Quando um ferimento se cura, a mente cria cicatrizes além das que ficam na superfície...

– Pode ser. – Embora não estivesse mais com a testa franzida, ele ainda parecia perturbado. – Ou na cidade, pelo menos. Ela poderia ajudá-lo – acrescentou em resposta à minha expressão intrigada. – Comida, remédios, cobertores. Ele conseguiu mandar um recado para fora, não foi? – disse, balançando o papel.

Dei-me conta de que Dottie poderia até estar na prisão, ainda que provavelmente não fosse prisioneira. Já tinha acontecido de esposas, e às vezes filhos, irem morar com um marido preso e saírem durante o dia para mendigar comida ou quem sabe arrumar algum biscate. A alimentação dada aos prisioneiros era em geral ruim, às vezes inexistente, obrigando-os a depender da ajuda de parentes ou amigos, ou então de almas com inclinações caridosas. Mas esposas provavelmente não seriam autorizadas em uma prisão militar...

– Você tem papel em seu escritório? – perguntei, escorregando para me levantar do tronco.

– Tenho. Por quê? – Ele dobrou a carta e arqueou uma sobrancelha para mim.

– Vou escrever para John Grey – respondi, tentando fazer soar como se aquilo fosse uma coisa ao mesmo tempo simples e óbvia de se fazer.

– Não vai, não. – Ele falou com calma, embora sua resposta tivesse sido tão rápida que achei que houvesse respondido por puro reflexo.

Endireitei as costas, cruzei os braços e o encarei.

– Poderia reformular essa frase? – pedi, com educação.

Uma das vantagens de um casamento longevo é que se pode ver com bastante clareza a direção provável de algumas conversas e às vezes se consegue evitar as armadilhas e escolher outro caminho por acordo mútuo e tácito. Jamie franziu os lábios de leve enquanto me observava com um ar pensativo. Então respirou fundo e assentiu.

– Dorothea vai escrever para o pai, se já não o fez – comentou, sensato. Guardou a carta de Judah no *sporran* e se levantou. – Sua Graça fará o que quer que possa ser feito.

– Não sabemos se Dottie *consegue* escrever para o pai. Pode ser que não esteja nem perto de Denzel... talvez nem saiba que ele está preso! Na verdade, nem sabemos onde Hal está... ahn, o duque, quero dizer. – *Maldição, eu não deveria ter chamado Hal pelo primeiro nome.* – Mas pelo menos John e ele podem ser encontrados. O Exército Britânico certamente sabe onde estão.

– Com o tempo que um recado meu levaria para chegar a Savannah ou Nova York, Denzell provavelmente já teria sido solto ou posto em liberdade condicional. Ou transferido.

– Ou *morrido*. – Descruzei os braços. – Pelo amor de Deus, Jamie. Se alguém sabe das condições dentro de uma prisão britânica, essa pessoa é você!

Ele tinha se virado para ir embora, mas sua cabeça entortou como a de uma cobra ao escutar isso.

– Sim, eu sei.

Sim, ele sabia. Fora na prisão que conhecera *John...*

– Além do mais, eu disse que escreveria para ele – falei, tentando voltar depressa para um terreno mais seguro. – Denzell é mais meu amigo do que seu. Você não precisa se envolver.

O sangue lhe subia pelo pescoço, o que nunca era um bom sinal.

– Não tinha a intenção de "me envolver" – disse ele, usando a expressão como se ela estivesse infestada de pulgas. – E também não tinha a intenção de que *você* "se envolvesse" com John Grey – acrescentou com uma nota de ênfase e pegou a pá com a qual estava cavando o poço novo da horta de um modo que sugeria que sua maior vontade teria sido usá-la para dar uma paulada na cabeça de John Grey ou então, se isso não fosse possível, na minha.

– Não estou sugerindo qualquer tipo de envolvimento – falei, conseguindo me manter razoavelmente calma.

– É meio tarde para *isso* – retrucou ele, com uma ênfase desagradável que fez um rubor subir às minhas faces.

– Pelo amor de Deus! Você *sabe* o que aconteceu. E *como*. E sabe que eu...

– Sim, eu sei o que aconteceu. Ele deitou você na cama dele, abriu suas pernas e trepou com você. Acha que algum dia vou escutar o nome dele sem pensar nisso?

Ele disse algo muito grosseiro em gaélico relacionado aos testículos de John, cravou a pá no chão, em seguida tornou a puxá-la.

Fiquei respirando devagar pelo nariz, com os lábios apertados.

– Pensei que já tivéssemos resolvido isso – falei após alguns instantes.

Eu pensara mesmo que sim. Pelo visto, fora apenas um desejo meu. E de repente me lembrei do que ele tinha dito quando fora me encontrar no Jardim de Bartram, ressuscitado e cheirando a repolho, eu toda enlameada e estilhaçada de felicidade.

Eu amei você desde a primeira vez que a vi, Sassenach. E vou amar você para sempre. Não me importo que durma com o exército inglês inteiro... Quero dizer, eu me importo, sim, mas isso não me impediria de amar você.

Sorvi uma inspiração um pouco mais tranquila, mas me lembrei de outra coisa que ele tinha dito mais tarde na mesma conversa:

Eu não digo que não fez diferença para mim, porque fez. Nem digo que não vou criar caso por causa disso mais tarde, porque provavelmente vou.

Ele chegou mais perto e me encarou, os olhos azuis escuros e decididos.

– Algum dia já disse que sou um homem ciumento?

– Já, mas...

– E disse que tinha birra de cada hora que você havia passado na cama de outro homem?

Inspirei fundo para sufocar as palavras precipitadas que podia sentir fervendo dentro de mim.

– Já – falei entre dentes, trincados de leve.

Ele passou um longo tempo me encarando com raiva.

– Eu estava falando sério – continuou. – Ainda estou. Maldição, você sempre faz o que quer... Deus sabe que *sempre* faz... mas não finja que não sabe como eu me sinto em relação a isso!

Ele se afastou pisando firme, carregando a pá no ombro como se fosse um fuzil.

Eu estava cerrando os punhos com tanta força que podia sentir as unhas pressionarem as palmas. Teria jogado uma pedra nele, mas Jamie já estava fora de alcance e avançava depressa, com os ombros contraídos de raiva.

– E William? – gritei enquanto ele se afastava. – Se ele está "envolvido" com John, você também está, seu escocês cabeça-dura!

Os ombros se contraíram com mais força, mas Jamie não se virou. Seu grito, porém, flutuou de volta até mim:

– William que se dane!

Um leve tossido atrás de mim me distraiu da lista mental de sinônimos de "escocês desgraçado" que estava fazendo. Virei-me e dei com Fanny ali parada, com o avental cheio de nabos sujos de terra e o rosto bonito franzido de apreensão e virado para Jamie, que naquele momento desaparecia em meio às árvores perto do córrego.

– O que Will-iam fez, sra. Fraser? – perguntou ela, espiando-me por baixo da touca.

Apesar da discussão que tive com Jamie, sorri. A dicção de Fanny estava bem fluente, exceto quando ficava abalada ou falando depressa, mas ela com frequência ainda exibia aquela ligeira hesitação entre as sílabas do nome de William.

– William não fez nada de errado – garanti. – Não que eu saiba. Não o vemos desde o... ahn... – Interrompi a frase, um segundo tarde demais.

– Desde o enterro de Jane – disse a menina, séria, e baixou os olhos para a massa roxa e branca dos nabos. – Eu pensei... que talvez o sr. Fraser tivesse recebido uma carta de William. Ou talvez sobre William... – acrescentou, e sua testa voltou a se enrugar. Ela meneou a cabeça em direção às árvores. – Ele está zangado.

– Ele é escocês – corrigi com um suspiro. – Ou seja, teimoso. E também insensato, intolerante, insolente, do contra, cabeça-dura e algumas outras coisas condenáveis. Mas não se preocupe. Na verdade, nada disso tem a ver com William. Venha, vamos pôr os nabos nesta tina aqui e cobrir com água. Assim as folhas não murcham. Vou fazer purê de nabo para o jantar, mas quero refogar as folhas em gordura de toucinho defumado e servir como acompanhamento. Se alguma coisa é capaz de fazer pessoas das Terras Altas comerem verdura é gordura de toucinho defumado.

A menina assentiu, como se aquilo fizesse sentido, e baixou o avental devagar, fazendo os nabos rolarem para dentro da tina em um despejar que foi como uma cascata, as folhas verde-escuras balançando.

– A senhora provavelmente não deveria ter contado para ele – disse Fanny com um distanciamento quase clínico.

– Contado o quê? E para quem? – perguntei, pegando um balde com água e despejando por cima dos nabos sujos de terra. – Pegue outro balde, sim?

Ela foi pegar, despejou a água na tina, então colocou o balde no chão, ergueu os olhos para mim e disse, muito séria:

– Eu sei o que significa "trepou".

Minha sensação foi de que ela havia chutado minha canela com força.

– Sabe mesmo? – consegui responder enquanto pegava minha faca de cozinha. – Eu, ahn… imagino que deva saber.

Ela havia passado metade da vida em um bordel da Filadélfia; decerto conhecia muitas outras palavras que não faziam parte do vocabulário de uma menina de 12 anos.

– Que pena – disse ela, virando-se para buscar outro balde. Os meninos tinham enchido todos naquela manhã e ainda restavam seis. – Gosto muito de Sua Senhoria. Ele foi muito bom comigo e com… com Jane. Gosto do sr. Fraser também – acrescentou, embora com certa reserva.

– Tenho certeza de que ele valoriza sua opinião – falei com gravidade enquanto me perguntava "Que conversa é esta?". – E, sim, Sua Senhoria é um homem excelente. Ele sempre foi um bom amigo nosso.

Enfatizei um pouco a palavra "nosso" e vi que Fanny notou.

– Ah. – Um leve franzido perturbou a pele perfeita de sua testa. – Imagino que seja pior ainda. A senhora ter ido para a cama com ele – explicou, caso eu não tivesse entendido. – Os homens não gostam de dividir uma mulher. A não ser em um par de ases.

– Par de ases?

Eu estava começando a pensar em como escapar daquela conversa com alguma espécie de dignidade. Estava também começando a me sentir um tanto alarmada.

– Era como a sra. Abbott chamava. Quando dois homens queriam fazer coisas com uma menina ao mesmo tempo. Custava mais do que custariam duas meninas, porque muitas vezes eles a estragavam. Em geral, ela só ficava dolorida – acrescentou Fanny, para ser justa. – Mesmo assim…

– Ah. – Fiz uma pausa, então peguei o último balde e terminei de encher a tina.

Os nabos menores ficaram boiando na superfície da água, com a terra se desfazendo em redemoinhos das raízes peludas. Baixei os olhos para Fanny, que me encarou com uma expressão de calmo interesse. Eu preferiria que ela não compartilhasse aquelas ideias atraentes com mais ninguém na Cordilheira e tinha certeza de que Jamie pensaria o mesmo.

– Fanny, venha se sentar comigo lá dentro um instante, sim?

Sem esperar que ela aceitasse, acenei para que me seguisse. Empurrei para o lado a lona que estava fazendo as vezes de porta da frente de nossa casa ainda em construção e entrei primeiro no espaço cavernoso da cozinha. A lona da porta se sacudia de leve com um som de vela de navio e no espaço reinava uma penumbra tranquilizadora, perturbada apenas pela luz da porta dos fundos aberta e pelas duas janelas que se abriam para o poço e o caminho da horta.

Tínhamos uma mesa e bancos, além de uma cadeira de madeira um tanto decrépita que Maggie MacAllan me dera como pagamento por ter servido de parteira no nascimento de sua neta, duas barricas pequenas de peixe salgado e vários caixotes de transporte que ainda não tinham sido destruídos para usar a madeira e cuja presença aumentava a ilusão de estar no porão de um navio no mar. Com um gesto, indiquei a Fanny que se sentasse em um dos banquinhos e me acomodei no outro; o prazer de tirar meu peso de cima dos pés me fez dar um suspiro.

Fanny também se sentou com um ar levemente apreensivo e sorri na esperança de tranquilizá-la.

– Não precisa se preocupar com William – falei. – Ele é um rapaz de muitos recursos. Só está... um pouco confuso, imagino. E zangado, talvez, mas tenho certeza de que em breve vai superar isso.

– Ah – murmurou Fanny devagar. – A senhora quer dizer que ninguém contou que o sr. Fraser era o pai dele, então ele descobriu? – Ela franziu a testa para as mãos unidas, em seguida ergueu os olhos para mim. – Acho que eu também ficaria zangada. Mas por que o sr. Fraser está zangado? Ele deu William para alguém?

– Ah... não exatamente.

Encarei Fanny com certa preocupação. Em poucos minutos, sem saber, ela conseguira tocar em muitos dos segredos da família, entre eles a batata quente de minhas relações com lorde John.

– O sr. Fraser era jacobita... Você sabe o que isso quer dizer?

Ela aquiesceu com hesitação.

– Os jacobitas apoiavam James Stuart e lutaram contra o rei da Inglaterra – expliquei. – Eles perderam essa guerra.

Senti um vazio no peito ao falar isso. Tão poucas palavras para significar o estilhaçamento de tantas e tantas vidas.

– Depois disso, o sr. Fraser foi preso e não conseguiu cuidar de William. Lorde John era amigo dele e criou William como se fosse seu filho, porque nenhum dos dois pensava que o sr. Fraser fosse ser solto algum dia. Além disso, lorde John pensava que nunca teria filhos.

Escutei o eco distante do conselho de Frank, como o sussurro de uma aranha no fundo da lareira vazia: *Limite-se sempre à verdade tanto quanto possível...*

– Lorde John ficou ferido? – perguntou Fanny. – Nessa guerra?

– Ferido... ah, por não poder ter filhos, você quer dizer? Não sei... mas ele com certeza foi ferido. – Eu tinha visto as cicatrizes. Limpei a garganta com um pigarro. – Deixe-me contar uma coisa, Fanny. Sobre mim.

Os olhos dela se arregalaram de curiosidade. Tinham um tom suave e claro de castanho que ficou quase negro quando as pupilas se dilataram em meio às sombras da cozinha.

– Eu também lutei em uma guerra – falei. – Não na mesma; em outra, em outro país... antes de conhecer o sr. Fraser ou lorde John. Eu era... curandeira. Cuidava dos homens feridos, e passei muito tempo convivendo com soldados, em lugares ruins.

Inspirei fundo enquanto sentia os fragmentos dessas épocas retornarem. Sabia que as lembranças deviam transparecer em meu rosto e permiti que o fizessem.

– Eu vi coisas muito ruins – disse apenas. – Sei que você também viu.

O queixo dela tremeu de leve e Fanny olhou para outro lado, e sua boca macia se contraiu. Estendi a mão devagar e toquei seu ombro.

– Você pode me dizer *qualquer* coisa – falei. – Nunca precisa me contar nada que não queira, nem a mim nem ao sr. Fraser. Mas se houver algo sobre o qual queira conversar... sua irmã, talvez, ou qualquer outra coisa, você pode. Pode falar com qualquer um da família: comigo, com o sr. Fraser, com Brianna ou com o sr. MacKenzie... Pode contar a qualquer um de nós seja lá o que precise. Não vamos ficar chocados... – *Na verdade, provavelmente vamos, mas pouco importa.* – E talvez possamos ajudar se alguma coisa a estiver incomodando. Mas...

Isso a fez erguer os olhos, alerta, o que me desestabilizou um pouco. Aquela menina tinha tido muita experiência em detectar e interpretar tons de voz, provavelmente por uma questão de sobrevivência.

– Mas – repeti com firmeza – nem todo mundo que mora na Cordilheira teve essas experiências, e muitas dessas pessoas nunca encontraram ninguém que tenha tido. A maioria delas morava em pequenos povoados na Escócia, muitas não tiveram educação. Elas *talvez* ficassem chocadas se lhes falasse sobre... onde morou. Como você e sua irmã...

– Elas nunca conheceram prostitutas? – perguntou ela e piscou. – Acho que alguns dos homens devem ter conhecido.

– Sem dúvida você tem razão – falei, tentando manter a conversa sob controle. – Mas quem fala são as mulheres.

Ela aquiesceu com gravidade. Pude ver que um pensamento lhe ocorreu. Ela desviou os olhos por um instante, então tornou a me encarar com os olhos semicerrados, intrigada.

– O que foi? – perguntei.

– A mãe da sra. MacDonald diz que a senhora é uma bruxa – respondeu. – A sra. MacDonald tentou fazer ela parar de falar quando viu que eu estava escutando, mas a velha senhora não para de falar sobre nada, nunca, exceto quando está comendo.

Eu já tinha encontrado uma ou duas vezes a mãe de Janet MacDonald, vovó Campbell, e não fiquei muito surpresa ao escutar isso.

– Não acho que ela deva ser a única – comentei. – Mas o que estou sugerindo é que talvez você devesse tomar cuidado com o que diz para as pessoas de fora da família sobre sua vida na Filadélfia.

Ela assentiu.

– Não tem problema vovó Campbell dizer que a senhora é uma bruxa – falou, pensativa. – Porque o sr. MacDonald tem medo do sr. Fraser. Ele tentou fazer a vovó parar de falar sobre a senhora – acrescentou e deu de ombros. – Enfim, ninguém tem medo de mim.

É só dar tempo ao tempo, pensei, espiando-a de esguelha.

– Eu não diria que as pessoas têm *medo* do sr. Fraser, não exatamente... mas elas o respeitam – falei com cuidado.

Ela encolheu um pouco a cabeça, indicando que discordava mas que não iria me contrariar.

– Às vezes uma das meninas arrumava um protetor – falou. – De vez em quando, ele até se casava com ela... – O pensamento a fez dar um breve suspiro. – Mas em geral só se certificava de que ela recebesse boa comida e roupas de qualidade, e de que ninguém a machucasse nem a usasse de um jeito ruim.

Não sabia ao certo que rumo aquela conversa iria tomar, mas inclinei a cabeça com curiosidade.

– Quando minha irmã encontrou William perto da Filadélfia, ele diche... *disse* que ia tomar conta da gente. Ela ficou muito feliz. – Sua voz baixa e cristalina de repente ficou embargada: – Che... che a gente *pudeche* ter ficado com ele...

Jamie me contara o que tinha acontecido com Jane, irmã de Fanny, e fizera isso usando o mínimo possível de palavras. Aquilo o deixara chocado e ferira tanto ele quanto William. Ajoelhei-me ao lado de Fanny e a puxei para um abraço. Ela chorou quase em silêncio, do mesmo jeito de uma criança que esconde a tristeza ou a dor temendo ser punida, e eu a abracei com força enquanto sentia lágrimas arderem nos meus olhos.

– Fanny – sussurrei por fim –, você está segura. Não vamos deixar nada acontecer com você, nunca mais.

Ela deu um soluço e estremeceu brevemente, mas não me abraçou de volta. Tampouco se afastou; ficou apenas sentada no banquinho, calada e frágil como um passarinho ferido, com as penas estufadas para conservar a vida que ainda lhe restava.

– William – disse ela, tão baixinho que mal consegui escutar. – Ele pediu ao sr. Fraser que cuidasse de mim. Mas... mas o sr. Fraser não precisa fazer isso. Na verdade, não estou sob a *protechão* dele.

– Está sim, Fanny – falei junto ao leve cheiro de tecido de sua touca, e a afaguei com delicadeza. – William deu você para ele e…

– E agora ele está zangado com Will-iam. – Ela se afastou e enxugou as lágrimas com os nós dos dedos.

– Ah, meu Deus. Quer dizer que você está com medo de a expulsarmos porque o sr. Fraser tem uma… ahn, uma diferença de opinião com William? Não. Não, Fanny, não mesmo. Acredite em mim, isso não vai acontecer.

Ela me lançou um olhar de dúvida, mas aquiesceu. Estava claro que *não* acreditava em mim.

– O sr. Fraser é um homem de palavra – afirmei.

Ela passou vários instantes me encarando, com o cenho franzido. Então se levantou, passou a manga por baixo do nariz e me fez uma mesura.

– Não vou falar com ninguém – afirmou. – Sobre nada.

36

O QUE NÃO SE DEIXA VER

Eu tinha tomado a decisão do que fazer em relação a Denny segundos depois de gritar "escocês cabeça-dura!" para Jamie, mas a conversa com Fanny havia me tirado momentaneamente o assunto da cabeça. Entre uma coisa e outra, foi só no fim da tarde seguinte que consegui encontrar Brianna sozinha.

Sean McHugh e seus dois filhos mais velhos tinham vindo de manhã para ajudar a construir o telhado da cozinha e a erguer a estrutura das paredes do terceiro andar. Jamie e Roger haviam passado a manhã lá em cima com os três, e o efeito de cinco homens grandes armados com martelos era mais ou menos o mesmo de um pelotão de pica-paus gordos marchando acima de nossa cabeça. Eles haviam passado a manhã inteira martelando, o que fez todo mundo fugir de casa, mas fizeram um intervalo para um almoço tardio à beira do córrego e eu tinha visto Bree voltar para dentro de casa com Mandy.

Encontrei-a em meu consultório rudimentar, sentada ao sol vespertino que entrava pela grande janela, a maior da Casa Nova. Ainda não havia vidraças e talvez não houvesse antes da primavera, mas a enxurrada de luz da tarde que entrava era uma glória e se refletia nas tábuas novas do piso de pinheiro amarelo, no amarelo-claro como manteiga da saia de fabricação caseira de Bree e no halo de fogo de seus cabelos parcialmente presos em uma longa trança solta.

Ela estava desenhando. Vê-la absorta no papel pregado em sua prancheta de colo me causou uma profunda inveja de seu dom; não era a primeira vez. Eu teria dado muita coisa para ser capaz de capturar em uma imagem o que estava vendo agora: Brianna sob aquela luz clara e profunda, feita de bronze e de fogo, com a cabeça abaixada enquanto observava Mandy no chão, cantarolando e construindo um edifício com blocos de madeira e os pequenos e pesados frascos de vidro que eu costumava usar para tinturas e ervas secas.

– Em que está pensando, mamãe?

– O que disse? – Ergui os olhos para Bree, piscando, e ela deu um leve sorriso.

– Perguntei em que estava pensando – repetiu ela, paciente. – Você está com *aquela* cara.

– E que cara seria? – perguntei, desconfiada.

Todos em minha família acreditavam que eu era incapaz de guardar segredos; que tudo que pensava ficava estampado em meu rosto. Eles não estavam inteiramente certos, mas tampouco estavam errados. O que nunca tinha lhes ocorrido era quão transparentes eram para *mim*.

Brianna inclinou a cabeça para o lado e me examinou com os olhos semicerrados. Abri um sorriso agradável e estendi a mão para interceptar Mandy quando ela passou por mim com passos ligeiros, carregando três frascos de remédios.

– Você não pode levar os frascos da vovó lá para fora, meu amor – falei, retirando-os com agilidade dos dedinhos gorduchos. – Vovó precisa deles para pôr remédios.

– Mas eu vou catar sanguessugas com Jemmy, Aidan e Germain!

– Não iria conseguir pôr nem uma sanguessuga dentro de um frasco deste tamanho – falei, levantando-me e pondo os frascos em uma prateleira fora de seu alcance.

Passei os olhos pela prateleira logo abaixo e deparei com uma tigela de cerâmica com a tampa meio lascada.

– Tome, leve isto. – Envolvi a tigela com uma pequena toalha de linho e a pus no bolso de seu vestido. – Não se esqueça de pôr um pouco de lama... um *pouco* de lama, entendeu? Uma pitada basta... e algumas algas do lugar onde encontrar as sanguessugas. Assim elas vão ficar contentes.

Observei-a sair trotando pela porta, com os cachos negros balançando, então tomei coragem e me virei para Bree.

– Bom, se quiser mesmo saber, estava pensando em quanto deveria contar para você.

Ela riu, mas houve empatia na risada.

– Era essa cara mesmo. Você sempre fica parecendo uma garça mirando a água quando não consegue decidir se conta ou não alguma coisa para alguém.

– Uma garça?

– Concentrada e com os olhos vidrados – explicou ela. – Uma assassina contemplativa. Um dia desses vou desenhar você fazendo essa cara para poder ver.

– Contemplativa... Se você está dizendo, eu acredito. Você nunca encontrou Denzell Hunter, certo?

Ela fez que não com a cabeça.

– Não. Acho que Ian falou nele uma ou duas vezes… Um médico quacre? Ele não é irmão de Rachel?

– Ele mesmo. Para nos atermos ao básico, ele é um médico maravilhoso, um bom amigo meu, e, além de ser irmão de Rachel, é casado com a filha do duque de Pardloe… que por acaso é o irmão mais velho de lorde John Grey.

– Lorde John? – Seu rosto já banhado de luz se abriu em um sorriso radioso. – Minha pessoa preferida… fora da família. Você teve notícias dele? Como ele está?

– Até onde sei, bem. Eu o vi em Savannah alguns meses atrás… o Exército Britânico ainda está lá, então ele também deve estar. – Eu havia pensando no que dizer na esperança de evitar qualquer coisa constrangedora, mas um roteiro não é a mesma coisa que uma conversa. – Estava pensando se poderia escrever para ele.

– Imagino que sim – disse ela, com a sobrancelha ruiva arqueada. – Neste exato minuto?

– Bem… em breve. A questão é que Jamie acaba de receber uma carta de um de seus ordenanças do Exército… depois eu conto sobre isso. Enfim, o teor geral da carta é que Denzell Hunter foi capturado pelo Exército Britânico e está sendo mantido em uma prisão militar em Stony Point.

– Capturado fazendo o quê? – Ela se sentou mais ereta e afastou a prancheta de lado. Vi que não estivera desenhando um retrato sentimental da filha: aquilo parecia mais a planta baixa de alguma coisa, embelezada por pequenos desenhos de macacos nas margens. – Ele é quacre?

Suspirei.

– Sim. Ele é o que se chama de "quacre combatente", só que não combate. Mas entrou para o Exército Continental como médico e foi capturado em algum campo de batalha.

– Parece um homem interessante – comentou ela, com a sobrancelha ainda arqueada. – O que ele tem a ver com eu escrever para lorde John?

Expliquei, o mais brevemente possível, as conexões e possibilidades, e concluí dizendo:

– Então eu… nós… queremos que o duque saiba onde Denny está. Mesmo que não consiga a liberdade dele… e, conhecendo Hal, eu não duvidaria que vá tentar isso… ele *pode* garantir que Denny seja bem tratado, encontrar Dottie e conseguir que alguém cuide dela.

Bree me observava com uma expressão curiosamente analítica no rosto, como se estivesse estimando as forças de cisalhamento nas vigas de sustentação de uma ponte.

– O que foi? – falei. – John era um bom amigo. Digo, antes. Eu teria pensado que você fosse querer escrever para ele de todo jeito.

– Ah, eu quero – garantiu ela. – Estou só pensando por que *você* não escreve para ele. Ou, aliás, por que não escreve para "Hal"? Quero dizer, já que você o chama pelo primeiro nome.

Droga. Eu não podia mentir. Tirando a questão da honestidade, ela perceberia na hora. *Limite-se à verdade tanto quanto possível e então...*

– Bom, é por causa de Jamie – falei, com relutância. E era *mesmo*, mas eu tinha um pouco de escrúpulo em relação a entregá-lo para Bree. – Ele teve um desentendimento com os Greys um tempo atrás. Não estão se falando. Se eu escrevesse para John ou para Hal, ele iria... levar a mal – falei, em uma conclusão sofrível.

Sendo filha de quem era, Bree na mesma hora pôs o dedo no xis da questão.

– Que tipo de desentendimento? – perguntou. A expressão analítica tinha desaparecido, sobrepujada pela curiosidade.

Bom, então era isso. Ou eu poderia dizer "Pergunte a seu pai" e ela perguntaria *mesmo*, ou poderia enfrentar a situação e torcer pelo melhor desfecho. Enquanto ainda estava tentando me decidir, porém, ela passou ao pensamento seguinte.

– Se Pa ficaria chateado caso você escrevesse para lorde John, por que não ficaria chateado se *eu* escrevesse? – perguntou, sensata.

Ela havia colocado o desenho sobre a bancada, onde eu podia vê-lo bem. Os macaquinhos todos se pareciam com Mandy.

– Para começo de conversa, porque ele não saberia que eu comentei com você sobre o desentendimento. – *E, com sorte, talvez não descobrisse que você escreveu.* Apesar de o recinto estar apenas levemente aquecido por causa do sol, eu estava sentindo um calor desconfortável e sentia as roupas pinicarem e grudarem na pele.

– Certo – disse ela, após pensar por alguns instantes, e estendeu a mão para uma pena. – Vou escrever agora mesmo. Mas... – falou e apontou a pena para mim. – Ou você me conta que história toda é essa, ou vou perguntar para lorde John. E ele vai me contar.

E seria bem provável, maldição. Ele tinha contado para Jamie, pelo amor de Deus...

– Está bem – falei e fechei os olhos. – Ele se casou comigo quando pensamos que Jamie tivesse morrido.

Silêncio total. Quando abri os olhos, vi que Bree me encarava com as sobrancelhas erguidas e uma expressão de total incompreensão. E então me lembrei da conversa que tinha tido com Fanny. Achava que ela fosse ficar calada em relação às conclusões que havia tirado. Mas se não ficasse...

– E eu dormi com ele. Mas não é o que está pensando...

Nesse momento nada auspicioso, Jamie passou em frente à janela com Sean McHugh. Os dois estavam conversando, ambos olhando para cima, Jamie apontando para algo no andar superior. Brianna produziu um ruído como se tivesse tentado engolir um mamão inteiro e Jamie olhou espantado em nossa direção.

Fiquei com a sensação de ter engolido uma granada de mão, mas rapidamente dei um tapa nas costas de Brianna enquanto fazia um gesto de "Não é nada" para Jamie. Ele franziu o cenho, mas McHugh comentou alguma coisa e ele olhou para outro lado, em seguida olhou de volta para mim, preocupado. Acenei com mais veemência, mas Jamie falou para Sean por cima do ombro "Um instante, *a charaid*" e veio andando em direção à janela.

– Jesus H. Roosevelt Cristo – resmunguei entre dentes, e pensei ter ouvido Brianna dar uma risada abafada.

– Tudo bem com a menina? – perguntou Jamie, espichando a cabeça para dentro pela janela e erguendo o queixo para Bree, que arquejava um pouco, sentada toda encolhida em seu banquinho.

– Eu... está tudo bem – falou meio rouca. – Engoli al-alguma coisa...

Ela acenou debilmente para a bancada, onde havia uma caneca de algo entre os restos de ervas secas e os recipientes espalhados.

Jamie ergueu a sobrancelha, mas não insistiu na questão. Em vez disso, virou-se para mim.

– Pode subir? Geordie esmagou o dedo com o martelo. Ele disse que não é nada, mas estou achando esquisito.

Tive a sensação de ter corrido 1 quilômetro logo depois de comer.

– Está bem – respondi, enxugando as palmas das mãos suadas no avental. Olhei rapidamente por cima do ombro. – Eu já volto, Bree.

O vermelho de seu rosto estava diminuindo.

– Humm. – Ela tossiu e respirou fundo. – Não vá cair do telhado.

Brianna pegou o esboço de uma sede em potencial para a escola e passou um minuto fitando o desenho, mas não eram janelas e bancos que estava vendo. O que visualizava, com um misto de horror e profunda curiosidade, era a mãe na cama com lorde John Grey.

– Como isso foi acontecer? – perguntou ao esboço.

Colocou-o sobre a bancada e se virou para olhar pela janela, agora tranquila, com sua vista da longa encosta que descia abaixo da casa tomada por capim florido e arbustos de corniso.

– E como vou conseguir olhar nos olhos de John Grey da próxima vez que o vir?

Para não falar no pai... Sim, ela podia entender por que Pa teria um problema com o fato de sua mãe escrever para John Grey. Apesar da perturbação que sentia, uma risadinha chocada lhe escapou da garganta e ela tapou a boca com a mão.

Eu gosto de mulheres, sim, dissera ele certa vez, exasperado. *Admiro e honro as mulheres, e por várias pessoas desse sexo sinto um afeto considerável... entre elas sua mãe, embora duvide que esse sentimento seja recíproco.*

Seu diafragma sofreu um pequeno espasmo desconcertado quando pensou nisso.

– Ah, é mesmo? – murmurou, recordando o último comentário dele sobre o assunto. *Mas eu não busco prazer na cama com elas. Estou falando de modo direto o suficiente?*

– Em alto e bom som, Sua Senhoria – disse ela em voz alta, dividida entre o choque e a diversão.

É claro que as pessoas mudavam... mas não *tanto* assim. Brianna balançou a cabeça. Sua respiração tinha se acalmado, mas o corpete do vestido ainda parecia apertado. Enfiou o dedo por dentro do espartilho para afrouxar um pouco as barbatanas e foi então que sentiu o tremor no peito.

– Ah, que droga... – murmurou, e se segurou na borda do banco para não cair.

Todo o sangue havia se esvaído de sua cabeça e ela estava vendo tudo preto. Seu coração tinha parado outra vez. Literalmente parado.

Um... dois... três... Bata, porcaria, bata! Em pânico, ela bateu com a base da mão no esterno, com força. Então arquejou quando seu coração começou a bater, ao mesmo tempo aliviada e chocada com o baque surpreendente dentro do peito. O coração então disparou como uma lebre em uma corrida de galgos, vibrando dentro do peito, deixando-a sem ar e aterrorizada, com a mão pressionada no esterno.

– Pare com isso, pare com isso, pare com isso... – sussurrou entre dentes. Já tinha parado antes, aquela correria... iria parar outra vez... Só que não parou.

– Bree? Onde você...? Jesus H. Roosevelt Cristo!

Sua mãe de repente estava ali, arrancando o papel amassado de sua mão, amparando-a com um braço forte pela cintura.

– Sente-se – disse Claire, calma e decidida. – Isso, assim...

Suas saias inflaram ao redor quando ela afundou até o chão, uma nuvem amarelada a tremeluzir em meio à névoa branca. Com as mãos espalmadas no chão, Brianna resistiu à pressão da mãe para se deitar, balançando a cabeça.

– Não. – Embora não sentisse conexão com a própria voz, ela a escutou, rouca porém nítida. – Eu vou ficar bem. Está tudo bem.

– Certo.

Tábuas rangeram; Claire se sentou a seu lado e ela ouviu uma caneca de madeira se arrastar por cima das tábuas. Calor... a mão da mãe em volta de seu pulso, um polegar se movendo em busca da pulsação.

Boa sorte com isso, pensou, tonta.

Mas, na mesma hora em que teve esse pensamento, seu coração desacelerou. Uma parada desconcertada, uma ou duas batidas aleatórias e ele então retomou tranquilamente seu funcionamento normal, como se nada tivesse acontecido.

Mas tinha e, ao erguer a cabeça, Brianna deu com os olhos da mãe cravados em seu rosto, exibindo uma expressão de observação atenta que ela conhecia muito bem. A garça.

– Eu estou bem – falou com firmeza. – Só... só fiquei tonta um instante.

Claire ergueu uma sobrancelha, mas não disse nada. Sua mão continuava em volta do pulso revelador de Brianna.

– Sério. Não é nada – disse ela, soltando-se.

Todas as vezes dizia para si mesma que não era nada.

– Quando começou?

Os olhos de Claire em geral tinham um tom suave de âmbar, menos quando estava sendo médica. Nessas horas, ficavam de um amarelo penetrante com pupilas negras, como os olhos de uma ave de rapina.

– Quando você me contou que... meu Deus, você acabou de me contar que...

Com cautela, Brianna se levantou. Mas seu coração continuou a bater tranquilo, exatamente como devia. *Não é nada.*

– Contei, sim. E não estou falando de agora – disse sua mãe, seca, levantando-se também. – Quando aconteceu pela *primeira vez*?

Ela cogitou mentir, mas a ânsia de seguir negando que algo estivesse errado se esvaía depressa, derrotada pela necessidade, pela esperança de ser tranquilizada.

– Logo depois de atravessarmos as pedras em Ocracoke. Foi... Eu achei que não fosse conseguir.

A tontura ameaçou voltar com a lembrança daquele... daquele... Ela sentiu um engulho repentino, dobrou o corpo e vomitou, lançando uma poça clara de mingau parcialmente digerido sobre as tábuas novas e limpas do consultório.

– Puxa vida. – A voz de sua mãe foi suave. – Você não está grávida, está?

– Nem *pense* nisso! – Ela estremeceu e enxugou a boca no avental. – Não posso estar.

Não tinha sequer pensado nessa possibilidade, e não era agora que começaria. Já estava assombrada pela ideia de morrer e deixar Jem e Mandy...

– Em Ocracoke – repetiu, controlando-se. – Eu saí das pedras com Mandy no colo. Não conseguia ver... Eram só pontinhos pretos e brancos e pensei que fosse desmaiar, e aí meio que desmaiei *mesmo*... Fiquei caída no chão ainda abraçada com Mandy; ela se debatia para se soltar e gritava "Mamãe, mamãe!", mas eu não conseguia responder, então percebi que meu coração não estava batendo. Achei que estivesse morrendo.

Ela sentiu o cheiro de algo doce e pungente, e Claire fez seus dedos envolverem uma caneca e a guiaram até seus lábios.

– Você não vai morrer – disse sua mãe com um agradável tom de convicção.

Bree assentiu, querendo acreditar nisso, embora seu coração ainda estivesse descompassado, deixando instantes de vazio em seu peito. Tomou um golinho do líquido: era uísque adoçado com mel, misturado com alguma erva perfumada.

Ela fechou os olhos e se concentrou em dar golinhos lentos, mentalizando para as coisas se acalmarem e voltarem ao normal. Seu entorno começava a retornar. O sol morno entrava pela grande janela e banhava seus ombros.

– Com que frequência acontece?

Ela engoliu, saboreando a doçura que entrava em sua corrente sanguínea. Abriu os olhos.

– Aconteceu em Ocracoke, depois de novo na noite seguinte. Estávamos na estrada, acampados. – A lembrança a fez se retrair: deitada rígida no chão ao lado de Roger, com as crianças adormecidas entre os dois. O coração disparado, os punhos cerrados para não agarrar o braço de Roger e sacudi-lo para fazê-lo acordar. – A segunda vez foi pior e... durou horas. Ou pelo menos pareceram horas. Finalmente parou pouco antes do amanhecer.

Ela se sentira exausta, tão prostrada quanto as roupas úmidas de orvalho que lhe envolviam os membros; ainda recordava o terrível esforço necessário para se levantar, para pôr um pé na frente do outro...

A vez seguinte tinha sido uma semana depois, em uma balsa no rio Yadkin, e a última antes daquela na estrada de Cross Creek para Salisbury.

– Essas duas não foram tão ruins. Só alguns minutos... como a de agora. – Ela tomou outro golinho, segurou-o dentro da boca e ergueu os olhos para a mãe. – Você sabe o que é?

Sua mãe estava ocupada terminando de limpar o vômito das tábuas cruas do piso, com os lábios comprimidos e o cenho franzido.

– Sem um eletrocardiograma existe um limite para o que posso afirmar – respondeu Claire, com os olhos pregados no pano que usava. – Mas, falando de modo muito geral, você parece estar tendo uma coisa chamada fibrilação atrial. Não é algo que envolva risco de vida – acrescentou ela, erguendo os olhos e vendo o alarme na expressão de Bree.

Seu coração tinha dado uma espécie de salto em câmera lenta quando ouviu as palavras da mãe e agora batia de um jeito que parecia hesitante. Seus joelhos começaram a tremer e ela se sentou de repente. Sua mãe largou o pano, abaixou-se a seu lado e a puxou para si. Seu rosto ficou parcialmente enterrado no avental cinza áspero, que cheirava a gordura e alecrim, a sabão suave e sidra. O cheiro daquele tecido e do corpo de sua mãe fez lágrimas de impotência brotarem de seus olhos. Podia não ser algo que envolvesse risco de vida, mas tampouco parecia ser algo sem importância.

– Vai ficar tudo bem – sussurrou Claire entre seus cabelos. – Vai ficar tudo bem, filhinha.

Ela se agarrava ao braço da mãe com força; era como se o osso comprido fosse um bote salva-vidas.

– Se... se alguma coisa acontecer... você cuida das crianças para mim. – Não foi uma pergunta, e a mãe não a interpretou como tal.

– Sim – disse ela sem hesitar, e a sensação de tremor no peito de Bree se abrandou. Embora estivesse arfando, parecia não haver espaço suficiente para o ar em seus pulmões.

– Tá – falou. Pôde sentir os próprios dedos tremerem no braço da mãe e com esforço os soltou. – Tá – repetiu e se sentou com as costas retas enquanto afastava os cabelos do rosto. – Tá. E agora?

...

Tu-tum, tu-tum... O som encorpado de um coração saudável era claramente audível através de meu estetoscópio de Pinard de madeira. Ele batia um pouco mais depressa que o normal, o que não era de espantar... mas estava saudável. Endireitei as costas e Bree na mesma hora levou a mão ao colarinho da blusa para fechá-la; sua expressão era tensa.

– Seu coração parece perfeito, querida – falei. – Tenho certeza de que é um tiquinho de fibrilação atrial, mas é só um problema de impulsos elétricos irregulares. Você não vai ter um ataque cardíaco nem nada desse tipo.

A tensão no rosto de Brianna se abrandou e meu coração se contraiu de leve.

– Bom, graças a Deus então. – Uma grossa mecha de cabelos tinha se soltado da fita. Quando ela a afastou do rosto, notei que sua mão estava tremendo. – Mas... mas vai continuar acontecendo?

– Não sei. – Tirando alguma notícia ruim, "Não sei" é a pior coisa que um médico pode dizer a um paciente, mas infelizmente é também a mais comum. Respirei fundo e me virei para minhas prateleiras de remédios.

– Ai, meu Deus – disse Bree, e a apreensão genuína em sua voz foi matizada por um bom humor relutante. – Você está pegando mais uísque. Deve ser coisa séria.

– Bom... se não quiser, eu quero – falei.

Tinha escolhido o melhor, o Jamie Fraser Special, não o uísque medicinal que costumava dar aos pacientes, e o aroma da bebida se espalhou, quente e forte, dissipando os cheiros de terebintina, metal chamuscado e poeira misturada com pólen.

– Ah, eu quero sim, com certeza.

Ela pegou a caneca de metal e inalou as emanações reconfortantes; seus olhos se fecharam involuntariamente e seu rosto relaxou.

– Então – falou, erguendo a sobrancelha. – O que você *acha*?

Remexi meu uísque devagar com a língua, então engoli.

– Como disse, a fibrilação atrial é um problema de impulsos elétricos irregulares. Seu músculo cardíaco está íntegro, mas... mas de vez em quando está recebendo sinais trocados, por assim dizer. Normalmente todas as fibras musculares de seus átrios se contraem ao mesmo tempo. Quando não recebem uma mensagem sincronizada do nodo elétrico de seu coração, elas se contraem de modo mais ou menos aleatório.

Brianna deglutiu outro gole enquanto assentia.

– É bem assim a sensação. Mas você disse que não é perigoso? Dá um medo danado.

Hesitei, por uma fração de segundo a mais do que deveria. Ninguém exceto Jamie era mais sensível à transparência de meu rosto e vi o alarme tornar a surgir no fundo de seus olhos.

– Não é *muito* perigoso – falei depressa. – E você é jovem e está em ótima forma física; a probabilidade é bem menor.

– Probabilidade *de quê*? – Ela olhou involuntariamente para o telhado; Mandy estava no quarto das crianças acima de nós, cantando "Frère Jacques" bem alto para sua boneca Esmeralda.

– Bom... de derrame. Se os átrios passarem muito tempo sem se contrair direito... Eles são os responsáveis por bombear o sangue para dentro dos ventrículos. O ventrículo direito bombeia sangue para os pulmões, o esquerdo para o resto do corpo... – Ao ver suas sobrancelhas ruivas se unirem, fui direto ao ponto: – O sangue pode ficar empoçado nos átrios por tempo suficiente para formar um coágulo, que pode se dissolver antes de se mover pelo corpo. Caso contrário...

– Fim da linha? – Ela tomou um gole generoso da bebida. Havia ficado branca feito papel durante a crise e agora estava bem parecida. – Ou só ficaria prejudicada, babando e sem conseguir falar, e as pessoas teriam que me dar comida e me arrastar de um lado para outro e limpar minha bunda?

– Não é provável que isso aconteça – falei, no tom mais tranquilizador possível, que, dadas as circunstâncias, não era nem um pouco tranquilizador.

Podia visualizar tão bem quanto ela os assustadores possíveis desfechos. Um pouco melhor até. Na verdade, uma vez que de fato já tinha visto um bom número de pessoas sofrerem os efeitos de um derrame, inclusive a morte. Tive um impulso momentâneo e absurdo de contar um fato fascinante sobre homens que morriam de derrame, mas aquele não era o momento.

– E o que pode fazer a respeito? – perguntou Brianna, endireitando as costas e firmando os lábios. Vi seus olhos se voltarem para o volume do novo *Manual Merck* e passei o livro para ela.

– Não sei bem – falei. – Dê uma olhada.

Não estava muito esperançosa, considerando o que a fibrilação atrial de fato era: uma perturbação intermitente do sistema elétrico cardíaco.

– Quero dizer... – falei, ao vê-la folhear o livro usando o polegar, com uma ruga de preocupação na testa. – É possível parar um ataque grave... um que dure muitos dias...

– Muitos *dias*? – disse ela sem pensar, com os olhos arregalados.

Agitei a mão no ar em um gesto tranquilizador.

– Você não tem esse tipo de fibrilação – garanti. *Mas veja bem, pode sempre vir a desenvolver...* – Você só tem o tipo menos intenso, convulsivo, que vem e vai e pode desaparecer um dia. – *E Deus, por favor, por favor permita que isso aconteça...* – Mas para um ataque grave o tratamento normal nos anos 1960 era administrar um choque elétrico no coração usando pás encostadas no peito. Isso faz a fibrilação parar e o coração voltar a funcionar normalmente. – *Na maior parte das vezes...*

– O que não podemos fazer aqui – disse Bree, correndo os olhos pelo consultório como quem avalia seus recursos.

– Não. Mas repito: *você não tem nada tão grave.* Não vai precisar de eletrochoques.

Minha boca ficou seca quando rememorei visões de uma cardioversão. Mesmo quando dava certo, eu já tinha visto um paciente receber choques repetidos, o pobre corpo varado pela eletricidade e projetado para cima, até cair de volta torturado sobre a maca, apenas para encarar mais uma rodada quando a agulha do eletrocardiograma flutuava como um sismógrafo. Engoli o resto do uísque em uma golada.

– Aí diz alguma coisa útil?

– Não – respondeu ela, fechando o livro. Falou em tom casual, mas pude ver quanto estava abalada. – É como você disse... é preciso administrar choques. Quero dizer... *existe* um remédio que dizem que às vezes funciona em alguns pacientes, mas tenho certeza de que não é algo que possamos conseguir aqui. *Digitalis?*

Fiz que não com a cabeça. Penicilina era uma coisa... e mesmo isso não era de forma alguma confiável. Ainda não tinha como fabricar uma dose padrão, nem como ter certeza se uma leva da substância era potente.

– Não – respondi, pesarosa. – Quero dizer... é *possível* extrair digitalina das folhas da dedaleira, e isso se faz. Mas com certeza é perigoso porque não há como prever a dosagem, e até mesmo um pouquinho a mais pode matar. Nós temos algumas coisas que podemos usar. – Tentei soar animada e segura. – Vamos nos certificar de ter sempre à mão um bom estoque do chá de salgueiro-branco... É o mais potente. – Salgueiro-branco não era uma árvore nativa da Carolina do Norte, mas estava disponível nas boticas das cidades e eu tinha um bom estoque trazido por Jamie de Salisbury.

– Chá? – indagou ela, cética.

– Na verdade, o princípio ativo do chá de casca de salgueiro é exatamente o mesmo composto químico encontrado na aspirina. E, embora as pessoas o usem quase sempre para aliviar a dor, ele tem o efeito colateral interessante de afinar o sangue.

– Ah. Quer dizer que... se meu coração começar a ficar estranho, eu devo preparar uma caneca de chá de casca de salgueiro e isso pelo menos vai impedir meu sangue de formar coágulos? – Ela estava tentando manter o tom de dúvida, mas eu podia ver que uma minúscula fagulha de esperança havia surgido. Agora minha função era assoprá-la e tentar incentivá-la a se firmar e crescer.

– Exatamente. O chá não vai aliviar os sintomas perturbadores, mas para esses existem alguns tipos de coisas práticas que você pode tentar.

– Como por exemplo?

– Bom, ouvi falar que mergulhar o rosto em água fria às vezes funciona...

– Você *ouviu* falar? Aposto que nunca viu ninguém fazer isso, já? – perguntou uma Brianna cética, mas interessada.

– Na verdade, já. No Hôpital des Anges, em Paris. – Mergulhar diversas partes do corpo em água fria, ou às vezes quente, era um tratamento receitado para diversas enfermidades distintas no *hôpital*, já que a água era ao mesmo tempo disponível e barata. E surpreendentemente funcionava, pelo menos a curto prazo.

– Ou... se você por acaso não estiver perto de água fria... pode tentar uma das manobras vagais.

Isso a pegou de surpresa e ela me lançou um olhar inquisitivo.

– Fazer sexo...?

– Não manobras *vaginais* – falei. – Talvez sexo não seja uma boa ideia durante uma fibrilação. Eu disse manobras *vagais*... ou seja, para estimular o nervo vago. Existem várias formas de se fazer isso, mas a mais simples, e provavelmente a melhor, é a manobra de Valsalva. O nome soa meio pomposo, mas é só inspirar profundamente e prender a respiração, como se estivesse tentando curar um soluço, em seguida pressionar os músculos abdominais com a maior força possível... como se estivesse tentando se forçar a evacuar enquanto prende a respiração.

Ela me encarou com um olhar demorado e pensativo, o tipo de olhar que Jamie teria me lançado ao receber aquele tipo de conselho. Profundamente desconfiado de que eu estivesse brincando com ele, mas em seu íntimo temeroso de que não.

– Bom, eu com certeza vou fazer um sucesso danado nas festas – disse ela.

37

MANOBRAS INICIADAS COM A LETRA V

Jamie e eu não tínhamos dito nada um para o outro sobre lorde John Grey, ciúme ou teimosia desde que ele saiu pisando firme no meio de nosso bate-boca, embora eu não soubesse se tinha feito isso para encerrar a discussão ou apenas para reprimir a vontade de me esganar.

Ele havia se mostrado calmo e afável ao entrar para jantar, mas eu o conhecia. Jamie me conhecia também, e nós nos deitamos para dormir lado a lado, desejamos boa noite e *oidhche mhath* um para o outro, viramos de costas e ficamos nos revezando na tarefa de respirar e tentar pegar no sono, eu concluindo que os sábios que recomendavam não dormir sem fazer as pazes nunca conheceram um escocês.

Minha intenção era encontrá-lo sozinho e pôr tudo às claras, mas entre o telhado, o polegar esmagado de Geordie McHugh e a notícia preocupante dos batimentos cardíacos irregulares de Brianna, a oportunidade não tinha se apresentado.

Visto de fora, o jantar foi tranquilo: nenhuma visita, nenhum desastre culinário e nenhuma emergência – como por exemplo uma das crianças pegar fogo, o que tinha de fato acontecido com Mandy poucos dias antes, embora ela houvesse sido salva por Jamie quando ele reparou que o vestido dela estava soltando faíscas, jogou-se por cima da mesa, derrubou-a no chão, a fez rolar sobre o tapete em frente à lareira, em seguida a levantou e a enfiou dentro do caldeirão cheio d'água, que estava ocupado até a metade por rodelas de batata e cenoura, mas por sorte ainda não estava fervendo.

Esmeralda e ela tinham saído dessa provação ensopadas, histéricas e levemente chamuscadas nas bordas, mas inteiras.

Eu mesma estava me sentindo um tanto chamuscada nas bordas e decidida a apagar as brasas acesas sobre as quais estávamos pisando.

De modo que, quando nos levantamos depois de jantar, deixei os pratos na mesa e convidei Jamie para dar uma volta comigo, dizendo querer procurar uma begônia de floração noturna que havia encontrado. Fanny, que fazia alguma ideia do que era uma begônia, lançou-me um olhar incisivo, depois para Jamie, e então baixou os olhos para seu prato vazio.

– Begônia é aquilo que plantamos em volta da latrina? – perguntou Jamie, quebrando o silêncio que durava desde que saíramos da casa. Estávamos nesse momento passando pela latrina principal e o cheiro amargo dos tomates tinha começado a sobrepujar o aroma doce do jasmim. – É esse cheiro que estou sentindo?

– Não, aquilo é jasmim. Só que o jasmim para de dar flor depois do mês de agosto, então plantei tomates por baixo da trepadeira. Você está sentindo o cheiro forte das folhas dos pés de tomate. E esse odor vai durar até o tempo ficar frio de verdade... Depois, nada tem cheiro. Tudo congela.

– Tudo congela, sim. Incluindo qualquer um que passar mais de trinta segundos em uma latrina em janeiro – disse Jamie. – Ninguém se demora para sentir o cheiro das flores quando acha que seu cocô vai virar gelo antes mesmo de sair.

Eu ri e senti a tensão entre nós dois se aliviar, por pior que tivesse sido a piada. Então ele também queria resolver aquilo.

– Um dos aspectos pouco valorizados das roupas femininas – falei. – O isolamento térmico. Quando a temperatura cai, é só pôr mais uma anágua. Ou duas. É claro que... – emendei, olhando na direção da casa para me certificar de que não tínhamos companhia. – É claro que não ter partes íntimas que possam ficar expostas aos elementos também é uma ajuda e tanto.

Uma nesga de lua se refletiu por um breve instante na trave superior do curral, cuja madeira parecia encerada de tão gasta. A casa aparecia imensa contra o céu parcialmente escuro, com apenas umas poucas janelas do térreo iluminadas. Sólida e bela, como o homem que a construíra.

Parei junto à cerca do curral e me virei para ele.

– Eu poderia ter mentido, sabe?

– Não poderia, não. Você não consegue mentir para ninguém, Sassenach, quanto mais para mim. E como Sua Senhoria já me contou a verdade...

– Você não teria como saber se era *mesmo* verdade – falei. – Considerando o que ambas as partes me contaram sobre a tal briga. Eu poderia ter dito a você que John estava falando pelo traseiro apenas para irritar. Você teria acreditado.

– Você poderia ter um pouco mais de cuidado ao escolher as palavras, Sassenach – disse ele com um fio de amargura na voz. – Não quero saber nada sobre o traseiro de Sua Senhoria. Mas por que acha que eu teria acreditado em você? Eu nunca acredito em nada que você me diz que não tenha visto.

– Quem está sendo irritante agora? – perguntei, um tanto fria. – E você teria acreditado em mim porque ia preferir acreditar nisso. Não me diga que não, porque *nisso* quem não vai acreditar sou *eu*.

Ele produziu uma espécie de *hum* entre os dentes. Estávamos recostados na cerca do curral e os cheiros de jasmim, tomate e excrementos humanos foras substituídos pelo de esterco e pelos aromas exalados da floresta: o picante das folhas mortas por baixo do cheiro limpo e forte das resinas de abetos e pinheiros.

– Por que não mentiu, então? – perguntou Jamie após um longo silêncio. – Se achava que eu fosse acreditar?

Demorei para responder; quis escolher as palavras. O ar estava parado, morno, tomado pelo canto dos grilos. Seriam chamados do coração? Ou apenas luxúria de gafanhotos?

– Porque muito tempo atrás eu prometi ser sincera com você – falei. – A sinceridade pode se revelar uma faca de dois gumes, mas acho que as feridas são compensadas pelo respeito.

– Frank achava isso?

Inspirei bem devagar e prendi a respiração até começar a ver pontinhos na periferia de meu campo de visão.

– Você teria que perguntar para ele – falei, de modo incisivo. – Este assunto agora tem a ver com nós dois.

– E com Sua Senhoria.

Perdi a paciência.

– O que quer que eu diga? Que preferiria não ter ido para a cama com John?

– E você preferiria?

– Na verdade – falei entre dentes –, considerando a situação, ou o que eu achava que a situação *fosse*...

Ele era pouco mais do que uma forma alta e preta na noite, mas eu o vi se virar para mim com um movimento brusco.

– Se disser que não, Sassenach, pode ser que eu faça alguma coisa de que vou *me arrepender*, então não diga, está bem?

– Qual é seu problema? Você me perdoou! Disse que tinha me perdoado...

– Não disse, não. Eu disse que iria amar você para sempre, e vou, mas...

– Não se pode amar uma pessoa sem perdoá-la!

– Eu perdoo você – disse ele.

– Como se *atreve*? – gritei, com os punhos cerrados.

– Qual é o problema com você? – Ele tentou segurar meu braço, mas eu me esquivei com um tranco. – Primeiro fica brava porque não disse que a perdoava e agora fica enfurecida porque a perdoei?

– Porque eu não fiz nada de errado, para começo de conversa, seu babaca teimoso, e você sabe disso! Como ousa tentar me perdoar por algo que não fiz?

– Fez, sim!

– Não fiz! Você acha que eu fui infiel a você, mas eu *não fui.*

Eu agora estava guinchando alto o suficiente para abafar os grilos e tremendo de raiva.

Fez-se um longo intervalo de silêncio, durante o qual os grilos recomeçaram a estridular. Jamie se virou para a cerca, segurou a trave de cima com as duas mãos e a sacudiu com violência, fazendo a madeira ranger. Ele podia estar falando em gaélico, mas o que quer que estivesse dizendo soava como o uivo de um lobo enraivecido.

Fiquei parada, arfando. A noite estava quente e úmida, e o suor começava a brotar em meu corpo. Arranquei meu xale e o joguei por cima da cerca. Podia ouvir Jamie respirando também, uma respiração rápida e profunda, mas ele agora estava parado, segurando a cerca do curral, com os ombros contraídos e a cabeça baixa.

– Você quer saber qual é o problema comigo? – perguntou ele por fim.

Apesar de baixa, sua voz não soou calma. Ele endireitou as costas, assomando ao luar.

– Fico jurando para mim mesmo que vou tirar essa… essa coisa da cabeça… e na maior parte do tempo eu consigo. Mas então aquele sodomita me escreve uma carta, do nada… como se a coisa nunca tivesse acontecido! E volta tudo outra vez.

Sua voz tremeu e ele se calou por um instante, balançando a cabeça com violência como para clarear os pensamentos.

– E quando eu penso nisso, e quando vejo você… Eu quero possuir você no ato. Você me excita, pouco importa se está cortando pepinos ou tomando banho pelada no córrego com os cabelos soltos. Eu desejo você demais, Sassenach. Mas *ele* não me sai da cabeça, e se… se…

Sem conseguir encontrar palavras, ele acertou a trave da cerca com o punho cerrado e senti a madeira tremer junto ao ombro.

– Se eu não consigo suportar a ideia de que você e ele treparam *comigo* pelas minhas costas, como acha que posso suportar pensar que você e eu estamos dividindo uma cama com *ele*?

Eu mesma teria socado a cerca se não soubesse que iria doer. Em vez disso, esfreguei as mãos com força no rosto e cravei os dedos no couro cabeludo, desalojando os grampos. Fiquei parada, bufando.

– Nós não estamos – falei, em um tom de absoluta certeza. – Não estamos porque *eu* não estou. Eu nunca, nem por um segundo, pensei em ninguém que não fosse você quando estive em sua cama. E deveria ficar muito ofendida com a ideia de que *você* pensa, mas…

– Eu não penso. – Ele sorveu uma golfada de ar e me segurou pelos braços. – Claire, eu não penso. É só que eu tenho medo de talvez pensar.

Fiquei tonta de tão exaltada e apoiei as duas mãos no peito dele para me equilibrar, e então senti de repente o forte aroma almiscarado de seu corpo, cujas ondas pareciam um fantasma azedo e quente a nos rodear. Eu o excitava mesmo.

– Vou dizer uma coisa – falei por fim e ergui a cabeça para encará-lo. Agora estava escuro de verdade, mas meus olhos estavam suficientemente bem adaptados ao breu para ver seu rosto e seus olhos que buscavam os meus. – Vou dizer apenas uma coisa – repeti e engoli em seco. – Isso... você pode deixar por minha conta.

Ele estremeceu de leve; talvez tivesse sido uma risada contida.

– Você se tem em alta conta, Sassenach – disse ele com voz rouca. – Acha que um lugar quentinho para eu enfiar meu pau é suficiente para me fazer esquecer?

Encarei-o.

– O que você quer dizer com isso, seu...? – Faltaram-me palavras e eu me soltei com um tranco e agitei os braços de frustração e estarrecimento. – Por que está dizendo uma coisa dessas? Você sabe que não é verdade!

Ele coçou o maxilar; pude ouvir o som áspero produzido pelas suas suíças.

– Não, não é – concordou ele. – Estava só tentando pensar em uma coisa ofensiva o suficiente para dizer que fizesse você bater em mim.

Eu de fato ri, embora mais de susto do que por ter achado graça.

– Não me provoque. Por que quer que eu bata em você?

Ele se recostou para trás apoiado nos calcanhares e me olhou de cima a baixo devagar, dos cabelos despenteados até os mocassins gastos. E de novo até em cima.

– Bom, daqui a mais ou menos dez segundos eu pretendo deitar você no mato, levantar suas saias e tratar você com certa dose de brutalidade. Achei que me sentiria melhor em relação a isso se você me provocasse primeiro.

– Eu... *provocar* você?

Fiquei petrificada por três desses dez segundos, com o sangue a trovejar nos ouvidos e a pulsar nos dedos. Então andei em sua direção.

– Sete – falei. – Seis – e estendi a mão para a gola de sua camisa. – Cinco... quatro...

Puxei a camisa para baixo, falei "três" bem alto, inclinei-me para a frente e mordi seu mamilo. E não foi nenhuma mordidinha de amor ou de brincadeira.

Ele me agarrou e, segurando minha nuca, empurrou meu rosto em direção ao dele. Nossas bocas colidiram desajeitadamente e ficaram assim, abertas, vorazes, amorosas, buscando tanto quanto beijando lábios, orelhas, narizes, línguas e dentes, mãos tateando, segurando, puxando e esfregando. Encontrei seu pau e o esfreguei com força por cima da calça. Ele produziu um ruído grave, como um rosnado, e me agarrou pelas nádegas. Então caímos por cima do mato em um emaranhado de joelhos, pernas, braços, roupas amarfanhadas e carne quente exposta ao céu estrelado.

Aquilo pareceu se estender por muito tempo, embora não fosse possível durar tanto. Fui retornando devagar, sentindo as reverberações me percorrerem em um latejar lento e agradável. Provocação. De fato.

Ele estava deitado de costas com o rosto virado para a lua, de olhos fechados, respirando como alguém que foi resgatado em alto-mar. Sua mão direita continuava no meio de minhas coxas e eu estava encolhida a seu lado com a boca a poucos centímetros das formas espiraladas de sua orelha, linda como uma concha.

– Conseguimos tirar isso de nosso sistema, não? – perguntei, com a voz pastosa.

– Nosso? – Sua mão direita estremeceu, mas ele não a retirou.

– Nosso.

Ele deu um suspiro profundo, virou a cabeça em minha direção e abriu os olhos.

– Conseguimos. – Ele sorriu um pouco e fechou os olhos outra vez; seu peito subia e descia debaixo de minha mão. Eu podia sentir seu mamilo encostado em minha palma através da camisa, pequeno e ainda duro.

– Arranhei você?

– Você faz isso toda vez, Sassenach. Mas não saiu sangue.

Passamos um tempo deitados em silêncio, enquanto o canto dos grilos e o farfalhar das folhas corria feito água acima de nós.

Ele disse algo baixinho e virei a cabeça pensando que não tinha escutado direito, mas tinha. Só não sabia que língua ele estava falando.

– Isso não é *gàidhlig*, é? – perguntei, em tom de dúvida, e ele fez que não com a cabeça devagar, ainda de olhos fechados.

– *Gaeilge* – falou. – Irlandês. Escutei de Stephen O'Farrell durante o Levante. Acabei de me lembrar. "Meu corpo está fora de controle… Ela era metade de meu corpo… Ela era metade de minha alma."

38

A FOICE SOMBRIA

Estava desenterrando algumas ervas-leiteiras, com a intenção de transplantá-las para minha horta, quando escutei o zurro inconfundível de uma mula aborrecida. Já tinha tido experiência suficiente com Clarence e alguns de seus companheiros para saber a diferença entre uma saudação e uma declaração de hostilidade. Eram ambos ensurdecedores, mas distintos.

Um par de vozes masculinas e outra mula entraram então no debate. Arrumando depressa dentro de meu cesto as ervas-leiteiras desenterradas do meio do musgo, fui ver o que estava acontecendo.

Nenhuma das vozes parecia conhecida e parei antes de chegar perto da confusão para espiar por entre abetos prateados e álamos altos e finos. Dois homens e duas mulas, de fato. Um dos animais, porém, de pelo baio claro, tinha se virado para o lado e fuçava o mato florido junto à trilha, enquanto o outro, mais escuro, resistia ferozmente às tentativas dos dois homens de forçá-lo a continuar subindo o desfiladeiro estreito e pedregoso. Eu verifiquei: aquele era um burro, não uma mula.

Para falar francamente, não podia censurá-lo. Ele e sua companheira estavam ambos muito carregados, cada qual com um caixote de madeira comprido pendurado de cada lado e grandes trouxas cobertas de lona amarradas de qualquer maneira em um bagageiro sobre a sela.

Eu podia adivinhar o que tinha acontecido. Uma trilha boa e larga subia por aquele lado do vale, mas ela se bifurcava em um ponto chamado Dama Ferida, uma pequena nascente de um azul muito vivo com um único álamo na borda, sólido e de casca branca, mas com filetes de seiva vermelha como sangue a escorrer lentamente das feridas abertas por insetos e pelos pica-paus que os caçavam. A trilha principal fazia uma curva fechada e seguia rumo ao leste, enquanto uma mais estreita e bastante obstruída pela vegetação e por pedras subia direto pelo lado direito do álamo.

Das duas, uma: ou a mula que ia na frente tinha tropeçado nas pedras, ou havia se enroscado nos galhos das árvores que margeavam o caminho. Fosse qual fosse o motivo, as correias que prendiam sua carga se partiram ou escorregaram e metade dela agora estava pendurada por cima do rabo, espalhando pequenas caixas e sacolas de couro por todo lado enquanto um dos caixotes compridos repousava com uma das extremidades no chão e a outra apontada para o céu, com um frágil resto de corda ainda o prendendo ao animal.

Eu já tinha visto o tipo de caixote usado para despachar armas de fogo por mar muitas vezes. Na França, na Escócia, na América... pouco importava o período histórico: uma arma é uma arma e, se você tiver que transportar um grande número delas, é preciso uma caixa comprida e estreita.

Não reconheci nenhum dos homens e não fiquei esperando para me apresentar. Afastei-me o mais depressa que pude, eu e minhas ervas-leiteiras.

Por sorte, encontrei Jamie meia hora depois, entretido com o fabricante de caixões Tom MacLeod.

– Quem morreu? – perguntei em um arquejo, ofegante por ter descido a montanha correndo.

– Ninguém ainda – respondeu Jamie, olhando-me com atenção. – Mas pelo visto daqui a pouco vai ser você, Sassenach. O que houve?

Pus meu cesto sobre um cavalete, sentei-me em cima do outro e contei para os dois o que havia presenciado, fazendo pausas para respirar e para tomar goles do cantil que Tom me estendera.

– Não tem nada no alto daquele caminho a não ser a casa do capitão Cunningham, tem? – observou Tom.

– Está sugerindo que eles não estavam lá à toa? – Jamie espichou a cabeça para fora do barracão de fabricar caixões e olhou para o céu. – Vai chover daqui a pouco. Seria uma pena nossos amigos ficarem atolados na lama.

Tom deu um grunhido de aprovação e entrou em casa, de onde voltou menos de um minuto depois com um velho chapéu de couro na cabeça, um bom fuzil na mão, uma pistola no cinto e uma caixa de cartuchos pendurada no ombro curvado. Trouxe na mão uma segunda pistola que entregou a Jamie.

Jamie assentiu, verificou a pólvora e enfiou a pistola no cinto. Tocando distraidamente sua adaga, meneou a cabeça para mim.

– Pode chamar o Jovem Ian, Sassenach? Eu o vi capinando seu campo não faz nem uma hora.

– Mas o que vocês…?

– Vá – disse ele em tom brando. – Não se preocupe, Sassenach. Vai ficar tudo bem.

Encontrei o Jovem Ian não em seu campo, mas na mata perto dali, de fuzil na mão.

– Não atire! – chamei ao vê-lo por entre os arbustos. – Sou eu!

– Eu não poderia confundir a senhora com nada exceto um urso pequeno ou um cachorro grande, titia – garantiu-me enquanto eu abria caminho por entre um emaranhado de corniso para alcançá-lo. – E eu hoje não queria nenhum dos dois.

– Ótimo. Que tal um belo par de negociantes de armas?

Expliquei da melhor maneira que pude enquanto seguia trotando ao lado dele. O Jovem Ian deu a volta no campo para pegar sua foice e a entregou para mim.

– Não acho que a senhora vá ter que usar, titia – falou ao ver a expressão de meu rosto. – Mas, se ficar parada impedindo a passagem na trilha, só um homem desesperado tentaria passar.

Ao chegar, descobrimos que a trilha já tinha sido bloqueada de modo eficiente pela carga do burro, que o animal dera um jeito de soltar. Quando Ian e eu aparecemos um pouco abaixo dos negociantes de armas, o animal estava aproveitando a recém-adquirida leveza para escalar a pilha de sacolas, caixas e cestos em nossa direção, decidido a se juntar à companheira, que não deixava a própria carga impedi-la de fuçar um grande e espinhento arbusto de amoras que margeava a trilha.

Ficou claro que havíamos chegado quase ao mesmo tempo que Jamie e Tom MacLeod, pois os dois negociantes de armas tinham se virado para nos encarar boquiabertos bem na hora em que Jamie e Tom surgiram na trilha mais acima.

– Quem são *vocês*? – Um dos homens quis saber, olhando perplexo de mim para Ian.

Ian tinha prendido os cabelos no alto da cabeça para que não o atrapalhassem ao andar. Sem camisa, muito bronzeado e tatuado, estava parecido com o mohawk que de fato era. Não quis pensar em qual poderia ser meu aspecto, desalinhada, com os cabelos se soltando e cheios de folhas, mas empunhei minha foice e os encarei com um ar severo.

– Eu sou Ian Òg Murray – respondeu Ian, afável, e me indicou com um movimento de cabeça. – E esta é minha tia. Ops.

O burro estava se intrometendo entre nós dois, enxerido, fazendo-nos pisar fora da trilha.

– Sou Ian Murray – repetiu Ian, dando um passo para trás e puxando o fuzil de volta para a frente do peito em uma posição relaxada, mas pronta para atirar.

– E eu – disse uma voz grave vinda de cima – sou o coronel James Fraser da Cordilheira dos Frasers e aquela é minha esposa.

Ele surgiu então, alto e de ombros largos na contraluz, com Tom logo atrás e a luz do sol a se refletir em seu fuzil.

– Pegue o burro, sim, Ian? Estas são minhas terras. E os senhores, cavalheiros, quem são, se me permitem a pergunta?

A surpresa fez os homens darem um tranco e olharem para cima, embora um deles tivesse lançado um olhar apreensivo por sobre o ombro para se manter atento à ameaça da retaguarda.

– Ahn... nós somos... humm... – O rapaz, que não poderia ter mais de 20 anos, trocou um olhar apavorado com seu companheiro mais velho. – Eu sou o tenente Felix Summers, coronel. Do... do navio de Sua Majestade *Revenge*.

Tom fez um ruído que poderia ter sido uma ameaça ou uma risada.

– E quem é seu amigo? – perguntou, meneando a cabeça para o cavalheiro mais velho, que poderia ser qualquer coisa, desde um andarilho da cidade até um caçador do interior, mas que parecia um pouco castigado pela bebida, o nariz e as bochechas cobertos por uma teia de capilares rompidos.

– Eu... creio que ele se chama Voules, senhor – respondeu o tenente. – E não é meu amigo. – Seu rosto havia passado de um branco chocado a um rosa altivo. – Eu o contratei em Salisbury para ajudar com minha... bagagem.

– Entendo – disse Jamie, educado. – Por acaso está... perdido, tenente? Creio que o oceano mais próximo fique a quase 500 quilômetros atrás do senhor.

– Estou de licença de meu navio – respondeu o rapaz, recuperando a dignidade. – Eu vim visitar... uma pessoa.

– Quem adivinhar quem é não ganha um prêmio – disse Tom para Jamie e baixou o fuzil. – O que deseja fazer com eles, Jamie?

– Minha esposa e eu vamos levar o tenente e seu... companheiro até nossa casa para comer e beber alguma coisa – respondeu Jamie com uma mesura elegante para Summers. – Você poderia ajudar Ian com... – Ele indicou com a cabeça o caos espalhado pelas pedras. – E Ian, depois que tiver arrumado tudo, suba e traga o capitão Cunningham para se juntar a nós, sim?

Summers captou tão bem quanto Ian a diferença sutil entre "convide" e "traga" e se retesou, mas tinha pouca alternativa. Ele estava armado com uma pistola e uma adaga de oficial no cinto, mas notei que a primeira estava sem pólvora, e provavelmente sem cartucho. Duvidava que ele algum dia houvesse sacado a adaga com outra intenção além de polir a lâmina. Jamie nem sequer relanceou os olhos para as armas, quanto mais pediu que as entregasse.

– Eu agradeço, senhor – disse Summers e, retraindo-se de leve ao passar por mim e por minha foice, começou a descer a trilha com as costas rígidas.

Estava quase na hora do jantar quando o capitão Cunningham chegou, não escoltado pelo Jovem Ian, mas acompanhado por ele e nem um pouco contente com isso.

Nesse meio-tempo, pude lavar meus cabelos e tirar as folhas de carvalho e agulhas de abeto deles. De modo geral, ajeitei minha aparência enquanto Jamie fazia o tenente Summers e o sr. Voules se sentarem na sala e lhes oferecia cerveja. Voules aceitou de bom grado, Summers com relutância, mas ambos beberam. E então, duas horas e quatro litros de cerveja mais tarde, estavam, se não felizes, um pouco mais relaxados.

– Quem são esses homens? – sussurrou Fanny para mim ao voltar à cozinha após levar outra rodada de cerveja. – Eles não *parechem*... não parecem gostar muito do sr. Fraser.

– São amigos do capitão Cunningham – falei. – Acho que o capitão virá encontrá-los daqui a pouco. Temos algo que possam comer? Os homens são sempre mais fáceis de lidar com a barriga cheia.

– Verdade – disse ela, aquiescendo como quem sabe das coisas. – Um bordel de primeira categoria tem sempre uma boa cozinheira. Mas não se pode deixar um homem comer demais se quiser que ele faça alguma coisa. Mãe Abbott dizia que, se a barriga de um homem fosse tão grande a ponto de ele não ver o próprio pau, o melhor era oferecer vinho suficiente para ele pegar no sono e depois, ao acordar, dizer que se divertiu. Ele...

– E o empadão de carne de cervo que a sra. Chisholm mandou? – interrompi-a depressa. – Sobrou algum?

Eu tinha dito a Fanny que ela podia me contar qualquer coisa, mas de vez em quando ainda ficava desconcertada com os detalhes vívidos de suas recordações.

O capitão com certeza estava com um aspecto magro e esfomeado.

– Homens assim são perigosos – murmurei, observando-o entrar na sala com o Jovem Ian em seu encalço, como se fosse um lobo domesticado.

Então vi de relance Jamie se levantando para cumprimentar Cunningham e pensei: *E ele não é o único...*

Deixei Fanny às voltas com o empadão e fui me juntar aos homens na sala levando uma bandeja com uma garrafa de uísque JFS, uma jarra pequena de água e cinco de nossos melhores copos: os pequenos copos de vidro com fundo pesado conhecidos como *shot glasses*, já que produziam um som muito parecido com o tiro (*shot*) de uma pistola ao serem postos com força na mesa após um brinde. Torci para ainda haver cinco depois daquele pequeno evento social.

– Capitão – falei, abrindo um sorriso agradável ao pousar a bandeja. – Prazer em vê-lo.

Ele me fuzilou com os olhos, mas era educado demais para dizer o que estava pensando. Não tive certeza se minha presença iria melhorar ou piorar as coisas, mas Jamie moveu os olhos para o lado em um movimento breve indicando que era melhor eu não ficar ali. Sendo assim, fiz uma mesura para os homens reunidos e tornei a atravessar o hall de entrada até a cozinha, onde tirei os sapatos e voltei pisando de mansinho, só de meias, para grande diversão de Fanny.

– Imagino que meu sobrinho tenha contado em que circunstâncias encontramos seus... conhecidos hoje à tarde – dizia Jamie em um tom de voz agradável. Houve um ruído de líquido e o tilintar de copos.

– Circunstâncias – repetiu Cunningham em tom incisivo. – O tenente Summers é... era um amigo próximo de meu finado filho. Continuamos a nos corresponder depois da morte de Simon e o estimo como se fosse um filho. Não apreciei de modo algum o tratamento que o senhor dispensou a ele e a seu criado!

– Aceita um trago, capitão? *Slàinte mhath!*

Não conseguia ver Jamie de onde estava, imprensada contra a parede, mas podia ver o capitão, que pareceu se espantar com essa resposta à sua afirmação.

– Como? – disse ele, incisivo, e baixou os olhos para seu copo de uísque como se a bebida pudesse estar envenenada. – O que o senhor falou?

– *Slàinte mhath* – repetiu Jamie em voz branda. – Significa "À sua saúde".

– Ah. – O capitão olhou para Summers, que àquela altura já estava com o mesmo aspecto de um porco que acaba de levar uma marretada na cabeça. – Ahn... sim. À... à sua saúde, sr. Fraser.

– Coronel Fraser – corrigiu Ian, prestativo. – *Slàinte mhath!*

O capitão tomou seu trago, engoliu e ficou roxo.

– Quem sabe um pouco d'água, capitão? – Vi o braço de Jamie se estender com a jarra na mão. – Dizem que a água revela o sabor do uísque. Ian?

Ian pegou a jarra e serviu habilmente uma nova dose ao capitão, dessa vez com metade água, que ele bebeu com os olhos lacrimejando.

– Vou repetir... senhor... – disse ele. – Eu não apreciei...

– Bem, capitão, nem eu – disse Jamie no mesmo tom amistoso. – E creio que qualquer homem que se respeite faria o mesmo ao descobrir uma iniciativa marcial acontecendo debaixo de seu nariz, em suas terras, sem aviso ou preparação. O senhor não concorda?

– Não sei o que o senhor quer dizer com "iniciativa marcial", coronel. – Cunningham tinha conseguido se recuperar e estava sentado com as costas muito retas. – O tenente Summers teve a gentileza de me trazer alguns suprimentos que eu havia requisitado de meus amigos na Marinha. Eles...

– Eu de fato me perguntei por que um nativo das Terras Baixas, principalmente sendo capitão da Marinha, iria escolher a Cordilheira dos Frasers para morar, sabe? – disse Jamie, interrompendo-o. – E por que o senhor escolheu uma terra tão no alto da Cordilheira, aliás. Mas é claro que sua casa fica a pouco mais de 15 quilômetros das aldeias cherokees, não?

– Eu... eu com certeza não sei – disse o capitão. – Mas isso não tem nada a ver com...

– Eu fui agente indígena por um tempo, sabia? – continuou Jamie no mesmo tom brando. – Sob as ordens do superintendente Johnson. Passei um tempo considerável com os cherokees e eles sabem que sou um homem honesto.

– Não estava pondo em dúvida sua honestidade, *coronel* Fraser. – A voz de Cunningham soou um tanto irritada, embora aquilo fosse uma novidade para ele. – Eu não apreciei seu...

– Imagino que o senhor saiba que o governo britânico tem sido aliado de vários indígenas durante esta guerra, incentivando-os a atacar assentamentos sob suspeita de terem simpatias pelos rebeldes. Às vezes lhes fornecendo armas e pólvora.

– Não, coronel. – O tom do capitão tinha se modificado e sua beligerância estava agora levemente matizada de cautela. – Não sabia disso.

Tanto Jamie quando Ian produziram ruídos escoceses educados de ceticismo.

– O senhor admite saber que eu sou rebelde, capitão?

– O senhor é bem aberto em relação a isso, coronel! – disparou Cunningham. Ele endireitou as costas com os punhos cerrados sobre os joelhos.

– Sou mesmo – concordou Jamie. – O senhor não faz segredo quanto às suas lealdades...

– A lealdade ao rei e à pátria não requer nem segredo nem defesa, coronel!

– Ah, é? Bem, suponho que isso dependa de se as consequências dessa lealdade forem ações que possam ser consideradas prejudiciais para mim e para os meus, capitão. Para minha causa *ou* para minha família.

– Não tínhamos a intenção de... – O tenente Summers estava começando a ficar alarmado. Despertado de sua letargia pelo tom cada vez mais exaltado da conversa, ele fez uma tentativa de endireitar as costas, com uma expressão nervosa no rosto redondo. – Não pretendíamos fazer os indígenas atacarem o senhor, coronel, eu juro por Deus!

– Sr. Summers. – O capitão ergueu a mão e o tenente ficou vermelho e se calou. – *Coronel.* Eu repito: não faço segredo em relação às minhas lealdades. Eu as prego em público todos os domingos, perante Deus e os homens.

– Eu já o escutei – disse Jamie, seco. – E imagino que o senhor tenha reparado que não esbocei qualquer movimento para impedi-lo de fazer isso. Não tenho nada contra suas opiniões. O senhor pode falar o que quiser, e o diabo que escute.

Pestanejei. Ele estava *mesmo* com raiva e já começava a deixar isso transparecer.

– Pode falar quanto quiser, capitão. Mas não vou tolerar qualquer ação que ameace a Cordilheira.

O tenente Summers fez um pequeno movimento involuntário e o capitão Cunningham o silenciou com um gesto curto e abrupto.

– O senhor tem minha palavra, coronel – disse ele entre dentes.

Fez-se um longo instante de silêncio e então ouvi Jamie inspirar fundo e em seguida o som de uísque sendo servido.

– Então vamos beber a esse acordo, capitão – disse ele com calma e ouvi os movimentos e arranhões rápidos de vidro na madeira quando cada um pegou seu copo.

– À paz – disse Jamie.

Ele esvaziou o copo e o bateu na mesa com uma pancada que deu um susto no sr. Voules e o despertou de seu estupor.

– O que foi isso? – O homem se endireitou e olhou de um lado para outro com os olhos avermelhados. – Estão atirando em nós com nossas armas?

O breve silêncio foi quebrado por Jamie.

– Armas? – disse ele, suave. – Ian, você notou alguma arma quando recolheu a carga do capitão?

– Não, tio – respondeu Ian no mesmo tom. – Nenhuma arma.

Apesar dos aspectos farsescos, o incidente com as armas do capitão foi alarmante. Pregar lealdade ao rei na igreja aos domingos era uma coisa; preparar-se para um conflito armado debaixo do nariz de Jamie era outra.

– Você pode expulsá-lo? – perguntei, hesitante.

As crianças já tinham ido para a cama depois do jantar. Jamie, Brianna, Roger e eu tínhamos montado um pequeno conselho de guerra diante de pratos de doce de milho.

– Poderia – respondeu Jamie, franzindo o cenho para a jarra de creme. – Mas andei pensando no assunto e talvez seja melhor permitir que ele fique aqui, onde vou poder continuar de olho nele, do que deixá-lo aprontar alguma coisa em outro lugar.

– O que acha que ele estava planejando fazer... ou está? – perguntou Roger. – Quero dizer, ele pode ter solicitado as armas para se proteger. A casa dele fica *mesmo* muito perto da Linha Cherokee.

– Vinte mosquetes talvez seja um pouco exagerado para impedir algum indígena desgarrado de invadir sua casa – respondeu Jamie. – Se ele comprou armas, tinha um plano para usá-las. Mas para quê? Será que está pretendendo me assassinar e incendiar as casas de meus colonos? De que adiantaria isso?

– Talvez esteja fazendo a mesma coisa que você, Pa. – Bree despejou creme no seu doce, em seguida no de Jamie. – Formando uma milícia pessoal para proteger sua propriedade.

Olhei para Jamie. Ele me olhou de volta, mas balançou a cabeça de modo quase imperceptível e empunhou sua colher. Embora proteger a Cordilheira de ataques certamente fosse *um* dos motivos de Jamie para armar alguns de seus homens, eu tinha certeza de que havia outros. Mas ele não achava que fosse o momento de contar isso para Roger e Bree.

– Ian disse que um dos homens que trouxe as armas era tenente da Marinha... um dos homens do capitão dos tempos de sua carreira naval, imagino – comentou Bree.

– Tenho essa mesma opinião – disse Jamie com certa tensão.

– O que significa – disse ela – que ele ainda tem conexões na Marinha. Que é provavelmente de onde as armas vieram. Mosquetes são usados em navios?

– Sim, são. – Jamie mudou um pouco de posição, como se sua camisa estivesse justa demais; não estava. – Quando os navios se aproximam um do outro em combate, os marinheiros sobem no velame armados com mosquetes e disparam contra o outro navio. A Marinha tem muitas armas.

– Como sabe disso? – perguntou Bree, curiosa.

– Eu li, menina – respondeu Jamie, erguendo uma sobrancelha para ela. – Saiu um relato sobre uma batalha naval no jornal de Salisbury, com um desenho mostrando os marinheirozinhos lá em cima no meio dos mastros, atirando.

– Bom – disse Roger enquanto despejava uma colherada de morangos maduros fatiados por cima de sua sobremesa –, duvido que Cunningham tente levar armas lá para cima de novo por aquele caminho. E se tentar...

– Nesse caso, ele estará armando a nós em vez de a si mesmo. – Apesar da seriedade da conversa, Bree estava achando graça. Mas a expressão de bom humor se desfez e ela se inclinou mais para perto de nós.

– Mas você vai precisar de mais armas do que as que pegou do capitão, não vai?

– Vou – reconheceu Jamie. – E talvez leve algum tempo para encontrá-las. *E* comprar a pólvora e a munição necessárias para dispará-las.

Roger e Bree se entreolharam e ele aquiesceu.

– Deixe-nos ajudar com isso, Pa – disse ela e, levando a mão ao bolso, pegou três placas pequenas e chatas do que só poderia ser ouro, que reluziu debilmente à luz das velas.

– Onde raios conseguiu isso? – Peguei uma das placas e a toquei com cuidado. Surpreendentemente pesada para o tamanho. Com certeza era ouro.

– Com um joalheiro da Newbury Street em 1980 – respondeu ela. – Mandei fazer cinquenta. Algumas costurei na bainha de nossas roupas, outras escondi nas solas de nossos sapatos. Só usei dez para pagar nossa comida para a viagem e a passagem no navio desde a Escócia. Sobraram várias, digo, se precisarem comprar pólvora ou outra coisa.

– Tem certeza, menina? – Jamie tocou uma das placas com o indicador. – Eu tenho ouro suficiente. Ele só é...

– Só é um pouquinho mais difícil de usar – completou Roger com um sorriso. – Não se preocupe. É uma honra ajudar a financiar a Revolução.

39

VOLTEI

Para lorde John Grey, aos cuidados do comandante das forças de Sua Majestade em Savannah, real colônia da Geórgia

Caro lorde John,

Voltei. Embora imagine que devesse dizer "Estou de volta!". É mais dramático, sabe? Escrevo isso com um sorriso enquanto imagino você dizendo alguma coisa sobre como a falta de dramaticidade não é um de meus defeitos. Nem seu, meu amigo.

Nós – meu marido Roger e nossos dois filhos, Jeremiah (Jem) e Amanda (Mandy) – viemos morar na Cordilheira dos Frasers. (Ainda que, a bem da verdade, nossa moradia esteja se materializando à nossa volta: meu pai está construindo a própria fortaleza.) Ficaremos aqui até segunda ordem, embora eu saiba mais do que a maioria das pessoas quão pouco se pode prever do futuro. Deixemos os detalhes para quando eu tornar a vê-lo.

Eu teria escrito de todo modo, mas estou fazendo isso hoje porque três dias atrás meu pai recebeu uma carta de um jovem chamado Judah Bixby, que foi ordenança dele durante a Batalha de Monmouth (você participou dessa? Se tiver participado, espero que não tenha ficado ferido). O sr. Bixby escreveu para avisar Pa que um amigo dele, o dr. Denzell Hunter, havia sido capturado em Nova York e estava no presente momento detido na prisão militar de Stony Point.

Mamãe me falou que você saberá perfeitamente por que sou eu, e não ela, quem está lhe escrevendo para informar a situação de Denzell Hunter. Segundo Pa, a esposa do dr. Hunter certamente já terá escrito para o pai dela (seu irmão, se bem entendi?), mas eu concordo com mamãe que é melhor escrever mesmo assim, só para o caso de a sra. Hunter não saber onde o marido está ou não poder lhe escrever por algum outro motivo.

Meus melhores votos para você e sua família, e queira por favor transmiti-los a seu filho William. Estou ansiosa para revê-lo. E você também, claro!

(Se a pessoa for mulher, deve assinar uma carta "Seu mais humilde criado, etc."? Com certeza não...)

Atenciosamente,
Brianna Randall Fraser MacKenzie (sra.)

P.S.: Mando junto com esta alguns desenhos que fiz da Casa Nova (como meu pai a chama) em seu atual estágio de construção, bem como um breve esboço dos membros de nossa família também em seu estado atual. (Quanto tempo faz que você não vê nem meu pai nem minha mãe?) Tenho quase certeza de que saberá dizer quem é quem.

40

CONHAQUE NEGRO

Savannah

M, escreveu o duque de Pardloe, então se deteve. Tornou a mergulhar a pena, inseriu com todo o cuidado a palavra *Querida*, embora tivesse sido obrigado a incliná-la um pouco, de modo a fazê-la caber na página, já que havia começado a escrever muito à esquerda. Passou alguns instantes olhando para a página em branco, então ergueu os olhos e deu com seu irmão mais novo a encará-lo com uma sobrancelha erguida.

– O que deseja? – disparou.

– Conhaque – respondeu John, suave. – E você também, pelo visto. O que está fazendo?

Ele atravessou o recinto, agachou-se sobre o joelho para revirar o interior de seu baú de campanha e tirou de lá uma garrafa arredondada que produziu ruídos líquidos pesados e reconfortantes.

– Isso é conhaque? Tem certeza?

Mesmo assim, Hal estendeu a mão até atrás da mesinha em que ficava seu suporte de escrever e vasculhou seu baú para pegar um par de canecas de estanho amassadas.

– Stephan von Namtzen disse que era. – John deu de ombros e, aproximando-se da mesa, pegou o canivete de Hal e começou a remover o lacre da garrafa. – Lembra-se de nosso amigo Graf von Erdberg? Ele disse que é conhaque negro.

– É negro mesmo? – perguntou Hal, interessado.

– Bem, a garrafa é! Embora, pela carta dele, eu tenha entendido que a bebida se chama assim porque é fabricada por um pequeno grupo de monges que vive na borda da Floresta Negra. O nome verdadeiro é alguma coisa em alemão… – Livrando-se dos últimos fragmentos de cera, ele aproximou a garrafa dos olhos e os semicerrou para ler o rótulo escrito à mão: – *Blut der Märtyrer*. Sangue dos Mártires.

– Que alegre. – Hal estendeu sua caneca e o que preencheu suas narinas foi o aroma robusto de um conhaque de boa qualidade, ainda que talvez um pouco mais vermelho do que de costume, como constatou ao olhar com atenção para dentro da caneca. – Então você está em dia com seu alemão?

John ergueu os olhos da caneca e arqueou a outra sobrancelha.

– Mal tive tempo de esquecer – falou. – Não faz nem um ano desde Monmouth, com aqueles malditos hessianos brotando de todas as rachaduras da terra. – Ele olhou para outro lado antes de acrescentar: – Embora imagine que você esteja se perguntando se tenho visto nosso amigo Graf ultimamente. Não, não tenho. Isto aqui chegou com um recado curto dizendo que Stephan estava em Trier, Deus sabe por quê.

– Ah.

Hal tomou um gole do conhaque e fechou os olhos, tanto para apurar o sabor quanto para não ter que olhar para John. A bebida começou a se acomodar nos membros de John e seu calor suavizou seus pensamentos. E talvez também seu juízo.

– Então você decidiu escrever para Minnie? – O tom da voz de John foi casual, mas a pergunta, não.

– Não.

– Mas você...? Ah. Entendi. Quer dizer que ainda não decidiu se escreve ou não, por isso estava pairando acima daquela folha de papel como se fosse um abutre esperando alguém morrer.

Hal abriu os olhos, endireitou as costas e encarou John com o tipo de olhar destinado a fazê-lo ficar tão calado quanto um cabide. Mas John só fez pegar a garrafa e tornar a encher a caneca do irmão.

– Eu sei – falou apenas. – Eu também não ia desejar escrever. Mas então você acha que Ben está mesmo morto? Ou está escrevendo para falar sobre Dottie e o marido?

– Não, maldição, não acho. – A caneca se inclinou na mão de Hal. Ele a salvou sem deixar mais do que um pouquinho de conhaque molhar seu colete, fato que ignorou. – Não acredito nisso, e acho que a sra. MacKenzie provavelmente tem razão em relação a Dottie me escrever. Quero esperar ter notícias dela antes de alarmar Minnie.

John ficou observando o irmão dizer isso com uma expressão propositalmente vazia.

– É que nunca vi você começar *qualquer* carta, seja para quem for, com a palavra "querida".

– Eu não preciso – respondeu Hal com irritação. – Beasley cuida dessa bobajada toda quando é oficial. Quando não é, não é necessário. Afinal, qualquer um para quem eu estivesse escrevendo já sabe quem é e o que penso a seu respeito, pelo amor de Deus. É uma afetação inútil. Mas eu assino minhas cartas – concluiu ele após uma breve pausa.

John produziu um *hum* de quem não quer se comprometer e tomou um gole de conhaque, segurando a bebida na boca de um modo meditativo. A pena havia deixado uma manchinha de tinta sobre a mesa onde seu irmão a largara. Ao ver isso, Hal tornou a enfiá-la no jarro e esfregou a manchinha com a lateral da mão.

– Eu estava só... Maldição! Não conseguia decidir como começar.

– Não o culpo.

Ele olhou para a folha de papel com sua saudação acusatória.

– Então... então eu escrevi... "M". Só para começar, sabe? E então tive que decidir se continuava e escrevia o nome dela ou se deixava só o M… Depois, enquanto estava pensando…

Sua voz se calou e ele tomou um gole rápido e convulso do Sangue dos Mártires.

John tomou um gole um pouco mais reservado enquanto pensava em Stephan von Namtzen, que escrevia de vez em quando, sempre o tratando com formalidade germânica de "Meu estimado e nobre amigo", embora as cartas em si tendessem a ser bem menos formais… As saudações de Jamie Fraser iam do casual "Caro John" ao mais caloroso "Meu caro amigo". A depender do estado de sua relação, "Caro senhor" ou um frio e abrupto "Milorde".

Era possível que Hal tivesse razão. As pessoas para as quais ele escrevia *nunca* tinham dúvidas em relação ao que ele pensava a seu respeito, e o mesmo valia para Jamie. Talvez fosse bom Jamie avisar daquele jeito, para ele poder abrir uma garrafa antes de continuar a leitura…

O conhaque era bom, escuro e muito forte. Ele deveria ter diluído com água, mas, considerando a tensão de Hal, era até melhor não o ter feito.

Querida M. Era verdade que o irmão sempre havia endereçado suas cartas para *ele* simplesmente com "J". Que bom que o sr. Beasley, secretário de Hal, cuidava *mesmo* de sua correspondência. Caso contrário, o rei poderia muito bem ter se visto chamado sucintamente de "G". Ou quem sabe de "R", inicial de "Rex"?

Por mais absurdo que fosse, esse pensamento trouxe à tona a lembrança que o vinha incomodando desde que vira a tentativa de carta, e ele olhou para esta e em seguida para o rosto do irmão.

"M", "Em": era assim que Hal chamava Esmé. Sua primeira esposa, morta de parto levando consigo o primeiro filho do casal. Ele tinha o costume de escrever bilhetes para ela iniciados daquela forma: apenas um "M", sem qualquer outra saudação. John já vira alguns. Talvez ter visto aquela única letra, preta e destacada sobre o papel branco, tenha trazido tudo de volta do mesmo modo repentino e inesperado de uma bala que atinge o coração.

Hal limpou a garganta com um pigarrear explosivo e tomou um gole de conhaque que o fez tossir, cuspindo gotículas cor de âmbar avermelhado por todo o papel. Ele o pegou, amassou em uma bola e atirou na lareira, onde o fogo o consumiu com uma chama azulada.

– Não consigo – disse ele, decidido. – Não vou escrever! Quero dizer… não *sei* se Ben está morto. Não tenho certeza.

John passou a mão pelo rosto, então assentiu. Ele também tinha uma sensação muito fria no coração quando pensava no sobrinho mais velho.

– Está bem. Alguém mais pode contar para Minnie? Adam ou Henry? Ou… Dottie? – perguntou ele em tom hesitante.

Hal ficou lívido. Até onde John sabia, nenhum dos irmãos de Ben era grande coisa como correspondente. Mas Dottie tinha o costume de escrever regularmente para a mãe. Na verdade, chegara até a escrever informando aos pais que iria fugir para se casar com um médico quacre. *E* aproveitar o ensejo para se tornar rebelde. Dottie não teria problema em contar para Minnie qualquer coisa que pensasse que a mãe devesse saber.

– Dottie também não sabe – disse Hal, tentando convencer a si mesmo. – Tudo que eu disse a ela foi que ele estava desaparecido.

– Desaparecido e dado como morto – assinalou John. – E William disse que...

– E onde está William, aliás? – Hal quis saber, buscando refúgio na hostilidade. – A menos que você saiba alguma coisa que eu não sei, ele foi embora sem dizer nada.

John soltou o ar com força, mas manteve a calma.

– William encontrou indícios de que Ben *não* morreu naquele campo de prisioneiros em Nova Jersey – frisou ele. – *E* descobriu a esposa e o filho de Ben para nós.

– Ele encontrou um cadáver em um túmulo com o nome de Ben. Até onde sabemos, Ben pode estar em um túmulo com o nome daquele sujeito, e quem quer que os tenha enterrado apenas confundiu os corpos.

Hal queria acreditar que alguém havia enterrado um desconhecido com o nome de Ben... mas por que alguém faria isso?

John captou o pensamento como se Hal o tivesse escrito na testa.

– Pode ser. Mas enterrar um desconhecido com o nome de Ben pode ter sido proposital... E existem vários motivos para isso. É possível que o próprio Ben o tenha feito, a fim de acobertar sua fuga.

– Eu sei – disse Hal. – Não, você tem razão. Não tenho certeza se ele está morto. Não queria abrir essa possibilidade para Minnie... embora eu ache, *sim,* que existe uma boa chance. – Ele firmou o maxilar ao dizer isso. – Mas preciso dizer algo para ela. Se eu não escrever muito em breve, ela vai saber que tem alguma coisa errada... Ela é muito boa em descobrir segredos.

A frase fez John rir e Hal bufou de leve e relaxou um pouco a tensão nos ombros.

– Bem, você disse a ela que Ben tinha se casado e tido um filho, não é? – perguntou John. – Por que não escreve e conta que conheceu a moça... Amaranthus, quero dizer... e também seu suposto neto, e a convidou a vir morar aqui enquanto Ben estiver... ausente? Certamente é novidade suficiente para uma carta.

Se Ben estiver morto, saber que ele deixou um filho será um consolo. John não disse isso em voz alta, mas as palavras ficaram pairando no ar.

Hal aquiesceu e suspirou.

– Vou fazer isso. – Libertada de sua apreensão imediata, sua mente passou a divagar. – Acha que aquele sujeito chamado Penobscot, ou seja lá qual for seu nome... você sabe, o desenhista de mapas de Campbell... Ele conseguiria fazer um retrato passável do pequeno Trevor? Eu gostaria que Minnie o visse.

E, se alguma coisa acontecesse com o menino, pelo menos teríamos isso.

– Alexander Penfold, você quer dizer – corrigiu John. – Nunca o vi desenhar nada mais complexo do que uma rosa dos ventos, mas vou perguntar por aí. Pode ser que eu conheça um retratista decente. – Ele então sorriu e levantou sua caneca recém--completada. – A seu neto, então. *Prosit!*

– *Prosit* – repetiu Hal e bebeu o resto do conhaque sem parar para respirar.

41

DESGRAÇADO TURRÃO

John Grey pegou seu canivete, um pequeno objeto francês com cabo de jacarandá extremamente afiado, e cortou uma pena nova com uma sensação de expectativa. No decurso de sua vida até então, calculava que tivesse escrito mais de cem cartas para Jamie Fraser, e sempre experimentara um ligeiro frisson ao pensar na conexão iminente, fosse qual fosse sua natureza. Isso sempre acontecia, pouco importando se as cartas fossem escritas com amizade, com afeto… ou então com um alerta preocupado, com raiva ou com desejos que desapareciam em meio a chamas e cheiro de queimado, deixando para trás apenas cinzas amargas.

Mas aquela seria diferente.

13 de agosto, 1779 d.C.
De lorde John Grey, Oglethorpe Street, 12
Savannah, real colônia da Geórgia

Visualizou Jamie em seu habitat escolhido em meio à natureza selvagem, as mãos endurecidas de tantos calos e os cabelos presos com uma fita de couro, companheiro dos indígenas, dos lobos e dos ursos. E acompanhado também, sem dúvida, por seus apetrechos femininos…

Para James Fraser, Cordilheira dos Frasers
Real colônia da Carolina do Norte

Quis começar com a saudação "Meu caro Jamie", mas ainda não havia reconquistado o direito de fazer isso. Iria reconquistar, porém.

– Daqui a mais uns mil anos… – murmurou, mergulhando a pena outra vez. – Ou… quem sabe antes?

Será que deveria escrever "general Fraser"?

– Ah – murmurou. Não havia por que ofender o sujeito, *a priori*…

Sr. Fraser,

Escrevo para oferecer um serviço profissional à sua filha. Mencionei muitas vezes os dons artísticos dela a amigos e conhecidos, e recentemente um desses conhecidos, certo sr. Alfred Brumby, comerciante de Savannah, admirou vários esboços que ela me enviou e perguntou se eu teria a bondade de exercer para ele a função de embaixador e obter seu consentimento para que sua filha viaje até Savannah e pinte um retrato da nova esposa desse senhor.

Brumby é um cavalheiro abastado e tem todos os recursos para pagar tanto belos honorários (se sua filha assim desejar, terei enorme prazer em negociar o preço para ela) quanto as despesas com a viagem e com a hospedagem dela enquanto estiver em Savannah.

Sorriu de leve consigo mesmo ao pensar em Brianna Fraser MacKenzie e em Claire Fraser, e no que qualquer uma das duas poderia dizer em resposta à proposta de ajudá-las com aquela questão.

Posso garantir que o sr. Brumby é um cavalheiro e que sua residência é impecável (caso esteja com medo de eu tentar raptar a jovem para meus sinistros propósitos).

– O que é exatamente que pretendo fazer, seu desgraçado turrão... – murmurou consigo mesmo.

Se tivesse deixado transparecer qualquer circunspeção em relação ao assunto, Fraser teria desconfiado na hora de suas motivações. Mas em sua longa carreira de soldado e diplomata ele tinha visto com quanta frequência a verdade crua, dita com total seriedade, podia ser interpretada como brincadeira.

Com toda a seriedade, escreveu ele com profunda ironia, *eu garanto a segurança dela, bem como a de qualquer amigo ou parente que o senhor decida mandar com ela.*

Será que o próprio Jamie poderia vir? Seria interessante... embora perigoso...

Nestes tempos atribulados, é natural que o senhor tenha uma grande preocupação com o bem-estar dos viajantes e talvez julgue pouco sensato convidar uma jovem senhora de simpatias republicanas declaradas para estabelecer residência temporária em uma cidade atualmente sob o controle do Exército de Sua Majestade.

Como tenho um palpite quanto aos seus prováveis sentimentos em relação à causa rebelde, irei poupá-lo de uma enumeração completa de meus motivos, mas garanto: não existe o menor risco de Savannah ser alvo de uma invasão ou conquista por parte dos americanos e Brianna não estará exposta a nenhum perigo físico.

Ele parou para pensar enquanto girava a pena. Será que deveria mencionar os franceses?

O que Fraser poderia já estar sabendo, empoleirado como estava em seu antro montanhês? Era bem verdade que ele escrevia e recebia cartas, mas, levando em conta as circunstâncias dramáticas de sua renúncia ao cargo de general de campo em Monmouth, John duvidava que Jamie estivesse trocando recados diários com George Washington, Horatio Gates ou qualquer outro comandante americano a par de tal informação.

Mas *e se* ele soubesse que o almirante D'Estaing e sua força naval francesa talvez desembarcassem nas praias de Charles Town ou Savannah dentro de poucas semanas?

Havia passado anos jogado xadrez com Jamie Fraser e tinha um respeito considerável por suas capacidades. Melhor, portanto, sacrificar aquele peão específico para afastá-lo do cavalo que o estava ameaçando...

É bem verdade que os franceses...

Não, espere. Fez uma pausa e franziu o cenho para a frase inacabada. E se alguém que *não* fosse James Fraser por acaso pusesse as mãos naquela missiva? E ali estava ele, pondo uma informação sensível diretamente nas mãos dos rebeldes.

– Bom, *isso* não pode acontecer...

– O que não pode acontecer? E por que você não está vestido? – Hal havia entrado sem se fazer notar e estava se examinando no grande espelho de pé que refletia as portas da varanda no extremo oposto do escritório. – Por que estou sangrando? – Sua voz soou um tanto espantada.

John demorou alguns instantes para apagar a linha sobre os franceses com uma passada rápida de tinta, em seguida se levantou para inspecionar o irmão, que de fato sangrava de um profundo arranhão logo à frente da orelha esquerda. Estava tentando impedir o sangue de manchar seu colarinho, mas não parecia ter um lenço disponível para esse fim. John levou a mão ao bolso do roupão e lhe passou o dele.

– Não parece um corte de barbear. Você estava lutando esgrima sem máscara?

A intenção era fazer uma piada. Hal nunca havia experimentado uma das novas máscaras de tela de metal, já que ultimamente era raro usar uma espada a menos que pretendesse matar alguém com ela. Em sua opinião, seria uma covardia travar um duelo escondido atrás de uma máscara.

– Não. Ah... lembrei. Bem quando estava saindo para a rua, um rapaz novo saiu correndo do beco com dois soldados atrás gritando: "Pare, ladrão!" Um deles trombou comigo e eu bati na quina daquela igreja. Não percebi que tinha me machucado.

Ele pressionou o lenço no rosto. O machucado devia ter doído, mas ele acreditava que Hal não tivesse sentido. Hal era Hal, ou seja, insensível às circunstâncias físicas em momentos de estresse, ou então fingia ser, o que dava no mesmo. E ele com toda a certeza andava estressado ultimamente.

John pegou o lenço de volta, mergulhou-o no cálice de vinho que estivera bebericando e tornou a pressioná-lo na ferida. Hal fez uma leve careta, mas segurou o lenço.

– Vinho? – perguntou.

– Sim. Claire Fraser – respondeu John com um dar de ombros.

As ideias sobre medicina de sua ex-esposa às vezes faziam sentido, e até mesmo os médicos de campanha de vez em quando lavavam ferimentos com vinho.

– Ah. – Hal tinha tido uma experiência em primeira mão dos cuidados médicos de Claire Fraser e só meneou a cabeça enquanto apertava o lenço manchado contra a bochecha.

– Por que deveria estar vestido? – indagou John, olhando de lado para sua carta inacabada.

Estava indeciso em relação a contar a Hal o que pretendia. Quando se encontrava disposto, seu irmão tinha uma mente de uma sensibilidade incomum e conhecia Jamie Fraser bastante bem. Por outro lado, havia coisas no relacionamento do próprio John com Jamie Fraser, fosse qual fosse, que ele preferiria não deixar o irmão perceber.

– Devo me encontrar com Prévost e seu gabinete daqui a meia hora e você deve me acompanhar. Eu não contei?

– Não. Minha função é apenas ornamental ou devo ir armado?

– Armado. Prévost quer debater se traz ou não as tropas de Maitland de Beaufort – disse Hal.

– Você imagina que a conversa será difícil?

– Não, mas pode ser que eu acrescente certa dose de dificuldade. Não gosto do fato de os homens estarem parados aqui sem nada para fazer exceto beber e frequentar as prostitutas da cidade.

– Ah. Está bem, então.

John sentiu um aperto no peito ao ouvir a palavra prostitutas, mas o rosto de Hal não deu mostras de que a palavra o tivesse feito pensar em Jane Pocock. John tirou do baú sua adaga, sua pistola e sua bolsa de munição e as dispôs sobre a cama, ao lado das meias brancas limpas.

Vestiu-se de modo mais ou menos eficiente e entregou a Hal seu colarinho de couro, virando-se para que o irmão pudesse fechá-lo por trás. Seus cabelos ainda não tinham crescido abaixo dos ombros; Hal afastou para o lado com irritação o cotoco que fazia as vezes de rabo.

– Encontrou um criado novo?

– Não tive tempo para treinar um. – Pôde sentir o hálito morno e os dedos frescos do irmão na parte de trás do pescoço e achou a sensação tranquilizadora.

– O que o está ocupando tanto? – A voz de Hal foi incisiva; ele estava *mesmo* sob pressão.

– Sua nora, meu filho, meu suposto filho, *seu* filho e, você sabe, assuntos menores relacionados ao regimento.

Ele se virou para encarar Hal ao mesmo tempo que deixava cair por cima da cabeça a corrente em forma de meia-lua da gorjeira. Hal teve a elegância de aparentar certa contrição, mas fez um muxoxo.

– Você vai precisar de um criado. Vou encontrar um para você. Vamos.

O quartel-general de Prévost ficava numa grande mansão em uma das laterais da St. James Square, a não mais de dez minutos a pé, e o dia estava bonito. Quente e ensolarado, com uma leve brisa soprando para o mar. Além disso, era dia de mercado. Os irmãos Grey foram andando pela Bay Street em direção ao Mercado Municipal por entre uma multidão de pessoas e em meio aos aromas revigorantes de hortaliças e peixe frescos.

– Tenho uma pergunta para você – disse John, esquivando-se de uma mulher que equilibrava na cabeça uma bandeja de ostras pingando água e segurava um balde de cerveja em cada mão. – Você conhece Jamie Fraser. Acha que ele será suscetível a dinheiro?

Hal franziu o cenho.

– Em que sentido? Todo mundo é suscetível a dinheiro nas circunstâncias certas. Suponho que não esteja querendo dizer suborno.

– Não. Na verdade, estou preocupado em *não* soar como suborno o que estou propondo a ele.

Espantado, Hal arqueou as sobrancelhas.

– O que você quer que ele faça?

– Que dê permissão e que incentive a ideia de a filha vir a Savannah pintar um retrato. Eu disse que garantiria uma remuneração decente para ela, mas…

– Um retrato seu? – Hal lançou-lhe um olhar bem-humorado. – Eu gostaria de ver. Um presente para nossa mãe ou está cortejando alguém?

– Não tinha em mente nenhuma dessas possibilidades. De toda forma, não vai ser meu retrato: Alfred Brumby quer que pintem um retrato de sua nova esposa.

Hal sorriu.

– A bela Angelina?

John também sorriu. A jovem sra. Brumby era *mesmo* bonita, mas havia nela algo que fazia as pessoas terem vontade de rir.

– Se existe alguém capaz de capturar sobre uma tela a natureza inefável da sra. Brumby, essa pessoa talvez seja Brianna MacKenzie.

– Mas não é por isso que você quer atrair a moça para fora de seu ninho na montanha, é? Com certeza deve haver outros retratistas na colônia da Geórgia.

Eles estavam chegando perto do quartel-general de Prévost: os gritos e as pancadas cadenciadas de um treinamento podiam ser ouvidos debilmente por entre a névoa matinal, vindos do campo aberto localizado no final da Jones Street. Os casacos-vermelhos começaram a se fazer mais presentes na multidão que se aglomerava para subir a Montgomery Street.

– Você está enganado quanto a meu objetivo – disse John, virando-se de lado para permitir a passagem de uma senhora apressada com cestos largos, uma sombrinha, duas criadas e um cachorro pequeno. – Perdão, senhora... E estou torcendo para Jamie Fraser também se enganar.

Hal o encarou com um olhar incisivo, mas foi impedido de falar pela passagem de dois ajudantes de um curtume, com lenços amarrados em volta do rosto e carregando um imenso cesto do qual emanava, como um espírito maligno, um fedor de fezes de cachorro tão forte a ponto de fazer os olhos lacrimejarem.

Hal pelo visto tinha sentido o cheiro e tossiu até ficar com os olhos marejados. John o examinou com atenção: seu irmão era dado a ataques de chiadeira e respiração encurtada. Nessa ocasião, porém, ele se controlou, cuspiu várias vezes no chão, deu um soco no próprio peito e se sacudiu enquanto respirava pesadamente.

– Que... que objetivo? – indagou.

– Eu não mencionei meu filho? Brianna Fraser é meia-irmã de William.

– Ah. Naturalmente que é. Eu não tinha levado isso em consideração. – Hal ajeitou o chapéu, bagunçado pela crise de tosse. – Ele não a conhece?

– Encontrou-a rapidamente há alguns anos... mas não fazia ideia de quem fosse. Mas eu conheço a moça bastante bem e, embora ela seja tão teimosa quanto qualquer um dos pais, tem bom coração. Ficaria curiosa em relação ao irmão... e se existe alguém capaz de ter com ele uma conversa sensata sobre suas, ahn, dificuldades, provavelmente seria ela.

– Humm. – Hal refletiu sobre isso por uns poucos passos. – Tem certeza de que é uma decisão sensata? Se ela é filha de Fraser... Espere, ela é filha de Claire Fraser também?

– É, sim – respondeu John, em um tom que deu a entender que aquilo provavelmente era tudo que seu irmão precisava saber sobre Brianna. Pelo visto era mesmo, pois Hal riu.

– Pode ser que ela o convença a virar a casaca e lutar pela causa rebelde, não?

– Se há um traço que Jamie Fraser conseguiu transmitir a *todos* os seus descendentes, é a teimosia – disse John, seco. – Por mais que ela insista, duvido que consiga convencer William do que quer que seja.

– Nesse caso...

– Eu quero que ele fique – disse John de uma vez. – Aqui. Pelo menos até tomar uma decisão. Sobre tudo.

"Tudo" abarcava a paternidade de William, sua carreira militar, seu título e as propriedades cujo controle acabara de herdar ao atingir a maioridade.

– Ah. – Hal estacou, olhou para o irmão, em seguida para a rua à frente. O quartel-general de Prévost ficava no canto mais afastado, uma grande mansão cinza com o fluxo habitual de oficiais e civis entrando e saindo vigiados pelos dois soldados que protegiam a porta.

Hal deu o braço a John e o puxou para o beco lateral, que estava menos lotado.

O coração de John batia com força. Ele não tinha articulado seus medos nem para si mesmo, mas a carta para Jamie os fizera aflorar com clareza à superfície de sua mente.

Hal o encarou com a sobrancelha escura arqueada.

John fechou os olhos e inspirou fundo o suficiente para manter a voz firme.

– Eu tenho sonhos – falou. – Não todas as noites. Mas frequentes.

– Com William. – Não foi uma pergunta, mas John aquiesceu e abriu os olhos. Hal tinha uma expressão atenta, o olhar direto e congestionado. – Morto? – perguntou ele. – Perdido?

John tornou a assentir, pigarreou e respondeu:

– Isobel me disse que ele se perdeu uma vez em Helwater quando tinha uns 3 anos... que saiu andando sozinho pela charneca no meio de um nevoeiro. Às vezes é isso que eu vejo. Às vezes... são outras coisas.

William sempre tinha lhe contado histórias e lhe escrito cartas. Sobre ter ficado preso em Québec durante um longo e rigoroso inverno. Sobre sair para caçar e passar a noite inteira perdido, com os pés congelados e a luz sobrenatural do céu do Ártico a vibrar do alto, e cair pelo gelo para dentro da água escura... Para William isso não passava de aventuras, e John gostava de ouvir a respeito, mas na escuridão de seus sonhos essas coisas voltavam distorcidas, frias feito fantasmas e repletas de maus presságios.

– E a batalha – disse Hal, quase entre dentes. Ele estava encostado na parede de tijolo de uma taverna, os olhos cravados nas ponteiras enceradas das botas. – Sim. Quem é pai vê essas coisas. Mesmo quando não está dormindo.

John assentiu, mas não disse nada. Sentiu-se um pouco melhor por ter falado. É claro que Hal pensava nessas coisas. Henry gravemente ferido em combate e Benjamin... Pensou em William cavando um túmulo no escuro imaginando encontrar o corpo do primo... Havia sonhado que cavava um túmulo e lá dentro encontrava William.

Hal deu um suspiro e endireitou as costas.

– Diga a Fraser que William está aqui – falou baixinho. – Apenas mencione casualmente. Nada mais. Ele vai mandar a menina.

– Você acha?

Hal olhou para ele e o segurou pelo cotovelo para guiá-lo para fora do beco.

– Acha que ele se importa menos com William do que você?

42

SASSANNAICH CLANN NA GALLADH!

Jamie leu a carta duas vezes do início ao fim e seus lábios se contraíram no mesmo ponto na metade da primeira página e depois no final. Na verdade, não era incomum ele reagir a uma das cartas de John daquele modo, mas quando o fazia em geral era devido ao fato de esta conter notícias indesejadas sobre a guerra, William ou sobre alguma ação incipiente por parte do governo britânico que pudesse estar prestes a resultar na prisão iminente de Jamie ou em alguma outra inconveniência doméstica.

Aquela, porém, era a primeira carta que John mandava em quase dois anos, desde antes de Jamie voltar dos mortos e me encontrar casada com John Grey, e antes de ele lhe dar um soco no olho após receber essa notícia e inadvertidamente fazer Sua Senhoria ser preso e quase enforcado pela milícia americana. Bem, uma reviravolta fazia parte do jogo...

De nada adiantava adiar a pergunta.

– O que John tem a dizer? – indaguei, mantendo a voz neutra. Jamie ergueu os olhos para mim, soltou o ar pelas narinas e tirou os óculos.

– Ele quer Brianna – falou, sucinto, e empurrou a carta por cima da mesa em minha direção.

Olhei por cima do ombro, mas Bree tinha ido guardar na despensa fria uma caixa de queijos de cabra recém-fabricados. Tirei meus óculos do bolso.

– Suponho que tenha reparado nesse último trecho – comentei, erguendo os olhos quando acabei de ler.

– "Meu filho William renunciou a seu cargo comissionado e está atualmente morando comigo em Savannah, usando esse recém-conquistado tempo livre para refletir sobre seu futuro, uma vez que agora alcançou a maioridade"? Sim, reparei. – Ele fuzilou com os olhos primeiro a carta, depois a mim. – Refletir sobre o futuro? O que tem para refletir, pelo amor de Deus? Ele é conde.

– Talvez ele não queira ser conde – falei, amena.

– Não é algo em relação ao qual se tenha escolha, Sassenach – disse Jamie. – É como um sinal de pele. A pessoa nasce com ele.

Ele mirava a carta com a testa enrugada e os lábios contraídos.

Lancei-lhe um olhar exasperado que ele sentiu, pois ergueu os olhos e arqueou as sobrancelhas para mim.

– Por que está me olhando desse jeito? – perguntou. – Não é minha cul...

Ele se deteve, quase a tempo.

– Bom, não vamos falar em "culpa". Ninguém está culpando você, mas...

– Ninguém a não ser William. *Ele* está me culpando. – Jamie soltou o ar pelo nariz, então inspirou fundo e balançou a cabeça. – E não sem motivo. Está vendo, era *por isso* que eu não queria que Brianna lhe contasse! Se ele nunca tivesse me visto e sabido a verdade, estaria agora na Inglaterra cuidando de suas terras e de seus arrendatários, feliz feito...

Ele se deteve, sem saber que palavra usar.

– Feito pinto no lixo? – sugeri. – O que faz você pensar que ele não está feliz agora? Talvez só não tenha conseguido ainda providenciar um transporte de volta para a Inglaterra.

– Pinto no lixo? – Ele me encarou por alguns segundos, com as sobrancelhas erguidas. – Na posição dele, *eu* não estaria feliz, e não vejo como qualquer homem honrado poderia estar.

– Bem, ele é *mesmo* muito parecido com você.

Estava torcendo para conseguir manter a conversa concentrada em William e evitar que John desviasse a atenção, mas deveria ter sabido que era inútil. Jamie pegou a carta com violência, amassou-a e a jogou no fogo acompanhada por uma expressão muito grosseira em gaélico:

– *Mac na galladh*! Primeiro ele pega meu filho, depois trepa com minha mulher e agora está tentando subornar minha filha?!

– Ah, não está não! – Eu vinha mantendo meu temperamento sob controle, mas as chamas da raiva que se agitavam na periferia do recinto estavam ficando quentes demais. – Ele só quer que Bree vá *conversar* com o irmão! Será que não consegue ver isso, seu maldito... escocês?

Isso o deteve por um instante e vi uma faísca de espanto bem-humorado surgir em seus olhos, embora ela não tivesse chegado à sua boca. Mas ele respirou, o que foi uma melhora.

– Conversar com o irmão – repetiu. – Por quê? Ele acha que Brianna vai tecer loas a mim a ponto de William se esquecer de que sou o motivo de ele ser um bastardo? E, mesmo que decida me perdoar, isso não o ajudaria a se conformar com o fato de ser conde. – Ele fez um muxoxo. – Sob a influência daquele ninho de cobras, não me espantaria se Brianna acabasse zarpando com eles para a Inglaterra para pintar retratos da rainha.

– Não faço ideia do que John está pensando – falei com calma. – Mas, como ele diz "refletir sobre o futuro", imagino que William esteja com dúvidas. Brianna é um elemento externo nisso tudo; ela teria uma visão diferente das coisas. Poderia ouvir sem se envolver pessoalmente.

– Ah! – zombou ele. – Aquela menina se envolve pessoalmente com qualquer porcaria de coisa em que encoste o dedo. Isso ela herdou de *você* – acrescentou ele, lançando-me um olhar acusador.

– E ela não desiste de nada que tenha decidido fazer – falei, acomodando-me de novo em minha cadeira e unindo as mãos no colo. – Ela herdou isso de *você*.

– Obrigado.

– Não foi um elogio.

Isso o fez rir discretamente, mas Jamie continuou sentado. Tinha ficado da mesma cor dos tomates de minha horta no auge da discussão, mas agora estava voltando a seu tom normal de bronze avermelhado. Também relaxei um pouco e respirei fundo.

– Mas uma coisa sobre John você sabe.

– Eu sei várias coisas sobre ele, a maioria das quais preferiria não saber. A qual delas está se referindo?

– Ele sabe que sua filha ama você. E que, independentemente do que ela e William tenham a dizer um para o outro, *isso* vai fazer parte da conversa.

Ele piscou, desconcertado.

– Eu… bem, é, pode ser… mas…

– Acha que ele se importa menos com William do que você?

A atmosfera havia se acalmado e pude sentir o ritmo de meu coração desacelerar. Jamie tinha virado as costas e estava apoiado no parapeito da lareira, olhando para o fogo. A carta tinha queimado, mas ainda estava visível – uma folha negra retorcida sobre a pedra. Ele tamborilava devagar na pedra.

Por fim, Jamie deu um suspiro e se virou.

– Vou falar com Brianna – disse.

– Já falou com Brianna? – perguntei no dia seguinte.

– Vou falar – respondeu Jamie com certa relutância. – Mas não vou contar a ela sobre William.

Eu farejava com cautela o guisado que tinha feito para o jantar, mas parei para encará-lo.

– Por que não?

– Porque, se contasse, ela iria porque acha que eu quero que vá, mesmo que de outro modo não fosse.

Isso provavelmente era verdade, embora eu não visse nada de errado em lhe pedir para fazer algo que Jamie desejava ver feito. Mas *ele* via, de modo que concordei com um meneio de cabeça e lhe estendi a colher.

– Prove isto aqui, sim? E me diga se acha que está adequado para consumo humano.

Ele se deteve com a colher a meio caminho da boca.

– O que tem aqui?

– Estava torcendo para você me dizer. Acho que existe uma possibilidade de ser carne de cervo, mas a sra. MacDonald não sabe muito bem. O marido dela trouxe de uma visita às aldeias cherokees e a carne estava sem pele, e ele disse que estava bêbado demais para perguntar quando a ganhou em um jogo de dados.

Com as sobrancelhas erguidas ao máximo, ele farejou desconfiado, soprou a colherada de guisado quente e então provou com a ponta da língua, fechando os olhos como um *dégustateur* francês avaliando as qualidades de um novo vinho do Rhône.

– Humm – murmurou.

Lambeu mais um pouco, o que parecia um bom sinal, e por fim pôs a colherada inteira na boca e mastigou devagar, ainda com os olhos fechados em concentração.

Finalmente engoliu e falou:

– Falta pimenta. E talvez vinagre?

– Para dar sabor ou para desinfetar? – perguntei.

Olhei para o armário de tortas e me perguntei se conseguiria reunir resquícios suficientes de seu conteúdo para providenciar um jantar substituto.

– Para dar sabor – respondeu ele, inclinando-se para tornar a mergulhar a colher. – Mas a carne está boa. Acho que é *wapiti*... a carne de um macho muito velho e muito duro. Não é a sra. MacDonald que acha que você é bruxa?

– Bom, ela não disse nada ontem quando me trouxe seu caçula com a perna quebrada. O mais velho trouxe a carne hoje de manhã. Independentemente da origem, era *de fato* um naco bem grande. Pus o que sobrou no barracão de defumar, mas o cheiro estava meio estranho.

– Que cheiro estava estranho? – A porta dos fundos se abriu e Brianna entrou trazendo uma abóbora pequena, com Roger logo atrás segurando um cesto com couve da horta.

Avaliei a abóbora: era pequena demais para fazer uma torta e estava demasiado verde. Ela deu de ombros.

– Tinha um rato ou algo parecido mordiscando ela quando entramos na horta. – Ela virou a abóbora para mostrar as marcas recentes de dentes. – Eu sabia que ia ficar podre se a deixássemos lá, isso se o rato não voltasse para acabar de comer, então nós a trouxemos.

– Bom, eu já *ouvi falar* em abóbora verde frita – falei, aceitando o presente com relutância. – Afinal, esta refeição já está bastante experimental.

Brianna olhou para o fogo e farejou profundamente e com cautela.

– Está com um cheiro... comestível – falou.

– Sim, foi o que eu disse – concordou Jamie, descartando com uma das mãos a possibilidade de uma intoxicação generalizada por ptomaína. – Sente-se, menina. Lorde John me mandou uma carta e mencionou você.

– Lorde John? – Ela arqueou a sobrancelha ruiva e seu olhar se acendeu. – O que ele quer?

Jamie a encarou.

– Por que acha que ele quer alguma coisa de você? – perguntou, desconfiado mas curioso.

Brianna afastou a saia para um lado e se sentou, ainda com a abóbora na mão, então estendeu para Jamie uma das mãos com a palma para cima.

– Pode me emprestar sua adaga um instante, Pa? Em relação a lorde John, ele não é dado a amenidades. Não sei se quer alguma coisa *de mim*, mas já li um número suficiente de cartas dele para saber que não se dá ao trabalho de escrever a menos que tenha um objetivo.

Fiz um leve muxoxo e troquei olhares com Jamie. Era verdade. Sim, seu objetivo às vezes era avisar Jamie de que estava arriscando a cabeça, o pescoço ou as bolas em qualquer missão precipitada em que John pensasse estar envolvido, mas isso com certeza *era* um objetivo.

Bree pegou a adaga que lhe foi estendida e começou a fatiar a pequena abóbora, espalhando pela mesa tufos reluzentes de sementes verdes emaranhadas.

– Então? – indagou, sem tirar os olhos do que estava fazendo.

– Então – disse Jamie e inspirou fundo.

A abóbora verde frita era de fato comestível, embora eu não pudesse dizer muito mais do que isso a seu respeito.

– Falta ketchup – comentou Jemmy.

– É – concordou seu avô, mastigando com cuidado. – Ketchup de noz, talvez? Ou de cogumelo.

– Ketchup de *noz*? – Jemmy e Amanda explodiram em risadinhas, mas Jamie apenas os encarou com um ar tolerante.

– Sim, seus ignorantezinhos – disse ele. – Ketchup quer dizer qualquer condimento que se ponha na carne ou nos legumes... não é só aquele purê de tomate que sua mãe faz para vocês.

– Que gosto tem ketchup de noz? – Jem quis saber.

– Noz – respondeu Jamie. – Com vinagre, anchova e outras coisas. Agora silêncio. Quero falar com sua mãe.

Enquanto as crianças e eu tirávamos a mesa, Jamie expôs com detalhes para Brianna a proposta de lorde John, tomando cuidado para manter os próprios sentimentos fora da equação.

– Você pode tirar um tempinho para pensar, *a nighean* – disse ele ao concluir. – Mas está ficando tarde no ano para uma longa viagem. Se você for, pode ser que só consiga voltar na primavera.

Brianna e Roger trocaram um olhar demorado e eu senti um aperto no coração. Não tinha pensado nisso, mas ele estava certo. Desfiladeiros interditados pela neve isolavam as altas montanhas das regiões costeiras de modo tão eficaz quanto um muro de pedra de 300 metros de altura.

Mas Brianna estava aquiescendo.

– Nós vamos – disse ela apenas.

– Nós? – repetiu Roger, mas sorriu.

– Tem certeza? – indagou Jamie, e vi os dedos de sua mão direita estremecerem de leve na borda da mesa.

– Se quiser comprar muitas armas, vai precisar fazer seu ouro e seu uísque chegarem à costa – assinalou Bree, sensata. – Lorde John está me oferecendo um salvo-conduto garantido para ir até lá... uma escolta armada se eu quiser, mas eu não quero. – Ela ergueu um dos ombros. – O que poderia ser mais fácil?

Jamie arqueou a sobrancelha. Roger também.

– O quê? – indagou ela, olhando de um para o outro.

Jamie fez um leve ruído escocês e olhou para outro lado. Roger inspirou fundo, como se estivesse a ponto de falar, então tornou a expirar.

– Está pensando em esconder seis tonéis de uísque e 500 libras em sua caixinha de tintas? – perguntou Jamie.

– Debaixo do nariz de seus guardas armados – completou Roger. – Que sem dúvida vão ser soldados britânicos, encarregados entre outras coisas da prisão de... de...

– Fabricantes ilegais de bebida – falei.

Jamie ergueu a outra sobrancelha.

– Sério – falei. – Sendo que o consenso é que as pessoas que vendem bebida ilegal costumam agir à noite, imagino eu.

– Bom, eu *tenho* um plano – disse Brianna com aspereza. – Vou levar as crianças também.

– Uau! – exclamou Jemmy.

Amanda, por sua vez, sem fazer ideia do que estava sendo discutido, entoou "uau" em lealdade à mãe, o que fez Fanny e Germain rirem.

Jamie disse alguma coisa em gaélico entre dentes. Roger não disse o mesmo, mas era como se estivesse com as palavras "Que Deus nos ajude!" tatuadas na testa. Eu estava me sentindo parecida, mas dessa vez pensei ter conseguido esconder meus sentimentos melhor do que os homens. Enxuguei o rosto com um pano e comecei a cortar a torta de maçã e passas para a sobremesa.

– Talvez seja possível acrescentar alguns refinamentos – falei, com as costas viradas, no tom mais tranquilizador de que fui capaz. – Por que não falamos sobre isso depois de as crianças irem para a cama?

Tínhamos enxotado todas as crianças para dormir no andar de cima e Jamie havia pegado uma garrafa de JFS. Envelhecido sete anos em tonéis de cerejeira, o uísque podia não valer seu peso em ouro, mas era um auxílio de valor inestimável em encontros com forte potencial para darem errado.

Ele serviu uma dose generosa a cada um de nós e, sentando-se, ergueu uma das mãos para pedir silêncio enquanto tomava um gole, segurava a bebida na boca por vários instantes, então engolia e dava um suspiro.

– Está bem – falou, abaixando a mão. – Qual é sua ideia então, *mo nighean ruadh*?

Roger emitiu um muxoxo ameno e bem-humorado ao ouvi-lo chamar Brianna de "minha menina ruiva" e eu sorri para meu copo de uísque. A expressão transmitia de modo certeiro as implicações simultâneas de que sua ideia, fosse qual fosse, era decerto temerária em um nível alarmante, e de que sua propensão para tal temeridade provavelmente viera de seu ruivo genitor.

Bree também entendeu e levantou o copo para ele em um brinde.

– Bem... – disse ela após tomar e saborear por sua vez seu primeiro gole. – Você precisa conseguir armas e cavalos.

– Preciso – disse Jamie com paciência. – Mas conseguir cavalos não será uma tarefa complicada, contanto que façamos tudo com cuidado. Posso conseguir com os cherokees.

Ela assentiu e aceitou o argumento.

– Está bem. Já as armas... Na verdade, você tem dois problemas em relação a isso, não?

– Eu ficaria feliz se fossem só dois – disse ele, tomando outro gole. – A que problemas está se referindo, menina?

– Comprar as armas... Ah, entendi o que quis dizer com mais de dois problemas. Mas vamos deixar isso de lado por um instante. Você precisa comprar as armas, depois precisa fazer com que cheguem até aqui. Tem alguma ideia de onde vai consegui-las?

– Fergus – respondeu Jamie na hora.

– Como? – perguntei, encarando-o.

– Ele está em Charles Town – respondeu ele. – Os americanos comandam a cidade sob o general Lincoln. E, onde há um exército, há armas.

– Está planejando roubar armas do *Exército Continental*? – perguntei, sem pensar. – Ou fazer Fergus roubar, o que é pior ainda?

– Não – respondeu ele com paciência. – Isso seria alta traição, não é? Vou *comprá-las* de quem quer que as esteja roubando. Alguém sempre está. Fergus provavelmente já deve saber quem são os traficantes da cidade, mas se não souber eu tenho uma confiança considerável de que vai conseguir descobrir.

– Vai custar um bom dinheiro – disse Roger, erguendo a sobrancelha.

Jamie fez uma careta e assentiu.

– Vai. Eu mantive aquele ouro em segurança todos esses anos para o dia em que fosse necessário à causa da Revolução... e ele agora é.

– Certo – disse Bree, paciente. – Digamos que Fergus consiga as armas para você, seja de que modo for. Se *ele* precisar pagar por elas... – Jamie nesse ponto sorriu, apesar da seriedade da conversa. – Nesse caso você precisa fazer o ouro chegar até ele, e alguém tem que trazer as armas para cá. Entããão...

Ela inspirou bem fundo e olhou para Roger, então ergueu o polegar.

– Primeiro. Agora que a colheita está feita, precisamos levar Germain quanto antes de volta para sua família em Charles Town; ele está morrendo de vontade de ver a mãe e conhecer os irmãozinhos. Segundo... – levantou o indicador. – Lorde John quer que eu vá pintar um retrato em Savannah pelo qual irei receber dinheiro de verdade, que precisamos para coisas como roupas e ferramentas. E terceiro... – Ela ergueu o dedo médio e, sem olhar para o marido, concluiu: – Roger precisa ser ordenado. Quanto antes, melhor.

Jamie virou a cabeça para encarar Roger, que havia ficado muito vermelho ao ouvir aquilo.

– Bom, você precisa *mesmo* – disse Bree. Sem esperar resposta, ela se virou de volta para Jamie e pousou as duas mãos espalmadas na mesa. – Então eu escrevo de volta para lorde John agora mesmo e digo a ele que sim, aceito, mas que não preciso de guardas, já que Roger vai comigo e vamos levar as crianças. Afinal de contas, se não conseguíssemos voltar antes das nevascas, poderíamos ficar cinco ou seis meses sem vê-las – explicou ela, virando o rosto para mim. – E acho que elas vão estar mais seguras conosco do que aqui – emendou, olhando em cheio para Jamie. – E se os amigos do capitão Cunningham decidissem voltar e atravessar a Cordilheira com uma milícia, e aproveitar para saquear e incendiar esta casa?

A pergunta sem rodeios me deixou chocada e claramente perturbou também tanto Jamie quanto Roger. Jamie pigarreou com cuidado.

– Você acha que eu seria pego desprevenido? – perguntou ele em tom ameno.

– Não, eu acho que você reagiria – respondeu ela meio sorrindo. – E não quero as crianças no meio dessa briga, principalmente sem mim e Roger aqui para mantê-las fora da linha de tiro.

Suas mãos continuavam espalmadas na mesa e as de Jamie também, e pude ver as semelhanças físicas entre os dois: as mãos dele grandes e castigadas, as articulações aumentadas pelo trabalho e pela idade, um dos dedos faltando e os outros cheios de cicatrizes, mas ainda com uma graça potente nos dedos compridos; e as de Brianna com a mesma graça, sem marcas e com a pele lisa, mas igualmente potentes.

– Então – disse ela, inspirando fundo. – Eu digo a lorde John que aceito, mas que primeiro vamos passar por Charleston para Roger verificar alguns detalhes para que possa ser ordenado e para devolvermos Germain à família dele. Lorde John gosta de Germain. Ele vai querer ajudar. Então vou pedir para me mandar um passaporte, ou seja lá como se chame isso agora, assinado por seu irmão. Uma carta oficial que nos dê passe livre, sem interferência, pelas estradas e cidades ocupadas pelo Exército Britânico. Seremos uma inocente família de pastor com três crianças viajando sob a proteção do duque de Pardloe, que é coronel de seja qual for seu regimento. Quais são as chances de alguém nos revistar?

Jamie franziu o cenho. Pude ver que ele estava avaliando essas chances e, ainda que não as apreciasse, sendo obrigado a reconhecer que aquilo era *mesmo* um plano.

– É, bem – disse ele, relutante. – Isso *talvez* funcione para fazer o ouro chegar até Fergus… e talvez consiga organizar algo para o uísque. Tem sempre o chucrute. Mas não vou deixar vocês voltarem com um carregamento de mosquetes de contrabando na carroça. Pastor ordenado ou não – acrescentou, olhando para Roger. – Já pedi muita ajuda a Deus na vida, pedi e recebi, mas não vou pedir a Ele para me salvar de minha tolice… nem você.

– Nisso eu estou com você – garantiu Roger. – Quanto tempo levaria para receber uma resposta de Sua Senhoria com os documentos de viagem?

– Umas duas ou três semanas, se o tempo se mantiver firme.

– Então teremos tempo de pensar no que fazer com as armas, sempre considerando que vamos consegui-las. – Roger ergueu sua caneca até então intacta e a fez estalar contra a minha. – Ao crime e à insurreição.

– Você falou chucrute? – perguntou Brianna.

43

OS HOMENS COM QUEM VOCÊ FORMA A GANGUE

Ao longo das semanas seguintes, as diferentes abordagens do divino disponíveis na Casa de Encontros foram reunindo cada qual seu público. Muitas pessoas assistiam a mais de um culto, fosse por uma abordagem eclética da religião, por estarem indecisas, por quererem sociabilidade mais do que instrução ou apenas porque era mais interessante ir à igreja do que ficar em casa lendo a Bíblia em voz alta para a família.

Mesmo assim, cada culto tinha o próprio núcleo de fiéis que comparecia a cada domingo, acrescido de uma quantidade variável de presenças ocasionais e inesperadas. Quando o tempo estava bom, muitos ficavam o dia inteiro, fazendo piquenique debaixo das árvores e comparando observações sobre o culto metodista *versus* o presbiteriano. E também, por serem em sua maioria escoceses das Terras Altas dotados de fortes opiniões pessoais, discutindo sobre tudo, desde a mensagem do sermão até a condição dos sapatos do pastor.

A Reunião de Rachel atraía menos gente e muito menos discussão, mas aqueles que compareciam para ficarem sentados juntos em silêncio e escutarem sua luz interior vinham toda semana e aos poucos outros foram aparecendo.

O silêncio nem sempre era total. Como Ian havia comentado, o espírito tinha opinião própria e algumas reuniões eram *bem* animadas. Mas, em minha opinião, para muitas das mulheres pelo menos, a oportunidade de passar uma hora sentada em um lugar tranquilo era mais valiosa do que a mais inspirada pregação ou cantoria.

Jamie e eu sempre assistíamos aos três cultos, em primeiro lugar para que o dono das terras não fosse visto demonstrando parcialidade, ainda que o pastor presbiteriano *fosse* seu genro e na reunião quacre sua sobrinha por casamento fosse a… presidente? Instigadora? Eu não sabia ao certo como se poderia denominar Rachel, a não ser para dizer que ela talvez fosse o grãozinho de areia dentro da pérola. Mas também porque isso lhe permitia sentir com firmeza a pulsação da Cordilheira.

Depois de cada um dos cultos da manhã, eu assumia meu posto debaixo de um castanheiro imenso e passava uma hora ou duas administrando uma clínica improvisada, fazendo curativos em ferimentos leves, examinando gargantas e dando conselhos acompanhados por uma discreta (pois, afinal, era domingo) garrafinha de "tônico" – que consistia em uma beberagem feita com uísque puro mas bem diluído e açúcar, acrescida de substâncias herbáceas diversas usadas para tratar alguma deficiência em vitaminas, aliviar dor de dente ou indigestão, ou então (nos casos em que eu desconfiava que fosse preciso) uma golada de terebintina para matar vermes intestinais.

Enquanto isso, Jamie, frequentemente com Ian a tiracolo, percorria os grupos de homens cumprimentando todos, conversando e ouvindo. Sempre ouvindo.

– Não há como guardar segredo em relação à política, Sassenach – dissera ele. – Mesmo que quisessem, e a maioria não quer, não conseguem segurar a língua nem disfarçar o que pensam.

– O que pensam em matéria de princípios políticos ou o que pensam sobre os princípios políticos dos vizinhos? – perguntei, pois tinha escutado um eco dessas conversas das mulheres, que constituíam a maior parcela do público de meus consultórios pastorais dominicais.

Ele riu, mas foi uma risada sem muito bom humor.

– Se eles dizem o que o vizinho pensa, Sassenach, não é preciso ser um grande leitor de mentes para saber o que *eles* pensam.

– Acha que eles sabem o que *você* pensa? – perguntei, curiosa.

Ele deu de ombros.

– Se não sabem, logo vão saber.

Duas semanas mais tarde, depois de o capitão Cunningham concluir a prece final, mas antes de dispersar a congregação, Jamie se levantou e pediu permissão para se dirigir aos presentes.

Vi as costas de Elspeth Cunningham, sempre retas feito um jovem pinheiro, ficarem rígidas e as penas pretas de seu chapéu de ir à igreja estremecerem em um alerta. Apesar disso, o capitão não tinha muita escolha e, com uma dose razoável de elegância, deu um passo para trás e chamou Jamie com um gesto.

– Bom dia a todos – disse Jamie, fazendo uma mesura para os fiéis reunidos. – Peço desculpas, bem como ao capitão Cunningham... – Outra mesura. – ... por precisar perturbar sua paz de espírito em um domingo. Mas esta semana recebi um bilhete que perturbou minha paz de espírito e espero que me concedam a oportunidade de compartilhá-lo com vocês.

Murmúrios de assentimento, incompreensão e interesse percorreram o recinto, acompanhados por um tremor subterrâneo e quase imperceptível de apreensão.

Jamie levou a mão ao bolso do casaco e pegou um bilhete dobrado, cujo lacre quebrado feito com cera de vela havia manchado o papel de gordura, fazendo as sombras das palavras transparecerem através deste enquanto ele o desdobrava. Pôs os óculos e leu em voz alta:

Sr. Fraser,

Tomo a liberdade de informar ter recebido o aviso de que o general Gates atacou as forças de lorde Cornwallis perto de Camden e sofreu uma grande derrota, que incluiu a morte lamentável do major-general De Kalb. Com a retirada das forças de Gates, a Carolina do Sul está à mercê do inimigo. Enquanto isso, ouvi dizer que mais tropas estão sendo mandadas da Flórida para o Norte, a fim de dar apoio à ocupação de Savannah. Essa notícia é alarmante, mas fico ainda mais alarmado ao escutar de alguns amigos que o general Clinton planeja atacar o interior por outros meios mais insidiosos. Ele pretende infiltrar agentes entre nós para angariar, alistar e armar legalistas, e assim fazendo formar uma grande milícia, apoiada pelo exército regular, para atacar e subjugar qualquer indício de rebelião nas montanhas do Tennessee e das Carolinas.

Creio com firmeza que não se trata de nenhum boato sem fundamento. Mandarei diversas provas conforme elas me forem chegando às mãos. Portanto...

Conforme ele lia, tive um uma sensação muito estranha de *déjà vu*. Uma sensação de peso no fundo do estômago e um arrepio subindo pelo meu braço. O espaço estava quente e úmido como uma sauna turca, mas minha sensação era de estar em um recinto frio e vazio, com uma gélida chuva escocesa a tamborilar na janela, escutando palavras que representavam uma ameaça da qual era impossível escapar.

E assim reconheceram o apoio desses direitos divinos pelos chefes dos clãs das Terras Altas, os senhores jacobitas, e diversos outros súditos leais de Sua Majestade rei Jaime, conforme simboliza o fato de terem assinado seus nomes nesta carta de associação.

– Não. Ai, meu Deus, não...

Eu não pretendia dizer isso em voz alta, mas as palavras me escaparam da boca. Algumas pessoas próximas olharam de relance em minha direção e, em seguida, desviaram os olhos, como se eu exibisse sinais de lepra. Jamie concluiu a leitura:

Insto-o portanto a fazer os preparativos que estiverem a seu alcance e a estar pronto para se juntar a nós em caso de necessidade urgente, para defender nossas vidas e nossa liberdade.

Fizeram-se alguns instantes de silêncio reverberante e Jamie então dobrou o bilhete e falou antes de a reação das pessoas explodir:

– Não lhes direi o nome do cavalheiro que me mandou esta carta, pois se trata de alguém que conheço de nome e de reputação, e não vou colocá-lo em perigo. Acredito que o que ele diz seja verdade.

As pessoas se remexiam à minha volta, mas permaneci sentada o olhando, petrificada.

Não. De novo não. Por favor, de novo não...

Mas você sabia, estava dizendo a parte racional de minha mente. *Você sabia que iria acontecer de novo. Sabia que ele não conseguiria sair do caminho... e que não sairia, mesmo se pudesse...*

– Sei muito bem que alguns de vocês aqui professam lealdade ao rei. Todos sabem que eu não. Vocês farão o que sua consciência mandar... e eu farei o mesmo.

Ele cruzou olhares com alguns homens da plateia aqui e ali, mas evitou olhar para o capitão Cunningham, que se mantinha parado de pé um pouco para o lado, com o semblante quase inexpressivo.

– Não vou expulsar ninguém destas terras por aquilo em que acredita.

Jamie se calou por um instante, tirou os óculos e fitou vários rostos antes de prosseguir. Entendi que estava olhando para os homens que sabia serem legalistas confessos e reprimi o impulso de olhar em volta.

– Mas é meu dever proteger estas terras e seus colonos, e é isso que vou fazer. Precisarei de ajuda nessa empreitada, e com essa finalidade irei criar uma milícia. Se decidirem se juntar a mim, irei armá-los, alimentá-los em campanha e providenciar montarias para quem não as tiver.

Pude sentir Samuel Chisholm, que tinha uns 18 anos e estava sentado a meu lado, retesar o corpo e arrastar de leve os pés no chão, tentando decidir se pulava do banco e se oferecia como voluntário ali mesmo. Jamie percebeu seu movimento e levantou de leve a mão com um breve sorriso.

– Os que quiserem se juntar a mim hoje, vão falar comigo lá fora. Os que quiserem pensar no assunto, podem ir à minha casa a qualquer hora. Do dia ou da noite – acrescentou, com um torcer de lábios irônico que fez algumas pessoas darem risadinhas nervosas. – A seu dispor, capitão – disse ele então, virando-se para um capitão Cunningham de semblante pétreo. – E agradeço a cortesia.

Ele desceu com passo firme o espaço entre os bancos, estendeu a mão para mim, puxou-me para me fazer levantar, deu-me o braço e nos retiramos depressa, deixando atrás de nós um silêncio no qual daria para escutar cair um alfinete.

Ele fez a mesma coisa no culto presbiteriano, com Roger postado logo atrás, de semblante grave e olhos baixados para o chão. Ali, porém, o público estava preparado: todos haviam ficado sabendo do que acontecera no culto metodista.

Assim que ele terminou de falar, Bill Amos se pôs de pé.

– Nós vamos com o senhor, *Mac Dubh* – disse ele com firmeza. – Eu e meus rapazes.

Bill Amos era um homem bonito de cabelos pretos, sólido tanto do ponto de vista físico quanto em matéria de caráter, e murmúrios de assentimento percorreram os presentes. Três ou quatro outros homens se levantaram na mesma hora para prestar lealdade e pude sentir o zum-zum de animação agitar o ar úmido.

Pude sentir também a fria apreensão que dominava as mulheres. Várias delas tinham ido falar comigo quando eu estava fazendo consultas entre os dois cultos.

– A senhora não consegue convencer seu marido a mudar de ideia? – perguntara-me Mairi Gordon em voz baixa, olhando em volta para se certificar de que ninguém a estivesse escutando. – Eu só tenho meu bisneto. Se ele for morto, vou ficar sozinha e morrer de fome.

Mairi tinha mais ou menos a mesma idade que eu e havia atravessado a fase posterior a Culloden. Eu podia ver o medo no fundo de seus olhos, e senti-lo também.

– Eu... vou conversar com ele – falei, sem jeito.

Poderia tentar convencer Jamie a não aceitar Hugh Gordon e iria fazê-lo, mas sabia muito bem qual seria sua resposta.

– Não vamos deixá-la morrer de fome – falei, no tom mais confiante de que fui capaz. – Aconteça o que acontecer.

– É, bem – resmungou ela e me deixou fazer em silêncio o curativo na queimadura em seu braço.

A sensação de animação nos acompanhou até fora da igreja. Homens se reuniam em volta de Jamie. Outros formavam os próprios grupos sob as árvores e à sombra dos pinheiros. Procurei o capitão Cunningham entre eles, mas não o encontrei. Talvez ele soubesse que era melhor não se declarar abertamente.

Ainda.

O frio que eu havia sentido na igreja era um peso a se deslocar dentro de minha barriga, como uma poça de mercúrio. Segui conversando em tom agradável com as mulheres e crianças, e com o paciente que esmagou o dedão do pé e o que enfiou uma farpa no olho, mas podia sentir com clareza o que estava acontecendo.

Jamie tinha cindido a Cordilheira e as fraturas estavam se espalhando.

Ele havia feito isso de propósito e por necessidade, o que não tornava o fato mais fácil de suportar. No intervalo de três horas, tínhamos deixado de ser uma comunidade, por mais contenciosa que pudesse ser, e passado a ser dois campos opostos. O terremoto tinha acontecido e seus choques continuariam a reverberar. Vizinhos não seriam mais vizinhos, e sim inimigos confessos.

A guerra fora declarada.

Em geral, as pessoas se misturavam depois do culto. Grupos se formavam, separavam-se e tornavam a se formar conforme amigos eram cumprimentados, notícias trocadas, toalhas estendidas, comidas desembaladas, e as conversas iam se espalhando pelas árvores como o zumbido reconfortante de uma colmeia em franca atividade.

Não nesse dia.

Famílias se fecharam em torno de si mesmas e amigos que ainda se encontravam do mesmo lado buscaram um ao outro para se tranquilizar. A Cordilheira estava dividida e seus pedaços estilhaçados foram se afastando devagar pelos caminhos da floresta, permitindo que o ar quente e espesso se acomodasse na igreja deserta agora vazia de paz.

Minha última paciente, Auld Mam, afligida (segundo ela) por catarro nas costas, foi levada embora por uma das filhas, agarrada em um frasco de tônico extraforte. Sorvi uma inspiração profunda, que nada fez para me revigorar, e comecei a guardar meus instrumentos e provisões. Bree tinha levado as crianças para casa, pois obviamente nesse domingo não haveria nenhum piquenique de almoço debaixo das árvores, mas Roger continuava parado em frente à igreja com Jamie e Ian; os três conversavam em voz baixa.

Aquela visão me trouxe certo reconforto. Pelo menos Jamie não estava sozinho.

Ian meneou a cabeça para Roger e Jamie e se afastou na direção de casa com um aceno breve de despedida para mim. Jamie se aproximou, ainda conversando com Roger.

– Eu sinto muito, *a mhinistear* – dizia ele quando os dois chegaram perto o bastante para eu poder escutar. – Eu não teria feito isso na igreja, mas precisava me fazer ouvir tanto pelos legalistas quanto pelos rebeldes, não? E a maioria deles não frequenta mais a loja.

– Não faz mal. – Roger lhe deu breves tapinhas nas costas e sorriu. Foi um sorriso forçado, mas genuíno. – Eu entendo.

Ele meneou a cabeça para mim, então se virou de novo para Jamie.

– Está planejando ir à Reunião de Rachel também? – Ele tomou cuidado para manter a voz livre de qualquer viés incisivo, mas Jamie o captou.

– Sim – respondeu, endireitando as costas com um suspiro. Então, ao ver a expressão de Roger, fez uma pequena careta de ironia. – Não para recrutar, *a bhalaich*. Para ficar sentado em silêncio e pedir perdão.

44

BESOUROS PEQUENINOS DE OLHOS VERMELHOS

Savannah, final de agosto

Devido ao que até ele reconhecia, nas profundezas de seu coração, como pura teimosia (embora tentasse vendê-la para sua consciência como honestidade e orgulho...

orgulho de uma natureza republicana chocante, mas orgulho mesmo assim), William tinha fixado residência com John Cinnamon em uma pequena casa parecida com um barracão na orla do pântano. Lorde John, porém, sem comentar nada, tinha lhe atribuído um quarto no número 12 da Oglethorpe Street e ele muitas vezes dormia lá quando ia jantar na casa. Também continuara a usar as mesmas roupas com as quais havia chegado a Savannah, apesar de o criado pessoal de lorde John as levar embora toda noite para escová-las, lavá-las ou remendá-las antes de as devolver pela manhã.

Naquela manhã em especial, porém, William acordou e deparou com um traje de veludo cinza-escuro, com um colete de seda ocre bordado com extremo bom gosto com pequenos besouros de cores variadas, todos com olhos vermelhos pequeninos. Meias limpas de linho e seda estavam dispostas ao lado da roupa, mas seus antigos apetrechos militares tinham desaparecido, com exceção das infames botas, dispostas como uma reprimenda ao lado da pia, os arranhões e as cicatrizes do couro aparentes através da cera nova.

Ele se deteve um instante, em seguida vestiu o roupão que o pai lhe emprestara, feito de uma lã azul de trama fina e reconfortante naquela manhã de friagem, uma vez que tinha chovido durante a noite. Então lavou o rosto e desceu para tomar café.

O pai e Amaranthus estavam sentados à mesa; ambos pareciam ter sido desenterrados da cama em vez de acordados.

– Bom dia – disse William um tanto alto e se sentou. – Onde está Trevor?

– Em algum lugar com seu amigo sr. Cinnamon – respondeu Amaranthus, piscando de sono. – Que Deus o abençoe. Ele veio procurar você e, como você ainda estava escarrapachado dormindo, disse que iria levar Trevor para dar uma volta.

– O diabinho uivou a noite inteira – disse lorde John, empurrando um pote de mostarda na direção de William. – As linguiças já vêm – completou. – Você não escutou?

– Ao contrário de algumas pessoas, dormi o sono dos justos – disse William enquanto passava manteiga em uma torrada. – Não escutei nada.

Seus dois parentes o miraram com os olhos miúdos por cima do suporte de torradas.

– Hoje à noite eu vou pôr o menino em *sua* cama – disse Amaranthus, tentando alisar os cabelos desarrumados. – Vamos ver quão justo se sente quando o dia nascer.

Um cheiro defumado e doce de toucinho veio da parte de trás da casa e todos os três comensais endireitaram as costas quando a cozinheira entrou trazendo uma generosa travessa que continha não só toucinho, mas também linguiças, morcelas e cogumelos grelhados.

– *Elle ne fera pas cuire les tomates* – disse Sua Senhoria com um leve dar de ombros. "Ela não quer mais cozinhar tomates." – *Elle pense qu'elles sont toxiques.* – "Acha que são venenosos."

– *La façon dont elle les cuit, elle a raison* – resmungou Amaranthus em bom francês, apesar do sotaque esquisito. "Do jeito que os cozinha, ela tem razão."

William viu o pai erguer a sobrancelha. Pelo visto, não tinha se dado conta de que a moça falava francês.

– Eu, ahn, vi as roupas que o senhor teve a gentileza de providenciar para mim – disse William, desviando com certo tato a conversa. – Estou muito grato, claro... mas não creio que vá ter oportunidade de usá-las no momento. Quem sabe...?

– Cinza vai ficar muito bem em você – disse lorde John, parecendo mais satisfeito quando Moira entrou e colocou sobre a mesa a seu lado um copo do que, pelo cheiro, parecia ser café com uísque. Ele meneou a cabeça para Amaranthus, sentada na frente de William. – Foi sua prima quem bordou os besouros do colete.

– Ah. Obrigado, prima. – Ele lhe fez uma mesura e sorriu. – É de longe o colete mais criativo que eu jamais possuí.

Ela se empertigou com um ar indignado e fechou mais o robe em frente ao peito.

– Não são nem um pouco criativos! Todos aqueles besouros, sem exceção, podem ser encontrados nesta colônia, e todos eles estão com as cores e formatos corretos! Bem... – continuou ela, um pouco menos indignada. – Reconheço que os olhos vermelhos foram, *sim,* um toque de imaginação. Só achei que o desenho pedia mais vermelho do que uma única joaninha conseguiria proporcionar.

– Totalmente adequado – garantiu-lhe lorde John. – Nunca ouviu falar em *licentia poetica*, Willie?

– William – corrigiu este, frio. – E sim, já. Obrigado, prima, pelos meus besouros encantadores e poéticos... Eles têm nome?

– Claro – respondeu Amaranthus. Ela estava ficando mais animada graças à influência do chá e das linguiças: suas bochechas exibiam agora um tom rosado. – Eu lhe digo depois, quando você estiver usando.

Um leve porém inconfundível arrepio transpassou William quando ele ouviu esse "quando você estiver usando", juntamente com uma visão do dedo fino da prima a se mover devagar sobre seu peito de besouro em besouro. Ele não estava imaginando coisas; o pai também tinha lançado um olhar incisivo para Amaranthus ao ouvi-la dizer isso. Não havia em seu rosto, contudo, nenhum sinal de flerte intencional: ela manteve os olhos fixos na travessa fumegante de linguiças que estava pousada em sua frente.

William pegou um pouco de mostarda e empurrou o pote em sua direção.

– Independentemente de besouros e roupas elegantes, eu não posso usar uma calça de veludo cinza para limpar um barracão com Cinnamon, minha principal ocupação para hoje – disse ele.

– Na verdade, não, *William.* – disse lorde John, imprimindo a seu nome um levíssimo toque de ironia. – A sua presença está sendo requisitada em um almoço com o general Prévost.

O garfo cheio de linguiça de William parou a meio caminho da boca.

– Por quê? – perguntou ele, desconfiado. – O que o general Prévost tem a ver comigo?

– Nada, espero eu – respondeu seu pai, estendendo a mão para pegar a mostarda. – Ele é um soldado decente, mas, com aquele forte sotaque suíço e nenhum senso de humor, ter uma conversa com ele é como subir um morro empurrando um barril de fumo. No entanto… – Lorde John espiou a mesa. – Está vendo o pote de pimenta em algum lugar? No entanto, ele está no presente momento recebendo um grupo de políticos de Londres e dois dos oficiais mais graduados de Cornwallis desceram da Carolina do Sul para se encontrar com eles.

– E…?

– Arrá, achei você! – disse John, erguendo um guardanapo e descobrindo o pote de pimenta lá embaixo. – E ouvi dizer que certo Denys Randall, mais conhecido como Denys Randall-Isaacs, vai fazer parte do grupo. Ele me mandou um recado hoje de manhã dizendo ter ficado sabendo que você estava hospedado comigo e se eu poderia fazer a gentileza de levá-lo com Hal para almoçar, uma vez que ele lhe providenciou um convite.

O tempo estava quente e abafado, mas nuvens se adensavam no céu, proporcionando uma sombra bem-vinda.

– Duvido que chova antes da hora do chá – comentou lorde John, olhando para cima quando eles estavam saindo de casa. – Mas quer uma capa para proteger seu colete novo?

– Não. – Por mais elegantes que fossem suas roupas, William não estava preocupado com elas. Tampouco estava preocupado com Denys Randall: o que quer que Randall tivesse a dizer, ficaria sabendo mais cedo ou mais tarde. Estava pensando em Jane.

Vinha evitando andar pela Barnard Street desde que ele e Cinnamon tinham chegado a Savannah. O quartel-general da guarnição ficava em uma mansão na mesma rua, a pouco mais de 500 metros do número 12 da Oglethorpe Street. Em frente ao quartel-general, do outro lado da praça, ficava a residência do comandante, uma casa grande e elegante com uma vidraça oval na porta da frente. E plantado no meio da praça havia um imenso carvalho enfeitado por uma barba de musgo. A forca.

Seu pai estava dizendo alguma coisa, mas William não prestava atenção; notou vagamente quando lorde John percebeu e parou de falar. Eles caminharam em silêncio até a casa de tio Hal, onde o encontraram à espera, vestido com o uniforme de gala completo. Ele observou o traje de William e fez um gesto de aprovação, mas apenas falou:

– Se Prévost lhe oferecer um cargo comissionado, não aceite.

– Por que eu deveria aceitar? – respondeu William apenas, o que fez seu tio grunhir de um jeito que provavelmente denotava concordância. Seu pai e seu tio se puseram a caminhar juntos atrás dele, deixando espaço para seu passo mais comprido.

Eles não tinham conseguido enforcar Jane. Mas a haviam trancado em um quarto dentro da casa de vidraça oval com vista para a árvore. E a haviam deixado sozinha para passar sua última noite nesta Terra. Ela morrera à luz da vela depois de cortar os pulsos com uma garrafa quebrada. De escolher o próprio destino. Ele sentiu o cheiro da cerveja e do sangue; viu o rosto dela à luz trêmula da vela, calmo, distante, sem demonstrar medo algum. Ela teria ficado satisfeita em saber disso; detestava que as pessoas soubessem que estava com medo.

Por que não consegui salvar você? Não sabia que eu viria buscá-la?

Eles passaram sob os galhos da árvore, suas botas se arrastando em meio às camadas de folhas úmidas derrubadas pela chuva.

– *Stercus* – disse tio Hal atrás dele, e ele se virou espantado.

– O quê?

– O quê, de fato. – Tio Hal meneou a cabeça para um pequeno grupo de homens que se aproximava vindo do outro lado da praça. Alguns estavam vestidos como cavalheiros e talvez fossem os políticos de Londres, mas junto com eles vinham vários oficiais. Entre eles o coronel Archibald Campbell.

Por um instante, William desejou que John Cinnamon estivesse atrás dele em vez de seu pai e seu tio. Por outro lado...

Ouviu o pai fazer um muxoxo e tio Hal produzir no fundo da garganta uma espécie de zumbido pesaroso. Sorrindo de leve, William avançou a passos largos e decididos até Campbell, que havia parado para dizer alguma coisa a um dos cavalheiros.

– Bom dia para o senhor – disse a Campbell e avançou decidido em direção à porta, perto o bastante para fazer Campbell dar automaticamente um passo para trás. Atrás de si, ouviu tio Hal dizer, com extrema educação, "A seu dispor" e em seguida a voz cordial do pai dizendo "Que prazer revê-lo, coronel. Espero que esteja bem".

Se houve alguma resposta a essa amabilidade, William não escutou, mas, pela expressão no rosto de Campbell, imaginou que sim. Olhou rapidamente por cima do ombro e viu Campbell, com o rosto vermelho como de costume e os olhos miúdos e negros, apunhalando o grupo dos Greys.

Sentindo-se muito melhor, esperou tio Hal chegar perto e fazer as apresentações ao general Prévost e seus auxiliares, coisa que ele fez com uma cortesia sucinta, mas adequada. Supôs que Prévost e seu tio não fossem muito com a cara um do outro, mas que se reconhecessem mutuamente como soldados profissionais e fossem capazes de fazer o necessário para lidar com uma situação militar sem dar qualquer importância às respectivas personalidades.

Apertou a mão de Prévost, observando discretamente para detectar se a cicatriz era visível. Segundo papai, Prévost era conhecido como "Velho Cabeça de Bala" por ter tido o crânio fraturado por uma bala que o atingira durante a Batalha de Québec. Para sua gratificação, pôde, *sim*, ver a cicatriz: uma depressão perceptível no osso logo acima da têmpora, que aparecia como uma sombra oca sob a borda da peruca de Prévost.

– Milorde? – disse uma voz a seu lado quando ele estava entrando na sala de recepção, onde os convidados se reuniam para serem servidos xerez e biscoitos salgados destinados a prevenir a inanição antes de o almoço ser servido.

– Sr. Ransom – corrigiu William com firmeza, virando-se e dando de cara com Denys Randall, de uniforme e parecendo bem mais *soigné* no vestir do que em seu encontro anterior. – A seu dispor.

Olhou para trás e viu que o grupo de Campbell já tinha entrado, mas que no meio-tempo tio Hal e seu pai tinham dado um jeito de ladear Prévost, comportando-se como se fizessem parte dos anfitriões oficiais e cumprimentando com boas-vindas efusivas, antes de Campbell poder apresentá-los, cada um dos políticos londrinos, vários dos quais tio Hal parecia conhecer.

Sorrindo, virou-se de volta para Denys.

– Alguma notícia de meu primo?

– Não diretamente. – Randall pegou dois copos de xerez de uma bandeja que passava e entregou um para William. – Mas eu sei o nome do oficial britânico que recebeu a carta original com a notícia da morte de seu primo.

– Coronel Richardson? – perguntou William, decepcionado. – Sim, eu sei.

Mas Denys estava balançando a cabeça.

– Não. A carta foi escrita *para* Richardson pelo coronel Banastre Tarleton.

O xerez de William desceu errado e ele engasgou de leve.

– O quê? Foi *Tarleton* quem recebeu a carta dos americanos? Como? Por quê? – O último encontro de William com Ban Tarleton tinha acabado em um embate corpo a corpo motivado por Jane no campo de batalha de Monmouth. William tinha razoável certeza de ter vencido.

– Eu realmente gostaria de saber – foi a resposta de Denys enquanto se curvava para cumprimentar um cavalheiro vestido de veludo azul do outro lado do recinto. – E, sinceramente, espero que o senhor descubra e me diga. Enquanto isso, teve alguma notícia de nosso amigo Ezekiel Richardson?

– Sim, mas provavelmente nada muito útil. Meu... pai recebeu uma carta de um capitão naval seu conhecido que comentou casualmente ter visto Richardson no cais de Charles Town.

– Quando? – Denys não traiu nenhuma empolgação explícita em relação a essa notícia, mas inclinou a cabeça como um terrier que se pergunta se acabou de escutar o barulho de uma tartaruga debaixo da terra.

– A carta estava datada de um mês atrás. Não há como saber se o capitão viu o homem nessa ocasião ou algum tempo antes. Não há qualquer indício, aliás, de que Schermerhorn, o capitão, saiba que Ezekiel Richardson é vira-casaca, então suponho que ele não estivesse de uniforme. De uniforme americano, quero dizer.

– Nada mais? – O terrier estava decepcionado, mas tornou a se interessar com a informação seguinte de William:

– Pelo visto, Richardson estava com um cavalheiro chamado Haym. Mas ele não disse nada sobre o que os dois estavam fazendo ou quem esse tal Haym poderia ser.

– Eu sei quem ele é. – Denys manteve a expressão sob controle, mas seu interesse estava patente.

A conversa foi interrompida nesse ponto pelo som de um pequeno gongo e pelo anúncio do mordomo de que o almoço estava servido, e ele se viu separado de Denys quando outro conhecido o chamou.

– Está tudo bem, Willie? – Seu pai apareceu a seu lado quando ele estava passando pela porta dupla da sala de recepção para adentrar um hall espaçoso, cujo piso estava coberto por um fantástico tapete de lona pintada imitando o mosaico de uma *villa* romana. – Ele descobriu alguma coisa sobre Ben?

– Não muita, mas talvez alguma coisa. – Ele contou rapidamente o teor da conversa que acabara de ter com Randall.

– Ele diz que conhece o homem com quem Richardson foi visto em Charles Town. Haym.

– Haym? – Tio Hal os havia alcançado a tempo de escutar isso e o nome o fez erguer uma sobrancelha.

– Pode ser – disse William. – O senhor conhece?

– "Conhecer" não é bem o termo – respondeu seu tio, dando de ombros. – Mas já ouvi falar em um rico judeu chamado Haym Salomon. Só não consigo imaginar que diabos ele estaria fazendo em Charles Town... da última vez que soube dele, ele havia acabado de ser condenado à morte como espião em Nova York.

O almoço foi maçante, com pequenos intervalos de irritação. William se viu sentado entre certo sr. Sykes-Hallett, pelo visto um membro do Parlamento por algum lugar em Yorkshire a julgar pelo sotaque incompreensível, e um cavalheiro esbelto e estiloso, de casaco verde-garrafa e cujo sobrenome era Fungo (ou talvez Fungus), que ficou tagarelando sobre a excelência da campanha do Sul (em relação à qual evidentemente não sabia nada, tampouco reparando nos olhares pétreos dos soldados sentados em seu entorno) e não parou de se dirigir a William como "lorde Ellesmere", apesar de ter sido severamente solicitado a não fazê-lo.

William pensou ter captado um olhar de solidariedade de tio Hal na mesa ao lado, mas não teve certeza.

– O senhor renunciou ao seu cargo comissionado, lorde Ellesmere, se bem entendi? – perguntou o fungo verde entre um bocado e outro de salmão. – Segundo o coronel Campbell, houve um... problema relacionado a uma jovem? Veja bem, eu não o culpo. – Ele ergueu uma sobrancelha finíssima com uma expressão de quem sabe das coisas. – Uma carreira militar é adequada para homens dotados de capacidade e desprovidos de recursos... mas pelo que entendo o senhor felizmente não precisa avançar na vida ao custo do próprio sangue, pelo menos ao custo potencial, não é assim?

William fora criado para se comportar de modo cortês mesmo em circunstâncias adversas e, sendo assim, só fez dar uma garfada na terrina de coelho e a levar a boca em vez de usar o garfo para espetar o pescoço de Fungo.

Já se tivesse sido Campbell... mas o que o estava incomodando não era a maldade de Campbell. Ele não imaginara como ficaria incomodado com o fato de não ser mais soldado. Sentia-se um impostor, um usurpador, um ocioso inútil e desprezado sentado ali no meio de soldados, usando um colete coberto por umas porcarias de uns besouros, pelo amor de Deus!

Era uma reunião grande, cerca de trinta homens, dois terços dos quais de uniforme, e ele podia sentir claramente as linhas traçadas entre os civis e os soldados. Havia respeito de ambos os lados, certamente, mas um respeito matizado de desdém.

– Que colete bonito, senhor – comentou com um sorriso o homem sentado à mesa diante dele. – Reconheço que tenho um fraco por besouros. Tive um tio que os colecionava... ele deixou sua coleção para o Museu Britânico quando morreu.

O homem se chamava Preston, achava William; era segundo-secretário do subsecretário da Guerra ou algo assim. Apesar disso, não era nem zombeteiro nem intrometido; tinha um rosto forte, ainda que um tanto feioso, com um nariz grande e torto que sustentava um *pince-nez*, e evidentemente não queria nada além de uma conversa amigável.

– Minha prima o bordou para mim, senhor – disse William com uma leve mesura. – O pai dela é naturalista e ela me garante que estão todos perfeitamente corretos... menos os olhos, que foram um toque de criatividade seu.

– Sua prima? – Preston olhou para a mesa ao lado, onde papai e tio Hal estavam entretidos em uma conversa com Prévost e seus dois principais convidados, um membro da pequena nobreza enviado como representante do secretário de Estado para as colônias, lorde George Germain, e uma espécie de francês vestido com extravagância. – Certamente não é o duque que é naturalista. Ah... mas claro, o tio deve ser pelo lado de sua mãe?

– Ah. Não, senhor, eu me expressei mal. Ela é viúva de meu primo, nora de meu tio. – Ele inclinou a cabeça na direção de tio Hal. – O marido dela morreu prisioneiro de guerra em Nova Jersey e ela e o filho pequeno vieram se refugiar com... conosco.

– Minhas profundas condolências à jovem, milorde – disse Preston, aparentando genuína preocupação. – Suponho que o marido dela fosse oficial... o senhor sabe de qual regimento?

– Sim – respondeu William, deixando passar o "milorde". – Trigésimo quarto. Por quê?

– Eu sou um subsecretário de muito pouca importância no Gabinete de Guerra, milorde, encarregado de supervisionar o apoio a nossos prisioneiros de guerra. Um apoio lamentável de tão pífio, temo dizer – acrescentou ele com uma contração da boca. – Na maioria dos casos, tudo que posso fazer é solicitar e organizar a ajuda proporcionada por igrejas e legalistas solidários nos arredores das prisões. Os recursos dos americanos são tão limitados que eles mal conseguem alimentar as próprias tropas, que dirá os prisioneiros, e lamento dizer que a mesma coisa muitas vezes se aplica de modo quase idêntico ao Exército Britânico.

Preston se recostou na cadeira quando dois ajudantes chegaram com a sopa.

– Este não é o momento nem o lugar para conversas desse tipo – disse Preston, espiando por trás de uma tigela que era baixada em sua frente. – Mas se o senhor tiver tempo mais tarde, milorde, eu ficaria imensamente grato se pudesse me dizer tudo que sabe sobre seu primo e as condições em que ele esteve preso. Se... se não for doloroso demais – acrescentou depressa com outra olhada na direção de tio Hal.

– Com satisfação – respondeu William, empunhando a colher de sopa de prata e provando a *bisque* de lagosta. – Quem sabe... nós possamos nos encontrar nos Arches hoje à noite? Na Casa Rosa, o senhor sabe. Eu não iria querer abalar meu tio. – Ele também olhou para tio Hal, que parecia estar tendo uma indigestão, fosse ela de natureza física ou espiritual, enquanto papai examinava sua sopa com uma expressão muito fixa.

– Claro. – O sr. Preston olhou rapidamente para o duque e baixou a voz: – Eu... hesito em perguntar, mas o senhor acha que seu pai talvez possa acompanhá-lo mais tarde? A experiência dele com prisioneiros tem naturalmente algum tempo, mas...

– Prisioneiros? – William sentiu um incômodo na barriga, como se tivesse engolido uma bola de golfe. – Meu pai?

O sr. Preston piscou, espantado.

– Queira me perdoar, milorde. Achei que...

– Não importa. – William fez um gesto com a mão. – Mas como assim, a experiência dele com prisioneiros?

– Ora... lorde John foi diretor de uma prisão na Escócia uns... vinte, 25 anos atrás, talvez? Qual era mesmo o nome... ah, claro. Ardsmuir. O senhor não sabia? Puxa, queira me desculpar.

– Vinte e cinco anos atrás – repetiu William. – Eu... imagino que alguns dos prisioneiros pudessem ser traidores jacobitas da época do Levante.

– Ah, sim – respondeu o sr. Preston, com uma cara mais feliz agora que William não parecia ofendido. – A maioria, pelo que me lembro. Escrevi um ou dois livrinhos sobre o tema das reformas das prisões e o tratamento dos prisioneiros jacobitas constituiu uma parte significativa de minhas pesquisas. Eu... talvez eu possa lhe contar um pouco mais a respeito... esta noite? Às dez horas, digamos?

– Com prazer – respondeu William cordialmente e pôs na boca a colher cheia de sopa fria.

45

NÃO *EXATAMENTE* LEPRA

Lorde John ergueu uma colher de sopa quente e a manteve suspensa para deixá-la esfriar, sem tirar os olhos do cavalheiro sentado à sua frente à mesa, ao lado de Prévost. Podia sentir Hal vibrando a seu lado e se perguntou por um instante se deveria derramar a sopa em sua perna como um jeito de fazê-lo sair do salão de jantar antes de dizer ou fazer algo pouco judicioso.

Seu antigo irmão postiço, que acabara de lhes ser apresentado como Cavalier Saint-Honoré, não pôde evitar reparar na reação dos dois à sua presença, mas manteve um *sang-froid* perfeito e deixou o olhar percorrer os Greys sem ajustar o foco nem cruzar olhares com nenhum dos dois. Estava conversando com Prévost em um francês de Paris e, até onde Grey podia ver, estava de fato fingindo ser francês, o desgraçado!

Percy. Seu... seu... Um tanto para sua surpresa, não foi capaz de aplicar um epíteto adequado. Não apreciava nem confiava em Percy, mas houve um tempo em que o havia amado, e era suficientemente honesto consigo mesmo para reconhecer isso.

Percival Wainwright, cujo verdadeiro nome era Perseverance, embora John estivesse disposto a apostar que era a única pessoa no mundo a saber disso, estava com bom aspecto e bem-vestido com um traje caro e estiloso de seda vermelho-escura com um colete listrado de azul-claro e branco. Ainda possuía traços delicados e atraentes e suaves olhos castanhos, mas o que quer que tivesse feito ao longo dos últimos anos havia lhe proporcionado uma firmeza de expressão que era nova, assim como eram novas as rugas que lhe ladeavam a boca.

– *Monsieur* – disse John diretamente a Percy e, fazendo-lhe uma mesura, continuou em francês: – Permita que eu me apresente... sou lorde John Grey e este... – Ele meneou a cabeça para Hal, que respirava de modo bastante audível. – É meu irmão, o duque de Pardloe. Ficamos honrados com sua presença, mas estamos curiosos em relação ao... golpe de fortuna que o trouxe até aqui.

– *À votre service* – respondeu Percy com uma mesura igualmente educada. Teria John imaginado a centelha em seu olhar? Não, concluiu, não a tinha imaginado, e casualmente deixou a mão cair sobre o joelho do irmão e o apertou de um modo destinado a sugerir que qualquer palavra que Hal dissesse o deixaria mancando por horas.

Hal pigarreou em tom de ameaça, mas fez por sua vez uma mesura, sem tirar os olhos de Percy enquanto a fazia.

– Estou aqui a convite do sr. Robert Boyer – disse Percy, mudando para o inglês com um leve sotaque francês. Inclinou ligeiramente a cabeça para indicar um cavalheiro robusto em uma mesa vizinha, cujo traje bordô tinha exatamente o mesmo tom dos vasos sanguíneos estourados em seu bulboso nariz. – Monsieur Boyer é dono de vários navios e tem contratos tanto com a Marinha quanto com o Exército britânicos para fornecer víveres e outras necessidades. Ele tem algumas questões importantes para discutir com o major-general e pensou que eu poderia lhe dar uma pequena ajuda com os… detalhes.

A centelha ficou mais pronunciada, mas felizmente Percy se absteve de qualquer coisa explícita, uma vez que Hal fitava seu colete listrado com tanta intensidade que teria sido capaz de abrir furos na fazenda.

– É mesmo? – disse John casualmente em inglês. – Que interessante. – Com o mais breve dos meneios de cabeça para indicar a Percy que a conversa estava encerrada, soltou o joelho de Hal e se virou para seu companheiro da direita, a saber, a sra. major-general Prévost. Madame general evidentemente estava acostumada a ser a única mulher em almoços militares e pareceu se espantar ao ver alguém lhe dirigir a palavra.

John a conduziu a descrições de seu jardim e de quais plantas estavam crescendo no momento e quais não. Isso, infelizmente, tomou uma pequena parte de sua atenção: ele continuou ouvindo Hal atrás de si conversando com *seu* outro companheiro de mesa, um coronel de artilharia fartamente condecorado, mas idoso e apático, além de surdo feito uma porta. As perguntas quase gritadas de Hal eram pontuadas por pequenos comentários zombeteiros dirigidos a Percy, que até então os havia ignorado.

Sentindo as articulações enrijecidas pela necessidade urgente de fazer *alguma coisa* e incapaz de chutar Percy debaixo da mesa ou dar uma cotovelada nas costelas de Hal, John empurrou a cadeira para trás e se levantou abruptamente.

Foi andando até o discreto biombo no canto do salão de jantar que escondia os penicos, mas a maré morna e malcheirosa da urina de vários comedores de lagosta o atingiu em cheio no rosto e ele desviou o curso e saiu pelas portas abertas da varanda para o ar fresco do jardim. Tinha chovido, mas o toró já havia passado e a água pingava de cada árvore e de cada arbusto.

Teve a sensação de que a cinta de ferro em volta de seu peito se rompeu quando ele saiu da casa e inspirou fundo lufadas revigorantes de ar fresco e lavado de chuva. Seu rosto estava quente e ele correu a mão pelas folhas molhadas de um arbusto de hortênsias e passou a água fria no rosto.

– John – disse uma voz atrás dele. Ele se retesou, mas não se virou.

– Vá embora – falou. – Não quero falar com você.

A resposta foi um leve muxoxo.

– Imagino que não – disse Percy com seu sotaque inglês normal. – E não posso dizer que o culpo. Mas infelizmente acho que vai ter que falar, sabe?

– Não vou não. – John se virou com a intenção de empurrar Percy e voltar para dentro, mas Percy o segurou pelo braço.

– Não tão depressa – disse ele –, Botão-de-Ouro.

A coluna vertebral de John reagiu bem mais depressa do que sua mente consciente. Tanto seu estômago quanto seus testículos se contraíram com uma força que o fez arquejar, antes mesmo de sua mente conseguir lhe transmitir a informação de que o desgraçado tinha *mesmo* acabado de usar seu *nom de guerre*. O próprio codinome sob o qual ele havia trabalhado, ao longo de três mortais anos, na Câmara Negra de Londres.

Deu-se conta de que estava encarando Percy com a boca aberta e a fechou. Percy abriu um sorriso um pouco trêmulo. A fachada do francês elegante e arrogante tinha desaparecido e aquele era o Percy de verdade. Apesar de os cachos escuros estarem escondidos debaixo da peruca lisa e empoada, os olhos eram os mesmos de sempre: escuros, suaves e cheios de promessas. Promessas de vários tipos.

– Não me diga – retrucou John, espantado com o fato de sua voz soar normal. – Monsieur Citròn?

– Sim.

A voz de Percy estava embargada, embora John não soubesse dizer por qual emoção. Bom humor, medo, animação, desejo...? Esse último pensamento o fez se desvencilhar da mão de Percy e dar um passo para trás.

– Há quanto tempo você sabe, maldição? – perguntou. "Monsieur Citròn" era seu correspondente no equivalente francês da Câmara Negra. Embora os nomes variassem, todos os países tinham o próprio. A colmeia subterrânea na qual as abelhas recolhiam o pólen da informação, grão a grão, e a transformavam laboriosamente em mel... ou em veneno.

Percy deu de ombros.

– Eu já trabalhava para o Secret du Roi havia uns dois anos quando eles me incumbiram de você. Levei mais seis meses para descobrir quem você realmente era.

Não pela primeira vez, John desejou ter a mesma capacidade de Jamie Fraser de produzir na glote ruídos que deixassem claro o que estava pensando sem o estorvo de ter que encontrar palavras. Mas ele era inglês, e, sendo assim, encontrou.

– Está trabalhando para Hirondelle agora? – perguntou. O Secret du Roi, círculo de espionagem privativo de Luís XV, não tinha exatamente desaparecido com a morte do rei, mas, como normalmente acontece com esse tipo de coisa, fora discretamente absorvido por uma organização mais oficialmente reconhecida. Ele próprio conseguira escapar alguns anos antes das garras de Hubert Bowles, chefe da Câmara Negra de Londres, e deixar para trás o mundo dos segredos oficiais com a sensação aliviada de alguém resgatado de um fétido lamaçal na ponta de uma corda.

Sorrindo, Percy ergueu brevemente o ombro.

– Se eu ainda fosse leal a La Belle France e a seus líderes, você não teria como saber se estaria lhe dizendo a verdade em relação a isso ou não, não é?

O coração de John estava começando a desacelerar, mas aquele *se* o fez disparar como um cavalo esporeado. Mesmo assim, ele não respondeu na hora. Demorou-se o suficiente para olhar Percy de cima a baixo de modo deliberado.

– Não é *exatamente* igual à lepra, sabe? – disse Percy, sustentando seu exame com um bom humor visível. – A traição não fica assim tão visível.

– O diabo que não – retrucou John, embora mais para dizer alguma coisa do que por ser verdade. – Está me dizendo mesmo que você abandonou, ou está prestes a abandonar, seus "interesses especiais" na França? – continuou ele, observando com atenção os trajes parisienses muito caros de Percy. *Inclusive quem quer que seja para quem estivesse trabalhando na Câmara Negra? É o que me pergunto.*

– Sim. Ainda não abandonei por completo porque... – Ele olhou involuntariamente por cima do ombro e John deu uma leve risada.

– Muito sensato de sua parte – disse ele. – Então quer preparar uma aterrissagem suave aqui deste lado antes de saltar. E pensou em começar comigo? – A pergunta tinha significados ocultos suficientes para desconcertar Percy se ele tentasse respondê-la com ironia.

Ele não tentou, tampouco se esquivou. Simplesmente ficou parado e deixou a pergunta passar enquanto encarava Grey com seus suaves olhos escuros.

– Você salvou minha vida, John – falou baixinho, olhando para ele. – Obrigado por isso. Não tive oportunidade de agradecer na ocasião.

John descartou o assunto com um gesto, embora as palavras de Percy tivessem lhe provocado um aperto no peito. Ele havia reprimido aquilo na época e não queria que tudo voltasse agora, vinte anos depois. Nenhuma parte.

– Sim. Bem... – Virou-se de leve; Percy estava parado entre ele e o terraço com as portas da varanda.

– Então eu pensei que você talvez estivesse disposto a me fazer um favor bem menos perigoso.

– Pode reconsiderar – aconselhou John, sucinto, e, dando a volta no antigo amante, se afastou rapidamente.

Não ouviu nada atrás de si: nenhum protesto, nenhuma proposta, nem o próprio nome sendo chamado. Nas portas da varanda abertas, olhou involuntariamente para trás.

Percy estava parado junto ao arbusto de hortênsias. Sorrindo para ele.

46

À PRIMEIRA LUZ DA AURORA

O sol já estava bem acima do horizonte quando William veio descendo lentamente a Oglethorpe Street em direção à casa do pai. Tinha tido uma longa, fascinante e muito esclarecedora conversa com Christopher Preston sobre o tratamento dado pela Coroa aos prisioneiros de guerra, as sociedades de auxílio aos encarcerados, os carcereiros... e a prisão de Ardsmuir. Quando chegasse o momento, talvez precisasse ter uma conversa com lorde John. Mas não... exatamente agora.

Não estava bêbado, mas tampouco totalmente sóbrio ainda. Sentia um peso em um dos bolsos que chacoalhava quando ele o tocava. Teve uma vaga lembrança de ter jogado cartas com Preston e alguns amigos dele; pelo menos a experiência parecia ter tido um final melhor que da última vez que havia ficado bêbado, acabado perdendo todo seu dinheiro... e reencontrado Jane.

Jane.

Não tivera a intenção de recordá-la, mas ela surgiu, muito nítida, desenhada na superfície de sua mente com uma pena de ponta afiada. A primeira vez que a havia encontrado... e a segunda. O brilho de seus cabelos e o cheiro de seu corpo, bem próximos no escuro.

Ele parou e se apoiou pesadamente na cerca de ferro que circundava o jardim dianteiro de um vizinho. O cheiro de flores e de terra revirada estava tão fresco em seu rosto quanto o ar da manhã, e a brisa do rio distante e suas margens eram tranquilizadoras, evocando água corrente, lodo negro macio e jacarés à espreita.

O pensamento inesperado sobre jacarés o fez rir e ele esfregou a mão nas suíças ásperas, balançou a cabeça e entrou pelo portão da casa do pai. Farejou o ar com expectativa, mas era cedo; sentiu cheiro de fumaça do fogo na cozinha, mas não de toucinho. Escutou vozes, entretanto... Deu a volta pela lateral da casa com a intenção de ver se conseguia convencer a cozinheira Moira a lhe dar um pedaço de pão tostado ou um pouco de queijo para aliviar as dores da fome até a hora em que algo mais substancial ficasse pronto.

Encontrou Moira na horta desenterrando cebolas. Ela estava conversando com Amaranthus, que pelo visto também colhia alguma coisa: tinha nas mãos um cesto raso sobre o qual havia um monte de uvas e uma ou duas peras da pequena pereira que crescia junto à cozinha. De olho nas frutas, ele se aproximou e deu bom-dia às duas. Amaranthus o olhou de cima a baixo, farejou o ar como quem tenta avaliar pelo cheiro o estágio de sua embriaguez e, balançando de leve a cabeça, lhe estendeu uma pera.

– Café? – perguntou ele a Moira em um tom de esperança.

– Bom, não vou dizer que não tem – respondeu ela com hesitação. – Mas é um resto de ontem e está forte o suficiente para arrancar o esmalte de seus dentes.

– Perfeito – garantiu-lhe ele e, depois de morder a pera, fechou os olhos enquanto o sumo saboroso lhe inundava a boca. Ao abri-los, viu Amaranthus, de costas para ele, abaixada para olhar alguma coisa no chão em meio aos rabanetes. Ela estava usando um robe muito fino por cima da combinação e o tecido se esticava em volta de seu traseiro muito redondo.

Ela se levantou de repente, virou-se e ele na mesma hora se curvou em direção ao chão que ela estivera examinando e perguntou "O que é *isso*?", embora pessoalmente não tivesse visto nada exceto terra e várias folhagens de rabanete.

– É um besouro rola-bosta – disse ela, examinando-o com atenção. – Eles são muito bons para a terra. Formam pequenas bolas de excrementos e as levam embora.

– E o que fazem com elas? Com as, ahn, com as bolas de excrementos, digo.

– Comem – respondeu ela com um leve dar de ombros. – Guardam enterradas e vão comendo conforme a necessidade… ou então às vezes se reproduzem dentro das maiores.

– Que… que aconchegante. Já tomou café? – perguntou William, erguendo a sobrancelha.

– Não, ainda não está pronto.

– Nem eu – disse ele, levantando-se. – Embora não esteja com tanta fome quanto estava antes de você me contar isso. – Ele baixou os olhos para o colete. – Tem algum rola-bosta neste meu nobre traje?

Isso a fez rir.

– Não tem, não – respondeu ela. – Eles não são suficientemente coloridos.

Amaranthus de repente ficou bem perto dele, embora ele tivesse certeza de não a ter visto se mexer. Ela possuía o estranho dom de se materializar aparentemente do nada; era desconcertante, mas bem intrigante.

– Este aqui, verde-vivo, é um escaravelho-canino, *Chrysosuchus auratus* – disse ela, apontando para o meio de seu peito com um dedo longo e delicado.

– É mesmo?

– Sim, e esta bela criatura de nariz comprido é um bicudo.

– Bicuto?

– Bicudo – corrigiu ela, batendo com o dedo no inseto em questão. – É uma espécie de gorgulho, só que come tifa. E milho novo.

– Uma dieta bem variada.

– Bom, a não ser que você seja um rola-bosta, tem certa escolha em matéria daquilo que come – disse ela sorrindo. Tocou outro besouro e William sentiu um choque leve mas perceptível na base da espinha. – E aqui temos uma broca-esmeralda, um besouro-tigre e o falso besouro-da-batata – disse ela com leves e precisas batidas do dedo.

– E como é um besouro-da-batata verdadeiro?

– Praticamente igual. Este daqui se chama falso besouro-da-batata porque, embora coma batatas sem hesitar, ele prefere urtiga-de-cavalo.

– Ah. – Ele pensou que deveria expressar interesse no restante das coisinhas de olhos vermelhos que enfeitavam seu colete, para retribuir em parte a gentileza dela por tê-los bordado, porém mais na esperança de que ela continuasse a apontá-los com o dedo. Estava abrindo a boca para perguntar sobre um grande bicho chifrudo de cor creme quando ela deu um passo para trás de modo a poder encará-lo.

– Ouvi meu sogro falando com lorde John sobre você – comentou.

– Ah, é? Que bom. Espero que eles tenham tido uma ótima conversa – respondeu ele, sem ligar muito.

– Digo, já que estamos falando em falso besouro-da-batata – disse ela. Ele fechou os olhos por um instante, então abriu um deles e a fitou. Ela estava totalmente firme, sem hesitar nem um pouco.

– Sei que estou um pouco prejudicado pela bebida – disse ele, educado. – Mas *não acho* que me pareça com nenhum tipo de besouro-da-batata, seja qual for a opinião de meu tio.

Ela riu, expondo dentes muito brancos. Talvez não tomasse café...

– De fato, não – garantiu-lhe. – A dicotomia só me fez pensar no que pai Pardloe falou... que você queria abrir mão de seu título, mas não podia.

Ele se sentiu subitamente quase sóbrio.

– É mesmo? Você por acaso escutou o motivo?

– Não – respondeu ela. – E isso não me diz respeito, não é?

– Você obviamente acha que diz – retrucou ele. – Senão, por que estaria mencionando o assunto?

Ela se abaixou e pegou no cesto um pequeno cacho de uvas que lhe ofereceu. Ele reparou que Moira tinha ido cuidar de seus afazeres.

– Bom, eu pensei que, se fosse mesmo esse o caso... talvez pudesse fazer uma sugestão.

Com uma sensação de empolgação esquisita, ele pegou as uvas e indagou:

– Como por exemplo?

– Bom, é bem simples – disse ela, no mesmo tom sensato que usaria se estivesse descrevendo os hábitos alimentares de um vaga-lume. – Você não pode renunciar a seu título, mas *poderia* passá-lo adiante. Abdicar em favor de seu herdeiro, digo.

– Eu não tenho herdeiro. Você está sugerindo...

– Sim, exatamente. – Ela meneou a cabeça com um ar de aprovação. – Você se casa comigo e, assim que eu tiver um filho, pode transferir para ele seu título e se recolher a uma vida reservada e criar dachshunds, ou quem sabe fingir que se matou e sumir para se tornar qualquer um que deseje.

– E deixar você...

– E me deixar viúva condessa de seja lá qual for o nome de sua propriedade, eu me esqueci. Talvez isso seja ligeiramente melhor do que ser a nora de finanças precárias do duque de Pardloe, não?

Ele inspirou fundo. De fato pairava no ar um cheiro de café, assim como de toucinho, mas ele havia perdido o interesse pela comida. Ficou olhando para ela e Amaranthus arqueou uma sobrancelha loura e sedosa.

– E se seu próximo filho for menina? – perguntou ele, para a própria surpresa. – E o outro depois disso? Parece-me que eu estaria correndo um risco significativo de acabar com um... com um... harém de meninas, todas necessitadas de dotes e casamentos, e ainda um maldito conde.

A testa dela se enrugou de leve.

– O que é um harém?

– É o que os xeiques árabes fazem para aliviar a monotonia do casamento, ou assim me disseram. Poligamia, digo.

– Você com certeza não está sugerindo que ser casado comigo fosse ser *monótono*, está, William? – A sombra de uma covinha ameaçou surgir na bochecha dela. – Quanto aos haréns, que bobagem. Você não precisa se casar comigo de cara, sabe. Nós tentaríamos e, se o resultado fosse menino, você se casaria comigo, reconheceria a criança e... – Ela fez um gesto com a mão, em um *voilà* mudo.

– Não acredito que estou tendo esta conversa – disse ele, balançando violentamente a cabeça. – Não acredito mesmo. Mas, só para fins de discussão, que diabos exatamente você pretende fazer se o resultado, como você descreve de modo tão casual, for menina?

Ela franziu os lábios e virou a cabeça para o lado enquanto refletia.

– Ah, consigo pensar em pelo menos uma dúzia de coisas. O mais simples seria eu ir para o estrangeiro ao primeiro indício de gravidez... coisa que eu deveria fazer de todo modo, já que ainda não estaríamos casados... e me fazer passar por uma rica viúva. Então...

William produziu um ruído que teve a intenção de ser uma risada e Amaranthus ergueu a palma da mão para impedi-lo e prosseguiu com toda a serenidade:

– E depois, se o bebê se revelasse menina, eu simplesmente voltaria com a queridinha (pois tenho certeza de que qualquer filho seu vai ser um encanto, William) e anunciaria que uma boa amiga minha morreu de parto e que eu adotei sua filha por caridade, claro, mas também para dar uma irmã a Trevor.

Ela baixou a palma da mão e arregalou os olhos para ele.

– Esse é um jeito possível. Eu posso pensar em outros se você...

– Por favor, não. – Ele não sabia se ria, gritava com ela, comia uma uva ou simplesmente ia embora. Antes de poder decidir, ela operou novamente aquela ilusão de materialização e se encostou nele de leve, com as mãos em seus ombros e o rosto sedutoramente virado para cima.

– Mas não há risco, entende? – falou, sensata. – Digo, para você. – Sua mão então lhe envolveu a face, um toque breve e fresco como a chuva, e seu dedo indicador lhe traçou o contorno dos lábios. – E quem sabe você pode até gostar.

47

TACE QUER DIZER VELA EM LATIM

John sabia que eles teriam que falar sobre Percy, mas tinha conseguido evitar Hal até o dia seguinte, usando o estratagema simples de deixar seu casaco e sua gorgeira com o cozinheiro de Prévost e descer até o porto enquanto o irmão continuava entretido conversando com o Velho Cabeça de Bala. Lá alugou um barco que o levou para pescar no terreno alagado. Seu guia, um local de nome Lapolla, tinha grande conhecimento da área, e John voltou depois de escurecer, cheirando a lama e capim do pântano, com um saco cheio dos peixes vermelhos chamados cantarilhos e uma coisa grande e horrorosa chamada límulo, que eles haviam encontrado, felizmente morta, em uma minúscula ilhota formada inteiramente por conchas de ostra.

Havia comido parte dos peixes, grelhados em uma fogueira acesa na praia e absolutamente deliciosos. Então, ligeiramente embriagado, tinha se esgueirado para dentro do quarto de Hal por volta da meia-noite e deixado o límulo morto sobre a mesa de cabeceira ao lado do irmão adormecido, como um comentário simbólico sobre a situação.

Entre uma coisa e outra, porém, acabou só encontrando Hal acordado no fim da tarde seguinte, após um extenuante chá na casa de certa sra. Tina Anderson, que, embora fosse uma beldade loura, alta e imponente, dotada de imenso charme, era dotada também de uma horda de amigas tagarelas que tinham se abatido sobre ele *en masse*, pendurando-se afetuosamente em sua manga ou tocando sua trança dourada enquanto expressavam sua gratidão pela presença do exército e sua admiração pelos valentes soldados que as estavam pelo visto salvando de uma rapina generalizada.

– Foi como ser bicado até a morte por um bando de periquitos pequenos – disse a Hal. – Guinchos e penas por toda parte.

– Deixe os periquitos para lá – foi a curta resposta de Hal.

Ele também saíra para um encontro mais formal, e sem dúvida menos ruidoso, na casa de certa sra. Roma Sars, onde conversara com alguns dos políticos que tinham comparecido ao almoço de Prévost.

– Eu estava com esperança de falar com monsieur Soissons e descobrir como o maldito Percy veio parar aqui, quando deveria estar morto. Mas Soissons não estava – comentou Hal. Ele tirou o colarinho de couro; a marca vermelho-escura em volta do pescoço sugeria que ele havia passado a tarde inteira engasgado com algumas questões. – Onde foi que você disse que viu o sujeito pela última vez?

John desfez seu colarinho de couro, deu um suspiro de alívio e fechou os olhos.

– Eu o encontrei no acampamento americano em um lugar chamado Coryell's Ferry pouco antes de Monmouth. Contei isso a você.

Hal enxugou o rosto com um pano velho, evidentemente usado antes para engraxar botas, e o jogou no canto.

– E como ele foi parar lá?

John balançou a cabeça. De que importava agora, afinal? Mesmo assim, não iria explicar exatamente como Percy escapara de ser enforcado pelo crime de sodomia; preferiria que Hal não morresse de apoplexia *ainda*.

– Talvez da mesma maneira como você foi preso pelos americanos, fugiu e apareceu depois da batalha acompanhado por um mohawk homicida que afirmava ser sobrinho de James Fraser? – disse Hal, e um canto de sua boca estremeceu. – Mais ou menos, imagino. Seja como for, você não mencionou Percy.

John piscou de um jeito inespecífico e inclinou a cabeça em direção à porta. Passos rápidos vinham se aproximando pelo hall; sem dúvida devia ser o criado pessoal de Hal, que vinha libertá-lo da prisão de seu uniforme de gala.

Para sua surpresa, porém, os passos pertenciam a William, levemente desalinhado mas pelo visto sóbrio.

– Preciso encontrar Banastre Tarleton – disse ele sem preâmbulo. – Como o senhor sugere que eu faça isso?

– E o que você quer com ele? – indagou Hal, sentando-se em uma cadeira de madeira. – E, se quiser minha contribuição, faça por merecer: ajude-me a tirar estas malditas botas. São de John e estão me matando.

– Não é culpa minha você ter joanete – disse John. – Mas é preciso admitir que isso é totalmente condizente com um comandante de infantaria. Ninguém pode dizer que você não faz seu trabalho direito.

Hal lhe dirigiu um olhar levemente penetrante, em seguida pôs as duas mãos na cabeça de William para se segurar enquanto o sobrinho puxava uma de suas botas.

– Você sabe onde Tarleton está? – perguntou a John, que fez que não com a cabeça.

– Nem eu – disse Hal, dirigindo-se ao redemoinho no alto da cabeça de William, que girava perfeitamente no sentido horário até se eriçar. *Igualzinho ao do pai*, pensou John.

– O secretário principal de Clinton deve saber – disse Grey, e pigarreou para limpar a garganta. – O nome dele é Ronson… capitão Geoffrey Ronson, por obséquio.

– Ótimo. – William arrancou a bota e quase caiu para trás do baú de campanha no qual estava sentado. Jogou a bota enlameada no tapete em frente à lareira e inspecionou o peito para se certificar de que seus besouros não tinham sofrido nenhum dano. – Onde diabos sir Henry tem estado metido ultimamente?

– Nova York, por enquanto – respondeu Hal, esticando o outro pé. – Aposto um dinheiro razoável que Tarleton continua com ele. Os cavaleiros de Tarleton foram o brinquedinho novo de Clinton em Monmouth e duvido que ele já tenha se divertido o suficiente com eles.

William grunhiu quando a segunda bota saiu e a lançou ao lado do outro pé sobre o tapete.

– Então devo escrever diretamente para Tarleton, aos cuidados de sir Henry?

John e Hal se entreolharam.

– Acho que eu faria isso – disse Hal com um leve dar de ombros. – Só não ponha nada na carta que não queira que o mundo inteiro saiba. Alguns secretários são discretos, e muitos não.

– Falando nisso – emendou John, espiando o filho. – Seria indiscrição nossa perguntar por que você quer encontrar Banastre Tarleton?

William fez que não com a cabeça, então alisou a mecha do redemoinho de volta para dentro da massa escura dos cabelos.

– Denys Randall me disse ontem no almoço que Ban Tarleton tinha sido o primeiro a receber a carta do acampamento de Middlebrook dizendo que Ben tinha morrido lá. Pelo visto, ele a deixou com Ezekiel Richardson e depois… – Ele fez um gesto em espiral para indicar a chegada da carta por fim às mãos de Hal. – Então eu quero saber por que Tarleton recebeu a carta, e como.

– Muito sensato – concordou Hal – Mas duvido que vá ser tão fácil assim. – Ele baixou as sobrancelhas e encarou William. – O que vou lhe dizer não sai daqui, William. Nem para seu amigo indígena, nem para sua amante... se você tiver uma, e não, eu não quero saber... nem para mais ninguém.

William se conteve para não revirar os olhos, mas foi por pouco. John olhou para o chão de modo a esconder um sorriso.

– *Tace* quer dizer vela em latim – disse William, dócil, e tapou a boca com a mão. – Minha boca está fechada com um lacre de cera.

Hal fez um muxoxo, mas assentiu.

– Certo. Sir Henry está cansado de fazer incursões contra os americanos perto de Nova York e da Virgínia. Ele quer dar um golpe ousado e está de olho em Charles Town. Se ainda não saiu de Nova York para tomar a cidade dos americanos, vai fazer isso nos próximos meses.

– Quem lhe disse isso? – perguntou John, espantado.

– Três homens diferentes durante o almoço, todos os quais me imploraram discrição.

– Entendo o que o senhor quis dizer com discrição, tio – disse William, achando graça abertamente.

– Eu sou o coronel do 46º Regimento de Infantaria de Sua Majestade – disse Hal com frieza. – Já *você*... – Sua voz sumiu enquanto ele encarava William, sem chapéu e levemente amarfanhado em seus trajes civis, mas mesmo assim com o porte ereto de um soldado.

Não imagino que ele vá perder isso algum dia, pensou John. *O pai dele não perdeu.*

– Não é um oficial da ativa no momento – concluiu Hal, em uma rara decisão de ter tato.

William aquiesceu com docilidade.

– Que bom, não é? – retrucou. – Como o senhor não é meu superior, não pode me proibir de sair à procura de Tarleton se eu quiser.

48

UM ROSTO NA ÁGUA

– Fanny e Cyrus estão em um canto se beijando – disse Roger ao entrar no consultório.

Eu ri, mas olhei por cima do ombro e me senti culpada.

– Tomara que não. Jamie está andando para lá e para cá feito um lobo, procurando alguém para devorar.

Cyrus era um rapaz muito alto e magro de uma das famílias de pescadores, embora eu não soubesse qual. Tinha se sentado ao lado de Fanny na igreja em um domingo e desde então vinha aparecendo de vez em quando perto dela como um fantasma alto e encabulado. Eu nunca o escutara falar e me perguntei se ele sabia inglês. O gaélico de Fanny até então se limitava a banalidades como "Pode me passar um bolinho, por favor?" e o Pai-Nosso, mas eu imaginava que eles devessem estar em uma idade em que os jovens ficam naturalmente com a língua amarrada em presença uns dos outros.

– Não estão, não – tranquilizou-me Roger. – Acabo de ver os dois sentados na margem do córrego a um decoroso meio metro de distância, Cyrus com as mãos unidas no colo com tanta força que deve ter prendido a circulação. Quem Jamie está querendo devorar, e por quê?

– Ele recebeu uma carta de Benjamin Cleveland assinada também por dois outros proprietários de terras do condado de Tennessee, do outro lado da montanha. Eles o estão infernizando para se unir à sua milícia e se juntar a eles para "desenterrar a vil raiz da tirania"... o que imagino signifique passar em revista os vizinhos e, se eles forem legalistas, expô-los e lhes dar uma surra, tomar seus animais, incendiar suas casas, enforcá-los ou cometer outros atos antissociais para desencorajá-los.

A risada de Roger desapareceu.

– O estilo de prosa do sr. Cleveland deixa um pouco a desejar – comentou ele. – Desenterrar a raiz, essas coisas... mas pelo menos ele não peca pela clareza.

– Jamie tampouco – falei e recomecei a socar as raízes em meu almofariz com um pouco mais de energia do que a necessária. – Ou seja, ele não vai fazer isso nem morto, mas não pode simplesmente mandá-los para o inferno sem rodeios. Se fizesse isso, a única coisa que os impediria de acrescentar a Cordilheira à sua lista de lugares a serem visitados seria a distância.

– Qual a distância daqui ao condado de Tennessee? – perguntou Roger, nervoso. – Um pouco grande, com certeza?

Parei de socar por tempo suficiente e enxuguei com a manga o suor que me brotava da testa.

– Uns três ou quatro dias a cavalo. Com tempo bom – emendei, olhando pela janela, por onde se via a luz do sol a se derramar pelo mato florido.

– E, ahn... imagino que seja preciso levar em conta além disso o capitão Cunningham e seus amigos legalistas?

– Ai, meu Deus – falei. – Sim. Ele é algo como o bicho da maçã das redondezas, não é? Por outro lado, provavelmente é a melhor desculpa para Jamie não se unir a nosso amigo Benjamin em suas rondas sanguinárias... o fato de precisar ficar aqui na Cordilheira para manter seus próprios legalistas na linha – acrescentei, sensata. – O que, pensando bem, pode até ser verdade.

– Imagino que sim. O que é isso? – perguntou Roger, meneando a cabeça para o almofariz por puro desejo de uma distração.

– Equinácea – falei. – É meio cedo, mas estou precisando. Deve-se cavar as raízes no outono, porque é nessa época que a planta começa a armazenar energia nas raízes, já que não precisa dela para sustentar as flores e folhas. Você entende que… – Parei para tomar fôlego. – Que, apesar da distância, a única coisa que impede os capangas de Nicodemus Partland… quero dizer, deve ser ele, não deve… a única coisa que os impede de dizimar a Cordilheira são você e Jamie?

Roger não pareceu surpreso ao escutar isso, mas mesmo assim ficou constrangido.

– Sim – respondeu por fim. – Dá para ver isso na loja. Você sabe que lá não se fala de política nem de religião, não sabe? Igualdade, fraternidade, etc.?

– Foi o que ouvi dizer. – Eu tinha diminuído um pouco o ritmo do pilão e sorri com ironia para ele. – Mas sempre imaginei que isso fosse mais a exceção que confirmasse a regra. Ahn… digo, sabendo como as pessoas são. – Como *os homens* são, eu queria dizer, e ele reparou e me abriu de volta o mesmo sorriso irônico. Moveu a mão de um lado para outro, dando a entender um meio-termo.

– Os integrantes da loja em geral respeitam a lei quando estão lá… mas o que acontece na prática é que alguns homens simplesmente param de comparecer quando têm diferenças importantes.

Parei de socar e olhei para ele.

– É por isso que Jamie sempre vai às terças… ele marcou a loja como seu território?

– Sim e não. Ele é modesto em relação a isso, mas afinal de contas ele *é* o Venerável Mestre. E, para ser bem franco, qualquer lugar em que ele pise tende a virar seu território.

Isso me fez rir e peguei uma garrafa de cerveja de cima da bancada, tomei um gole e lhe ofereci.

– Mas? – falei.

Ele assentiu e pegou a garrafa.

– Mas, mesmo assim, ele incentiva todos a irem, independentemente das diferenças, e mantém a paz… na loja, onde pode fazer isso sem que seja uma questão de política. Mas, como você mesma disse… isso é a exceção que confirma a regra. Os homens falam, sim, e, mesmo que não falem *sobre* política, é bem fácil saber quem é quem. E depois de um tempo… a maioria dos legalistas comprometidos parou de ir.

– Eles estão se reunindo na casa do capitão? – adivinhei, e ele confirmou com a cabeça. Isso me deixou nervosa. – Quantos?

– Uns vinte, por aí. A maioria do pessoal da Cordilheira está do nosso lado, embora a maior parte preferisse ser deixada em paz.

– Não posso dizer que os culpo – falei, seca. Um grito fino e agudo veio da janela e me virei abruptamente, mas tornei a relaxar quase na mesma hora.

– Mandy e Orrie Higgins estão catando sanguessugas para mim com Fanny – expliquei, acenando para a janela. – Não param de colocá-las um no outro. Falando nisso… – Inclinei-me um pouco para trás e o olhei de cima a baixo. – Você veio aqui procurar Jamie ou precisa de cuidados médicos?

Ele sorriu ao recordar sua missão.

– A segunda opção... mas não é para mim. É que fui visitar os Chisholms e, quando estava indo embora, parei para conversar com Auld Mam... ela estava sentada em um banco em frente à casa fumando seu cachimbo, então me sentei e conversamos um pouco.

– Deve ter sido divertido.

– Bom, até certo ponto. Mas aí ela me disse que toda vez que vai à latrina seu útero cai para fora, e se eu poderia perguntar se é possível fazer alguma coisa em relação a isso.

Ele enrubesceu de leve e eu contive uma risada.

– Me deixe pensar um pouco. Amanhã vou lá falar com ela. Enquanto isso, será que você poderia ir pescar Mandy e Orrie no córrego e descobrir se Cyrus vai ficar para jantar?

Quando estava descendo em direção ao córrego, Roger viu Jem, Germain, Aidan, e alguns dos meninos que moravam mais acima do morro, correndo para lá e para cá pela mata brandindo uns para os outros galhos que desferiam como se fossem espadas e fingiam disparar como se fossem mosquetes gritando "bum!" a intervalos regulares.

– É tudo alegria e diversão até alguém perder um olho – murmurou ele, escutando o alerta ouvido da sra. Graham na juventude. Mas de nada adiantava reunir aqueles dali e lhes passar um sermão. Tirando o fato de serem meninos, havia também um fato mais cru: os meninos em questão estavam a apenas alguns anos de poderem se juntar a uma milícia ou entrar para o Exército.

E a maldita guerra estava vindo em sua direção, e depressa.

– Mas vai ser em 1781 – disse ele e cruzou os dedos. – Yorktown é em outubro de 1781. Faltam dois malditos anos. Mas *apenas* dois malditos anos. – Eles conseguiriam aguentar até lá?

A visão de Mandy e Orrie dentro do córrego, encharcados, cobertos de lama e de agrião e tagarelando alegremente como uma dupla de passarinhos, o tranquilizou um pouco, assim como a visão de Fanny e Cyrus, que agora tinham se movido um pouco mais para perto um do outro.

Cyrus, que ultrapassava Fanny em altura em uns 30 centímetros, estava dando o melhor de si para curvar as costas e ver o que ela estava lhe mostrando sem encostar nela por acidente. Como não queria assustá-los, Roger pigarreou e Cyrus na mesma hora se endireitou e ficou com as costas rígidas.

– Está tudo bem, *a charaid* – disse Fanny, pronunciando *a charaid* com todo o cuidado e de modo errado. Roger sorriu e Cyrus também, embora tivesse tentado disfarçar. – É só Roger Mac.

– Sim – disse Roger em um tom simpático, sorrindo para os dois. – A sra. Claire só queria saber: você vai ficar para jantar, *a bhalaich*?

Cyrus tinha ficado com as orelhas rosadas por ter sido flagrado assim tão perto de Fanny e se esqueceu por alguns segundos como falar inglês, mas respondeu em gaélico que agradecia à senhora e que teria adorado, mas que seu irmão Hiram tinha lhe dito para voltar antes do anoitecer e a caminhada era longa.

– Então está bem. *Oidhche mhath.*

Ao virar as costas, Roger reparou que Fanny tinha levado seu pequeno rolo de tesouros pessoais para mostrar a Cyrus; seu olho captou o brilho de um pingente sobre o capim e Fanny estava protegendo com a mão um papel desdobrado no qual havia algum tipo de desenho, como para escondê-lo de *seus* olhos. Ah, devia ser o retrato de sua irmã morta; Bree o havia descrito para ele. Cyrus devia ter uma boa chance, então, se Fanny estava dividindo *aquilo* com o rapaz.

– Vá com Deus, *a bhalaich* – disse ele, em grande parte para si mesmo, e sorriu.

Sorriu não só devido a uma benevolência geral para com jovens enamorados, mas porque o desenho de Fanny o tinha feito se lembrar da razão dessa benevolência.

Tocou o bolso da calça, sentindo o farfalhar de papel e o pequeno calombo do lacre de cera rompido. Não que ele não acreditasse. Afinal, vinha esperando aquilo, ou algo parecido com aquilo. Mas existe uma diferença entre pensar que se compreende algo e segurar a realidade na mão e se dar conta de que talvez não seja o caso. Às vezes, o mais importante é aceitar que algumas coisas não podem ser compreendidas.

Um débil grito esganiçado o fez virar a cabeça, os instintos paternais em alerta no mesmo instante, mas o lamento agudo de Mandy parou quase na mesma hora quando ela empurrou Orrie, que caiu de costas na água do córrego, e não pela primeira vez.

Bem, talvez a segunda coisa mais importante, pensou, sorrindo de leve. Seu pai adotivo, na verdade seu tio-avô, era pastor presbiteriano e nunca tinha se casado, embora os pastores pudessem fazê-lo e fossem em geral incentivados a isso, de modo que a esposa pudesse ajudar com o aspecto organizacional da congregação.

Nunca havia perguntado ao reverendo o motivo de ele nunca ter se casado... e também não havia pensado no assunto até então. Talvez ele não tivesse encontrado a pessoa certa. Por que iria se contentar com uma simples companhia? Talvez tivesse considerado difícil equilibrar um compromisso com Deus e o compromisso com uma esposa e filhos.

Tu me deste primeiro a esposa e os filhos, pensou ele na direção genérica de Deus. *Então talvez não queiras que eu os deixe de lado para fazer o que mais tiveres em mente para mim.*

O que mais tiveres. Era essa a realidade que carregava no bolso, por ora ainda oculta. Uma carta do reverendo David Caldwell, seu amigo e presbítero muito graduado. Fora ele quem havia celebrado a cerimônia de casamento de Roger e Bree, e ajudara muito a preparar Roger para sua primeira tentativa de ordenação. Saber que Davy Caldwell ainda o julgava capaz de ser pastor era um conforto e uma alegria.

O presbitério marcou uma assembleia geral em Charles Town, a ser realizada em maio do próximo ano. Eu falarei em seu nome no que diz respeito à aceitação de seu histórico de estudos no seminário e qualificações anteriores para a ordenação. Mas seria bom também que construísse um vínculo com alguns dos presbíteros que irão participar da assembleia antes de conhecê-los mais formalmente em Charles Town. Nunca é demais usar tanto botões quanto um cinto para segurar a calça.

As palavras do reverendo Caldwell ainda o faziam sorrir. No entanto, por baixo do bom humor e do sentimento de gratidão para com Davy Caldwell, havia um sentimento de… o que seria? Não fazia ideia de como chamar aquilo, aquele estranho tremor, aquela sensação não de todo desagradável de vazio no peito… Era expectativa, só que pior, como se estivesse em pé na beira de um precipício, prestes a pular, sem saber se iria levantar voo ou se espatifar nas pedras lá embaixo. Não tinha qualquer ilusão em relação às pedras. Mas voar era um sonho dele.

E no silêncio de asas abertas da mente eu voei
pela alta e inexplorada santidade do espaço,
estendi a mão e toquei o rosto de Deus.

O reverendo tinha pregado uma cópia amarelada desse poema no imenso quadro de cortiça de seu escritório. Pela primeira vez, ocorreu a Roger que talvez o mantivesse ali em homenagem a seu pai, que, assim como o poeta, havia morrido pilotando um Spitfire na guerra. Ou assim ele pensava.

Tornou a tocar o bolso com uma breve oração pela alma do pai, onde quer que ela estivesse, e outra pelo reverendo Caldwell e sua gentileza.

Bobby Higgins tinha lhe trazido a carta de Caldwell, que pegara em Cross Creek, e ele a havia enfiado no bolso e fora cuidar de seus afazeres, pois queria estar sozinho quando a lesse, o que acabara fazendo na companhia do burro Clarence e de dois cavalos curiosos.

Já sabia sobre o presbitério de Charles Town. Tinha escrito a Caldwell algum tempo antes para falar sobre suas possibilidades de ordenação e mencionado casualmente que ele e a família iriam parar em Charles Town dali a mais ou menos um mês para devolver Germain ao seio de sua família. *Não* havia mencionado a necessidade de obterem armas para Jamie. Ainda estava tentando não pensar nisso.

Cogitara subir até a Casa de Encontros para se sentar e refletir sobre a possibilidade que lhe fora apresentada, mas o lugar ainda parecia público demais. Em vez disso, atravessou o córrego por cima das pedras e começou a subir o morro atrás da casa com a intenção de ir até a Nascente Verde. No caminho ficava a horta de Claire e, por impulso, ele abriu o portão. Quando viu que não havia ninguém ali, entrou.

Raramente ia à horta, e ficou na mesma hora impressionado pelo cheiro de início de outono que ela exalava, tão diferente do aroma puro da mata. O ar recendia a terra recém-cavada e composto de esterco, ao perfume amargo das folhas de nabos e repolhos e às cebolas de cheiro forte, tudo permeado por um aroma flutuante de flores tardias, mais forte que os perfumes doces e inebriantes do auge do verão, com leves resquícios de resina e anis.

Claire havia plantado girassóis, que formavam uma densa fileira rente a um dos lados da paliçada, e equináceas ao pé dos girassóis. Ele conseguia identificar as equináceas, pois tinham o miolo pontudo. Também reparou nas varas-de-ouro e em muitas outras flores cujos nomes não conhecia, mas de que gostava. Havia algumas roxinhas e bonitas que pensava serem cosmos, com minúsculas borboletas brancas e amarelas a voar por entre as flores, e outras vermelhas e amarelas; teria que perguntar a Claire.

– Para as abelhas – dissera Claire ao contar a todos sobre as flores durante o jantar.

As abelhas agora se divertiam entre as flores. Roger podia escutar seu zum-zum, semelhante à vibração de uma corda solta dedilhada.

– Ei – disse a elas suavemente. – Recebi uma carta de Davy Caldwell. Acho que vai acontecer. Eu acho... que vou ser ordenado. Tomara. Um ministro da palavra e do sacramento, é assim que nós chamamos. Nós, presbiterianos, quero dizer – acrescentou, supondo que aquelas abelhas fossem católicas e portanto não saberiam.

Não imaginava que "ordenado" fosse significar alguma coisa para uma abelha. Afinal de contas, todas elas nasciam em seus alvéolos de cera com uma sensação inquestionável de propósito na vida; não careciam de nenhuma decisão ou cerimônia. Mas era bom dizer aquilo em voz alta.

– Ordenado – repetiu ele. – Eu vou a Charles Town preparar o caminho. Claire disse que vocês gostam de saber esse tipo de coisa. Brianna e as crianças também vão; eles querem ver o mar e andar descalços na praia. – *Se não houver muitos navios de guerra britânicos boiando nas águas...* – E depois vamos para Savannah. Brianna vai pintar o retrato de alguém.

O som de crianças gritando e rindo lá embaixo na beira do córrego lhe chegou debilmente aos ouvidos, tão tranquilizador quanto o zum-zum das abelhas, e Roger sentiu que poderia ficar ali para sempre, em um estado de paz e felicidade.

Então um guincho repentino e bem mais alto se fez ouvir e a paz lhe fugiu na mesma hora. Levantou-se de um pulo e procurou a direção de onde tinha vindo o grito, tornou a escutá-lo e saiu da horta em disparada como se o som fosse um garfo espetado em suas costas.

Assim que irrompeu do meio das árvores para a margem do córrego, viu um quadrado branco a flutuar e rodopiar no meio da correnteza. Talvez o vento tivesse levado...

Mas, antes de conseguir chegar à beira do córrego, o corpo comprido de Cyrus se lançou da margem oposta e aterrissou na água com um estrondo e o braço estendido, e ele viu a mão imensa de Cyrus se fechar em volta do papel encharcado um segundo antes de os dois submergirem.

– *Não!* – gritava Fanny. – Não! Não! *Não!*

Ela também havia entrado de qualquer maneira na água e tentava em vão alcançar Cyrus e o papel, mas o córrego ali era mais fundo e puxava suas saias e ela cambaleava, os sapatos escorregando na lama e no lodo do leito.

Roger tirou os sapatos, entrou na água e agarrou Fanny pela cintura.

– Está tudo bem – disse ele com urgência enquanto arrastava a menina pela correnteza em direção à margem. – Vai ficar tudo bem!

Mas Fanny, que sabia muito bem que não ficaria, continuou a gritar, lutando descontroladamente para alcançar os últimos resquícios da irmã.

Querido Senhor, mostra-me o que fazer... O que se *poderia* fazer?, pensou ele. Pôs Fanny no chão e a menina caiu de joelhos, encolhida feito uma folha morta, calada, a não ser por grandes arquejos trêmulos para tentar respirar.

– Papai, papai! – Mandy, que tinha ordens para nunca atravessar o córrego sozinha, acabara de pular por cima das pedras feito um grilo e se segurava à perna de Roger, choramingando de terror.

Vozes mais acima no morro. Os meninos tinham escutado os gritos e estavam atravessando correndo a... Ah, mas que inferno!

– *Saiam da horta!* – berrou Roger.

O ruído de pés esmagando nabos cessou na mesma hora. Depois ele pensaria nos potenciais danos. Naquele instante precisava de toda a sua atenção para soltar Mandy da perna encharcada enquanto tentava dizer coisas reconfortantes para Fanny.

A respiração da jovem lembrava a de um cavalo ofegante. Preocupado que ela pudesse ter uma crise e desmaiar, Roger se agachou a seu lado e pousou a mão em suas costas estreitas e arfantes.

– Fanny – falou, com toda a delicadeza. – Você está ensopada. Vamos entrar. Vamos arrumar umas roupas secas e algo quente para você beber.

Ele pôs a mão sob o cotovelo de Fanny para tentar fazê-la se levantar, mas ela apertou mais os braços cruzados contra o corpo encolhido e fez que não com a cabeça. Os arquejos profundos, porém, haviam diminuído e começavam a dar lugar a soluços.

Ruídos de sapatos pisando em lama anunciaram a aproximação hesitante de Cyrus, e Roger ergueu os olhos para ele: alto, desengonçado e encharcado, com o rosto branco feito papel.

– Senhorita... – disse ele e engoliu em seco, sem a menor ideia de como prosseguir.

– Não foi culpa sua, *a bhalaich* – começou Roger, mas Cyrus dispensou com um gesto as palavras hesitantes e caiu ajoelhado na frente de Fanny.

– Senhorita... – tornou a dizer, tentando recomeçar.

Fanny o ignorou por completo, mas ele estendeu a mão fechada e a abriu devagar debaixo de seu nariz. O papel mal passava de uma bola empapada e amassada na palma de sua mão. Roger o ouviu engolir em seco outra vez.

Fanny produziu um som como se ele tivesse cravado um espeto em sua barriga. Arrancou de sua mão o que restava do papel e o aninhou junto ao peito, soluçando como se seu coração fosse se partir.

Imagino que já esteja partido, pobrezinha...

– *Mo chridhe bristeadh* – sussurrou Cyrus, com o rosto contorcido de pesar. – *B'fhearr gu robh mi air bathadh mus do thachair an cron tha seo ort.* – "Meu coração está estilhaçado. Eu preferiria ter me afogado a ter permitido que um mal desses acontecesse com você."

Fanny não respondeu nem se mexeu. Roger trocou um olhar impotente com Cyrus, mas, antes de tentar outra vez mover Fanny, os meninos já tinham chegado, cheios de perguntas chocadas. Germain segurava a flanela com o restante dos tesouros de Fanny, resgatados da margem do córrego e embolados em suas mãos.

– Prima...? – disse ele com hesitação, a mão que segurava a trouxa suspensa entre Fanny e Roger. Como Fanny não fez menção de pegá-la, Roger meneou a cabeça para o menino.

– Obrigado, Germain. Leve para casa, sim? – Ele se levantou, os joelhos enrijecidos e as meias frias e molhadas frouxas nos tornozelos. – Jem? Pegue Mandy e os meninos e volte para casa com Germain. Nós... nós já vamos.

Todos os meninos aquiesceram, com os olhos arregalados de preocupação, e foram embora com Mandy, olhando por cima do ombro e começando a murmurar uns com os outros.

Cyrus estava começando a tremer por causa do vento frio que entrava pelo pano fino e molhado da camisa e da calça. Roger colocou a mão sobre a cabeça curvada dele. Mesmo ajoelhado, a cabeça de Cyrus batia bem acima de sua cintura.

– Vai ficar tudo bem – disse ele em gaélico. – Você não fez nada de errado. Vá para casa agora.

Cyrus ergueu os olhos para Roger, então olhou com impotência para a cabeça baixa de Fanny. Após alguns instantes, assentiu, levantou-se e fez uma mesura para ela. Depois afastou-se devagar e olhou para trás com uma expressão desolada.

Roger suspirou. Após hesitar alguns instantes, sentou-se no chão e puxou Fanny em um abraço. Ficou ninando a menina devagar, afagando suas costas como se fosse uma criança pequena. Sentia-se como um passante em um lugar recém-atacado por uma bomba, quando nem a ambulância nem a polícia chegaram ainda.

Ambulância e polícia... Sim, seriam respectivamente Claire e Jamie, pensou com um quê de ironia bem-humorada. Chamar um ou outro dos Frasers de fato tinha sido seu primeiro impulso após tirar Fanny do córrego. Mas Jamie tinha ido a Salem e Claire estava averiguando um caso do que talvez fosse catapora na casa dos

MacNeills. E pensando bem... nenhum dos dois poderia ajudar naquela situação. Enquanto talvez... apenas *talvez*...

Ele inspirou fundo, abraçou Fanny com força, em seguida a pousou no chão e se levantou. Ela a essa altura tremia de frio com força suficiente para os soluços terem cessado, embora as lágrimas continuassem a rolar e os olhos estivessem inchados.

– Venha comigo – disse Roger com firmeza, estendendo a mão para segurar a dela. – Brianna talvez consiga consertar isso.

O único pensamento de Roger ao dizer "consertar isso" fora uma vaga ideia de fita durex, sucedida por um conceito dúbio de secar o papel e costurar o desenho como se fosse uma amostra de bordado. Por sorte, Brianna teve uma ideia melhor.

– É papel fibroso de boa qualidade, pesado – observou ela, dispondo os pedaços ainda úmidos do desenho sobre a mesa da cozinha e os alisando. – Tinha que ser, para ter durado tanto. Há quanto tempo acha que Fanny tem isso?

– Uns dois anos, talvez? – Roger arriscou um palpite. – A irmã tinha 17 anos ou algo assim quando morreu e Fanny dissera que o desenho fora feito quando ela estava com 10, então Jane devia ter uns 15 anos, talvez. Você acha que consegue copiar?

– Acho... e vou. Mas Fanny vai querer o original também. Por motivos sentimentais.

Roger assentiu.

– Sim. O que pode fazer em relação a isso, então?

– Ah, só consertar o rasgo.

– Vai costurar o desenho? Eu pensei nisso, mas...

– Bom, não é má ideia – disse ela, parecendo querer rir, mas se segurando por educação. – Mas tenho quase certeza de que Fanny não iria querer que a pobre irmã ficasse igual ao monstro Frankenstein, mesmo sem saber o que é isso.

– E *o que é* isso?

Fanny estava parada junto à porta com um ar pouco à vontade. Tinha sido despida, secada e vestida com uma combinação e meias limpas, e, com as bochechas coradas e os cabelos ondulados ainda úmidos, parecia um pequeno e descabelado anjo recém--resgatado de castores.

– É só um romance – respondeu Bree e sorriu. – Depois eu conto a história, se quiser. Venha cá dar uma olhada.

Fanny se aproximou da mesa com a cabeça parcialmente virada para outro lado, sem querer ver o desenho estragado. Então viu a tela de fabricar papel que Bree fora buscar na despensa: uma moldura de madeira retangular com uma tela de musselina finíssima da qual alguns fios tinham sido removidos, criando uma trama aberta presa com tachinhas às laterais da moldura, e a curiosidade venceu sua relutância.

– Foi um rasgo preciso... uma sorte. – Brianna tocou com um dedo delicado a borda rasgada de uma das metades. – Está vendo como é esfarrapado na borda? O papel é feito de fibras e, se você deixasse uma folha de papel dentro d'água por muito tempo, sabe o que teria?

– Um punhado de fibras empapadas? – adivinhou Roger.

– Mais ou menos isso. Então... – Ela havia trazido uma caixa com seus materiais de fabricar papel e pegou lá dentro um grande saco de tecido recheado de...

– Isso é algodão? – perguntou Fanny, fascinada pelas bolas peludas e brancas que despontavam da pequena pilha de retalhos de tecido e de algo que, aos olhos desconfiados de Roger, pareciam punhados de cabelos louros desgrenhados arrancados da cabeça de alguém.

– Em parte sim – respondeu Brianna. – E fibras separadas de linhaça. E alguns pedaços de papel e retalhos de pano podre. Então começamos com um punhado de fibras bem moídas.

Ela colocou a tela de fabricar papel em cima da mesa, pegou uma pequena garrafa com rolha e, com todo o cuidado, espalhou pelo meio da tela uma linha do que parecia sujeira varrida de um tapete. – Isso vai ser minha base. Agora vamos pôr os pedaços por cima...

Uma de cada vez, Roger lhe passou as duas metades do desenho e ela cuidadosamente ajustou as bordas rasgadas o mais perto uma da outra que conseguiu.

– Que bom que o desenho foi feito a lápis de grafite – observou. – Se fosse tinta, carvão ou aquarela não estaríamos com sorte. Mas neste caso...

Ela havia trazido também o que parecia ser a bandeja de revelador de um fotógrafo: uma caixa rasa com as laterais altas e as fendas calafetadas com piche. Prendendo a respiração, ergueu a tela de fabricar papel e a baixou devagarinho para dentro da bandeja.

– Enfermeiro, água, por favor – murmurou, estendendo a mão em direção à grande jarra cor de amora que estava sobre o aparador. Roger se levantou do banco para buscá-la e viu que havia deixado uma pequena poça no chão.

Com todo o cuidado, Brianna salpicou água sobre o desenho até ele ficar bem saturado. "Para grudar na tela e não boiar", explicou, em seguida despejou mais água na bandeja e a deixou subir até cobrir a folha de papel.

– Está bem. – Ela pousou a jarra pesada com um pequeno suspiro de alívio. – Agora vamos deixar de molho por... ah, umas 24 horas devem dar de sobra. Isso vai dissolver as fibras do papel do desenho, que então vão se misturar com as fibras da base... tudo isso sem perturbar as linhas do desenho.

Roger a viu cruzar os dedos brevemente atrás das costas. Ela sorriu para Fanny.

– Então depois é só prensar, secar e teremos uma nova folha de papel, só que com seu desenho exatamente como estava.

Fanny vinha observando a água ser despejada com o olhar hipnotizado de um coelho que encara uma raposa, mas, ao ouvir as palavras de Brianna, ergueu os olhos e expirou ar com um imenso aaaahhhh!

– Ah, *obrigada!* Muito obrigada! – Pressionou as palmas das mãos nas bochechas enquanto fitava o desenho como se ele houvesse subitamente ganhado vida.

E Roger teve a sensação de que *tinha* mesmo. Até então o vira apenas como algo que Fanny valorizava, sem prestar atenção no desenho em si. Agora o estava vendo.

Quem quer que o tivesse feito era um artista de talento, mas a moça no papel tinha algo de especial. Linda, sim, mas com um quê de... O que seria? Vitalidade, atração? Mas também emanava certo desafio, pensou ele. Embora a boca bem-feita e o olhar enviesado deixassem entrever um meio sorriso sedutor, comunicavam também determinação... e uma sensação de raiva fervilhando que fez os pelos da nuca de Roger se eriçarem.

Ele se lembrou de que aquela moça havia matado um homem com as próprias mãos, e de modo premeditado.

Para salvar a irmã mais nova de um destino que conhecia bem.

Perguntou-se por um instante se o homem que a tinha desenhado naquela noite no bordel a teria possuído, sabendo e talvez saboreando o que estava comprando. No mesmo instante reprimiu as visões trazidas por esse pensamento, embora não houvesse como reprimir o pensamento em si.

Em pé a seu lado, Fanny ainda fitava o último resquício físico da irmã. Ele passou o braço ao redor de seus ombros delicadamente. *Não se preocupe. Vamos garantir que ela esteja segura, custe o que custar. Prometo isso a você*, pensou Roger para a moça cujo rosto cintilava dentro d'água depois de ter sobrevivido à ruína e à desintegração.

49

SUA SEMPRE AMIGA

De Brianna Fraser MacKenzie (sra.)

Cordilheira dos Frasers, Carolina do Norte

Para lorde John Grey, a/c Harold, duque de Pardloe, coronel do 46º Regimento de Infantaria de Sua Majestade, Savannah, Geórgia

Caro lorde John,

Recebi sua mui graciosa proposta de uma encomenda para pintar o retrato da sra. Brumby e é com grande prazer que aceito!

Obrigada também por sua oferta de um salvo-conduto, que também aceito com gratidão pela sua previdência, uma vez que meu marido e meus filhos irão me acompanhar. Meu marido tem assuntos importantes para resolver em Charles Town, de modo que passaremos por lá antes, ainda que brevemente, e seguiremos então para

Savannah, se Deus quiser e o córrego não encher antes de setembro, como dizem as pessoas por aqui (soube que o ditado fazia originalmente referência a um eventual levante da tribo indígena cujo nome significa córrego, os creek, que eram bastante beligerantes – e quem os poderia culpar? Considerando o clima aqui das montanhas, creio que a água seja um empecilho bem mais provável para as viagens).

Sendo assim, talvez as coisas possam ser apressadas se o senhor mandar o que nos for necessário em matéria de salvo-conduto aos cuidados do sr. William Davies em Charlotte, Carolina do Norte. Vamos passar por lá a caminho de Charles Town (que, como estou certa de que o senhor sabe, está nas mãos dos americanos). O sr. Davies é amigo de meu pai e guardará os documentos em segurança até nossa chegada.

Mal posso esperar para revê-lo!

Sua sempre amiga,

Brianna

50

JANTAR DE DOMINGO EM SALEM

Roger se esforçava para encaixar um aro de ferro ao redor do topo de um grande e arredondado barril, reformado após ter explodido em algum momento do passado recente devido à pressão interna de pinguins em decomposição, a julgar pelo débil porém fétido odor que a madeira manchada exalava. Apesar do tempo fresco, o sol estava alto e o suor se acumulava em seus olhos e fazia seu couro cabeludo pinicar.

Era quase a hora do almoço, mas ele estava sem apetite. Começava a ficar tonto de tanto prender a respiração. Mesmo assim, esperançoso, ergueu os olhos ao ouvir passos se aproximando pela trilha que vinha da despensa fria. Só que não eram nem Bree nem Fanny trazendo um bem-vindo sanduíche e uma garrafa de cerveja. Era seu sogro segurando duas grandes panelas de pedra, uma em cada braço.

– Dá para sentir o cheiro a 1 quilômetro de distância – comentou Jamie em tom de aprovação, farejando o ar.

Colocou no chão as panelas, das quais um cheiro forte de chucrute emanava como se fosse um poderoso espírito germânico, e olhou para o aro recalcitrante. Agachou-se junto ao barril, abraçou-o com cuidado e, virando o rosto para outro lado, apertou com a maior força de que foi capaz, pressionando as velhas ripas para dentro de modo que o aro pudesse ser inserido no lugar.

– Argh! – falou, arquejando ao se levantar. – Peixe podre?

– No mínimo. – Roger se levantou também e esticou as costas com um grunhido.

– Não acho que isso vá melhorar muito o cheiro – falou, meneando a cabeça para o novo barril.

– Bom, vai continuar cheirando a chucrute – disse Jamie, destampando uma das panelas. – Mas o repolho abafa todos os outros cheiros, então o peixe ou o que quer que tenha sido não vai feder tanto. Além do mais, Claire diz que o nariz se acostuma a qualquer coisa e depois de um tempo o cheiro para de incomodar.

– Ah, ela diz isso? – resmungou Roger.

Não era sua sogra que iria viajar 500 quilômetros com uma carroça cheia de barris fedorentos e três crianças gritando "Eca!" o caminho inteiro até a costa.

– Ronnie acha que os dois outros barris foram usados para carne de porco salgada e morcela. Você vai cheirando igual a um jantar de domingo em Salem – disse o sogro, insensível. – Este daqui está pronto?

– Sim. – Roger cutucou uma farpa no polegar enquanto observava discretamente Jamie espiar as profundezas do barril.

Estava deveras orgulhoso do próprio trabalho e de fato tinha tido um trabalhão: instalar um fundo falso no barril, com espaço apenas suficiente para uma fina porém valiosa camada de ouro por baixo, e encaixá-la de modo que não fosse provável ela se soltar caso alguém a jogasse no chão.

– Ah, que beleza! – Ainda espiando lá dentro, Jamie ergueu o barril, sopesou-o nas mãos e o deixou cair para fazer uma experiência. O barril aterrissou de pé no chão com um baque sólido. Jamie espiou lá dentro, ergueu os olhos e sorriu. – Firme feito uma porca, Roger Mac.

– É, bem, Brianna me ajudou… com o desenho, digo. E Tom MacLeod lhe deu a madeira.

– Espero que ela não tenha dito para que era – falou Jamie, mas sem nenhum medo real de que a filha pudesse ter feito isso.

– Ela disse que queria fazer um berço para os Ogilvys. – O jovem Angus e a esposa estavam esperando o primeiro filho e portanto naquele momento ganhando antigas roupas de bebê, cueiros sobressalentes, chupetas, mamadeiras e uma quantidade incalculável de conselhos decerto indesejados.

Jamie aprovou com um meneio de cabeça e, sem mais delongas, despejou dentro do barril uma cascata verde-clara de chucrute perfumado.

– Você vai ter que mover o barril para lá e para cá quando estiver viajando – falou, em resposta ao pensamento que Roger não expressou de que poderia ter esperado o barril estar em cima da carroça antes de acrescentar 10 quilos de repolho fermentado ao peso. – Melhor experimentar isso quando estiver sozinho, caso algo se solte, não?

Outro barulho de um grande volume sendo despejado e o chucrute ficou oscilando suavemente uns 7 centímetros abaixo da cicatriz na madeira que mostrava onde a tampa deveria ser encaixada.

Eles ficaram parados observando pensativos a massa perfumada e o mesmo pensamento ocorreu aos dois. Roger sentiu Jamie se remexer ao mesmo tempo que ele pensou que era melhor verificarem se o fundo falso tinha se soltado com a força da enxurrada. Jamie já estava procurando um galho adequado, que estendeu para Roger.

Roger cutucou o fundo do barril, sorrindo de leve. Tinha sempre uma leve sensação de empatia quando compartilhava com alguém o mesmo pensamento. Acontecia de vez em quando com Bree e de tempos em tempos com Claire... mas era surpreendentemente corriqueiro com Jamie. Talvez fosse apenas pelo fato de os dois trabalharem juntos com frequência.

– Certo, então. Tudo no lugar. – Roger jogou fora o galho úmido, pegou a tampa e a pressionou no lugar, bateu com a marreta para fechar bem e eles concluíram o serviço com um último aro. Grosseiro, porém eficaz.

Jamie deu um passo para trás e assentiu enquanto baixava as mangas arregaçadas.

– Se houver o menor perigo, deixem os barris para trás e fujam – falou. – Não devem ter problema nenhum na estrada... tirando bandidos – acrescentou após refletir um instante. – O salvo-conduto de lorde John os fará passar em segurança por qualquer outra coisa. Mas quando chegarem a Charles Town...

Ele ergueu um dos ombros e o estômago de Roger se contraiu.

Charles Town, sim. Jamie tinha escrito para Fergus usando uma linguagem cifrada que deixara Roger fascinado. Fergus já tinha planejado algo quando chegassem... mas o quê?

Jamie não estava preocupado com Charles Town.

– Veja o que Fergus pensou em fazer: ele é um pilantra atrevido, mas é pai de cinco filhos agora, então não se arrisca tanto quanto antes. Quando vocês chegarem a Savannah... – Ele começou a falar, mas parou, franzindo o cenho. O que quer que estivesse pensando, porém, Roger não conseguiu adivinhar.

– Tem um soldado chamado Francis Marion – disse Jamie abruptamente. – Oficial do Exército Continental. Claire disse que o conheceu em sua... época. A Raposa do Pântano, segundo ela. Ele não se chama assim agora – acrescentou depressa. – Você por acaso já ouviu falar nele?

– Já – respondeu Roger. – Mas só o conheço de nome. Ele está em Savannah?

Jamie aquiesceu, parecendo mais relaxado.

– Recebi uma carta de um conhecido meu semana passada. Ele me contou sobre a guarnição britânica em Savannah... disse que esse tal de Marion havia comentado com ele que Benjamin Lincoln estava pensando em descer de Charles Town para tentar tomar Savannah. E... – Jamie tinha os olhos firmemente cravados em uma poça de caldo de chucrute. Ah, então era aquele o trecho complicado. – E o tal de Randall disse no livro dele que os americanos atacariam Savannah em outubro... deste ano. Os americanos não vão conseguir, mas Marion vai estar lá.

– E você… quer que eu fale com ele? – O suor de Roger já estava secando e o vento entrava frio através de sua camisa.

– Se puder. O fato é que Marion tem bastante experiência com milícias.

– E você não? – retrucou Roger.

O bom humor atravessou o semblante de Jamie, mas ele balançou a cabeça.

– Não ganhei nenhuma experiência emprestando uma milícia reunida por mim ao comando do Exército Continental. Marion fez isso várias vezes, pelo que a carta diz, e quero ver se tem algum conselho sensato com relação a lidar com… determinados oficiais.

– Quem é filho da mãe e quem não é? Isso seria *mesmo* uma ajuda… mas você pode se dar ao luxo de ter escolhas?

– Todo oficial é filho da mãe – disse Jamie, seco. – Eles precisam ser. Eu também. Mas só em alguns se pode confiar. Pelo que ouvi dizer, Marion talvez seja um daqueles em quem se pode confiar.

– Entendi.

E você quer ter um amigo no Exército antes de procurá-lo. Um homem que o ajude a testar as águas antes de se comprometer. Ou quem sabe alguém que o aconselhe a desistir.

– É essa a decisão que precisa tomar, não é? – perguntou Roger. – Se compromete sua… nossa milícia para lutar com o Exército… ou se tenta sozinho, como Cleveland e Shelby.

– Eles não estão sozinhos – corrigiu Jamie. – Esses homens do outro lado das montanhas podem recorrer uns aos outros em caso de necessidade. Mas cada um mantém o próprio comando. Não é assim no Exército.

Os cabelos de Jamie tinham se soltado em um dos lados. Ele tirou a fita e tornou a amarrá-la, semicerrando os olhos por causa do vento. Vinha chegando uma tempestade de final de verão: ali nas montanhas se podia vê-las se aproximar a muitos quilômetros e as nuvens escuras estavam se juntando depressa acima de Roan Mountain.

– A escolha – disse Jamie, ainda observando a chuva que vinha chegando – é entre manter a milícia próxima para proteger a Cordilheira, até onde isso for possível, ou sair para travar combate com os britânicos. Se fizermos isso, então podemos decidir a melhor forma de proceder.

Roger refletiu sobre o tema por alguns instantes.

– Ser ou não ser? – indagou ele. – O que é mais nobre para a mente, esse tipo de coisa? Porque é isso que você… que *nós* estamos fazendo, não? Ou agimos ou não agimos. – Olhou para Jamie. – Até parece. Você não conseguiria ficar fora de uma briga nem se alguém pagasse.

Jamie teve a elegância de rir, embora parecesse encabulado.

– Sim. Mas *além disso* tem o capitão Cunningham. Pode ser que ele inicie um conflito um dia desses. Nesse caso, o que vai acontecer?

– Bem, isso não seria *bom* – reconheceu Roger. – Mas ele não vai atacar a Cordilheira e começar a incendiar a casa dos vizinhos, vai? Quero dizer... ele mora aqui.

– Verdade.

– Então o que os americanos vão fazer? Sitiar Savannah?

– É o que Randall diz. Mas eles não vão ter sucesso.

Havia algo de estranho na voz de Jamie toda vez que dizia esse nome. Não era de espantar que houvesse, mas Roger não saberia dizer *exatamente* o quê: não era dúvida, ódio nem medo...

– Mas você acha seguro Bree e as crianças estarem em Savannah enquanto isso estiver acontecendo?

Jamie deu de ombros e recolheu o casaco que havia tirado.

– Os americanos não vão tomar a cidade e Brianna vai estar lá sob a proteção de lorde John Grey.

– E você confia em lorde John.

Não era uma pergunta e Jamie não respondeu. Em vez disso, perguntou:

– Você confia em Randall?

Roger sorveu ar entre os dentes, mas assentiu.

– Com relação às batalhas, essas coisas? Sim, confio. Quero dizer... para ele isso fazia parte do passado; já tinha acontecido. Assim como para todo mundo na época em que publicou aquele livro. Ele não poderia ter dito "Tal batalha aconteceu nesse dia" se ela tivesse acontecido em *outro* dia... ou nem chegado a acontecer. Porque outros historiadores, e editores, aliás, saberiam que ela aconteceu. Se o livro estivesse cheio de informações erradas, digamos assim, nunca teria sido publicado. Quero dizer... os editores de obras acadêmicas verificam os manuscritos dos livros que publicam.

Eles passaram algum tempo em silêncio, vendo a tempestade se aproximar. Roger iria encontrar Francis Marion e, com a ajuda de Deus, Fergus encontraria armas. Mas Roger constatou que seus pensamentos estavam se afastando das decisões difíceis e realidades instáveis na direção das próprias questões pessoais mais iminentes.

Ele estava pensando se Bree poderia estar grávida. Nesse caso, como ela reagiria ao cheiro do jantar de domingo em Salem?

51

RODAS DENTRO DE RODAS

– O que foi que sua mãe disse a seu pai sobre esta expedição? – Roger arregaçou a calça até acima dos joelhos, examinando a roda de carroça cuja borda despontava da superfície gorgolejante no meio de um pequeno córrego.

– Está fundo demais – disse Brianna, franzindo o cenho para a água escura que corria veloz. – É melhor tirar a calça. E a camisa também.

– Foi *isso* que ela disse? Talvez ela tenha razão e estejamos indo fundo demais...

Brianna fez um pequeno muxoxo bem-humorado. Ele havia tirado os sapatos, as meias, o casaco, o colete e o lenço de pescoço, e parecia um homem despido para travar um duelo sério.

– A boa notícia é que as sanguessugas não grudam em uma correnteza assim. O que ela disse para Pa... ou o que ela *falou* que disse, o que não é a mesma coisa, foi: "Está me dizendo que pretende transformar um pastor presbiteriano respeitável em traficante de armas e mandá-lo viajar em uma carroça repleta de ouro de origem duvidosa e uísque de contrabando para comprar um carregamento de armas de um traficante desconhecido, acompanhado por sua filha e três de seus netos?"

– Isso, essa parte mesmo. Eu esperava algo mais divertido... – Com relutância, ele tirou a calça e a jogou por cima dos sapatos e meias. – Talvez eu não devesse ter trazido você e as crianças. Germain e eu teríamos tido uma grande aventura só os dois.

– Sim, era isso que eu temia. – Ela olhou por cima do ombro, para mais acima da margem íngreme de onde a carroça havia quase despencado quando a roda se soltara.

O veículo estava perto demais da borda para seu gosto e ela havia mandado as crianças até o outro lado da estrada catar lenha para o fogo na esperança de que isso as mantivesse fora de perigo.

Estava com um olho cravado em Roger e um ouvido atento a gritos de alarme vindos de cima. Parte de sua mente já calculava quanto tempo levaria para consertar a roda, isso se ela saísse do córrego intacta. Caso contrário, teriam que passar a noite ali. E algumas das células de seu cérebro estavam fazendo uma lista da comida de que dispunham, só por garantia. Mas a maior parte de sua atenção estava concentrada no próprio peito.

Palpita.

Tum... Tum... Tum... Tum

Palpita.

Agora não, pensou com violência.

– Eu não tenho tempo para isso!

– Tempo para quê? – Roger olhou por cima do ombro, com um dos pés na correnteza e a camisa a flutuar sedutoramente na brisa, permitindo a Brianna ter vislumbres breves porém interessantes de seu traseiro.

– Para *tudo isso* – disse ela, revirando os olhos e fazendo um gesto para cima em direção à carroça parcialmente arriada na estrada e às vozes das crianças, em seguida para a pequena caixa de ferramentas a seus pés. – Ande logo ou você vai congelar.

– Ah, não vou não! Afundado nesta água morna e agradável...

Ele endireitou os ombros e entrou no córrego, tateando com os pés o fundo pedregoso, com água acima dos joelhos.

Palpita. Palpitapalpitapalpitapalpita.

Tum.

Ela se sentou de repente, levou as mãos aos joelhos e sorveu demoradas e profundas inspirações. Manobras vagais, tente isso. Como se chamava mesmo...? Manobra de Valsalva, isso. Ela prendeu a última inspiração, pressionou com os músculos da barriga usando toda a força de que foi capaz e segurou enquanto contava até dez. Sentiu o coração desacelerar e bater mais forte.

Ótimo...

Tum. Tum. Tum. Tum. Tum...

Roger tinha alcançado a roda e estava segurando o aro, meio acocorado para poder ter mais firmeza. Isso melhorou sua vista e ela se recostou enquanto respirava com cuidado. À escuta.

Estou tão cansada de escutar. Só... pare com isso *e pronto, está bem?*

A roda se soltou de repente do fundo rochoso e Rocher escorregou no meio das pedras e caiu sobre um joelho, soltando uma exclamação quando a água lhe subiu até o peito.

– Ai, meu Deus! – exclamou ele.

– Ah, não!

Mas ela estava rindo, embora tivesse tentado não rir. Após tirar os sapatos e as meias, levantou as saias e entrou para ajudar. A água estava *mesmo* fria. Por sorte, a roda continuava intacta. Roger conseguiu virá-la e impulsioná-la o suficiente em sua direção para ela poder agarrá-la e impedir que a água a levasse enquanto ele se levantava e a segurava melhor pelo lado dele.

Com 1 metro de diâmetro, a roda era pesada e sem jeito, mas o aro de ferro que a envolvia a impedira de se despedaçar.

– Isso, *sim,* é uma bênção! – comentou ela, levantando a voz mais alto do que o ruído da correnteza. – Não quebrou!

Ele assentiu, ainda ofegante. Segurando o aro, tirou a roda das mãos de Brianna e andou até a margem, arrastando-a para longe da água. Largou-a e se sentou, respirando com dificuldade. Ela fez o mesmo.

Palpitapalpitapalpitapalpitapalpitapalpita...

Arquejou em busca de ar e pontinhos pretos começaram a piscar na periferia de seu campo de visão.

– Meu Deus, Bree, está tudo bem? – A mão dele a segurou pelo pulso.

Ela apertou a dele com força.

Palpitapalpitapalpita.

– Eu... ah... Sim, estou... estou bem. – Forçou-se a inspirar profundamente e fez força com a barriga. Mais uma vez, seu coração parou de tremer, embora as batidas mais lentas ainda estivessem irregulares.

Tum. Tum-ta-tum. Tum. Uma pausa. *Tum-tum.*

– Não está mesmo. Está branca feito leite. Venha, ponha a cabeça entre os joelhos.

Ela resistiu à pressão dele em sua nuca e o dispensou com um aceno.

– Não. Não, está tudo bem. Eu só… só fiquei tonta um instante. Deve ser pouco açúcar no sangue. Não comemos nada desde o café da manhã.

Roger retirou a mão devagar, observando-a com preocupação. E de repente entendeu o que ela precisava contar para ele. Aquilo não ia passar e Brianna não queria que ele ficasse preocupado toda vez que acontecesse.

O vento fresco em seu rosto a estava reanimando e ela se virou para ele e afastou alguns fios de cabelo da boca.

– Roger, eu… preciso contar uma coisa para você.

Ele a encarou, franzindo um pouco a testa, então de repente seu semblante mudou. Uma luz surgiu em seus olhos, uma sensação de animação nascente.

– Você está grávida? Meu Deus, Bree, que maravilha!

O choque momentâneo a fez emudecer por alguns instantes. Então explodiu dentro de seu peito em um estouro de fúria que sufocou qualquer pensamento relacionado a seu coração.

– Você… você… porra, como você se *atreve*?

Alguma lembrança residual das crianças lá em cima a impediu de gritar e as palavras saíram em um rosnado engasgado. Sua intenção estava clara; os olhos de Roger se arregalaram e ele lhe agarrou o braço.

– Eu sinto muito – falou, em voz baixa e neutra. – Qual é o problema?

Brianna se debateu por um instante, ansiando pelo simples alívio da violência, mas Roger não a soltou. Ela parou de forçar e ficou sentada parada; as lágrimas que brotavam eram a única forma de aliviar a pressão.

Ele soltou seu braço e o passou em volta de seus ombros. Ela sentiu o frio de suas camisa e pele molhadas, sentiu a barra ensopada da saia, mas o calor do medo e da frustração brotava de dentro dela como um vapor.

Ela se segurou no braço de Roger como se fosse uma oportuna raiz de árvore em uma enxurrada. Estava soluçando e tentando com urgência não fazê-lo, temendo que a contração provocada pela emoção fosse abalar seu coração e fazê-lo ficar outra vez descompassado, mas incapaz de conter por mais um segundo sequer a necessidade de soltar, de contar tudo para ele.

– De-desculpe. – Ela não parava de arquejar e Roger a segurou com mais força contra si enquanto lhe afagava as costas com a mão livre.

– Não, sou eu quem pede desculpas – disse ele em meio a seus cabelos. – Bree, me perdoe. Não queria… eu *realmente* não queria…

– Não – disse ela com a voz pastosa e se afastou um pouco dele enquanto enxugava o nariz que escorria. – Você não… Não é você. Eu sei que quer outro filho, mas…

– Não se você não quiser – garantiu ele, embora ela pudesse ouvir o desejo em sua voz. – Não iria arriscar você, Bree. Se está com medo, se...

– Ai, meu Deus. – Ela acenou com a mão para fazê-lo calar. Tinha parado de soluçar e estava apenas encolhida em seu abraço, respirando. Seu coração batia. Batia normalmente.

– Tá-tum – falou. – Tá-tum, tá-tum... Segundo os manuais, é assim que um coração deve bater. Só que não é.

Silêncio momentâneo. Ele acariciou seus cabelos com cautela.

– Não?

– Não. – Ela sorveu uma inspiração profunda e livre e a sentiu penetrar até as pontas dos dedos. – E não, eu também não estou maluca.

– Eu acredito. – Ele a soltou com delicadeza e a encarou com uma expressão perscrutadora. – Bree, você está bem?

A expressão de Roger estava tão aflita que ela quase começou a chorar outra vez, de remorso.

– Mais ou menos...

Ela arquejou, fungou e fez um esforço imenso para endireitar as costas e se controlar. Nesse instante percebeu que Roger estava sentado a seu lado vestindo apenas a camisa com a barra encharcada e começou a rir, mas se conteve, temendo que a risada se transformasse facilmente em um ataque histérico.

– Vá vestir a calça e eu conto tudo – falou, endireitando os ombros.

– Mamãããããe! – Mandy a chamava e acenava da beira da estrada mais acima. – Mamãe, a gente está com *foooome*!

– Vou arrumar alguma coisa para eles comerem – disse Roger, tornando a vestir a calça. – Vá lavar o rosto e... beba água. Fique tranquila que eu já volto.

Ele subiu atabalhoadamente a margem chamando Jem e Germain. Um minuto depois, Brianna já tinha se recomposto o suficiente para seguir seu conselho: lavar o rosto e beber um pouco d'água. A água do regato estava boa: fria e fresca, com um leve sabor picante de agrião, e ter algo no estômago pareceu acalmá-la, ainda que fosse só água.

Tum. Tum. Tum. Era verdade: havia um *tum* mais fraco depois do principal, mas foi o ritmo sólido e reconfortante do *tum* que a tranquilizou. Ela sorriu ao pensar nisso e enxugou as mãos molhadas nos cabelos, que tinham se soltado da fita.

Estava ajoelhada no chão junto à roda quando Roger tornou a descer, trazendo dois ovos cozidos, um pedaço de pão duro besuntado de azeite e alho e uma garrafa de cerveja. Ela começou pela cerveja.

– Não foi tão grave – falou, indicando a roda com um movimento da cabeça. – Uma das seções do aro se soltou, mas não quebrou. Posso recolocar no lugar e prender com um parafuso de arame...

– A roda que se dane – disse ele, mas sua voz soou branda. – Coma um ovo e me diga o que está acontecendo.

Seu rosto não exibia nada além de preocupação, mas a rigidez de seus ombros informava que não iria desistir. Ela bebeu um grande gole de cerveja para tomar coragem, reprimiu um arroto e contou:

– Fico pensando que vai simplesmente passar. E que não vai voltar a acontecer. Mas não paro de prestar atenção, nervosa... então passa uma semana, duas, três *sem* acontecer... e eu começo a relaxar e *pum*! Acontece outra vez. – Ela ergueu os olhos para ele como quem pede desculpas. – Desculpe eu ter me descontrolado. Mas, sabe, é meio *parecido* com uma gravidez... tem essa coisa incontrolável dentro de você, que assume o controle de seu corpo e... faz coisas com ele. – Ela baixou os olhos e começou a catar do capim pedaços da casca do ovo. – E pode matar – falou muito baixinho. – Embora não seja fatal, segundo mamãe... exceto pelo fato de talvez provocar um derrame.

– Deixe isso aí... casca de ovo faz parte da paisagem. – Ele segurou sua mão e a beijou com delicadeza; ela não resistiu. – Você trouxe casca de salgueiro?

– Sim. Mamãe me preparou um kit. – Apesar da situação, ela sorriu de leve e fez um gesto para cima da margem em direção à carroça arriada. – Na minha bolsa há 24 pacotes de casca de salgueiro, cada um suficiente para três canecas de infusão. Ela calculou que duraria até chegarmos a Charleston.

– Mais uma coisa – falou e sorveu uma inspiração profunda e ruidosa.

Seu nariz estava começando a se descongestionar e ela estava conseguindo respirar outra vez.

– Sim?

– Uma gravidez e essa... essa coisa cardíaca. Mamãe disse que uma gravidez *pode* fazer desaparecer, temporariamente ou até para sempre. Mas pode também piorar muito. – Ela assoou o nariz em um lenço limpo. – Ela só não me contou uma coisa, que me preocupou. E se essa coisa... for hereditária? Quero dizer, e se o coração de Mandy...? Será que eu... passei isso para ela?

– Não – respondeu ele com firmeza. – Não, sabemos que é um defeito congênito comum. *Patent ductus arteriosus*, segundo sua mãe. Não foi você quem causou. Embora...

Ela queria acreditar nele, mas as dúvidas e os pensamentos que vinha reprimindo nos últimos meses estavam todos borbulhando até a superfície.

– Seu *tataravô*, ou seja lá qual for o grau de parentesco. Buck. Ele tinha algum problema cardíaco, não tinha?

O rosto de Roger registrou incompreensão por um segundo.

– Tinha, sim – respondeu ele devagar. – Mas... quero dizer, parecia ser um efeito de ter atravessado as pedras. – Sua mão tocou inconscientemente o próprio peito e ele o esfregou devagar. – Ele estava tendo um... um ataque, uma convulsão... bem na hora em que atravessamos. Mas depois melhorou... e mais tarde piorou muito. Foi quando encontramos Hector McEwan.

A respiração dela estava bem mais livre. Algo no pensamento lógico causava um curto-circuito na emoção. Talvez por isso se dissesse que era preciso contar até dez quando se está com raiva...

– Queria ter perguntado mais sobre isso para ele – disse ela. – Mas... – Tocou o próprio peito, onde seu coração irrequieto agora batia tranquilo. – Na época não estava sentindo nada parecido com isso.

Brianna pôde ver no rosto de Roger o que ele estava pensando, porque era a conclusão lógica.

– Pode ser que isso... pode ser que isso piore quanto mais vezes se atravesse?

– Meu Deus, eu não sei. – Ele olhou para o alto do barranco. As vozes das crianças estavam mais fracas: elas tinham entrado na mata do outro lado da estrada. – Não parece ter afetado Jem nem... a mim. Nem sua mãe. Mas... uma coisa acabou de me ocorrer: sua mãe atravessou as pedras quando estava grávida de você. Será que isso...?

Ele tocou de leve o peito dela.

– Amostra demasiado pequena. – Ela deu uma risada trêmula. – E eu não viajei grávida de Mandy. Não se preocupe. Mamãe disse que as chances de alguém de minha idade e com minha saúde ter um derrame eram infinitesimais. Já uma gravidez...

– Bree. – Ele se levantou e a puxou para fazê-la ficar em pé de frente para ele. – Eu falei sério, *m'aoibhneas*. Jamais colocaria em risco sua vida, sua saúde... ou sua felicidade. – Ele inclinou a cabeça de modo que os dois ficassem com a testa encostada uma na outra, os olhos se fitando, e sentiu quando ela sorriu. – Sabe quanto você significa para mim? Sem falar nas crianças. Aliás... você acha mesmo que eu iria me arriscar a deixar você morrer e me *abandonar* com esses pestinhas?

Ela gargalhou, embora Roger pudesse ver as lágrimas ainda a cintilar nos cantos de seus olhos. Ela apertou suas mãos com força, então as soltou e levou a mão ao bolso para pegar um lenço.

– *M'aoibhneas?* – indagou, sacudindo o lenço para abri-lo e assoando o nariz com ele. – Essa eu não conheço. O que significa?

– Alegria – respondeu ele com a voz rouca e limpou a garganta com um pigarro. – Minha alegria. – Meneou a cabeça para a roda e o aro partidos. – Como é mesmo que se diz? Felicidade é alguém capaz de consertar você quando se quebra?

Foi preciso menos de uma hora para Brianna consertar a roda.

– Na verdade, é preciso um ferreiro para pôr rebites novos no aro – falou, levantando-se de onde estava agachada junto à roda recém-colocada. – Só tinha tachinhas de cabeça chata para as seções de aro e um par de parafusos bem grosseiros e um pouco de arame, mas...

– Nós vamos devagar – disse Roger. Protegeu os olhos com a mão para avaliar a altura do sol. – Ainda temos umas boas três horas de luz. Acho que nesta estrada tem um lugar chamado Bartholomew, ou Yamville ou algo assim. Talvez lá seja grande o suficiente para se gabar de ter um ferreiro.

As crianças tinham ficado exaustas correndo de um lado para outro da estrada e brincando de esconde-esconde enquanto ela consertava a roda. Depois de um almoço substancial composto por batatas cozidas frias (surpreendentemente saborosas com um pouco de sal e vinagre) e ovos, acrescidos de uma boa porção de chucrute por causa da vitamina C e maçãs de sobremesa, as pequeninas maçãs amarelo-esverdeadas doces mas azedinhas das quais eles tinham um saco. Mandy apagou encolhida na caçamba da carroça, com a cabeça apoiada em um saco de aveia, enquanto Jem e Germain ficaram bocejando a seu lado, mas decididos a não pegar no sono nem perder nada.

Roger estava se sentindo mais ou menos como eles. O caminho tinha se alargado até virar uma estrada de verdade, mas não havia ninguém nela: já fazia duas horas que não passavam por ninguém e os cavalos tinham diminuído o trote, fazendo a floresta passar em silêncio, árvore por árvore, no lugar do borrão verde sacolejante da primeira parte da viagem. Aquilo era calmante e hip… hipno…

– Ei! – Brianna segurou seu braço e lhe deu um susto que o fez acordar.

Por reflexo, ele puxou as rédeas e os cavalos pararam resfolegando, com os flancos lustrosos de suor.

– Se você estivesse em pé, estaria caindo de sono – disse ela com um sorriso. – Vá deitar um pouco com Mandy lá atrás. Eu continuo.

– Não, eu estou bem. – Ele resistiu à tentativa dela de tomar as rédeas, mas, enquanto tentava fazer isso, perdeu o controle da própria expressão e deu um bocejo tão grande que o barulho de ondas distantes trovejou em seus ouvidos e seus olhos lacrimejaram.

– Vá lá – disse ela, juntando as rédeas com habilidade e as agitando sobre o lombo dos cavalos, estalando a língua antes de ele poder discutir. – Eu estou bem. Sério – acrescentou em tom mais suave, olhando para ele.

– É. Bem… talvez só um pouquinho…

Mas Roger não conseguiu se forçar a deixá-la sozinha no banco do condutor e levou a mão até debaixo deste para pegar o cantil grande. Jogou água no rosto, bebeu um pouco e tornou a pôr a rolha no lugar, sentindo-se um pouco mais alerta.

– O que mais tem nessa sua bolsa mágica? – perguntou ele, pois tinha visto a mochila de lona debaixo do banco junto do cantil. – Além de seu chá.

– Algumas de minhas ferramentas pequenas – respondeu ela, olhando rapidamente para a bolsa. – Uns livros… presentes, e alguns brinquedos para Mandy e o livro do Grinch que desenhei para ela. Ela queria trazer *Ovos verdes e presunto*, mas *isso* não seria possível.

Roger sorriu ao pensar nos Brumbys e seus amigos da alta sociedade vendo o livro laranja-vivo. Bree estava trabalhando com calma em edições feitas à mão de alguns dos livros do dr. Seuss, com as próprias e criativas versões dos desenhos.

A fidelidade do texto dependia de quanto Claire e ela conseguiam recordar. Os livros não eram nem de longe tão chamativos quanto os originais, mas também tinham bem menos propensão a causar mais do que um sorriso ou um cenho franzido de incompreensão caso alguém folheasse algum.

– E se você conhecer um editor em Savannah que vir o livro e quiser publicar? – perguntou ele, tentando não soar mais do que levemente curioso.

Tinha quase superado a preocupação de expor fragmentos da cultura do futuro ao século XVIII, mas ainda experimentava uma sensação estranha na nuca, como se a Polícia do Tempo fosse estar de tocaia, ver *Horton e o Mundo dos Quem!* e denunciá-los. *Denunciar-nos para quem?*, pensou.

– Acho que dependeria de quanto ele me oferecesse – respondeu ela em tom leve.

Ela sentiu a resistência dele e transferiu as rédeas para a mão esquerda de modo a poder lhe fazer um carinho.

– Ficção histórica – disse ela. – Muitas coisas de todo tipo… ideias, máquinas, ferramentas, o que seja… elas foram, quero dizer, são descobertas mais de uma vez. Mamãe disse que a agulha hipodérmica foi inventada por no mínimo três pessoas distintas, todas por volta da mesma época, em países diferentes. Mas outras coisas são inventadas ou descobertas e ficam apenas… paradas. Ninguém as usa. Ou então são perdidas e depois reencontradas. E se passam anos… às vezes séculos, até *alguma coisa* acontecer e de repente chegar o momento certo, e o que quer que seja de repente ganha corpo e se espalha, e passa a ser conhecido por todo mundo. Além do mais… – acrescentou, prática, cutucando a bolsa com o pé. – Que mal poderia haver em publicar uma versão bastarda de *O Gatola da Cartola* no século XVIII?

Apesar do nervosismo, ele riu.

– Ninguém iria publicar esse. Uma história de crianças desobedecendo à mãe de propósito? E *sem* encarar graves consequências depois?

– Como disse, não é a época certa para um livro assim – disse ela. – Não iria… pegar.

Ela agora já havia se recuperado por completo do colapso emocional, ou pelo menos assim parecia. Os cabelos ruivos compridos soltos nas costas, a expressão animada, mas sem sinais de perturbação, os olhos na estrada e nas cabeças balouçantes dos cavalos.

– E tem também Jane – disse ela, meneando a cabeça para a bolsa e baixando a voz. – Falando em graves consequências, coitadinha.

– Jane…? Ah, a irmã de Fanny?

– Eu consertei o desenho, mas prometi a Fanny que iria pintá-lo também – disse Bree e franziu de leve o cenho. – Torná-lo mais permanente. E, segundo lorde John, o sr. Brumby vai me fornecer os melhores materiais de pintura que o dinheiro e uma sólida reputação de legalista podem comprar em Savannah. Não consegui convencer Fanny a me deixar levar seu desenho, mas ela me deixou copiá-lo para ter alguma base sobre a qual trabalhar.

– Coitadinha. Coitadinhas, eu deveria dizer – comentou Roger.

Depois que Fanny ficou menstruada, Claire contou a Brianna o que acontecera com Jane, e Bree havia contado a ele.

– Sim. E coitadinho de Willie também. Não sei se estava apaixonado por Jane ou se apenas se sentia responsável por ela, mas mamãe disse que ele apareceu no enterro em Savannah com uma cara horrível, montado naquele cavalo imenso. Ele entregou o cavalo a Pa, para que ele desse a Fanny... e depois simplesmente... foi embora. Nenhum dos dois teve notícia dele desde então.

Roger assentiu, mas não tinha muito a dizer. Havia encontrado William, nono conde de Ellesmere, uma vez em um cais de Wilmington, vários anos antes e por mais ou menos três minutos. O rapaz era um adolescente na época, alto e magro feito um varapau. Apesar dos cabelos escuros, tinha uma forte semelhança com Bree. No entanto, havia mais segurança e um porte mais altivo do que ele esperava encontrar em alguém daquela idade. Talvez esta fosse uma consequência de se nascer no seio da aristocracia hereditária: achar que o mundo, ou parte dele, fosse seu.

– Sabe onde Jane está enterrada? – indagou.

Ela fez que não com a cabeça.

– Um cemitério particular fora da cidade, é só o que sei. Por quê?

Ele ergueu o ombro por um breve instante.

– Pensei em prestar minhas homenagens. Assim posso dizer a Fanny que estive lá e rezei uma prece pela sua irmã.

Ela o encarou com um olhar suave.

– Que boa ideia. Tenho uma sugestão: vou perguntar a lorde John onde fica... Mamãe disse que ele providenciou o enterro. E você e eu podemos ir juntos. Acha que Fanny iria gostar se eu fizesse um desenho do túmulo? Ou seria... perturbador demais?

– Acho que iria gostar. – Ele tocou seu ombro, em seguida alisou os cabelos para trás de modo a afastá-los de seu rosto e os prendeu com o próprio lenço. – Você por acaso não teria nada de comestível nessa bolsa, teria?

52
MADURO PARA A COLHEITA

De coronel Benjamin Cleveland

Para coronel Fraser, Cordilheira dos Frasers, Carolina do Norte, coronel John Sevier, coronel Isaac Shelby, etc...

Prezados senhores,

Venho por meio desta lhes informar que, a partir do dia 14 do próximo mês, eu e minha milícia iremos percorrer as fazendas e os assentamentos localizados entre a curva inferior do Nolichucky e as nascentes de águas termais, com a intenção de importunar e desalojar quaisquer homens de disposição pró-britânica que ali viverem, e os convido a se juntarem a mim nessa empreitada.

Se os senhores pensam como eu e compreendem a ameaça que abrigamos em nosso seio e a necessidade de extirpá-la, tragam seus homens preparados com suas armas e se juntem a mim no baixio de Sycamore no dia 14.

A seu dispor,

B. Cleveland

– Quais são nossas alternativas? – perguntei, tentando soar calma e objetiva.

Jamie deu um suspiro e guardou o livro-caixa.

– Eu posso ignorar a carta de Cleveland, inclusive os erros de ortografia, assim como ignorei a primeira. Ninguém sabe que eu recebi esta carta exceto você, Roger Mac e o funileiro que a trouxe. Benjie Gordo não vai esperar muito tempo pela minha resposta: ele logo vai terminar sua colheita e está louco para começar a caçar antes de o tempo virar.

– Isso pelo menos nos daria um pouco de tempo.

Um dos cantos de sua boca se levantou.

– Gosto do jeito como você diz "nos", Sassenach.

Corei de leve.

– Desculpe. Sei que vai fazer o trabalho sujo, mas...

– Não estava brincando, Sassenach – disse ele baixinho e olhou para mim. – Se eu tiver todos meus membros arrancados fazendo isso, quem vai me costurar de novo será você.

– Nem brinque com uma coisa dessas.

Ele me encarou com um ar de quem não entende, em seguida aceitou o que eu dizia e assentiu.

– Ou então... posso mandar uma resposta dizendo a ele que já estou tendo trabalho suficiente com os legalistas daqui e que não me atrevo a deixá-los sozinhos para causar problemas na Cordilheira. E isso, Sassenach, é quase verdade. Mas não acho que eu queira dizer uma coisa dessas para Cleveland... nem assinar meu nome em um papel com essa informação. Digamos que eu escreva isso... e algum conhecido de Cleveland resolva mandar meu bilhetinho para os jornais de Cross Creek...

Era um bom argumento e meu estômago se encolheu um pouco. Naqueles tempos, o fato de Jamie assinar seu nome em qualquer tipo de documento político poderia equivaler na prática a pintar um alvo em suas costas. Nas costas de todos nós.

– Mesmo assim, ninguém na parte ocidental da Carolina do Norte tem qualquer dúvida em relação à nossa lealdade – contrapus. – Quero dizer, você de fato *foi* um dos generais de campanha de Washington.

– Fui, sim – disse ele com cinismo. – E a palavra importante nesse caso é "fui". Metade das pessoas que sabem que fui general, isso durante um mês ou dois, acha também que sou um covarde traidor que abandonei meus homens no campo de batalha. Coisa que de fato fiz. Nenhum deles ficaria surpreso se soubesse que eu virei a casaca.

E se unir aos homens do outro lado das montanhas para importunar e assassinar legalistas seria um passo no caminho para recuperar sua reputação de patriota inveterado, supunha eu.

– Ah, que bobagem. – Levantei-me e, chegando por trás dele, levei as mãos a seus ombros e apertei. – Ninguém que conheça você pensa isso nem por um segundo, e eu estaria disposta a apostar que a maioria das pessoas na Carolina do Norte nem sequer ouviu falar em Monmouth e não tem a menor ideia de que você lutou lá... quanto mais do que aconteceu.

O que aconteceu. Era verdade: ele havia desertado seus homens no campo de batalha para impedir que eu morresse de hemorragia, muito embora o combate já tivesse terminado e os homens em questão fossem todos integrantes de milícias de condado cujo prazo de alistamento já estava vencido ou iria vencer no dia seguinte. Apenas o fato de ele já ter renunciado ao cargo formalmente, isto é, por escrito na ocasião do ocorrido o impedira de ser julgado em corte marcial. Isso e o fato de George Washington ter ficado tão furioso com o comportamento de Charles Lee no campo de batalha de Monmouth que era improvável se voltar contra Jamie Fraser, um homem que o seguira nesse campo e lutara lado a lado com seus homens com cavalheirismo e coragem.

– Respire fundo três vezes e solte. Seus ombros estão duros feito pedra.

Ele acatou obedientemente minha instrução. Depois da terceira inspiração, baixou a cabeça para eu poder lhe massagear a nuca além dos ombros. Sua pele estava quente e tocá-lo me proporcionou uma sensação de solidez reconfortante.

– Mas o que provavelmente *vou fazer* – disse ele para o próprio peito – é mandar uma garrafa do uísque de dois anos para Cleveland e os outros, junto com uma carta dizendo que minha cevada acabou de ser ceifada e não posso deixar que apodreça. Caso contrário, não haverá uísque no ano que vem.

Isso fez com que eu me sentisse melhor. Os homens do outro lado das montanhas eram rebeldes, e alguns podiam ser fanáticos sanguinários como Cleveland, mas eu tinha certeza de que, quando o assunto era uísque, todos sabiam quais eram suas prioridades.

– Excelente ideia – falei e beijei sua nuca. – E com um pouco de sorte vamos ter um inverno precoce com bastante neve.

Isso o fez rir e o ponto contraído na base de minhas costas relaxou, embora minhas mãos parecessem ter ficado vazias quando as retirei.

– Cuidado com aquilo que deseja, Sassenach.

A luz do sol poente batia agora nele por trás, traçando o contorno negro de seu perfil. Captei um reflexo de luz no osso do nariz comprido e reto quando ele virou a cabeça, e a curva graciosa do crânio, mas o que mais me comoveu foi a nuca.

Ele passou a mão por baixo do rabo de cavalo, levantando-o casualmente para coçar a cabeça, e o sol bateu puro e branco feito osso nos minúsculos pelos escondidos que desciam pelo feixe de músculos ali.

Foi apenas um instante. Quando ele soltou a fita e sacudiu os cabelos ao redor dos ombros, uma massa de bronze e prata já descorada mas ainda escura que cintilou ao sol, o brilho desapareceu.

O fato de Jamie declinar o cordial convite de Benjamin Cleveland para caçar legalistas obviamente foi aceito, pois nenhuma outra carta chegou e ninguém tampouco apareceu para incendiar nossas colheitas. Ainda bem, já que a afirmação de Jamie de que sua cevada já tinha sido ceifada foi feita umas duas semanas antes do fato em si.

Agora, porém, a cevada estava espalhada em feixes pelos campos, sendo recolhida em sacos e levada embora para a debulha e a joeira o mais depressa possível pelos ajudantes disponíveis: Jamie e eu, o Jovem Ian, Jenny e Rachel, Bobby Higgins e seu enteado Aidan. Depois de um dia extenuante de trabalho nos campos, voltávamos para casa cambaleando, comíamos o que quer que eu tivesse conseguido preparar de manhã, em geral um ensopado feito com feijões gordurosos, arroz e qualquer outra coisa que eu conseguisse encontrar à luz mortiça da aurora, e caíamos na cama. Todos, menos Jamie.

Ele comia, ficava deitado uma hora em frente ao fogo, então se levantava, passava água fria no rosto, vestia a menos imunda de suas duas camisas de trabalho e saía para encontrar a milícia na grande clareira abaixo da casa. Instruía Bobby a conduzir o treino de quem tivesse aparecido enquanto conversava com os recém-chegados e os convencia a se alistar, selando seu compromisso com um xelim de prata (ainda lhe restavam dezesseis, escondidos no salto de uma de suas botas elegantes) e a promessa de um cavalo e de uma arma decente. Então assumia a condução do treino enquanto a luz se esvaía da paisagem, sugada pelo último brilho do céu. Quando o sol finalmente desaparecia, ele cambaleava até a casa e, com sorte, conseguia tirar as botas antes de desabar de bruços a meu lado.

Só que, como os outros homens também estavam precisando cuidar de sua colheita e de seus abates, o comparecimento era irregular e assim permaneceria até meados de outubro, segundo ele me disse.

– E a essa altura pode ser que eu já tenha alguns cavalos e fuzis disponíveis para lhes dar.

– Espero que os amigos do sr. Cleveland também tenham colheitas para cuidar – falei, cruzando os dedos.

Ele riu, despejou uma jarra d'água na cabeça, em seguida ficou parado um instante, segurando a pia com força, pingando água na bacia e por todo o chão.

– Sim – falou dentro da caverna escura de cabelos compridos e molhados. – Eles têm, sim. – Não endireitou as costas na hora e pude ver a profundidade de cada lenta inspiração. Por fim, ele se endireitou e, balançando a cabeça como um cão molhado, pegou a toalha de linho que eu lhe estendia e enxugou o rosto.

– Cleveland é rico – falou. – Tem criados para cuidar da lavoura e dos animais enquanto ele banca o justiceiro. Graças a Deus, eu não tenho esse luxo.

53

PÉ DIREITO

No dia 16 de setembro, a porta da frente de nossa casa se fechou pela primeira vez. Uma beleza de porta, feita de carvalho maciço, aplainada e lixada até ficar lisa feito vidro. Jamie e Bobby Higgins tinham fixado as dobradiças e pendurado a porta antes do almoço. E, um pouco antes de o sol se pôr, terminaram de instalar a maçaneta, a fechadura e a contratesta (a fechadura fora comprada por um valor extorsivo em um chaveiro em Cross Creek). Jamie fechou a porta com um *tum* impressionante e passou o trinco com um floreio cerimonioso sob os aplausos da família reunida, que no momento incluía Bobby e os três filhos, convidados para jantar conosco e fazer um pouco de companhia para Fanny, já que ela estava sentindo uma falta terrível de Germain, Jem e Mandy.

Durante o jantar, tínhamos apostado quem seria a primeira pessoa a bater à nossa nova porta da frente, e os palpites foram de Aodh MacLennan (que passava mais tempo conosco do que com a própria família. "Por que ele se daria ao trabalho de bater, Sassenach?") ao pastor Gottfried, que corria por fora e valia vinte contra um, uma vez que morava em Salem. No amanhecer do dia seguinte, Jamie tinha aberto o trinco e saído para cuidar dos animais, mas agora estávamos terminando a refeição do meio-dia sem que nenhum passo desconhecido houvesse ainda se aventurado a cruzar nossa soleira virgem.

Estava espiando as profundezas de meu caldeirão para ver quanta sopa tinha sobrado, reprimindo a ânsia de declamar o monólogo das bruxas de *Macbeth* – em grande parte por não conseguir me lembrar de nada além do primeiro verso, além de parcas recordações adicionais de olhos de salamandra e pernas de sapo –, quando de repente um *pam-pam-pam* vigoroso ecoou pela casa.

– Oba! – Orrie se levantou e derramou a sopa, mas Aidan, Rob e Fanny foram todos mais rápidos e chegaram ao hall de entrada na velocidade máxima, disputando para ver quem deveria atender.

– Olhem os modos, seus monstrinhos – disse Jamie com brandura, surgindo atrás deles. Agarrou os dois meninos pelos ombros e os empurrou de lado. – E você também, Frances, que história é essa de disputar com os pequenos?

Fanny corou e saiu da frente, deixando para Jamie a honra de atender à porta da própria casa.

Eu tinha saído para o hall, curiosa para ver quem era a visita. Jamie era tão alto que eu não conseguia ver quem estava em sua frente, mas o ouvi cumprimentar quem quer que fosse em gaélico, com um tratamento formal e honorífico. Sua voz soou surpresa.

Também levei um susto quando ele deu um passo para trás e fez um gesto indicando a Hiram Crombie que entrasse no hall.

Hiram vivia perto do limite oeste do vale, bem no sopé da montanha, e em geral só se aventurava a sair de suas redondezas para ir à igreja aos domingos. Eu não me lembrava de ele ter vindo à nossa casa.

Homem frugal, de aspecto severo, era o líder *de facto* da aldeia de pescadores que havia emigrado em massa do extremo norte da Escócia, perto de Thurso, para se instalar na Cordilheira. Olhei por cima do ombro em busca de Roger: os pescadores eram todos presbiterianos empedernidos que tendiam a se manter entre si. Roger decerto era a única pessoa na casa a se considerar que tinha uma relação verdadeiramente cordial com Hiram, embora o sr. Crombie agora pelo menos falasse comigo, depois dos acontecimentos relacionados ao funeral de sua sogra.

Só que Roger não estava. E Hiram parecia querer falar sobre outras coisas que não religião.

Ele havia tocado o chapéu ao entrar, seu chapéu de sair, reparei, e meneado a cabeça de leve em um cumprimento para mim. Em seguida, lançou um olhar para o bando de crianças, piscando sem mudar de expressão, e se virou para Jamie.

– Uma palavrinha, *a mhaighister*?

– Ah. Sim, claro, sr. Crombie.

Ele deu um passo para trás e fez um gesto em direção à porta de seu escritório, conhecido por todos como o "quarto da palavrinha". Cruzou olhares comigo enquanto entrava atrás de Hiram e respondeu a meu olhar de interrogação arregalando os olhos e dando de ombros.

E eu lá sei, dizia o gesto.

Enxotei as crianças para irem procurar lagostins, sanguessugas, agrião e qualquer outra coisa que pudesse ser útil no córrego, e fui me recolher em meu consultório para aproveitar o raro instante de lazer e folhear as páginas de meu precioso novo *Manual Merck*, mantendo um ouvido atento para o caso de Jamie querer algo para Hiram.

Um dos apetrechos pouco usuais de meu novo consultório era uma cadeira de balanço com assento de bambu. Jamie a construíra para mim à noite ao longo de vários meses, usando madeira de freixo e bordo para os pés, e pedira a Graham Harris, o especialista da região, que fabricasse o assento de bambu, garantindo-me que a cadeira viveria mais do que eu e muitas gerações subsequentes, já que o bordo era conhecido por ser duro como pedra. A cadeira era muito útil para acalmar bebês ou crianças pequenas e irrequietas, e útil também para acalmar a mim mesma quando queria um refúgio dos estresses da vida cotidiana, para evitar que esganasse alguém.

Naquele momento, porém, estava satisfeita tanto mental quanto fisicamente e concentrada em descobrir qual poderia ser o tratamento moderno para cistite intersticial.

Adequação de estilo de vida

Até 90% dos pacientes melhoram quando tratados, mas a cura é rara. O tratamento deve incluir ênfase na consciência e no evitamento de gatilhos em potencial, como tabagismo, consumo de álcool, alimentos com alto teor de potássio e alimentos condimentados.

Terapias medicamentosas...

Era bem verdade que eu não podia *fazer* nada com aquela informação: ninguém na Cordilheira comia alimentos condimentados, para começar, mas minhas chances de convencer qualquer um a parar de consumir tabaco, álcool ou uvas eram baixas. Com relação a medicamentos, a única substância de aplicação possível da qual eu dispunha era meu confiável chá de casca de salgueiro. Além da curiosidade, porém, havia certo conforto na sensação de autoridade que o livro transmitia: o sentimento de que alguém, muitos alguéns tinham aberto uma trilha para mim. Não estava mais sozinha na labuta diária entre a vida e a morte.

A primeira vez que senti esse conforto fora quando, no início de minha carreira de enfermeira, um médico militar americano que eu conhecera em meu primeiro posto durante a guerra, *minha guerra*, como sempre costumava pensar, tinha me dado um exemplar do *Manual do soldado sanitário* publicado pelo Exército dos Estados Unidos.

Era assim que os americanos chamavam o apoio médico alistado: soldados sanitários. Depois da primeira semana em um hospital de campanha, eu sentira vontade de rir daquele nome (isso quando não chorava com a cabeça debaixo do travesseiro), mas a expressão não estava de todo equivocada. Estávamos lutando com tudo que tínhamos e a limpeza não era a menos importante de nossas ferramentas.

Tampouco era a menos importante das minhas.

A quantidade média de água necessária para fins de hidratação humana varia conforme a quantidade de exercícios praticada e a temperatura atmosférica; uma boa média é de um litro e meio a dois litros além do que se consome nos alimentos. Em movimento, a quantidade é limitada a cerca de um litro pela capacidade do cantil e deve ser administrada com muito cuidado.

Uma água é dita potável quando está própria para o consumo humano. Uma água potável é uma água sem contaminação; por mais límpida, clara e cintilante que esteja, ela não é potável se estiver situada de modo a poder ser contaminada por matéria fecal, urina ou esgotamento de terras adubadas com esterco. Existe o erro muito comum de que toda água de nascente é pura; muitas nascentes, principalmente as que não vertem constantemente, tiram sua água de fontes na superfície.

Eu deveria copiar aquele trecho em meu livro de casos, pensei, olhando na direção do grande livro preto na prateleira acima dos vidros de sanguessugas. Era reconfortante pensar que algum dia aquele livro também pudesse transmitir um sentimento de autoridade para outro médico, proporcionando-lhe assim o presente de minha experiência, do meu conhecimento.

Folheei devagar as páginas do *Merck* e me detive quando meu olho foi atraído pelo cabeçalho *Malária*. Será que havia alguma novidade no tratamento da malária? Eu tinha visto Lizzie Beardsley duas semanas antes e ela me garantira ter tomado a casca de quina que a sra. Cunningham me dera... mas estava pálida e suas mãos tremeram ao trocar a fralda do pequeno Hubertus. Quando a pressionei, ela admitiu estar se sentindo "um pouco tonta de vez em quando".

– Não é de espantar – murmurei comigo mesma.

O mais velho de seus quatro filhos ainda não tinha completado 5 anos e, embora um dos Beardsleys... bom, um de seus dois maridos, por que não ser logo direta? Embora um deles estivesse em casa para fazer as tarefas externas enquanto o outro caçava, pescava ou montava armadilhas, Lizzie fazia sozinha todo o serviço pesado dentro de casa, ao mesmo tempo que amamentava um bebê pequeno e alimentava e cuidava dos outros filhos.

– É o suficiente para deixar qualquer um tonto – falei em voz alta. Passar mais de alguns minutos dentro do chalé dos Beardsleys deixava tonta até *a mim*.

Escutei barulhos e vozes no hall. Então o sr. Crombie tinha resolvido sua questão com Jamie. A voz de ambos soava casual...

Quem leria meus escritos?, pensei. Não só o livro de casos, mas o livrinho de medicina caseira que eu havia publicado em Edimburgo dois anos antes. Esse continha alguns comentários úteis sobre a importância de lavar as mãos e cozinhar a comida, mas o livro de casos tinha coisas mais valiosas: minhas anotações sobre a fabricação de penicilina (por mais grosseiras que fossem minhas tentativas), desenhos de bactérias e microrganismos patógenos com uma breve exegese da Teoria dos Germes, a administração de éter como anestésico (em vez de como remédio de uso interno usado para tratar a náusea a bordo de um navio, o principal que se fazia no momento) e…

– Ah, *aí* está você, Sassenach. – A cabeça de Jamie apareceu na porta do consultório com uma expressão que me fez fechar abruptamente o *Merck* e endireitar as costas.

– O que aconteceu? – perguntei. – Algum problema com um dos Crombies? – Comecei a fazer um inventário mental de meu kit de primeiros socorros enquanto me levantava, mas Jamie fez que não com a cabeça. Terminou de entrar pela porta e a fechou com cuidado atrás de si.

– Os Crombies estão em plena saúde – garantiu-me ele. – Assim como os Wilsons e os Baikies. E também os Greigs.

– Ah, que bom. – Tornei a afundar na cadeira de balanço. – Então, o que Hiram queria?

– Bem… – disse ele, e a expressão esquisita voltou. – Frances.

– Ela tem 12 anos, pelo amor de Deus! – exclamei. – Como assim, ele quer permissão para que o irmão a corteje? Que irmão, aliás? Não achava que ele tivesse algum.

– Ah, tem. Eu deveria ter dito meio-irmão. Cyrus. Aquele alto, que parece um caule de cevada germinada. Todo mundo o chama de *a' Chraobh Ard.* Você não tem nada bebível aqui, Sassenach?

– Aquela ali – respondi, apontando para uma garrafa preta com um desenho a giz ameaçador de uma caveira e dois ossos cruzados. – É gim de ruibarbo. *A' Chraobh Ard?*

Apesar da situação, sorri. O jovem em questão… e ele era mesmo *muito* jovem, não achava que pudesse ter mais de 15 anos… era de fato extremamente alto: tinha de 3 a 5 centímetros a mais do que Jamie, mas era fino como um broto de salgueiro.

– Onde Hiram está com a cabeça? – perguntei. – O irmão dele com certeza não tem idade para se casar. Fanny também não.

– Sim. – Ele pegou uma caneca na bancada, examinou-a com ar desconfiado e a cheirou antes de servir uma dose de gim. – Ele mesmo reconhece isso. Disse que Cyrus viu a menina na igreja e gostaria de começar a visitá-la… Visitas oficiais, entende? Mas Hiram não quer que seu interesse seja mal interpretado ou considerado desrespeito.

– Ah, é? – Levantei-me e servi para mim também um golinho do gim. A bebida tinha um perfume delicioso que combinava com o sabor: doce, mas com um toque azedinho perceptível. – O que ele está querendo *de verdade*?

Jamie sorriu para mim e encostou a borda de sua caneca de madeira na minha.

– A milícia. Outras coisas também, mas a principal é essa.

Aquilo era uma surpresa. Embora Hiram, como todos os outros pescadores que eu tinha conhecido, fosse um homem duríssimo, que eu soubesse, nem ele nem qualquer outro dos homens de Thurso nunca tinha pegado em armas, a não ser ocasionalmente para caçar. Quanto a montar a cavalo…

– O capitão Cunningham andou pregando sobre a guerra outra vez, sabe? E está deixando Hiram preocupado.

– É mesmo? – Com tanta coisa para fazer, eu não vinha frequentando os cultos do capitão nos últimos tempos. Mas sabia que ele era legalista, e houvera aquele homem que tentara lhe levar fuzis, Partland. – Acha que ele tem planos de reunir a própria milícia? *Aqui?*

– Acho que não – respondeu Jamie devagar, encarando seu gim com o cenho franzido. – O capitão tem seus limites, e acho que é sensato o suficiente para saber que os *tem*. Mas aqueles seus amigos… Granger e Partland. Se quisessem criar uma unidade de milícia pró-britânica, e eles querem, o capitão provavelmente os apoiaria. Digo, ele falaria a respeito com seus fiéis e incentivaria os homens aptos a se apresentarem.

Que estranho, pensei. Enquanto o uísque aquecia o corpo, o gim parecia esfriá-lo. Ou talvez fosse a conversa sobre milícias que estava me deixando com uma sensação gelada na nuca.

– Mas Hiram com certeza não vai escutar Cunningham, vai? Quero dizer, o capitão não é um papista, mas do ponto de vista de Hiram os metodistas decerto não são muito melhores.

– Verdade. – Jamie lambeu o canto da boca. – E duvido que ele tenha assistido a muitos dos sermões de Cunningham. Mas algumas pessoas de Thurso assistem, é claro.

– Por diversão? – perguntei e sorri.

Embora tanto Roger quanto o capitão tivessem congregações pequenas, mas dedicadas, muitos moradores da Cordilheira pareciam dispostos a escutar qualquer um que quisesse se levantar e falar, e assistiam a todos os cultos dominicais, inclusive as reuniões de Rachel, para depois comparar opiniões críticas relacionadas às observações de cada pregador.

– É, principalmente por isso. O capitão não é tão bom quanto um teatro de marionetes, ou mesmo melhor do que Roger Mac, mas é algo para ouvir e sobre o qual conversar. E os primos de Hiram têm comentado. Ele não está gostando.

– E por esse motivo… quer que o meio-irmão corteje Fanny?

Balancei a cabeça. Mesmo tendo tomado uma boa dose de gim de ruibarbo, não conseguia ver relação entre as duas coisas.

– Bom, não tem a ver com Frances, sabe? – Ele pegou a garrafa de gim e a cheirou com ar pensativo. – Ruibarbo, você disse? Se eu beber mais, vou ficar com diarreia?

– Não sei. Vamos experimentar para ver – aconselhei, estendendo minha caneca para ele me servir mais. – Tem a ver com *quê*, então. Por que Fanny entrou nessa história?

– Bom, é uma ligação… não formal, claro. Mas um vínculo entre Hiram e eu. Ele está vendo muito bem para onde as coisas estão rumando. Quando chegar a hora, vai ser mais fácil se aliar a mim e trazer junto alguns de seus homens se houver... um sentimento amigável entre as duas famílias, entende?

– Jesus H. Roosevelt Cristo! – Demorei-me alguns instantes pensando naquilo. – Você não pode estar considerando casar Fanny com um dos Crombies! Pode até ser uma guerra, mas não é uma maldita Guerra das Rosas, com casamentos dinásticos por toda parte. Quero dizer, eu detestaria ver você acabar dentro de um barril de madeira com um atiçador de fogueira em brasa enfiado no traseiro, como o duque de Clarence.

Isso o fez rir e o nó que estava se formando em minha barriga por baixo do gim se afrouxou de leve.

– Ainda não, Sassenach. Não, e não vou deixar Cyrus importunar Fanny... nem mesmo conversar com ela se essa ideia lhe desagradar. Mas, se a menina não se importar que a visite... e ele é de fato um rapaz de boa índole... nesse caso... sim, talvez isso possa ajudar Hiram quando eu precisar pedir para se juntar a mim e trazer seus homens.

Tentei imaginar Hiram Crombie partindo para o combate com Jamie e supreendentemente não achei isso nem um pouco fora da realidade. Tirando a parte da montaria... É claro que o pessoal de Thurso possuía uma ou outra mula ou cavalo de transporte, mas de modo geral eles tinham profunda desconfiança de cavalos e preferiam andar a pé. Podiam ser soldados de infantaria, supus...

– Mas não quero que Frances fique constrangida – disse ele. – Vou falar com ela, e você também deveria falar, de mulher para mulher, entende?

– De mulher para mulher, sei – murmurei.

Mas ele estava certo. Fanny sabia muito, muito mais coisas sobre os riscos de ser mulher do que uma menina normal de 12 anos, e, embora eu duvidasse que Cyrus fosse representar qualquer tipo de ameaça para ela, precisava lhe garantir que cabia exclusivamente a ela recusar ou aceitar aquela proposta.

– Está bem – falei, ainda um pouco relutante. – Você sabe alguma coisa sobre Cyrus, além do fato de ele ser alto?

– Hiram falou bem do garoto. E fez o que eu considerei um grande elogio.

– Qual?

Jamie tomou o resto do gim, soltou um leve arroto e colocou a caneca na bancada.

– Ele disse que Cyrus pensa como um peixe.

Um tanto para minha surpresa, Fanny não pareceu avessa à ideia de Cyrus visitá-la de maneira mais formal quando abordei o assunto com ela.

– Mas ele não fala muito inglês – disse ela, pensativa. – Germain me contou que muitas das pessoas daquele lado do vale não falam.

Germain tinha razão: muitos dos pescadores só falavam gaélico. Esse era um dos motivos que os fazia continuar sendo um grupo muito coeso e, de certa forma, separado dos outros moradores da Cordilheira.

– E eu estou aprendendo *gàidhlig* – assegurou-me ela, pronunciando de modo correto a palavra. – E imagino que vá aprender mais com Cyrus.

– Por quê? – perguntei, um pouco espantada. – Digo... o que a faz querer aprender gaélico?

Ela enrubesceu de leve, mas não desviou nem baixou os olhos. Aquela forte capacidade de autocontrole era uma das coisas que às vezes tornava Fanny um pouco inquietante.

– Eu os ouvi cantando na igreja com Roger Mac – disse ela. – Alguns dos Wilsons, e o sr. Greig e o irmão foram ouvir ele cantar... Acho que a senhora não estava nesse dia, então não deve ter escutado. Depois do sermão, Roger Mac perguntou ao sr. Greig se ele conhecia... – Ela balançou a cabeça. – Não consigo nem dizer o nome, mas era uma canção em gaélico, e eles cantaram, todos juntos, e começaram a bater com as mãos nos bancos como se fossem tambores... Foi... – Ela olhou para mim, sem conseguir explicar, mas pude ver a luz em sua expressão. – Foi muito vivo.

– Ah – falei. – Que pena eu ter perdido.

– Se Cyrus vier me visitar, quem sabe alguns parentes dele desçam para cantar outra vez – disse ela. – Além do mais – emendou ela, e uma leve sombra atravessou sem semblante –, agora que Germain e Jemmy foram embora, Cyrus vai ser alguém com quem eu posso conversar, quer entenda ou não o que estou dizendo.

O fato de ela ter mencionado Germain me deixou um pouco apreensiva e fui procurar Jamie, que estava consertando a parede do celeiro onde Clarence, em um acesso de contrariedade, tinha dado um coice e quebrado uma das tábuas.

– Acha que talvez devesse conversar com Hiram antes de Cyrus vir? – perguntei. – Quero dizer, não queremos contar a ninguém... de onde Fanny veio. Mas se Cyrus por acaso fizer alguma... alguma insinuação inadequada a ela... ela talvez se sinta obrigada a corresponder.

Jamie havia se sentado nos calcanhares para me escutar. Ao ouvir o que eu disse, riu e se levantou, balançando a cabeça.

– Não precisa se preocupar, Sassenach – disse ele. – O garoto não vai encostar na menina. Se tentar algo, Hiram quebra o pescoço dele.

– Bom, *isso* me tranquiliza. Acha que talvez possa dizer alguma coisa para ele também? Como *loco parentis* de Fanny, digo?

– *Locum* – corrigiu ele. – E não. Só vou dar as boas-vindas e aterrorizá-lo com minha presença. Ele não vai se atrever nem a respirar em cima dela, Sassenach.

– Está bem – falei, duvidando um pouco. – Eu *acho* que Fanny acreditou em nós... em *você*... quando mencionamos que *não* queremos que ela se torne uma prostituta.

No entanto, ela passou metade da vida em um bordel. Mesmo que não tenha participado, a *irmã* participou, e Fanny certamente sabia tudo que acontecia. Esse tipo de experiência deixa marcas.

Ele fez uma pausa, com a cabeça abaixada e os olhos cravados no chão, onde uma pequena pilha de fezes frescas indicava o humor de Clarence.

– Você me curou de coisa bem pior, Sassenach – disse ele e tocou minha mão com delicadeza. Foi com a mão direita, a aleijada.

– Não fui eu – protestei. – Você fez isso sozinho... teve que fazer. Tudo que fiz foi...

– Me drogar com ópio e fornicar comigo até me fazer ressuscitar? É, isso.

– Não foi fornicação – falei, um tanto recatada, embora tivesse virado a mão e entrelaçado meus dedos nos dele. – Nós éramos casados.

– Foi, sim – disse ele, e sua boca e sua mão se contraíram. – Não era só com você que eu estava trepando, e você sabe disso tão bem quanto eu.

Se eu sabia, não era algo que algum dia fosse admitir, quanto mais conversar a respeito, e deixei o assunto morrer.

– Mas admito que nenhum de nós dois poderia fazer a mesma coisa por Frances. Talvez Cyrus possa... não tocando nela.

Ele beijou minha mão e se abaixou para pegar o martelo.

É claro que eu já tinha visto Cyrus Crombie na igreja, mas, além de sua estatura, não tinha reparado nele de verdade. Jamie havia combinado com Cyrus que ele fosse à nossa casa acompanhado por dois primos, para ajudar a erguer a estrutura do terceiro andar... e ser formalmente apresentado a Fanny.

Assim, dois dias mais tarde, subi ao precário terceiro pavimento da casa, onde o piso ia lentamente tomando forma em meio aos rangidos e estalos de cordas, madeiras e lonas.

– Acho incrível você não enjoar – falei ao encontrar Jamie em plena medição de uma das extremidades da plataforma alta que um dia seria um sótão, fazendo marcações a giz provavelmente menos aleatórias do que pareciam.

– Eu decerto enjoaria se pensasse no assunto – disse ele, distraído. – O que a traz até aqui em cima, Sassenach? Está cedo para o jantar.

– É verdade. Mas eu trouxe comida para você. – Levei a mão ao bolso e peguei um pãozinho com recheio de queijo e picles. – Você precisa comer. Estou conseguindo ver suas costelas – acrescentei, em tom de reprovação.

Era verdade: ele havia tirado a camisa para trabalhar e as sombras de suas costelas eram claramente visíveis nas costas por baixo da teia apagada de cicatrizes.

Ele só sorriu para mim, mas se levantou e pegou o pãozinho, dando uma mordida generosa com o mesmo movimento.

– *Taing* – falou, engolindo, e moveu a cabeça para o espaço atrás de mim. – Ali está ele.

Virei-me para olhar. Era verdade: Cyrus Crombie vinha descendo o caminho atrás da casa. Era mesmo alto. Tinha uma explosão de cachos castanho-claros que batia nos ombros e exibia uma expressão apreensiva.

– Não era para mais alguns dos Crombies terem vindo também? – indaguei.

– Sim, e virão. Imagino que tenha chegado um pouquinho mais cedo para poder conversar com Fanny em... bom, não exatamente em particular, mas sem Hiram cafungando em seu cangote. Corajoso – acrescentou ele com aprovação.

– Será que devo descer, para ficar de acompanhante? – perguntei, observando o menino

Ele havia parado junto ao poço e estava tirando um rolo de tecido da bolsa pendurada no cinto.

– Não, Sassenach. Eu contei à minha irmã o que estava acontecendo; ela vai ficar de olho neles sem matar Cyrus de medo.

– Você acha que *eu* mataria?

Ele riu e jogou dentro da boca o último pedaço de pão. Senti um leve cheiro de picles e queijo, e meu estômago roncou de expectativa.

– Acho. Você não sabe que todos os pescadores ainda pensam que você é uma bruxa ou uma *bean-sithe*? Até Hiram faz o sinal do chifre sem você ver quando chega perto.

Não sabia o que deveria sentir em relação a isso. Era verdade que tinha sem querer feito a sogra morta de Hiram se levantar em seu funeral. Apesar de ela ter morrido de modo permanente poucos minutos depois, tivera tempo de denunciar Hiram por não ter lhe pagado um funeral suficientemente luxuoso... mas eu achava que o efeito disso já tivesse se dissipado.

– Quem foi mesmo que tentou construir uma torre até o céu e acabou mal? – perguntei, deixando de lado o tema de minha imagem pública e espiando pela borda da plataforma.

– Os homens de Babel – respondeu ele, tateando os bolsos em busca de um pedaço de papel e de um lápis. – Mas acho que não estavam esperando companhia. Só se mostrando por se mostrar. O tipo de coisa que sempre causa problemas.

– Se tivermos companhia suficiente para justificar *isso*... teremos problemas – falei, acenando para a vasta extensão de piso de tábuas sem acabamento.

Ele se deteve e me encarou. Estava magro e cansado, a pele avermelhada e queimada de sol nos antebraços e ombros, com fios de cabelo ruivos esvoaçando ao vento e os olhos muito azuis.

– Sim – falou suavemente. – Teremos mesmo.

O gorgolejar em meu estômago se modificou um pouco. A intenção era que o terceiro andar fosse um sótão, usado em parte como depósito ou para abrigar uma empregada caso algum dia conseguisse encontrar outra... mas também para proporcionar um refúgio a colonos necessitados. No caso de...

Mas a atenção de Jamie tinha se desviado e ele estava esticando o pescoço para espiar pela borda. Acenou para mim e fui até ele. Lá embaixo, Cyrus Crombie tinha aberto o rolo de tecido e disposto suas ferramentas na borda do poço: marreta, cinzel e faca. Tinha puxado o balde até em cima e então mergulhou os dedos na água e salpicou as ferramentas. Pude ver que dizia alguma coisa, mas não estava falando alto e o gemido do vento me impediu de escutar.

– Ele está abençoando as ferramentas? – perguntei, olhando para Jamie.

Ele assentiu.

– Sim, claro. – Parecia satisfeito. – Os presbiterianos podem ser hereges, Sassenach, mas acreditam em Deus. Agora é melhor eu descer e dar as boas-vindas ao rapaz.

54

O NASCER DA LUA

Fui despertada de um sono pesado por Jamie se levantando da cama a meu lado de forma abrupta. Não era uma ocorrência incomum, mas fiquei sentada com as costas muito retas no meio das colchas, a boca seca, atordoada, o coração disparado feito uma furadeira de bancada.

Ele já tinha descido a escada: ouvi as batidas de seus pés descalços nos últimos degraus... e mais alto do que esse barulho alguém esmurrando freneticamente a porta da frente.

Balancei a cabeça com firmeza e afastei as cobertas. O primeiro pensamento coerente que se formou a partir da bruma que me enevoava a mente foi: *Estão chamando Jamie ou a mim?* Alarmes noturnos como aquele podiam ser notícias de violência ou infortúnio, e às vezes de uma natureza que exigia todos os braços disponíveis, como uma casa pegando fogo ou alguém que tivesse inesperadamente encontrado uma pantera caçando em uma nascente. Com mais frequência, porém...

Ouvi a voz de Jamie e o pânico me abandonou. Sua voz estava mansa, questionadora, com uma cadência que significava que tranquilizava alguém. Alguma outra pessoa falava com uma agitação que deixava sua voz aguda, mas aquilo não era o som de uma tragédia.

Então sou eu. Parto ou acidente? Meu cérebro tinha de repente voltado à tona e estava funcionando perfeitamente, mesmo enquanto meu corpo tateava às cegas de um lado para outro tentando lembrar o que tinha feito com as meias encardidas. *Assim no meio da noite, provavelmente um parto...* Mas a ideia inquietante de um incêndio ainda espreitava na periferia de meus pensamentos.

Existia um obituário com meu nome escrito, o meu e o de Jamie, afirmando que tínhamos morrido em um incêndio que destruíra nossa casa. A casa tinha pegado fogo e nós não, mas qualquer menção de incêndio me deixava de cabelo em pé.

Eu tinha uma imagem mental clara de meu kit de emergência e fiquei agradecida por ter me lembrado de renová-lo pouco antes do jantar. Estava pronto e a postos no canto da mesa de meu consultório. Em relação a outras coisas, meu raciocínio não estava tão claro: tinha acabado de vestir o espartilho do avesso. Arranquei-o, joguei-o em cima da cama e fui passar água no rosto enquanto pensava um monte de coisas que não podia dizer em voz alta, já que agora podia escutar os passos de Fanny atravessando apressados o patamar da escada.

Por fim, cheguei lá embaixo e encontrei Fanny com Jamie, ele conversando com uma menina nova que não devia ser muito mais velha do que Fanny e estava descalça, nervosa e vestida apenas com uma combinação puída. Não a reconheci.

– Ah, a patroa chegou – disse Jamie, olhando por cima do ombro.

Estava com a mão no ombro da menina, como se quisesse impedi-la de sair voando. Ela parecia capaz de fazer isso: magra feito um cabo de vassoura, cabelos louros embaraçados pelo vento, finos como os de um bebê, e olhos se virando ansiosos para todos os lados em busca de uma ajuda possível.

– Claire, esta é Agnes Cloudtree – disse ele, meneando a cabeça em direção à menina. – Frances, pode arrumar um xale ou algo parecido, para a menina não morrer de frio?

– Eu não pre-preciso... – começou a menina, mas estava abraçando o próprio corpo e tremia tanto que gaguejou ao falar.

– A mãe dela está grávida – interrompeu Jamie, olhando para mim. – E talvez esteja tendo um pouco de dificuldade com o parto.

– Nó-nós não te-temos como pa-pagar...

– Não se preocupe com isso – falei e, meneando a cabeça para Jamie, tomei-a nos braços.

Ela era pequenina, ossuda e estava muito fria, como um filhote de passarinho ainda sem todas as penas que houvesse caído do ninho.

– Vai ficar tudo bem – falei suavemente e alisei seus cabelos. – Vamos agora mesmo até onde sua mãe está. Onde você mora?

Ela engoliu em seco e não quis levantar a cabeça, mas estava com tanto frio que se agarrou a mim para se aquecer.

– Eu não sei. Que-quero di-dizer... eu não sei explicar. A... a senhora pode vir comigo? – Ela não era escocesa.

Olhei para Jamie em busca de informações. Não tinha ouvido falar nos Cloudtrees. Deviam ser colonos recentes. Mas ele balançou a cabeça com uma sobrancelha erguida. Tampouco os conhecia.

– Você veio a pé, menina? – perguntou. Quando ela assentiu, fez outra pergunta: – Ainda estava claro quando saiu de casa?

Ela fez que não com a cabeça.

– Não, senhor. Estava bem escuro e tínhamos todos ido para a cama. Então as dores de minha mãe começaram de repente e…

Ela tornou a engolir em seco e seus olhos se marejaram.

– E a lua? – perguntou Jamie como se não houvesse nada errado. – Ela já estava no céu quando você saiu?

O tom calmo com que ele falou a fez se acalmar um pouco e ela puxou uma inspiração audível, engoliu em seco, então assentiu.

– Já estava bem alta, senhor. Dois palmos acima da borda da Terra.

– Que descrição poética – falei, sorrindo para ela.

Fanny tinha aparecido com meu velho xale de jardinagem, esfarrapado e furado, mas feito de uma lã nova bem grossa. Peguei a peça de suas mãos meneando a cabeça em agradecimento e com ela cobri os ombros da menina.

Jamie tinha saído para a varanda, decerto para ver onde a lua estava agora. Tornou a entrar e assentiu para mim.

– A menina é valente: faz umas três horas que está andando sozinha de noite, Sassenach. Srta. Agnes… tem uma trilha decente que vá até a casa de seu pai?

A testa lisa da menina se enrugou de preocupação. Ela não tinha certeza do que poderia significar "decente" naquele contexto. Mas assentiu com hesitação.

– Tem uma trilha – falou, olhando primeiro para Jamie e depois para mim, e torcendo para isso ser suficiente.

– Pegue Clarence – disse ele para mim por cima da cabeça dela. – A lua está clara o suficiente. Eu vou com você.

E acho que é melhor nos apressarmos, acrescentou a expressão de seu rosto. Ele tinha razão.

Clarence não ficou muito contente ao ser acordado, nem ao ter que carregar duas pessoas, ainda que uma delas fosse uma menina desnutrida. Não parava de bufar e resfolegar de modo irritado, andando devagar e inflando os flancos toda vez que eu tentava apressá-lo com os calcanhares. Jamie tinha montado a imensa égua de Frances, Miranda, que tinha um temperamento manso e confiável e era robusta o suficiente para suportar seu peso. A égua também não ficou nem um pouco satisfeita com a expedição noturna, mas foi avançando pesada e obedientemente por entre os arvoredos de álamos e lariços, abetos e pinheiros, subindo a trilha íngreme e estreita que conduzia até o alto da Cordilheira.

Clarence preferiu segui-la a ser deixado para trás, mas não estava com pressa. Eu não parava de perder de vista o escuro borrão de égua e homem, e junto com ele qualquer noção de onde ficava a trilha. Perguntei-me como a menina havia conseguido encontrar o caminho até nossa casa no escuro e em meio à vegetação; suas pernas e seus braços estavam arranhados, e os cabelos, cheios de folhas e agulhas de pinheiro. Ela exalava o cheiro da floresta.

A lua agora estava bem alta no céu, um pedaço torto e fugidio que mal tornava possível identificar o que pareciam ser aberturas na mata, sem ser clara o suficiente para permitir que se visse mais de 1 metro à frente.

Eu ia com Agnes montada à minha frente, a combinação arregaçada e as pernas brancas e pálidas parecendo caules de cogumelo penduradas de um lado e outro em meio à escuridão. Perguntei-me se ela teria saído de casa em pânico... ou se talvez aquela combinação encardida fosse sua única roupa. O pano exalava um leve cheiro de gordura e repolho queimado.

– Agnes, me fale sobre sua mãe – pedi, chutando de leve as costelas de Clarence, que remexeu as orelhas com irritação. Desisti. Apesar de ser um bom animal, era bem capaz de me derrubar. – Quando as dores dela começaram... mais ou menos?

A menina estava menos assustada agora que conseguira a ajuda que fora buscar e foi se acalmando conforme respondia às minhas perguntas.

A sra. Cloudtree (havia um sr. Cloudtree na casa? Sim, havia, embora o corpo da menina tivesse se retesado quando ela o mencionou) estava perto do final da gestação (que bom! Não era um parto prematuro), embora pensasse que talvez ainda pudesse demorar mais duas ou três semanas (então quem sabe um pouco prematuro... mesmo assim, o bebê deveria ter uma chance razoável).

Segundo Agnes, as dores da mãe tinham começado por volta do meio-dia e ela não havia pensado que fosse levar tanto tempo: Agnes tinha chegado quatro horas depois de estourada a bolsa, e seus dois irmãos, mais depressa ainda. (A sra. Cloudtree era *multigrávida*; que bom. Mas nesse caso ela *deveria* ter parido bem depressa e sem complicações... o que obviamente não era o caso...)

Agnes não soube explicar qual era o problema a não ser um trabalho de parto mais demorado que o normal. Mas ela sabia que havia *algum* problema, e isso me interessou.

– Não está... – disse ela e puxou mais para junto dos ombros o xale velho, virando a cabeça em um esforço de ver meu rosto, de me fazer entender. – Tem alguma coisa diferente.

– Você sente que tem alguma coisa errada? – perguntei, interessada.

Ela balançou a cabeça, sem convicção.

– Não sei. Da última vez, quando Georgie nasceu, eu ajudei. E estava lá quando Billy chegou... Era pequena demais para ajudar na época, mas consegui ver tudo. Desta vez... está diferente, só isso.

Ouvi-a engolir em seco e lhe afaguei os ombros.

– Já vamos chegar – falei.

Quis garantir que tudo iria ficar bem, mas ela sabia que não era tão simples. Caso contrário, não teria saído correndo no escuro para pedir ajuda. Tudo que eu podia fazer era torcer para nada irrecuperável ter acontecido no chalé dos Cloudtrees nesse meio-tempo.

Olhei para cima, à procura da lua. Como nunca tinha conseguido me adaptar a verificar as horas pelas estrelas e os planetas em vez de pelo relógio, era obrigada a calculá-las em vez de sabê-las de olho como Jamie.

A lua era um galeão fantasma... o verso do poema me passou pela cabeça. *Podia ser*, pensei, tendo um vislumbre momentâneo do astro por uma brecha nos abetos escuros e perfumados que nos cercavam. *E um bandoleiro veio cavalgando... cavalgando...*

Eu já sabia tudo que podia saber àquela altura; estava na hora de parar de pensar. Cada parto era um parto. *E cada morte também.* O pensamento soou alto dentro de minha mente antes que eu pudesse impedi-lo e um arrepio me percorreu.

Fiz algumas perguntas sobre a família de Agnes, mas ela havia se fechado na própria aflição e não se dispôs a dizer muito mais. Além da informação de que haviam construído seu atual chalé no começo do verão, consegui saber pouco sobre os Cloudtrees além de seus nomes: Aaron, Susannah, Agnes, William e George.

No alto da Cordilheira, Jamie parou na orla das Carecas, que era como as pessoas chamavam as campinas altas e sem árvores das encostas superiores da montanha. Como sempre, um vento forte soprava lá e o xale que eu tinha posto sobre a cabeça foi empurrado para baixo junto com meus cabelos, que começaram a estalar à brisa. Jamie soltou as rédeas de Miranda e a égua na mesma hora baixou a cabeça e começou a pastar o mato.

Jamie apeou e se aproximou para segurar o cabresto de Clarence. Agora que não estávamos mais sob as árvores, eu podia vê-lo com clareza à luz da lua: ele me sorria enquanto observava meus cabelos serem soprados para longe da cabeça.

– Não levante voo ainda, Sassenach. Vou precisar que a srta. Agnes nos guie a partir daqui – disse ele e lhe estendeu a mão. – Vem comigo, menina?

Senti-a se retesar, mas, após hesitar, ela aquiesceu e desceu do lombo de Clarence. O burro zurrou e se virou na mesma hora, pensando que, agora que tínhamos nos livrado da menina, estava na hora de ir para casa.

– Nada disso – falei, puxando as rédeas com força para virar sua cabeça.

Seguiu-se um curto embate de vontades que terminou quando Miranda e seus dois cavaleiros se afastaram no mesmo ritmo vagaroso e implacável de um rolo compressor. Clarence bufou e zurrou para chamar a égua, mas ela não se virou. Após alguns instantes de mau humor, Clarence disparou em um trote que fez meus dentes chacoalharem e começou a descer atrás dela. Quinze minutos mais tarde, atravessamos a Linha Cherokee. Um brilho branco exposto brevemente pelo luar marcava uma das árvores que serviam para delimitar a Linha do Tratado.

A lua estava alta no céu, e as árvores, separadas o suficiente para eu poder ver Jamie olhar para trás por cima do ombro. Ergui a mão em um leve aceno para indicar que entendia e também havia reparado. Um parto prematuro talvez não fosse o único risco que a família de Agnes estivesse correndo ao fixar residência em terras indígenas. Fiquei satisfeita por Jamie ter insistido em ir: ele falava cherokee suficiente para se virar caso isso se revelasse necessário.

A viagem demorou um pouco, pois Agnes agora precisava de vez em quando sair para um terreno aberto de modo a se orientar. Ela sabia ler as estrelas, falou em tom neutro. Uma hora depois, porém, vimos a débil claridade das janelas de um chalé cobertas por peles curtidas com óleo.

Desci de Clarence e peguei a bolsa que continha meu kit.

– Eu cuido dos animais – disse Jamie, aproximando-se para segurar as rédeas do burro. – Você vai ter que se apressar, imagino.

Agnes já estava na porta, agitando-se como uma mariposa assustada, e mesmo de onde estávamos pude ouvir os sons graves e guturais de uma mulher em pleno trabalho de parto.

A porta se abriu para dentro de repente e Agnes caiu pela soleira. Uma silhueta alta e escura a puxou para fazê-la ficar em pé e lhe deu um tapa no rosto.

– Onde você *se meteu*, menina?

As orelhas de Clarence se empinaram na mesma hora quando escutou o barulho parecido com um tiro e ele saiu trotando floresta adentro quando o barulho foi seguido na mesma hora pelos gritos estridentes de crianças pequenas.

– Seu desgraçado idiota! – gritei para Clarence. – Volte aqui!

– *Ifrinn!* – Jamie se jogou na minha frente e saiu correndo atrás de Clarence, poupando o fôlego para a perseguição.

– E *vocês*, maldição, quem são?

Virei-me e dei de cara com um jovem cherokee em pé à luz trêmula que emanava da porta, encarando-me com um olhar raivoso. Apoiado no batente da porta, estava com os cabelos compridos despenteados e tinha sangue na camisa.

Inspirei fundo, endireitei a coluna e andei até ele.

– Eu, meu senhor, sou a parteira – falei. – Por favor, vá se sentar.

Não esperei para ver se ele obedecia a essa ordem: tinha trabalho a fazer.

Minha paciente estava sentada em uma cadeira de parto de fabricação grosseira perto do fogo, afundada para a frente, com os braços pendurados e os cabelos louro-escuros quase pretos de suor na raiz, as pontas pingando água sobre a barriga imensa. Dois menininhos, de 3 e 5 anos talvez, uivavam agarrados a uma de suas pernas. As pernas e os pés estavam muito inchados.

– Billy, venha cá. – Com o rosto muito branco, a não ser pela marca vermelha da palma na bochecha, e falando com uma voz que mal passava de um ganido, Agnes segurou o menino maior pela gola da roupa e o puxou. – Você também, Georgie…

O medo em sua voz fez os meninos se mexerem. Eles se viraram e se agarraram à irmã, choramingando. Agnes me encarou com os olhos arregalados em um apelo mudo.

– Vai ficar tudo bem – disse eu suavemente e apertei de leve seu braço. – Cuide dos pequenos. Eu cuido de sua mamãe.

Ajoelhei-me e perscrutei o rosto da mulher. Um olho azul congestionado me fitou de volta por entre os cabelos molhados e embaraçados. Um olho vidrado de exaustão, mas inteligente e consciente.

– Meu nome é Claire – falei e pus a mão em sua barriga. Ela usava uma combinação imunda, tão transparente que seu umbigo protuberante podia ser visto através do tecido. – Eu sou parteira. Vou ajudar você.

– Jesus – sussurrou ela, mas eu não soube dizer se foi uma prece ou de puro espanto. Seu rosto então se contraiu inteiro e ela se curvou por sobre a barriga enquanto produzia um ruído bestial.

Mantive a mão na barriga, mas me abaixei em um dos lados e espiei pelo buraco da cadeira de parto. Um pedaço estreito de coroa clara apareceu por um instante quando ela fez força, depois desapareceu.

Senti a onda de empolgação que sempre acompanhava um nascimento iminente e minha mão se retesou em sua barriga. Então outra onda veio, dessa vez de medo repentino.

Alguma coisa estava *mesmo* errada. Não sabia dizer o quê, mas alguma coisa estava muito errada. Endireitei-me. Quando a dor se tornou menos intensa, levantei-me e segurei a mulher pelos ombros para ajudá-la a se levantar. Não havia toalhas à mão; ergui a saia e enxuguei seu rosto com minha anágua.

– Há quanto tempo está fazendo força? – perguntei.

– Tempo demais – respondeu ela, tensa, e fez uma careta.

Curvei-me para olhar outra vez e, sem sua sombra a me obstruir a visão, vi que ela estava certíssima. O períneo estava quase roxo e muito inchado. Era isso: o bebê estava preso e a cada contração sua cabeça coroava, mas não conseguia sair mais do que isso.

– Jesus H. Roosevelt Cristo – murmurei, e ela arregalou os olhos de espanto. – Não se preocupe. Quando a dor passar, apoie-se na parede.

Pude ver em seu rosto que a contração seguinte estava próxima. O marido havia saído – pois imaginei que o homem que tinha dado um tapa em Agnes fosse o marido – e gritava para a noite em uma mistura incoerente de cherokee e inglês.

– Certo – falei com a maior calma possível e tirei a capa e o xale. – Vamos ver o que está acontecendo aqui, sim, Susannah?

Havia pingos de sangue no chão de terra batida, mas eram pingos escuros com grandes coágulos visíveis; apenas pequenos sangramentos. Apesar dos filetes de sangue escorrendo pelas coxas, ela não estava com hemorragia. Sua bolsa tinha estourado algum tempo antes: fazia calor ali dentro e o pequeno recinto tinha o mesmo cheiro de um pântano jurássico, fétido e fecundo.

As contrações vinham agora de minuto em minuto, e fortes. Eu tinha apenas alguns instantes entre uma e outra, nos quais a barriga relaxava o suficiente para eu poder apalpá-la, mas na segunda tentativa pensei sentir... os músculos da barriga se contraírem como uma cinta de ferro. Contei baixinho com as mãos ainda pousadas nela. *Relaxe...* Eu *sabia* onde a cabeça estava. O bebê estava virado? Pressionei com força a barriga relaxada para tentar encontrar a curvatura da coluna...

– Ai!

– Vai ficar tudo bem. Conte comigo, Susannah... um, dois...

– *Aaaai!*

Contei em silêncio. Vinte e dois segundos e a contração relaxou. A coluna... ali estava o osso pontudo de um cotovelo, e ali uma curvatura que tinha de ser a coluna vertebral do bebê... só que não era.

– Porra, mas que inferno – murmurei, e Susanna fez um barulho que poderia ter sido um gemido ou uma risada de exaustão.

O resto de minha atenção estava concentrado na coisa debaixo de minha mão. Não era a curva de uma coluna, tampouco de um par de nádegas. Era a curva de outra cabeça.

Ela desapareceu com a contração seguinte, mas mantive com teimosia a mão no mesmo ponto. Assim que a contração passou, comecei a tatear freneticamente para lá e para cá. Meu primeiro e apavorado pensamento, a lembrança de um bebê de duas cabeças visto dentro de um jarro de vinho destilado, desapareceu, sucedido por algo que foi em parte alívio, em parte um novo alarme.

– São gêmeos – falei para Susannah. – Você sabia disso?

Ela balançou a cabeça de um lado para outro, lenta como uma vaca.

– Eu pensei... que talvez. Tem... certeza?

– *Ah, sim* – falei, em um tom que a fez rir outra vez, embora o som tivesse sido interrompido pela contração seguinte.

O alívio motivado pelo pensamento de que provavelmente não estávamos lidando com uma deformidade horrenda ia se dissipando depressa e sendo substituído pelo pensamento seguinte: se o primeiro bebê não estava se movendo, talvez estivesse preso em um dos cordões umbilicais, possivelmente morto, ou então de algum modo enroscado em seu gêmeo.

Fiz novas apalpações, empurrei quando pensava ter uma ideia do que estava empurrando e tentei formar uma imagem mental do que poderia estar acontecendo lá dentro... mas existe um limite para o que até mesmo a melhor das parteiras é capaz de afirmar, e a única coisa da qual eu tinha razoável certeza era que a placenta não tinha se soltado – *seria uma placenta ou duas? Se fosse uma, ela poderia se soltar no parto do primeiro e então teríamos um descolamento prematuro de placenta que mataria a mãe*. Além disso, pela posição da cabeça do bebê, poderia haver litros e mais litros de sangue acumulados por trás dele... Não. Ergui os olhos para o rosto de Susannah. Não: se ela estivesse tendo uma hemorragia, estaria pálida e perdendo os sentidos. Mas ainda estava muito vermelha, e ainda lutava.

Só que não tínhamos muito tempo. Dois cordões umbilicais, qualquer um dos quais poderia estar enrolado em volta de um pescoço ou então ter ficado imprensado entre o bebê e o assoalho pélvico e ser esmagado por uma contração, privando uma das crianças de oxigênio... e isso era só o começo...

Minha mente foi percorrendo depressa a lista de problemas potenciais: alguns deles eu podia descartar com base no que conseguia ver e sentir, outros (como a possibilidade de serem gêmeos siameses) com base na grande chance de não ser o caso, outros com base no fato de que nada podia fazer a respeito, mesmo que soubesse o que estava acontecendo. Ainda assim, sobravam alguns com os quais me preocupar.

E o bebê não estava se mexendo. Estava vivo: podia sentir uma pulsação ao encostar os dedos na cabeça. E estava orientado da maneira correta, com o rosto virado para baixo: podia sentir as suturas dos dois ossos parietais do crânio. Mas ele não estava se mexendo!

Meus ombros estavam doloridos, e também os quadris e os joelhos de tanto ficar no chão de terra batida, mas eu sentia isso de modo difuso, como uma observação irrelevante. Estava com uma das mãos dentro da vagina de Susannah e a outra em sua barriga, tateando através da parede de pele e músculo para tentar detectar algum padrão no emaranhado de pernas e braços diminutos. O suor dela estava escorregadio e quente sob minhas mãos, o que era bom, pois a umidade me ajudava a sentir os movimentos... A contração veio com uma força que esmagou meus dedos entre o crânio do bebê e a pelve e fez Susannah gritar e eu morder o lábio para não gritar também.

Uma força daquelas, em uma mulher que já tinha dado à luz três vezes, deveria ter feito o bebê ser ejetado como um leitão besuntado de gordura. Só que não tinha, e eu então soube com certeza qual era o problema.

– Os gêmeos estão embolados – falei, com a maior calma de que fui capaz. Pressionei sua barriga e senti movimento: pelo menos um dos bebês ainda estava vivo. Eu estava encharcada de suor e com a boca seca. Alguém tinha posto uma caneca com água perto de mim. Não tinha percebido. Peguei-a e bebi, de modo a ter saliva suficiente para dizer o que precisava ser dito.

– Susannah – falei, inclinando-me para a frente de modo a encará-la. – Os bebês não conseguem sair. *Eu* não consigo fazê-los sair. Se continuarmos assim, eles vão morrer... e pode ser que você morra também.

Respirei fundo. Ela havia abaixado a mão e a colocou sobre a minha por cima de seu ventre retesado.

– Espere – sussurrou ela e apertou minha mão enquanto atravessávamos a contração seguinte. Quando a contração passou, ela estava ofegante, mas apertou de leve minha mão e a soltou. – O que… mais? – perguntou, entre arquejos.

– Eu posso abrir você e tirar os bebês – falei. – Vai ser horrível e vai doer, mas…

– Não pode ser pior do que *isso* – disse ela, e então riu, um riso que parecia o grasnar de um corvo. Abaixei a cabeça e encostei a testa em sua barriga, para controlar minhas emoções e me preparar. – Então eu vou morrer? – perguntou ela, em um tom bastante direto.

– É muito provável – falei, endireitando as costas e usando o mesmo tom. Enxuguei o rosto com uma das mangas e empurrei para longe dos olhos os cabelos soltos. – Mas os bebês talvez se salvem. Vou fazer o melhor que puder.

Ela aquiesceu e apertou meu ombro com força quando a contração seguinte chegou.

– Salve os bebês – falou assim que passou, e deixou a cabeça pender, respirando como um cavalo ofegante.

A energia da emergência me inundou e eu me levantei e olhei pela primeira vez para o interior do chalé. O espaço era mínimo e tinha pouca mobília, com uma cabeceira de cama e um colchão de palha enrolado no pé. Uma mesa com bancos… e um caldeirão no fogo, fumegando, graças a Deus. Para minha grande surpresa, Jamie desenrolava com toda a calma sobre a mesa a trouxa que continha meus bisturis.

– De onde você surgiu? – perguntei. Olhei em volta antes de arrematar: – Onde está o sr. Cloudtree?

– Caído feito uma truta morta – respondeu ele, meneando a cabeça em direção à porta entreaberta. – Bêbado e desmaiado. – Tive um vislumbre de um rostinho branco pela fresta: era Agnes, com os olhos arregalados de medo. – Cuide de seus irmãos, menina – disse Jamie com calma. – Vai ficar tudo bem.

Dei o que torci para ser um sorriso na direção da menina e cheguei mais perto da mesa. Comecei a tirar coisas de meu kit o mais depressa que consegui.

– Você ouviu o que eu disse a ela? – perguntei em voz baixa, movendo a cabeça na direção da forma da sra. Cloudtree, que gemia.

– Ouvi – respondeu ele no mesmo volume. – A menina também.

Ele olhou para a porta: Agnes continuava ali. Ao me ver olhando, entrou.

– Os meninos estão dormindo com papai no barracão – disse ela depressa. – Posso ajudar? Por favor, me deixe ajudar!

– Agnes? – disse Susannah debilmente, levantando a cabeça. Antes de eu conseguir dizer qualquer coisa, a menina já tinha corrido para junto da mãe e a estava abraçando pelos ombros. Lágrimas escorriam por seu rosto, mas ela dizia: – Vai ficar tudo bem, mãe, o sr. Fraser disse que vai.

Susannah levantou o braço como se pesasse uma tonelada e muito lentamente afastou com o pulso os cabelos ensopados para encarar Jamie.

– Foi mesmo, senhor… Fraser?

– Sim, foi o que eu disse – respondeu ele.

Ela ficou roxa, mordeu o lábio e começou a respirar pesadamente pelo nariz com a cabeça abaixada. Quando a dor passou, levantou-a como se a cabeça fosse tão pesada quanto o grande caldeirão de ferro.

– Sua esposa... diz que eu vou morrer.

– É, bem, eu confio mais nela do que ela própria, mas suponho que caiba à senhora decidir em quem acreditar. – Ele olhou para mim com as mãos prontas para agir. – O que quer que eu faça, Sassenach?

– Ela precisa ficar deitada. – Eu estava decidida e já tinha espalhado sobre o banco aquilo de que iria precisar. – Pode levá-la até a cama? Depressa.

Susannah arfava com os olhos fechados. Ao ouvir isso, seus olhos se abriram de supetão e ela endireitou as costas, segurando a barriga.

– Na cama, não! Vocês não vão estragar minha cama boa de penas! *Aaaaargh!* – E ela tornou a se encolher feito um camarão. Estava respirando tão depressa que pensei que pudesse desmaiar, mas não havia tempo para me preocupar com isso.

– No chão, então – falei apenas. – Rápido. Agnes, para trás!

Jamie e eu a suspendemos, viramos e deitamos com o máximo de cuidado possível. Mas ela estava pesadíssima, muito sem jeito e escorregadia de suor, e bateu no chão de terra batida com uma pancada forte que a fez dar um grito ensandecido e fez Jamie dizer algo muito blasfemo em gaélico.

– Mas que droga! – falei entre dentes e, estendendo a mão para a garrafa de álcool diluído, suspendi as dobras ensopadas de sua combinação e passei o líquido na barriga imensa, branca feito um peixe e toda riscada de estrias vermelhas quase roxas.

– Certo – falei e peguei o maior de meus bisturis. – Jamie, segure-a... Ah, já a está segurando. Ótimo.

Murmurando "Jesus, Maria e Santa Brígida, que droga, *me ajudem*", encostei a lâmina abaixo do umbigo de Susannah.

Mas antes de eu conseguir fazer a incisão ela deu um grito como se o contato do metal frio tivesse sido uma pistola de dar choque em gado, levantou os joelhos, então cravou os calcanhares na terra batida, arqueou as costas, tornou a se abaixar e...

– O que é *isso*? – perguntou Jamie, tentando olhar por cima da obstrução formada pela barriga da sra. Cloudtree.

– Uma cabeça – respondi. – Jesus H. Roosevelt Cristo. *Força*, Susannah!

Ela não tinha esperado instruções. Com um barulho feroz, fez força e o bebê foi *de fato* ejetado como um leitão besuntado com gordura. Aparei o menino... era mesmo um menino? Sim, um menino que aparei no avental. Limpei seu nariz e sua boca com o polegar, virei-o de bruços e dei uma leve palmada em seu traseiro molhado. As nádegas pequeninas se contraíram em um protesto, relaxaram e soltaram um pequeno jato de matéria fecal, mas ele estava bufando de modo regular, com um som bem parecido com o da mãe, embora nem de longe tão alto.

– Agnes! – gritei.

Ela já estava ao meu lado quando me virei e soltei o avental, com o qual embrulhei depressa o bebê antes de empurrá-lo para seu colo.

– Quer que eu corte o cordão, Sassenach? – Jamie estava agachado do meu outro lado, segurando a *sgian dubh*.

– Sim – respondi, ofegante, e esqueci por completo o assunto enquanto enfiava a mão no canal vaginal, torcendo para encontrar outra cabeça.

Não tive essa sorte. Senti pernas e braços por toda parte no espaço escuro apertado e escorregadio. Fechei os olhos para perceber melhor, tateando com urgência à procura de um pé. *Só um*, rezei. *Só um pé...* E então uma forte contração começou, só que bem diferente, como uma onda do mar quebrando dentro do corpo de Susannah, mas devagar o suficiente para eu conseguir tirar a mão da frente. E ali estava ele. Um pezinho minúsculo, com os dedos inertes de um tom azulado espectral.

– Droga, droga, droga... – Percebi que estava balbuciando coisas sem sentido e travei o maxilar.

Sabia que era tarde, mas não havia mais nada a ser feito. Enfiei a mão mais uma vez e tateei no escuro. Dessa vez encontrei sem dificuldade o outro pé. Sem dificuldade porque o bebê não estava se mexendo.

Uma sensação de alheamento me dominou. Fechei os olhos e engoli a saliva ao sentir a imobilidade compacta de um corpinho diminuto sair nas minhas mãos. Em inglês, o termo para designar o parto de um natimorto é *stillbirth*, de *still*, imóvel, pois é disso que se trata. Não pelo fato de a criança estar morta, mas porque tudo, tudo mesmo, se imobiliza. Uma minúscula e imóvel menina. Eu sabia que ela já tinha ido embora, mas a teimosia me fez levantá-la e tentar encher de ar os pulmões paralisados, pressionar o peito minúsculo com os dedos, esperando quando não havia mais esperança... tudo em vão.

Mas a felicidade muito viva do primeiro nascimento ainda zunia pelo meu corpo. Podia ouvir os berros indignados do bebê, e ouvir também a respiração de Susannah, um ofegar profundo e vagaroso, e vozes baixas e o fogo crepitando, e água borbulhando no caldeirão. Mas tudo isso estava envolto em silêncio e só o que eu conseguia sentir eram as batidas de meu coração. Paz, uma paz profunda que ainda não era tristeza, e segurei o corpo minúsculo e usei a barra do vestido para limpar o rostinho da menina. Sim, da menina. Seus olhos fechados que nunca iriam se abrir. Mais alguns instantes e então a pousei sobre um pano que Agnes tinha trazido e me virei para cuidar da mãe.

– É um menino, Susannah – falei baixinho. – Agnes... traga-o aqui, sim?

A menina fez isso, mordendo o lábio de tão concentrada para não deixá-lo cair. Ele havia nascido com um tamanho bom, considerando a prematuridade e o fato de ser gêmeo. Mesmo assim, pesava menos de 2,5 quilos. Coloquei-o sobre o peito de Susannah e o braço dela subiu devagar para segurá-lo e sustentar sua cabeça.

– Vai ficar tudo bem, querido – disse ela, com a voz entrecortada e rouca de tanto gritar. – Vamos, não chore. – Seus olhos continuaram fechados, mas ela falou comigo: – E o outro?

– Eu lamento – falei suavemente e apertei sua mão.

Ela sorveu uma inspiração que penetrou até o fundo de seu útero devastado.

– Obrigada, minha senhora – sussurrou.

O menininho continuava a produzir ruídos semelhantes aos de um marimbondo zangado, mas ela o moveu até o seio e, usando o polegar, pôs o mamilo em sua boca, e o barulho cessou abruptamente.

O suor fazia meus olhos arderem e escorria pelo meu pescoço. Sentei-me nos calcanhares e enxuguei o rosto na saia. Susannah deu um arquejo profundo e a perna inchada encostada no meu ombro se contraiu. A placenta estava saindo; segurei o cordão umbilical ainda preso no corpinho imóvel sobre a pedra da lareira e a placenta, bastante grande, saiu, parecendo o fígado de um veado, escura e sanguinolenta. Susannah grunhiu de novo e a segunda placenta escorregou para fora.

– Está bem – falei, reunindo forças. – Agnes... cubra sua mãe com uma colcha. Susannah, vou massagear sua barriga para ajudar seu útero a se contrair e fazer o sangramento parar. Eu...

Eu tinha me virado para encontrar um pano menstrual em meu kit e vi Jamie. Ele estava ajoelhado junto à pedra do fogo olhando para a menininha morta, com uma expressão que fez meu coração parar.

Ele sentiu meu olhar e ergueu os olhos, e nós dois lemos no rosto um do outro o mesmo nome.

Faith. Aquiesci, sentindo minha garganta se fechar com uma tristeza tão aguda quanto quando a tinha perdido. Jamie baixou a cabeça, estendeu a mão e tocou o corpinho minúsculo e enrugado; sua mão cobriu a menina quase inteira. Uma lágrima rolou e cintilou nas costas da mão e outra na curva da testa, vermelha à luz do fogo.

Movida pela mais profunda recordação, eu me abaixei, peguei a menina e a segurei contra o peito, com a minúscula cabecinha aninhada na mão. Num segundo estava segurando a filha que tinha perdido, sentindo a dor me apunhalar feito uma faca. Fechei os olhos sabendo que precisava soltá-la, que precisava continuar meu trabalho, mas não consegui largá-la e fiquei sentindo o coração bater devagar, encostado no calor cada vez mais tênue de sua pele frágil.

Não consegui soltá-la. Não conseguira soltar Faith. Por fim, eles foram obrigados a tirá-la de meu colo. Deixando-me vazia, sozinha naquele lugar de pedra fria.

Meu nariz escorreu e o muco desceu pelo rosto e fez cócegas no meu lábio, e eu o esfreguei com a manga do vestido sem deixar de segurar a menina junto ao peito, enquanto escutava meu coração se partir outra vez.

– Deixe-me pegá-la, Sassenach – sussurrou Jamie e estendeu as mãos.

Engoli com força. Eu tinha que soltá-la.

– Não consigo – falei. – Não consigo.

E baixei a cabeça por cima da menina que tinha perdido enquanto me balançava para a frente e para trás, ajoelhada, sentindo o coração bater no peito, nos ouvidos e nas pontas dos dedos, tentando compensar o coração que nunca mais tornaria a bater.

Não sei quanto tempo fiquei ali, encolhida ao redor do bebê, tentando inutilmente transmitir meu calor, minha vida. Não houve nada repentino, nenhum som, nenhum movimento. Mas no meio daquela tristeza lancinante comecei a notar... alguma coisa. Não é que tivesse *acontecido*. Ela já estava ali. Só que eu antes não tinha sentido e agora sentia.

– Claire? – A mão de Jamie tocou meu ombro e eu a segurei com a mão livre e não soltei. Calor, força.

– Fique – falei, ofegante, tanto para ele quanto para ela. – Fique.

Meu coração. Ainda podia senti-lo com nitidez, lento e regular. Soltei a mão de Jamie, mas ele não a retirou. Segurando o bebê em um dos braços, pus a outra mão em suas costas para sentir. Não foi uma sensação, nada que eu pudesse afirmar ter sentido... mas havia algo ali.

Pressionei de leve as costas, aguardei o tempo de uma respiração, então tornei a pressionar. E outra vez. Enquanto escutava meu coração bater nos ouvidos, em meu sangue que pulsava. Pressionei esses batimentos nas costas dela, em seu peito onde ele encostava em mim.

Empurre.

Meus dedos estavam mornos, e a menina também. *O fogo*, pensei vagamente. O crepitar do fogo e o som de meu coração. Tá-tum, tá-tum, tá-tum... De repente, ouvi Roger me contando o que o dr. McEwan tinha feito, uma das mãos pressionando lenta e pacientemente o peito de Buck vezes sem conta, no ritmo de um coração que bate.

Tá-tum... tá-tum... tá-tum...

Havia outros sons no recinto agora, vozes suaves, o chiado de um pedaço de lenha estalando, o vento sob os beirais do telhado, o ruído de correnteza dos pinheiros e de água chapinhando. Movimento, calor, vida. A mão de Jamie, sólida sobre meu ombro. Ouvia essas coisas e as sentia, mas estavam distantes de mim, acontecendo em outro mundo. Não era nada a não ser o som de um coração batendo.

E depois de uma enormidade de tempo percebi que éramos duas pessoas naquele som, que havia um compartilhamento do coração que batia, do conhecimento da vida. Meu dedo a pressionar, lento e firme.

Tá-tum... tá-tum...

Malva... Na minha imaginação, eu a vi sem vida na horta, senti o cheiro do sangue e o cheiro do parto. O minúsculo menininho que eu havia tirado de dentro dela, já quase morto. Uma centelha azul em minhas mãos, que rateou e morreu.

Uma centelha azul. Eu a vi e a observei enquanto me concentrava em querer que ela ficasse e a protegia entre as palmas das mãos.

Tá... Meu dedo se imobilizou e o pequeno som respondeu.

Tum.

Aos poucos fui tomando consciência de minha respiração. Depois disso, senti a solidez de Jamie e me dei conta de que ele estava me sustentando em pé, com um braço em volta de minha cintura e a outra mão em meu peito, acima da cabeça do bebê. Levantei a cabeça, quase cega depois da escuridão cheia de luz na qual estivera, e vi o contorno de uma menina destacado na contraluz do fogo, o corpo escuro e magro por trás do branco da combinação.

– Eu cortei o cordão para a senhora, sra. Fraser – disse Agnes. – E massageei a barriga de mamãe como ela me mostrou. Quer uma caneca de sidra? Papai bebeu toda a cerveja.

– Ela vai querer, menina – disse Jamie e delicadamente me soltou. – Mas primeiro traga um cobertorzinho para sua irmã, sim?

Estava escuro lá fora. A lua havia se posto e ainda faltava um pouco para o dia despontar. Fazia frio, mas o frio não me tocou.

Eu finalmente o havia deixado pegar o bebê. Sentira suas mãos quentes e firmes nas minhas quando a pegou, seu rosto repleto de luz. Ele tinha se ajoelhado com todo o cuidado e entregado o bebê para Susannah, pousando a mão sobre a menina em uma bênção.

Então tinha se levantado, me enrolado em minha capa e me conduzido até o lado de fora do chalé. Eu não conseguia sentir o chão sob os pés nem ver a floresta, mas o ar frio recendia a pinheiro e envolveu como um bálsamo minha pele aquecida.

– Está tudo bem, Sassenach? – sussurrou ele.

Eu me vi encostada nele, embora não me lembrasse de ter feito isso. Tinha perdido a noção de onde começava e terminava meu corpo: os pedaços pareciam flutuar por toda parte, em uma espécie de nuvem solta de exaltação.

Senti as mãos de Jamie tremerem de leve quando tocou meu rosto. De exaustão, pensei. O mesmo tremor leve e constante parecia me percorrer do topo da cabeça até a sola dos pés, como uma corrente elétrica de baixa voltagem.

Na verdade, eu havia atravessado a exaustão, como acontece às vezes em momentos de grande esforço. Embora você saiba que a energia de seu corpo se esgotou, mesmo assim há uma sensação sobrenatural de clareza mental e uma estranha capacidade de continuar se movendo enquanto vê tudo simultaneamente, de fora de si mesma e de dentro de seu âmago. As camadas de carne e pensamento que em geral existem no meio se tornaram transparentes.

– Eu estou bem – falei e ri.

Deixei a testa cair sobre seu peito e passei alguns segundos respirando, sentindo todos os meus pedaços entrarem em repouso, mais uma vez integrados, conforme o feitiço daquela última hora ia se dissipando e se transformando em paz.

– Jamie – falei alguns instantes depois, levantando a cabeça. – De que cor estão meus cabelos?

Foi uma pergunta absurda: era noite alta e estávamos em pé no meio da escuridão de uma floresta. Mas ele produziu um leve ruído de quem avalia e ergueu meu queixo para olhar.

– De todas as cores do mundo – falou e afastou os cabelos de meu rosto. – Mas aqui, em volta de seu rosto, estão da cor do luar, *mo ghràidh.*

55

O VENENO DO VENTO NORTE

Rachel acordou de repente, alerta mas sem a menor ideia do que a tinha feito acordar. Mexeu-se e virou a cabeça para ver se Ian estava desperto. Estava; sua mão lhe tapou a boca e ela congelou. Estava escuro dentro do chalé, mas a luz das brasas na lareira era suficiente para ela ver seu rosto e a expressão de perigo nos olhos escuros.

Piscou uma única vez e, com um meneio de cabeça quase imperceptível, ele retirou a mão. Ficou deitado imóvel e ela também, embora seu coração batesse tão forte que ela pensou que fosse acordar Oggy, aconchegado entre os dois.

Batia forte a ponto de impedi-la de escutar qualquer coisa. Ian, porém, estava escutando. Seu corpo comprido não se mexera. Mesmo assim, parecia de alguma forma ter se retesado, como uma cobra que se enrola. Ela fechou os olhos e se concentrou.

Tinha ventado a noite inteira; as frutinhas do grande cedro-vermelho que protegia a casa vinham tamborilando no telhado a intervalos regulares. Mas esse barulho Ian teria reconhecido...

De repente, ele se mexeu e se apoiou no cotovelo. Ela o ouviu inspirar em um arquejo. Por reflexo, fez a mesma coisa. *Fumo*. No instante seguinte, Ian já tinha deslizado para fora da cama e andado até a porta pé ante pé.

Ela soltou o ar com uma sensação de alívio; era alguém amigo, portanto. Vozes suaves na varanda, e Ian então tornou a espichar a cabeça pela porta, abriu um sorriso breve e, depois de pegar um cobertor dobrado em cima do baú, fechou a porta atrás de si.

Perturbado pela movimentação, Oggy se mexeu e deu algumas fungadas. Ela se levantou depressa para usar o penico antes de acordar por completo; seu filho não era uma criança paciente.

Com o xale em volta dos ombros e o bebê no seio, foi até a janela ao lado da porta. Como uma pele curtida com óleo tampava a janela, presa até embaixo para proteger do vento, ela não conseguia ver nada, mas podia escutar bem os sons que vinham da varanda.

Não que tivesse adiantado muito. Os visitantes – ela distinguiu ao menos duas vozes diferentes além da de Ian – eram indígenas e estavam falando na própria língua. Talvez fossem Bradshaw Garça em Pé e um amigo das aldeias cherokees, que tinham ido ajudar a caçar o puma avistado perto do córrego. Foi um pensamento tranquilizador: quanto mais homens houvesse, mais seguros estariam.

Estava prestes a verificar o mingau dentro da panela, caso os visitantes precisassem fazer o desjejum, quando ouviu uma palavra que a fez estacar e apertar Oggy com tanta força que ele soltou um pequeno *uf!* de susto e parou de sugar por um instante.

O menino se aferrou de novo ao seio com uma voracidade instantânea, mas ela mal reparou. Aqueles indígenas não eram cherokees. Longe disso. Eram mohawks, e a palavra que tinha chamado sua atenção fora *Wakyo'teyehsnonhsa*.

Ela não esperou para deitar o filho ou para se vestir. Ao sair para a varanda, sentiu as tábuas geladas sob os pés descalços. A luz estava apenas começando a ficar visível. O mesmo valia para os rostos interessados não de dois, mas de três mohawks, todos os quais olharam para ela e lhe menearam a cabeça com educação.

Um deles disse algo que fez Ian tossir e olhar de lado, em sua direção. Ele estava usando o cobertor enrolado na cintura, e a visão do peito nu com os mamilos pequenos e duros por causa do frio fez seus próprios mamilos se retesarem, o que levou Oggy a engasgar e tossir, espirrando leite por toda a frente de sua combinação. Os indígenas olharam para outro lado, como se nada tivesse acontecido.

– Seus amigos são bem-vindos, Ian – disse ela, tentando não bater os dentes. Sorriu para os visitantes. – Aceitam comer conosco?

Eles entendiam inglês, pois todos entraram no chalé na mesma hora. Ian fez menção de segui-los e ela segurou seu braço com a mão livre.

– O que houve? – perguntou em voz baixa.

– Um massacre – respondeu ele, e ela então viu que ele estava abalado, com o rosto contraído de preocupação. – Atacaram um assentamento... umas poucas casas só, mas todas pró-independência. Foram Joseph Brant e alguns dos homens dele. Mas então alguns combatentes de Burk Hollow lideraram um ataque a um assentamento mohawk. Por vingança.

Ele tentou se virar em direção à porta, mas ela apertou seu braço o suficiente para impedi-lo, sem se importar se iria machucá-lo.

– Sua esposa? – perguntou. – Vi que vieram trazer notícias dela. Ela estava nesse assentamento? Ela está viva?

Ele não queria responder, mas é preciso lhe dar o crédito de tê-lo feito mesmo assim:

– Não sei. Estava viva quando Olha para a Lua a viu... mas isso tem quase cinco meses.

Os olhos dele fitaram o espaço atrás de Rachel e ela soube na hora que Ian estava olhando na direção do pico da montanha distante, onde uma fina camada de neve tinha surgido uma semana antes. Trabalha com as Mãos vivia mais ao norte, assim como seus filhos.

Quanto mais ao norte?, perguntou-se ela. E puxou o xale por cima da cabeça redonda e descoberta de Oggy.

Olha para a Lua engoliu os últimos restos de carne de peru moída e deu um arroto alto de satisfação na direção de Rachel. Em seguida, entregou-lhe seu prato antes de retomar a história que vinha contando entre uma mordida e outra. Felizmente o relato era quase todo em mohawk, já que as partes narradas em inglês pareciam dizer respeito a um de seus primos e ao que este havia sofrido após topar com um alce enfurecido.

Rachel pegou o prato e serviu outra porção enquanto visualizava a luz de Cristo brilhando no interior de seus convidados. Devido a uma infância órfã e com poucos recursos, ela tinha recebido um treinamento considerável nessa atividade e foi capaz de sorrir para o mohawk enquanto pousava o prato novamente cheio a seus pés, de modo a não interromper sua gesticulação.

Pelo lado positivo, refletiu, olhando na direção do berço, a conversa dos homens tinha ninado Oggy e o feito adormecer. Com um olhar que captou a atenção de Ian e um meneio de cabeça em direção ao berço, ela saiu para saborear o maior prazer de uma mãe: dez minutos sozinha na latrina.

Ao sair de lá, relaxada no corpo e na mente, não quis entrar de novo no chalé. Cogitou por um breve instante ir a pé até a Casa Grande visitar Claire, mas Jenny tinha ido para lá quando ficara aparente que os recém-chegados mohawks iriam passar a noite no chalé dos Murrays. Rachel gostava muito da sogra, mas adorava loucamente tanto Oggy quanto Ian… e não queria a companhia de nenhum deles no momento.

O início de noite estava frio, mas não um frio cortante. Rachel usava um xale de lã grossa. Uma lua quase cheia nascia em meio a um campo de estrelas gloriosas e a paz celeste parecia emanar da floresta outonal perfumada pelas coníferas e pelo aroma mais suave das folhas que morriam. Ela subiu com cuidado o caminho que ia dar no poço, parou para beber um pouco de água fria, então seguiu andando. Quinze minutos mais tarde, chegou à borda de um promontório rochoso de onde, durante o dia, podia-se contemplar uma vista interminável de montanhas e vales. À noite, era como estar sentado no limiar da eternidade.

A paz foi se entranhando em sua alma junto com a friagem da noite e ela a buscou e acolheu. Apesar disso, uma parte de sua mente continuava inquieta e um fogo lhe queimava o coração em contraste com a imensa tranquilidade à sua volta.

Ian jamais mentiria para ela. Ele tinha dito isso e Rachel acreditava. Mas não era tola a ponto de pensar que isso significasse lhe contar tudo que ela pudesse querer saber. E ela queria muito saber mais sobre Wakyo'teyehsnonhsa, a mohawk que Ian chamava de Emily… e que ele havia amado.

Então agora podia estar viva, ou podia não estar. Se ainda estivesse… qual poderia ser sua situação?

Pela primeira vez lhe ocorreu estimar a idade de Emily e qual poderia ser sua aparência física. Ian nunca tinha dito nada; ela nunca tinha perguntado. Nada disso parecera importante, mas agora…

Bem, quando o encontrasse sozinho iria perguntar e pronto. E, com determinação, ela virou o rosto para a lua e o coração para sua luz interior, e se preparou para esperar.

Foi talvez uma hora mais tarde que a escuridão a seu lado se moveu e Ian de repente surgiu, um pontinho de calor na noite.

– Oggy acordou? – perguntou ela, puxando mais o xale em volta de si.

– Não, menina. Dorme feito uma pedra.

– E seus amigos?

– Praticamente também. Eu dei a eles um pouco do uísque de tio Jamie.

– Quanta hospitalidade sua, Ian.

– Não foi minha intenção, mas acho que eu deveria aceitar o elogio se ele fizer você me ter em mais alta conta.

Ele ajeitou os cabelos atrás das orelhas, abaixou a cabeça e a beijou na lateral do pescoço, deixando clara sua intenção. Ela hesitou por um brevíssimo instante, mas então pôs a mão por dentro da camisa dele e se entregou, deitando-se de costas por cima do xale sob o céu salpicado de estrelas.

Que possamos ser só nós dois mais uma vez, pensou. *Se ele pensar nela, que não seja agora.*

Sendo assim, só perguntou como Emily era três dias depois, quando os mohawks finalmente foram embora.

Ian não fingiu não saber por que ela estava perguntando.

– Pequena – respondeu ele, levando a mão até uns 7 centímetros acima do cotovelo. *Dez centímetros mais baixa do que eu…* – Bem-feita de corpo, com um… rosto bonito.

– Pode dizer se ela for linda, Ian – disse Rachel, seca. – Eu sou amiga; não somos dados à vaidade.

Ele a encarou e seus lábios se moveram de leve. Então mudou de ideia em relação ao que estava prestes a dizer. Fechou-os por alguns instantes, depois os abriu e deu uma resposta sincera:

– Ela era bonita. Eu a conheci perto da água... a superfície sem nenhuma ondulação. Mesmo assim, dava para sentir o espírito do rio se movendo por ela.

Ele a tinha visto em pé dentro do rio, com a água na altura das coxas, vestida, mas com a roupa levantada e amarrada em volta da cintura com um lenço vermelho, segurando uma lança fina de madeira afiada, caçando peixes.

– Não consigo pensar nela em... partes separadas – disse ele, com a voz um pouco rouca. – Como eram os olhos, o rosto... – Ele fez um pequeno gesto esquisito e gracioso com a mão, como se estivesse segurando a bochecha de Wakyo'teyehsnonhsa, em seguida traçou o contorno de seu pescoço e seu ombro. – Eu só... quando penso nela... Bem... É, eu penso nela de vez em quando. Não com frequência. Mas quando acontece só penso nela como uma coisa só, e não saberia descrever em palavras como é essa coisa.

– Por que você não deveria pensar nela? – disse Rachel com a maior delicadeza de que foi capaz. – Ela foi sua esposa, a mãe de seus... de seus filhos.

– Sim – disse ele baixinho e baixou a cabeça.

Emily tinha lhe dado uma filha natimorta e perdido outros dois bebês. Rachel pensou que poderia ter escolhido melhor o lugar da conversa: estavam no barracão que servia como um pequeno celeiro, e num chiqueiro bem a sua frente estava uma porca que acabara de dar cria, com uma dúzia de leitõezinhos gordos dando cabeçadas e grunhindo em suas tetas, como um testemunho sobre a fecundidade.

– Rachel, eu preciso contar uma coisa – disse ele, erguendo a cabeça de forma abrupta.

– Você sabe que pode me contar tudo que quiser, Ian – retrucou ela, e era verdade, mas seu coração sentiu outra coisa e começou a bater mais depressa.

– Os... ahn, os filhos de Emily. Eu disse que os tinha conhecido da última vez que a vi. As duas mais novas... essas ela teve com Alce do Sol, mas o mais velho, o menino... – Ele hesitou. – Ela me pediu para batizar o bebê... é uma grande honra – explicou. – Mas o que me fez escolher o nome dele foi outra coisa. Eu o batizei de Mais Veloz dos Lagartos, porque estava caçando lagartos quando o conheci. Nós... nos demos bem – disse ele, e a lembrança o fez abrir um breve sorriso. – Eu sinto muito, Rachel, sei que vai achar isso errado, mas não me arrependo de ter feito.

– Eu entendo... – disse ela devagar, embora não entendesse. Mas estava começando a sentir um vazio dentro da barriga. – Então o que está me dizendo é que...

– Eu acho que ele pode ser meu filho – disse Ian de uma vez só. – Nasceu mais ou menos na época certa depois de eu ir embora. O fato é que... você se lembra de eu ter dito que, segundo os mohawks, quando um homem se deita com uma mulher, o espírito dele luta com o dela?

– Não diria que eles estão errados, mas... – Ela abanou a mão para interromper a si mesma. – Continue.

– Se o espírito do homem vence o da mulher, ela engravida. – Ele passou o braço à sua volta, a mão grande e quente em seu cotovelo. – Então talvez tia Claire estivesse errada em relação às coisas do sangue… quero dizer, nosso homenzinho está bem. Talvez fosse o sangue de Emily que… é, bem…

Ele encostou a testa na dela, olhos nos olhos.

– Eu não sei, Rachel – disse ele baixinho. – Mas…

– Nós temos que ir – disse ela, embora seu coração tivesse ficado tão pequeno que ela mal conseguia ouvi-lo bater. – É claro que temos que ir.

56

VOCÊ DARIA UMA BOA AMIGA

– Você daria uma boa amiga, sabe? – comentou Rachel, segurando um galho de louro para deixar passar a sogra, que carregava no braço um grande cesto de retalhos para fazer colchas.

Rachel carregava Oggy, que havia pegado no sono amarrado no pano que ela usava para transportá-lo.

Janet Murray lançou-lhe um olhar incisivo e fez o que Claire tinha descrito reservadamente para Rachel como ruído escocês, um misto de muxoxo com gargarejo que podia indicar qualquer coisa, desde um leve bom humor ou aprovação até desprezo, zombaria ou um ato de força iminente. No presente momento Rachel pensou que sua sogra estivesse bem-humorada.

– Você é franca e direta – assinalou Rachel, sorrindo. – E sincera. Ou pelo menos imagino que seja – acrescentou, em uma leve provocação. – Não posso dizer que algum dia a tenha pegado mentindo.

– Espere me conhecer um pouco mais antes de fazer esse tipo de julgamento, menina – aconselhou Jenny. – Eu até que minto bem, dependendo da necessidade. Mas o que mais?

Seus olhos azul-escuros se vincaram um pouco… bem-humorada, com certeza. Rachel ficou pensando enquanto avançava por um trecho íngreme de cascalho e esticava a mão para trás para pegar o cesto.

– Você é compassiva. Gentil. E destemida – disse ela enquanto observava Jenny descer, parcialmente escorregando e se agarrando a galhos para não cair.

A sogra virou a cabeça em um movimento abrupto, com os olhos arregalados.

– Destemida? – repetiu, incrédula. – *Eu?* Eu vivo morta de medo desde os 10 anos, *a leannan*. Mas a pessoa se acostuma, sabe?

Ela pegou de volta o cesto e Rachel subiu Oggy para uma posição mais segura.

– O que aconteceu quando você tinha 10 anos?

– Minha mãe morreu – respondeu Jenny.

Tanto sua expressão quanto sua voz foram casuais, mas Rachel pôde ouvir sua tristeza, tão nítida quanto o canto fino e alto de um tordo-eremita.

– A minha morreu quando eu nasci – disse Rachel após uma longa pausa. – Não posso dizer que sinto sua falta, já que nunca a vi, mas é claro que...

– Dizem que não se pode sentir falta daquilo que nunca se teve, mas as pessoas estão erradas em relação a isso – disse Jenny e tocou o rosto de Rachel com a palma pequena e quente da mão. – Cuidado onde pisa, menina. O chão está escorregadio.

– Sim. – Rachel manteve os olhos no chão, dando passos largos para evitar pisar em um trecho de lama no qual borbulhava uma minúscula nascente. – Eu às vezes sonho. Há uma mulher, mas não sei quem é. Pode até ser que seja minha mãe. Ela parece gentil, mas não diz muita coisa. Fica só olhando para mim.

– Ela se *parece* com você, menina?

Rachel deu de ombros, equilibrando Oggy por baixo com a palma da mão.

– Tem cabelos escuros, mas quando acordo nunca consigo me lembrar do rosto.

– E você não teria como saber como ela era viva. – Jenny assentiu enquanto mirava algo no fundo do próprio olhar. – Eu conheci a minha... Se você algum dia quiser saber como *ela* era, é só ir dar uma olhada em Brianna, porque ela é Ellen MacKenzie Fraser reencarnada... embora seja um pouquinho maior.

– Vou fazer isso – garantiu Rachel. Achava sua nova prima um pouco intimidadora, embora o amor de Ian por ela fosse óbvio. – Mas... você disse que vive com medo desde então?

Não pensava que algum dia já tivesse encontrado alguém menos amedrontado do que Janet Murray, que já havia enfrentado um imenso guaxinim na varanda do chalé, enxotando-o com uma vassoura e um palavrão escocês, apesar das garras imensas e do aspecto ameaçador do animal.

Jenny olhou para ela com surpresa e transferiu o cesto pesado de um braço para o outro com um pequeno grunhido conforme a trilha foi se estreitando.

– Ah, não medo por mim mesma, *a nighean*. Acho que nunca senti medo de ser morta ou coisa assim. Não, medo por *eles*. Medo de não conseguir administrar, de não conseguir cuidar deles.

– Deles?

– Jamie e Da – respondeu Jenny, franzindo um pouco o cenho para o solo encharcado sob seus pés. Tinha chovido muito na noite anterior e até mesmo o terreno aberto estava enlameado. – Não sabia como cuidar deles. Sabia muito bem que não poderia ocupar o papel de minha mãe para nenhum dos dois. Pensei que fossem morrer sem ela, sabe?

E você ficaria sozinha, pensou Rachel. *Querendo morrer também, e sem saber como. Parece muito mais fácil para os homens; fico me perguntando por quê. Por acaso eles acham que ninguém precisa deles?*

– Mas você conseguiu – disse ela e Jenny deu de ombros.

– Eu pus o avental dela e fiz o jantar. Era a única coisa que sabia fazer. Alimentar os dois.

– Imagino que tenha sido a mais importante. – Ela baixou a cabeça e roçou os lábios no alto da touca de Oggy. A simples presença do filho fazia seus seios formigarem, doloridos. Jenny viu isso e sorriu, um sorriso um pouco triste.

– Sim. Quando se tem filhos, existe aquele curto tempo em que você *realmente* é a única coisa de que precisam. E então eles saem de seu colo e você sente medo outra vez, porque agora sabe todas as coisas que podem feri-los e não consegue protegê-los disso.

Rachel assentiu e as duas seguiram andando em silêncio, ainda que um silêncio próximo, de escuta. Atravessaram a pequena mata de carvalhos e margearam a quina do campo de feno menor até chegarem ao bosque de álamos onde ficava o chalé.

Ela havia pensado que deixaria Ian contar para a mãe, mas o clima entre as duas era de amor e o espírito a levou a falar.

– Ian está com vontade de ir a Nova York – disse. Oggy estava começando a se mexer e ela o suspendeu até o ombro enquanto dava tapinhas em suas pequenas costas firmes. – Para se tranquilizar com relação ao bem-estar de... ahn... de seu...

– Da mulher indígena com quem ele foi casado? – perguntou Jenny sem rodeios. – Sim, imaginei que ele faria isso quando soube do massacre.

Rachel não perdeu tempo perguntando *como* Jenny tinha ficado sabendo. Os mohawks haviam passado três dias com eles e notícias de qualquer tipo se espalhavam pela Cordilheira como tintura de índigo por um tecido molhado.

– Eu vou com ele – disse.

Apesar de ter feito um ruído escocês, Jenny assentiu.

– Sim. Achei que talvez fosse.

– Achou? – Rachel ficou surpresa... e talvez um pouco indignada. Estava esperando choque e debate, e uma tentativa de dissuasão.

– Ele contou sobre os filhos que morreram, imagino.

– Contou, sim, antes de nos casarmos. – O peso de Oggy em seu colo era uma dupla bênção; ela sabia quanto medo Ian sentira de nunca vir a ter um filho vivo.

Jenny assentiu.

– Ele é um homem honesto. Além disso, é gentil. Mas duvido que algum dia vá dar um amigo decente.

– Bom, eu também – admitiu Rachel. – Mesmo assim, milagres acontecem.

Isso fez Jenny rir. Ela parou antes de subir na varanda e pousou o cesto no chão para poder raspar a lama das solas dos sapatos, em seguida segurou Rachel pelo cotovelo para equilibrá-la enquanto ela fazia o mesmo.

– Destemida, você disse – falou Jenny em tom meditativo. – Os amigos são destemidos?

– Não tememos a morte, pois achamos que nossa vida só é vivida em preparação para a vida eterna com Deus – explicou Rachel.

– Bem, se o pior que pode nos acontecer é a morte e vocês não têm medo *disso*... – Jenny deu de ombros. – Imagino que tenha razão. – Seu rosto se franziu de repente e ela riu. – Destemida. Vou precisar pensar nisso um pouco... até me acostumar, sabe? Mesmo assim...

Ela ergueu o queixo para indicar Oggy, que havia despertado ao sentir o cheiro de casa e fuçava sonolento o peito de Rachel.

– Não tem medo por ele? De levá-lo nessa viagem tão longa no meio de uma guerra?

Ela não acrescentou "Perdê-lo não seria pior do que a morte?", mas não foi preciso.

Rachel abriu a blusa e pôs Oggy para mamar, inspirando em um arquejo quando ele abocanhou o mamilo, em seguida relaxando quando o leite começou a fluir. Jenny ficou aguardando sua resposta com os olhos fixos na cabeça de Oggy. Quando Rachel falou, sua voz saiu neutra:

– Você deixaria seu marido percorrer sozinho mil quilômetros para resgatar a primeira esposa e os três filhos... sendo que o mais velho tem a possibilidade de ser dele?

A boca de Jenny se abriu, mas pelo visto não havia nenhum ruído escocês adequado a esse caso.

– Bem, não – respondeu, branda. – Você está certa nisso.

57

PRONTO PARA TUDO

Ele teria que contar, e melhor que fosse logo. Pelo menos já tinha bolado um plano, quer ela gostasse ou não.

Chovia, e os grossos pingos alvejavam o telhado de latão do abrigo de cabras como se fossem tiros. Ian se abaixou para entrar e encontrou a mãe ordenhando uma das cabras e cantando a plenos pulmões uma canção de caminhada chamada "*Mile Marbhaisg Air A' Ghaol*". Jenny olhou para o filho, meneou a cabeça para indicar que logo estaria com ele e continuou a cantar "Maldito seja mil vezes o amor" enquanto tirava leite.

As cabras também ergueram os olhos para vê-lo, mas o reconheceram e seguiram mascando seu capim sem qualquer reação além de um tremor na orelha. Pareciam estar gostando da canção: não estavam agitadas por causa da chuva nem das trovoadas distantes, mas que iam ficando cada vez mais altas.

Jenny acabou de esvaziar a teta com um pequeno floreio e concluiu cantando: "*A' Ghaol!*" Ian aplaudiu, o que deu um susto nas cabras e fez todas começarem a entoar um tardio coro de *mééés*.

– Cuidado, moleque! – disse sua mãe, mas em tom tolerante. Ela se levantou, soltou a cabra do poste e pegou o balde cheio até a borda. – Tome, leve isto aqui para casa, mas diga a Rachel para só bater a manteiga depois que a tempestade passar... Não sei se ela sabe que não se deve bater manteiga quando está trovejando, porque a manteiga não pega.

– Eu acho que ela sabe que não é bom ficar em pé em frente à casa batendo manteiga quando está chovendo a cântaros, mesmo que não há o perigo de um raio cair em cima de você.

– Pff – fez ela e cobriu a cabeça com o xale. Assim que fez isso, porém, a chuva se transformou abruptamente em granizo. – *A Mhoire Mhàthair!* – exclamou, fazendo o sinal dos chifres. – Não saia agora ou vai perder os miolos!

Ela *poderia* ter acrescentado algo sobre a qualidade de seu cérebro, mas era impossível escutar qualquer coisa. Pedras de granizo do tamanho de joelhos de porco fustigavam com estrondo o telhado de latão, quicando e rolando pelo mato verde do lado de fora do abrigo. Ele colocou o balde junto à parede, em um lugar em que não corresse o risco de ser derrubado. Erguendo uma sobrancelha para a mãe, cruzou os braços e se recostou em uma das toras, preparado para esperar. Tinha tomado coragem para aquilo. Iria falar e pronto; não havia tempo para hesitar.

As cabras foram se aproximando dele e começaram a farejá-lo com familiaridade, em busca de qualquer coisa. No entanto, tirando a barra da camisa que ele já havia recolhido na mão, não havia nada que pudesse interessá-las. Apesar da frente aberta do abrigo e do hálito frio da tempestade que passava, os corpos curiosos e peludos exalavam um calor agradável e ele ficou menos apreensivo em relação à conversa iminente.

Sua mãe se aproximou até se posicionar ao lado da cabra que fuçava seu traseiro e ficou observando satisfeita a tempestade enquanto coçava o animal entre as orelhas. Com certeza era uma bela vista; ela mesma escolhera o abrigo de cabras e Ian o construíra de modo que se pudesse ver por uma larga abertura entre as árvores e avistar Roan Mountain ao longe, no momento uma vista muito dramática, com o cume escondido por nuvens negras baixas e trovejantes. Enquanto olhavam, um imenso relâmpago rasgou o céu e o ar, e tanto ele quanto todas as cabras deram um tranco para trás com o estrondo atordoante.

Como se o relâmpago tivesse sido um sinal, porém, o granizo cessou abruptamente e a chuva recomeçou, mais silenciosa do que antes.

– Parece o brasão dos MacKenzies, não é? – comentou a mãe, meneando a cabeça em direção à montanha distante. – Toda coberta de fogo.

Três pequenas colunas de fumaça subiam das encostas mais baixas, onde os raios haviam atingido algo inflamável. Não tinha importância: com tanta chuva assim, nada queimaria por tempo suficiente para ser um problema.

– Eu nunca vi o brasão dos MacKenzies – disse ele. – É uma montanha? Coberta de fogo?

A mãe ergueu os olhos para ele, um pouco surpresa, mas em seguida assentiu.

– Sim, eu esqueci. Tudo isso já tinha sumido antes de você aprender a andar. – Sua boca se contraiu, mas só por um instante. – Seu *da* nunca lhe disse qual era o lema dos Murrays?

– Disse, mas eu não me lembro de muita coisa... algo sobre grilhões, não era?

– Avante, fortuna e grilhões cheios – disse ela, sucinta. – Vá lá e se certifique de voltar com ouro e prisioneiros.

Aquilo o fez rir.

– Um povo guerreiro, não? Os antigos Murrays?

Ela deu de ombros.

– Não que eu tenha notado, mas seu *da* foi mercenário quando jovem. E seu tio Jamie também. – Sua boca estremeceu de leve. – Tenho certeza de que Jamie contou qual é o lema dos Frasers mais de uma vez. *Je suis prest*?

– Disse, sim. – Ian sorriu com um pouco de tristeza. – Estou pronto.

Sua mãe então sorriu, erguendo os olhos para ele. O xale tinha caído outra vez para cima dos ombros e seus cabelos presos reluziam como aço polido à luz encharcada de chuva.

– É. Bem, tem um segundo lema dos Murrays... O primeiro foi criado pelo duque de Atholl, uma velha criatura sedenta de sangue... mas o segundo é melhor: *Tout prest.*

– Totalmente pronto? Ou pronto para tudo?

– As duas coisas. Eu pensava nisso de vez em quando, na época que eles passaram na França. *Je suis prest... Tout Prest.* E todas as noites rezava para a Virgem que estivessem mesmo. Prontos, quero dizer.

Ela se calou, a mão apoiada na cabeça marrom e branca da cabra.

Ele não encontraria uma ocasião melhor. Tossiu.

– Falando em estar pronto, mãe... – Ela captou o viés em sua voz e o encarou com um movimento brusco.

– Sim?

– Eu falei com Barney Chisholm. A senhora seria bem-vinda a ficar morando com ele e Christina enquanto... enquanto Rachel e eu estivermos fora. Vamos até o norte para cuidar... para cuidar de...

– De sua esposa indígena? – perguntou ela, seca. – Não se preocupe: eu já pedi às meninas MacDonald para cuidar das cabras.

– A senhora já... o quê? – Ele teve a sensação de que ela lhe dera uma rasteira. Jenny o encarou com uma expressão de leve irritação.

– Não achou que eu fosse deixar Rachel acompanhar você sozinha no meio de uma guerra, ainda mais com aquele bebezão molenga de vocês?

– Mas...

As palavras morreram em sua garganta. Ele conhecia a mãe bem o suficiente para ver que estava falando sério. E pouco importava o que os Frasers *diziam* ser seu lema, sabia muito bem que poderia ter sido *Teimoso feito uma pedra.* Já tinha reconhecido aquela mesma expressão no rosto de tio Jamie.

– Além do mais – acrescentou ela, empurrando o focinho da cabra para longe da franja do xale –, não acho que você vá encontrar muito ouro com os mohawks, mas prefiro que não termine preso em grilhões em uma prisão de casacos-vermelhos.

Não havia muito a fazer exceto rir. Mas ele tinha uma última cartada, só para poder dizer ao pai que tinha tentado.

– Acha que Da deixaria a senhora fazer uma tolice dessas?

– Não vejo como ele teria espaço para opinar – respondeu ela, dando de ombros. – Tome, pegue este aqui. – Ela lhe entregou o balde cheio e se abaixou para pegar o outro. – Ele não tentaria me impedir: o pequeno Oggy é sangue do meu sangue tanto quanto do dele. Ian Mòr vai estar comigo durante todo o caminho.

Ian engoliu em seco, mas sentiu curiosidade junto com a lembrança da tristeza.

– A senhora sente Da por perto? – indagou. – Eu… sinto. Às vezes.

A mãe lhe passou o segundo balde e abriu o portão da frente do abrigo. A chuva tinha diminuído e o ar à sua volta cintilava, prateado em meio ao cinza.

– Você não deixa de amar uma pessoa só porque ela morreu – disse ela em tom de reprovação. – Não posso supor tampouco que ela deixe de amar você.

– Quantos anos sua mãe *tem*? – perguntou Rachel para Ian. – Eu apreciaria a companhia dela, e tê-la comigo para ajudar com o menino seria um grande alívio, mas você sabe melhor do que eu como pode ser uma viagem dessas.

Ian sorriu, não da pergunta, mas do jeito como ela disse "menino" em gaélico, *bairn*, hesitando um segundo antes de pronunciar a palavra, como se tivesse medo que ela fugisse antes de conseguir fechar uma tampa e prendê-la.

– Não tenho certeza – falou, em resposta à sua pergunta. – Mas ela é dois anos mais velha do que tio Jamie.

– Ah. – A expressão de Rachel se tranquilizou um pouco ao ouvir isso.

– E mal faz um ano desde que saiu da Escócia e atravessou o oceano com tio Jamie, depois percorreu centenas de quilômetros cortando o país até a Filadélfia. Essa viagem talvez seja um pouco mais demorada… – Ele tossiu um pouco ao pensar: *e só um pouco mais perigosa.* – Mas vamos ter bons cavalos e dinheiro suficiente para hospedarias. Além do mais – disse ele e deu de ombros –, ela disse que vai conosco. Então vai.

58

A SORTE NAS CONTAS

Jamie não se deu ao trabalho de pisar macio. Ursos não tinham medo. E provavelmente seria uma questão de sorte quem veria quem primeiro.

A trilha em direção à campina de cima, que eles chamavam de *Feur-milis*, ainda estava na escuridão em meio ao frio da noite. A chuva da véspera havia deixado as árvores amareladas que margeavam o caminho escorregadias e pesadas, e Jamie cobrira a cabeça com seu pano xadrez para se proteger dos pingos. Por mais velho e gasto que estivesse, o pano continuava quentinho e à prova d'água.

Eu deveria ter avisado a Claire que quero ser enterrado com ele se um urso levar a melhor sobre mim. Vai ser muito aconchegante na umidade da cova.

Mas então ele pensou em Amy Higgins e se benzeu. Saiu das sombras para a campina de cima, coberta pela bruma do início da manhã. Três cervos que pastavam ergueram a cabeça para olhá-lo, espantados com a intromissão, em seguida desapareceram em meio a um estardalhaço de arbustos.

Isso respondia a uma pergunta: não havia urso por perto. Naquela época do ano, um urso provavelmente não ligaria para cervos. Os córregos estavam apinhados de peixes e as matas, cheias de tudo que um urso considera saboroso, de larvas e cogumelos a árvores com colmeias recheadas de mel (e ele torcia mesmo para sua atual presa ter encontrado uma dessas árvores: o mel deixava a gordura com um aroma leve e suave). Cervos, no entanto, tinham opiniões muito firmes sobre carnívoros de modo geral e não paravam para avaliar as chances quando um deles aparecia.

Ele percorreu a campina em zigue-zague, em seguida margeou a borda em busca de sinais de urso, mas tudo que achou foi uma pilha ressecada de velhos excrementos debaixo de um pinheiro e marcas de garras em um amieiro grande; eram recentes, mas a seiva já estava endurecida. Jo havia visto um urso naquela campina cinco dias antes. Obviamente o animal não tinha voltado desde então.

Jamie ficou parado alguns instantes, rosto erguido para a brisa que agitava as hastes de capim. Sentiu um leve cheiro no ar, mas não era de urso. Havia um cervo-macho por perto, não ainda no auge do cio, mas interessado nas corças.

Um novo estardalhaço na vegetação o fez se virar, mas o coro ansioso de *mééés* lhe informou quem era antes de sua irmã surgir no alto da trilha com quatro jovens cabras presas em uma corda comprida. Ela trazia uma arma pendurada no ombro e olhava em volta com atenção.

– E o que pretender fazer com isso, *a phiuthair*? – perguntou ele em tom casual.

Ela não o vira nas sombras e girou nos calcanhares, assustada, apontando o fuzil de caçar aves para ele.

Jamie deu um passo de lado depressa, só para o caso de a arma estar carregada.

– Não atire, sou eu!

– Seu bobo – disse ela, baixando o fuzil. – Como assim, o que pretendo fazer com isto? Quantas coisas se pode fazer com uma arma de fogo?

– Bom... se estiver atrás de um urso, acho que esse seu fuzil consegue fazer o nariz dele sangrar, mas não muito mais do que isso – disse ele, meneando a cabeça para a arma na mão dela.

Continuava com o próprio fuzil pendurado no ombro, carregado com o cartucho e a pólvora. Não que fosse deter um urso em pleno ataque, mas um tiro talvez fizesse o animal manter distância.

– Urso? Ah, foi isso que você veio fazer. Claire estava se perguntando o que seria.

Jenny soltou as cabras impacientes e estas mergulharam de cabeça no capim cerrado como patos em um laguinho.

– Estava, é? – Jamie manteve o tom casual.

– Ela não disse nada – respondeu a irmã com franqueza. – Mas, quando estávamos preparando o desjejum, reparou que seu fuzil tinha sumido e congelou só por um segundo.

Ele sentiu um leve aperto no coração. Não quisera acordar Claire ao sair, quando ainda estava escuro, mas deveria ter avisado na noite anterior que pretendia rastrear o urso avistado por Jo Beardsley.

O tempo para caçar fora curto enquanto trabalhavam para erguer o telhado antes do inverno. Agora precisavam muito da carne e da gordura. Além do mais, só lhes restavam algumas colchas e um cobertor de lã que ele conseguira com um comerciante morávio. Um bom tapete de urso seria um conforto para Claire nas noites geladas que estavam por vir. Ela sentia mais frio agora do que da última vez que passaram o inverno na Cordilheira.

– Ela está bem – acrescentou a irmã, e ele sentiu no rosto seu olhar interessado. – Só ficou se perguntando, sabe?

Ele aquiesceu. Talvez demorasse um tempinho ainda para Claire acordar, descobrir que Jamie saíra armado e não dar importância a isso.

Sorveu uma inspiração e viu a exalação sair na forma de uma fumaça branca que desapareceu no mesmo instante, embora o sol do novo dia já estivesse aquecendo seus ombros.

– Sim. E você, o que está fazendo aqui? É bem longe para ir atrás de algo para colher.

Uma das cabras tinha parado de pastar e agora fuçava interessada a ponta pendurada de seu cinto de couro. Ele a prendeu fora de seu alcance e afastou o animal com o joelho.

– Engordando as cabras para passarem o inverno – respondeu ela, indicando a cabra enxerida com um meneio de cabeça. – Talvez as ponha para cruzar, se estiverem prontas. Elas gostam mais de capim do que de pastar na floresta, e é mais fácil ficar de olho nelas.

– Você sabe muito bem que Fanny cuidaria das cabras para você. O pequeno Oggy a está deixando maluca? – O bebê tinha pulmões vigorosos. Quando o vento estava soprando na direção certa, dava para escutá-lo da Casa Grande. – Ou você está deixando Rachel maluca?

– Eu gosto de cabras – disse Jenny, ignorando a pergunta e enxotando um par de bocas curiosas que mordiscavam a franja de seu xale. – *Teich a' ghobhair.* Ovelhas têm bom coração quando não estão tentando derrubar você, mas não são inteligentes. Uma cabra só faz o que quer.

– Assim como você. Ian sempre disse que gostava das cabras porque são tão teimosas quanto você.

Ela o encarou com um olhar firme e demorado.

– E só eu sou teimosa, é? – rebateu.

– Eu sei, eu sei. O roto falando da esfarrapada – respondeu ele rindo, usando uma haste de capim para fazer cócegas em seu nariz.

Jenny a arrancou de sua mão e deu para a cabra comer.

– Humm… – fez ela. – Bom, se quer mesmo saber, eu de vez em quando venho aqui em cima pensar. E rezar.

– Ah, é? – disse Jamie, mas ela apertou os lábios com força, então se virou e olhou para a campina protegendo os olhos do sol enviesado da manhã.

Tudo bem, pensou ele. *Ela vai dizer o que quer que seja quando estiver pronta.*

– Quer dizer que tem um urso aqui em cima? – perguntou, virando as costas para ele. – É melhor eu descer com as cabras?

– Não é provável. Jo Beardsley o viu faz alguns dias aqui na campina, mas não há sinais recentes dele.

Jenny refletiu por alguns instantes, então se sentou em uma pedra coberta de líquen, espalhando as saias. As cabras tinham voltado a pastar e ela ergueu o rosto para o sol e fechou os olhos.

– Só um tolo caçaria um urso sozinho – falou, ainda de olhos fechados. – Claire me disse isso semana passada.

– Disse, é? – retrucou ele, seco. – Ela contou que a primeira vez que matei um urso fiz isso sozinho, com minha adaga? E ela acertou minha cabeça com um peixe enquanto eu estava fazendo?

Ela abriu os olhos e o encarou.

– Ela não disse que um tolo pode ter sorte – assinalou. – E, se você não tivesse mais sorte que o diabo, a esta altura já teria morrido uma meia dúzia de vezes.

– Meia dúzia? – Ele franziu o cenho, perturbado, e ela arqueou as sobrancelhas com espanto.

– Eu não contei – falou. – Foi só um chute. Qual é o problema, *a ghràidh*?

Aquele "*a ghràidh*" casual o atingiu em um lugar sensível de um modo inesperado e ele disfarçou com um tossido.

– Nenhum – respondeu, erguendo os ombros. – Só que, quando eu era jovem, em Paris, uma vidente me disse que eu iria morrer nove vezes antes de minha morte. Acha que eu deveria contar aquela febre depois de Laoghaire me dar um tiro?

Jenny balançou a cabeça com decisão.

– Não. Você não teria morrido nem se Claire não tivesse voltado com aquela agulhinha dela. Teria se levantado depois de um ou dois dias e ido atrás dela.

Ele sorriu.

– Talvez.

Jenny produziu um leve som gutural, que tanto poderia ter sido de bom humor quanto de zombaria.

Os dois passaram alguns instantes calados, de cabeça erguida, à escuta da mata. Os pingos agora haviam cessado e era possível ouvir por perto uma ave cujo canto era exatamente igual a uma dobradiça enferrujada se abrindo. Então um *quá-quá* bem alto se fez ouvir em resposta e ele viu Jenny olhar por cima de seu ombro com os olhos arregalados.

– Isso foi uma pega? – indagou ela.

Nas Terras Altas as pessoas sempre prestavam atenção no canto da pega, porque eram aves premonitórias. Quando se ouve uma, sempre se torce para ouvir outra. *Uma quer dizer tristeza... duas quer dizer alegria...*

– Não – respondeu ele, tranquilizador. – Não acho que existam pegas de verdade aqui nestas montanhas. Isso foi só um tipo de pica-pau. Sim... está vendo ele ali?

Ele meneou a cabeça e Jenny olhou por cima do ombro e viu o passarinho acinzentado com uma risca vermelho-viva no pescoço, empoleirado em um galho balouçante de pinheiro e com um olho, negro e redondo, cravado no chão.

Jenny relaxou e inspirou fundo, e então, retomando a conversa no ponto em que a havia deixado, perguntou:

– Você se ressente por eu o ter obrigado a se casar com Laoghaire?

Ele a encarou.

– Por que acha que conseguiria me obrigar a fazer *alguma coisa* que eu não quisesse, sua futriqueira?

– O que é uma "futriqueira"? – Ela exigiu saber, franzindo a testa.

– Uma chata, até onde pude entender – admitiu ele. – Jemmy chama Mandy assim.

Uma covinha repentina surgiu junto à boca de Jenny, mas ela não chegou de fato a rir.

– É – falou. – Você sabe o que quero dizer.

– Sei – disse ele. – E não. Não me ressinto de você, digo. Afinal, ela não chegou a me matar.

Uma das cabras se agachou a poucos metros de distância e soltou uma delicada chuva de pelotas pretas bem-feitas. As fezes fumegaram por um breve instante e ele sentiu no ar por um segundo o cheiro morno e estranhamente agradável antes que desaparecesse na friagem.

– Fico me perguntando como as cabras são tão limpinhas – comentou Jenny, observando também. – Digo, em comparação com as vacas.

– Ah, essa pergunta você precisa fazer para Claire – disse Jamie. – Em se tratando de entranhas, ela sabe tanto quanto Deus.

Jenny riu e ele se deu conta de que não tinha visto cocô de cabra em seu exame da campina. Então ela não vinha trazendo as cabras com frequência até ali em cima. Sendo assim... tinha ido atrás dele de propósito. Talvez tivesse algo a lhe dizer em particular.

Ele pigarreou e tocou o peito, onde o terço de madeira estava pendurado debaixo da camisa.

– Você mencionou que vinha até aqui para rezar. Quer rezar o terço comigo, então? Como fazíamos antigamente?

Ela pareceu espantada e, por alguns instantes, em dúvida. Mas então se decidiu e aquiesceu, levando a mão ao bolso.

– Eu gostaria, sim. E já que você falou nisso... queria perguntar uma coisa, Jamie.

– Ah, é? O quê?

Para sua surpresa, ela tirou uma fieira de pérolas reluzentes do bolso. O crucifixo e a medalha de ouro brilharam ao sol nascente.

– Você trouxe seu terço bom? – indagou ele. – Eu não sabia... pensei que tinha deixado para uma de suas meninas. – "Bom" era um eufemismo. Aquele terço fora fabricado na França e provavelmente valia mais do que um bom cavalo de montaria... talvez mais. Era o terço de sua mãe: Brian o tinha dado para Jenny quando dera o colar de pérolas de Ellen para Jamie.

Sua irmã fez uma careta e pareceu um pouco prostrada.

– Se eu tivesse dado para uma, as outras teriam ficado enciumadas. Não quero que briguem por causa de uma coisa assim.

– Quanto a isso, você tem razão. – Ele se agachou a seu lado, estendeu um dedo e tocou as contas rugosas com delicadeza. O terço era de pérolas escocesas, igual ao colar que ele tinha dado para Claire. – Você sabe quando Mam ganhou? Nunca me ocorreu perguntar quando era pequeno.

– Bom, e não ocorreria mesmo, não é? Quando éramos pequenos, Mam e Da eram só Mam e Da, e tudo era só o que sempre tinha sido. – Ela reuniu as contas na palma da mão, formando uma pequena pilha. – Mas sei de onde veio isto aqui; Da me contou quando me deu. Acha que essa cabra está entrando no cio?

Ela semicerrou os olhos para uma das cabras, que tinha levantado a cabeça e soltado um longo e agudo balido. Jamie examinou o animal.

– É, pode ser. Ela está agitando o rabo. Mas talvez esteja só sentindo o cheiro do cervo naquele arvoredo ali. – Ele ergueu o queixo para indicar o arvoredo de bordos, já parcialmente vermelhos embora nenhuma das folhas ainda houvesse caído. – Está cedo para o cio, mas, se eu consigo sentir o cheiro dele, ela também consegue.

A irmã ergueu o rosto para a brisa leve e inalou profundamente.

– É? Eu não estou sentindo nada, mas acredito em você. Da sempre disse que você tinha o mesmo nariz de um porco farejador de trufas.

Ele fez um muxoxo.

– É, certo. Mas o que Da lhe contou? Sobre o terço de Mam?

– Bem, ele disse que ficou com ciúmes. Ela nunca quis dizer quem tinha lhe mandado o colar, sabe?

– Ah, sim… e *você* sabe?

Ela fez que não com a cabeça, parecendo interessada.

– Você sim?

– Sei. Um homem chamado Marcus MacRannoch… um dos pretendentes dela em Leoch, um sujeito galante. Ele comprou o terço na esperança de se casar com ela, mas ela fugiu com Da antes de MacRannoch pedir sua mão. Segundo Claire, ele disse que tinha imaginado esse colar tantas vezes em volta de seu lindo pescoço que não conseguia pensar nele em outro lugar, então lhe mandou o colar como presente de casamento.

– Ah, então foi isso – comentou Jenny, interessada. – Bem, Da sabia que tinha sido outro homem. Como disse, ele tinha ficado enciumado… Fazia pouco tempo que os dois eram casados e ele talvez não estivesse seguro de que ela pensasse ter feito um bom negócio ao desposá-lo. Então vendeu um campo bom… para Geordie MacCallum, sabe? E deu o dinheiro a Murtagh para comprar uma lembrancinha para Mam. Pretendia dar de presente a ela quando o bebê nascesse… Willie, sabe?

Ela ergueu o terço e o beijou com delicadeza, abençoando o irmão.

– Só Deus sabe onde Murtagh conseguiu isto aqui… – Ela derramou as contas do terço de uma mão para a outra e as contas escorregaram com um leve ruído. – As palavras da medalha estão em francês.

– Murtagh? – Jamie olhou para as contas e franziu o cenho. – Mas Da devia saber o que ele sentia por Mam…

Jenny assentiu e esfregou um polegar no crucifixo e no corpo lindamente esculpido e torturado de Jesus. O pica-pau deu um pio débil e distante, para lá do arvoredo de bordos.

– Verdade. Por que incumbir Murtagh de uma tarefa assim? Mas Da contou que não tinha sido essa sua intenção, que só comentara com Murtagh o que planejava e Murtagh pedira para ir. Da não quis permitir, mas, ao mesmo tempo, não podia deixar Mam sozinha quase explodindo a ponto de parir Willie e sem um telhado de verdade acima da cabeça… Ele tinha fincado os alicerces e começado a construir as chaminés, mas só. E… – ela ergueu um ombro – ele também amava Murtagh… mais do que o próprio irmão.

– Meu Deus, que saudade daquele desgraçado! – exclamou Jamie em um impulso.

Jenny o fitou e sorriu tristemente.

– Eu também sinto. Às vezes fico pensando se ele agora está com eles... com Mam e Da.

Esse pensamento deixou Jamie espantado. Ele nunca tinha pensado nisso. Riu e balançou a cabeça.

– Se estiver, imagino que esteja feliz.

– Tomara que seja assim que funciona – disse Jenny, séria. – Sempre desejei que ele pudesse ter sido enterrado com eles... com a família... em Lallybroch.

Jamie assentiu, sentindo um súbito aperto na garganta. Murtagh estava enterrado com os mortos de Culloden, queimado e sepultado em alguma cova anônima naquela charneca silenciosa, seus ossos misturados com os outros. Sem nenhuma lápide sobre a qual quem o amava pudesse chorar.

Jenny pousou a mão em seu braço e Jamie a sentiu quente através do pano da manga.

– Não se importe com isso, *a bràthair* – disse ela suavemente. – Ele teve uma boa morte, e você ficou com ele até o fim.

– Como sabe que foi uma boa morte? – A emoção o fez falar em tom mais ríspido do que pretendia, mas ela só fez piscar uma única vez, então seu semblante tornou a se apaziguar.

– Você me contou, idiota – respondeu, seca. – Várias vezes. Não se lembra?

Ele a encarou por alguns instantes, sem compreender.

– Eu contei? Como? Não sei o que aconteceu.

Foi a vez de Jenny se espantar.

– Você se esqueceu? – Ela franziu o cenho. – É, bem... é verdade que você passou uns bons dez dias delirando de febre depois de ser levado para casa. Ian e eu nos revezamos para ficar a seu lado... tanto para impedir o médico de cortar sua perna quanto por qualquer outro motivo. Pode agradecer a Ian por ainda ter essa daí – acrescentou, indicando a perna esquerda de Jamie com um brusco movimento de cabeça. – Ele mandou o médico embora; disse que sabia que você preferiria morrer. – Seus olhos se encheram de lágrimas e ela olhou para outro lado.

Jamie a segurou pelo ombro e sentiu seus ossos, delicados e finos como os de um falcão sob o pano do xale.

– Jenny – disse ele baixinho –, Ian não quis morrer. Acredite em mim. Eu queria, mas ele não.

– No começo, ele quis – disse ela e engoliu em seco. – Mas disse que você não deixou... e ele faria a mesma coisa por você.

Ela enxugou o rosto com as costas da mão em um gesto nada delicado. Ele segurou sua mão e a beijou, sentindo os dedos frios.

– Você não acha que teve alguma coisa a ver com isso? – perguntou Jamie, levantando-se e sorrindo para ela. – Para nenhum de nós dois?

– Humm… – fez ela, mas pareceu modestamente satisfeita.

As cabras tinham se afastado um pouco, os lombos marrons lisos em meio ao capim compacto. Uma delas tinha uma sineta e Jamie podia escutar o débil *tlém!* quando se mexia. Os pica-paus também haviam se afastado: ele viu o clarão vermelho quando um deles deu um rasante na campina e desapareceu na entrada negra da trilha.

Deixou passar um segundo, depois dois, então passou o peso do corpo de uma perna para a outra e produziu um leve ruído de ameaça no fundo da garganta.

– Está bem, está bem – disse Jenny, revirando os olhos para ele. – É claro que vou contar. Primeiro precisava organizar meus pensamentos, entende? – Ela rearrumou as saias e se acomodou com mais firmeza. – Então… foi assim. Pelo menos do jeito como você me contou. Você disse… – Suas sobrancelhas se aproximaram no esforço de recordar com cuidado. – Você disse que tinha atravessado aquele campo de batalha lutando com fúria e, quando parou porque precisava respirar, ficou… ficou… consternado… ao perceber que ainda não tinha morrido.

– É – disse ele suavemente e, com uma profunda sensação de medo, sentiu aquele dia despertar dentro de si. Frio… fazia muito frio por causa do vento e da chuva, mas o combate o tinha deixado como que incandescente; ele só sentira o frio ao parar. – E depois? A partir daí já não sei…

Jenny puxou uma inspiração profunda e audível.

– Você estava atrás da linha do governo. Tinha canhões mais atrás… apontados na outra direção, sabe? Na direção dos… nossos.

– Sim. Eu podia… podia… vê-los. Mortos ou agonizando, em fileiras.

– Fileiras? – Ela soou um pouco espantada e ele baixou os olhos, ainda sentindo o frio de Culloden nas mãos e nos pés.

– Eles caíam alinhados – lembrou ele. Sua voz soou distante e sensata, alheia. – Os mosquetes ingleses têm um alcance de… não sei dizer agora, mas era ali que eles caíam, no limite desse alcance. Havia homens estraçalhados e esmagados pelos tiros de canhão, mas na maioria dos casos foram os mosquetes. E depois as baionetas… isso eu não vi, só escutei. – Ele engoliu saliva e manteve a voz firme ao fazer a pergunta: – O que eu disse que aconteceu depois?

Ela soltou o ar pelo nariz e Jamie reparou que tinha fechado a mão em volta do terço, cerrando o punho como que para extrair força das contas.

– Você disse que não conseguiu decidir o que fazer, mas que tinha um canhão por perto e que os artilheiros estavam de costas para você. Então se virou para ir atrás do mais próximo… Havia um grupo de casacos-vermelhos entre você e o canhão, e, quando você limpou o suor dos olhos, viu que um deles era Jack Randall.

A mão livre dela fez discretamente o sinal dos chifres, em seguida se fechou em um punho cerrado.

Ele se lembrou. Lembrou-se e sentiu o estômago revirar quando a imagem que tinha visto em sonhos se encontrou e se fundiu com a lembrança.

– Ele me viu – sussurrou. – Ficou paralisado, e eu também. O choque... eu não consegui me forçar a me mover.

– E Murtagh... – A voz de Jenny saiu branda.

– Eu o mandei voltar – sussurrou Jamie e viu o rosto do padrinho vincado em uma recusa teimosa. – Eu o obriguei a voltar. A levar Fergus e os outros... disse que precisava levá-los em segurança para Lallybroch, porque... porque...

– Porque você não podia – disse ela em voz baixa.

– Porque eu não podia – repetiu ele e engoliu em seco para se livrar do nó na garganta.

– Mas você disse que Murtagh estava lá – incentivou Jenny após alguns segundos. – No campo de batalha.

– É. É, estava.

Jamie tinha visto um movimento repentino, um tranco na cena congelada à sua frente, e tirara os olhos do rosto de Jack Randall para ver o que era. Foi quando avistou Murtagh correndo...

E mais uma vez o sonho veio e ele estava nele. Com frio. Tanto frio que a voz congelava em sua garganta, enquanto a chuva e o suor faziam o tecido grudar em seu corpo e o vento gelado lhe penetrava os ossos com a mesma facilidade das roupas. Jamie tentou gritar, deter Murtagh antes que ele chegasse aos soldados ingleses. Mas mosquetes e canhões britânicos não conseguiriam deter Murtagh FitzGibbons Fraser, quanto mais a voz de Jamie. Ele não parou. Continuou a correr e saltar por cima dos tufos de mato da charneca, fazendo a água esguichar sob seus pés feito estilhaços de vidro.

– Você contou que o capitão Randall dissera alguma coisa...

– *Me mate.* – Jamie ouviu a própria voz sussurrar as palavras. – Ele me pediu que o matasse.

O desejo de meu coração. As palavras pareciam gotas de chumbo em seu ouvido. O vento passava assobiando por sua cabeça, soltando os cabelos presos e os fazendo bater no rosto. Mas ele tinha escutado isso, sabia que sim, não fora um sonho...

Mas seus olhos estavam em Murtagh. Houve movimento, confusão, alguém veio em sua direção, Jamie viu a lâmina escura de uma baioneta molhada de chuva, sangue ou lama, empurrou-a para o lado e de repente começou uma briga, com dois soldados a puxá-lo, tentando derrubá-lo.

Um som repentino o surpreendeu e ele abriu os olhos, desorientado, e percebeu que tinha sido ele quem produzira o som, que era o som que produzira quando algo havia lhe tirado o apoio da perna esquerda, um grunhido de impacto, impaciência... Precisava se levantar...

– E nessa hora, quando você estava caído no chão, o capitão Randall lhe estendeu a mão...

– E eu estava com minha adaga na mão e... – Ele se interrompeu e baixou os olhos para a irmã com um ar urgente. – Eu o matei? Disse que tinha matado?

Ela o observava com atenção e uma expressão preocupada no rosto. Ele fez um gesto impaciente e ela lançou-lhe um olhar de reprovação. Não, não iria mentir para ele, jamais faria isso...

– Você disse que sim. Disse isso várias vezes...

– Eu disse várias vezes que o tinha matado?

Ela estremeceu de leve, um arrepio involuntário.

– Não. Que estava quente. O sangue... dele. "Quente", você não parava de dizer. "Meu Deus, como estava quente..."

– Quente?

Por alguns instantes isso não fez sentido, mas Jamie então teve um vislumbre: a vaga sensação de algo escuro se inclinando acima dele, o roçar de lã molhada em seu rosto, esforço, tanto esforço para erguer o braço mais uma vez, tremendo, e viu gotas de chuva escorrerem pela lâmina e cobrirem sua mão que tremia, e o esforço de empurrar, empurrar para cima, e o tecido grosso e resistente, áspero, uma dureza momentânea, *empurre, maldição*, então um forte e surpreendente calor que tinha se derramado por sua mão congelada, pelo braço que o vento havia esfriado. Sentira-se desesperadamente grato pelo calor... mas não conseguia se lembrar do golpe em si.

– Murtagh – falou, e a sensação do calor do sangue o abandonou do mesmo modo repentino que havia chegado, com o vento frio em seus ouvidos. – Eu disse o que aconteceu com Murtagh? – Ele deu um suspiro de dor, de exasperação consternada. – Por que você não foi embora quando *falei* para ir, seu patife desgraçado?

– Ele foi – disse Jenny inesperadamente. – Levou os homens até a estrada e os despachou de lá. Eles relataram isso quando chegaram a Lallybroch. Mas depois ele voltou... para buscar você.

– Para me buscar.

Desta vez ele não precisou fechar os olhos para que as lembranças retornassem: tinha sentido nas costas e visto o tranco da faca de Murtagh se cravando com força, mirando o rim do capitão. Randall havia desabado feito uma pedra... Seria isso mesmo? Nesse caso, como estava em pé depois... e então os outros todos se abateram sobre eles.

Ele fora derrubado de cara no chão e alguém tinha pisado em suas costas, chutado sua cabeça, a coronha de uma arma o atingira nas costelas e o deixara sem ar... Havia gritos à sua volta e uma sensação de gelo subindo por seu corpo... Jamie fora gravemente ferido, mas não sabia, claro, e estava lentamente se esvaindo em sangue. Mas na hora só conseguia pensar em Murtagh, que precisava chegar até Murtagh... Tinha rastejado. Lembrava-se de ver a água subir-lhe por entre os dedos quando sua mão pressionou o chão, e da textura dura e espinhenta da urze negra molhada quando a agarrou... Seu kilt estava encharcado e se arrastava pesado entre as pernas, atrapalhando...

– Eu o encontrei – falou e sorveu uma inspiração que lhe sacudiu os pulmões. – Algo tinha acontecido, os soldados haviam desaparecido, não sei quanto tempo levou… Parecia que eu estava vivendo um segundo de cada vez.

Seu padrinho estava caído a poucos metros dele, encolhido feito um bebê adormecido. Só que não estava dormindo… nem morto. Ainda. Jamie o tinha segurado no colo, visto o terrível ferimento côncavo que havia lhe afundado a têmpora e o sangue a esguichar negro de um corte no pescoço. Mas também tinha visto beleza e como o rosto de Murtagh havia se iluminado quando abriu os olhos e viu que Jamie o segurava.

– Ele me falou que morrer não doía – contou Jamie. Sua voz saiu rouca e ele pigarreou. – Tocou meu rosto e me disse para não ter medo.

Isso ele já tinha se lembrado … mas então se recordou também da sensação de súbita e avassaladora paz. Da leveza. Da exultação que lhe voltara de modo tão estranho no sonho. Nada mais importava. Era o fim. Ele havia abaixado a cabeça para beijar Murtagh na boca, encostado a própria testa nos cabelos emaranhados e empapados de sangue, e entregado a alma dele a Deus.

– Só que… – Ele abriu os olhos que não se lembrava de ter fechado e se virou para Jenny com urgência. – Só que ele voltou! Randall. Ele não tinha morrido, ele voltou!

Negra, uma coisa negra em formato humano, ereta diante de um céu agora branco e ofuscante. Os punhos de Jamie se fecharam tão repentinamente que as unhas machucaram as palmas.

– Ele voltou!

Jenny não disse nada nem se mexeu, mas seus olhos fixos no irmão o incentivavam a se lembrar. E ele se lembrou.

Seus membros tinham ficado fracos e ele havia perdido por completo a sensação na perna. Sem ter a intenção de fazê-lo, tinha desabado no chão e soltado o corpo de Murtagh. Estava deitado de costas, sentindo apenas a chuva no rosto. Não ligou para o homem negro, não ligou para nada. Estava dominado pela sensação de paz da morte. A dor e o medo tinham desaparecido, e até mesmo o ódio havia escorrido e ido embora.

Então fechou os olhos outra vez e viu, e imaginou sentir a mão de Murtagh, dura e calosa, ainda segurando a sua quando os dois estavam deitados no chão.

– Eu o matei? – sussurrou, mais para si mesmo do que para Jenny. – Matei… eu sei que matei, mas como…?

O sangue. O sangue quente.

– O sangue… o sangue escorreu pelo meu braço e então eu… não estava mais lá. Mas, assim que acordei, meus olhos estavam colados de sangue seco. Foi isso que me fez pensar que eu tinha morrido… tudo que eu conseguia ver era uma espécie de luz vermelho-escura. Mais tarde, não consegui encontrar nenhum ferimento na cabeça. Era o sangue *dele* que estava me cegando. E ele estava deitado em cima de mim, de minha perna…

Ele abriu os olhos, ainda tentando entender tudo aquilo, e constatou que estava sentado no chão e que a mão calosa que segurava a dele era a da irmã, e que lágrimas escorriam em silêncio por seu rosto enquanto ela o observava.

– Ah – disse ele, ajoelhando-se e abraçando a irmã. – Não chore, *a leannan*. Já passou.

– Você acha que *passou*, é? – retrucou ela, com a voz abafada por sua camisa.

Não, não passou. Ela estava certa. Mas continuou a abraçá-lo com força. E, aos poucos, a manhã retornou.

Os dois passaram um tempinho sentados sem dizer nada. O sol agora já subira até bem acima das copas e, embora o ar continuasse fresco e agradável, não havia em Jamie qualquer resquício de friagem.

– É, bem – disse ele por fim e se levantou. – Você ainda quer rezar?

Pois ela continuava com o terço de pérolas pendurado na mão. Jamie não esperou que ela respondesse. Levou a mão até dentro da camisa e pegou o terço de madeira que usava em volta do pescoço.

– Ah, você trouxe suas contas antigas – disse ela com espanto. – Como não estava com o terço na Escócia, pensei que o tivesse perdido. Queria mandar fazer um novo para você, mas não houve tempo, já que Ian…

Ela ergueu um ombro e o gesto abarcou todos os terríveis meses da prolongada agonia de Ian.

Encabulado, Jamie tocou as contas do terço.

– É, bem… de certa forma, eu tinha perdido. Eu… deixei o terço com William, quando ele era pequenininho e precisei deixá-lo em Helwater. Deixei o terço lá para ele poder guardar algo que… que o fizesse se lembrar de mim.

– Humm. – Ela o encarou com empatia. – É. E imagino que ele tenha devolvido para você na Filadélfia?

– Foi – respondeu Jamie um pouco tenso, e um leve traço de bom humor surgiu no semblante de Jenny.

– Uma coisa eu posso dizer, *a bràthair*… ele não vai esquecer você.

– É, talvez não – disse Jamie, sentindo certo conforto ao pensar nisso. – Bem, então… – Ele deixou as contas escorrerem por entre os dedos e segurou o crucifixo. – Creio em Deus Pai Todo-Poderoso…

Eles rezaram juntos o Credo, em seguida o Pai-Nosso, as três Ave-Marias e a Glória ao Pai.

– Gozosos ou gloriosos? – indagou ele com os dedos na primeira conta das dezenas.

Não queria rezar os Mistérios Dolorosos, aqueles que falavam de sofrimento e crucificação, tampouco pensava que ela quisesse. Um pica-pau chamou dos bordos e ele se perguntou por um instante se era um dos que já tinham visto ou um terceiro. *Três para casamento, quatro para morte…*

– Gozosos – respondeu Jenny na hora. – A Anunciação. – Ela então fez uma pausa e meneou a cabeça para Jamie começar. Ele não precisou pensar.

– Para Murtagh – falou baixinho e seus dedos se fecharam ao redor das contas. – E para Mam e Da. Ave Maria, cheia de graça, o Senhor é convosco. Bendita sois vós entre as mulheres, bendito o fruto de vosso ventre, Jesus. Santa Maria, mãe de Deus, rogai por nós, pecadores, agora e na hora de nossa morte. Amém.

Jenny terminou a oração e eles então rezaram o restante da dezena de seu modo habitual, alternando-se, o ritmo de suas vozes suave como o farfalhar do capim.

Chegaram à segunda dezena, a Visitação, e ele aquiesceu para Jenny: era sua vez.

– Para Ian Òg – disse ela baixinho, encarando as contas do terço. – E Ian Mòr. Ave Maria...

A terceira dezena foi para William. Jenny o encarou quando Jamie a dedicou, mas só meneou a cabeça.

Ele não evitava pensar em William, tampouco se recordava deliberadamente do rapaz. Não havia nada que pudesse fazer para ajudar até que William pedisse, e não faria bem a nenhum dos dois ele ficar se preocupando com o que o filho estava fazendo ou com o que poderia estar acontecendo com ele.

Mas... Jamie tinha dito "William" e, durante um Pai-Nosso, dez Ave-Marias e uma Glória ao Pai, obrigatoriamente ele precisava estar em seus pensamentos.

Oriente-o, pensou ele entre uma e outra palavra da oração. *Faça com que tenha um bom julgamento. Ajude-o a ser um homem bom. Mostre o caminho... e Ave Maria... proteja-o, em nome do próprio Filho...* – Mundo sem fim, amém – disse ele ao chegar à última conta.

– Para todos aqueles que ficaram na Escócia – disse Jenny sem hesitação, então fez uma pausa e ergueu os olhos para ele. – Até Laoghaire?

– Sim, até ela – respondeu ele, sorrindo involuntariamente. – Contanto que inclua também aquele pobre coitado com quem ela se casou.

Para a última dezena, fizeram uma pausa de um instante enquanto se entreolhavam.

– Bem, a última foi para o pessoal da Escócia – disse ele. – Vamos rezar essa agora por quem está em outros lugares... por Michael, pela pequena Joan e por Jared, na França?

O semblante de Jenny se suavizou por um breve instante. Ela não via Michael desde o enterro de Ian, e o pobre rapaz ficara destroçado com a morte repentina da jovem esposa e do filho e, em seguida, com a do pai. A boca de Jenny tremeu por um segundo, mas sua voz saiu límpida e o sol bateu suave no branco de sua touca quando ela abaixou a cabeça.

– Pai nosso que estais no céu...

Um silêncio dominou o ambiente quando terminaram, o silêncio típico de uma floresta, feito de vento e dos ruídos de mato secando e de árvores largando folhas em uma chuva amarela. A sineta da cabra retiniu do outro lado da campina e um passarinho que ele não conhecia piou sozinho no arvoredo de bordos. O cervo tinha ido embora; Jamie o ouvira se afastar em algum momento enquanto rezava por William e desejara ao filho boa sorte nas caçadas.

Jenny inspirou, como se fosse dizer alguma coisa, mas ele levantou a mão; estava pensando em uma coisa e era melhor falar agora.

– Aquilo que disse sobre Lallybroch – começou, um pouco sem jeito. – Não precisa se preocupar. Se você morrer antes de mim, vou cuidar para que chegue em casa em segurança e vá descansar junto com Ian.

Ela aquiesceu com um ar pensativo, mas tinha os lábios um pouco franzidos, como costumava fazer quando estava pensando.

– Sim, eu sabia que você faria isso, Jamie. Mas não precisa ter um trabalho imenso.

– Não?

– Bom, eu não sei onde poderei estar quando chegar a hora. Se for aqui, nesse caso, claro...

– Onde mais você poderia estar? – Ele quis saber, percebendo então que Jenny não poderia ter subido até ali para contar sobre Murtagh. Nesse caso...

– Eu vou com Ian e Rachel encontrar a esposa mohawk dele – disse ela, no mesmo tom casual com que poderia ter dito que estava indo colher nabos.

Antes de Jamie conseguir encontrar uma palavra para dizer, ela suspendeu o terço diante do rosto.

– Vou deixar isto aqui... É para Mandy, só para o caso de eu não voltar. Você sabe muito bem o tipo de coisa que pode acontecer quando se está viajando – acrescentou ela com uma pequena careta de reprovação.

– Viajando – repetiu ele. – *Viajando?* Você pretende... pretende...

Pensar na irmã, já avançada em anos e teimosa feito um jacaré atolado na lama, marchando rumo ao norte entre dois exércitos, no auge do inverno, acossada por bandoleiros, animais selvagens e meia dúzia de outras coisas nas quais ele conseguiria pensar se tivesse tempo...

– Pretendo, sim. – Ela o encarou com uma expressão indicando que não pretendia prolongar muito a conversa. – Aonde Ian for, Rachel diz que também vai, e isso significa que o pequeno vai junto. Você não acha que vou abandonar meu neto caçula à mercê de ursos e indígenas selvagens, acha? É uma pergunta retórica – emendou, com um ar satisfeito por ter conseguido fazê-lo se calar. – Significa que não espero uma resposta.

– Você não saberia distinguir entre uma pergunta retórica e um buraco no chão se eu não tivesse lhe explicado o que era!

– Bem, nesse caso você deveria reconhecer uma quando ela morde seu nariz – retrucou ela, suspendendo o próprio nariz comprido.

– Eu vou tentar falar com Rachel – disse ele, olhando-a de esguelha. – Com certeza ela não é louca a ponto de...

– Você acha que não falei? Nem o Jovem Ian? – Jenny balançou a cabeça, admirada.

– Seria mais fácil mover aquela pequena montanha até aqui do que fazer essa menina quacre mudar de ideia depois de ter tomado uma decisão.

Ela meneou a cabeça em direção ao vulto de Roan Mountain, que se erguia verde--escuro ao longe.

– Mas o menino...!

– Sim, sim... – disse ela com uma leve irritação. – Você acha que não falei sobre isso? E ela até que titubeou. Mas logo depois me perguntou, sensata como um sermão de domingo, se *eu* deixaria meu marido percorrer sozinho mil quilômetros para resgatar a primeira esposa, e com ela três pobres crianças... uma das quais tem chance de ser de Ian? E foi a primeira vez que ouvi falar nisso também – emendou ela ao ver sua expressão. – Entendo o ponto de vista dela.

– Deus do céu!

– Pois é. – Jenny se esticou, gemendo de leve, e sacudiu as saias, que a essa altura estavam cheias de brotos de capim.

Jamie podia senti-los pinicando sua pele através das meias, dezenas de minúsculas agulhas. Pensar em Jenny partindo era como uma adaga a lhe transpassar o coração. O simples ato de respirar doía.

Sabia que a irmã podia ver isso: ela não o encarou, mas enrolou bem direitinho o terço de pérolas, pegou sua mão e o depositou na palma.

– Guarde isto para mim – falou, pragmática. – Se eu não voltar, dê para Mandy quando ela tiver idade suficiente.

– Jenny... – disse ele baixinho.

– Quando você repensa sua vida inteira, vê que o mais importante são as crianças – disse ela depressa, curvando-se para pegar a corda da cabra. – São elas que carregam seu sangue, e tudo mais que lhes tiver passado, em direção ao futuro.

Sua voz estava firme, mas ela limpou a garganta com um leve pigarro antes de prosseguir.

– Mandy é a que está mais na frente, não é? – disse. – Até onde consigo alcançar. A mais nova das mulheres com o sangue de Mam. Que ela fique com o terço, então.

Jamie engoliu em seco.

– Vou dar para ela – disse e fechou a mão por cima das contas aquecidas pelo toque de sua irmã, e aquecidas também por suas preces. – Eu juro, irmã.

– Eu sei, seu idiota – disse ela, erguendo o rosto em um sorriso. – Venha me ajudar a pegar essas cabras.

PARTE IV

Uma viagem de mil quilômetros

59

PEDIDOS ESPECIAIS

Jamie entregou uma bolsinha pesada a Ian.

– Já tenho o necessário, tio – disse, tentando devolvê-la. – Temos cavalos e dinheiro suficiente para comer, eu acho.

– *Você* se contentaria em dormir na mata no caminho. Rachel é jovem e forte e, por amor, sem dúvida também faria isso. Mas, se acha que pode fazer sua mãe viajar mil quilômetros dormindo na beira da estrada e comendo o que você conseguir caçar pelo caminho… é melhor pensar bem, entendeu?

– Humm… – Ian reconheceu a sensatez dessas palavras, mas sopesou a bolsinha a contragosto na palma da mão.

– Além do mais – acrescentou Jamie, olhando por cima do ombro –, eu queria pedir um favor.

– Claro, tio Jamie. – Claire estava no quintal ajudando a lavar a roupa. Ele viu os olhos do tio se voltarem para ela com uma expressão que foi um misto de afeto e cautela, e que atiçou seu interesse. – Que favor?

– Rachel me contou que vocês pretendem parar na Filadélfia por alguns dias, para que ela possa visitar alguns de seus amigos quacres e ir a uma reunião de verdade.

– Sim.

– Bem, a uns 8 quilômetros do centro da cidade, na estrada principal, tem uma ruela… chama-se Mulberry. Fiz um mapa, mas você também pode perguntar. No fim dessa ruela tem uma casinha caindo aos pedaços. Ela pertence a uma mulher chamada Silvia Hardman.

– Mulher?

Ian também olhou na direção de Claire. Ela estava rindo de algo que Jem lhe dissera, o rosto corado pelo calor do fogo e os cabelos revoltos a escapulir do lenço amarrado na cabeça.

– Sim – respondeu o tio, lacônico, virando-se de modo a ficar de costas para as lavadeiras. – Uma senhora quacre, viúva, mãe de três meninas pequenas. Ela me fez um enorme favor antes de Monmouth. Como você vai passar por lá, gostaria que visse qual é sua situação. *Independentemente* de qual seja, faça com que aceite isto aqui.

Ele levou a mão ao *sporran* e pegou outra bolsinha, menor.

Ian aceitou sem questionar e a guardou dentro da bolsa. Jamie tinha o cenho ligeiramente franzido e um ar hesitante.

– Mais alguma coisa, tio?

– Se… quero dizer, não sei se…

– Seja lá o que for, *a bràthair-mhàthair*, o senhor sabe que farei, não sabe?

Ele sorriu para Jamie, que relaxou e retribuiu o sorriso.

– Sei, Ian, e fico grato. O fato é que... a amiga Silvia é uma mulher direita, mas o marido dela foi morto, talvez pelo Exército Britânico, por legalistas ou pelos indígenas. Ele a deixou em má situação, ela não tem parentes e... não existem tantos jeitos assim de uma mulher sozinha sustentar três meninas pequenas.

– Uma prostituta? – Ian havia baixado a voz, sempre de olho no vapor que subia do panelão de lavar roupa.

O pequeno Orrie Higgins mantinha Oggy afastado do fogo e, ao que parecia, ensinava-lhe a bater palmas no ritmo de uma canção de ninar, embora o bebê não conseguisse fazer nada além de acenar com os braços gorduchos e soltar gritinhos.

– Não! – respondeu Jamie. – Quero dizer... ela às vezes...

– Eu entendo. – Ian se apressou em dizer, preocupado com a natureza do favor que a sra. Hardman pudesse ter feito a seu tio.

– Não *comigo*, pelo amor de Deus!

– Não pensei que tivesse sido, tio!

– Pensou, sim – retrucou Jamie com secura. – Além de esfregar unguento de raiz-forte em meu traseiro e pôr um emplastro em minhas costas, ela nunca encostou a mão em mim... nem eu nela, está certo?

Ian sorriu para o tio e levantou as mãos, indicando uma aceitação total daquela história.

– Humm... Então, como estava dizendo, quero que verifique em que situação ela está. Pode ser que tenha encontrado um homem para desposá-la. Nesse caso, tome muito cuidado quando lhe der o dinheiro. Mesmo se for um homem bom, ele pode fazer suposições que não são verdadeiras... – Ele encarou Ian com um olhar duro. – Mas, se ela estiver recebendo homens em casa, descubra e se certifique de que nenhum deles a esteja ameaçando ou represente algum perigo para ela ou para as filhas.

– E se estiver...?

– Resolva o assunto.

Encontrei Ian na despensa fria, cheirando queijos.

– Leve este aqui – sugeri, apontando para uma forma envolta em um pano no canto da prateleira de cima. – Como tem pelo menos seis meses, vai estar duro o suficiente para aguentar a viagem. Ah, mas talvez vocês queiram alguns dos queijos mais moles para Oggy, não?

Havia pelo menos uma dúzia de tinas de latão contendo queijo de cabra fresco: algumas temperadas com alho e cebolinha, um experimento ousado e duvidoso com tomates secos picados, mas quatro sem sabor, para serem usadas na alimentação de pessoas com problemas digestivos ou para misturar com remédios que eu não conseguia fazer ninguém engolir de outra forma.

– Rachel acha que os dentes dele talvez já estejam saindo – garantiu Ian. – Quando chegarmos a Nova York, nosso pequeno já vai estar arrancando carne crua do osso.

Eu ri, mas senti uma pontada de dor ao me dar conta de que ele tinha razão: quando víssemos Oggy de novo, ele provavelmente estaria andando, talvez falando, e pronto para comer qualquer coisa que quisesse.

– Quem sabe até lá ele até já tenha um nome de verdade – falei, e Ian sorriu e balançou a cabeça.

– Nunca se sabe quando o nome certo de uma pessoa vai surgir... mas ele sempre surge.

Por reflexo, ele baixou os olhos para o lado onde Rollo costumava ficar.

– Irmão do Lobo? – perguntei.

Esse era o nome que os mohawks tinham dado a Ian quando ele se tornou um deles. Eu sabia – Rachel e Jenny sabiam melhor do que eu, na verdade – que ele *nunca havia deixado* de ser mohawk, embora tivesse voltado a viver conosco. Tampouco deixara de baixar os olhos para o lado à procura de Rollo.

– É – disse ele com certa má vontade, mas então me abriu outro meio sorriso e o rapaz escocês surgiu por baixo das tatuagens. – Quem sabe outro lobo um dia me encontre.

– Tomara que sim – falei, e estava sendo sincera. – Ian... eu queria pedir um favor.

Ele ergueu a sobrancelha.

– Pode falar, titia.

– Bem... Jamie disse que estão com planos de parar na Filadélfia. Estava pensando se...

Senti o rosto corar, o que me irritou um bocado. A outra sobrancelha dele se ergueu.

– Seja o que for, tia, eu farei – disse ele, dando um sorrisinho torto. – Prometo.

– Bem... eu... quero que você vá a um bordel.

As sobrancelhas baixaram e ele me encarou com intensidade, obviamente pensando não ter escutado direito.

– Um bordel – repeti, um pouco mais alto. – Na Elfreth's Alley.

Ele permaneceu imóvel por alguns instantes, então se virou, pôs o queijo de volta na prateleira e baixou os olhos para a água escura do córrego que corria veloz sob nossos pés.

– Talvez leve um tempinho para a senhora me explicar isso, não é? Vamos sair para o sol.

60

SÓ UM PASSO

15 de setembro de 1779

Só um passo. Bastou isso, sempre basta. Às vezes você sente um passo assim chegar de longe. Outras vezes, só repara quando olha para trás.

Ali estava ele. A porta de seu chalé – seu lar, lar de seu casamento, dos primeiros meses de seu filho, de sua vida mais real – estava aberta para a manhã e as folhas redondas e douradas dos álamos sobre a madeira da entrada cintilavam com orvalho conforme a aurora despontava.

Um passo pela soleira da porta que separava seu pequeno tapete trançado, com seus tons tranquilos e pacatos de azul e cinza, daquele arroubo pagão de dourados, verdes e vermelhos do lado de fora, e sua vida ali chegava ao fim. Podia ser que voltassem. Ian tinha prometido que voltariam e ela confiava que o marido faria todo o possível para que assim fosse. No entanto, mesmo que voltassem, seria outra vida.

Oggy... ele talvez estivesse andando, falando, talvez até já tivesse outro nome. Não se recordaria daquele começo de vida, a proximidade de acordar junto ao corpo dela na cama, de se virar na mesma hora para seu seio e abrir mão com tamanha facilidade de sua existência individual, fundindo-se nela como quando ela o carregara dentro de si. Em algum lugar da estrada, entre o agora e o depois, talvez desmamasse. Quando voltassem, ele seria outra pessoa. Ela também.

Jenny se aproximou, com o rosto animado e um embrulho contendo comida e bebida, lenços, cueiros e meias limpas debaixo do braço. Olhou para o rosto de Rachel, em seguida para o interior do chalé, como se estivesse fazendo um inventário. Havia bem pouca coisa para listar: o tapete, a cama e a caminha de armar na qual Jenny dormia, o berço de Oggy. Eles já tinham doado todo o resto; o que necessitassem seria devolvido ou construído outra vez caso voltassem.

– Bem, rapazinho – disse Jenny para Oggy. – Esta vai ser sua primeira viagem para longe de casa, não? É minha terceira. É só prestar sempre atenção em mim. Vou mostrar o caminho.

Na mesma hora, Oggy se inclinou do colo de Rachel e estendeu os braços para a avó, que riu e o pegou.

– Está pronta, *m'annsachd*? – perguntou ela a Rachel. – O sentido da viagem ficou claro? Então vamos partir e ver o que nos aguarda.

O primeiro passo os levou do chalé até a Casa Grande para se despedirem. Três semanas antes, tinham se despedido de Brianna e Roger e os visto partir com a carroça lotada de crianças e chucrute de contrabando, experiência que deixara Rachel com o coração apertado. Agora ela sentiu um alívio que nem soube expressar ao ver Jamie e saber que ele pretendia acompanhar os viajantes no trajeto de três dias até Salisbury, na região conhecida como Piedmont, onde pegariam a Grande Estrada de Carroças que os levaria rumo ao norte.

– Preciso me encontrar com alguns homens lá – contara Jamie, com uma reserva casual que ela sabia ser destinada a proteger seus sentimentos.

Rachel sabia que os negócios de Jamie diziam respeito à guerra e Jamie sabia quanto isso a afligia. Ela também sabia quanto isso *o* afligia, mas não iria forçá-lo a contar as coisas que estava pensando, quanto mais as coisas que sabia.

Sentira-se inclinada a abordar o tema da guerra de modo geral, em uma reunião. E nessa ocasião havia falado sobre o irmão Denzell. Amigo desde o nascimento, assim como ela. Um homem religioso, mas também médico e homem de consciência.

– Nem sempre é confortável conviver com homens assim – dissera, meio no tom de quem se desculpa. Algumas mulheres compreenderam o que ela dissera e sorriram em solidariedade. – Mas não queria que ele fosse diferente, sabem? E ele achava que Deus o chamou para o campo de batalha… não para combater com um mosquete ou uma espada, mas para combater a própria Morte em nome da Liberdade. – Ela então havia inspirado fundo antes de acrescentar: – Fiquei sabendo que meu irmão foi capturado e está em uma prisão britânica. Pediria a todos vocês que rezem por ele, por favor.

Todos assentiram, solenes. E Jamie Fraser tinha feito o sinal da cruz, o que a deixara comovida.

Jamie quase sempre ia às reuniões, mas raramente falava. Entrava sem fazer barulho e se sentava em um dos bancos de trás, onde ficava de cabeça baixa escutando. Escutando o silêncio e sua luz interior, como qualquer amigo faria. Quando as pessoas se sentiam movidas pelo espírito a falar, ele as escutava com toda a cortesia. No entanto, ao observá-lo nesses momentos, sua mente parecia estar em uma busca silenciosa e persistente.

– Acho que o Jovem Ian não contou muita coisa para você sobre os católicos – dissera certa vez, ao se demorar após o culto para lhe dar um tosão que trouxera de Salem.

– Só quando pergunto – respondera ela com um sorriso. – E você sabe que ele não é um teólogo. Acho que Roger Mac sabe mais sobre a crença e a prática dos católicos. Quer me dizer algo sobre os católicos? Sei que deve ser sentir em inferioridade numérica todo primeiro dia.

Isso o fizera sorrir e o coração dela tinha se alegrado com esse sorriso. Jamie andava atormentado nos últimos tempos, o que não era de espantar.

– Não, menina, Deus e eu nos damos muito bem. Só que, quando venho às suas reuniões, às vezes me lembro de uma coisa que os católicos fazem. Não é uma coisa formal…

mas a pessoa vai à igreja e passa uma hora sentada diante dos Sacramentos. Eu fazia isso de vez em quando em Paris quando era jovem. Nós chamamos de Adoração.

– O que fazem durante esse tempo? – perguntara ela, curiosa.

– Nada de especial. Rezamos, sobretudo. Oramos o terço. Ou então ficamos sentados em silêncio. Podemos ler, seja a Bíblia ou os escritos de algum santo. Já vi pessoas cantarem. Lembro-me de certa vez ter ido à capela de São José nas primeiras horas da madrugada, bem antes de o dia raiar... quase todas as velas já tinham se consumido... e de ter escutado alguém tocando violão e cantando. Bem baixinho e para si mesmo, sabe? Só... cantando diante de Deus.

Essa lembrança fez algo estranho se mover nos olhos de Jamie, mas ele então voltou a sorrir, um sorriso triste.

– Talvez essa seja a última música que eu me lembro de ter realmente ouvido.

– Como assim?

Ele passou a mão na nuca.

– Levei uma machadada na cabeça muitos anos atrás. Sobrevivi, mas nunca mais ouvi música. Flautas, rabecas, vozes cantando... sei que é música, mas para mim não passa de barulho. Mas aquela canção... não me lembro dela em si, mas sei como me senti ao escutá-la.

Ela nunca tinha visto em seu rosto uma expressão igual àquela de quando recordou a canção, mas naquele instante, ao observar suas costas retas enquanto seguia montado, de repente sentiu o mesmo que ele havia sentido naquela madrugada distante e compreendeu por que Jamie encontrava paz em lugares silenciosos.

61

QUANDO DUAS PESSOAS SE ENCONTRAM

– Eu sou mais velha do que este lugar – comentou Jenny, olhando em volta com olhar crítico enquanto a carroça parava em frente a uma taberna. – Esta cidade parece ter sido construída às pressas.

– Ela existe há 25 anos – disse Jamie, amarrando as rédeas do cavalo em volta do poste. – Mais velha do que Rachel, não é? – Ele sorriu para a sobrinha, mas a irmã fez um muxoxo e rastejou de costas para sair de seu ninho dentro da carroça.

– Não é nada para uma cidade – disse ela com desdém.

– E ainda por cima está cheia de legalistas – acrescentou o Jovem Ian, segurando a mãe pelas axilas e a pondo no chão. – Pelo menos foi o que ouvi dizer.

– Também ouvi isso – disse Jamie e espiou a rua principal como se legalistas pudessem surgir correndo das tabernas feito camundongos. – Mas ouvi dizer que eles não têm armas nem uma milícia de verdade.

Apesar da relativa juventude, Salisbury era a maior cidade de Rowan. Era também a capital desse condado, a cidade mais próxima entre a Cordilheira dos Frasers e a Grande Estrada de Carroças… e o domínio militar de Francis Locke, um patriota. Este, sim, tinha armas *e* uma milícia. Então Jamie acomodou temporariamente Jenny, Rachel e Oggy em uma taberna de aspecto decente diante de um bule de café forte e de um prato de brioches recheados, incumbiu Ian de comprar provisões para a viagem rumo ao norte e partiu em busca do coronel Locke.

Ao encontrá-lo, Jamie se sentiu disposto a gostar de Francis Locke. Irlandês troncudo, de rosto vermelho e idade próxima da dele, o homem tinha modos diretos, era proprietário de terras, negociante… e comandante do Regimento de Milícia do condado de Rowan.

– Temos 167 companhias de milícia em nosso regimento – disse Locke com certa sombria satisfação. – *Por enquanto.* Vindas de todo o condado… mas nenhuma ainda das montanhas distantes do interior. Ficaria feliz em recebê-lo com sua companhia, sr. Fraser.

Jamie meneou a cabeça, cordial, mas evitou se comprometer.

– Ainda não estou com minha companhia plenamente equipada… embora espere fazer isso antes de a neve começar a cair e estar pronto quando chegar a primavera.

O Exército Britânico certamente estaria.

Locke respondeu com um gesto igualmente cordial e uma expressão reservada. Sabia perfeitamente bem que Jamie só admitiria seu verdadeiro estágio de preparação quando houvesse tomado uma decisão em relação a Locke *e* a seu regimento.

– Quantos homens o senhor tem?

– Até agora, 47 – respondeu Jamie, neutro. – Acho que vamos ter mais depois que terminar a colheita.

Estavam sentados na Taberna da Cidade, diante de uma jarra de cerveja e uma travessa de pequenos peixes fritos. Era bom saborear aquilo depois de três dias comendo biscoitos de viagem e ovos cozidos, mas os peixes tinham uma quantidade inconveniente de espinhas.

– Se me permite a pergunta… o senhor por acaso conhece um homem chamado Partland? Ou Adam Granger?

As pesadas sobrancelhas cinzentas de Locke se arquearam.

– Nicodemus Partland? Sim, já ouvi falar nele. Da Virgínia. Um legalista instigador. Encrenqueiro – acrescentou ele, casual.

– Isso ele é, mas talvez seja um pouco mais do que um instigador.

Jamie fez para Locke um breve relato de quando Partland aparecera em suas terras, da ligação dele com o capitão Cunningham e, finalmente, dos fuzis que Claire e o Jovem Ian haviam confiscado. Não embelezou o encontro, mas sabia contar uma história. No fim, Locke estava rindo.

– O senhor consegue as montarias de seus homens da mesma forma, sr. Fraser?

– Não, senhor. Eu fabrico bebida de qualidade e troco por cavalos.

Locke piscou enquanto tirava suas conclusões. Jamie tinha explicado onde ficava a Cordilheira dos Frasers.

– Indígenas?

Jamie inclinou a cabeça.

– Alguns anos atrás, fui agente indígena da Coroa no Departamento Sul... sob o comando do sr. Atkins, depois do coronel Johnson. Ainda tenho amigos entre os cherokees.

O rosto castigado pelo tempo de Locke tornou a assumir uma expressão bem-humorada.

– Suponho que não considere o coronel Johnson um amigo no presente momento.

– Uma amizade requer duas partes com opiniões parecidas, não é mesmo?

Quando Jamie renunciara à sua patente, Johnson tinha ameaçado enforcá-lo como traidor... e não fora uma bravata. Jamie escolheu outro peixinho e o mordeu com cuidado, retirando com a língua as pequenas espinhas e as colocando bem alinhadas sobre a folha de jornal engordurada e suja de restos de comida que forrava a mesa. Claire não estava por perto para resolver a situação caso engasgasse.

O jornal era o *The Impartial Intelligencer*, e o fez pensar em Fergus e Marsali. Jamie fez um movimento instintivo para se benzer ao pensar neles e em Germain, mas conteve o gesto. Locke poderia muito bem ser protestante. Não havia por que se indispor com alguém de quem poderia precisar como aliado.

Ele descartou a cabeça de olhos vidrados e a espinha do primeiro peixe e escolheu outro. Será que deveria fazer um dos sinais maçônicos para Locke? Considerando de onde ele vinha e sua situação, era provável que fosse Iniciado. Enquanto o observava deglutir metodicamente seu sexto peixe, decidiu que era melhor não. Ele parecia um homem bastante sólido, mas Jamie queria conversar com alguns dos coronéis de milícia alistados no Regimento do condado de Rowan antes de decidir se e como forjar uma aliança. Também era preciso levar em conta os homens do outro lado das montanhas: eram menos oficiais, bem armados e organizados, mas estavam muitíssimo mais perto da Cordilheira dos Frasers do que Locke. Se ele precisasse de ajuda rápida, poderiam se mover depressa.

Afastou esse pensamento. Faria o que pudesse e, quanto ao resto, rezaria.

Locke se recostou e ficou pensando enquanto mastigava vagarosamente seu último peixe.

– Bem, coronel, acho que poderemos vir a ser bons amigos com o tempo. Considerando nossas afinidades, como o senhor poderia dizer.

Antes de Jamie concordar com esse sentimento, a porta se abriu e o Jovem Ian entrou acompanhado por uma corrente de ar gelada que levantou os jornais das mesas. Era melhor os Murrays seguirem viagem logo, pensou, antes de o tempo ficar úmido.

Apresentou o sobrinho a Francis Locke, que olhou para as tatuagens de Ian e, em seguida, para Jamie com uma sobrancelha erguida de interesse.

– Encontrei hospedagem com uma viúva chamada Hambly, tio – disse Ian, ignorando o olhar de Locke. – Segundo ela, o jantar vai estar pronto daqui a uma hora, se o senhor quiser se sentar à sua mesa.

Locke produziu um *ham* de alerta no fundo da garganta.

– A viúva é uma mulher boa e sua casa é limpa, mas ela não cozinha nada bem, que Deus a abençoe. Talvez seja melhor o senhor levar sua família para jantar lá em casa. Minhas terras ficam fora de Salisbury, mas tenho uma pequena casa aqui na cidade para fins práticos e minha mulher é uma notória fofoqueira – explicou ele ao ver as sobrancelhas de Jamie se arquearem. – O que ela mais gosta na vida é de conhecer pessoas novas e revirá-las do avesso.

Jamie e Ian trocaram um olhar. "*Aposto cinco contra um na minha mãe*", dizia a expressão de Ian, e Jamie concordou com um meneio de cabeça.

– Aceitamos seu convite com grande prazer – disse ele a Locke, formal, e se levantou. – Vamos preparar as mulheres e estaremos em sua casa às seis, está bem assim?

A sra. Locke era uma mulher minúscula e delicada, de olhos brilhantes, que fazia perguntas diretas com a mesma regularidade de um relógio cuco, mas era *de fato* uma boa cozinheira. Jenny a manteve entretida com uma conversa sobre fabricação de queijos e as virtudes do leite de vaca em comparação com os de cabra ou de ovelha, enquanto Rachel amamentava o filho e Jamie e Ian faziam perguntas sobre o regimento, todas prontamente respondidas por Locke.

Estamos longe demais da Cordilheira, disse o olhar enviesado de Ian e Jamie baixou os olhos para concordar.

Locke parecia bem organizado. Mesmo com a excisão recente do condado de Burke, o de Rowan ainda abrangia um vasto território. Uma coisa era uma grande batalha, com a milícia servindo de apoio a tropas regulares como em Monmouth: haveria tempo para convocar diversas das 167 companhias de Locke. Mas alguém despachar um cavaleiro até Salisbury para pedir socorro a Locke e ele dali chamar ajuda nas regiões vizinhas para fazer frente a uma ameaça inesperada e iminente à Cordilheira, a mais de 150 quilômetros de distância? Não.

Ian e Jamie tinham chegado à conclusão de que o melhor seria a Cordilheira se defender sozinha. Ian acabara de erguer uma sobrancelha para perguntar a Jamie se ele pretendia dizer isso a Locke quando um barulho de passos subindo os degraus da frente e batidas rápidas à porta interromperam a sra. Locke no meio de uma pergunta.

O visitante era um rapaz de seus 15 anos, com uma barba falhada incipiente a se espalhar pelo maxilar como um fungo.

– Perdão, senhor – disse ele, curvando-se diante de Locke. – O agente Jones me mandou avisar que encontrou um corpo e se o senhor poderia ir cuidar dele quanto antes.

– Cuidar dele? – repetiu Rachel com surpresa, erguendo os olhos.

– Sim, minha senhora – disse Locke, levantando-se da mesa. – Infelizmente eu sou o legista da cidade. Onde está esse corpo, Josh?

– No estábulo de Chris Humphrey, senhor. Mas foi encontrado atrás da Taberna do Carvalho. A sra. Ford não deixou que o levassem para dentro.

– Ah. – Locke lançou um olhar rápido para o mensageiro, que cruzou os braços e baixou a cabeça. – Vou até o estábulo dar uma olhada. Pode me aguardar, sr. Fraser? Provavelmente não vou demorar muito.

– Vou acompanhá-lo, se me permite.

Jamie se levantou e fez um pequeno gesto para indicar que Ian deveria aproveitar a oportunidade e se despedir. Não estava curioso para ver o morto. Sua principal intenção era ter um pretexto para encerrar o jantar. Rachel estava caída de cansaço à mesa, com Oggy dormindo em seu colo, e sua irmã havia passado o último quarto de hora irradiando ondas de impaciência em sua direção.

62

O ROSTO DE UM DESCONHECIDO

O estábulo era um barracão respeitável de quatro baias. Embora ainda fedesse a cavalo, naquele momento estava vazio exceto por um par de cavaletes com uma fina chapa de latão usada como telha estendida entre eles. O corpo fora disposto ali, com o rosto coberto por um lenço para manter o decoro, embora estivesse frio demais para moscas.

Jamie se benzeu discretamente e fez uma breve e silenciosa prece pela alma do desconhecido.

– Algum sinal de ele ter sido roubado, sr. Jones?

Locke sacou um lenço e um pequeno frasco. Sacudiu-o para pingar várias gotas no pano, que pressionou contra o nariz em um gesto experiente. Óleo de gualtéria: o cheiro forte provocou cócegas nos pelos das narinas de Jamie, e ainda bem. O desconhecido começava a feder.

– Bem, sim – respondeu o agente de polícia com um quê de impaciência. – Se bolsos vazios e um crânio rachado forem sinais suficientes para o senhor.

Com dois dedos, Locke removeu o lenço úmido do rosto do morto e o colocou de lado. Jamie sentiu sua barriga se contrair.

O homem tinha um ferimento enorme e chocante na lateral da cabeça, mas não foi isso que fez o suor brotar no corpo de Jamie.

– Conhece esse homem, sr. Fraser? – Locke tinha reparado em sua reação.

– Não, senhor – respondeu ele.

Jamie sentiu os lábios duros, como se alguém tivesse lhe dado um soco na boca. O homem era um desconhecido para ele, mas sua aparência, não. Não muito alto mas grande, um homem de ossatura pesada que acabara engordando, o ventre inchado com uma enorme protuberância rotunda sob a calça parcialmente abotoada que se afunilava até os pés demasiado pequenos, agora chatos e espalmados devido ao peso que foram obrigados a suportar e que havia arrebentado as costuras dos sapatos gastos.

Já tinha visto aqueles pés e aqueles sapatos antes, assim como o rosto largo, o maxilar barbado agora flácido e os olhos semicerrados, baços e pegajosos sob as pálpebras. Já os tinha visto cobertos de terra enquanto enchia o túmulo, manejando a pá depressa para não vomitar outra vez.

Com sua autoridade de legista, Locke disse ao agente de polícia que interrogasse os clientes da taberna e trouxesse qualquer testemunha em potencial para, com sorte, identificar o corpo.

Jones transferiu o peso do corpo para a outra perna; estava impaciente.

– Quem quer que o tenha roubado já foi embora há muito tempo. Pelo cheiro, acho que ele devia estar naquele beco há uns dois, três dias no mínimo.

– Me conte tudo de manhã, sr. Jones – disse Locke e, com um movimento dos ombros, fechou um pouco mais o casaco.

Estava gelado dentro do estábulo e sua voz saiu em uma névoa branca. Jamie sentiu o frio nos ossos doloridos da mão direita aleijada e cerrou o punho, que enfiou dentro do bolso do sobretudo.

– Vocês costumam ter muitas ocorrências assim? – perguntou a Locke enquanto os dois voltavam pelas ruas escuras.

– Mais do que eu gostaria – respondeu Locke, sombrio. – E mais do que antigamente.

– A guerra faz aflorar o pior das pessoas. – Jamie não falou com intenção de fazer piada e Locke não interpretou o comentário como tal, apenas aquiesceu.

Jamie recusou a oferta de um último trago, despediu-se de Locke na porta da casa dele e pediu que agradecesse à esposa pelo belo jantar. A casa da viúva Hambly ficava a duas ruas de distância; ele passaria de novo pelo estábulo no caminho até lá.

Uma luz tremeluzia dentro do estábulo. Ela vazava pelas frestas entre as tábuas, traçando um contorno fantasmagórico na noite. Jamie parou ao notar isso, mas a curiosidade e a apreensão combinadas o fizeram andar de mansinho até a porta.

A porta estava entreaberta e lá dentro ele viu uma figura fantástica: uma sombra alongada que se moveu de modo incisivo quando seus passos fizeram estalar o cascalho do chão.

– Tio Jamie? – Era Ian, segurando um lampião, e o coração de Jamie desacelerou.

– Sim. – Ele entrou no estábulo. – Rachel e sua mãe estão acomodadas, então?

– Bem, elas chegaram à casa da viúva Hambly. Mas, como a sra. Locke gentilmente as acompanhou levando um embrulho de comida para amanhã e ficou para contar à viúva tudo que foi dito durante o jantar, duvido que consigam ir para a cama antes da meia-noite. – Para ilustrar o que dizia, ele girou um dos dedos dentro do ouvido.

– É por isso que está aqui? – perguntou Jamie. – Considera este cavalheiro uma companhia melhor?

Ian estendeu a mão espalmada e a balançou no ar, indicando que em matéria de boa companhia a diferença entre a sra. Locke e um cadáver em decomposição era pequena.

– Eu queria ver a cara dele. – Ele arqueou uma sobrancelha fina para Jamie. – E o senhor está aqui porque...?

– Eu queria ver de novo a cara dele. Talvez não tenha dado uma boa olhada nele antes.

Ian assentiu e se afastou de lado enquanto erguia bem o lampião acima do corpo. Os dois o observaram em silêncio. Jamie fechou os olhos e, apesar do cheiro, inspirou profundamente duas ou três vezes. Então tornou a abri-los.

Seria ele? O desconhecido agora parecia diferente da primeira vez. Mais baixo. O pescoço talvez estivesse mais comprido e, apesar da barriga saliente, era magro. O pescoço do outro era vincado, com duas linhas fundas a dividir a banha em anéis. "Panaca gordo", tinha dito sua irmã em referência ao homem que havia estuprado Claire. A pressão em seu peito se aliviou um pouco e ele examinou o rosto com cuidado dessa vez.

Não. Não, não era nem um pouco igual. Uma sensação de alívio preencheu seu peito. A barba daquele rosto não era feita havia algum tempo. Se desconsiderasse isso... não. O nariz e a boca eram de um formato distinto.

– Pensou que poderia conhecê-lo, tio? – Ian o fitava com interesse do outro lado da mesa. – Também tive essa impressão.

– Foi mesmo? – disse Jamie, e a pressão em seu peito voltou. Ele resistiu ao impulso de se virar e olhar para fora. Em vez disso, fez uma pergunta em *gàidhlig*: – Um homem que talvez já tenha visto uma vez, à luz de uma fogueira?

Ian aquiesceu com o olhar firme e respondeu na mesma língua:

– O homem cuja imundície conspurcou sua bela? Sim.

Ouvir isso foi um choque tão grande quanto encontrar Ian ali, o que deve ter transparecido em seu rosto, pois seu sobrinho esboçou um sorriso, em seguida adotou um ar de solidariedade.

– Janet Murray é sua irmã, *bràthair-mhàthair*, mas é minha mãe. – Ele voltou a falar inglês para arrematar: – Não vou dizer que seja incapaz de guardar um segredo, porque é. Mas, se considerar necessário falar algo, então você escuta o que ela tem a dizer. Ela me contou faz algumas semanas, quando avisei que estava indo ao entreposto dos Beardsleys e perguntei se ela queria alguma coisa. Disse para eu ficar de olho caso visse o sujeito.

Isso fez Jamie relaxar um pouco e ele tornou a olhar para o desconhecido.

– Não vamos dizer nada a ela sobre isto aqui.

– Não, não vamos – concordou Ian, e o pensamento o fez estremecer de leve.

– Por curiosidade – disse Jamie, voltando a falar *gàidhlig*. – *Por que* sua mãe contou sobre o *mhic an diabhail*?

– Para o caso de o senhor precisar de minha ajuda na matança, *a bràthair mo mhàthair* – respondeu Ian com um leve sorriso. – Disse que eu não deveria oferecer, mas que deveria acompanhá-lo se o senhor pedisse. Coisa que eu teria feito – acrescentou ele suavemente, com os olhos escuros à luz do lampião. – O que acha? – perguntou então, mudando de assunto ao mesmo tempo que indicava o desconhecido com um meneio de cabeça. – Obviamente não se trata do mesmo homem. Aquele homem morreu?

– Sim, morreu.

Ian assentiu, pragmático.

– Que bom. Este daqui poderia ser um parente?

– Não sei, mas este aqui também morreu, e não posso imaginar que a morte dele... – Jamie meneou a cabeça para o cadáver – ... possa ter tido a ver com a do outro.

Ian assentiu.

– Então acho que ela tampouco tem nada a ver conosco.

Jamie sentiu ar no peito, leve, frio e fresco.

– Não, não tem – concordou. Então um pensamento lhe ocorreu. – Como você sabe qual era a cara do... do outro?

– Do mesmo jeito que o senhor, imagino. Fui ao entreposto dos Beardsleys e perguntei sobre o homem do sinal. Não se preocupe, não dei muita importância ao assunto – emendou ele. – Ninguém iria se lembrar.

Ninguém se *lembraria* porque nunca mais iriam vê-lo. Ele não era o tipo de homem a ter negócios de verdade com alguém. Era o tipo de homem que vivia e morria sozinho. Sozinho, a não ser pelo cachorro.

E, mesmo que alguém pense em visitá-lo, não vai encontrá-lo. Não era incomum homens solitários desaparecerem no interior e seu sumiço passar despercebido. Eles morriam de acidente, sucumbiam a alguma doença mal curada ou apenas iam embora...

Os dois passaram um tempo juntos ali parados, examinando o rosto do desconhecido. Jamie sentiu Ian relaxar, tendo tomado sua decisão. Segundos depois, também balançou a cabeça e deu um passo para trás.

– Não, ninguém iria se lembrar – disse Jamie com uma voz sem emoção e Ian assentiu.

Inclinando-se para a frente, soprou o pavio do lampião, deixando-os no escuro com o cheiro do morto. Ian tocou seu ombro.

– Tenho certeza de que esse homem não é problema nosso – disse ele com firmeza.

– Mas será que devemos dizer uma bênção para ele? É um desconhecido.

Eles ficaram parados um junto do outro e murmuraram a versão curta do hino fúnebre. Os olhos de Jamie estavam agora acostumados à escuridão do estábulo e ele viu as palavras lhes saírem da boca em um filete de fumaça branca tão etéreo quanto a alma que abençoavam.

Finalmente saíram e Jamie fechou silenciosamente a porta do barracão.

Mas o homem continuou em seus pensamentos enquanto desciam a rua. Não o morto que tinham acabado de deixar. O outro.

– Não foi procurar por ele, foi? – perguntou Jamie a Ian enquanto entravam na rua principal. – Digo, depois de ficar sabendo o nome dele.

– Ah, não. Eu sabia que o senhor tinha cuidado dele. – Estavam agora perto da praça e a luz que vinha das tabernas era suficiente para ele poder ver Ian olhar em sua direção com uma sobrancelha erguida. – Tinha negócios a resolver na floresta perto do sopé da Cordilheira e ouvi seu cavalo vindo pela estrada de carroças logo depois do amanhecer, então fui olhar. O senhor estava com seu fuzil e com uma cara bem fechada. Concluí que estava indo caçar, mas com certeza não devia ser um animal, não a cavalo. Não parecia estar precisando de ajuda, tio, mas rezei a prece pelo senhor mesmo assim… a de um guerreiro que parte em combate.

Jamie relaxou um pouco a tensão nos ombros. Ele achou estranhamente reconfortante saber que não tinha partido sozinho naquela viagem, embora não houvesse sabido na ocasião.

– Eu agradeço, Ian. Tenho certeza que ajudou.

A fria opressão do estábulo tinha se dissipado com a chegada de tochas e do barulho da cidade, e por acordo tácito os dois ainda caminharam um pouco mais, dando tempo às mulheres para se acomodarem e porem o bebê na cama.

Apesar de a lua estar muito acima dos telhados das casas de Salisbury, ainda havia homens pela rua e o lugar tinha uma atmosfera de inquietação.

Eles passaram por um grupo, uns vinte homens mais ou menos, rostos invisíveis sob as abas escuras dos chapéus, mas a lua iluminou debilmente em uma nuvem clara a poeira erguida por suas botas, de modo que pareceram estar caminhando por uma névoa que subia até os joelhos. Eram escoceses-irlandeses, nitidamente embriagados e batendo boca entre si. Jamie e Ian passaram sem se fazer notar. Francis Locke tinha dito que havia algumas companhias de milícia na cidade; aqueles homens pareciam ser uma milícia nova: ao mesmo tempo cheios de si e inseguros, e querendo não transparecer isso.

Atravessaram a praça e algumas ruas e encontraram novamente o silêncio entre os pios das corujas nas árvores perto do córrego de Town Creek. Ian o rompeu ao falar em voz baixa, em parte para si mesmo:

– A última vez que andei assim... à noite, quero dizer, simplesmente andar, sem estar caçando... foi pouco depois de Monmouth. Estava no acampamento britânico com Sua Senhoria e ele me pediu para ficar porque eu tinha levado uma flechada no braço... está lembrado? Foi o senhor quem partiu a flecha para mim mais cedo nesse dia.

– Eu tinha me esquecido – admitiu Jamie.

– Bem, foi um longo dia.

– É. Eu me lembro de fragmentos... perdi meu cavalo quando ele caiu de uma ponte dentro de um daqueles pântanos infernais e nunca vou me esquecer do barulho que fez. – Um estremecimento profundo lhe revirou o estômago quando recordou o gosto do próprio vômito. – E então me lembrei do general Washington... Você estava lá, Ian quando ele inverteu a debandada depois de Lee armar uma briga?

– Sim – respondeu Ian e riu um pouco. – Embora não tenha reparado. Tinha meus problemas para resolver com os abenakis. E resolvi, aliás – acrescentou, e uma amargura transpareceu em sua voz. – Seus homens pegaram um, mas eu matei o outro no acampamento britânico nessa mesma noite com o tomahawk.

– Não fiquei sabendo – disse Jamie, surpreso. – Você fez isso *dentro* do acampamento britânico? Nunca me contou. Por que estava lá, aliás? A última vez que o vi foi pouco antes da batalha, e a vez seguinte quando seu primo William estava levando o que pensei ser seu cadáver para Freehold no lombo de uma mula.

E a vez seguinte em que vira William tinha sido em Savannah, quando o filho fora lhe pedir ajuda para salvar Jane Pocock. Eles chegaram tarde demais. Esse fracasso não fora culpa de nenhum dos dois, mas seu coração ainda doía pela pobre menina... e pelo seu pobre rapaz.

– Eu não prestei atenção na maior parte – disse Ian. – Cheguei com lorde John... nós fomos presos juntos... mas depois saí do acampamento com a intenção de encontrar Rachel ou o senhor. Só que estava com muita febre e a noite se acendia e se apagava a meu redor, como se estivesse respirando e caminhando entre as estrelas com meu *da*, e simplesmente conversando com ele, como se...

– Como se ele estivesse lá – concluiu Jamie sorrindo. – Imagino que estivesse. Eu o sinto a meu lado às vezes.

Ele olhou para a direita ao dizer isso, como se Ian Mòr pudesse estar ali agora.

– Estávamos falando sobre o indígena que eu havia acabado de matar... e eu disse que isso tinha me lembrado aquele patife que tentou extorquir o senhor, tio... o que eu matei lá perto da fogueira depois de Saratoga. Mencionei alguma coisa sobre como era diferente matar um homem cara a cara. Achei que já estaria acostumado com esse tipo de coisa àquela altura, mas não estava. E ele disse que era bom que eu não estivesse – disse Ian, pensativo. – Falou que não podia ser bom para minha alma me acostumar com esse tipo de coisa.

– Seu *da* é um homem sábio.

Eles tornaram a entrar na cidade, à vontade um com o outro, conversando vez por outra, mas não sobre nada importante.

– Está com tudo de que precisa, Ian? – perguntou Jamie. – Para a viagem?

– Se não estiver, agora é tarde – respondeu Ian, rindo.

Jamie sorriu, mas as palavras *agora é tarde* demoraram a sair de sua cabeça. Iria se despedir dos viajantes ao raiar do dia, acompanhá-los até a Grande Estrada de Carroças, e então partiriam... só Deus sabia por quanto tempo.

Estavam quase na casa da viúva Hambly quando se deteve e pôs a mão no braço de Ian.

– Eu não ia perguntar... – falou, abrupto. – Porque você precisa ficar livre para fazer o que precisa, seja lá o que for. Mas preciso dizer uma coisa antes de você ir.

Ian não disse nada, mas fez um leve ajuste de postura, mostrando a Jamie que ele tinha toda a sua atenção.

– Quando Brianna nos trouxe os livros... – começou Jamie com todo o cuidado – ... tinha aquele esquisito para as crianças e um romance para mim sobre... bem, sobre coisas criativas, para dizer o mínimo. E um livro de medicina para sua tia.

– Sim, esse eu talvez tenha visto – disse Ian com ar pensativo. – Um azul grande, bem grosso? Dá para matar uma ratazana com aquele.

– É, esse mesmo. Mas a menina trouxe um livro de cabeceira. – Jamie hesitou. Nunca tinha falado com Ian sobre a vida de Claire. – Foi escrito por um historiador chamado Randall.

A cabeça de Ian se virou para ele em um movimento incisivo.

– Randall. O nome desse homem era *Frank* Randall?

– Sim, era. – Jamie teve a sensação de que Ian acabara de lhe dar um soco e balançou a cabeça para clarear os pensamentos. – Como...? Bree *contou* sobre ele? Sobre o...?

– Seu outro pai? Contou. Anos atrás. – Ian fez um breve movimento com a mão no escuro. – Não tem importância.

– Tem, sim. – Ele se deteve alguns instantes. Nunca tinha falado sobre Randall com ninguém exceto Claire. Mas agora precisava falar, então o fez: – Eu sabia sobre ele desde o primeiro dia em que conheci Claire, embora tenha pensado que estivesse morto. Só que... – Ele limpou a garganta com um pigarro e Ian levou a mão à sua bolsa e lhe passou um cantil velho. Por mais escuro que estivesse, ele pôde sentir com o polegar a *fleur-de-lis* grosseira. Era o cantil de soldado de Ian Mòr, que seu amigo havia guardado de sua época de jovens mercenários na França, e a sensação daquele objeto o tranquilizou. – O fato é que ele também sabia sobre mim, *a bhalaich*. – Jamie puxou a rolha do cantil e bebeu: era conhaque misturado com água, mas ajudou. – Claire contou quando... quando voltou. Ela pensou que eu tivesse morrido em Culloden e...

Ian produziu um pequeno ruído que talvez tivesse sido de bom humor.

– É – disse Jamie, seco. – Eu pretendia morrer. Mas nem sempre escolhemos o que nos acontece, não é?

– Verdade. Mas Brianna me disse que o pai dela tinha morrido, então... ele estava, *está*... morto mesmo?

– Bom, eu achava que sim. Mas o desgraçado escreveu um maldito livro, sabe? O que Brianna trouxe... para ter uma lembrança dele. Eu li.

Ian esfregou um polegar no queixo. Jamie pôde ouvir o roçar da barba por fazer e isso fez seu queixo coçar.

– O que ele diz nesse livro?

Jamie suspirou e viu a própria respiração, momentaneamente branca no escuro. A lua havia sumido de vista atrás das nuvens. Não poderiam ficar muito tempo ali fora: Ian precisava dormir antes da viagem e a mão aleijada de Jamie lhe avisava que em breve choveria.

– É sobre os escoceses, sabe? Na América. O que eles... o que nós... fizemos, o que vamos fazer na Revolução. O fato é que... é, bem. Existem muitos homens chamados Jamie Fraser na Escócia, e tenho certeza de que aqui também são vários.

– Ah, o senhor está no livro dele? – Ian se empertigou e Jamie fez um gesto negativo.

– Eu não sei, o problema é esse. *Pode ser* que sim, e também pode muito bem ser que não. Ele menciona meu nome catorze vezes, mas sem dar detalhes suficientes para se afirmar que sou eu. Nunca diz abertamente *Jamie Fraser da Cordilheira dos Frasers*, ou *de Broch Tuarach*, ou qualquer coisa assim.

– Então por que está preocupado, tio?

– Porque ele diz que vai haver uma batalha perto de nós... em um lugar chamado Montanha dos Reis. E Jamie Fraser morre nessa batalha. Vai morrer, digo. *Um* Jamie Fraser. – Dizer isso em voz alta o estabilizou um pouco. Parecia ridículo.

Mas Ian não estava interpretando assim. Agarrou o braço de Jamie, próximo na escuridão.

– Acha que é do senhor que ele está falando?

– Bem, Ian, é esse o problema. Eu não sei dizer. Você entende... – Sentindo os lábios secos, Jamie os lambeu rapidamente. – O homem sabia a meu respeito e não tinha motivo algum para gostar de mim. Claire, Bree e eu... achamos que Randall sabia que a menina voltaria para ficar junto da mãe e de mim. E se ele procurasse na... na história, talvez nos encontrasse.

Ian estalou a língua de consternação, exatamente do jeito que o pai fazia, e Jamie deu um sorriso involuntário.

– E se encontrasse...

– Nenhum homem consegue ser objetivo em relação a Claire – disse Jamie. – Quero dizer... isso simplesmente não acontece.

Ian produziu um chiado de concordância.

– O que não quer dizer que todo mundo a ame... – comentou Jamie.

– Muitos de nós amamos, tio – garantiu o sobrinho. – Mas, sim, entendo o que o senhor quer dizer.

– É. Bem, o que quero dizer é... e sei que vai parecer que perdi a razão, e talvez tenha perdido *mesmo*, mas... eu li o livro dele e, por Deus, acho que o homem está falando comigo.

Ian passou bastante tempo calado. O formato difuso de um noitibó se ergueu do chão próximo a seus pés e partiu noite adentro com um nítido e agudo "zing!".

– E se estiver? – perguntou ele por fim.

Isso lhe metia medo.

– Se estiver... e se o Jamie Fraser que morre na Montanha dos Reis for mesmo eu, eu só... eu...

Ele não podia pedir. E, pelo amor de Deus, não tinha medo de morrer, não em todas as vezes que havia encarado a morte de frente. Era só que...

A mão de Ian apertou a dele com firmeza.

– Estarei lá com o senhor, tio. Quando vai ser? A batalha, quero dizer.

O alívio inundou Jamie e a inspiração que ele sorveu lhe desceu até os pés.

– Daqui a um ano mais ou menos. Em outubro do ano que vem. Pelo menos é o que ele diz.

– Vai dar mais do que tempo de eu fazer o que quer que precise fazer no norte – disse Ian, então apertou sua mão e soltou. – Não se preocupe.

Jamie assentiu, sentindo o coração pleno. Ia se despedir de todos eles pela manhã, mas era agora que diria adeus a Ian Òg.

– Vire-se, Ian – falou baixinho, e Ian o fez, ficando de frente para a casa do outro lado da rua, escura exceto pelo brilho das brasas de um fogo visível na borda das persianas.

Pôs a mão no ombro do sobrinho e recitou a prece para um guerreiro que parte em combate.

63

O TERCEIRO ANDAR

Cordilheira dos Frasers

Era uma casa grande. Roger e Bree tinham viajado e Jamie fora acompanhar Ian, Rachel e Jenny em segurança. A casa agora parecia ainda maior, com apenas duas pessoas e um cachorro.

Sem companhia, Fanny se agarrava a mim feito um pequeno carrapicho. Os passos dela e de Bluebell ecoavam atrás de mim enquanto eu ia do consultório para a cozinha, e de lá para a sala e de volta para o consultório, as três sempre conscientes dos cômodos vagos no andar de cima e do terceiro ainda distante, escuro e vazio bem lá no alto, cujas paredes eram uma floresta espectral de vigas e cujas janelas sem vidraça ainda estavam cobertas por ripas para impedir a chuva e a neve de entrar até meu ausente marido retornar para terminar os serviços que deixara por fazer.

Eu a havia convidado para dormir em meu quarto e tínhamos levado a cama de armar do quarto das crianças para lá. Era reconfortante ouvir a respiração uma da outra durante a noite, algo quente e veloz que quase abafava a lenta e gelada respiração da casa à nossa volta. Era quase imperceptível, mas presente. Sobretudo no crepúsculo, quando as sombras começavam a subir pelas paredes feito uma maré silenciosa, espalhando escuridão pelo quarto.

De vez em quando, eu acordava de manhã cedo e encontrava Fanny em minha cama, encolhida junto a mim para se aquecer e ferrada no sono, com Bluey deitada a nossos pés sobre um ninho de colchas. A cadela erguia os olhos quando eu acordava e batia o rabo peludo de leve na roupa de cama, mas só se mexia quando Fanny o fazia.

– Eles vão voltar – garantia a Fanny todos os dias. – Todos eles. Só precisamos nos manter ocupadas até isso acontecer.

Mas Fanny nunca tinha morado sozinha. Não sabia lidar com a solidão, quanto mais uma solidão preenchida pela ameaça dos próprios pensamentos.

E se? Era a pergunta constante em seus pensamentos. O fato de ser também a nos meus não ajudava.

– A senhora acha que casas são vivas? – perguntou ela do nada certo dia.

– Sim, tenho certeza – respondi, um tanto distraída.

– Tem?

Seus olhos redondos me puxaram de volta para o presente. Estávamos remendando meias em frente ao fogo depois de ter concluído as tarefas da manhã e almoçado. Tínhamos dado comida aos porcos, posto palha seca para os outros animais e ordenhado a vaca e as duas cabras. No dia seguinte, eu teria que bater manteiga, reservar um ou dois baldes para fazer queijo e mandar o leite que sobrasse para Bobby Higgins dar aos filhos mais embaixo no morro.

– Bem… sim – repeti. – Acho que qualquer lugar em que as pessoas morem por muito tempo provavelmente absorve um pouco delas. Certamente as casas afetam quem mora nelas. Por que não deveria funcionar nos dois sentidos?

– Nos dois sentidos? – Ela parecia em dúvida. – Quer dizer que eu deixei uma parte de mim no bordel? E trouxe uma parte do bordel comigo?

– E não foi? – perguntei com delicadeza. Seu rosto perdeu a expressão por alguns segundos, mas então a vida voltou a seus olhos.

– Sim – respondeu ela, mas agora estava desconfiada e não acrescentou mais nada.

– Você sabe quem está cuidando de Bobby e dos meninos esta semana? – perguntei a ela.

As mulheres da vizinhança e suas filhas que moravam a uma distância percorrível a pé vinham se revezando para ir ao chalé dos Higgins de tantos em tantos dias levar comida, preparar o jantar e fazer pequenos trabalhos de costura e de casa, para evitar que eles se rendessem ao desleixo masculino de maneira irrecuperável.

– Abigail Lachlan e a irmã – respondeu Fanny na hora. – Elas sempre vão juntas porque têm ciúme uma da outra.

– Ciúme? Ah, por causa de Bobby?

A menina aquiesceu, semicerrando os olhos para a linha que estava tentando enfiar pelo buraco da agulha. A competição para se tornar a próxima sra. Higgins ainda era discreta, cordial e tácita, mas estava se definindo um pouco melhor. Bobby até ali dera poucos sinais de querer fazer uma escolha ou de parecer reparar nos esforços feitos para atrair sua atenção, embora sempre agradecesse às jovens por sua ajuda.

– Aquilo que a senhora disse sobre casas… – Fanny prendeu a respiração por um segundo, então a soltou com uma pequena exclamação de triunfo quando a linha entrou no buraco da agulha. – Acha que Amy Higgins pode estar no chalé? Assombrando a casa, para afastar outras mulheres?

Isso me deixou um pouco espantada, mas a sugestão foi feita sem qualquer outra emoção além de curiosidade e eu a respondi da mesma forma. Logo depois da morte de Amy, houvera boatos ocasionais sobre ela ter sido vista no desfiladeiro onde fora morta ou então lavando roupa no córrego, ocupação muito comum para fantasmas de escocesas ou irlandesas, o que não era de espantar, uma vez que elas provavelmente passavam a maior parte da vida fazendo isso. Mas os boatos haviam cessado quando o trabalho pesado do outono chegara e as pessoas retornaram às suas preocupações.

– Não sei se a casa em si. Nunca senti nada de Amy das vezes que estive lá desde que ela morreu. Mas, quando alguém morre, os que ficam continuam a sentir a pessoa. Só não sei se daria para chamar isso de assombrar. Talvez seja só lembrança e… saudade.

Fanny aquiesceu, com os olhos pregados no calcanhar da meia que remendava. Eu podia escutar o débil ruído de sua agulha arranhando o ovo de madeira.

– Queria que Jane me assombrasse. – Aquelas palavras não passaram de um sussurro, mas eu as escutei com bastante clareza e senti um aperto no coração.

A lembrança daquele tipo de desejo, a necessidade sentida nos ossos de ter qualquer tipo de contato, um anseio que atormentava a alma, um vazio que nunca podia ser preenchido, aquilo me abalou tanto que não consegui falar.

Jamie *tinha* me assombrado, apesar de todos os meus esforços para esquecer e voltar para a vida que eu tinha. Eu teria encontrado forças para voltar se a presença dele não tivesse permanecido em meu coração, em meus sonhos?

– Você não vai esquecê-la, Fanny – falei e apertei sua mão. – Ela também não vai se esquecer de você.

Tinha começado a ventar: pude ouvir o vento correndo por entre as árvores do lado de fora e a janela de vidro chacoalhou na moldura.

– Melhor fecharmos as persianas – falei, levantando-me para fazê-lo.

Além de ser a maior da casa, a janela do consultório era provida de persianas tanto externas quanto internas, a fim de proteger as preciosas vidraças do mau tempo e de ataques em potencial, além de isolar o recinto do frio.

Porém, quando me debrucei para fora segurando o gancho da persiana, vi uma figura alta avançando apressada em direção à casa com as saias e a capa esvoaçando ao vento.

– Pegarei você, queridinha, e seu cachorro também – murmurei, e arrisquei um olhar na direção da floresta, para o caso de haver ali algum macaco voador.

Uma rajada de ar frio passou por mim e entrou no consultório, sacudindo os vidros e folheando as páginas do *Manual Merck* que eu deixara aberto sobre a bancada. Por sorte, eu havia tomado o cuidado de remover a página de copyright...

– O que a senhora disse? – Fanny tinha me seguido e estava agora no vão da porta do consultório, com Bluebell bocejando atrás dela.

– A sra. Cunningham está chegando – falei, deixando as persianas abertas e fechando a janela. – Vá recebê-la, sim? Leve-a até a sala e diga que já vou. Talvez ela tenha vindo buscar o pó de olmo-vermelho que prometi.

No que dizia respeito a Fanny, a sra. Cunningham provavelmente era *mesmo* a Bruxa Má do Oeste, e seu modo de receber a mulher em nossa casa refletiu esse fato. Para minha surpresa, ouvi a sra. Cunningham declinar a sugestão de se sentar na sala e, segundos depois, ela apareceu na porta do consultório, tão fustigada pelo vento quanto um morcego e tão pálida quanto um pedaço de manteiga fresca.

– Eu preciso de... – Mas ela já foi afundando em direção ao chão enquanto falava e desabou em meus braços antes de conseguir sussurrar "ajuda".

Fanny deu um arquejo, mas segurou a sra. Cunningham pela cintura. Juntas, nós a pusemos em cima da mesa de meu consultório. Ela segurava o xale preto bem apertado em uma das mãos, como se sua vida dependesse daquilo. Segurava com tanta força que os dedos estavam imobilizados de frio e soltar o xale deu um trabalhão.

– Caramba – falei ao ver qual era o problema, mas em tom brando. – Como conseguiu fazer isso? Fanny, traga-me o uísque.

– Eu caí – respondeu a sra. Cunningham com voz rascante, começando a recuperar o fôlego. – Tropecei no cesto de legumes feito uma boba.

Seu ombro direito se encontrava gravemente deslocado: o úmero formava um calombo e o cotovelo pressionava as costelas. A deformidade aparente contribuía em muito para o aspecto de bruxa.

– Não se preocupe – falei, procurando um jeito de soltar seu corpete para poder reduzir a luxação sem rasgar o tecido. – Eu consigo dar um jeito.

– Eu não teria cambaleado morro abaixo 3 quilômetros no meio daquelas drogas de arbustos espinhentos se não achasse que poderia – disparou ela, que começava a reviver graças ao calor do recinto.

Sorri e, pegando a garrafa de Fanny, tirei a rolha e a passei para Elspeth, que a levou aos lábios e deu vários goles lentos e profundos, parando entre um e outro para tossir.

– Seu marido... é um mestre... em seu ofício – disse ela, rouca, ao devolver a garrafa para Fanny.

– Em vários deles – concordei.

Tinha soltado o corpete, mas não conseguia liberar o cordão do espartilho, que acabei cortando com um golpe de meu bisturi.

– Fanny, por favor, segure-a com força pelo peito.

Elspeth Cunningham sabia o que eu estava tentando fazer. Trincando os dentes, relaxou os músculos até onde podia – o que naquelas circunstâncias não foi muito, mas qualquer coisa ajudava. Imaginei que ela devesse ter visto aquilo ser feito em navios; decerto essa era a origem dos termos que usou enquanto eu manobrava o úmero até o ângulo correto. Fanny fez um muxoxo bem-humorado ao escutar "filho de um sodomita inútil penteador de *grama*" enquanto eu girava o braço e a cabeça do úmero tornava a se encaixar no lugar com um estalo.

– Faz tempo que não escuto ninguém falar assim – disse Fanny, com os lábios tremendo para não rir.

– Quem convive com marinheiros adquire tanto suas virtudes quanto seus vícios, mocinha. – Ainda branco, o rosto de Elspeth brilhava como osso polido sob uma camada de suor, mas sua voz saiu firme e sua respiração estava retornando ao normal. – E onde foi que *você* já escutou alguém falar assim?

Fanny olhou para mim, mas eu assenti e ela respondeu apenas:

– Eu morei algum tempo em um bordel, minha senhora.

– Foi mesmo? – A sra. Cunningham liberou o pulso de minha mão e se sentou, um tanto trêmula, mas se firmando na mesa com a mão boa. – Então imagino que prostitutas também devam ter tanto virtudes quanto vícios.

– Virtudes eu não sei – disse Fanny com um ar de dúvida. – A menos que conseguir ordenhar um homem em dois minutos contados no relógio conte.

Engasguei com um golinho de uísque ao ouvir aquilo.

– Mais do que virtude, acho que isso seria classificado como *talento* – disse a sra. Cunningham para Fanny. – Um talento valioso, ouso dizer.

– Bem, todos temos nossos pontos fortes – falei, querendo pôr fim à conversa antes de Fanny dizer qualquer outra coisa.

Minha relação com Elspeth Cunningham havia melhorado depois da morte de Amy Higgins, mas só até certo ponto. Nós nos respeitávamos, mas não podíamos ser amigas devido à mútua, porém tácita, compreensão de que, a qualquer momento, a realidade política talvez obrigasse meu marido e o filho dela a tentarem se matar.

Querendo evitar novas revelações de Fanny, mandei-a para a cozinha para cuidar das codornas que a sra. McAfee havia levado mais cedo, como pagamento pelo unguento de alho que lhe dera para curar oxiúros.

– Sempre fiquei me perguntando – comentei enquanto amarrava a tipoia de Elspeth. – O que significa exatamente "penteador de grama"? É realmente uma grosseria ou apenas uma descrição?

Enquanto eu fazia os últimos ajustes, ela prendia a respiração. Mas naquela hora soltou um breve suspiro e testou a tipoia com cautela.

– Obrigada. Quanto a "penteador de grama", em geral significa alguém preguiçoso ou incompetente. Por que pentear grama deveria sugerir qualquer um desses atributos não está claro. Na verdade, não é uma grosseria propriamente dita, a menos que esteja acoplada à palavra "sodomita". Para ser sincera, não sei se *alguma vez* a escutei sem o "sodomita" – acrescentou ela.

– Ouso dizer que a senhora escutou mais do que isso, se esteve no mar. Talvez tenha deixado Fanny chocada. Não pela linguagem em si, mas pelo fato de não parecer uma prostituta.

Ela fez um breve muxoxo.

– As mulheres costumam ser muito mais livres no linguajar quando não há homens por perto, independentemente da profissão. A senhora já reparou nisso?

– Bem, sim – falei. – Inclusive as freiras.

– Conhece alguma freira? – indagou ela com um quê de sarcasmo. Seu rosto começava a exibir certa cor e sua respiração estava mais tranquila.

– Já conheci, sim.

Na verdade, embora eu raramente houvesse escutado qualquer uma das irmãs do Hôpital des Anges dizer algo parecido com "sodomitas penteadores de grama", com certeza as ouvira resmungar entre os dentes "*Merde!*", dentre outros nomes mais cabeludos, ao terem que lidar com os aspectos mais exigentes da prática da medicina entre os pobres de Paris.

De repente, tive uma lembrança vívida de madre Hildegarde, de quem era raro escutar até mesmo *merde,* mas que tinha me dito muito francamente que o rei da França esperaria ir para a cama comigo se eu lhe suplicasse a liberdade de Jamie. Ela então tinha me vestido com seda vermelha e me despachado para fazer exatamente isso.

– *Merde* – murmurei entre dentes.

Elspeth não chegou a rir, provavelmente porque seu ombro iria doer, mas fez um breve muxoxo.

– Tenho observado que tanto o homem quanto a mulher se mostram muito mais restritos em matéria de linguagem quando em presença um do outro do que quando estão acompanhados apenas por pessoas do mesmo gênero. Tirando talvez nos bordéis – acrescentou ela, com um olhar na direção da cozinha, onde Fanny cantava "Frère Jacques" enquanto rolava codornas em argila. – Uma menina notável, mas a senhora precisa convencê-la a não...

– Ela sabe que não deve dizer certas coisas em público – garanti a Elspeth e servi um pouco de uísque em uma caneca. – Mas pode ficar à vontade para dizer o que quiser esta noite, porque não vou deixá-la voltar para seu chalé nesse estado.

Ela me encarou com um ar de avaliação, mas então ajeitou uma mecha rebelde de cabelos cinza-claro atrás da orelha e assentiu.

– Não tenho certeza se com "nesse estado" a senhora quer dizer machucada ou embriagada, mas obrigada.

– Quer que eu mande Fanny até seu chalé para abafar o fogo na lareira?

– Não. Eu o apaguei antes de sair com uma jarra de chá frio. Um desperdício, mas não tinha como saber quando iria voltar.

– Ótimo. – Segurei-a pelo braço bom e a ajudei a descer da mesa. – Vou ajudá-la a subir para deitar um pouco.

Ela não discutiu e vi quanto a lesão e o trajeto para chegar até mim a tinham exaurido. Levantou os pés com cuidado, de modo a não tropeçar na escada. Acomodei-a em uma das camas das crianças, dei-lhe uma colcha, uma jarra de água fria e um bom trago, então desci para ajudar Fanny com os preparativos do jantar.

Brianna tinha lhe ensinado a cobrir codornas com argila para assá-las nas cinzas da lareira, mas aquela era a primeira vez que ela fazia isso sozinha. Com o cenho franzido, Fanny encarava a fileira de bolas pálidas e as manchas de barro na mesa.

– Acha que tem barro *suficiente*? – perguntou em tom de dúvida. Havia uma longa marca de argila em sua bochecha e uma quantidade razoável nos cabelos. – Bree me falou que, se não for suficiente, a argila racha antes da hora e as codornas queimam, mas se for *demais* elas ficam cruas por dentro.

– Acho que quando elas ficarem prontas nós vamos estar com fome demais para ligar – falei, mas apertei de leve um dos pequenos montinhos e senti a argila ceder sob os dedos.

– Talvez haja alguns bolsões de ar dentro da argila. Amasse toda a argila com as mãos, de leve, para se certificar de que tiramos todo o ar... senão, quando o vapor chegar a um bolsão de ar, a codorna... bom, a coisa toda vai explodir, não a codorna em si.

– Ai, puxa – disse Fanny e começou a apertar as codornas cobertas de argila com determinação. Puxei o ar e esfreguei dois dedos entre as sobrancelhas.

– Está com dor de cabeça? – perguntou ela, animando-se. – Tem casca de salgueiro fresca. Posso fazer uma infusão para a senhora daqui a pouquinho!

Abri um sorriso para Fanny. Ela era fascinada por ervas e adorava todo o processo de moer, ferver e infundir.

– Obrigada, meu amor – falei. – Eu estou bem. Só estou tentando pensar no que vamos comer com as codornas.

Os cardápios das refeições eram a praga diária de minha existência; nem tanto o trabalho constante de colher, limpar, picar e preparar, embora essas atividades fossem chatas, mas principalmente a tarefa infindável de ter que recordar o que tínhamos disponível e equilibrar o esforço exigido para tornar esses alimentos comestíveis e aquilo que poderia estragar caso não consumíssemos de imediato. Sem falar no valor nutricional: eu entupia todo mundo de maçãs, uvas-passas e castanhas praticamente o tempo inteiro, e enfiava coisas verdes por suas relutantes goelas sempre que tinha oportunidade, e ninguém tinha morrido de escorbuto ainda.

– Temos muitos feijões – disse Fanny em tom de dúvida. – Ou arroz, imagino… ou quem sabe nabos?

– Boa ideia. Purê de nabos não é ruim, desde que haja manteiga e sal, e sal eu *sei* que temos.

Na verdade, 115 quilos de sal, guardados no barracão de defumar. Tom MacLeod os trouxera de carroça de Cross Creek na semana anterior: era o estoque anual para toda a Cordilheira, a tempo para caçar, esquartejar e conservar. Parcos 40 quilos de açúcar, mas afinal de contas eu tinha mel…

– Certo. Codorna assada com purê de nabo na manteiga e… ervilha seca cozida com cebola? Quem sabe um pouco de creme?

No fim, nós três nos sentamos uma hora mais tarde diante de um jantar bem razoável: apenas uma das codornas tinha explodido e a carne defumada estava bem saborosa. Em minha opinião, as cebolas levemente queimadas melhoraram o sabor das ervilhas com creme. Porém, não houve muita conversa: Fanny e eu estávamos mortas de cansaço e Elspeth Cunningham estava velha, cansada e com muita dor.

Mesmo assim, ela fez um esforço para se mostrar educada.

– Estão me dizendo então – falou, olhando em volta para a cozinha imensa– que só sobraram vocês duas para administrar a casa?

– A casa, os animais e a horta – confirmei, disfarçando um bocejo com o auxílio de um pãozinho com geleia. – E os abates.

– E as abelhas – contribuiu Fanny, prestativa. – Além de todos os remédios da sra. Fraser por fabricar e todas as pessoas que ela remen… ahn, que ela ajuda – concluiu a menina.

– E da faxina também, claro – acrescentou Elspeth, olhando com ar pensativo para a superfície do piso de madeira com marcas de pés que desapareciam nas sombras no outro extremo da cozinha. Encarou-me com uma expressão que reconheci na mesma hora: diagnóstico.

Teve tato suficiente para guardar para si o que quer que tivesse visto, mas pegou a garrafa de uísque que empurrei em sua direção, meneou a cabeça em agradecimento e disse:

– Eu devo muito a você, sra. Fraser. Permita-me recompensá-la, em parte, mandando um dos tenentes de meu filho vir cuidar das tarefas mais… masculinas enquanto seu marido estiver fora. Dois deles vão chegar semana que vem para passar um tempo conosco.

Abri a boca para recusar com educação, mas então cruzei seu olhar, firme porém gentil, e em seguida o de Fanny, suplicante e esperançoso.

– Obrigada – falei e completei sua caneca.

A conversa foi banal e pífia. Em meia hora, Fanny já tinha começado a bocejar e Bluebell também, produzindo um rangido alto ao fazê-lo.

– Acho que a cadela quer ir para a cama, Fanny – falei, cerrando o maxilar para conter meu contagiante bocejo.

– Sim, senhora – murmurou ela e, pegando o castiçal que lhe entreguei, saiu cambaleando devagar em direção à cama, com Bluebell se arrastando em seu encalço com uma determinação sonolenta.

Elspeth não esboçou qualquer movimento para ir se deitar, embora devesse estar caindo de cansaço. Certamente era meu caso: imbecilizada demais pela exaustão para pensar em alguma estratégia para uma conversa. Por sorte, não foi preciso uma. Ficamos apenas sentadas tranquilamente junto ao fogo, observando as chamas e escutando o vento atravessar uivando os sótãos vazios lá em cima.

De repente uma porta bateu e ambas nos empertigamos com um sobressalto.

Mas nenhum outro barulho desceu pela escada.

– Está tudo bem – falei, o coração aos poucos parando de bater forte.

Elspeth me encarou com um olhar incisivo.

– Patrice MacDonald me disse que seu terceiro andar estava inacabado. O marido dela tinha a intenção de vir trabalhar nele nesta sexta-feira.

– É verdade.

– Esse barulho não veio do segundo andar. Tenho certeza.

– Não – concordei. – Não veio.

Ela ficou me encarando com os olhos semicerrados. Dei um suspiro e desejei que tivéssemos café.

– Toda casa faz barulho, Elspeth… sobretudo as grandes. Minha filha sem dúvida poderia explicar por quê… Eu não, embora consiga adivinhar de vez em quando. Tudo que posso dizer é que, quando o vento vem do leste, muitas vezes escutamos esse barulho específico do terceiro andar.

– Ah. – Ela relaxou um pouco e tomou outro gole de uísque. – Então por que vocês não deixam essa porta fechada?

– Não há uma porta no terceiro andar – respondi. – *Ainda.*

Tomei um golinho também. Aquele uísque não era o especial de Jamie, mas não era nada mau. Podia senti-lo se espalhar pelo meu corpo em uma nuvem suave de calor.

– Está me dizendo – disse Elspeth alguns instantes depois – que a senhora considera um piso inacabado em uma casa *assombrado*?

Eu ri alto.

– Não, não estou. Não sei o que produz esse barulho, mas tenho certeza de que não é uma porta fantasmagórica. *Mesmo* – acrescentei, ao ver que ela ainda parecia duvidar. – Dezenas de pessoas trabalharam lá em cima no último mês ou dois e nenhuma delas morreu nem viu ou ouviu algo esquisito. E a senhora *sabe* que é verdade, porque, se alguém tivesse visto algo estranho, a Cordilheira inteira já estaria sabendo – terminei, apontando o mindinho para ela.

Ela morava na Cordilheira havia tempo suficiente para entender a verdade nessa afirmação e aquiesceu, relaxando o suficiente para voltar a beber seu uísque. A tensão no recinto começou a se dissipar e foi desaparecendo chaminé acima em um fluxo branco e trêmulo de fumaça de nogueira.

– O sótão – disse ela após alguns minutos de silêncio. – Por quê? Já é uma casa bem grande sem acrescentar um terceiro andar.

– Jamie insistiu – respondi, erguendo um ombro.

Ela produziu um ruído de reconhecimento neutro e seguiu bebericando. Mas suas sobrancelhas cinzentas e falhadas estavam unidas, e eu sabia que não iria parar de pensar naquilo.

– Meu marido é o *Fraser* da Cordilheira dos Frasers – respondi. – Se algum dia houver alguma emergência que obrigue alguns dos colonos a sair de suas casas, eles poderiam se refugiar temporariamente aqui. Isso já aconteceu antes – acrescentei. – Tivemos refugiados em minha cozinha durante meses… na casa antiga, quero dizer. Piores do que baratas.

Elspeth riu com educação ao escutar isso, mas não estava se dando ao trabalho de ocultar seus pensamentos. Eu sabia que ela entendia em que tipo de emergência eu estava pensando.

– Seu filho – falei sem rodeios. – A senhora acredita nele?

Ela deglutiu devagar e se recostou, parecendo me encarar de uma grande distância, como se poderia ver um urso no alto de uma montanha: com interesse, mas sem considerá-lo uma grande ameaça.

– Está se referindo ao que ele disse a seus fiéis sobre a morte do filho? Claro. Sim, acredito nele. É mesmo um conforto – acrescentou ela em tom suave.

Assenti, aceitando o que ela dizia. A história havia reconfortado bem mais gente além dela. Inclusive a mim, dei-me conta com um leve sentimento de surpresa. Mas não era aí que queria chegar.

– Estava pensando especificamente no que ele disse, que seu neto... iria revê-lo dali a sete anos. A senhora acredita nisso? Ou melhor... seu filho acredita?

Um homem que acreditasse, sem sombra de dúvida, que iria morrer em uma data específica poderia muito bem se sentir disposto a correr riscos antes dessa data.

Elspeth não disfarçou que tinha entendido o que eu queria dizer. Ficou sentada me olhando sem dizer nada, rolando a caneca vazia entre as palmas das mãos; o ar entre nós duas estava tomado pelos eflúvios de cevada e madeira queimada. Por fim, ela suspirou e, inclinando-se para a frente, colocou a caneca com todo o cuidado sobre a mesa.

– Sim. Ele acredita. Emendou seu testamento para prover meu bem-estar, caso eu viva mais do que ele... o que não planejo fazer.

Aguardei em silêncio. Ela devia saber que Jamie, e portanto eu, sabíamos sobre as tentativas do capitão de organizar uma unidade de milícia pró-britânica. Não achava que o capitão pudesse ter lhe escondido o incidente com as armas.

– Jamie não vai deixar que ele faça isso – falei, e ela me encarou com um movimento brusco.

– Pode ser – retrucou, enunciando as sílabas de modo exagerado como fazem as pessoas levemente embriagadas. – Mas, no fim das contas, não vai depender de seu marido. – Um pequeno arroto condizente com uma dama a interrompeu, mas ela o ignorou. – O general Cornwallis vai mandar um oficial... um oficial muito *eficiente*, apoiado pelo poder da Coroa... para formar regimentos de milícia legalistas nas Carolinas. E sufocar os rebeldes na região.

Não respondi, mas servi mais dois dedos de uísque em nossas canecas e levei a minha à boca. A bebida pareceu atravessar meus tecidos e penetrar meu núcleo que se dissolvia.

– Quem? – indaguei.

Ela balançou a cabeça devagar, em seguida esvaziou sua caneca.

– "O diabo, que as enganava, foi lançado no lago de fogo que arde com enxofre, onde já haviam sido lançados a besta e o falso profeta. Eles serão atormentados dia e noite, para todo o sempre."

– De fato – falei, no tom mais seco possível para alguém marinado em uísque escocês *single malt*. Não tive certeza se o diabo em que ela estava pensando era Jamie, George Washington ou o Congresso Continental, mas não fazia diferença. – "Sobre esta pedra edificarei minha igreja, e as portas do Hades não poderão vencê-la" – falei, e cerimoniosamente lancei as últimas gotas de minha caneca dentro do fogo, que chiou e cuspiu por um instante labaredas azuis.

– Sabe, Elspeth, eu acho mesmo que deveríamos ir para a cama. A senhora precisa descansar.

64

DEZ PÃES DE AÇÚCAR, TRÊS BARRIS DE PÓLVORA E DUAS AGULHAS PARA COSTURAR CARNE

Salisbury

Às oito horas da manhã seguinte, a Grande Estrada de Carroças estava à sua frente, uma ampla extensão de terra batida vermelha pisoteada, salpicada aqui e ali por montinhos de esterco e restos de lixo, mas por enquanto deserta de viajantes.

– Tome. – Jamie puxou uma pistola do cinto e a entregou à irmã.

Para surpresa de Rachel, ela apenas aquiesceu e apontou a arma para uma roda quebrada de carroça abandonada à beira da estrada, de modo a verificar a mira.

– Pólvora? – perguntou Jenny, enfiando a pistola no cinto.

– Aqui. – Jamie tirou a caixa de cartuchos pendurada no pescoço e passou a alça com cuidado por cima da touca branca da irmã. – Tem pólvora e munição suficientes para matar uma dúzia de homens, e seis cartuchos recém-preparados para ter uma vantagem inicial.

Jenny viu a expressão que Rachel fez ao escutar "matar uma dúzia de homens" e sorriu de leve, o que não tranquilizou sua nora.

– Não se preocupe, *a nighean* – disse Jenny e afagou o braço da jovem antes de ajeitar a caixa de cartuchos no lugar. – Não vou atirar em ninguém a menos que a pessoa queira nos fazer mal.

– Eu… eu preferiria que não atirasse em ninguém, independentemente das circunstâncias – disse Rachel com cuidado. Não tinha comido muito no café da manhã, mas sentia o ventre contraído. – Não… não por nossa causa.

O pensamento a fez segurar a cabeça entoucada de Oggy e puxar o filho mais para perto de si.

– Então tudo bem se eu atirar por conta própria? – perguntou Jenny, arqueando a sobrancelha. – Porque não vou tolerar ninguém molestando meu neto.

– Não seja ranzinza, Mam – disse Ian em tom de tolerância antes que Rachel pudesse responder. – A senhora sabe que, se encontrarmos algum malfeitor, Rachel vai deixá-lo grogue de tanto falatório antes de ser preciso atirar.

Ele lançou para a esposa um sorriso de intimidade e Rachel respirou um pouco mais aliviada. Jenny produziu um som gutural que poderia ter sido concordância ou simplesmente boa educação, mas não disse mais nada sobre atirar em alguém.

Eles tinham duas mulas boas e um cavalo, uma carroça robusta lotada de provisões, uma caixa de roupas e cueiros, e uma dúzia de garrafas do uísque de Jamie escondidas em um fundo falso sob as tábuas do piso da carroça. Aquilo seria tudo para eles nas próximas semanas, e depois... o País do Norte. E Emily. Desejando com todo o coração que Ian, Oggy e ela estivessem em seu aconchegante chalé na Cordilheira, Rachel adotou uma expressão corajosa quando Jamie se abaixou para lhe dar um beijo de despedida na testa.

– Boa viagem, filha – disse ele suavemente. – Eu a reverei sã e salva.

Um sorriso lhe enrugou os olhos e, por mais breve que tivesse sido, deu à alma dela paz suficiente para conseguir sorrir de volta.

Jamie pegou Oggy no colo, ajudou Rachel a subir no assento, beijou o bebê e o entregou à mãe. Jenny subiu na traseira, foi ocupar seu lugar em um confortável ninho de mantas entre as provisões e jogou um beijo para o irmão. Ian deu um tapa no ombro do tio, subiu a bordo e, com um estalo das rédeas, eles partiram.

Dizem que não se deve olhar para trás ao ir embora de um lugar, que isso traz má sorte, mas Rachel se virou sem hesitação. Jamie também olhava, postado feito um sentinela no meio da estrada. Ele ergueu a mão e ela fez o mesmo.

Em uma despedida, nunca se sabia se aquela seria a última vez. O mínimo que a pessoa podia fazer era dizer que amava a outra, e ela desejou ter feito isso. Pressionou os lábios com os dedos e, quando a carroça se inclinou para fazer a primeira curva, jogou um beijo para a figura distante, ainda em pé no meio da estrada.

Oggy havia passado a noite inteira agitado e Jenny ficara acordada para andar com ele. Consequentemente, assim que Salisbury e a dor de se despedir de Jamie passaram, ela engatinhou até o fundo da carroça, encolheu-se no meio das bolsas e caixas e caiu num sono profundo com Oggy aninhado junto a si, alheio ao mundo no aconchego de sua manta.

Era a primeira oportunidade que Ian e Rachel tinham de conversar a sós desde a véspera, e ela lhe perguntou na mesma hora sobre o homem morto encontrado pelo agente Jones.

– Você sabe quem é?

– Não, ninguém sabe. Pelo visto, ele era forasteiro na cidade.

Ela aquiesceu e apertou de leve o braço do marido.

– Você levou muito tempo para descobrir isso.

– É, bem... Tio Jamie pensou que o conhecia, então voltamos lá para dar outra olhada.

Ele sempre dizia a verdade a Rachel, e ela fazia o mesmo. Mas, a menos que julgasse necessário, Ian tomava cuidado para não contar coisas que ela fosse achar perturbadoras. O que Jamie tinha dito sobre o livro de Frank Randall poderia esperar um pouco, pensou, mas era óbvio que o desconhecido a havia incomodado.

Ele contou por que a visão do morto tinha deixado Jamie abalado.

– A sra. Fraser? Raptada e violentada? – Ian pôde ver sua consternação. – E seu tio acha que esse desconhecido pode ter a ver com o... responsável?

– Não acho provável, nem tio Jamie – disse Ian, do modo mais casual que conseguiu. Afinal de contas, não era mentira. – Mas é que o desconhecido tinha uma pequena semelhança. Se por acaso fosse um parente, por exemplo…

– Se esse homem fosse *mesmo* parente do outro, e daí? – Apesar do cansaço de Rachel, eles continuavam tão cristalinos quanto um riacho de trutas.

Bem, era uma boa pergunta. Enquanto Ian pensava em uma resposta razoável, ela fez outra:

– Você sabe onde o homem *está*? O criminoso? Para poder mandar avisar sobre algum parente morto?

Ian disfarçou um sorriso. Para Rachel, até mesmo um estuprador cruel merecia ser avisado sobre a morte de um parente, e ela sem dúvida faria isso pessoalmente se preciso fosse.

Felizmente *não* seria preciso.

– Eu não sei o que aconteceu com ele, mas recebemos uma informação segura de que tinha morrido.

Ian fez uma rápida anotação mental para puxar a mãe em um canto e se certificar de que Jenny soubesse o que estava acontecendo, ou ela corria o risco de contar a Rachel por que eles tinham certeza de que o estuprador estava morto.

O suspiro de Rachel fez seus seios se erguerem por um breve instante, deixando a curva aparecer no decote da combinação; Ian pensou momentaneamente que, quando conversasse com a mãe depois de eles pararem em uma hospedaria naquela noite, ela talvez pudesse ser convencida a levar Oggy para pegar um pouco de ar fresco do lado de fora em algum momento.

– Que Deus tenha dó da alma dele – disse Rachel, mas sua expressão tinha relaxado. – A sra. Fraser sabe?

– Sabe, sim. Não falei com ela a respeito, mas presumo que esteja… mais tranquila sabendo disso.

Rachel aquiesceu de modo grave.

– Seria terrível para ela saber que ele ainda estava vivo. Que poderia… voltar. – Ela estremeceu de leve e fechou mais o xale em volta dos ombros. – E terrível para Jamie também. Ele deve estar aliviado por Deus os ter poupado desse fardo.

– Deus com toda a certeza tem caminhos insondáveis – disse Ian.

Ela o encarou com um olhar incisivo, mas ele manteve o semblante tranquilo. Após alguns instantes, ela assentiu e os dois deixaram o assunto para trás na poeira da estrada.

Jamie tinha poucos assuntos a resolver em Salisbury: já conseguira o que queria em matéria de travar contato com Francis Locke e descobrira tudo de que precisava. Mas Salisbury era uma cidade grande, com comerciantes e lojas, e Claire tinha lhe dado uma lista. Ele tateou o bolso lateral e se tranquilizou ao ouvir um farfalhar de papel; não a tinha perdido. Com um breve suspiro, tirou a lista do bolso, desdobrou-a e leu:

Um quilo de alume (é barato)
Casca de quina, se alguém tiver (traga tudo, ou quanto pudermos comprar)
250 gramas de bálsamo de Gileade (pergunte a um boticário ou então a um médico)
8 litros de óleo doce – certifique-se de que lacrem com cera!
25 gramas de beladona, cânfora, mirra, pó de ópio, gengibre, maconha, se houver, e Cassia alata *(para tratar micose de pele e fungos entre os dedos do pé)*
Uma peça de fazenda boa (roupas de baixo para mim e para Fanny, camisa para você)
Duas peças de algodão grosso (uma azul, outra preta)
100 gramas de alfinetes de aço (sim, precisamos de tanto)
Linha (para costurar roupas, não velas nem carne) – quatro novelos brancos, quatro azuis, seis pretos
Uma dúzia de agulhas, a maioria pequena, mas duas bem grandes, por favor, uma curva, outra reta

Quanto à comida...
10 pães de açúcar
25 quilos de farinha (ou podemos comprar no Moinho de Woolam, se estiver cara demais em Salisbury)
10 quilos de feijão seco
10 quilos de arroz
Especiarias! (Se tiver e você puder comprar. Pimenta, canela, noz-moscada...?)

Jamie balançou a cabeça conforme ia descendo a rua e acrescentou mentalmente:

3 barris de pólvora
½ barra de chumbo
Faca de esfolar decente...

Alguém tinha pegado sua faca e quebrado a ponta. Ele desconfiava de Amanda, já que era a única das crianças capaz de mentir de modo convincente.

Bem, ele tinha Clarence e o burro novo, um baio claro de passo manso chamado Abednego, para carregar tudo até em casa. E o suficiente em modalidades variadas de dinheiro e mercadorias para pagar por tudo, assim esperava. Nem sonharia em mostrar ouro em um lugar como aquele: malfeitores e oportunistas o seguiriam de volta até a Cordilheira como as abelhas de Claire seguiam os girassóis. Vales de armazém e uísque suscitariam bem menos comentários.

Enquanto fazia cálculos de cabeça, quase trombou com o agente Jones, que vinha saindo de uma taberna trazendo na mão um brioche já parcialmente comido.

– Perdão, meu senhor – disseram os dois na mesma hora e fizeram uma mesura automática.

– Voltando para as montanhas, sr. Fraser? – indagou Jones, cortês.

– Sim, depois que tiver feito as compras de minha mulher. – Jamie continuava com a lista na mão e gesticulou com ela antes de tornar a dobrá-la e guardá-la no bolso.

Contudo, a visão da lista tinha feito o agente de polícia pensar em outra coisa, pois seus olhos se cravaram no papel.

– Sr. Fraser?

– Sim?

O agente o olhou de cima a baixo com cuidado, mas pelo visto o julgou respeitável o suficiente para fazer a pergunta:

– O senhor diria que o morto que foi ver ontem à noite era judeu?

– Que ele era o quê?

– Judeu – repetiu Jones, paciente.

Jamie o encarou com atenção. O agente se encontrava desalinhado e ainda com a barba por fazer, mas não exalava cheiro de bebida e, embora estivesse com olheiras, seus olhos não estavam vermelhos.

– Como eu poderia saber? – indagou. – E por que o senhor acha isso? – Um pensamento tardio lhe ocorreu. – Ah… o senhor olhou o pinto dele?

– Como disse? – Jones o encarou.

– Então não sabe que os judeus são circuncidados? – perguntou Jamie, cauteloso.

Estava se esforçando muito para não se perguntar se Claire poderia ter reparado se o homem que a havia tocado…

– São o quê?

– Ahn…

Duas senhoras, segurando as saias acima da lama da rua, vinham em sua direção seguidas por uma empregada que cuidava de três criancinhas e de um rapaz com uma pequena carroça para pacotes. Jamie se inclinou para elas, em seguida fez um gesto para Jones, indicando-lhe que o seguisse pela quina do bar até um beco, onde explicou ao agente do que estava falando.

– Meu Deus do céu! – exclamou Jones, com os olhos esbugalhados. – Por que eles fazem uma coisa dessas?

– Porque Deus mandou – respondeu Jamie, dando de ombros. – Seu morto é…?

– Eu não *olhei* – disse Jones, encarando-o com uma repulsa horrorizada.

– Então por que pensou que ele pudesse ser judeu? – perguntou Jamie com paciência.

– Ah. Bem... por causa disto aqui. – Jones tateou as roupas. Por fim, sacou um pedaço de papel encardido e dobrado que entregou a Jamie. – Estava no bolso dele.

O papel continha oito linhas escritas, cuidadosamente caligrafadas com uma pena de boa qualidade de modo a destacar cada letra.

– Não conseguimos identificar o que é – disse Jones, semicerrando os olhos para o papel, como se isso pudesse ajudá-lo a compreender. – Mostrei para o coronel hoje de manhã, na taberna. Examinamos e não chegamos a nenhuma conclusão. Mas o sr. Appleyard, um cavalheiro instruído, por acaso estava presente... Ele acha que talvez seja hebraico, embora tivesse esquecido tanto desde que aprendeu que não conseguiu destrinchar o que estava escrito.

Jamie conseguia destrinchar muito bem, embora saber o que aquilo significava fizesse pouca diferença.

– É hebraico, *sim* – falou devagar, lendo as linhas. – Parte de um salmo... ou talvez algum tipo de hino.

Isso não evocou nada para o agente Jones, que franziu o cenho para o papel, como se desejasse que este dissesse alguma coisa.

– Que última palavra é essa, então? Poderia ser o nome de quem escreveu? Parece estar escrita em inglês.

– Sim, está, mas não é o nome de ninguém. A palavra, escrita com tanto cuidado quanto os graciosos caracteres hebraicos, era "ambidestro". Ele deixou a cargo do coronel Locke explicar ao agente Jones do que se tratava e lhe devolveu o papel, então limpou os dedos na barra do casaco.

– Dê uma espiadinha dentro da calça dele – sugeriu e, com um meneio de cabeça, despediu-se com firmeza do agente Jones, de Salisbury, de Francis Locke, do Regimento de Milícias do condado de Rowan... e do morto.

Apenas 100 gramas de alfinetes, dez pães de açúcar e uma enorme quantidade de pólvora o separavam de seu lar.

65

VERDES CRESCEM OS JUNCOS, AH!

Cordilheira dos Frasers

Estava escutando a cantoria na cozinha sem prestar muita atenção enquanto socava e moía sálvia, confrei e hidraste no consultório para obter um pó oleoso. Era fim de tarde e, embora o sol ainda aquecesse as tábuas do piso, já fazia frio na sombra.

O tenente Bembridge ensinava a Fanny a letra da canção "Verdes crescem os juncos, ah". Ele tinha uma límpida e afinada voz de tenor que fazia Bluebell uivar toda vez que soltava um agudo, mas eu estava gostando. Aquilo me lembrava a época em que havia trabalhado na cantina do Hospital de Pembroke, enrolando ataduras e preparando kits cirúrgicos com as outras alunas de enfermagem enquanto escutávamos o canto entrar com a névoa amarela pela estreita fresta no alto de uma janela. Mais embaixo havia um pátio, onde os pacientes do ambulatório se sentavam quando o clima estava bom, ou nem tão bom assim, fumando, conversando e cantando para fazer o tempo passar.

Dois meninos tão branquinhos
Todos vestidos de verde, ah
Um é um e está sozinho
E para todo o sempre ficará!

A canção abafada pela névoa era interrompida por tossidos e palavrões roucos, mas alguém sempre conseguia cantá-la até o fim.

Elspeth Cunningham havia cumprido sua palavra. Os tenentes Bembridge e Esterhazy tinham 18 e 19 anos respectivamente, eram vigorosos e saudáveis, e com a alegre ajuda de Bluebell estavam fazendo tanto estardalhaço que não escutei nem a porta da frente se abrir nem os passos no hall de entrada, e fiquei tão espantada ao erguer os olhos do almofariz e deparar com Jamie na soleira da porta que deixei cair o pesado pilão de pedra bem em cima de meu pé calçado apenas com uma sandália.

– Ai! Ui! Jesus H. Roosevelt Cristo! – Pulei de trás da mesa e Jamie me segurou pelo braço.

– Está tudo bem, Sassenach?

– *Parece* estar tudo bem? Eu quebrei um metatarso.

– Eu compro outro para você da próxima vez que for a Salisbury – garantiu ele, soltando meu cotovelo. – Enquanto isso, trouxe tudo da lista menos… Por que tem ingleses cantando em minha cozinha?

– Ah. É. Bem…

Não que eu não tivesse pensado em qual poderia ser sua reação ao ver dois oficiais da Marinha de Sua Majestade dando uma mãozinha com a administração doméstica, mas achara que fosse ter tempo de explicar antes de ele os encontrar. Apoiei o traseiro na borda da mesa e levantei do chão o pé machucado.

– São dois tenentes que serviam com o capitão Cunningham. Eles naufragaram, ficaram ilhados ou algo assim… Seja como for, perderam seu navio e o ano está adiantado demais para conseguirem encontrar outro no qual embarcar antes de março ou abril, então vieram para a Cordilheira ficar com o capitão. Elspeth Cunningham os emprestou a mim para ajudar com os afazeres, como pagamento por eu ter reduzido a luxação em seu ombro.

– Elspeth, foi? – Felizmente, ele pareceu achar mais graça do que ficar irritado. – Nós estamos alimentando esses senhores?

– Bem, eu tenho lhes servido o almoço e um jantar leve. Mas eles têm voltado para o chalé do capitão ao cair da noite e voltado para cá no meio da manhã. Consertaram a porta do estábulo – falei, para atenuar a situação. – Também reviraram minha horta, cortaram duas pilhas de lenha, transportaram todas as pedras que você e Roger tiraram da campina de cima até a despensa fria e…

Ele fez um breve gesto para indicar que acatava minha decisão e agora gostaria de mudar de assunto. Fez isso me dando um beijo e perguntando o que havia para jantar. Cheirava a poeira de estrada, cerveja e muito de leve a canela.

– Acho que Fanny e o tenente Bembridge estão fazendo *burgoo*. Uma mistura de carne de porco, de cervo e de esquilo… Ao que parece, é preciso no mínimo três tipos de carne para um *burgoo* de verdade. Só não faço ideia do que mais leva esse ensopado. Mas o cheiro está bom.

A barriga de Jamie roncou.

– É, está mesmo – concordou ele após pensar um pouco. – E o que Frances acha deles?

– Acho que está um pouco apaixonada – falei, baixando a voz e olhando na direção do hall. – Cyrus veio visitá-la ontem enquanto ela servia o almoço dos tenentes. Ela lhe pediu que ficasse, mas ele só fez se empertigar até ficar com 2,15 metros de altura, fulminou os dois com o olhar, disse alguma coisa grosseira em gaélico que acho que ela não entendeu, mas não precisava, e foi embora. Fanny ficou com o rosto inteiramente rubro de indignação e serviu a eles a torta de maçã seca e passas que tinha feito para Cyrus.

– *Is fheàrr giomach na gun duine* – comentou Jamie com um dar de ombros filosófico. *Melhor uma lagosta do que nenhum marido.*

– Você não acha isso de verdade, acha?

– No caso da maioria das moças, acho – respondeu ele. – Mas eu quero alguém melhor para Frances, e não creio que um marujo inglês vá servir. Enfim, você disse que eles vão embora na primavera?

– Foi o que entendi. Ai!

Massageei bem de leve o ferimento latejante no pé. O pilão tinha acertado em cheio a base de meu dedão. Embora a dor inicial houvesse diminuído um pouco, se eu tentasse apoiar o peso no pé ou dobrar o dedão, o resultado era uma sensação que parecia arame farpado quente sendo esfregado entre os dedos.

– Sente-se, *a nighean* – disse ele e empurrou em minha direção a grande cadeira de assento estofado que Brianna havia apelidado de Cadeira de Kibitzer. – Eu trouxe algumas garrafas de vinho bom de Salisbury. Acho que uma delas faria seu pé melhorar.

Fez mesmo. Também fez Jamie se sentir melhor. Eu podia ver que ele voltara para casa carregando algo dentro de si e senti um incômodo abaixo do coração. Ele iria me contar quando estivesse pronto.

Assim, ficamos bebericando nosso vinho, um tinto, e apreciando juntos o sabor suave das uvas. Contei-lhe sobre a súbita aparição de Elspeth e sobre nossa conversa depois do jantar. Ele me falou sobre a despedida de Ian, Rachel e Jenny, e aliviou sua óbvia sensação de tristeza por terem partido com o comentário de Jenny sobre sua pistola.

– Rachel levou um susto com isso, como pode imaginar – disse ele, bem-humorado. – Mas então o Jovem Ian se intrometeu e disse: "Não seja ranzinza, Mam. A senhora sabe que, se encontrarmos algum malfeitor, Rachel vai deixá-lo grogue de tanto falatório antes de ser preciso atirar."

Eu ri, tanto porque a nuvem no rosto de Jamie parecia estar se dissipando quanto por ter achado graça.

– Espero que Jenny não se sinta obrigada a atirar na fulana… na esposa de Ian…

– Wakyo'teyehsnonhsa – disse Jamie com paciência, e fiz um gesto de quem descarta o assunto.

– Emily, então. Você não acha que ela vá tentar… pegar Ian de volta?

– Ela não o quis quando o expulsou de casa – assinalou Jamie. – Por que iria querer agora?

Olhei para ele pela borda de meu segundo, ou talvez terceiro, copo de vinho.

– Como você conhece pouco as mulheres, meu amor – falei, balançando a cabeça com uma consternação fingida. – E depois de tantos anos.

Ele riu e serviu o restante da garrafa em meu copo.

– Não acho que eu queira saber nada sobre outra mulher a não ser você, Sassenach. Depois de tantos anos. Mas por quê?

– Ela é uma viúva com três filhos pequenos – assinalei. – Expulsou o Jovem Ian de casa porque não conseguia lhe dar filhos vivos, não por ser um marido ruim. Agora que ela *tem* filhos vivos, não precisa mais de marido para esse fim… No entanto, existem outras coisas para as quais um marido serve. E Ian talvez seja muito bom em algumas dessas coisas.

Ele me encarou com ar pensativo e bebeu de um gole só o resto de seu copo.

– Você fala como se o Jovem Ian não tivesse nada a dizer sobre o assunto, Sassenach. Nem Rachel.

– Ah, pode ser que Rachel tenha algo a dizer sobre o assunto – falei, embora não soubesse ao certo *qual* poderia ser sua opinião.

Rachel não era tímida nem inexperiente em relação às coisas do mundo, mas conhecer a ex-esposa do marido talvez fosse mais complicado do que tanto ela quanto Ian pensavam.

– Veja o que aconteceu quando reencontrei Laoghaire – assinalei.

– É, ela me deu um tiro – disse ele, seco. – Você acha que existe alguma probabilidade de Wakyo'teyehsnonhsa matar Rachel para ficar com Ian? Porque minha irmã deve ter algo a dizer em relação a isso.

– Ela é mohawk, afinal de contas – falei. – Acho que têm padrões bem diferentes.

– Eles não têm padrões diferentes de hospitalidade – garantiu-me ele. – Ela não iria matar uma hóspede. Se tentasse, minha irmã meteria uma bala na cabeça dela.

– Não duvido – falei. – Tem mais desse vinho?

– Sim, bastante.

Ele se levantou e foi até a porta do consultório, onde parou para escutar. A cantoria na cozinha tinha silenciado e se ouviam apenas murmúrios de uma conversa interrompida por risadas ocasionais e o tilintar de pratos.

– Seu pé aguenta subir a escada, Sassenach? – perguntou ele, virando-se para mim. – Se não aguentar, posso carregá-la no colo.

– Subir? – indaguei, um tanto surpresa. Lancei um olhar involuntário na direção da cozinha. – Agora?

– Isso não – disse ele com um breve sorriso. – Ainda. Estava me referindo ao terceiro andar.

Os efeitos salutares de meia garrafa de vinho bastaram para me fazer subir a escada com o apoio do cotovelo de Jamie, e foi com um sentimento de empolgação que adentrei o espaço aberto do terceiro andar. Uma brisa forte e fria soprava do leste, levando embora os últimos resquícios de cozinha, cadela, jovens suados e roupa suja acumulada vindos da casa mais embaixo. Abri os braços e meu xale esvoaçou atrás de mim feito um par de asas, enquanto as saias colavam nas pernas e estalavam.

– Você parece que pretende levantar voo, Sassenach – disse Jamie. – Talvez seja melhor se sentar.

Ele parecia estar falando sério, mas, assim que me virei, estava sorrindo.

Tinha *de fato* levado um banquinho lá para cima, além de uma segunda garrafa de vinho. Não se dera ao trabalho de levar copos, mas sacou a rolha com os dentes, farejou o conteúdo com um ar de avaliação, então me passou a garrafa.

– Não acho que decantar vá melhorar muito.

Não estava com disposição para refinamentos. O alívio de tê-lo outra vez em casa suplantava qualquer preocupação menor e eu não teria me importado em beber água. Apesar disso, o vinho estava bom e guardei meu gole na boca por alguns segundos antes de engolir.

– Que maravilha – falei, fazendo um gesto com a garrafa em direção à vista. – Não subo aqui desde que nos despedimos de Bree e Roger.

A lembrança de ficar parada ali em cima vendo a carroça deles desaparecer em meio às árvores me deu um aperto no coração, mas a Cordilheira se estendia agora à nossa frente em toda a sua glória, e era mesmo gloriosa com seus trechos flamejantes e suas faíscas de outono que começavam a se apagar entre os verdes e azuis escuros, frios e ondulantes de abetos, pinheiros e céu. Aqui e ali, eu podia distinguir as linhas brancas da fumaça das chaminés, embora as árvores balouçantes escondessem os chalés.

– É mesmo – disse Jamie, embora a maior parte de sua atenção estivesse concentrada nas madeiras da estrutura à nossa volta.

As paredes estavam em frangalhos, mas não se podia negar que fossem paredes, e a cumeeira e as vigas do telhado rangiam acima de nós. Era uma sensação impressionante: estar ao mesmo tempo dentro e fora de uma casa, as tábuas sólidas do piso sob nossos pés marcadas por manchas d'água de chuvas passadas e folhas secas amontoadas presas nos cantos das madeiras que formavam a estrutura.

Jamie sacudiu uma ou duas vigas verticais e grunhiu satisfeito quando elas não se moveram.

– Bom, estas daqui não vão a lugar algum – falou.

– Foi você quem as construiu – assinalei. – Com certeza não achou que fossem se soltar, achou?

Ele produziu um ruído indicativo de extremo ceticismo, embora eu não soubesse dizer se estava cético em relação às próprias habilidades, à perversidade do clima ou à confiabilidade dos materiais de construção de modo geral. Decerto as três coisas.

– Talvez dê tempo de acabar o telhado antes de nevar – disse ele, semicerrando os olhos para cima.

– E paredes?

– Sim. Com dois homens consigo fazer as paredes externas em um dia. Dois, talvez – corrigiu ele quando uma nova rajada de vento rugiu por entre as madeiras da estrutura, soltando fios de meus cabelos do lenço. – Posso fazer o acabamento interno com calma durante o inverno.

– Não é tão tranquilo quanto o segundo andar quando estava aberto – falei. – Mas é bem mais empolgante.

– Não quero que o último andar de minha casa seja empolgante – disse ele, mas sorriu e veio se postar atrás de mim, com as mãos em meus ombros para impedir que eu fosse levada pelo vento.

– Não acho que vamos precisar que esteja tudo terminado antes da primavera – falei quando o vento baixou o suficiente para tornar um diálogo possível – Nenhum dos nossos vai estar de volta antes disso…

Não terminei a frase, pois na verdade não havia como prever quando, ou se, todos iriam voltar. A guerra já havia começado a se alastrar para o sul e o frio apaziguador do inverno que se aproximava só faria atrasar um pouco o que estava por vir.

– Eles vão voltar para casa bem – disse Jamie. – Todos eles.

– Tomara – falei e me recostei nele querendo sua firmeza, tanto de crença quanto de corpo. – Acha que Bree e Roger já chegaram a Charles Town?

– Ah, já – respondeu ele na mesma hora. – São pouco menos de 500 quilômetros, mas o tempo deve ter ficado bom durante a maior parte do trajeto. Se não tiverem perdido uma roda nem topado com um puma, devem ter demorado duas semanas ou algo assim. Imagino que em breve receberemos uma carta; Brianna vai escrever para avisar que está tudo bem.

Foi um pensamento reconfortante, apesar dos pumas, mas achei a força de sua crença um pouco diminuída.

– Vai ficar tudo bem – falei, estendendo a mão para trás e envolvendo sua coxa para tranquilizá-lo. – Marsali e Fergus vão ficar felicíssimos por ter Germain de volta.

– Mas...? – disse ele, pois havia captado o pensamento implícito que vinha no encalço de meu comentário. – Acha que pode haver alguma outra coisa errada com eles?

– Não sei. – Olhar para a vastidão na qual nossa família desaparecera tornava a separação subitamente assustadora. – Existem tantas coisas que poderiam acontecer com eles... e não conseguiríamos ajudar. – Tentei rir. – Isso me faz pensar no primeiro dia de Brianna no jardim de infância. Vê-la desaparecer escola adentro agarrada em sua lancheira cor-de-rosa... sozinha.

– Ela ficou com medo? – perguntou ele, juntando meus cabelos esvoaçantes em um rabo e os amarrando com o lenço.

– Ficou – respondi, com a garganta apertada. – Ela foi muito corajosa. Mas eu podia ver que estava assustada. – Abaixei-me e peguei a garrafa de vinho. – Ela está assustada agora – falei de uma vez.

– Com quê, *a nighean*? – Ele deu a volta para ficar de frente para mim e se agachou para me olhar nos olhos. – Qual é o problema?

– O coração dela – falei. E, depois de uma inspiração profunda, contei-lhe sobre a fibrilação atrial.

– E você não pode consertar? – Ele estava com a testa franzida e olhou por cima do ombro para a floresta interminável. – Tem alguma chance de ela morrer na estrada?

– Não! – O pânico repentino foi nítido em minha voz e Jamie agarrou minha mão e a apertou com força. – Não – repeti, forçando-me a me acalmar. – Não, não tem. Quase nunca é fatal, principalmente em alguém jovem. Mas é... imprevisível.

– Sim – disse ele após passar alguns instantes estudando meu rosto. – Como a guerra. – Ele meneou a cabeça em direção às montanhas distantes, mas seus olhos não se desgrudaram dos meus. – Nunca se sabe com certeza o que pode acontecer... talvez nada, talvez não por muito tempo, talvez não aqui nem agora... – Seus dedos apertaram os meus. – Mas você sabe que está lá o tempo todo. Tenta empurrar para longe, só pensar quando for preciso... mas ela nunca vai embora.

Aquiesci. Aquilo nos acompanhava; acompanhava todos ultimamente.

O vento havia baixado, mas ali tão no alto uma brisa fria ainda soprava, infiltrando-se pelo tecido de minhas roupas. O calor do vinho já tinha se esvaído de meu sangue e a mão de Jamie estava tão gelada quanto a minha, mas seus olhos estavam calorosos e nós nos abraçamos.

– Não tenha medo, Sassenach – disse ele por fim. – Ainda temos nós dois.

Apesar do vento frio, não tornamos a descer na mesma hora. Embora o terceiro andar fosse um lugar exposto e vulnerável, havia algo reconfortante em saber que, se alguma coisa viesse em nossa direção, nós a veríamos a tempo de nos preparar.

– E o que mais você fez em Salisbury? – perguntei, tornando a me recostar nele. – Sei que comprou canela porque estou sentindo o cheiro. Tinha casca de quina?

– Sim, uns 250 gramas. Comprei tudo, como pediu. Não consegui mais de dois pães de açúcar; têm aparecido poucos por causa do bloqueio. Mas consegui a pimenta também e… – Ele me soltou para remexer dentro do *sporran* e retirou um objeto pequenino e redondo que me estendeu. – Uma noz-moscada.

– Ah! Há anos não cheiro uma noz-moscada! – Peguei-a de sua mão, tomando cuidado para não deixá-la cair por causa dos dedos frios. Segurei-a debaixo do nariz e cheirei. Apesar de estar com os olhos fechados, pude sentir nitidamente o cheiro de biscoitos de Natal e o sabor doce e viscoso do *eggnog*. – Quanto foi?

– Não queira saber – garantiu ele com um sorriso. – Mas valeu a pena para ver a expressão de seu rosto, Sassenach.

– Traga um pouco de rum hoje à noite e você terá a mesma expressão em seu rosto – falei, rindo. Devolvi-lhe a noz-moscada para ele guardar. Quando a pôs no *sporran*, reparei em um pequeno pedaço de papel rasgado que despontava para fora. – E isso, o que é? Um comunicado secreto do Comitê de Segurança de Salisbury?

– Pode ser, se algum dos integrantes for judeu. – Ele me entregou o papel e eu o olhei. Fazia 45 anos que não via nada escrito em hebraico, mas reconheci os caracteres. O mais estranho, porém, foi o fato de aquilo estar escrito na letra de *Jamie*.

– Mas o que…?

– Eu não sei – disse ele em tom de quem se desculpa enquanto pegava o papel de volta. – Um agente de polícia de Salisbury encontrou em um cadáver e me perguntou se eu sabia alguma coisa a respeito… não este, quero dizer, o original. Eu disse a ele que era hebraico e li para ele em inglês, mas nenhum de nós soube dizer o que significava. Mas achei tão esquisito que anotei quando voltei para a hospedaria.

– Esquisito é uma boa descrição. – Eu não sabia ler hebraico. Jamie tinha aprendido em Paris quando estudara na *université*. Mas havia uma palavra em inglês no final do texto. – O que "ambidestro" quer dizer?

Ele deu de ombros e balançou a cabeça.

– A parte em hebraico é uma espécie de bênção para a casa. Já vi isso antes em casas de judeus em Paris: eles põem dentro de uma coisinha chamada mezuzá, perto da porta. Mas "ambidestro"... – Ele hesitou e me olhou de esguelha. – A única coisa em que consigo pensar é que é uma palavra comprida sem letras repetidas.

A menção a Paris tinha me feito pensar na hora na casa de seu primo Jared, onde tínhamos morado no ano anterior ao Levante e onde ele havia passado os dias vendendo vinho e as noites com frequência participando de complôs e...

– Espionagem? – falei, sem acreditar. Não sabia quase nada sobre códigos, linguagem cifrada e escritas secretas... mas ele sim. Pareceu um pouco encabulado.

– É, pode ser. Desculpe-me, Sassenach. Eu não devia ter trazido uma coisa assim para casa. Só fiquei curioso.

Não era nada além de um pedacinho de papel e, fosse qual fosse a mensagem que continha, certamente ela não estava dirigida a nós. Mas mesmo assim trouxe de volta aqueles dias e noites ansiosos em Paris, cheios de glamour, medo e incerteza... e depois de tristeza, pesar e raiva. Engoli a saliva com força.

– Desculpe – repetiu ele bem baixinho.

Ainda olhando para mim, abriu a mão e estendeu o papel. O vento levou embora o pequeno bilhete e o fez sair rodopiando como se fosse uma folha, fazendo-o voar do telhado para dentro da floresta profunda lá embaixo. Perdido.

A mão dele continuava aberta e eu a segurei. Seus dedos estavam tão frios quanto os meus.

– Está perdoado – falei, tão baixinho quanto ele.

A batida foi tão forte que afastei a mão da de Jamie com um tranco e me virei para trás.

– O que foi *isso*? – perguntei, olhando atarantada para todos os lados.

– Provavelmente uma árvore – disse ele com calma. – Por ali, eu acho... – Ele fez um gesto em direção às árvores distantes. – Só escuto isso quando o vento está soprando do leste.

– Nunca ouvi uma árvore fazer o barulho de uma porta batendo – falei, nem um pouco convencida.

– Quando você passa muito tempo dormindo na floresta, Sassenach, pode ouvir as árvores fazer tantos barulhos quantos existem animais no chão a seu lado... e muitas vezes é difícil saber a diferença quando venta. Elas grunhem, gritam e sacodem, e baixam os galhos e silvam e guincham quando pegam fogo com algum raio, e de vez em quando desabam com um estrondo imenso que faz o chão tremer. Se prestasse atenção na barulheira, nunca pregaria o olho.

– De toda forma, eu não dormiria muito se estivesse em uma floresta. Além do mais, está de dia.

– Não acho que para uma árvore faça diferença. – Ele estava rindo de mim e, por mais absurdo que fosse, isso fez com que eu me sentisse melhor. Ele se abaixou, pegou a garrafa e me passou. – Tome, Sassenach. Vai acalmar seus nervos.

Tomei um bom gole e de fato me acalmei um pouco.

– Melhor agora? – perguntou ele, observando-me.

– Sim.

– Que bom. Eu disse que tinha uma coisa para contar, não foi?

– Sim – falei, encarando-o. – Por que será que acho que é uma notícia ruim?

– Bom, não *ruim* – disse ele, inclinando a cabeça. – Mas não queria falar sobre isso perto dos marujos.

– Ah, então é só perigoso. Que alívio.

– Bom, só um tiquinho perigoso. – Ele pegou a garrafa de volta, deu um gole rápido, então me contou sobre seus encontros com o coronel Locke e suas conclusões em relação à milícia do condado de Rowan.

– Então... – concluiu ele – ... eu disse que tinha comprado tudo de minha lista, com uma única exceção: pólvora.

– Ah – falei. – Então você tem armas, algumas pelo menos, graças ao capitão Cunningham...

– E com um pouco de sorte Roger Mac vai conseguir outras para mim em Charles Town – interrompeu ele. – Mas eu mal tenho pólvora suficiente para garantir nossa carne para o inverno. Não consegui comprar nenhuma em Salisbury, porque o coronel Locke tinha requisitado tudo para uso militar.

– Se você entrasse para a supermilícia do condado de Rowan, Locke iria fornecê-la. Mas você não quer fazer isso, porque nesse caso precisaria atender a seu chamado e acatar suas ordens.

– Eu não me importo de acatar ordens, Sassenach – disse ele, lançando-me um olhar levemente recriminador. – Mas depende de quem. E se fosse de Locke... ele vai conduzir as companhias sob seu comando para o combate, Deus sabe onde... mas em nenhum lugar aqui perto da Cordilheira. E eu não vou deixar minha casa nem você desprotegidas para cuidar dos assuntos de Locke a 150 quilômetros daqui.

Ele estava decidido, e dessa vez eu estava de pleno acordo com ele.

– Vou beber a isso – falei, erguendo a garrafa em um brinde a ele. Jamie sorriu, pegou a garrafa e a esvaziou. – Elspeth Cunningham e eu dividimos uma garrafa de seu uísque de segunda categoria – falei, pegando a garrafa vazia e a colocando debaixo do banco. – Conversamos sobre o filho dela. Eu mencionei que você não deixaria o capitão formar uma milícia pró-britânica debaixo de seu nariz.

– E não vou mesmo.

– Naturalmente que não. Mas o que ela respondeu... e veja bem, ela estava exausta, com muita dor e embriagada quando disse isso, então acho que não mentiu... Bem, ela respondeu que, no fim das contas, não caberia a você decidir. Porque o general Cornwallis vai mandar um oficial... um oficial muito *eficiente*, segundo ela, e apoiado pelo poder da Coroa, para convocar regimentos de milícia pró-britânica aqui nas Carolinas... e sufocar rebeliões locais.

Jamie ficou estático por alguns instantes, os olhos vincados por causa do vento que tornara a se erguer.

– É – falou por fim. – Então vão ter que ser os homens do outro lado da montanha… Cleveland, Shelby e os amigos deles.

– Vão ter que ser eles para *quê*?

Ele pegou o banquinho e a garrafa vazia e balançou a cabeça como se estivesse pensando.

– Vou ter que me aliar a eles. Eles têm um entendimento com a sra. Patton para ela lhes fornecer pólvora de seu moinho. Se eu aceitar me aliar em caso de necessidade, eles avisarão para ela me fornecer também. E provavelmente virão me ajudar se eu chamar.

Ouvi esse "provavelmente" e cheguei mais perto dele, sentindo de repente mais frio do que antes. Sem Roger nem o Jovem Ian por perto, ele estava praticamente sozinho e sabia muito bem.

– Você confia em Benjamin Cleveland e nos outros?

– Sassenach, devem existir no mundo oito pessoas em quem eu confio, e Benjamin Cleveland não é uma delas. Por sorte, você é.

Ele me envolveu com o braço e me deu um beijo na testa.

– Como vai seu pé?

– Não estou sentindo meus dedos dos pés.

– Que bom. Vamos descer e nos esquentar com um pouco do *burgoo* dos marujos.

– Que plano di… – A palavra morreu em meus lábios quando vi um movimento do outro lado da clareira lá embaixo, na entrada da estrada de carroças que passava atrás do chalé de Bobby Higgins. – Quem é?

Tateei em busca de meus óculos, mas os havia deixado no consultório. Jamie olhou por cima de meu ombro, os olhos semicerrados por causa do vento, e produziu um ruído de interesse.

Era uma pessoa a pé, isso eu podia ver. E era uma mulher, avançando bem devagar, com grande determinação.

– É a menina que veio buscar você para ajudar no parto da mãe – disse ele. – Agnes Cloudtree, era isso?

– Tem certeza?

Semicerrei os olhos também, mas não ajudou muito: a figura permaneceu um borrão marrom e branco a se destacar na terra batida mais escura da estrada. Mas uma pontada de medo me atravessou o coração ao ouvir o nome Cloudtree. Eu havia pensado muitas vezes nos gêmeos que ajudara a nascer, no heroísmo estoico de sua mãe… e nas circunstâncias muito singulares daquele parto, circunstâncias tornadas ainda mais singulares por sua simplicidade. Pude sentir aquele corpinho minúsculo em minhas mãos. Nada de dramático, nenhum formigamento ou brilho. Apenas a percepção certeira e definitiva da vida.

Se aquela fosse de fato Agnes Cloudtree vindo em nossa direção, torci com todas as forças para ela não ter vindo me dizer que sua irmãzinha tinha morrido.

– Acho que está tudo bem, Sassenach. – Com o braço ainda em volta de minha cintura, Jamie continuava a observar a pequena e obstinada figura. – Posso ver que ela está cansada… e não é de espantar, se veio a pé desde a Linha Cherokee… mas seus ombros estão empertigados e a cabeça está erguida. – A tensão em seus braços relaxou. – Ela não veio trazer notícias tristes.

Abrimos a porta da frente para recebê-la, mas permanecemos no hall de entrada para nos abrigarmos do vento até ela chegar mais perto. Fanny observava desconfiada por trás do cotovelo de Jamie a pequena figura que subia a encosta e de repente se retesou.

– Ela veio para ficar! – exclamou e me encarou com um olhar acusador.

– O quê? – perguntei, espantada, e Fanny relaxou um pouco ao ver que minha surpresa com seu comentário era genuína.

– Ela trouxe suas coisas. – Fanny meneou a cabeça para Agnes, que agora estava perto o suficiente para eu poder ver seus cabelos louros finos e compridos escapulindo da touca encardida.

De fato, ela carregava um saco de farinha com a boca presa por um nó e o peso se balançava feito um pêndulo enquanto caminhava.

– Ela provavelmente nos trouxe alguma coisa da mãe – falei.

– Trouxe, sim. Ela mesma. – Jamie tinha os olhos fixos na menina, interessado. Ele baixou os olhos para Fanny, que estava com a testa levemente franzida. – Frances tem razão, Sassenach. Alguma coisa aconteceu e a menina saiu de casa.

– Agnes! – chamei e saí e desci os degraus para ir a seu encontro. – Agnes, está tudo bem?

Apesar do rosto cansado e sujo, seus olhos se iluminaram quando me viu.

– Sra. Fraser – disse ela. Sua voz saiu rouca, como acontece com alguém que passa muitas horas ou dias sem dizer nada em voz alta, e ela limpou a garganta com um pigarro e tornou a tentar:

– Eu… é que… quero dizer… estou bem.

– Que bom ouvir isso. – Estendi a mão e peguei o saco de farinha que ela carregava. Jamie e Fanny tinham razão: pela textura, pude sentir que ele continha roupas, não um presunto ou um saco de cebolas. – Entre, menina, e coma alguma coisa. Você parece esfomeada.

Fanny encarou Agnes com desconfiança, mas, quando solicitada, foi buscar um pouco de *burgoo* quente e pão com manteiga. Agnes comeu com vontade e nós a deixamos fazê-lo até se fartar. Quando ela começou a dar mostras de diminuir o ritmo, troquei com Jamie um olhar no qual concordamos que eu faria as perguntas.

– Como vai sua mãe, querida? – perguntei. – E você quer um pedaço de torta de maçã com passas? Acho que ainda tem um pouco no armário de tortas, não tem, Fanny?

– Sim, senhora – respondeu Fanny.

Ela não tinha tirado os olhos de Agnes desde que a outra menina entrara na casa e ainda a espiava como se desconfiasse que estivesse ali para roubar as colheres. Mesmo assim, levantou-se na hora e foi buscar a torta.

– Minha mãe está bem – respondeu Agnes, encarando-me pela primeira vez. Mas tinha uma expressão tensa e uma nova sensação de apreensão me atravessou.

– Seus irmãos? E...

– Minha irmã vai bem – disse ela e seu rosto relaxou um pouco. – Em plena forma, Mam me pediu que lhe dissesse isso. Está quase do mesmo tamanho do outro gêmeo agora, e comendo igual a um leitão. Meus irmãos *sempre* comem feito porcos – acrescentou ela em tom casual.

– Que *bom* ouvir isso – falei, e senti um calor me inundar. – Sobre sua irmãzinha, quero dizer.

Hesitei, sem saber o que perguntar a seguir, mas ela havia recuperado as forças com um pouco de descanso e de alimento, e se endireitou no banquinho, uniu as mãos nos joelhos e olhou para Jamie.

– Agradeço pela comida, senhor. Eu vim pedir trabalho.

– Ah, veio? – Jamie lançou-me um olhar que dizia "Viu só?", então sorriu para Agnes. – Em que tipo de trabalho estava pensando, menina?

Ela pareceu um tanto desconcertada. Abriu as mãos e as fitou com o cenho franzido.

– Bem... qualquer coisa que precisarem. Lavar roupa? – sugeriu, olhando para Jamie, depois para mim, então de novo para Jamie. – Ou quem sabe eu poderia alimentar seus animais e esfregar o chão...

Todos baixaram os olhos para o piso da cozinha, no momento coberto de pegadas de lama secas; a semana inteira fora de chuva intermitente.

– Humm... – fez Jamie. – Suponho que possamos encontrar alguma coisa para você fazer, menina. E podemos dar uma cama e comida à vontade. Mas poderia me dizer por que deixou sua família?

Um rubor opaco lhe coloriu as faces e eu soube o que ela iria dizer.

– Seu... seu padrasto, talvez? – perguntei, com toda a delicadeza.

Ela baixou os olhos e o rubor se intensificou. Aquiesceu, uma vez apenas.

– Ele voltou – disparou então. – Sempre volta. E em geral fica tudo bem por um tempo. Ele fica sem beber e, enquanto não há dinheiro para comprar mais, fica tudo bem. – Ela inspirou fundo e ergueu os olhos, encarando Jamie com firmeza. – Não é o que o senhor está pensando. Ele nunca... o senhor sabe.

– Sei, sim – disse Jamie com brandura. – E que bom que não. Mas *o que* ele fez?

Ela suspirou.

– Quando bebe, ele se zanga e... inventa coisas. Dessa vez inventou que deveríamos ir para as terras dos cherokees Overhill viver em uma das aldeias de lá. Minha mãe não se importou; ficou feliz em partir para um lugar onde fosse haver outras mulheres, pessoas para lhe fazer companhia e ajudar.

Ela me encarou, mordendo o lábio inferior.

– Mas eu não quis ir. Aaron tinha a intenção de me casar com um amigo seu em Chilhowee. Ele… nós… não nos damos bem. Quando eu disse que não queria me casar, falou que eu podia fazer o que quisesse, mas que estava farto de mim. Ele… ele me expulsou de casa. – Ela mantivera os sentimentos sob controle até então, mas, ao dizer isso, uma lágrima rolou por seu rosto e ela a enxugou depressa, como se não quisesse que a víssemos. – Eu… eu passei dois dias na floresta, senhor. Não queria deixar Ma e os pequenos, só que não sabia o que fazer. Meu irmão Georgie me levou um pouco de comida e então finalmente Ma conseguiu sair por tempo suficiente para trazer minhas coisas… – Ela indicou com a cabeça o pequeno saco no chão a seus pés. – Ela disse que eu deveria procurar a senhora. A senhora foi tão gentil e boa conosco… talvez… – Ela se calou e engoliu em seco. – Então eu vim – concluiu, com uma vozinha sumida.

Ficou sentada de cabeça baixa. O recinto a essa altura já havia escurecido e a luz do fogo tremeluzia de leve nela, como se o calor estivesse lhe estendendo os braços.

Fanny se levantou de repente, foi até Agnes e se agachou na frente dela. Segurou a mão da menina e a afagou.

– Você sabe cozinhar? – perguntou, esperançosa.

66

DIÁSPORA

Raspei vários pequenos torrões de açúcar de um dos pães que Jamie trouxera de Salisbury e os levei até a horta embrulhados em meu lenço. Muito antes de eu chegar à horta, abelhas começaram a aparecer e a voar a meu redor, interessadas.

– A que distância vocês conseguem farejar açúcar? – indaguei. – Paciência. Daqui a pouco terão seu lanche. – Ainda havia espécies floridas na montanha: ásteres, erva-de-cão, varas-de-ouro, cravos de outono, eupatórios. Mas também lagartas mais abundantes do que eu estava acostumada, e as conhecidas como ursos-de-lã estavam maiores e mais peludas que o normal, sinal claro de um inverno rigoroso, segundo John Quincy. Queria me certificar de que as abelhas tivessem mel suficiente para sobreviver até a primavera, então vinha incrementando sua dieta de tantos em tantos dias com um suplemento de frutas fatiadas ou água com açúcar.

Dentro da horta, com o portão fechado para evitar intrusões de cervos ou guaxinins, peguei água do barril com a tigela rasa que mantinha sempre ali e nela acrescentei o açúcar, que então mexi com o dedo. Na mesma hora, as abelhas começaram a pousar na tigela, em minhas roupas, no banco alto que eu usava para trabalhar e em minha mão, fazendo-me cócegas com as patas de tão alvoroçadas de interesse.

– Será que dá para *esperar*? – falei, sacudindo-me para me livrar delas, afastando do rosto com cuidado algumas desgarradas.

Eu havia tomado a precaução de enrolar os cabelos em um pano, pois mais de uma vez tinha tido a perturbadora experiência de tentar desvencilhar uma abelha em pânico dos fios soltos.

– Está bem, então – falei, pousando a tigela de água açucarada com uma sensação de alívio. – Podem comer!

Elas não precisaram de incentivo: já havia abelhas aglomeradas na borda do prato, sugando avidamente, então voando de volta para suas colmeias para serem no mesmo instante substituídas por outras. Eu tinha oito colmeias agora ali na horta e outra três na floresta, todas de vento em popa.

– Ora, bem.

Recuei e passei um instante a observá-las com satisfação. O zum-zum de suas asas era um som baixo e agradável, e relaxei na atmosfera da horta naquele início de outono, com suas folhas frescas e perfumadas com os aromas pungentes de nabos, trepadeiras de batatas e terra revirada. Tinha cavado uma vala funda para as ervilhas, que margeava uma das laterais, e outra para vagens do lado oposto. Jamie ou uma das meninas teriam que trazer alguns cestos de estrume para eu poder misturar com a terra antes de preenchê-las, de modo que tudo pudesse passar o inverno apodrecendo em paz. Alguns tomates tardios reluziam na sombra do canto nordeste e fui colher o que pudesse ter uso das plantas estraçalhadas pelas lesmas; não iriam durar muito mais.

– Então – falei para uma das abelhas, que tivera a gentileza de me acompanhar até o trecho dos tomates. – Vocês já sabem sobre Roger, Bree e as crianças... Devem ter sentido o cheiro do chucrute a muitos quilômetros. Espero que, a esta altura, eles já tenham chegado a Charles Town e que as coisas estejam bem entre Germain e a família dele. Mas acho que ainda não contei sobre Rachel e Ian... Eles viajaram para Nova York com Jenny... vocês sabem quem ela é: da última vez que a vi estava com cheiro de castanhas de nogueira, leite de cabra e pãezinhos. Sim, isso fica *bem* longe – continuei, desenrolando a pequena esteira de junco trançado que usava para me ajoelhar quando trabalhava no jardim. – A única coisa boa é que não haverá mais batalhas no norte... está tudo descendo para *cá*. Mas já *houve* batalhas lá, então eles foram ver a ex-esposa de Ian e se certificar de que ela e os filhos estão bem. Rachel não está muito feliz com isso, claro, mas sua luz interior pelo visto viu que Ian precisava ir, então o acompanhou. *E* com o bebê – acrescentei, com um quê de apreensão. – Enfim, foi uma pequena diáspora. Acho que sabem do que se trata; fazem isso todos os dias, não é?

Mas voltam no fim do dia, pensei.

Fiz uma breve prece para que nossas operosas abelhas sobrevivessem ilesas às suas aventuras e voltassem para nossas colmeias na primavera. Então me lembrei de Agnes.

– Ah, e temos uma nova moradora. Ela se chama Agnes. Por enquanto, está com um cheiro bem forte de sabão de lixívia e hissopo, porque tive que passar o pente fino para tirar as lêndeas de seus cabelos, mas tenho certeza de que é só temporário... Vou trazê-la amanhã para apresentá-la a vocês.

Era reconfortante pensar que Fanny não estava zanzando pela casa sozinha. Após uma breve desconfiança, Agnes e ela tinham se dado muito bem. Quando eu saíra para a horta, as duas estavam sentadas na varanda trançando cebolas e alho e especulando sobre as perspectivas matrimoniais de Bobby Higgins, uma vez que podiam ver seu chalé lá embaixo. Bobby consertava uma tábua podre no degrau da frente auxiliado por Aidan, enquanto os dois pequenos davam voltas no chalé correndo um atrás do outro e soltando gritinhos agudos.

– Você se casaria com ele? – perguntou Fanny a Agnes. – Você tinha... *tem* irmãos menores, quero dizer, então talvez conseguisse lidar com os meninos.

– Eu *conseguiria* – disse Agnes em um tom de quem duvida, colocando uma réstia de cebolas pronta no cesto. – Mas não tenho certeza quanto ao sr. Higgins. Judith MacCutcheon falou que a cicatriz na bochecha dele é um M e que significa *murderer*... assassino. Eu acho que teria medo de me deitar com um homem que tivesse matado alguém.

– É mais fácil do que pensa, menina – falei entre dentes ao me lembrar de suas palavras.

Mesmo assim, era bem verdade que, embora a competição para ser a próxima sra. Higgins prosseguisse, algumas moças da Cordilheira, e algumas de suas famílias também, viam Bobby com certo preconceito agora que era viúvo e estava à procura de uma esposa. Quando ele se casou com Amy McCallum, assumindo seus filhos Aidan e Orrie e gerando o pequeno Rob, a comunidade aos poucos passara a aceitá-lo. Mas, agora que ele poderia vir a se casar com uma de suas filhas, as pessoas o viam de novo como um *sassenach*. Lembraram que ele já tinha sido soldado... e casaco-vermelho. E também um assassino, com o rosto marcado a ferro para servir de prova de seu crime.

Empurrei para o lado a pequena pilha de ervas daninhas. Tinha toda uma fileira de pilhas assim margeando os nabos, cada qual mais murcha e podre do que a anterior. Mantinha-as ali para provar a mim mesma que estava realizando alguma coisa, embora as ervas daninhas estivessem me vencendo. Jamie se referia às pequenas pilhas como meus escalpos, algo que ele dizia com a intenção de fazer graça, mas sobre o qual, na realidade, não estava tão errado assim.

Mas havia outras coisas a fazer naquele dia, de modo que me levantei, fazendo meus joelhos estalarem, e enrolei minha esteira.

Peguei o cesto de tomates, nabos e maços de ervas e me detive no portão da horta, olhando para a casa mais embaixo. As meninas tinham sumido da varanda e o cesto também havia desaparecido; provavelmente elas levaram as cebolas para a despensa de legumes.

Fanny agora estava com 13 anos, ou assim pensávamos. Agnes tinha 14. Meninas se casavam com essa idade, sim, mas isso não iria acontecer se Jamie e eu pudéssemos interferir.

Uma movimentação entre as árvores atraiu meu olhar. Era uma mulher... uma mulher jovem, de blusa quadriculada de azul e saia cinza com uma anágua bordada cuja bainha aparecia por baixo. Sua cabeça ficou visível e reconheci Caitriona McCaskill. Ela também carregava um cesto e descia a encosta com ar decidido. Nem todo mundo tinha reservas em relação a Bobby Higgins.

– E *dela*, o que acham? – perguntei às abelhas, mas, caso elas tivessem alguma opinião guardaram-na para si.

67

RÉUNION

Charles Town, Carolina do Sul

Mandy tinha os olhos esbugalhados de animação e não dizia coisa com coisa, o que não significava que se mantivesse calada em relação ao que via, desde as nuvens de mosquitos pairando à sua volta até os bandos de pássaros que decerto comiam os mosquitos e os escravos negros que trabalhavam nos arrozais.

– Tio Joe! – gritou ela, meio dependurada para fora da carroça e acenando feito louca. – Tio Joe, Tio Joe!

– Aquele não é o tio Joe – disse Jem, agarrando-a pelo cangote do vestido. – O tio Joe está em Boston.

Ele olhou para a mãe, que aquiesceu, grata pela intervenção. Roger e ela tinham tido uma conversa reservada tanto com Jem quanto com Germain sobre escravidão, e uma conversa levemente mais reservada com Jem.

– Olhe, Mandy!

Germain havia agarrado o braço da menina e a virado para lhe mostrar uma imensa garça-azul que os olhava com ar de reprovação lá do arrozal alagado. Com isso, nada mais foi dito sobre os homens e as mulheres que trabalhavam manejando foices do outro lado da estrada, curvados e abaixados em meio ao ar denso e quente, colhendo o grão já amarelecido que subia até a altura dos joelhos.

Nos arredores da cidade, eles viram soldados continentais.

– *Muitos* soldados! – Debruçados para fora da carroça, os meninos puxavam as mangas um do outro para mostrar uma nova maravilha.

Centenas de pequenas barracas de lona, de tamanho suficiente apenas para abrigar um homem da chuva, pareciam respirar com a brisa do rio distante que as fazia estremecer. A brisa trazia o barulho de gritos ritmados: homens treinando, marchando para lá e para cá com mosquetes nos ombros por um quadrado distante de terra batida pisoteada e vazia. E então um par de canhões escuros e letais, montados em seus carrinhos e prontos para se moverem, os carrinhos cheios de caixotes de balas e barris de pólvora. Os meninos ficaram mudos de espanto.

– Meu Deus do céu! – Como a aluna de escola paroquial que era, Brianna raramente dizia o nome do Senhor em vão, mas aquilo foi uma prece murmurada.

Roger ouviu e lhe lançou um olhar.

– É – falou, ao ver o que ela olhava. – Parecem inofensivos no museu, não é?

Sua boca se contraiu um pouco quando ele olhou para os meninos boquiabertos, mas ele sorriu com ironia para Brianna e lhe passou as rédeas.

– Distração – falou depressa e, pondo Mandy no colo, segurou-a com firmeza pela cintura e começou a apontar para bandos de garças-brancas e para o que podiam ser mastros enevoados de navios no porto distante.

Quanto tempo fazia que ela não via uma cidade? Brianna estava tão tensa ao se aproximar de Charles Town que mal reparou na cidade em si. Sentia os barris de chucrute chacoalharem a cada buraco da estrada e, quando chegaram às ruas de pedras e o chacoalhar se transformou em um tremor constante, as visões de um dos barris caindo e explodindo na estrada e a necessidade de manter Mandy sob controle não lhe permitiram prestar atenção em mais nada.

Por fim, pararam. Ela sentia os joelhos fracos, como alguém que pisa terra firme após uma longa viagem por mar, e pensou que talvez fosse passar o resto da vida cheirando a chucrute, mas esses pensamentos tinham pouca importância comparados ao alívio da chegada. Eles tiveram que deixar a carroça no pátio de uma hospedaria e seguiram a pé até a gráfica. As ruas de Charles Town eram largas e elegantes, mas o estabelecimento de Fergus ficava modestamente situado em uma ruela menor próxima ao limite do distrito profissional, agradável e margeada de árvores, ocupada por várias pequenas lojas.

Roger havia deixado alguns *pennies* com o dono da hospedaria para cuidar da carroça. Mesmo assim, deixá-la sozinha o fazia ficar apreensivo. Por outro lado, o dono da hospedaria tinha recuado abruptamente ao sentir o cheiro do chucrute, então cuspira no chão de pedras e olhara para Roger com uma expressão a indicar que 3 reles *pennies* não eram de forma alguma o suficiente para *aquilo*.

Os MacKenzies já tinham parado havia muito tempo de reparar no mau cheiro do repolho fermentado, mas o nariz deles agora comichava, ávido pelos cheiros de uma cidade, em especial os de comida. Estavam perto do rio, e os aromas de peixe frito, sopa de frutos do mar e o odor penetrante de maresia das ostras frescas se misturavam ao cheiro de cereais e flores e se erguiam à sua volta em um apetitoso miasma.

– Ai, meu Deus! Camarão com cuscuz? – A barriga de Brianna emitiu um ronco audível, o que fez as três crianças começarem a rir.

– O que é cuscuz? – perguntou Mandy, farejando o ar. – Estou sentindo cheiro de peixe!

– É milho triturado e deixado de molho em soda cáustica – respondeu Roger, distraído. Por mais faminto que estivesse, ficou mais impressionado com as casas, pintadas de azul, rosa e amarelo tão brilhantes quanto lápis de cera infantis. – Com manteiga ou molho por cima.

– *Soda cáustica?* – entoaram as três crianças em coro, consternadas.

Todas elas tinham sido ameaçadas desde bebês a nunca chegar a menos de 1 metro do balde de soda cáustica que fazia os olhos lacrimejarem "ou iriam ver só".

– Você enxágua a soda cáustica antes de moer o milho e comer – garantiu-lhes Brianna. – Vocês já provaram. – Ela olhou para Mandy, em seguida para Roger. – Será que comemos alguma coisa antes de…?

– Não – respondeu ele com firmeza, mal conseguindo conter uma explosão de entusiasmo de suas tropas. Estava olhando para Germain, que pela cara parecia prestes a vomitar a qualquer momento. – Primeiro temos que ir à gráfica.

Germain não disse nada, mas engoliu a saliva de modo visível e passou a língua pelos lábios. Havia passado os dois últimos dias fazendo isso: tinha os lábios secos e rachados nos cantos.

Brianna tocou seu ombro de leve.

– *Je suis prest* – falou, e a expressão apreensiva desapareceu de seu rosto por alguns instantes.

– A senhora é mulher, tia – disse ele, revirando os olhos. – Tem que dizer *Je suis preste.*

– Você não pode me obrigar – retrucou ela e riu.

– Ali está! – disse Jem de repente e estacou com o dedo apontado.

Ficava do outro lado da rua: um predinho de tijolos pintados de azul, com persianas e porta de um roxo vivo. Uma grande janela ao lado da porta exibia uma coleção de livros e acima dela estava pendurada uma placa que dizia: FERGUS FRASER E FILHOS, IMPRESSÃO E LIVROS.

– *Merde* – sussurrou Germain.

– Filhos? – perguntou Jem, sem entender.

– Germain e os irmãos menores dele, imagino – respondeu Roger. Ele falou em tom neutro, mas seu coração tinha ficado pequenininho e então começado a bater mais depressa. Ele estendeu a mão e segurou a de Germain. – Venha, vamos entrar primeiro.

A direção da brisa mudou. De repente, os cheiros de tinta e metal quente vindos da porta aberta os atingiram, como uma nuvem de calor invisível. Germain sorveu uma grande porção desse ar e tossiu. Tornou a tossir e pigarreou, com os olhos lacrimejando; talvez não fosse só por causa do cheiro acre, pensou Roger. Bateu de leve nas costas de Germain.

– Vai ficar tudo bem? – perguntou.

Germain assentiu, mas, antes de conseguir dizer qualquer coisa, passos pesados soaram nas pedras do calçamento atrás de Roger e, com um grito de "*Germain!*", Fergus agarrou o filho com os dois braços e o puxou com força para junto do peito.

– *Mon fils! Mon bébé!*

– *Bébé?* – repetiu Germain.

Seu rosto se modificava em emoções que iam do espanto à alegria, passando por uma indignação fingida, tão depressa que Roger mal foi capaz de lê-las. Não havia, porém, dúvida alguma quanto ao que o rapaz estava sentindo. Sua bochecha estava encostada com força no colete encardido do pai e ele então virou a cabeça, enterrou o rosto no peito de Fergus e soluçou aliviado.

– *Bébé* com certeza – disse Fergus baixinho, e Roger viu as lágrimas que escorriam por seu rosto. Ele segurou Germain um pouco afastado de si e tornou a falar: – Posso ver que agora é um homem. Mesmo assim, quando olho para você, sempre o vejo como meu bebê. – Ele o soltou com toda a delicadeza e tirou do bolso um lenço manchado de tinta. – Baixinho, gordo e todo babado – acrescentou, assoando o nariz e sorrindo para o filho.

Todos riram, inclusive Germain, depois de ficar atônito por alguns segundos.

– O que está acontecendo aq…? Germain! – Ouviu-se um farfalhar de saias e Marsali saiu correndo da oficina e abraçou o filho rebelde.

Roger ouviu Brianna emitir um som débil, deu um passo para trás, segurou sua mão e a apertou com força.

– Mam! O que… *iiiiii!* Fizzy, Fizzy, venha ver, é *Germain!*

Com o rostinho redondo aceso de animação, Joan tornou a entrar correndo na oficina. Segundos depois, voltou arrastando a irmã menor com tanta força que quase a fez se descolar do chão.

Roger sentiu a mãozinha de alguém puxar sua calça e olhou para baixo.

– Quem são esses? – perguntou Mandy, agarrando sua perna e franzindo o cenho desconfiada para a cena coletiva cheia de choro e de riso que se desenrolava a sua frente.

– Nossos primos – respondeu Jem, paciente. – Você sabe… mais parentes.

O primeiro pensamento de Bree ao ver a gráfica foi *refúgio*, e esse sentimento continuou a crescer à medida que o turbilhão da chegada se acalmou até se transformar em pequenos redemoinhos: a breve troca de notícias, um depósito inicial para futuras conversas; água para se lavar; a movimentação organizada dos preparativos para o jantar; a ligeiramente menos organizada atividade de consumi-lo, com metade das pessoas sentada à mesa e as outras quase todas debaixo desta, rindo debruçadas sobre suas tigelas de arroz com feijão-vermelho; e então o banho e a troca de roupas e fraldas para dormir, conforme o calor de muitos corpos e da forja de tipos reduzida a brasas era gradualmente substituído por uma brisa fria e escura vinda do rio, que atravessou a casa desde a porta dos fundos aberta até a da frente igualmente aberta, anunciando uma noite tranquila.

Com todas as crianças finalmente na cama, os adultos se sentaram na diminuta sala para brindar ao reencontro com uma garrafa de um excelente vinho francês.

– *Onde* conseguiu isso? – perguntou Roger depois do primeiro gole. Levantou o copo para admirar a cor da bebida, que cintilava à luz do fogo feito um rubi. – Não bebo nada assim desde... desde... Bom, não tenho certeza se já bebi algo tão bom assim.

Marsali e Fergus trocaram um olhar de cumplicidade.

– Provavelmente é melhor você nem saber – disse ela a Roger, rindo. – Mas tem mais um pouco de onde esse saiu... Não se acanhe!

– *Certainement* – confirmou Fergus e ergueu o copo para Roger. – Você trouxe nosso filho pródigo para casa. Se quiser tomar banho nesse vinho, é só dizer.

– Não me tente. – Roger deu um grande e vagaroso gole e fechou os olhos. Seu rosto cansado relaxou de um jeito delicioso.

Bree não tomava vinho desde a morte de Amy Higgins: o cheiro das uvas a fazia recordar demais aquele dia entre as vinhas e a cor do tinto era parecida demais com a do sangue fresco sob o sol. Mesmo assim, aquele vinho, em vez de ser engolido, parecia se dissolver até penetrar suas membranas e entrar no próprio e doce sangue, e ela sentiu o corpo amolecer aos poucos, assumindo outra vez sua forma natural à medida que a tensão da viagem a abandonava.

Eles tinham conseguido.

Até ali, disse a cínica vozinha dentro de sua cabeça, mas ela a ignorou. Por enquanto estavam todos seguros... e juntos.

Germain não tinha ido para a cama com Jem, Mandy e as irmãs: estava aconchegado junto à mãe no canapé, ferrado no sono, com a cabeça em seu colo, e Marsali passou delicadamente a mão por sua cabeça loura descabelada com uma expressão de tamanha ternura no rosto que Bree sentiu uma pontada no coração.

Pensar nisso a fez tocar de leve seu esterno, mas tudo estava tranquilo lá dentro, um tá-tum, tá-tum suave e regular que, se ela deixasse, a ninaria dali a instantes até dormir. Um breve choro do berço ao lado da cadeira de Fergus lhe tirou da cabeça a ideia de dormir e ela se sentou depressa, sentindo uma onda maternal lhe brotar do ventre até os seios com uma força surpreendente.

– Se um chora, o outro chora também – disse Marsali com um suspiro, levando a mão ao cordão do corpete. – Bree, pode segurar meu vinho?

Ela pegou o copo aquecido pelo calor da mão de Marsali e ficou observando, com um pouco de inveja, Fergus passar uma das trouxas envoltas em panos para a mulher, em seguida se abaixar e pegar o outro bebê no berço.

– Este aqui está molhado – falou, segurando o menininho afastado de si.

– Eu o troco. – Bree colocou o vinho na mesa e pegou a trouxa que Fergus segurava; ele soltou o filho de bom grado e tornou a se sentar com seu copo e um ar satisfeito.

Havia cueiros e panos limpos em uma prateleira, além de uma latinha de algum tipo de unguento que recendia a lavanda, camomila e aveia. Brianna sorriu ao reconhecer uma versão do creme contra assaduras de sua mãe.

– Quem é este? – perguntou, afastando o cobertor para revelar um rostinho redondo e sonolento, com um tufo de cabelos castanho-claros no topo da cabeça.

– Charles-Claire – respondeu Fergus e meneou a cabeça para a trouxa de Marsali. – Aquele ali é Alexandre.

– Olá – disse Brianna baixinho, e o bebê estalou os lábios como quem reflete e começou a se remexer dentro dos panos. – *Comment ça va?*

– *Nhé!*

– Ah, não está bom? Vamos cuidar disso, então...

Por mais cansados que estivessem, ninguém quis ir para a cama. Brianna podia sentir o sono subindo devagar de seus pés cansados e de suas canelas doloridas até lhe cobrir os joelhos como um cobertor quentinho. Mas havia coisas demais a dizer e, depois de informar os parentes sobre a atual situação na Cordilheira e o bem-estar de todas as pessoas e animais que lá viviam, eles explicaram a razão de sua presença em Charles Town.

– Foi principalmente por causa de Germain – disse Roger, sorrindo para o menino adormecido e para Marsali. – Depois que recebemos sua carta, é claro que tivemos que vir. E... – Ele lançou um olhar rápido para Bree. – Jamie comentou algo sobre ter mandado um recado, certo?

Isso fez Marsali olhar para Fergus na mesma hora e ele respondeu com um gesto de quem diz "Não é nada". Roger pigarreou e retomou:

– E Charles Town fica no caminho, afinal.

– No caminho para onde? – perguntou Fergus.

Fergus tinha relaxado até um estado no qual parecia não ter osso algum no corpo; tinha os olhos parcialmente fechados por causa da fumaça do fogo a lenha. Brianna pensou que nunca o vira assim antes, completamente em paz.

– Savannah – respondeu Roger, com um quê de orgulho que aqueceu Brianna mais do que o fogo. – Bree recebeu uma encomenda... para pintar o retrato da esposa de um comerciante rico chamado Brumby.

Fergus ergueu a sobrancelha.

– Parabéns, *ma soeur*. Savannah... Esse senhor seria monsieur Alfred Brumby?

– Sim – respondeu ela, espantada. – Você o conhece? Ou sabe algo sobre ele?

– Vejo o nome dele impresso em várias caixas e caixotes nos cais, no caminho entre Savannah e Filadélfia ou Boston. Ele importa melaço das Índias Ocidentais. E por conseguinte é *muito* rico, posso garantir. Cobre o que quiser pelo retrato, ele não vai nem piscar.

Brianna movimentou na boca um gole de vinho, saboreando a adstringência na língua.

– Devo entender que "importa" é um termo educado para dizer "contrabandeia"?

– Bom, não mais do que em metade das vezes – respondeu Fergus, dando de ombros de um modo tipicamente francês. – *Ainda* é legal importar melaço para as colônias... mas naturalmente se deve pagar uma taxa. E onde existem taxas...

– Existem contrabandistas – concluiu Roger e soltou um leve arroto. – Perdão. Está dizendo então que o sr. Brumby importa *e* contrabandeia melaço?

– *Mais oui* – respondeu Marsali, rindo. – Ele paga as taxas sobre os barris identificados como melaço e os barris identificados como peixe salgado ou arroz passam despercebidos... e sem taxas. Contanto que o fiscal não os cheire...

– E, como monsieur Brumby é astuto o suficiente para suborná-lo, ele não os cheira – concluiu Fergus. Ele se agachou e tateou sob a mesa baixa, de onde retirou outra garrafa, sem rótulo. – Falando em cheiros... – emendou, semicerrando os olhos para Roger. – Não quero ofender fazendo comentários pessoais, mas...

– É chucrute – respondeu Brianna no tom de quem pede desculpas.

Ela pigarreou discretamente. Havia passado a viagem inteira ansiosa, sempre com medo de um dos barris se romper, cair no chão ou atrair uma atenção indesejada para o grupo, mas seu pai, sem surpresa alguma, tinha razão: ninguém quisera chegar perto deles. E, agora que haviam chegado em segurança e estavam bem alimentados e meio bêbados, ela estava inclinada a sentir certo orgulho de seu sucesso.

Quando Roger mencionou a quantidade de ouro que Jamie mandara, Fergus franziu os lábios e deu um assobio silencioso, e Marsali e ele trocaram um olhar de alerta.

– Pa sabe que é um risco – apressou-se em dizer Bree. – Ele não iria querer que corressem perigo. Mas se vocês...

– *Pfff* – fez Fergus e sacou a rolha do vinho. – Ultimamente não tem muita coisa que se possa fazer *sem* correr riscos. Se eu for morto por alguma coisa, gostaria que fosse por algo importante. Se for divertido, melhor ainda.

Bree observava o rosto de Marsali quando ele fez esse comentário e pensou que ela talvez tivesse algumas dúvidas mais íntimas, mas ela apenas aquiesceu com um semblante grave.

– Eu vou ajudá-lo – garantiu Roger a Marsali ao perceber sua reserva. – Ninguém vai desconfiar que eu seja um traficante de armas. Ou pelo menos espero que não…

– Roger está prestes a ser ordenado – disse Bree ao ver sua expressão intrigada e sentiu o afeto e orgulho de sempre, matizados de medo, que o tema da vocação de Roger suscitava. – Esse foi nosso outro motivo para vir a Charles Town. Ele precisa encontrar um… ahn… um presbitério de pastores aqui na cidade, para que possam examiná-lo e se certificar de que ele ainda está apto a se tornar um.

– E estou certo de que ser flagrado com trinta armas roubadas da Marinha Britânica vai tranquilizá-los com relação a seu caráter e a sua moral – disse Fergus e deu uma enorme gargalhada.

– Da *Marinha* Britânica? – repetiu Bree, olhando para a coleção de garrafas de vinho vazias sobre a mesa.

– Bem, eles provavelmente são os únicos a ter muitas armas sobrando – explicou Marsali, dando de ombros de modo tão gaulês quanto Fergus… *Ou seria gálico?*, pensou Bree, sentindo o raciocínio começando a ficar lento.

– Caso contrário, vamos encontrar alguém que tenha. – Com toda a cerimônia, Fergus tornou a encher os copos, pousou a garrafa na mesa e ergueu sua bebida.

– À liberdade, *mes chers*. Ao chucrute e aos mosquetes!

Brianna e as crianças dormiam como se estivessem mortas, esparramadas pelo chão do segundo andar como vítimas de alguma peste súbita, em meio aos barris de verniz e piche e às pilhas de livros e panfletos. Apesar do longo dia, do reencontro emocionado e do volume impressionante de vinho consumido, Roger não queria dormir. Ainda podia sentir a vibração da carroça e as rédeas nas mãos, e uma espécie de hipnose espreitava no fundo de sua mente, instando-o a se render a um lento redemoinho de arrozais e aves voando em círculos, de ruas calçadas com pedras e folhas de árvores se movendo como fumaça ao crepúsculo. Mas se conteve, pois queria conservar aquele instante pelo máximo de tempo possível.

Destino. Ou seria sina? Será que pessoas normais tinham um destino? Parecia imodesto pensar que ele tinha um destino… mas era um ministro de Deus. Era *exatamente nisso* que acreditava: que toda alma humana tinha um destino e o dever de encontrá-lo e cumpri-lo. Naquele exato instante, podia sentir o peso da preciosa confiança que sentia e não queria ter que abrir mão da reconfortante sensação de paz que o dominava.

Mas a carne é fraca e ele acabou se dissolvendo no sono, na respiração da mulher e na dos filhos adormecidos, no fogo quase apagado lá embaixo e nos sons dos pântanos ao longe.

68

METANOIA

Três dias mais tarde...

O encontro de Roger para conhecer os reverendos srs. Selverson, Thomas e Ringquist, integrantes do presbitério de Charles Town, fora marcado para as três da tarde. Tempo de sobra para alguns afazeres e para escovar seu terno preto de boa qualidade.

Por ora, porém, ele estava sentado no banco em frente à gráfica, aproveitando o sol da manhã e o sabor do desjejum. Brianna havia preparado rabanadas salgadas para acompanhar o mingau de aveia com presunto diário e, embora Fergus houvesse declarado que francês algum poderia ter imaginado um prato daqueles, que em inglês era chamado de *French toast*, reconheceu que estava uma delícia, cremoso, com sabor pronunciado de ovo, e incrementado com um pouco do mel que Claire havia mandado de suas colmeias. Isso compensou em parte a falta de chá ou café – por estar ocupada pelos americanos, Charles Town carecia desses dois artigos. Por outro lado, havia leite fresco, trocado com uma leiteira que apreciava fofocas e as confissões sensacionalistas de condenados prestes a serem enforcados.

Roger tinha lido vários dos últimos textos que Fergus havia separado para sua cliente na noite anterior e ficara fascinado, um pouco repugnado e um tanto apreensivo.

A todos que vêm assistir a meu fim fatal
Prego a gentileza de escutar minhas últimas palavras.
Que meu infortúnio sirva agora de alerta e precaução
Para todos que me ouvirem, sejam fidalgos ou não.

Uma pilha desses cartazes fora deixada sobre a mesa do desjejum. Um dos títulos atraíra seu olhar quando Germain os havia recolhido e alinhado com todo o cuidado os cantos das páginas antes de guardá-los na sacola:

JULGAMENTO E EXECUÇÃO DE HENRY HUGHES
A quem sobreveio a morte no décimo segundo dia de junho, anno domini *1779*
Na cadeia do condado, Horsemonger Lane, Southwark
Por ter violentado EMMA COOK, menina de apenas 8 anos

Embora os excessos da imprensa diária não lhe fossem estranhos – fosse no teor ou na intenção, as coisas que Fergus imprimia não eram tão diferentes assim das matérias publicadas pelos tabloides de sua época –, Roger ficara impressionado com um dado específico daquela notícia: o fato de que os homens condenados (e a ocasional mulher) eram sempre acompanhados por um religioso em seu trajeto até o cadafalso. Este não só os visitava antes da execução, para prover preces e reconforto, como subia o monte Calvário lado a lado com os condenados.

O que eu diria, pensou ele, *se me visse chamado a acompanhar um homem até seu local de execução?* Já vira homens serem mortos e pessoas morrerem, sem dúvida. Até demais. Mas tinham sido mortes naturais, mesmo que às vezes súbitas e catastróficas. Com certeza era outra coisa um homem saudável e de constituição sólida se ver diante da perspectiva iminente de ser privado desta vida por meio de um decreto de Estado. E pior: de ter sua morte presenciada como um espetáculo público moralmente edificante.

De repente, Roger se deu conta de que *ele* fora executado publicamente, e essa lembrança fez o leite e as rabanadas se revirarem em seu estômago.

É, bem... Jesus também. Não soube de onde tinha vindo aquele pensamento, que lhe pareceu algo que Jamie diria, lógico e racional, mas ele o inundou no mesmo instante de uma emoção inesperada.

Uma coisa era conhecer Cristo como Deus, Salvador, e todas as outras qualificações iniciadas por maiúsculas que vinham junto. Outra bem diferente era se dar conta, com uma clareza chocante, que, tirando os pregos, ele sabia exatamente como Jesus de Nazaré tinha se sentido. Sozinho. Traído, apavorado, arrancado daqueles que amava e querendo com cada átomo de seu ser continuar vivo.

Bem, você sabe o que diria para um condenado a caminho do cadafalso, não sabe?

Estava sentado ali sob o sol quente, tentando digerir aquilo tudo, das rabanadas salgadas até as revelações da própria memória, quando a porta da oficina a seu lado se abriu.

– *Comment ça va?* – Fergus saiu pela porta, com Germain e Jemmy em seu encalço, e arqueou uma sobrancelha para Roger, que rapidamente retirou a mão com a qual ainda segurava a barriga.

– Está tudo bem – respondeu, pondo-se de pé. – Para onde estão indo?

– Germain vai distribuir os jornais e cartazes nas tabernas – disse Fergus, sorrindo e dando um tapinha nas costas do filho. – E Jem vai com ele, se você estiver de acordo. Uma grande ajuda, e que me fez muita falta, *mon fils* – disse ele ao filho.

Germain ficou vermelho, mas pareceu satisfeito e empertigou ainda mais as costas para sustentar no ombro o grande peso da sacola de lona cheia de exemplares do *L'Oignon* e de pilhas de cartazes e folhetos anunciando todo tipo de coisa, desde um capitão de navio atrás de marujos para realizar uma "lucrativa e feliz viagem ao México" até uma lista dos "numerosos benefícios do famoso elixir do dr. Hobart, alívio garantido" para todo um rol de mazelas, a começar pela constipação e pelo inchaço dos tornozelos. Roger leu de relance "Inflamação dos", mas a lista de partes inflamadas desaparecia nas profundezas da bolsa de Germain e deixou a extensão dos poderes do dr. Hobart a cargo de sua imaginação.

– Posso ir, pai? – Jem tinha no ombro uma sacola menor e estava corado de animação, embora tentasse com muito afinco se mostrar adulto e digno em relação à tarefa.

– Pode, claro. – Roger sorriu para o filho e engoliu todas as palavras de cautela e os conselhos que surgiram em seus lábios.

– *Bonne chance, mes braves* – desejou Fergus com gravidade aos meninos.

Roger ficou parado ombro a ombro com ele observando os dois se afastarem com passos firmes, cada qual com um braço passado em um gesto protetor em volta da pesada sacola para impedi-la de balançar. Apesar de mais alto do que o primo, Jem ainda era um menino, mas Germain parecia ter dado um daqueles misteriosos saltos que as crianças dão da noite para o dia, acordando como uma versão diferente de si mesmas. O Germain daquela manhã ainda não era um adulto, mas dava para ver o rapaz começando a florescer.

Fergus deu um profundo suspiro, com os olhos cravados no filho que desapareceu ao dobrar a esquina.

– É bom tê-lo de volta? – perguntou Roger.

– Mais do que pode imaginar – respondeu Fergus baixinho. – Obrigado por trazê-lo para nós.

Roger sorriu e deu de ombros. Fergus sorriu de volta, mas seu olhar então pareceu se espichar e se estendeu por cima do ombro de Roger, que se virou para olhar, mas a rua estava deserta.

– Quando precisa encontrar seus inquisidores, *mon frère*? – indagou Fergus.

A palavra incomodou Roger um pouco, mas ele não achou que Fergus a houvesse utilizado com nada além de sua acepção mais literal.

– Às três – respondeu. – Nesse meio-tempo, tem algo que gostaria que eu fizesse?

Fergus o examinou com cuidado, mas acabou aquiescendo, tendo julgado sua aparência aceitável para fosse qual fosse a atividade que tinha em mente: em mangas de camisa, de colete gasto e calça levemente puída.

– Venha – disse Fergus com um gesto em direção ao rio distante. – Pode ser que eu tenha encontrado as armas de milorde. Traga uma quantidade pequena de ouro.

Com imenso cuidado e uma ajudinha de Jem e Germain, Fergus e ele haviam decantado o chucrute para dentro de tigelas, panelas e vidros variados de modo a poder recuperar o ouro. "Bom, não queremos desperdiçar tudo isso, não é?", tinha dito Marsali com extremo bom senso. Então haviam escondido o ouro em locais diversos dentro da casa. Ele entrou na cozinha e retirou uma plaquinha de ouro de baixo de um queijo grande e um tanto malcheiroso que estava em cima do armário, hesitou alguns instantes, então pegou mais duas só para garantir.

...

Um grande navio mercante dinamarquês estava sendo carregado no fim da Tradd Street quando eles passaram. Caixotes de sal, imensos barris de tabaco, fardos de algodão cru intercalados com baús, carrinhos de mão ou gaiolas cheias de galinhas lançando penas para todo lado eram transportados pela estreita passarela nas costas de homens suados e seminus, e desapareciam na bocarra negra de um compartimento de carga aberto com a mesma gula intermitente de uma sucuri que abocanha e engole ratazanas.

Aquela cena fez Roger de repente sentir vontade de se esconder no armazém. Tinha uma vívida lembrança da sensação de fazer aquilo, de fazê-lo vezes sem conta, com as mãos cheias de bolhas ensanguentadas, a pele dos ombros esfolada, os músculos ardendo e o cheiro de peixe morto e tabaco tão penetrante que causava tontura debaixo do sol forte. E se lembrava do olhar sardônico de Stephen Bonnet assistindo à sua labuta.

– Carrega para cá, carrega para lá... basta um passo em falso e acaba na prisão – comentou Roger com Fergus, tentando tornar a lembrança mais leve. Fergus estreitou os olhos para o cortejo ondulante e cambaleante e deu de ombros.

– Só se você for pego.

– *Você* já foi?

Fergus olhou casualmente para o gancho que usava no lugar da mão esquerda.

– Não por roubar fardos, *non*.

– E armas?

– Não por roubar *nada* – respondeu Fergus, altivo. – Vamos, o cais de Prioleau é o que queremos; é lá que ele fica atracado.

– *Ele*? – indagou Roger, mas Fergus já tinha percorrido metade da rua estreita e ele teve que apressar o passo para alcançá-lo.

O cais de Prioleau era comprido e muito movimentado, ocupado principalmente por pequenas embarcações que atracavam para descarregar peixe para o mercado da cidade, que ficava perto. Eles foram obrigados a se desviar de pequenas carroças e carrinhos de mão que transportavam pilhas de corpos prateados cintilantes, alguns ainda se agitando em uma derradeira e desesperada negação da morte. O ar se encontrava viscoso e úmido, o cheiro de peixe fresco e sangue era visceral e empolgante, e as lembranças de Roger relacionadas aos compartimentos de carga úmidos do *Gloriana* e do *Constance* se dissiparam.

Fergus agora caminhava com passos descontraídos e casuais, e Roger fez o mesmo enquanto olhava de um lado para outro, embora não tivesse e menor ideia de quem ou do que estavam procurando.

– *Bonjour, mon ami!* – Fergus foi cumprimentando amigos e conhecidos ao longo de todo o cais.

Parecia conhecer todo mundo e muitos dos homens o saudaram de volta, embora poucos interrompessem o trabalho. Ele falou em inglês, francês (ainda que um patoá de francês que Roger mal entendeu) e algo que talvez fosse alguma língua crioula e que ele entendeu menos ainda. No entanto, conseguiu captar que estavam à procura de um homem chamado Faucette.

As perguntas de Fergus foram quase todas respondidas com negativas feitas com a cabeça, mas um cavalheiro negro atarracado, de largura praticamente igual à altura, interrompeu por um instante o ato de eviscerar um peixe ainda vivo. Com a faca ensanguentada, ele apontou para o mar.

– Ali está ele! – Fergus acenou para o pescador e, segurando Roger pelo ombro, guiou-o até um pouco mais adiante no cais.

O "ele" em questão era um pequeno barco de aspecto ágil com uma única vela, que acabara de surgir do outro lado da Marsh Island.

Era uma embarcação de pesca que vinha trazendo seu pescado: um único peixe, mas um peixe que fez todos em volta largarem o que estavam fazendo e correrem para olhar assim que ela baixou a vela e passou a deslizar rente ao cais.

Era um tubarão-martelo gigantesco, bem morto, graças a Deus, e mais comprido do que a própria embarcação: o imenso corpo cinza estava dobrado ao meio e a cabeça e a cauda transbordavam pela proa e pela popa, a cabeça medonha de olhos esbugalhados parecendo uma horrível figura de proa. O barco navegava tão afundado que as pequenas ondas do cais às vezes passavam por cima das amuradas. A tripulação formada por dois homens apenas, um negro e outro mestiço, foi cercada tanto por curiosos quanto por peixeiros decididos a arrematar o troféu.

– Bom, isso vai levar certo tempo – comentou Fergus, contrariado pela agitação. – Por outro lado, talvez faça monsieur Faucette falar... isso se ele já não estiver bêbado demais. – Ele expirou de modo audível pelo nariz, pensativo, então olhou para o sol e balançou a cabeça. – Vai levar horas. Você precisa ir, se quiser ter tempo de se trocar antes de encontrar as feras.

– As...? Ah, sim – disse Roger, disfarçando um sorriso. – Bom, nesse caso... – Ele levou a mão ao bolso do colete e de lá tirou um lenço dobrado dentro do qual escondeu as plaquinhas. – *Gesundheit.* Ahn... quero dizer, *à vos souhaits.*

– *À tes amours* – respondeu Fergus, educado, enquanto enxugava o nariz com toda a delicadeza e enfiava o lenço no bolso. – *Bonne chance, mon frère.*

69

MAIS DIVERTIDO QUE LAVAR ROUPA

Brianna puxou a alavanca. Pa tinha razão: era preciso uma boa dose de força. Então ficou observando o papel ser pressionado sobre os tipos cobertos de tinta. Deu-se conta de que prendia a respiração e a soltou de modo deliberado enquanto empurrava a alavanca de volta. Marsali levantou a moldura e sorriu para a página impressa em nítidas letras pretas.

– Pronto! – falou, meneando a cabeça para Brianna. – Sem um borrão. Você tem um talento nato.

– Ah, aposto que você diz isso a todo mundo que maneja a prensa. – Mesmo assim, Brianna sentiu uma débil quentura de satisfação. – É divertido.

– Bom, é sim – concordou Marsali, descolando o papel e o levando com todo o cuidado até os varais estendidos em zigue-zague em um dos lados do recinto, onde as folhas frescas eram penduradas para secar. – Nas primeiras cem vezes ou algo assim. Mas depois… – Ela já estava pondo outra folha de papel no lugar. – Mesmo assim, é mais divertido que lavar roupa.

– E olhe que você tem um filho quase adulto *e* um marido ex-batedor de carteiras. Já tive algumas lavagens de roupa interessantes revirando os bolsos dos homens… Anteontem mesmo, Jem tinha um camundongo morto no bolso. Ele *disse* que estava morto quando o pegou – acrescentou ela com um ar sombrio, tornando a empurrar a alavanca. – Falando em lavar roupa, você sabe onde Roger e Fergus foram? Acabei de escovar e passar a esponja no terno preto de Roger para ele poder usá-lo hoje à tarde no encontro com os presbíteros, mas ele precisa estar de volta a tempo de se trocar.

Marsali balançou a cabeça.

– Ouvi Fergus dizer para Roger Mac algo sobre "as armas de milorde", mas nada sobre onde pretende encontrá-las.

O coração de Bree deu um pinote rápido quando escutou a palavra "armas".

– Tomara que Fergus não faça Roger perder a batina antes mesmo de ele ser ordenado – comentou em tom leve, torcendo para a frase soar como brincadeira.

– Não se preocupe – disse Marsali tranquilamente, esticando-se para pendurar outra folha recém-impressa. – Para começar, ministros protestantes não usam batina.

Ambas riram e a folha em branco, balançada pela brisa da porta, de repente tremeu, soltou-se e dobrou ao meio bem na hora em que Bree estava puxando a alavanca.

– Ai, droga! – exclamou ela.

Marsali se inclinou e, com dois dedos, tirou da moldura a folha amassada e úmida.

– Esta daqui vai para o fogo – comentou, deixando-a cair dentro de um cesto grande já pela metade com folhas estragadas. – Você às vezes acha estranho ser casada com um religioso?

– Bom… sim. Quero dizer, eu meio que não esperava. Não que eu ache *ruim* – acrescentou ela depressa. – Quero dizer, não é como se ele fosse um… um…

– Um ladrão? – sugeriu Marsali e seu sorriso se abriu mais. – Eu sabia desde o início o que Fergus era. Ele me contou. E não teve a menor importância. Eu teria ficado com ele mesmo se tivesse dito que era um salteador e que assassinava pessoas nas estradas para roubar seu dinheiro.

Brianna pensou que a mãe tinha comentado que Fergus fora *mesmo* salteador em determinado momento, mas lhe pareceu mais prudente não comentar. Afinal, ele não estava fazendo isso agora... até onde ela sabia.

– Veja bem – disse Marsali, tirando uma folha de papel nova da pilha e a fazendo deslizar para dentro da prensa. – Eu tinha só 15 anos na época. Além disso, ele ajudava Da, e eu não me importava que Da fosse qualquer coisa. Agora que sei o que os dois estavam fazendo em Edimburgo, não tenho certeza se teria sido mais seguro ele continuar contrabandeando bebida em vez de levar adiante a impressão, sabe? Embora suponha que hoje em dia qualquer uma das duas coisas possa levar um homem à forca.

A prensa era uma máquina sólida, mas a pancada gratificante quando ela puxou a alavanca fez uma vibração percorrer o metal e a madeira e descer direto pela sua coluna vertebral.

– Nós chamamos isso aí de rabo do diabo, sabia? – disse Marsali, indicando com a cabeça a alavanca.

Um barulhinho vindo do grande berço dos gêmeos perto do fogo fez ambas olharem para lá por um instante, mas não houve mais barulho e elas retomaram o ritmo do trabalho.

Marsali sorriu quando Félicité entrou correndo do quintal dos fundos, com as alças do avental esvoaçando e toda risonha, perseguida de perto por Joanie, que gritava coisas em um misto de gaélico e francês com o rosto muito vermelho, e por Mandy, que fechava o cortejo soltando gritinhos de alegria. As três desapareceram na rua pela porta da frente e Marsali balançou a cabeça.

– Não faça perguntas cuja resposta não quer escutar – disse ela ao notar o olhar mudo de Brianna. – Ninguém está sangrando e não acho que a casa esteja pegando fogo. *Ainda.*

– Pa me disse que as almofadas de tinta são feitas de pele de cachorro – disse Brianna, concordando em mudar de assunto. – É verdade?

– É, sim. Você sabia que cachorros não suam?

– Sim. Que sorte a deles. – Ela suava em bicas, e Marsali também.

Embora fosse setembro, o ar estava pesado como um cobertor ensopado e a combinação grudava em seu corpo feito cola.

– Bem, então. Sua pele é cheia de pequenos poros, que são por onde sai o suor. Como cachorros não suam, eles não têm poros. Então a pele é mais fina e mais lisa, e melhor para passar a tinta.

Brianna virou um dos grandes mata-borrões sujos de tinta para olhar, mas, como nunca tinha visto nenhum feito de pele humana, não teve certeza se conseguiria ver a diferença. Mas pensar nisso fez um arrepio percorrer-lhe os antebraços.

– É importante? – perguntou Marsali enquanto prendia a folha em branco no lugar. – Essa reunião que Roger vai ter? Quero dizer... já faz algum tempo agora que ele tem sido ministro para as pessoas da Cordilheira... Com certeza não iriam fazê-lo parar, iriam?

– Bom, tomara que não – respondeu Brianna em tom de dúvida. – Mas o fato é que da última vez eles o tornaram só Ministro da Palavra, ou seja, só pode batizar bebês e enterrar pessoas... Ele estava preparado para ser ordenado, mas aí... coisas aconteceram. Tecnicamente, ele não deveria estar casando pessoas, mas já fez isso... digo, não havia ninguém para fazer isso. Se ele não fizesse, as pessoas que queriam se casar... elas simplesmente iriam... ahn, viver em pecado. Então ele as casou. Mas eles mais ou menos o aprovaram, *sim*, da última vez. Ele se qualificou para ser Ministro da Palavra e do Sacramento. Só que não chegou a ser formalmente ordenado porque Stephen Bonnet me raptou e ele...

Uma sensação desagradável brotou sob sua pele, algo quente e frio ao mesmo tempo. Roger tinha lhe contado sobre o homem que havia matado, mas nunca tornara a mencionar o assunto. Ela também não.

– Eu me lembro – disse Marsali, solidária. – Mas não vejo por que ajudar a capturar um bandido daqueles deixaria Roger Mac inadequado para ser pastor.

– Bom, tenho certeza de que eles também vão pensar assim.

É melhor mesmo, pensou ela com fervor. Tinha um temor recorrente de que uma esposa católica pudesse se mostrar um impedimento maior à ordenação de Roger do que a situação com Stephen Bonnet. Por outro lado, Roger *havia* falado sobre ela com o primeiro presbítero e, embora tivessem demorado um bocado, por fim haviam decidido que ser casado com uma católica não chegava a ser *tão* ruim quanto ter uma esposa que fosse uma assassina ou prostituta. Esse pensamento a fez sorrir de leve.

Sua aceitação acabou sendo obtida graças ao convencimento de Davy Campbell, que nutria certo afeto por Roger e ela, uma vez que os havia casado. Davy também fora professor de Roger em seu famoso "seminário", de modo a preencher as lacunas de sua educação clássica. No entanto, como ele estava em *seu* seminário na Carolina do Norte, sua utilidade na atual situação era pouca além da carta de apoio que ele já tinha mandado.

Com toda a sinceridade, porém, ela estava menos preocupada com os presbíteros do que com a própria capacidade de ser uma boa esposa de pastor. Até ali as coisas em geral tinham corrido bem: ela conseguira manter Roger alimentado, vestido e com um teto sobre a cabeça, mas além disso... que tipo de ajuda poderia dar?

– Pode parar agora, *a nighean*.

– O quê?

Absorta em pensamentos, ela vinha operando a prensa feito uma autômata. Ao erguer os olhos, viu os varais acima da cabeça cheios de páginas recém-impressas e Marsali sorrindo enquanto estendia a mão por cima da chapa da prensa para retirar os componedores da matriz.

– Acabamos a primeira página. Por que não vai ver se os pequenos se mataram enquanto eu preparo a seguinte? Aproveite e me traga um pouco de cerveja, sim?

70

ESPADA NA MÃO

Ao voltar para a gráfica, Roger encontrou tanto a mulher quanto Marsali cobertas de tinta e mergulhadas em uma muvuca de páginas que secavam penduradas no zigue--zague de varais presos nos fundos da oficina. Brianna fez menção de tirar o avental sujo de tinta para ajudá-lo a se vestir, mas ele a dispensou com um aceno e subiu a escada até o mezanino, onde encontrou seu terno, um pouco gasto na barra e com o canto do bolso remendado, mas sem dúvida preto, e um lenço de pescoço limpo, engomado e novinho em folha pendurado em um gancho debaixo dos buracos abertos na estrutura.

Ele se vestiu devagar e com cuidado enquanto escutava as mulheres conversarem e rirem lá embaixo, e também os ecos agudos das três meninas brincando na cozinha enquanto ficavam de olho em seus irmãozinhos bebês. Aquilo lhe deu uma sensação de calor e ternura, e um anseio repentino por uma casa que fosse sua.

Quando voltarmos para a Cordilheira, quem sabe?, pensou.

Fora mais prático morarem todos juntos na Casa Nova depois que eles voltaram, e era bem mais fácil cuidar das crianças quando havia crianças mais velhas e outros adultos por perto para ajudar. Mas talvez, depois de ele ser ordenado... Ao pensar nisso, ele cruzou os dedos e riu para si mesmo.

Talvez fosse melhor. Boa parte do que ele faria seria conversar com pessoas e, embora ainda pretendesse fazer rondas pela Cordilheira para visitar as casas, talvez devesse ter um lugar com um escritório onde pudesse conversar com as pessoas em particular e também manter registros dos nascimentos, casamentos e mortes...

Pensar no futuro distante diminuiu sua apreensão em relação ao futuro mais imediato e ele desceu a escada depressa bem na hora em que o relógio de uma igreja próxima batia as duas da tarde.

– Você está adiantado – observou Brianna, parando para enxugar o suor da testa. – Mas está ótimo!

– Está mesmo – concordou Marsali. – Parece de fato um pastor... só que mais bonito. Todos os pastores presbiterianos que eu conheço são velhos, ranzinzas e têm cheiro de cânfora.

– Têm mesmo? – perguntou Roger, achando graça. – Quantos você conhece?

– Bem... só um – reconheceu ela. – E ele tem 97 anos. Ainda assim...

– Não chegue perto demais. Você não tem outra camisa limpa. – Mas Brianna chegou perto o suficiente para tocá-lo e com as mãos cruzadas em segurança nas costas se esticou para lhe dar um beijo.

– Boa sorte – falou e o encarou com um sorriso. – Vai dar tudo certo.

– É. Obrigado – disse ele, sincero, e sorriu de volta. – Eu... acho que vou ficar um tempinho sentado lá fora. Organizando os pensamentos.

– Ótimo – disse Marsali em tom de aprovação. – Se você saísse e passasse uma hora andando, estaria encharcado de suor quando chegasse.

Fazia quinze minutos que estava sentado em um dos dois bancos em frente à casa, o que ficava abrigado à sombra de uma palmeira, esforçando-se muito para *não* pensar demais, quando Jem veio se aproximando pela rua, cutucando distraidamente as coisas com o graveto que trazia na mão.

Ao ver o pai, porém, largou o graveto. Foi se sentar a seu lado e começou a balançar os pés. Eles passaram um tempo sentados só escutando o som das cigarras e os gritos dos peixeiros em um cais distante.

– Pai… – disse Jem em tom hesitante.

– Sim?

– Você vai ficar diferente? Depois que for ordenado? – Jem ergueu os olhos ao perguntar isso, franzindo de preocupação a boca larga e macia.

Meu Deus, como ele se parece com Bree.

– Não, parceiro – respondeu Roger. – Eu sempre vou ser seu pai, independentemente de qualquer coisa. E vou continuar sendo só eu – acrescentou, depois de pensar mais um pouco.

– Ah. Bom, não achei que você fosse *parar* de ser… – Um sorriso despontou no rosto de Jem como um raio de sol desgarrado. – Mas é que… qual é a diferença? Porque se *nada* vai mudar… por que quer fazer isso? Por que é importante?

– Ah.

Roger se recostou um pouco, com as mãos nos joelhos. Na verdade, esperava, *sim,* que fosse diferente de algum modo impossível de definir, embora também tivesse certeza de que continuaria o mesmo.

– Bem… – falou devagar. – Parte da diferença é o lado formal. Você conhece Mairi e Archie MacLean lá na Cordilheira, não conhece?

– Conheço. – Jem o encarava com ar de dúvida, perguntando-se se aquilo iria fazer sentido. Roger também estava se perguntando a mesma coisa, mas era uma pergunta legítima… e que, em sua opinião, talvez precisasse ser respondida mais de uma vez.

– Veja bem, o casamento deles foi na Páscoa, mas eles foram ao casamento com o filho pequeno, nascido no outono passado. Então já viviam como marido e mulher havia mais de um ano, apesar de nunca terem se casado.

– Eles não firmaram um compromisso? – A testa de Jem se franziu em seu esforço de recordar.

– Sim, eles firmaram um compromisso. É aí que estou querendo chegar. Eles fizeram um contrato um com o outro quando firmaram o compromisso. Você entende o que são contratos?

– Ah, sim. Vovô me mostrou a escritura das terras da Cordilheira que o antigo governador lhe deu e explicou o que era um contrato. Duas... ahn... duas partes? Acho que foi isso que ele disse. As duas partes prometem algo uma à outra e assinam seus nomes.

– Isso mesmo. – Roger sorriu e ficou feliz ao receber de volta outro sorriso. – Mairi e Archie tinham esse contrato, embora não fosse por escrito, e o que o contrato dizia era que... Você já viu alguém firmar um compromisso? Não? Bom, quando duas pessoas firmam um compromisso, elas prometem viver juntas como marido e mulher por um ano e um dia, e fazer... as coisas que marido e mulher fazem no sentido de cuidar um do outro. E isso é um contrato entre eles. *Mas*... terminados o ano e um dia, eles podem decidir se querem continuar vivendo como marido e mulher ou se não se suportam e querem ir cada um para seu lado. Então, se quiserem ficar juntos... eles ficam. Por outro lado... se houver um pastor por perto para casá-los, eles se casam, e é o mesmo tipo de contrato, só que mais detalhado e permanente. Eles prometem *continuar* casados.

– Ah, é isso que significa até que a morte os separe?

– Exatamente!

Jem passou alguns instantes calado refletindo sobre aquilo. Ao longe, um sino de igreja badalou duas vezes e então silenciou: era o toque da meia hora.

– Então você tinha firmado um compromisso com os presbiterianos e agora vai se casar com eles? – perguntou Jem, franzindo um pouco o cenho. – Mamãe não vai achar ruim?

– Não vai, não – garantiu Roger, torcendo para ser verdade.

Outro exemplo lhe ocorreu.

– Você já viu algumas vezes seu avô sair a cavalo com seus homens, não viu?

– Ah, já! – Os olhos de Jem se arregalaram com a lembrança. – Ele disse que posso ir junto quando fizer 13 anos!

Roger engoliu o "Nem pensar" automático. Em vez disso, pigarreou. Jamie Fraser saíra em sua primeira expedição para roubar gado aos 8 anos. Em sua opinião, contanto que seus pés alcançassem os estribos, não havia motivo para um menino de 13 anos não poder garantir a ordem pública, socializar com indígenas e enfrentar milícias pró-britânicas.

Ele precisa aprender em algum momento, pôde ouvir Jamie dizendo com aquele tom ameno que contrastava com a teimosa convicção por trás das palavras. *Melhor antes do que depois.*

– Humm... Bem, quando eles saem a cavalo, já viu seu avô levantando a espada ou o fuzil em sinal de partida?

Jem aquiesceu, entusiasmado, e Roger foi obrigado a reconhecer que ver Jamie fazer isso fazia um pequeno arrepio percorrer-lhe a espinha.

– Bem, esse é o sinal que diz que os homens devem segui-lo e ir aonde ele os conduzir. Se chegam a um lugar onde precisam ir depressa em uma determinada direção, ele saca a espada e aponta a direção que devem tomar, de modo que todos possam ir na mesma hora sem se perder. Ele continua sendo exatamente quem é, seu avô, pai de sua mãe e um homem bom, mas também precisa ser um líder. Quando faz isso, usa seu colete de couro e segura sua espada na mão, para todo mundo *saber* que ele é o líder. Ele não precisa parar e explicar para ninguém.

Jem escutava com atenção e tornou a assentir.

– Então é mais ou menos isso que significa eu ser ordenado. As pessoas vão saber que eu sou... uma espécie de líder. Ser ordenado é... de certa forma é minha espada.

E com sorte elas talvez prestem atenção de vez em quando no que eu disser...

– Ah... – disse Jem quando começou a compreender. – Entendi.

– Que bom. – Ele quis afagar a cabeça do filho. Em vez disso, apenas apertou sua mão e se levantou. – Agora preciso ir andando, mas volto a tempo do jantar.

O cheiro de *gumbo* com bastante camarão, ostras e linguiça emanava da gráfica, estranhamente misturado aos cheiros de tinta e metal, mas suficiente para atiçar os sucos gástricos.

– Pai? – chamou Jem, e Roger se virou para olhar por cima do ombro.

– Sim?

– Acho que deveriam dar para você uma espada de verdade. Talvez você precise.

71

CABEÇAS ROLANDO

Elas tinham dado conta dos trabalhos de impressão mais urgentes e feito todo mundo almoçar. Germain e Jem tinham voltado de suas andanças com dois pães da véspera da padaria e uma tigela de fricassé de camarão da taberna da sra. Wharton.

– A sra. Wharton disse que quer a tigela de volta, Mam – falou Germain, consciente das próprias dignidade e responsabilidade na condição de entregador da palavra impressa.

– Acho que vamos comer melão hoje à noite, pois está na época. Se estiverem bons, vou comprar um a mais para você levar para ela com a tigela – garantiu Marsali. – Então... os pequenos acabaram de comer; vão dormir por uma ou duas horas. Você e Jem cuidem de Mandy enquanto vamos fazer compras. Vou preparar empadas para o jantar.

Mandy se ofendeu por não poder ir ao mercado com as "meninas grandes", mas ficou sensivelmente consolada quando lhe deram o próprio componedor e um saco de tipos para soletrar palavras, junto com a garantia de que tia Marsali imprimiria o que quer que ela compusesse em uma folha de papel que ela poderia guardar.

– E, se algum de vocês tentar fazer ela soletrar palavrões, eu conto para os pais dos dois e vocês vão passar uma semana sem conseguir sentar – disse Brianna para Jem e Germain. A ideia pareceu deixar Germain muito ofendido. Jem não se deu ao trabalho. Apenas arqueou as sobrancelhas para a mãe.

– Ela já sabe todos os palavrões que eu sei – assinalou. – Não deveria saber soletrar direito?

Conhecedora das técnicas de Jem, Brianna se recusou a ser sugada para uma discussão filosófica. Em vez disso, afagou-o na testa.

– Não dê ideias a ela, só isso.

– O peixe por último – disse Marsali enquanto desciam em direção à beira do rio. – Os legumes e as frutas em geral chegam de manhã cedo, então a esta hora vamos ter que pegar o que conseguirmos encontrar... Como os peixes não têm os mesmos horários dos agricultores, os barcos entram a qualquer momento em que tiverem um bom carregamento, e nossas chances ainda são boas. Além do mais, não vamos querer ficar carregando peixe por mais tempo do que o necessário, não nesse calor.

Fergus levara para casa antes do café da manhã um saco de batatas e uma réstia de cebolas, obtidas como pagamento de algum de seus clientes. Havia grandes quantidades de feijão e arroz na despensa. Por enquanto, sua intenção era percorrer os mercados em busca de tudo que estivesse fresquinho e enquanto isso aproveitar o ar puro e o sol.

Apesar de o dia já estar avançado, o mercado seguia movimentado, mas não lotado como decerto estivera de manhã cedo. Elas percorreram as barracas e carroças em meio aos gritos dos feirantes que tentavam se livrar de suas últimas mercadorias para poderem voltar para casa, sentindo os cheiros misturados de flores aquecidas pelo sol, alho, abobrinha e milho-verde na espiga.

– Quanto está pedindo pelo quiabo? – perguntou Marsali a um jovem cavalheiro, recém-saído da fazenda a julgar pelo jaleco e o avental.

– Um *penny* o lote – respondeu ele, pegando um feixe preso com barbante e o segurando debaixo de seu nariz. – Está fresquinho, foi colhido hoje de manhã!

– E pelo aspecto viajou até aqui debaixo de um carregamento de batatas – retrucou Marsali, cutucando um legume verde machucado com ar crítico. – Mas dá para fazer *gumbo*. Vou dizer uma coisa: levo três por 1 *penny* e o senhor volta mais cedo para casa.

– *Três* por 1 *penny*?! – O jovem agricultor se jogou para trás, com o dorso da mão encostado na testa em um gesto teatral. – Quer me arruinar, madame?

– A escolha é sua, não? – retrucou Marsali, apreciando o espetáculo. – É 1 *penny* a mais do que vai ganhar se não vender nada, e não acho que vá vender assim machucados como estão.

As meninas, que obviamente já estavam cansadas de ver a mãe pechinchar com os feirantes, transferiam o peso de uma perna para outra com impaciência enquanto olhavam em volta tentando achar artigos mais interessantes.

De repente, Félicité se animou.

– Mam! Tem uma carroça nova chegando! Com *melões*!

Marsali largou na mesma hora os quiabos suspeitos e saiu apressada atrás das filhas, que tinham corrido na frente para conseguir um bom lugar junto à carroça assim que esta parou.

– Desculpe – disse Bree para o jovem agricultor em tom pesaroso. – Talvez mais tarde.

– Humm... – murmurou o rapaz, mas já tinha virado as costas, levantado um punhado de cebolas frescas murchas em uma das mãos e um lote de quiabos na outra. Estava gritando "*Gumbo* hoje à noite!" para uma dupla de freguesas que se aproximava com cestos parcialmente vazios.

As pessoas se aglomeravam depressa, acotovelando-se para serem as primeiras a pegar os melões; eram em sua maioria mulheres, embora houvesse também alguns homens, aprendizes ou cozinheiros a julgar pelos jalecos engordurados. Mas Joanie e Félicité tinham conseguido um bom lugar perto da traseira da carroça, onde o filho do vendedor de melões vigiava as frutas. Marsali e Bree chegaram até as meninas bem a tempo de impedir uma mulher grandalhona de touca de afastá-las com um empurrão.

Brianna se posicionou com o traseiro apoiado na carroça, preparada para repelir a concorrência, enquanto as meninas ficavam na ponta dos pés e farejavam o ar extasiadas. Bree inalou fundo e deu um gemido involuntário de prazer. O cheiro de cem melões maduros e recém-colhidos bastou para deixá-la inebriada.

– Humm... – Marsali inspirou com força e balançou a cabeça enquanto sorria para Brianna. – De fazer a pessoa cair no chão, não é? – Mas ela não perdeu mais tempo com delongas sensuais e levou a mão ao pequeno ombro ossudo de Joanie.

– Lembra como ensinei que se deve escolher um melão maduro, *a nighean*?

– Batendo nele – respondeu Joanie, mas em tom de dúvida. Mesmo assim, estendeu a mão e bateu com cuidado em uma das formas redondas. – Este está bom?

Marsali bateu com o nó dos dedos no mesmo melão, com força, e fez que não com a cabeça.

– Este você compraria se quisesse guardar alguns dias, mas se quiser um bom para comer no jantar...

– Nós queremos! – disseram as meninas em coro.

Marsali sorriu para as filhas, então bateu com o nó dos dedos de leve na testa de Félicité.

– O barulho deve ser esse – falou. – Não oco... mas como se o que tem dentro estivesse mais mole do que o que está fora.

Joanie deu uma risadinha e disse algo em gaélico que Brianna interpretou como uma especulação sobre se a cabeça da irmã estava cheia de mingau. Seu instinto materno interpôs um quadril entre as duas irmãs antes que uma briga pudesse começar e ela estendeu a mão aleatoriamente para dentro da carroça, pegou um melão e pediu a Joanie para experimentar.

Dez minutos de regateios e caos controlado mais tarde, elas saíram da confusão levando oito melões de primeira categoria. O restante dos legumes e frutas foi comprado com relativamente poucos incidentes e, depois de correr os olhos pelo grupo suado e cansado, Marsali declarou que iriam se sentar na beira do rio e comer um dos melões como recompensa por seu trabalho.

Brianna, que tinha uma faca no cinto, fez as honras. Um silêncio abençoado as cercou, rompido apenas pelos ruídos de fruta sendo chupada e caroços sendo cuspidos. A atmosfera parecia liquefeita: as roupas grudavam no corpo e filetes de suor escorriam de seus cabelos presos atrás do pescoço e pingavam do queixo.

– Como é que alguém mora aqui no verão? – perguntou ela, enxugando o rosto em uma das mangas e estendendo a mão para pegar outra fatia de melão.

Marsali deu de ombros, filosófica.

– Como alguém mora nas montanhas durante o inverno? – contrapôs ela. – Suar é melhor do que ter gangrena por causa do frio. E aqui tem comida de sobra o ano inteiro. Não é preciso viver de carne de cervo morto seis meses antes nem catar cocô de camundongo do milho que se consegue salvar dos esquilos.

– Nisso você tem razão – admitiu Brianna. – Mas acho que as tropas devem comer boa parte do que há disponível, não? – Ela meneou a cabeça para uma coluna de soldados continentais que descia marchando a rua em direção à área de treinamento no limite da cidade, com mosquetes nos ombros.

– Humm... – Marsali acenou para o oficial à frente da coluna, que tirou o chapéu e lhe fez uma mesura ao passar. – Eu me sinto bem mais segura com o exército aqui, e eles podem ficar à vontade para pegar o que precisarem.

Algo em seu tom de voz fez o couro cabeludo de Brianna coçar e ela pensou de repente no incêndio na Filadélfia. Sua mãe tinha lhe dito que ninguém sabia se fora um acidente ou...

Afastou o pensamento.

– Vocês têm muitos problemas com legalistas?

– Podemos abrir outro, Mam? Por favor? – O rosto de Joan e o de Félicité estavam reluzentes de suco de melão, mas elas miravam o que restava da pilha com um olhar esfomeado.

– Falando no diabo – resmungou Marsali, mas não para as filhas.

Seus olhos estavam cravados em uma dupla de homens que tinham saído de uma taberna do outro lado da rua. Apesar de jovens, eram homens feitos e pareciam trabalhadores: usavam roupas grosseiras e encardidas na barra e um trazia no ombro um saco de lona. Pararam em frente à taberna e olharam para cima, e Brianna viu que estavam inspecionando a placa, no caso um pedaço de lona pregado por cima da placa original.

A lona exibia um desenho um tanto malfeito de um soldado de peruca branca e imensas ombreiras enfeitadas com gigantescas guirlandas de renda amarela, e uma legenda informava aos passantes que aquela taberna se chamava General Washington. Bree teve tempo apenas para se perguntar qual teria sido o nome original do estabelecimento, antes de a cidade ser ocupada, quando o rapaz do saco enfiou a mão lá dentro e tirou um punhado de tomates maduros. Passou-os para as mãos do companheiro, depois pegou outro punhado para si e atirou os frutos na placa mais acima enquanto gritava "Deus salve o rei!".

– Deus salve o rei! – repetiu seu amigo.

A mira do segundo rapaz foi menos certeira que a do primeiro e dois de seus tomates se espatifaram na parede da frente da taberna, enquanto um terceiro caiu na rua e se despedaçou nas pedras do chão.

Um canto da placa de lona tinha se soltado no ataque e agora pendia, revelando o suficiente da que havia por baixo para tornar bem provável que o nome anterior do local fosse Cabeça do Rei.

– Vou descobrir os nomes deles, Mam. Para vocês poderem pôr no jornal – disse Joanie em tom profissional.

Pondo-se de pé com um pulo, ela começou a atravessar a rua.

– Joanie! *Thig air ais an seo!* – Marsali também se levantou em um pulo, bem a tempo de agarrar Félicité pelo braço para impedi-la de ir atrás da irmã. – Joanie!

Joanie ouviu e hesitou, olhando para trás por cima do ombro. Mas os jovens vândalos, que haviam tornado a se armar com outros tomates, também escutaram. Corados de animação, atravessaram a rua correndo e atirando tomates sem parar em Joanie, que deu um grito apavorado e correu de volta para a mãe.

– Para trás! – gritou Brianna o mais alto que conseguiu, bem a tempo de levar um tomate bem no meio do peito, onde a fruta explodiu e se desfez em suco vermelho e sementes grudentas. – O que acham que estão *fazendo*, seus imbecis?

Marsali havia empurrado as meninas para trás de si e não saiu de onde estava, com os punhos cerrados junto ao corpo e lívida de tão furiosa.

– Como se atreve a atacar minha filha? – berrou ela.

– Você não é a mulher do impressor? – perguntou um dos rapazes.

Ela havia perdido o chapéu e tinha os cabelos espetados em pontas emaranhadas, enquanto o suor lhe escorria do rosto devido ao calor e à empolgação. Ele semicerrou os olhos primeiro para Marsali, depois para suas filhas.

– É, sim! Eu conheço você, sua maldita *cadela* rebelde!

– Malditas pivetes! – exclamou seu amigo, ofegante. Enxugou a testa com a manga, então a arregaçou para expor um braço razoavelmente musculoso. – Vamos jogar todas elas no rio. Assim o impressor aprende a se comportar!

Bree endireitou as costas até atingir sua plena estatura. Tinha no mínimo 10 ou 12 centímetros a mais do que ambos os rapazes. Então deu um passo à frente.

– Deem o fora daqui, seus molecotes – disse ela, no tom mais ameaçador de que foi capaz.

Os dois a encararam, surpresos, então caíram na gargalhada.

– Outra cadela rebelde, é?

Em um gesto rápido, um dos rapazes a segurou pelo braço. Ao mesmo tempo, o outro rapaz brandiu o saco de lona para cima dela e a acertou na lateral da cabeça.

Brianna perdeu o equilíbrio, cambaleou e caiu. Apesar do conteúdo mole, o saco estava pesado e ela sentiu o nariz e os olhos lacrimejarem devido ao súbito impacto. Os jovens urravam de rir. As duas meninas choramingavam, enquanto Marsali tentava mantê-las atrás de si e continuava por perto na óbvia esperança de conseguir chutar um dos desgraçados. Não conseguiu chegar perto antes de um deles se abaixar, segurar Brianna pelos tornozelos e levantar suas pernas.

– Segure os ombros dela! – gritou ele para o amigo, que na mesma hora fez isso.

Eles meio que a arrastaram, meio que a carregaram margem abaixo, por trás da cortina de salgueiros que margeava o rio. Ela se debatia, mas não conseguia respirar. Seus pulmões não estavam funcionando e Brianna não conseguia firmar as mãos ou os pés no chão para bater neles.

– *Buinneachd o 'n teine ort!* – Um grito agudo ecoou e o rapaz que a segurava pelos ombros a deixou cair.

Seus pulmões se encheram de ar e ela soltou os pés com um tranco e rolou para o lado, ajoelhando-se atabalhoadamente e tateando em busca de uma pedra, um galho, qualquer coisa que pudesse servir para *bater* em alguém.

Marsali ofegava, com os punhos cerrados e a faca de Brianna na mão. Apesar dos olhos ainda lacrimejando, Brianna conseguiu distinguir Joanie e Fizzy lá em cima na margem, cada qual segurando um melão. Enquanto se esforçava para ficar em pé, Félicité lançou um melão com força. A fruta bateu no chão bem atrás dos rapazes, mas desceu rolando pelo barranco até parar no pé de alguma espécie de arbusto.

Os vândalos urraram de rir e um deles saltitou até Marsali fazendo movimentos de quem ia pegar a faca e agitando a outra mão para estapeá-la quando ela hesitou.

Bree, que havia recuperado o controle do próprio corpo, levantou-se com uma pedra na mão e a usou para acertar o idiota que a havia segurado pelos tornozelos com a maior força que conseguiu. A pedra acertou o alvo e ele emitiu um ruído agudo e caiu ajoelhado enquanto ofegava e praguejava.

Seu amigo olhou alternadamente para Marsali e Brianna, então se afastou com um ar de quem não se importa.

– É melhor dizer a seu marido para se emendar e prestar atenção no que imprime naquele jornal, dona – disse para Marsali. O brilho destruidor sumira de seus olhos, mas a raiva não. Ele acenou com uma das mãos para as meninas, encostadas uma na outra à sombra de um salgueiro. – Você tem um monte de filhos desmiolados. Quem sabe um a menos não faria falta, hein?

Sem avisar, ele avançou depressa e chutou um melão caído no chão, que explodiu em suco, sementes e lascas partidas.

Brianna tinha ficado petrificada outra vez, mas o mesmo valia para todo mundo. Após muito tempo, o rapaz que ela havia acertado com a pedra se levantou, lançou-lhe um olhar mau, então fez um gesto com a cabeça para o amigo. Os dois viraram as costas e foram embora, parando apenas para recolher o saco de lona e despejar no chão o purê de tomates esmagados.

72

UMA PRECE PARA SÃO DIMAS

Roger saiu da casa do reverendo Selverson e ouviu um rufar de tambores. Estava tão enlevado que por alguns instantes não teve a menor ideia do que estava escutando ou por quê. Enquanto ficava parado, porém, piscando por causa da claridade, viu um soldado continental dobrar a esquina e vir em sua direção, sem marchar, apenas caminhando de modo profissional com um grande tambor afastado de lado de forma a não lhe atrapalhar os movimentos e produzindo uma cadência exatamente tão banal quanto seu aspecto.

Uma sensação de movimento nas ruas, passos caminhando sem pressa e, enquanto o tocador de tambor passava sem olhar em sua direção, ele viu homens surgirem pela mesma esquina, alguns de uniforme, passeando e conversando em pequenos grupos, e se deu conta de que estavam voltando das tabernas e casas de comida da Half-Moon Street. Aquele era o toque noturno que convocava os soldados de volta à caserna para comer e descansar no fim do dia.

Seria um toque de alvorada à noite?, pensou Roger. *Ah, não: é o toque de recolher.*

A gráfica ficava no bairro de St. Michael, enquanto a casa do reverendo Selverson se situava do outro lado da cidade. Por isso ele não tinha reparado antes no tambor da noite: o acampamento militar ficava daquele lado.

Mesmo com essa explicação, sentiu certa ansiedade ao escutar o tambor. *E por que não sentiria?*, pensou. Ele também estava sendo convocado. O pensamento o fez sorrir e ele pôs o chapéu na cabeça e saiu para a rua.

Por mais ansioso que estivesse para dar a boa notícia a Bree, não voltou na mesma hora para a gráfica. Precisava passar um tempo sozinho, abrir seu coração transbordante para Deus e fazer as promessas de um pastor.

No fim da tarde, o calor do dia havia invadido a cidade. Apenas sua alegria poderia ter feito com que ele não ligasse para isso. Mesmo assim, a impressão era de estar respirando manteiga derretida e Roger seguiu andando em direção ao rio, torcendo por uma brisa. A beira do rio nunca ficava deserta, fosse qual fosse o horário do dia ou da noite, mas àquela hora a maioria das embarcações ancoradas no porto já tinha sido descarregada, as mercadorias recepcionadas, a alfândega paga e os estivadores suados já haviam se recolhido para recuperar as forças no estabelecimento mais próximo, por acaso a taberna Meia-Lua. Ele se sentiu tentado a saciar a sede antes de iniciar sua devoção particular. Não tinha descarregado um navio naquele calor, graças a Deus, mas tampouco estava acostumado à costa e a seu abafamento tropical. Tinha outras prioridades, porém.

Estas de repente mudaram quando viu Fergus em pé no final do cais, olhando para a água a cintilar sob o sol baixo como a superfície de um espelho mágico.

Ele ouviu os passos de Roger e se virou sorrindo para cumprimentá-lo.

– *Comment ça va?*

– *Ça va* – respondeu Roger, casual, mas então abriu um imenso e involuntário sorriso.

– *Ça va très bien?* – perguntou Fergus.

– Mais *bien* do que você pode imaginar – garantiu Roger, e Fergus lhe deu um tapinha no ombro.

– Eu sabia que iria correr bem – falou e então, mergulhando a mão no bolso, tirou lá de dentro um punhado de moedas e de certificados de armazém dobrados. – Metade disso é seu... para comprar um casaco preto novo – falou, fitando com olhar crítico o atual traje de Roger. – E um lenço branco de pescoço com a...

Tanto sua mão quanto seu gancho alisaram o próprio peito para indicar a presença da estola branca de um pastor presbiteriano.

Roger olhou primeiro o dinheiro, depois Fergus.

– Você apostou que eu iria passar na entrevista? Quanto?

– Cinco contra três. *Pas mal.* Então vai ser ordenado aqui? – Ele franziu de leve o cenho. – Se for em breve, não deve ter problema.

– Acho que vai ser na Carolina do Norte, talvez na igreja de Davy Caldwell... ou quem sabe aqui, se conseguirmos fazer presbíteros suficientes comparecerem. Mas o que acha que vai acontecer em breve?

– Eu sou *journaliste* – disse Fergus com um leve dar de ombros. Tinha os olhos fixos nos mastros de um navio distante, ancorado no porto para lá do rio. – As pessoas falam comigo. Sei algumas coisas que não publico no jornal.

– Por exemplo? – O coração de Roger, ainda feliz, deu uma batida suplementar.

Fergus virou as costas para a água cintilante e lançou um olhar rápido e casual, mas muito atento, para o cais.

– Finalmente consegui encontrar monsieur Faucette a sós. Embora ele estivesse um tanto exaltado, conseguiu dizer coisa com coisa. Já ouviu falar na ilha de Saint Eustatius?

– Vagamente. Fica em algum lugar por ali. – Ele acenou com o braço na direção geral do que pensava ser as Índias Ocidentais.

– *Oui* – disse Fergus com paciência. – Pertence aos holandeses. E os holandeses fabricam e vendem armas... em Saint Eustatius. Monsieur Faucette nasceu na ilha e vai lá regularmente. A mãe dele é holandesa e ainda tem parentes lá.

– Então você conhecia monsieur Faucette e ele...

– *Não.* – Fergus balançou a cabeça. – Eu conhecia um pescador de tubarão da Martinica. Ele enfrentou uma tempestade violenta e seu barco naufragou. Um dos comerciantes o resgatou e ele foi trazido para cá.

A felicidade de Roger não desapareceu, mas diminuiu. Brianna e ele tinham debatido a necessidade de revelar a Fergus e Marsali o que o futuro reservava, ou o que *poderia* reservar, corrigiu-se ele nervoso, e qual poderia ser o melhor momento para fazê-lo. Na alegre animação do reencontro e na apreensão causada por sua entrevista iminente com o presbitério (a lembrança fez seu coração bater mais rápido, apesar da conversa que se anunciava), nenhum dos dois quisera se aventurar pelo terreno perigoso das previsões... mas havia chegado o momento.

– Quando? – perguntou Roger com cautela.

Estava tentando se lembrar da sequência exata dos acontecimentos descritos por Frank Randall. O cerco a Savannah aconteceria em breve, no início do outono, mas também fracassaria, e a cidade continuaria nas mãos dos britânicos. Em seguida viria o cerco a Charles Town, e esse teria sucesso, deixando essa cidade igualmente em mãos britânicas.

– Eu falei com ele tem uma semana – disse Fergus e sorriu. – Comprei por 6 *pence* a história de suas aventuras e ficamos amigos. Comprei também seu rum, e então viramos *frères de coeur*. Ele só falava francês, entende? Embora isso não seja raro por aqui, franceses de verdade são. Ele não conversava com ninguém havia seis meses.

– E o que ele contou a você? – A animação de Roger tornara a arrefecer, empurrada para o fundo de sua mente pela curiosidade... e por um leve sentimento de apreensão.

– Que ele abordou uma embarcação em algum lugar perto das ilhas Windward... uma chalupa, segundo ele, uma embarcação particular. Eles tinham navegado à bolina até... Está impressionado com meu conhecimento de termos náuticos?

– Muito – respondeu Roger com um sorriso.

– Bom, nós bebemos bastante rum. – Fergus encarou a Meia-Lua com um ar de certo anseio, mas ele também tinha prioridades e tornou a se virar para Roger. – Enfim, eles tinham parado para pescar. Havia cardumes de... acho que atum. O dono da chalupa também tomou rum com ele e contou que os franceses iriam mandar uma frota para dar apoio aos americanos; tinha visto a frota e ouvido falar nela em um bar em Barbados... – Ele acenou com o gancho ao ver a expressão de Roger. – Não me pergunte como a notícia chegou lá. Você sabe como funcionam as fofocas. Ele contou que sua intenção era ir até Nova York, mas que estavam cientes dos planos dos britânicos de isolar Filadélfia, Boston e Nova York de seus víveres, por assim dizer.

– Ele gesticulou com o gancho para os armazéns ali perto e para uma extensão de plantações que amadureciam do outro lado do rio. – Então, se por acaso os britânicos já estivessem vindo para o sul, D'Estaing... ele é o almirante francês... D'Estaing iria zarpar imediatamente rumo ao sul. E, se o que ele me disse estiver correto, os navios franceses virão *para cá*.

Roger engoliu em seco e desejou ter cedido a seus impulsos mais baixos e ido beber primeiro.

– Na verdade, eles vão para Savannah – falou. – Os americanos vão atacar Savannah... muito em breve.

Fergus arqueou as sobrancelhas escuras quando escutou isso. Roger tossiu.

– Então é para lá que os franceses vão – disse ele. – Para dar apoio às tropas do general Lincoln em...

– Mas o general Lincoln está *aqui!*

Roger descartou aquilo com um aceno, ainda tossindo.

– Por enquanto – concordou. – E vão deixar uma guarnição aqui, claro. Mas ele vai levar muitos homens para Savannah. Só que não vão ter sucesso. Mas *depois* vão voltar para cá. E então o general Cornwallis... eu acho que vai ser ele... vai descer de Nova York. Clinton e Conrwallis vão sitiar a cidade e tomá-la. E... ahn... acho que você e Marsali deveriam pensar na possibilidade de não estarem aqui quando isso acontecer.

Os olhos de Fergus estavam bem abertos.

– Quero dizer – emendou Roger –, vocês não podem se esconder com facilidade.

Isso fez Fergus sorrir, só de leve.

– Eu não esqueci como se faz para ficar invisível – garantiu ele a Roger. – Mas é bem mais difícil fazer desaparecer uma mulher e cinco filhos. E não posso deixar Marsali cuidando do jornal sozinha, não com dois bebês para amamentar e a cidade lotada de soldados.

Ele passou uma das mangas pelo rosto reluzente de suor, encheu as bochechas de ar e se sentou em uma pilha de caixotes cobertos de pó branco grosseiramente identificados com a palavra *Guano* escrita em tinta com letras grosseiras.

– Então. – Ele espiou Roger com o canto do olho. – Está me dizendo que os britânicos vão ocupar *tanto* Savannah quanto Charles Town?

– Por algum tempo. Não de modo permanente... quero dizer, vocês, ahn, *nós* vamos ganhar a guerra. Mas ainda vai demorar dois anos.

Ele viu a garganta de Fergus se mover quando engoliu em seco e os pelos de seus antebraços esguios expostos pelas mangas arregaçadas se eriçarem.

– Vocês... ahn... Bree disse que achava que vocês... sabiam – disse ele com cuidado. – Digo, sobre... sobre Claire. E sobre nós. – Ele se sentou ao lado de Fergus num caixote, tomando cuidado para levantar as abas do casaco preto e não deixar que encostassem no pó branco.

Fergus balançou a cabeça, não em negativa, mas como alguém que tenta sacudir seu conteúdo de modo a criar algum padrão que faça sentido.

– Como disse, sei algumas coisas que não publico no jornal – retrucou ele e o sorriso tornou a surgir em seus olhos por um breve instante. Ele endireitou as costas, a mão e o gancho apoiados nos joelhos. – Estava com milorde e milady durante o Levante, e você sabe que milorde me contratou em Paris para roubar cartas para ele, não sabe? – Ele arqueou a sobrancelha ao fazer a pergunta. – Eu as li... e ouvi milorde e milady conversando. Em particular. – Um breve sorriso moveu sua boca e desapareceu. – Na verdade, não acreditei. Não até a manhã anterior à batalha, quando milorde me deu a escritura de Lallybroch e me incumbiu de levá-la para a irmã. E depois disso, é claro, milady sumiu. – A voz dele saiu branda e Roger pôde ver algo que nunca tinha percebido antes: a profundidade do sentimento de Fergus por Claire, a primeira mãe da qual se lembrava. – Mas milorde nunca dizia que ela estava morta. Não falava nela. Mas, quando alguém insistia, ele...

– Para a irmã? – Pensar em Jenny fez Roger sorrir. Fergus sorriu também.

– Sim. Ele nunca dizia que ela estava morta. Só que tinha... ido embora.

– E depois ela voltou – disse Roger baixinho.

– *Oui.* – Fergus o encarou e examinou seu semblante, como para se certificar de quem era o homem com quem estava falando. – E, lógico, você e Brianna são a mesma coisa que milady. – Um pensamento lhe ocorreu e seus olhos se arregalaram. – *Les enfants*. Eles também...?

– Sim. Os dois.

Fergus disse algo em francês que Roger não foi capaz de entender, em seguida se calou e ficou pensando. Levou a mão distraidamente até entre os botões da camisa e Roger percebeu que tocava a medalhinha de São Dimas que sempre usava. O santo padroeiro dos ladrões.

Roger olhou para outro lado, a fim de lhe proporcionar um pouco de privacidade. Seu olhar se perdeu rio adentro e depois mais além, até o porto e o mar invisível depois deste. Por mais estranho que parecesse, a sensação de paz com a qual saíra da casa do reverendo Selverson continuava ali, imanente às nuvens no céu azul-prateado que começava a ficar rosado nas bordas e ao ruído suave da água que lambia os pilares de sustentação do cais abaixo deles.

Alheia também à silhueta imóvel de Fergus, com seu gancho a cintilar no joelho e sua sombra cada vez mais comprida a se espichar pelo cais. *Meu irmão. Obrigado por ele*, pensou Roger, dirigindo-se a Deus. *Obrigado por todas as almas que colocastes em minhas mãos. Ajudai-me a cuidar delas.*

– Pois bem, então. – Fergus endireitou as costas e levou a mão até dentro da roupa para pegar um lenço grande sujo de tinta com o qual enxugou o rosto. – Wilmington? Ou New Bern?

– Não sei direito. – Roger, sentado a seu lado no caixote, sacou o próprio lenço,

recém-lavado naquela mesma manhã e agora encardido depois das atividades do dia.
– Não havia muitos escoceses por lá... – Ele se interrompeu e pigarreou. Sentia a garganta áspera de tanto falar, e explicar Frank estava muito além de suas capacidades naquele momento, que dirá explicar seu livro. – Talvez os britânicos tenham tentado tomar New Bern... um oficial chamado Craig, ele era escocês... mas nesse caso vai ser mais para o fim da guerra.

– Escoceses? – Isso fez Fergus erguer uma sobrancelha, mas ele então descartou o assunto. – *C'est bien fait.* Talvez Wilmington, então. Sabe quando os britânicos vão chegar lá?

Roger fez que não com a cabeça.

– Em algum momento na primavera. Talvez maio. Não me lembro quando.

Fergus passou alguns instantes sugando o lábio inferior. Por fim, assentiu. Sua decisão estava tomada. Retirou a mão da medalha.

– Talvez Wilmington, então. Mas não ainda. – Ele se levantou e se espreguiçou, arqueando o corpo esguio em direção ao céu.

O ar continuava denso feito melado, mas Roger estava animado outra vez.

– Então vamos tomar um trago de alguma coisa e você pode me contar onde estão as armas.

– Você está sentado em cima delas. Mas vamos tomar um trago, claro.

73

A MEU LADO

A chegada de Roger à gráfica com Fergus, com um ar levemente atordoado mas feliz, causou tanta comoção que foi preciso algum tempo para as pessoas pararem de fazer perguntas para ele responder a algumas delas.

– Sim – disse ele por fim, depois de tirar o lenço branco do pescoço e pendurá-lo com todo o cuidado em um dos varais da oficina para evitar o risco de marcas de dedos sujos. – Sim – repetiu e aceitou um copo de xerez usado para preparar comida, a bebida mais festiva disponível naquele momento. – É oficial! Todos os três concordaram. Serei ordenado formalmente em uma igreja, e talvez isso precise esperar a primavera... mas fui aceito e considerado apto a ser um ministro da Palavra e do Sacramento.

– É tão bom quanto ser papa? – perguntou Joanie, encarando o tio com um assombro renovado.

– Bom, não vou ganhar um chapéu elegante nem um cajado de pastor – respondeu Roger, ainda sorrindo. – Tirando isso... sim. É tão bom quanto. *Slàinte!* – Ele brindou com Joanie e depois com os demais, e tomou o xerez de uma golada só. – Vejam bem, teve uma hora em que foi por pouco – falou, com a voz rouca e os olhos lacrimejando de leve. Tossiu e recusou com um gesto a garrafa de xerez oferecida. – Obrigado.

Não, já chega. Tudo correu bem em relação ao latim, hebraico, grego, conhecimento das Escrituras e provas de bom caráter… Nem mesmo ter uma esposa católica os fez pensar por mais do que alguns instantes. – Ele sorriu para Brianna. – Contanto que eu jurasse pela minha consciência nunca permitir que você me convença a adotar práticas católicas.

Brianna riu. Ainda tremia por dentro devido à experiência na beira do rio, mas isso parecia uma trivialidade, sufocada pela alegria que sentia com a felicidade de Roger. O fogo reluzia nos cabelos pretos dele e deixava seus olhos com um brilho esverdeado.

Ele está iluminado, pensou ela. *Como um vaga-lume dançando sob as árvores.*

– A que práticas católicas estavam se referindo? – perguntou ela, bebericando um conhaque e estendendo o copo para ele. – Sacrificar bebês no altar e beber seu sangue?

– Não. Principalmente conspirar com o papa, mesmo.

– *O quê?*

– Você teria que perguntar para o papa – disse ele e riu. – Mas, sério, a única coisa que pareceu um problema sério para eles foi a cantoria – falou.

– Cantoria? – indagou ela, sem entender. – É verdade que os católicos cantam… mas você também.

– Sim, o problema foi esse. – Seu tom bem-humorado diminuiu um pouquinho, mas continuou presente: – Não sei como descobriram, mas ouviram dizer que eu cantava hinos durante os cultos na igreja da Cordilheira.

– E acharam que você não deveria? – perguntou Marsali, com o cenho franzido. – Presbiterianos não cantam?

– Não na igreja. Não agora.

As palavras "não agora" pairaram no ar por um instante. Brianna viu Fergus e Marsali se entreolharem. Nenhum dos dois modificou a expressão de bom humor tolerante. Mesmo assim, ela sentiu… como a espetadela de um espinho.

Eles sabem. Roger e ela nunca tinham falado no assunto, mas é claro que sabiam. Fergus tinha morado com seus pais antes do Levante e em Lallybroch depois de Culloden, quando sua mãe fora embora. E naturalmente o Jovem Ian e Jenny sabiam. *Será que Rachel sabe?*, pensou ela.

Roger agiu como se nada tivesse acontecido e seguiu contando o que os diversos pastores tinham dito sobre a pecaminosa prática de se cantar em um domingo, e ainda por cima na igreja!, com imitações do modo de falar de cada um.

– E como você respondeu a esses comentários? – perguntou Fergus.

Seu rosto estava corado de tanto rir e os cabelos tinham perdido a fita e se soltado quase todos da trança, e escorriam pelos ombros em ondas escuras riscadas de prata. Com seus traços marcados e olhos fundos, Brianna pensou que ele parecia algum tipo de mago; talvez um jovem Gandalf antes de ficar grisalho.

– Bem, eu disse que, considerando o estado de minha voz... e contei como isso tinha acontecido... – Ele tocou a cicatriz da corda, ainda visível no pescoço. – Reconheci o erro, mas disse que não achava que qualquer coisa que eu tivesse feito na igreja pudesse ser considerado cantar. E reconheci ter conduzido responsórios, os cantos e as respostas... mas que era algo legítimo de se fazer em uma igreja presbiteriana. No fim das contas, o único que ficou realmente preocupado com isso foi o reverendo Selverson. Por mais estranho que pareça, quem fez a diferença foi seu *da* – acrescentou ele, estendendo o copo para o que quer que estivesse sendo servido no momento.

– Como muitas vezes acontece – retrucou Brianna com secura. – O que ele fez desta vez?

– Só o fato de ser quem é. – Roger se recostou, relaxou e seu olhar cruzou o dela, ainda bem-humorado, porém mais calmo, com uma suavidade que lhe dizia que Roger gostaria de ficar a sós com ela. – O reverendo Thomas assinalou que, como eu era genro do coronel Fraser, o fato de ser um pastor ordenado com certeza teria uma influência benéfica sobre o coronel e, portanto, de modo indireto, sobre muitas outras almas, já que seu *da* é o senhorio delas. E por acaso o reverendo Selverson o conhece e o tem em alta estima, apesar de ele ser papista, de modo que...

Ele estendeu a mão espalmada e a inclinou para representar a mudança de opinião a seu favor.

– Bem, Da é um homem que precisa de um padre mais do que a maioria – disse Marsali.

Todos riram e Brianna também, mas ela não pôde evitar se perguntar o que sua mãe poderia ter a dizer em relação a isso.

– São só duas dúzias de armas – disse Roger ao tirar seu casaco preto no mezanino antes do jantar. – Mas são fuzis, não mosquetes. Não faço ideia da qualidade porque estão besuntados de gordura, envoltos em lona e enterrados debaixo de uns 100 quilos de cocô de morcego-jamaicano, mas... Não ria, eu não estou brincando.

– Não estou rindo – disse ela rindo. – De *onde* vieram esses fuzis? Me dê isso aqui, vou levar lá para baixo e pendurar no armário de arejar... está com cheiro de...

– Merda de morcego – disse ele, entregando-lhe o casaco chocho e úmido. – E suor. Muito suor.

Ela olhou para seu peito e para a camisa branca agora grudada ali e se virou para pegar uma limpa dentro do baú... bem, seca pelo menos.

– As armas? – retomou ela ao lhe passar a roupa.

– Ah. – Ele tirou a camisa molhada com um suspiro de alívio e ficou parado alguns instantes, com os braços abertos, deixando a leve brisa que vinha do rio lavar de frescor sua pele nua. – Ah, Deus. As armas... bem. Lembra que Fergus nos contou que o sr. Brumby importava metade de seu melaço e contrabandeava a outra metade?

– Lembro.

– Bem, parece que melaço não é a única coisa que o sr. Brumby contrabandeia.

– Está brincando! – Ela o encarou, a meio caminho entre o deleite e a consternação. – Ele trafica armas?

– E provavelmente qualquer outra coisa que dê lucro – assegurou ele, contorcendo-se para se infiltrar entre as dobras da camisa limpa. – Segundo certo monsieur Faucette, outro meliante, seu potencial empregador parece ser um dos maiores contrabandistas das Carolinas.

– Mas lorde John acha que Brumby é um legalista leal…

– Ele pode até ser legalista – disse Roger, dobrando um dos punhos da camisa. – Mas sua lealdade possivelmente está aberta a discussão. Não sabemos o que ele planejava fazer com as armas depois que as recebesse… mas é improvável que o Exército Britânico esteja dependendo de Brumby para conseguir armas.

Bree despejou água na bacia e lhe passou uma toalha, em seguida fechou o baú e se sentou em cima. Ficou observando Roger limpar a areia, o sal e a poeira de Charles Town do rosto e secar os cabelos soltos e encharcados de suor.

– Está dizendo então que as armas que você e Fergus acabaram de adquirir vieram de Saint Eustatius?

– Foi o que disse monsieur Faucette, sob a influência de um generoso incentivo de rum e ouro. Não sei quão confiável pode ser uma informação obtida por suborno, mas uma coisa eu sei, ou melhor, Fergus sabe: a maioria dos contrabandistas é profissional. A maioria não trafica para apoiar um dos lados da guerra. Eles ganham dinheiro onde podem, e muitas vezes dos dois lados. Neste caso, eu tinha dado a Fergus ouro suficiente para ele subornar monsieur Faucette, que… ahn… facilitou um encontro entre Fergus e o dono de uma pequena embarcação mercante que acabara de trazer as armas de Saint Eustatius até Charles Town passando pela Jamaica. *Et voilà* – concluiu ele, sacudindo a toalha com um floreio.

– Certo, então – disse Bree sorrindo. – Então, se o sr. Brumby estiver mesmo traficando armas para os americanos, pelo menos não o estamos prejudicando roubando essas armas para entregá-las a Pa.

– Estou me esforçando muito para não considerar o aspecto moral da situação – disse ele, seco, largando a toalha dobrada a seu lado em cima do baú. – Gostaria de pelo menos conseguir ser ordenado antes de o presbitério de Charles Town se inteirar disso.

Sua esposa fez um gesto tranquilizador e passou os dedos pela frente dos lábios como quem fecha um zíper.

– E você e Marsali, o que fizeram hoje? – perguntou ele para mudar de assunto.

Para sua surpresa, a expressão de Brianna mudou.

– Foi… eu não sei como descrever.

Ela lhe lançou um olhar de viés, em parte de confusão e em parte de vergonha. Ele se sentou em um barril de verniz, inclinou-se para a frente e segurou sua mão de dedos compridos e frios. Não tentou dizer nada, mas ficou olhando para ela com uma expressão sorridente.

Depois de alguns instantes, Brianna retribuiu o sorriso, embora fosse apenas uma breve sombra no canto da boca. Desviou os olhos, mas os dedos elegantes sujos de tinta se viraram e se entrelaçaram nos dele.

– Eu fiquei com vergonha – disse ela por fim. – Fazia muito tempo que não sentia medo de um homem.

– De um homem? Quem? O que ele fez? – A mão havia apertado mais a dela quando ele pensou em alguém a machucando.

Ela balançou a cabeça e olhou para outro lado. Tinha as faces coradas.

– Só uma dupla de jovens... imbecis. Imbecis *legalistas*, ainda por cima. – Ela contou sobre os arruaceiros que tinham sujado a placa da taberna e atacado Marsali e a ela.

– Na verdade, eles não nos machucaram. Apenas me derrubaram no chão... Um deles me deu uma rasteira, o filho da mãe, e então começaram a me arrastar na direção do rio dizendo que iam me jo-jogar lá dentro. – Sua voz tinha ficado subitamente embargada e Roger pôde ouvir a raiva guardada dentro dela.

– Eles eram dois, Bree. Você não tinha como impedir os dois juntos.

Meu Deus. Se eu estivesse lá, teria...

Ela teve um breve calafrio e apertou com força sua mão.

– Foi isso... – começou, mas precisou parar para engolir a saliva. – Foi isso que Pa me disse. Depois que Stephen Bonnet me violentou. Que eu não teria tido como impedir nem se tivesse lutado.

– Não teria mesmo – disse Roger na mesma hora.

Ela baixou os olhos para a própria mão e notou que Roger a havia apertado com tanta força que os dedos dela tinham se soltado e estavam agora espichados para fora de seu punho fechado.

Ele pigarreou e afrouxou o aperto.

– Desculpe.

Ela deu uma risadinha, mas não sem um traço de bom humor.

– Sim – falou depois de alguns instantes. – Foi mais ou menos isso que Pa fez, só que de maneira bem mais rude e proposital. – Seu rosto tinha ficado muito vermelho e seus olhos estavam cravados nas mãos agora unidas no colo. – Eu quis matá-lo.

– Stephen Bonnet?

– Não, Pa. – Ela lhe abriu um meio sorriso de ironia. – Ele não ligou. Era o que estava tentando me forçar a fazer... tentar matá-lo... para eu acreditar que não conseguiria, assim teria que acreditar que *não teria* conseguido. Ele me humilhou e me assustou, e não se importou que eu o odiasse por isso, contanto que entendesse que a culpa não era minha. E eu também entendo o que você está me dizendo – continuou ela. E sustentou com firmeza o olhar. – Mas o fato é que, em geral, consigo fazer até mesmo os homens recuarem um pouco, ou pelo menos hesitarem por um instante, e então consigo direcioná-los para outra coisa ou fazê-los ir embora. Quero dizer... – Ela baixou os olhos para o próprio corpo e acenou com a mão. – Sou mais alta do que a maioria dos homens, e forte. Quando tive problemas com alguns homens na Cordilheira, consegui enfrentá-los. Então, quando isso não deu certo hoje à tarde, fiquei... Eu não esperava que fosse acontecer – concluiu abruptamente.

Não era uma situação em que ter tato seria útil. Roger conseguira conter a própria fúria. Não podia fazer nada em relação aos rapazes a menos que visse os desgraçados, e, nesse caso, que Deus os ajudasse; mas Brianna... Ele poderia fazer algo por *ela*.

– Na Cordilheira não é só sua presença física que... intimida alguns homens – falou com cuidado e deu um breve sorriso. – Quando um homem recua, às vezes é, sim, por sua causa... mas às vezes é porque seu *da* está em pé atrás de você. – Ele deu de ombros e teve o cuidado de não acrescentar "ou eu". – Metaforicamente, quero dizer.

Ela ficou muito vermelha e seu rosto se fechou. Roger fez um esforço consciente para não recuar. Um Fraser zangado era uma substância a ser manuseada com cautela, quer fosse Mandy ou Jamie. Era mais fácil se fossem pequenos o bastante para se poder pegá-los no colo e levá-los para um lugar calmo, claro, ou ameaçá-los com uma palmada...

Por sorte, embora Jamie e Claire fossem tão diferentes quanto a noite e o dia em matéria de personalidade, ambos tinham o pensamento lógico e eram pessoas justas, e a filha havia herdado esses traços.

Ela produziu um ronco suave na garganta e inspirou fundo, relaxando sua expressão.

– Eu sei disso – falou e ergueu as sobrancelhas em um breve pedido de desculpas. – Sabia, digo. Mas não tinha pensado no assunto.

– Você *matou* Stephen Bonnet – assinalou ele para aplacá-la. – Ele não tinha medo de seu *da*.

– Sim, depois de você e Pa o capturarem e prenderem para mim, e de os honestos cidadãos de Wilmington o amarrarem em uma estaca dentro do rio. – Ela fez um muxoxo. – Não teria feito diferença se eu estivesse apavorada.

– Você estava – disse ele. – Eu vi.

Ele a tinha levado remando pela água escura cintilante no início da tarde, em um pequeno barco todo sujo de escamas de peixe e lama.

Brianna ficara sentada em sua frente, com a pistola no bolso, e ele teve uma lembrança de seu braço duro feito ferro segurando a arma de fogo e da pequena veia que pulsava em seu pescoço, acelerada como a de um beija-flor. Desejara com urgência lhe dizer mais uma vez que ela não precisava fazer aquilo; que, se não conseguisse suportar a ideia de Stephen Bonnet morrer afogado, ele o faria em seu lugar. Mas ela já estava decidida e Roger sabia que jamais viraria as costas para uma tarefa que julgasse ser sua. Assim, eles tinham remado até o porto, em um silêncio mais ensurdecedor do que os gritos das aves aquáticas e as batidas da maré que subia, e do que o eco de um tiro ainda por ser disparado.

– Obrigada – disse ela baixinho, e ele viu que em seus olhos reluziam as lágrimas que ela não deixava cair porque detestava ser fraca. – Você não tentou me impedir.

– Teria tentado se achasse que havia alguma chance de você escutar – respondeu ele com a voz rouca, mas ambos sabiam que não era verdade, e ela apertou sua mão antes de soltar e inspirar bem fundo.

– E depois teve Rob Cameron – falou. – E os malucos de tocaia em Lallybroch querendo levar as crianças. Eu não teria conseguido derrotar todos eles sozinha... e graças a Deus Ernie Buchan e Lionel Menzies ajudaram! Mas acertei Rob na cabeça com um taco de críquete juvenil e o deixei desacordado. – Ela o encarou com a centelha de um sorriso genuíno. – Então pronto.

– Muito bem – disse ele suavemente e, com algum esforço, conseguiu reprimir tanto a raiva de Cameron que tornou a surgir quanto a própria culpa por não ter estado presente. – Minha bela menina.

Ela riu e enxugou o nariz com as costas da mão livre.

– Que você era um bom marido eu já sabia – falou. – Mas vai ser um *ótimo* pastor.

Ela então se inclinou para a frente e Roger a tomou nos braços, sentindo seu peso morno e entregue de confiança.

– Obrigado – falou baixinho junto a seus cabelos. Sentiu-os sedosos e cálidos nos lábios. – Mas não posso ser nenhuma dessas coisas sozinho, não é?

Ela passou alguns instantes calada. Então recuou o suficiente para encará-lo, o rosto riscado de lágrimas, mas agora solene e lindo também.

– Você não vai estar sozinho – falou. – Mesmo que Deus não esteja quando precisar d'Ele, eu vou estar... bem atrás de você.

74

A FACE DO MAL

Roger subiu a escada até o mezanino e deu um susto na mulher, que engatinhava pelo quarto.

– O que está procurando? – Ele quis saber.

– A meia de Mandy – respondeu ela, sentando-se nos calcanhares com um pequeno grunhido. – Sabe quando as pessoas dizem que algumas coisas somem para sempre? Não é um exagero em se tratando de roupas infantis. E *você*, o que está procurando?

– Você. – Roger olhou por cima do ombro, mas a gráfica lá embaixo estava vazia no momento, embora ele pudesse ouvir vozes na cozinha. – Fergus me pediu que fosse com ele resolver um assunto e me disse para levar uma faca. Então pensei em deixar isto aqui para você guardar... sabe, caso estejamos indo conhecer um salteador para uma matéria de primeira página do jornal – emendou ele, tentando fazer uma brincadeira sem graça com o assunto.

Mas sua esposa não estava com disposição para rir daquele comentário e se pôs de pé apoiando a mão em um barril de verniz enquanto o encarava com um olhar azul-escuro desconfiado.

Manteve os olhos fixos nele enquanto pegava o papel de sua mão e o desdobrava, movendo-os apenas para ler.

– O que é?

– Um certificado de armazém. Já viu um desses, não? Seu *da* guarda um punhado deles no cofre.

– Já – disse ela, encarando-o com um olhar incisivo. – Por que está com um certificado de armazém referente a um armazém de Charlotte?

– Porque, até onde eu ou Frank Randall sabemos, não vai haver um combate importante em Charlotte. Foi para lá que eu despachei o... cocô de morcego. Achei que ninguém fosse notar, e ninguém notou mesmo.

Ela examinou o certificado com atenção e Roger a viu reparar que ele havia posto seu nome junto com o dele. Nas atuais circunstâncias, não pareceu achar isso reconfortante.

– Então, voltamos antes do jantar – disse ele, animado. – E ah... a meia de Mandy está ali, debaixo daquele apagador de vela.

Por sentir que não convinha a um pastor não de todo ordenado andar por aí de casaco preto com um facão no cinto à vista de todos, Roger resolveu vestir seu segundo melhor casaco, uma peça marrom um tanto esfarrapada, com um remendo visível na manga e botões de madeira. Fergus observou isso com aprovação.

– Sim, muito bem – falou. – Você está com cara de quem poderia entrar para o ramo. – Seu tom de voz deixou claro a que ramo ele estava se referindo, mas Roger supôs que aquilo fosse uma brincadeira.

– Ah, então a ideia é eu ser seu capanga? – Ele apressou o passo para acompanhar Fergus, vestido com as mesmas roupas que usava para imprimir, mas com um casaco azul pouco melhor que o de Roger por cima.

– Esperemos que não chegue a tanto – observou Fergus, pensativo. – Mas é melhor estar preparado.

Roger se deteve abruptamente e agarrou Fergus pela manga, obrigando-o a parar.

– Poderia ter a gentileza de me dizer quem estamos indo encontrar? E quantos são?

– Até onde eu sei, só um – garantiu Fergus. – O nome dele é Percival Beauchamp.

O nome não soava como a versão setecentista de um gângster, pirata perigoso ou contrabandista de mercadorias clandestinas, mas nomes podiam enganar.

– Um soldado me levou um bilhete semana passada – disse Fergus, decerto à guisa de explicação. – Não estava de uniforme, mas eu vi que era um soldado. E acho que era do Exército Britânico, o que considerei incomum.

Muito incomum. Ainda que fosse *possível* ver de vez em quando algum eventual casaco-vermelho em Charles Town, em geral eram mensageiros com destino ao quartel-general de Lincoln, provavelmente portando missivas ameaçadoras instando o general a refletir sobre a própria situação.

Com um gesto, Fergus descartou a questão do soldado que levara o recado.

– O bilhete era de monsieur Beauchamp, e dizia que ele estava passando um tempo curto em Charles Town e solicitava a honra de uma breve visita em seu *hôtel*.

– Você conhece esse Beauchamp? – indagou Roger, curioso. O nome lhe soou familiar. – Ele não pode ser parente de Claire, pode?

Fergus o encarou, espantado.

– Seguramente não – respondeu, embora seu tom não estivesse tão seguro assim. – Não é um sobrenome francês fora do comum. Mas, sim, eu o conheço.

– Pelo que estou entendendo, não é uma relação inteiramente cordial.

Roger tocou a faca que levava no cinto: era a adaga das Terras Altas que Jamie tinha lhe dado, uma arma impressionante, com 30 centímetros de lâmina e um cabo esculpido com o nome de São Miguel e uma pequena imagem do arcanjo. Ele tinha certa admiração pela capacidade dos católicos de buscarem a paz enquanto, ao mesmo tempo, reconheciam com pragmatismo a necessidade ocasional da violência.

Uma breve expressão bem-humorada atravessou o semblante fechado de Fergus.

– *Non* – assegurou ele. – Mas vou dizer o seguinte: esse Beauchamp tentou falar comigo várias vezes para oferecer coisas variadas... mas em especial para me contar a verdade, ou o que ele diz ser a verdade... sobre meus pais.

Roger o encarou.

– Até mesmo um órfão deve ter *tido* pai e mãe em algum momento – disse Fergus, erguendo um dos ombros. – Nunca soube nada sobre os meus e me permito duvidar que monsieur Beauchamp saiba.

– Mas nesse caso por que ele finge saber?

– Não sei, mas suponho que estejamos prestes a descobrir.

Fergus soou resignado com isso. Endireitou os ombros, preparando-se para continuar, mas a mão de Roger não havia soltado sua manga.

– Por quê? – perguntou Roger baixinho. – Por que falar com ele?

O pomo de adão se moveu no pescoço esguio de Fergus quando ele engoliu em seco, mas ele sustentou o olhar de Roger com firmeza.

– Se eu tiver que perder minha profissão aqui, se não puder mais ser impressor... então preciso encontrar um novo lugar, um novo jeito de sustentar e proteger minha família – respondeu ele. – Pode ser que monsieur Beauchamp me mostre esse jeito.

...

O endereço do misterioso monsieur Beauchamp era uma casa imponente na Hasell Street e a batida de Fergus à porta foi atendida por um mordomo cuja libré decerto valia mais do que Bonnie, a prensa. Esse digno senhor não deu qualquer mostra de achar estranho dois vagabundos terem aparecido à porta de seu patrão, mas se curvou em uma profunda mesura e os fez entrar ao escutar o nome de Fergus.

O dia estava quente do lado de fora e as grossas cortinas de veludo nas janelas estavam fechadas de modo a impedir a entrada do calor. Elas tapavam também a luz do dia e a sala para a qual foram conduzidos estava tão escura que a única lamparina acesa em uma mesa junto à janela reluzia feito uma pérola dentro de uma ostra.

Roger pensou que aquilo era bem parecido com estar dentro de uma ostra: cercado por uma umidade escorregadia e opressiva, pelo contato constante de muco na pele. A bem da verdade, a sala na qual tinham sido fechados não estava tão escaldante quanto as pedras em brasa do calçamento da rua, mas tampouco estava tão mais fresca assim.

– É como ser aferventado em vez de frito – sussurrou ele para Fergus enquanto enxugava o rosto com o lenço debruado de renda que tinha esquecido de trocar por uma bandana de trabalhador.

Fergus piscou para ele, sem entender. Mas, antes de Roger poder explicar, a porta se abriu e Percival Beauchamp entrou, sorridente.

Roger não sabia o que esperar, mas não era um sujeito como aquele. Para começar, Beauchamp não era francês. Quando os cumprimentou com grande cortesia, quando escutou a apresentação que Fergus fez de Roger e quando lhe agradeceu efusivamente por ter ido até ali, sua voz soou como a de um inglês educado, mas não educado em Eton ou em Harrow. Roger pensou que os vestígios de sotaque vinham de algum lugar próximo às margens do Tâmisa: Southwark talvez, ou quem sabe Lambeth? Beauchamp estava vestido na última moda de Paris, ou pelo menos Roger supôs que devesse ser isso: punhos de 15 centímetros, um colete de seda amarelo com andorinhas bordadas e muita renda. Mas não usava peruca e tinha os cabelos escuros e muito encaracolados presos casualmente para trás com uma fita de seda cor de ameixa.

– Agradeço por sua gentil atenção, *messieurs*. – Ele tornou a dizer. – Permitam-me mandar servir vinho.

– *Non* – disse Fergus. Ele tirou do bolso um lenço manchado de tinta e enxugou o suor que empoçava abaixo dos olhos fundos. – Este lugar parece um banho turco. Eu vim escutar o que o senhor tem a dizer, *monsieur*. Fale.

Beauchamp franziu os lábios como se fosse dar um assobio, mas então relaxou, ainda sorrindo. Com um gesto, indicou um par de cadeiras rebuscadas de brocado perto da lareira vazia. Foi também até a porta e, apesar da recusa de Fergus, mandou trazer alguns comes e bebes.

Depois de servidos uma travessa de doces e um decânter de sangria, ele pediu ao mordomo que servisse um copo para cada um dos três e se sentou de frente para eles. Seus olhos percorreram Roger rapidamente, mas toda a sua atenção estava concentrada em Fergus.

– *Monsieur*, eu disse em uma ocasião que desejava informá-lo sobre os detalhes de seu nascimento. Estes são... um tanto dramáticos... e temo que o senhor possa considerar alguns deles perturbadores. Peço desculpas.

– *Tais-toi* – disse Fergus, grosseiro.

Roger não entendeu tudo que ele disse a seguir, mas lhe pareceu ser um convite para Beauchamp cagar logo alguma coisa pelo traseiro... a verdade, possivelmente?

Beauchamp piscou, mas se recostou na cadeira. Tomou um gole do vinho e enxugou os lábios.

– O senhor é filho do comte Saint-Germain – falou e fez uma pausa como se esperasse uma reação.

Fergus apenas o encarou. Roger sentiu um filete de suor escorrer pela coluna vertebral como água de uma pedra de gelo que derrete.

– E o nome de sua mãe era Amélie Élise LeVigne Beauchamp. – Roger escutou o súbito arquejo de Fergus.

– Conhece esse nome? – Beauchamp soou espantado, mas interessado.

Inclinou-se para a frente com uma expressão atenta, o rosto à luz da lamparina parecendo feito de madrepérola.

– *J'ai connu une jeune fille de ce nom Amélie* – disse Fergus. – *Mais elle est morte.*

Fez-se um silêncio de alguns instantes, rompido apenas pelo burburinho distante e agitado da criadagem da casa.

– Ela morreu, *sim.* – A voz de Beauchamp foi suave, mas Fergus teve um pequeno sobressalto, como se uma vespa o tivesse picado. Beauchamp sorveu uma inspiração demorada e cuidadosa, então se inclinou para a frente. – O senhor disse que a conheceu.

Fergus assentiu, uma vez apenas, um movimento brusco nada típico dele.

– Eu a conheci de nome. Não sabia que era minha mãe.

Ele captou a surpresa de Roger com o canto do olho e se virou para encará-lo, ficando de costas para Beauchamp, o portador de notícias indesejadas.

– Muitas crianças nascem em bordéis, *mon frère*, apesar das tentativas incessantes de impedir que isso aconteça. Aquelas bonitas o suficiente para darem lucro dentro de uns poucos anos são mantidas.

– E as outras? – indagou Roger, sem querer ouvir a resposta.

– Eu era bonito o suficiente – respondeu Fergus, sucinto. – E, assim que passei a não me machucar mais com tanta facilidade, comecei a ser capaz de me virar sozinho na rua.

Ao olhar para o chão, Roger notou que os bicos dos sapatos de Fergus estavam cravados com força no tapete.

– Como há crianças, há prostitutas com leite. As que tinham… perdido um filho às vezes amamentavam outros *bébés*. Se uma prostituta fosse chamada para atender um cliente e seu filho ficasse com fome, ela o entregava para outra *jeune fille*. Os pequenos chamavam qualquer prostituta de *maman* – disse ele baixinho, olhando para os próprios pés. – Qualquer uma que o amamentasse.

Ele não pareceu disposto a dizer mais nada. Roger pigarreou e Beauchamp o encarou como se estivesse surpreso por encontrá-lo ainda ali.

– Como… e quando… Amélie Beauchamp morreu? – perguntou Roger, educado.

– Em uma crise de dor de garganta mortal – respondeu Beauchamp no mesmo tom. – Eu… nós não sabemos exatamente quando.

– Entendo. – Roger olhou para Fergus, que continuava fitando sem dizer nada o padrão de folhagens do tapete estampado. – E… monsieur le comte?

Percival Beauchamp pareceu relaxar um pouco ao ouvir essa pergunta.

– Tampouco sabemos. Monsieur le comte muitas vezes desaparecia de Paris por períodos de duração variada: às vezes dias, às vezes meses… de vez em quando um ano ou mais, sem qualquer pista de onde tinha estado. Mas a última vez que foi visto tem mais de vinte anos e as circunstâncias de seu desaparecimento foram tão notáveis que a probabilidade de ele *de fato* estar morto é suficiente para um magistrado declará-lo falecido, caso uma petição nesse sentido seja apresentada por seu herdeiro.

Por mais molhados de suor que estivessem seus cabelos, Roger os sentiu se arrepiarem na nuca. Provavelmente Fergus também: ele ergueu os olhos ao escutar isso.

– A menos que a lei da França como eu a entendo tenha mudado, um bastardo não pode herdar bens. Ou quando o senhor diz "herdeiro" está se referindo a outra pessoa?

Beauchamp sorriu, um sorriso genuíno de felicidade, e tocou uma pequena sineta de prata que pegou na bandeja de comes e bebes. Em instantes a porta se abriu, deixando entrar uma bem-vinda corrente de ar e um pouco de luz do hall, bem como um cavalheiro alto trajando um terno cinza elegante… mas de corte inglês, não francês. Roger pensou que devia ser um advogado: o homem tinha cara de advogado e trazia uma pasta de couro debaixo do braço.

– Sr. Beauchamp – disse ele, meneando a cabeça para Percival. – E o senhor deve ser Claudel, se me permite usar seu nome original.

– Não, eu não permito.

Fergus estava sentado com as costas muito retas e começou a dobrar as pernas com a clara intenção de se retirar. Roger pensou que aquilo era decerto uma boa ideia e também começou a se levantar, mas foi impedido pelo recém-chegado, que estendeu uma das mãos para detê-los e com a outra pousou a pasta e a abriu.

Dentro dela havia apenas um documento, antigo a julgar pelo aspecto manchado e amarelecido. No entanto, o papel exibia um grande selo de cera vermelha e diversas assinaturas, feitas com tantos floreios que era como se um minúsculo polvo tivesse mergulhado os tentáculos em tinta e passeado pela página.

No alto do documento, porém, o texto, escrito em francês, era legível e preciso.

> *Contrato de casamento*
> *Feito neste dia, 14 de agosto de 1705,* anno domini, *entre Amélie Élise LeVigne Beauchamp, solteira, e Léopold George Simon Gervase Racokzi, le comte Saint-Germain*

– O senhor não é bastardo – disse Percival Beauchamp para Fergus com um sorriso radiante. – Permita-me parabenizá-lo.

Fergus franziu o cenho enquanto fitava o documento, então lançou um olhar de lado para Roger. Este produziu um pequeno ruído de *hum* na garganta, indicando estar disposto a seguir qualquer caminho que Fergus escolhesse, mas permaneceu imóvel. Lamentou não ter tomado a sangria gelada: o decânter e os copos estavam cobertos de condensação e gotículas de água começavam a escorrer pelo vidro arredondado. A bebida teria descido deliciosamente naquela sauna a vapor.

Beauchamp e o advogado seguravam cada qual um copo do vinho gelado e doce, e mantinham os olhos fixos em Fergus com grande expectativa, prontos para brindar à sua revelação.

Fergus endireitou as costas e começou a se levantar.

– Eu posso não ser bastardo, cavalheiros, mas com toda a certeza não sou criança.

Roger pensou que aquela era uma boa frase de despedida e começou também a se levantar, mas Fergus não chegou a ficar em pé. Inclinou-se para a frente e pegou um dos copos de sangria, que passou debaixo do nariz com o mesmo ar de um rei obrigado a inspecionar um penico.

– Tome – disse ele a Beauchamp, que observava tudo isso com a boca um pouco aberta. – Troque de copo comigo, *s'il vous plaît*.

Apesar dos bons modos aparentes, a frase não foi um pedido e Beauchamp, com as sobrancelhas tão erguidas que quase chegavam a tocar a linha dos cabelos, obedeceu. Fergus indicou sem dizer nada que Roger deveria da mesma forma trocar de copo com o advogado e isso foi feito enquanto Roger se perguntava, e não pela primeira vez: *O que está acontecendo?*

Fergus se recostou na cadeira, relaxou e ergueu seu copo.

– À honestidade, cavalheiros, e à honra entre ladrões.

Beauchamp e o advogado trocaram um olhar perplexo, mas então piscaram e murmuraram o brinde com os copos erguidos cerca de 1 centímetro. Roger não se importou com o brinde, mas tomou um golinho e achou a sangria tão boa quanto tinha pensado que estaria. A bebida escorregou deliciosamente por sua garganta seca, aquecendo-a e a esfriando ao mesmo tempo.

– *Regardez* – disse Fergus quando os copos foram baixados. O ar se perfumou com o Porto tinto e as especiarias usadas na sangria; o ar no sufocante *salon* ficou um pouco mais suportável. – Como os senhores estão tão a par de meus assuntos pessoais, cavalheiros, imagino que saibam que lorde Broch Tuarach me contratou durante certo tempo em Paris para obter para ele uma variedade de documentos úteis. Assim, eu já vi muitas coisas desse tipo. – Ele ergueu o copo para indicar o contrato de casamento em cima da mesa, imprimindo à própria voz um tom de desdém. – Milorde Broch Tuarach também produziu documentos assim, conforme a necessidade. Já vi isso ser feito vezes sem conta, cavalheiros, e portanto os senhores me permitirão expressar algumas dúvidas com relação à... *véracité* desse documento em especial.

Uma parte da mente de Roger admirava a atuação de Fergus, enquanto a outra observava, de modo distraído, que Jamie Fraser jamais poderia ter sido falsário: canhoto, mas forçado desde a infância a escrever com a mão direita... mão essa muito recentemente esmagada na época à qual Fergus devia estar se referindo. Por outro lado, Fergus era um falsário de grande talento, mas Roger supunha que isso não fosse algo que desejasse alardear para a sociedade de Charles Town...

O advogado parecia ter sido empalhado por alguém que o detestava. Beauchamp, por sua vez, engasgou com a sangria e começou a protestar. Fergus olhou para Roger, que obedientemente afastou o casaco para mostrar a faca e levou a mão ao cabo enquanto mantinha o semblante impassível.

Beauchamp ficou petrificado. Fergus meneou a cabeça com ar de aprovação.

– Exato. Sendo assim, cavalheiros... digamos, para fins de discussão, que pessoas com menos critério do que eu pudessem ter aceitado a veracidade desse documento. O que os senhores iriam sugerir se eu tivesse me disposto a isso? É óbvio que tinham algo em mente... algo que o herdeiro de monsieur le comte poderia fazer pelos senhores, não?

A cor estava voltando ao rosto de Beauchamp e o advogado perdeu um pouco do ar. Os dois se entreolharam e uma decisão foi tomada.

– Certo. – Percival Beauchamp endireitou as costas e encostou um guardanapo de linho nos lábios manchados de Porto. – A situação é a seguinte.

Conforme explicada por Beauchamp com pequenas interrupções do advogado, a situação era que o comte Saint-Germain, um homem riquíssimo, era dono... bem, tecnicamente *ainda* era dono da maior parte das ações de um sindicato que investia em propriedades no Novo Mundo. O principal bem desse sindicato era uma considerável parcela de terras situada na região muito extensa conhecida como Território Noroeste.

Fergus conseguiu aparentar saber do que se tratava, e muito possivelmente sabia, mas para Roger aquele nome só lhe evocava uma vaga lembrança. Era uma vasta extensão de terras no norte longínquo, parte do motivo que havia acarretado a Guerra dos Sete Anos. Guerra essa que os britânicos haviam ganhado, disso ele tinha certeza.

Pelo visto os franceses, ou parte deles, a quem Beauchamp se referia como "nossos interesses", não tinham tanta certeza assim.

E, agora que a França havia entrado oficialmente na guerra aliada aos americanos, os "interesses" de Beauchamp desejavam dar os primeiros passos para garantir pelo menos um pé no território.

– Estabelecendo o direito do sr. Fraser sobre ele? – Roger não tinha dito nada em relação a isso, mas o puro espanto o fez falar. O advogado lançou-lhes um olhar austero, mas Beauchamp inclinou a cabeça em um gesto gracioso.

– Sim. Mas o direito de um só indivíduo provavelmente não resistiria à ganância dos americanos. Portanto, nossos interesses irão auxiliar o sr. Fraser a assentar colonos em suas terras... colonos francófonos, que poderiam sustentar uma reivindicação da França uma vez terminada a guerra.

– Quando então nossos interesses comprariam as terras do senhor... por uma soma considerável – concluiu Beauchamp.

– *Se* os americanos ganharem – disse Fergus, soando cético. – Se não ganharem, temo que seus "interesses" vão ficar em uma situação precária. Da mesma forma que eu.

– Eles vão ganhar. – O advogado não tinha dito nada desde que os cumprimentara e sua voz fez Roger se sobressaltar. Era grave e segura, em contraste com a leve afetação de Beauchamp. – O senhor é rebelde, não é, sr. Fraser? – O advogado arqueou uma sobrancelha para Fergus. – Certamente essa é a impressão que seu jornal dá. Não tem fé na própria causa?

Fergus levantou seu gancho e se coçou delicadamente atrás da orelha.

– Suponho que o senhor tenha notado que as ruas estão cheias de soldados continentais. Devo pôr minha família em risco defendendo a confusão deles no jornal?

Ele não esperou resposta para sua pergunta e se levantou de repente.

– *Bonjour, messieurs* – falou Fergus. – Os senhores me deram muito em que pensar.

Como sentia uma forte inclinação para estar em outro lugar, Roger não questionou o fato de Fergus mergulhar subitamente em uma ruela estreita entre duas casas, subi-la correndo e se esgueirar por um portão até o pátio dos fundos do que parecia ser um bordel, a julgar pela roupa lavada que pendia pesada no ar cheio de umidade. Ficou um pouco surpreso quando, após uma palavra cordial para duas criadas negras que dobravam lençóis, Fergus subiu os degraus de trás da casa e entrou sem bater.

– Sr. Fergus! – gritou uma moça, que veio subindo depressa o hall em sua direção.

A menina… Meu Deus, ela devia ter mais ou menos 12 anos… A menina se atirou afetuosamente nos braços de Fergus, deu-lhe um beijo na bochecha, então virou a cabeça para Roger, coquete.

– Aaah, o senhor trouxe um amigo!

– Permita-me apresentar meu irmão reverendo, *mademoiselle*. Reverendo… mademoiselle Marigold.

– Mas claro – disse Roger, recuperando a fleuma bem a tempo de se curvar para a dama, que recebeu a homenagem com um baixar pudico das pálpebras pintadas.

– Nós recebemos muitos reverendos, senhor – garantiu ela, toda contente. – Não fique tímido. Lembre-se, todas nós já vimos um.

– Um…? – começou ele, um tanto atônito.

– Um homem de religião, ora – respondeu ela sorrindo. – No mínimo!

Ela estava vestida de modo bastante discreto… *para um bordel*, corrigiu sua mente. Ou seja, estava coberta, até os pés inclusive, calçados com botas de couro elegantes. Ele não teve tempo de refletir sobre qual poderia ser sua função no estabelecimento, já que ela estava vestida de modo demasiado caro para ser uma empregada, antes de Fergus colocá-la com suavidade, porém com firmeza, no chão.

– A sala do segundo andar está livre, *chérie*?

Roger teve alguns instantes para notar que a menina era negra, embora tivesse a pele cor de café claro e os cabelos parecessem molas da mesma cor de balas de melado. Era também um pouco mais velha do que ele havia pensado: podia estar no final da adolescência e seus olhos exibiam um brilho astuto por trás do ar brincalhão.

– Se não for precisar por mais de uma hora – respondeu ela. – Vem alguém às quatro.

– Vai dar tempo – garantiu Fergus. – Só precisamos de um lugar para sentar e organizar os pensamentos. Mas imagino que um cálice de vinho não esteja fora de cogitação…

Ela o encarou por alguns instantes com a cabeça inclinada de lado, feito um passarinho que avalia se aquela folha caída pode estar escondendo um verme suculento, mas então aquiesceu com naturalidade.

– Vou mandar Barbara levar para vocês. *Adieu, mon brave* – falou.

E, beijando as pontas dos dedos, encostou-os por um breve instante na bochecha espantada de Roger antes de sair saltitando pelo hall, que, como ele pôde ver, não era muito diferente do da casa da qual tinham acabado de sair, embora as obras de arte expostas fossem consideravelmente melhores.

– Venha – murmurou Fergus, tocando seu braço.

A sala do segundo andar era um cômodo exíguo porém encantador, com portas-janelas que se abriam para uma pequena sacada e longas cortinas rendadas que mal se agitaram no ar pesado quando entraram.

– Sou um filho da casa, por assim dizer – afirmou Fergus, sentando-se com um breve aceno da mão em direção à porta.

– Eu não perguntei nada – murmurou Roger e Fergus riu.

– Também não precisa perguntar se Marsali sabe sobre este lugar – garantiu a Roger. – Não vou dizer que não tenho segredos para minha mulher... Acho que todo homem precisa ter alguns. Mas este não é um deles.

O coração de Roger começava a se acalmar e ele pescou no bolso um lenço parcialmente limpo para enxugar o rosto. Pegou-se evitando o minúsculo pedacinho que os dedos da srta. Marigold haviam tocado e o esfregou rapidamente antes de guardar o lenço.

– Os homens que acabamos de deixar – disse Fergus, enxugando o rosto. – Eu os reconheci.

– Ah, sim?

– O afetado... Percival Beauchamp, quero dizer, embora eu acredite que usasse outro nome... talvez mais de um. Ele já me procurou mais de uma vez com baboseiras do mesmo estilo... que eu era filho de um homem bem-nascido e tinha direito a terras...

Ele fez uma careta de desdém muito francesa e Roger, que já havia achado graça em sua pronúncia da palavra "baboseiras", fez uma careta parecida para segurar o riso.

– Bem... – continuou Fergus, curvando-se mais para perto e baixando a voz: – Na época ele auxiliava o comte de La Fayette como uma espécie de ajudante de ordens. Eu o dispensei... Já o havia encontrado uma vez antes *dessa* e me recusado a falar com ele na ocasião... e ele chegou ao ponto de me ameaçar. *Chienne* – acrescentou Fergus com desprezo.

– *Chienne?* – indagou Roger, tomando cuidado com a pronúncia. – Você acha que ele é uma *cadela*?

Fergus fez uma cara espantada.

– Bem, existem outras palavras – falou e franziu o cenho como se estivesse tentando recordar algumas. – Mas certamente você reparou que...

– Ahn... – Uma onda de calor que nada teve a ver com o clima quente brotou atrás das orelhas de Roger. – Na verdade, não. Só pensei que fosse um, ahn, um francês. Enfeitado, sabe?

Fergus explodiu em uma gargalhada.

Roger tossiu.

– Então... Está querendo dizer que Percival seja-lá-qual-for-o-nome-que-estiver-usando é o que as pessoas na Escócia poderiam chamar de um *Nancy-boy*... um maricas. Acha que isso tem alguma coisa a ver com... com a atual situação?

Fergus continuava se sacudindo de rir, mas fez que não com a cabeça.

– *Oui*, mas não se pode confiar em um homem com essas preferências... Estão sempre suscetíveis à ameaça da exposição pública. É preciso olhar para quem o está controlando.

Roger sentiu um quê de apreensão. Para ser sincero, ele estava apreensivo desde que os dois haviam entrado na casa da Hasell Street.

– Quem você acha que é?

Fergus o encarou espantado, em seguida balançou a cabeça em uma leve reprimenda.

– Vou dizer uma coisa, *mon frère*: vai precisar de bem mais experiência no ramo do pecado se quiser ser um bom pastor.

– Está sugerindo que eu mande chamar a srta. Marigold e peça aulas?

– Bem, não – respondeu Fergus com ar de riso. – Sua esposa não ficaria nem um pouco feliz… e não foi isso que eu quis dizer. Só acho que sua bondade, que é inegável… – Ele lhe sorriu com uma expressão afetuosa que deixou Roger profundamente comovido. – Sua bondade é uma coisa, mas, para ajudar aqueles de seu rebanho que não a possuem, você precisa ter alguma compreensão do mal, e portanto do conflito que os aflige.

– Não diria que está errado – disse Roger, desconfiado. – Mas conheço mais de um religioso que teve sérios problemas ao buscar esse tipo de educação.

Fergus ergueu um dos ombros, rindo.

– Pode-se aprender muita coisa com prostitutas, *mon frère*, mas concordo que talvez não devesse prosseguir com esse tipo de educação. – Ele ficou sério. – Mas não foi o que eu quis dizer quando falei no mal.

– Não. Mas você disse que já esbarrou com esse Percival. Ele não me pareceu um…

– E não é. Ele é um prostituto; provavelmente sempre foi. – Ao ver a expressão de Roger, Fergus entortou a boca num quase sorriso. – Como é mesmo que se diz? “Os iguais se reconhecem.”

Roger sentiu uma contração repentina dos músculos da barriga, como se tivesse levado um soco de leve. Já sabia que Fergus tinha se prostituído quando criança em Paris, antes de conhecer James Fraser e de este contratá-lo para ser seu batedor de carteiras… mas tinha esquecido.

– Monsieur Beauchamp é velho demais para vender a bunda, claro, mas vende a si mesmo. Por necessidade – emendou Fergus sem qualquer paixão. – Uma pessoa que vive assim por muito tempo deixa de acreditar que tem qualquer valor, exceto aquele que as pessoas estão dispostas a pagar.

Roger permaneceu calado, pensando nem tanto no recém-encontrado Percival Wainwright, mas no próprio Fergus… e em Jane e Fanny Pocock.

– Mas quando você disse “mal”… – começou ele devagar.

– Só havia dois homens naquele recinto – disse Fergus apenas. – Além de nós dois, claro.

– Meu Deus. – Tentou pensar no que o homem alto tinha dito ou feito que pudesse ter dado a Fergus a convicção de que era um homem mau; e *sim*, era uma convicção: podia ver isso no rosto do amigo. – Não me lembro nem da aparência dele.

– Em minha experiência, é raro o diabo chegar e se apresentar pelo nome – disse

Fergus, seco. – Tudo que posso dizer é que sei reconhecer o mal quando o vejo… e vi o mal naquele homem.

Fergus se levantou e foi até a janela, onde afastou a cortina de borlas para olhar a rua. Tirou do bolso uma bandana preta grande e com ela enxugou o rosto.

– Para as manchas de tinta não aparecerem – falou rapidamente ao ver Roger reparar na cor.

– Mas o que pretende fazer em relação a… a isso? Se é que alguma coisa?

Fergus expirou com força pelo comprido nariz francês.

– Você me disse que a cidade em breve vai cair nas mãos dos britânicos. Esses *crétins* estão me propondo devaneios ridículos. Mas… – Ele levantou o gancho para impedir Roger de intervir. – Mas eles têm dinheiro e estão decididos a agir. Só não sei em relação a *quê*, e o anjo da guarda que me acompanha acha que eu não quero descobrir.

– Esse seu anjo é um sábio.

Fergus assentiu e ficou parado, observando as águas enlameadas do rio correrem ao longe. Depois de alguns instantes, olhou para Roger.

– Brianna disse a Marsali que lorde John Grey tinha prometido uma escolta militar para acompanhá-la até Savannah em segurança.

– Sim, mas não precisamos. Ninguém vai incomodar uma carroça cheia de crianças e chucrute.

– Mesmo assim. – Fergus se levantou, tirou o casaco e puxou para longe do peito o pano ensopado da camisa. – Pode pedir à sua mulher para mandar um recado para lorde John sem demora, por favor? Peça a ele que mande a escolta assim que possível. Nós vamos com vocês. Talvez a prensa chame atenção.

75

NÃO EXISTE FUMAÇA SEM FOGO

Brianna acordou de repente naquele estado desorientado que ocorre quando a pessoa vai dormir em um lugar desconhecido e não se lembra imediatamente de onde está. Estava sonhando… com quê? Seu coração batia acelerado e a qualquer momento iria…

Maldição! As asas começaram a se agitar dentro de seu peito como um bando de morcegos atarantados presos debaixo de sua combinação. Ela se sentou, disse um palavrão entre dentes e bateu com força no peito na esperança de dar um susto no coração e fazê-lo voltar a bater normalmente; às vezes isso funcionava. Não dessa vez. Pôs os pés para fora da cama, nas tábuas frias e úmidas do piso. Inspirou fundo, mas na mesma hora tossiu e expirou com um arquejo.

– Roger! – sussurrou o mais alto que conseguiu, tentando não acordar as crianças e fazê-las entrar em pânico; sacudiu-o pelo braço. – Roger! Levante! Estou sentindo cheiro de fumaça!

Lembrou-se que estavam dormindo no mezanino da gráfica e, agora que seus olhos não estavam mais enevoados de sono, pôde *ver* a fumaça: filetes brancos penetravam pelas bordas do mezanino como fantasmas, movendo-se em silêncio, mas com uma velocidade aterrorizante.

– Meu Deus do céu! – Roger estava de pé, nu e descabelado: ela o viu na débil claridade cinza que entrava pelos buracos das paredes. – Maldição, mas que inferno... Desça e vá acordar todo mundo. Eu pego as crianças.

Antes mesmo de terminar de falar, ele já estava se movendo e pegou uma camisa em cima de uma pilha de Bíblias baratas.

Um grito de puro terror vindo lá de baixo varou o ar, seguido por um instante de silêncio estupefato, e então por *muitos* gritos, em francês, inglês e gaélico, além do choro estridente dos bebês.

– Eles já acordaram – disse ela e tirou Roger da frente para correr e pegar Mandy, sentada em seu ninho de colchas com os olhos semicerrados e zangada.

– Vocês estão fazendo barulho – disse ela para a mãe em tom de acusação. – Vocês me acordaram!

Brianna reprimiu o impulso de dizer: "Você pode dormir quando estiver morta." Em vez disso, agarrou Esmeralda e a empurrou para os braços da filha. Ouviu Roger atrás de si tentando acordar Jemmy, que estava ferrado no sono e planejava continuar assim.

– Vamos – disse ela para Mandy, que vagarosamente retirava algum tipo de penugem da combinação. – Você pode fazer isso depois. Segure firme!

Com Mandy choramingando agarrada a seu pescoço feito um macaquinho mal-humorado e Esmeralda um calombo duro esmagado entre as duas, ela desceu de costas pela escada se segurando com uma das mãos, dobrando os dedos dos pés descalços para se apoiar nas tábuas gastas. O cheiro de fumaça agora estava mais forte, mas não sufocante. Não *ainda*... Filetes subiam a seu lado na direção do teto, enroscando-se e formando nuvens que, ao olhar para cima, ela constatou estarem crescendo lentamente sob as vigas.

– Para fora, para *fora!* – urrava alguém mais alto do que os outros.

Quando Brianna chegou ao pé da escada, descobriu que era Germain, desnorteado de medo e enfurecido, puxando uma das irmãs pelos cabelos aos gritos em direção à porta enquanto chutava a outra, que se agitava no chão à procura de alguma coisa.

– *Va-t'en, j'ai dit!* – gritava ele. – Anda, *salope! ANDA!*

– Germain!

Lívida, Marsali estava com os dois bebês no colo e uma bolsa de couro imprensada entre eles. Germain a ouviu e se virou. Parecia dez anos mais velho, contraído de pavor e determinação.

– *Je ne laisserai pas ça se reproduire* – disse ele para Marsali.

E empurrou Félicité com força na direção da porta, então abaixou e arrancou Joanie do chão, carregando-a até lá fora enquanto ela uivava e se contorcia. Um estalo repentino e alto ecoou, seguido por um baque. Brianna se virou e viu Roger e Jem embolados no chão, com a escada inclinada de lado e uma das tábuas dependurada após ter cedido com o peso combinado de pai e filho.

– Da, levanta! Mamãe, mamãe! – Jem correu até Brianna e a agarrou.

Ela o envolveu com um braço e o apertou com força, então o soltou e o empurrou na direção da porta subitamente aberta. O ar úmido da noite entrou em uma lufada, um frescor bem-vindo... e um perigo instantâneo, constatou Bree ao ver a fumaça subir em uma espiral frenética ao contato do ar frio. Agachado sobre um joelho no pé da escada, Roger tentava se levantar.

– Leve Mandy lá para fora – disse ela a Jem, que parecia perdido no meio do recinto. – *Agora*!

E, depois de empurrar Mandy e Esmeralda para o colo do filho, correu até Roger. Agarrou-o pelo braço, escorou-o com o ombro e conseguiu fazê-lo se levantar com dificuldade. Os dois então se puseram a avançar arrastando os pés no chão e cambaleando, como se estivessem em uma corrida de três pernas, esbarrando nas bancadas e derrubando mesas, livros e papéis...

Meu Deus, isto aqui vai se abrasar que nem uma tocha...

E então eles saíram para a rua e ficaram todos tossindo, chorando e se tocando, contando e recontando cada um dos rostos.

– Onde está Fergus? – perguntou Roger com voz rascante.

Encontrou-o segundos depois atrás da gráfica, apagando com pisadas os últimos fragmentos de uma pequena fogueira que fora feita encostada na porta dos fundos. A porta em si estava chamuscada na base, mas os únicos vestígios que restavam do fogo eram uma grande mancha preta no chão, alguns pedaços espalhados de cinzas que já se apagavam e uma pequena nuvem de cinzas e fragmentos de papel parcialmente queimado, que voavam ao redor dos pés de Fergus feito um enxame de mariposas negras e brancas enquanto ele os pisoteava.

– *Merde* – desabafou Fergus ao notar Roger ali.

– *Mais oui* – respondeu este, tossindo de leve por causa da fumaça que pairava no ar. – Um de seus concorrentes?

Ele meneou a cabeça para a porta parcialmente queimada, onde alguém tinha pintado as palavras DA PRÓXIMA VEZ em cal que escorria.

Fergus balançou a cabeça com os dentes trincados. Tinha os cabelos arrepiados e, assim como Roger, usava apenas uma camisa de dormir, embora tivesse tido a presença de espírito de calçar as botas antes de sair correndo de casa. O fogo fora apagado, mas Roger ainda podia sentir nas pernas nuas o calor que vinha da porta fumegante.

– Legalistas – respondeu Fergus e tossiu com força.

Roger sentiu a fumaça fazer cócegas na sua garganta e pigarreou na esperança de fazer a coceira parar; tossir ainda doía.

– Marsali, Bree e as crianças estão bem – disse Roger. Fergus assentiu, pigarreou e cuspiu nas cinzas.

– Eu sei – disse ele e seu rosto marcado relaxou de leve. – Eu as ouvi praguejando. *Les femmes sauvages.*

Roger não tinha notado os palavrões, mas não duvidava.

– Eles já tinham tentado antes? – perguntou, erguendo o queixo na direção da porta pintada com cal. Fergus ergueu um ombro em um gesto gaulês de indiferença.

– Cartas. Sujeira. Um saco cheio de ratazanas mortas. Outro com uma cobra viva… por sorte uma cascavel, não uma boca-de-algodão. Marsali escutou antes de pegar o saco.

– Meu Deus do céu! – Foi algo entre um xingamento e uma prece. Fergus meneou a cabeça, agradecido por ambos.

– *Les enfants savent qu'il ne faut rien toucher près de la porte* – disse ele com voz neutra. Inspirou fundo devagar e balançou a cabeça em direção à porta. – Isto aqui é… – Seus lábios se contraíram e ele olhou para Roger. – Imagino que milady e milorde tenham lhe contado. Você sabe o que… o que aconteceu com nosso menino, Henri-Christian. – O nome saiu com hesitação, como se fizesse muito tempo que Fergus não o dizia em voz alta.

– Sim – respondeu Roger, com um nó na garganta que fez a palavra sair baixa e engasgada. Ele pigarreou com força. – Babacas covardes!

– Se quiser, pode chamá-los assim. – A boca de Fergus estava toda branca em volta. – Covardes com certeza. *Canaille!* – Ele chutou a porta com tanta força que a fez sacudir no batente. Recuperado do choque e do pânico, Roger constatou que a própria raiva estava alterada.

– Esses *merdas!* Pôr fogo no lugar em que sua família mora, seus filhos! – *E meus…*

– Como aviso, é bem mais eficaz do que bilhetes anônimos enfiados por baixo da porta. – Fergus respirava pesadamente; parou para tossir e balançou a cabeça. Então encarou Roger com fúria, os olhos vermelhos de fumaça. – Se eu descobrir quem fez isso, vou amarrar dentro de um saco, levar remando até alto-mar e jogar vivo para os tubarões, juro por Deus e pela *Vierge*!

– Eu ajudo você. – *Teria que ajudar*, pensou. Fergus não conseguiria remar com uma mão só.

– *Merci.* – Fergus olhou com pesar para a quina da casa. Os gritos agudos e o choro de crianças assustadas na rua do outro lado tinham cessado, abafados pelos ruídos de passos correndo e exclamações. – Eu *vou descobrir.* Mas agora preciso ficar com Marsali.

Meu Deus, o que a possibilidade de outro incêndio não devia ter provocado nele e em Marsali... nas meninas... Roger sentiu o sangue gelar nas veias ao pensar nisso. Fergus observava seu rosto. Ele assentiu, com o próprio semblante agora grave.

Juntos, foram ao encontro de suas mulheres e filhos.

Havia uma grande agitação em frente à oficina. Faltava uma hora para o dia nascer e a luz mal bastava para se poder ver Marsali, Bree e as crianças, afastados no fim da rua e amontoados no escuro feito um rebanho de pequenos bisões.

Germain, com Jemmy firme a seu lado, estava parado na frente das mulheres e crianças, com os punhos cerrados, ele também parecendo não conseguir decidir se chorava ou se batia em alguém. Fergus soltou o ar por entre os dentes, deu um tapinha no ombro do filho e foi pegar um dos gêmeos do colo de Marsali, que os segurava com toda a força. Disse algo bem baixinho para ela em francês e Roger respeitosamente se virou para Bree, que havia se sentado na calçada de madeira e reunido à sua volta todas as três meninas. Fizzy fungava agarrada à combinação de Bree, enquanto Joanie, que tendia a ser prática, trançava os cabelos de Mandy.

– Vocês estão bem? – perguntou Roger e pousou a mão na cabeça de Brianna, sentindo seus cabelos frios e úmidos na névoa matinal vinda do porto.

– Ninguém morreu – disse ela e conseguiu dar uma risadinha trêmula. – Você sabe o que aconteceu?

– Mais ou menos. Depois eu conto.

Pessoas se aproximavam, algumas de roupa de dormir, outras a caminho do trabalho: padeiros, taberneiros, trabalhadores da estiva, pescadores. Duas prostitutas paradas debaixo de uma árvore conversavam em cochichos e olhavam alternadamente para a gráfica e para a família.

Para surpresa de Roger, Fergus nem sequer tentou guardar segredo. Contou a todo mundo, um de cada vez, o que havia acontecido e o que pretendia fazer com os *maudits chiens* que atacaram sua família e seu ganha-pão.

Chegando mais perto, Roger se pôs a examinar os rostos à medida que a luz começava a penetrar lentamente a névoa, à procura de alguém que parecesse estar satisfeito ou aparentasse saber de alguma coisa. Mas todos pareciam sinceramente chocados. Uma mulher de meia-idade alta e bonita, que pelos trajes não podia ser outra coisa que não dona de uma próspera taberna, aproximou-se de Marsali e a convidou a levar as crianças para fazer o desjejum lá.

– Por conta da casa – acrescentou ela, passando os olhos pelas crianças e muito obviamente avaliando o custo de seus apetites.

– Sra. Kenney, eu fico muito agradecida – disse Marsali. Olhou para Fergus e tossiu um pouco. – Se a senhora puder nos dar um instante para vestirmos uma roupa?

O comentário fez Roger se dar conta de que estava descalço na rua e vestido apenas com uma camisa. Ele ajudou a reunir as crianças. Enquanto todos começavam a atravessar a rua em direção à casa ameaçada, reparou que Marsali carregava debaixo do braço vários componedores de tipos, obviamente pegos às pressas na bandeja. Pareciam pesados e ela o deixou segurá-los e suspirou de alívio quando ele o fez.

– A gente fica mesmo pensando no que levaria se a casa estivesse pegando fogo – disse ele, tentando fazer graça.

– É, bem – disse Marsali, ajeitando a manta em volta do gêmeo em seu colo. – Tem um cheiro um pouco melhor do que chucrute, não é?

Quatro dias mais tarde...

Brianna segurou o tecido do vestido que pretendia usar e o levou com cautela ao nariz. Havia pendurado a roupa em um gancho do armário de arejar com o vestido de trabalho de Marsali e um avental, e torcera por um desfecho favorável. O armário em si não passava de uma caixa grande feito um caixão em pé, encostado na parede do quarto e furado com dezenas de buracos na parede externa, de modo a deixar que o ar da noite dissipasse ao máximo o cheiro de fuligem, verniz, tinta, gordura de cozinha e golfada de bebê antes de as roupas serem usadas outra vez na manhã seguinte.

– Tudo bem? – indagou Marsali, cuja cabeça loura despenteada emergia da combinação deixada para arejar durante a noite.

– Bom, não está com *muito* cheiro de chucrute – respondeu Bree, inalando com força.

Marsali riu baixinho e pegou seu vestido de trabalho: uma roupa de corte severo feita com um tecido de fabricação caseira entre o amarelo e o cinza, que, na opinião de Brianna, lembrava um uniforme da Guerra Civil.

– Quando chegarem a Savannah, já vai estar bem arejado – garantiu Marsali. – E os soldados não vão ligar.

Ela passou um par de anáguas para Brianna e continuou a se vestir, os dedos ágeis no manejo de fitas, cordões e botões. Faltava pouco para o dia raiar e elas falavam em sussurros para não acordar as crianças antes do necessário. Lá embaixo, pés se arrastando no chão, pancadas abafadas e risadinhas marcavam os preparativos de Roger e Fergus para o dia.

Os soldados enviados por lorde John já estavam do lado de fora: Brianna os tinha visto do mezanino onde os MacKenzies vinham dormindo, um pequeno grupo de homens reunidos na ruela atrás da oficina. Eles haviam se instalado a uma pequena distância da casa e fumavam cachimbos enquanto murmuravam entre si, silhuetas escuras identificáveis como soldados apenas pelos contornos negros compridos dos mosquetes, encostados em uma parede.

Brianna não podia vê-los do quarto. As únicas janelas da casa eram as grandes na fachada da gráfica. No entanto, um cheiro leve de tabaco chegava até ela pelos furos do armário de arejar e ela expirou com força. Ainda demoraria muito para deixar de sentir o cheiro do chucrute, mas pelo menos os barris fedidos não os acompanhariam com as crianças até Savannah. Tanto o uísque quanto o que restava do ouro, reembalados como um caixote de peixe seco, tinham sido discretamente despachados para um armazém cujo dono era um Filho da Liberdade. E, embora ainda tivesse algumas das finas plaquinhas costuradas nas roupas, não eram em quantidade suficiente para levantar suspeitas, mesmo que alguém as descobrisse.

Nem para comprar armas, pensou e estremeceu, apesar de Marsali ter acabado de atiçar a lareira do quarto. Um choro abafado vindo do quarto ao lado a fez largar o atiçador e se retirar às pressas, soltando o espartilho recém-colocado conforme o leite lhe enchia os seios. Bree pôde ver marcas molhadas surgirem em sua combinação. Em uma recordação solidária, sentiu os próprios mamilos incharem dentro do espartilho.

– Mãe? – disse Jemmy, espichando a cabeça para dentro do quarto.

O fogo recém-atiçado captou o brilho de seus cabelos e destacou o contorno dos ossos, e muito de repente ela viu como ele seria quando adulto. Um senso de humor rápido e uma ferocidade latente transpareciam em seu rosto, e ver isso provocou nela um aperto no coração.

Um guerreiro. Ah, meu Deus...

Ela fechou os olhos e fez um rápido e arrebatado apelo à Virgem Maria. *Por favor! Fazei com que ele fique fora disso!*

Um pensamento tranquilizador lhe veio então, talvez em resposta. *Dois anos*. Faltavam quase dois anos para a Batalha de Yorktown e o final da guerra. Dois anos apenas. Jem tinha 9 anos e com 11 ainda seria jovem demais para lutar. Ela afastou a visão repentina de um tocador de tambor...

– Sim, meu amor? – falou, arrumando as pontas do xale de pescoço. – Você e Mandy estão prontos?

Jem deu de ombros. Como poderia saber?

– Papai mandou perguntar se você precisa de uma das pistolas.

Seu tom foi casual; aquele assunto não era nada de mais. Ela viajara armada desde que tinham saído da Cordilheira sem dar muita importância a esse fato, mas agora havia soldados lá fora, soldados inimigos, esperando para levá-la embora com seus filhos.

– Sim – respondeu. – Acho melhor eu ficar com uma.

76

UM LADRÃO NO MEIO DA NOITE

Cordilheira dos Frasers

Jamie acordou sobressaltado, com o coração disparado e a mente tomada por sonhos. Teve uma vaga lembrança de fúria, de ter brigado e de querer brigar com alguém...

mas não era raiva que pulsava agora por seu corpo, ou não totalmente… A escuridão ainda era total, as persianas estavam fechadas e o ar guardava um pouco de calor e o cheiro amargo de cinzas do fogo abafado na lareira.

– Hummmf… – Claire se mexeu de leve a seu lado, então tornou a relaxar com um suspiro e voltou a dormir.

– Sassenach – sussurrou ele e levou a mão à curva morna e arredondada de seu quadril. Sentiu-se culpado por acordá-la, mas o desejo que nutria por ela era avassalador.

– Humm?

– Eu preciso… – sussurrou ele, já deslizando por trás dela, afastando as roupas de cama, levantando a camisola dela e tirando a camisa.

Jogou a camisa no chão, então tornou a se deitar, levantou a combinação dela e a envolveu com um braço para puxá-la com urgência contra si.

Ela deu um leve suspiro de surpresa, mas então fez um pequeno movimento com o traseiro nu para acomodá-lo melhor e tornou a relaxar, abrindo-se para ele.

Estava surpreendentemente escorregadia, como se tivesse compartilhado seu sonho erótico, e talvez tivesse mesmo… Ele a penetrou o mais lentamente possível, mas não conseguiu esperar.

– Me desculpe – sussurrou encostado em seus cabelos enquanto se movimentava dentro dela sem conseguir pensar ou falar. – Eu preciso…

Podia ver que ela não estava de todo acordada, mas seu corpo estava dócil e entregue à excitação dele. Jamie parou de falar e enterrou o rosto em seus cabelos, segurando-a com força e bombeando com violência, as costas dela quentes junto a seu peito.

A pele dele se arrepiou quando sentiu o orgasmo vir, estremecendo e arquejando enquanto o prazer pulsava por seu corpo.

– Me desculpe – tornou a sussurrar alguns instantes depois.

Ela estendeu a mão para trás, tateou às cegas até encontrar sua perna e ali deu alguns tapinhas rápidos. Bocejou, espreguiçou-se de leve e se encolheu para voltar a dormir, o traseiro nu aconchegado e quentinho encostado na curva molhada de suas coxas.

Ele pegou no sono como se tivesse sido lançado de ponta-cabeça dentro de um poço e dormiu sem sonhar até acordar pouco antes do amanhecer, antes mesmo dos galos.

Ficou deitado em silêncio vendo a débil luz começar a surgir entre as persianas e saboreando a sensação momentânea de profunda paz. Claire ainda dormia; tinha a respiração lenta e regular e os cabelos espalhados sobre o travesseiro como fumaça. A visão de seu ombro nu onde a camisola havia escorregado trouxe de volta a sensação daquela urgência no meio da noite e ele se sentiu ao mesmo tempo envergonhado e exultante.

Não tinha se dado ao trabalho de procurar a camisa durante a noite e sentiu frio nos ombros. O fogo ainda não fora atiçado. Movendo-se com todo o cuidado para deixá-la dormir, puxou a colcha por cima dos dois e ficou parado, com os olhos parcialmente fechados.

Sentia a mente tão preguiçosa quanto o corpo, sem formar pensamentos de verdade, deixando fragmentos aleatórios de imaginação e lembrança se agitarem... como folhas levadas pela correnteza de um regato das Terras Altas. E, em meio aos fragmentos de sonhos que recordou, viu um rosto. Óculos de armação preta, um rosto franco e curioso visto na contracapa de um livro...

Um rosto que se erguia acima do dele, sem óculos, tentando cruzar seu olhar, tentando fazê-lo ver o que...

O choque o fez abrir os olhos. Lá fora, o primeiro galo começou a cantar.

– Por que você nunca me disse que Frank Randall era parecido com Black Jack? – perguntou Jamie abruptamente.

– O quê?

Eu já tinha me perguntado o que o estava incomodando: ele saíra antes de eu me vestir e sem comer nada. Agora passava do meio-dia e Jamie ainda não havia almoçado. Tinha adentrado meu consultório sem hesitação ou cumprimento para me perguntar *aquilo.*

– Bem... – Tentei organizar os pensamentos para construir uma resposta coerente; era óbvio que ele precisava de tanta verdade quanto eu pudesse lhe dar. – Bem, para começar... ele não era. Quero dizer, a primeira vez que encontrei Jack Randall fiquei impressionada com a semelhança... – *E algumas vezes depois disso.* – Mas isso passou com o tempo, porque era apenas uma semelhança física superficial. Quando passei a conhecer Jack Randall... – uma sensação fria se concentrou em minha nuca, como se o cavalheiro em questão estivesse em pé atrás de mim com os olhos cravados ali – ... ele não me lembrou nem um pouco Frank.

Observei Jamie com atenção. Ele tinha se comportado de modo bastante normal na véspera... ou talvez não. Tinha feito sexo comigo enquanto eu dormia, um sexo rápido e vigoroso, em seguida me abraçou junto ao peito e pegou no sono na hora murmurando "*Taing, mo ghràidh.* Me desculpe".

Eu mesma tinha voltado a dormir quase na hora, sentindo um formigamento agradável provocado pela fricção nas partes íntimas e as batidas lentas e regulares do coração dele nas costas. Não que Jamie nunca tivesse feito nada assim antes, mas já tinha um tempo que não acontecia.

– Além disso, você *viu* a foto de Frank no livro dele – falei devagar. – Não notou a semelhança?

– Não. – Ele se deu conta de que estava ameaçadoramente colado em mim. Com um gesto impaciente, puxou um de meus banquinhos e se sentou. – E agora estou pensando por que não. Você tem razão. A personalidade de Frank... transparece em seu rosto. Jack Randall se escondia, mas... depois que você descobria quem ele era, nunca mais o via de outra forma, por mais elegantes que fossem suas roupas ou educados seus modos.

– É. – Estremeci involuntariamente e estendi a mão para pegar meu xale verde, que pus em volta dos ombros como se ele pudesse oferecer alguma proteção contra a lembrança do mal. – Mas... por que a semelhança o impressionou tanto *agora*?

– Humm... – Os três dedos remanescentes de sua mão direita tamborilaram silenciosamente no joelho e pude sentir todo o seu esforço para traduzir em palavras o que sentia.

– Alguma coisa... aconteceu? – perguntei com cautela, pensando naquele coito apressado no meio da noite.

Esse parecia ser o único acontecimento anormal que eu conseguia recordar, mas não fui capaz de ver qualquer relação entre as duas coisas.

Jamie deu um suspiro.

– É. Talvez. Não sei direito. É só que... eu sonhei. – Ele me viu reagir a isso e fez um leve gesto tranquilizador. – Não um daqueles pesadelos. Só uns fragmentos sem sentido. Sonhei que estava lendo um livro... Bom, eu estava *mesmo* lendo antes de deitar.

– O livro de Frank?

– Sim. O que eu estava lendo no sonho não fazia o menor sentido, mas... ficava aparecendo e sumindo, como acontece nos sonhos, sabe? De repente, o livro parecia estar falando comigo. Depois, quem estava falando era o próprio autor... só uns pedacinhos de conversa. Por fim, quando comecei a ler outra vez... estava em outro lugar.

Ele esfregou a mão no rosto com força. Não sei se estava tentando apagar o sonho ou trazê-lo à tona.

– Eu o encarava... os olhos dele por trás dos óculos. Olhos gentis. Decentes. Me contando coisas sobre a história. Então vi Jack Randall recostado na cadeira atrás de sua mesa, olhando para mim, suave e educado, como se estivesse perguntando se eu queria açúcar no chá, mas o que estava perguntando era se eu preferia morrer sendo sodomizado ou açoitado.

Inclinei-me para a frente e segurei sua mão. Os dedos se fecharam na mesma hora em volta dos meus e apertaram de leve para me tranquilizar. Não fora *mesmo* "um daqueles pesadelos", que o deixavam suando e sem suportar ser tocado.

– Então você sabia que era um sonho? – perguntei. – Não estava... ahn... vivendo aquilo, quero dizer?

Ele fez que não com a cabeça, os olhos cravados no chão.

– Não, mas foi nessa hora que me dei conta de quanto eles se pareciam e acordei me perguntando por que você nunca tinha comentado nada a respeito.

– Para ser sincera, eu... – Involuntariamente, sorri e reformulei a frase: – Quero dizer, no início não vi necessidade. Depois, pensei que talvez você pudesse ficar abalado ou preocupado ao saber que o homem com quem eu tinha sido casada se parecia tanto com Jack Randall.

Ele aquiesceu de leve enquanto refletia a respeito.

– Talvez eu tivesse ficado. E, como você disse, não adiantava nada. Você era minha.

Ele levantou a cabeça ao dizer isso e, embora houvesse afeto em seus olhos, sua boca havia se firmado de um modo muito decidido.

– Ah! – falei, de repente cara a cara com aquilo que tinha vivenciado às cegas nas profundezas almiscaradas da noite anterior. Ele havia acordado pensando em Frank e na mesma hora reafirmara sua posse sobre mim. – Então foi *por isso* que você não parava de pedir desculpas!

Ele me encarou com um olhar encabulado, matizado por certo ar de desafio.

– Bom, eu me senti culpado por acordar você. Mas... mas eu precisava... precisava...

Ele fez um gesto breve, porém bem explícito, com o polegar na palma de minha mão, que fez meu rosto ser inundado por sangue morno.

– Ah – tornei a dizer. Reparei que ele não estava me perguntando se eu tinha achado ruim. O que era irrelevante, uma vez que eu não tinha achado. Fechei os dedos em volta de seu polegar grande e quente. – Bom.

Ele sorriu para mim e beijou minha testa.

– Claire – falou, suave. – Você é minha vida. *Fuil m 'fhuil, cnhàmh mo chnàimh.* – É Sangue do meu Sangue e Osso do meu Osso. Se Frank sentia a mesma coisa por você e sabia que eu a tinha tirado dele... e ele sabia que sim... então tinha bons motivos para tentar me prejudicar ou me matar.

Puro espanto me silenciou por alguns instantes.

– Você acha...? Não. – Balancei a cabeça com força. – *Não.* Mesmo que esteja certo em relação ao livro, e eu *não acho* que esteja, como ele poderia saber que Brianna o traria para o passado e que você o veria? Além do mais... como alguma coisa em um livro poderia matá-lo? Independentemente de qualquer semelhança que seu sonho tenha mostrado, Frank não era *nada* parecido com Jack Randall – acrescentei com firmeza, sentando-me mais ereta e unindo as mãos sobre o joelho. – Ele era um homem muito bom. E, mais importante ainda, era um historiador. Não escreveria algo que não estivesse baseado em fatos.

Jamie me encarava com um leve sorriso.

– Notei que você não disse que ele dava tanto valor a você quanto eu.

Eu queria tanto ser capaz de produzir um ruído escocês adequado em resposta àquilo, mas algumas coisas estão além de minhas capacidades. Em vez disso, estendi as mãos para segurar a mão aleijada dele e tracei de leve o contorno da grossa cicatriz branca onde antes ficava seu anular.

– Você me mandou de volta para ele – falei, tentando impedir minha voz de falhar.

– Quando achou que seria perigoso ficar, para mim e para o bebê. Ele sabia que você não tinha morrido e não me contou. – Levantei sua mão e a beijei. – Vou queimar essa porcaria desse livro.

77

CIDADE DO AMOR FRATERNO

Filadélfia

Ian encontrou a casa que tio Jamie havia lhe indicado: no fim de uma ruela de terra batida irregular que saía da rua principal da Filadélfia. Tio Jamie tinha mencionado que a casa era pobre, e assim lhe pareceu. Ela dava a impressão de estar vazia também. Embora alguns primeiros flocos de neve já caíssem de modo um pouco aleatório, não saía fumaça da chaminé. A vegetação do pátio estava em mau estado, o telhado se encontrava afundado e com metade das telhas rachada ou deformada. Pelo aspecto da porta, parecia que tinham o hábito de entrar em casa com um chute.

Ele apeou do cavalo, mas ficou alguns instantes pensando. As instruções de seu tio tinham sido bem claras, mas também estava claro que a sra. Hardman talvez recebesse visitas ocasionais de homens perigosos, e Ian não queria se meter em uma situação inesperada.

Prendeu frouxamente o capão em um pequeno olmo que pendia por sobre a ruela e entrou sem fazer barulho na vegetação que se estendia a seguir. Sua intenção era se aproximar da casa por trás e tentar escutar algum som que indicasse ocupação. No entanto, pouco tempo depois, ouviu o choro de um bebê. Não tinha vindo da casa, mas sim de um barracão em péssimo estado ali perto.

Assim que se virou naquela direção, o choro cessou de repente. Ele agora sabia o suficiente sobre bebês para ter certeza de que a única coisa capaz de calar de modo tão abrupto uma criança contrariada era algo enfiado em sua boca, fosse um seio, uma trouxinha de açúcar ou o polegar de alguém. E não achava que a sra. Hardman fosse estar amamentando o filho no barracão.

Se alguém tinha interrompido o choro do bebê, era provável que já o tivesse visto. Ele tomara a precaução de pôr munição e pólvora na pistola no fim da ruela e nesse momento a sacou.

– Não atire! Não atire!

As palavras não foram gritadas, mas sibiladas em algum lugar próximo à altura de seus joelhos. Ele baixou os olhos espantado e deparou com uma menina jovem, agachada debaixo de um arbusto, com um xale esfarrapado em volta dos ombros para se aquecer.

– Ah… Srta. Hardman, suponho? – indagou ele, tornando a guardar a pistola no cinto. – Ou uma das senhoritas Hardman?

– Sou Patience Hardman. – Ela estava desconfiada e tinha os ombros encolhidos, mas o encarou com firmeza. – Quem é você?

Então ele estava no lugar certo. Agachou-se com desenvoltura.

– Meu nome é Ian Murray, menina. Meu tio Jamie é amigo de sua mãe… quero dizer, se o nome de sua mãe for Silvia.

Ela continuou a encará-lo, mas seu semblante congelou em uma expressão de desagrado quando mencionou tio Jamie.

– Vá embora – disse ela. – E diga a seu tio para parar de vir aqui.

Ian a observou com cuidado, mas ela parecia estar falando sério. Era tão sem graça quanto uma cerca de tábuas, mas bastante sensata.

– Talvez estejamos falando de homens distintos, menina. Meu tio é Jamie Fraser, da Cordilheira dos Frasers, na Carolina do Norte. Ele passou um ou dois dias com sua família há algum tempo… – Ele fez as contas na cabeça de trás para a frente e obteve um resultado aproximado. – Talvez umas duas semanas antes da Batalha de Monmouth. Já ouviu falar nessa?

Obviamente sim, pois ela saiu do meio das plantas com tanta pressa, enganchando os cabelos castanhos sebentos e o xale esfarrapado, que emergiu coberta de folhas mortas.

– Jamie Fraser? Um escocês bem grande, ruivo e com problema nas costas?

– Esse mesmo – respondeu Ian e sorriu para ela. – Sua mãe por acaso está em casa? Meu tio me mandou aqui para assegurar o bem-estar dela.

A menina ficou parada como se tivesse se cristalizado, mas seus olhos relancearam por um breve instante na direção da casa atrás dele, em seguida na direção do barracão, com uma expressão entre animada e apreensiva.

– Patience, com quem está falando? – perguntou outra voz de menina e alguém que a julgar pela semelhança com Patience devia ser Prudence Hardman espichou para fora do barracão a cabeça coberta por uma touca enquanto estreitava os olhos míopes. – Chastity comeu *todas* as maçãs e *não quer* ficar quieta.

Chastity não queria mesmo: outro grito agudo emergiu do barracão e a cabeça de Prudence desapareceu abruptamente.

Não era um bebê, então. Se tio Jamie tinha conhecido Chastity durante sua visita, ela agora devia ter quase 2 anos.

– Quer dizer que sua mãe está dentro da casa? – perguntou Ian, decidindo que podia esperar para conhecer Chastity.

– Está – respondeu Patience e engoliu em seco. – Mas ela está… ocupada.

– Então eu vou esperar.

– Não! É que… quero dizer, você precisa ir embora. Volte… *Por favor*, volte. Mas neste momento vá embora.

– Ah, sim?

Ele espiou a casa com um olhar curioso. Pensou poder escutar sons vagos lá dentro, mas a brisa que farfalhava nas árvores em volta tornava difícil saber o que acontecia.

Não que eu não possa adivinhar, com as meninas aqui fora tremendo de frio no barracão...

Mas, se Silvia Hardman estava recebendo uma visita, talvez fosse melhor esperar o homem sair. Apesar disso, a ideia de ir embora e deixar as menininhas naquela situação o perturbou. Talvez pelo menos pudesse lhes dar comida...

Enquanto hesitava, porém, Chastity assumiu as rédeas da situação: começou a gritar feito um puma e pelo visto chutou as canelas de Prudence, pois esta gritou também.

– *Ai! Chastity! Você me mordeu!*

Patience fez um movimento brusco, então saiu correndo em direção ao barracão enquanto dizia "Quietas, quietas!" em tom de urgência e olhava freneticamente por cima do ombro.

A porta da casa se abriu de supetão e bateu na parede interna. Um homem grandalhão vestido apenas com uma calça aberta saiu, com um cinto de couro na mão e uma expressão enfurecida no rosto.

– Suas pestes malditas! Venham aqui! Vou dar uma lição em vocês! Ah, se vou!

– Sr. Fredericks! Volte, por favor...! As meninas não tiveram a intenção de...

Sem hesitar um segundo, o sr. Fredericks se virou e fez o cinto que segurava estalar bem na cara da mulher atrás dele.

Atrás de Ian, Patience soltou um grito de pura raiva e partiu na direção dos degraus da frente. Ian a conteve com um braço ao redor da cintura e a pôs no chão atrás de si.

– Vá ficar com suas irmãs – disse ele e a empurrou na direção do barracão. – Agora!

– Quem é você?

Fredericks tinha descido os degraus e agora avançava para cima de Ian, com os cabelos claros bagunçados feito a juba de um leão e no largo rosto vermelho uma expressão que deixava claras suas intenções.

Ian sacou a pistola e a apontou para ele.

– Vá embora – falou. – *Agora.*

Fredericks brandiu o cinto tão depressa que Ian mal o viu, apenas sentiu o golpe que lhe arrancou a pistola da mão. Não se deu ao trabalho de tentar pegá-la, mas segurou a ponta do cinto que subia para um segundo golpe, puxou Fredericks mais para perto e lhe deu uma cabeçada no rosto quando ele cambaleou. Não acertou o nariz, porém, e o maxilar de Fredericks bateu em sua testa e fez seus olhos lacrimejarem.

Ele deu uma rasteira em Fredericks, mas o homem o havia segurado com os dois braços e os dois caíram no chão, aterrissando com um baque no meio das folhas mortas. Ian pegou um punhado de terra e esfregou na cara do homem, pressionando para fazê-la entrar nos olhos, e ergueu a perna bem a tempo de evitar levar um chute no saco.

A gritaria foi grande. Ian conseguiu segurar Fredericks pela orelha e se esforçou ao máximo para torcê-la ao mesmo tempo que chutava e se debatia. Então fez força, rolou de bruços até ficar por cima e conseguiu pôr as mãos em volta do pescoço de Fredericks. Contudo, o pescoço era gordo e estava escorregadio de suor, e ele não conseguiu segurar direito, não sem que o outro lhe martelasse as costelas com um punho que parecia uma rocha.

Chega dessa bobajada, disse seu lado mohawk, e ele tirou a mão do pescoço de Fredericks, catou um galho grosso nos detritos espalhados pelo chão e o cravou em cheio em seu olho.

Fredericks abriu bem os braços, enrijeceu, deu um ou dois arquejos e morreu.

Ian saiu de cima dele devagar, com o coração disparado fazendo o próprio corpo pulsar. Seu dedo doía, pois tinha ficado imprensado, e sua mão estava pegajosa. Ele a enxugou na calça, lembrando tarde demais que aquela era sua calça boa.

Os gritos haviam cessado. Ele ficou sentado sem se mexer, apenas respirando. Os flocos de neve agora caíam mais depressa e derretiam ao tocar sua pele, minúsculos beijos frios em sua face.

Apesar de estar de olhos fechados, ele identificou passos. Ao abri-los, viu a mulher agachada a seu lado. Seu rosto exibia uma larga risca vermelha. O lábio superior estava aberto e um filete de sangue havia sujado seu queixo. Os olhos estavam vermelhos e horrorizados, mas graças a Deus ela não estava gritando.

– Quem…? – começou ela e se calou, levando o pulso à boca machucada.

Baixou os olhos para o homem morto caído no chão, balançou a cabeça como se não conseguisse acreditar naquilo e olhou para Ian.

– Você não devia ter feito isso – falou, com uma voz baixa e urgente.

– A senhora tinha uma sugestão melhor? – perguntou Ian, recuperando o fôlego.

– Ele teria ido embora – disse ela e olhou por cima do ombro como se esperasse que sua nêmesis fosse aparecer. – Quando… quando tivesse acabado.

– Ele já acabou – garantiu Ian e, com movimentos vagarosos, se ajoelhou. – A senhora deve ser a sra. Hardman.

– Sou Silvia Hardman. – Ela não conseguia tirar os olhos do morto.

– Ele é sobrinho do amigo Jamie, mamãe – disse uma vozinha cristalina atrás dele.

As três meninas haviam se amontoado em volta da mãe, todas com um ar chocado. Até a menorzinha tinha os olhos arregalados e não dizia nada, com o polegar enfiado na boca.

– Jamie – disse Silvia Hardman e balançou a cabeça. A expressão atordoada estava sumindo de seu rosto e ela encostou no lábio que já começava a inchar uma ponta do roupão esfarrapado que estava usando. – Jamie… *Fraser?*

– Sim – respondeu Ian e se pôs de pé. Estava dolorido, mas nada de mais. – Ele me mandou vir assegurar seu bem-estar.

Sem acreditar, ela o encarou. Então olhou para Fredericks, de novo para Ian… e começou a rir. Não foi uma risada normal: foi um som agudo, fino e histérico, e ela tapou a boca com a mão para fazê-lo cessar.

– Imagino que seja melhor nos livrarmos deste… – Ele cutucou com a ponta do sapato a coxa do cadáver de Fredericks. – Alguém virá procurá-lo?

– Talvez. – Silvia estava recuperando o fôlego. – O nome dele é Charles Fredericks. Ele é juiz. O juiz Fredericks, do Tribunal Municipal da Filadélfia.

Ian passou alguns segundos olhando o juiz morto, então voltou-se para a sra. Hardman. Tirando aquele instante de riso desbragado, ela não havia ficado histérica. Embora estivesse mais pálida dentro da combinação encardida que vestia, parecia controlada. Não apenas controlada, notou Ian com interesse: estava concentrada, com o olhar focado no corpo.

– Pode me ajudar a escondê-lo? – perguntou ela erguendo os olhos.

Ele assentiu.

– Alguém virá procurá-lo? Digo, aqui? – A casa era isolada, distante no mínimo 1,5 quilômetro de qualquer outra habitação e uns bons 8 quilômetros para lá do limite da cidade.

– Não sei – respondeu ela com sinceridade, cruzando seu olhar. – Ele tem vindo aqui uma ou duas vezes por semana nos últimos dois meses e é… *era* um falastrão. Depois que acabava de… de fazer o que vinha fazer, bebia e falava. Principalmente sobre si mesmo, mas de vez em quando mencionava algum conhecido e o que achava dele. Não grande coisa, em geral.

– Então a senhora acha que ele pode ter… se gabado de ter vindo aqui?

Ela deu uma risada curta de espanto.

– Aqui? Não. Mas ele talvez tenha falado sobre a viúva quacre com quem estava trepando. Algumas… pessoas sabem sobre mim.

Duas rodelas vermelhas lhe coloriram as bochechas e o pescoço. Ao olhar para elas, Ian viu as marcas mais escuras de hematomas no pescoço.

– Mamãe? – As meninas tremiam. – Podemos entrar agora, mamãe? Está muito frio.

A sra. Hardman se sacudiu, endireitou as costas e deu um passo até ficar em frente ao morto, impedindo pelo menos parcialmente as filhas de verem o corpo.

– Sim. Entrem em casa, meninas. Acendam o fogo. Tem… tem um pouco de comida dentro de uma mala. Podem ir comendo; deem comida a Chastity. Eu vou entrar… daqui a pouquinho.

Ela engoliu em seco. Ian não soube dizer se foi por causa de uma náusea repentina ou de simples fome por ter falado em comida: em seu peito dava para ver a sombra dos ossos.

As meninas rodearam o cadáver, Patience tapando os olhos de Chastity, e desapareceram dentro de casa, embora Patience tivesse se demorado na porta até a mãe enxotá-la com um gesto.

– Acho que não podemos apenas enterrá-lo – disse Ian. – Se alguém viesse procurá-lo, uma cova recente não seria tão difícil de encontrar. A senhora acha que consegue vesti-lo?

Os olhos dela se arregalaram e ela olhou primeiro para o corpo e então de volta para Ian. Sua boca se abriu, em seguida se fechou.

– Sim – respondeu ela, ofegante.

– Então faça isso – disse ele.

Ergueu os olhos para o céu: estava cor de estanho escurecido e ainda cuspia alguns flocos aleatórios. Mas ele podia sentir que ia nevar mais: a sensação do vento norte era nítida em sua nuca.

– Volto antes de a noite cair – falou, virando-se para seu cavalo. – Faça as malas. Aquele cavalo é dele? – Um belo capão baio remexia as orelhas sob o parco abrigo de um tulipeiro sem folhas; o animal claramente não pertencia à casa das Hardman.

– Sim.

– Vou precisar usar esse daí para mover o corpo. Mas vou trazer outro cavalo para transportar a senhora e suas filhas.

Silvia piscou e ajeitou uma mecha de cabelos ensebados atrás da orelha.

– Para onde vamos?

Ele sorriu… um sorriso tranquilizador, assim esperava.

– Vou levá-las para conhecer minha mãe.

Ian não se apressou no trajeto de volta à Filadélfia. Não eram poucos os lugares adequados para o que tinha em mente, mas era mais do que provável que teria que agir no escuro. Depois de encontrar o local, um trecho cheio de carvalhos e pinheiros, com um pinheiro gigantesco isolado mais atrás, ele desmontou e procurou o que queria. Ao encontrar, enfiou dentro do alforje e esporeou o cavalo para seguir pela estrada até a Filadélfia.

Conseguiu alugar um cavalo robusto de olhar gentil em uma fazenda 3 quilômetros mais adiante. Com ele, retornou e encontrou as Hardmans vestidas com tudo que possuíam e com o restante de seus parcos pertences embrulhados em uma colcha puída amarrada com barbante. Reparou que a sra. Hardman levava no cinto uma faca de fabricação grosseira com o cabo enrolado em barbante. Aquilo lhe pareceu um pouco esquisito para uma mulher que se dizia quacre, mas então se deu conta de que aquela devia ser sua única faca, usada para picar legumes, esquartejar animais e trabalhar no jardim. Provavelmente nunca lhe passara pela cabeça apunhalar alguém com aquilo.

Se tivesse passado, pensou ele, grunhindo por causa do esforço quando Silvia e ele suspenderam o juiz até a sela do próprio cavalo, aquele sujeito ali já teria morrido muito antes daquele dia.

– Está bem – disse ele, dando um puxão na corda que prendia bem apertado o cadáver. – Sra. Hardman…

– Pode me chamar de Silvia, amigo – disse ela. – E você é Ian?

– Sim – respondeu ele e deu leves tapinhas em seu ombro. – Ian Murray. Sabe montar, Silvia?

– Não monto há alguns anos – disse ela, mordendo o lábio enquanto examinava o cavalo que ele pretendia fazê-la montar. – Mas montarei.

– Sim. Este aqui não parece um mau sujeito e você não vai galopar em nenhum momento, de modo que não precisa se preocupar muito. Você vai montada nele, com Prudence atrás e Chastity na frente.

Ele calculava que as três juntas não chegassem a seu peso, e ele não era um homem corpulento.

– Espere um instante. Acho que você deveria levar isto aqui. – Silvia estendeu a mão em direção ao chão e pegou uma mala de couro. Apesar de não ser nova, obviamente fora um artigo de certa qualidade quando nova. A mala tinha cheiro de maçãs.

– Ah… – disse ele, compreendendo. Olhou para o cavalo do juiz, que, apesar de não parecer nem um pouco satisfeito com a carga em seu lombo, também não parecia disposto a criar caso… pelo menos não ainda. – É dele?

– Sim. Ele… nos trazia comida. Toda vez que vinha.

Seu olhar se demorou naquela forma estranha, mas sua expressão era inescrutável.

– Não é um mau epitáfio – disse ele, pegando a mala. – Quando chegar minha hora, espero que o meu seja tão bom quanto esse. Monte. Eu cuido disto aqui.

Ele a ajudou a montar, em seguida levantou Prudence, que guinchou de animação, e Chastity, que ficou apenas olhando, com os olhos arregalados, enquanto chupava com força o polegar.

– Patience, você vem comigo, sim?

Ele amarrou a trouxa com os pertences atrás da própria sela, ajudou Patience a montar na frente, em seguida montou atrás dela segurando a corda presa ao cabresto do cavalo do juiz. Estalou a língua para os cavalos e o pequeno e tristonho cortejo partiu sob a neve que caía fraca. Nenhuma das Hardmans olhou para trás.

Ian, sim. Sentia que um lugar em que pessoas tinham morado por muito tempo merecia pelo menos uma última palavra de adeus.

A casa era pequena, cinza e alquebrada, sua lareira estava fria e o fogo apagado havia tempos. Apesar disso, aquele local havia abrigado uma família, testemunhado um encontro dos generais do Exército Continental e dado a tio Jamie um refúgio quando ele precisara.

– *Bidh failbh ann a sith* – disse ele baixinho para a casa. – Retorne à terra em paz. Você cumpriu bem sua tarefa.

Patience estava agarrada ao santantônio como se sua vida dependesse disso e Ian podia senti-la tremendo encostada nele, apesar das várias camadas de roupas finas que estava usando.

– Nunca andou a cavalo, menina?

Ela fez que sim com a cabeça, ofegante.

– Papai de vez em quando fazia Pru e eu montarmos em seu pangaré. Mas nunca fizemos nada além de dar voltas pelo quintal.

– Bom, já é alguma coisa. Ahn... seu pai morreu, imagino.

– Talvez – respondeu ela com tristeza. – Mamãe acha que a milícia o matou porque pensou que ele fosse legalista. Pru e eu achamos que os indígenas podem tê-lo matado. Mas ele sumiu antes de Chastity nascer, então é provável que tenha morrido. Se estivesse vivo, você não acha que ele teria se libertado e voltado para nós?

– Acho – garantiu Ian. – Mas os indígenas podem ser boa gente, sabe? Eu sou mohawk.

– É mesmo? – Ela se virou na sela para encará-lo com um misto de interesse e horror.

– Sou, sim. – Ele tocou com o dedo as linhas tatuadas que lhe marcavam as bochechas. – Eles me adotaram e eu morei um tempo com eles. Fiquei por livre e espontânea vontade, veja bem... mas acabei voltando para minha família. Talvez seu *da* faça a mesma coisa.

E se voltar, pensou ele, olhando para as formas etéreas de Silvia Hardman e suas filhas no lombo do cavalo à sua frente, *o que vai fazer quando descobrir o trabalho que sua esposa foi obrigada a fazer em sua ausência?*

E que trabalhos Emily teria sido obrigada a fazer sem um homem? Mas ela devia ter outras pessoas... Uma mulher mohawk jamais ficaria sozinha como Silvia Hardman, e esse pensamento o reconfortou um pouco.

Quando chegaram à estrada que os levaria para a Filadélfia, Ian apeou com cuidado, conduziu seu cavalo até o de Silvia e amarrou uma corda de pescoço no santantônio de sua sela, para o caso de Patience soltar sem querer as rédeas.

– Vão vocês na frente – disse a Silvia e apontou para a estrada, larga, clara e vazia à luz cada vez mais débil. – Não devem estar nem perto de mim enquanto eu estiver cuidando do sr. Fredericks.

O nome a fez estremecer e ela lançou um olhar atormentado para a forma dependurada no lombo do terceiro animal.

– Com sorte eu alcançarei vocês daqui a meia hora – disse ele. – Não tem lua hoje, mas a neve clareia o caminho. Acho que vai dar para ver a estrada mesmo depois do cair da noite. Se alguém tentar molestá-las, diga que seu marido está vindo logo atrás e siga em frente. Entregue sua trouxa se quiserem, mas não deixe que as tirem dos cavalos.

– Sim. – O medo deixou a voz de Silvia aguda e ela tossiu para corrigi-la: – Faremos isso. Não faremos, quero dizer. Obrigada, Ian.

Ele as acompanhou por pouco menos de 1 quilômetro na estrada que ia dar na Filadélfia, para se certificar de que conseguiriam manejar os cavalos. Apesar de os animais estarem andando a passo, nunca se sabia quando algo poderia acontecer e ele as alertou para prestarem atenção e segurarem firme as rédeas.

Os olhos de Patience estavam bem abertos quando lhe passou as rédeas.

– Sozinha? – disse ela com uma vozinha quase inaudível. – Eu vou montar... *sozinha*?

– Não por muito tempo – garantiu ele. – E sua mãe vai estar segurando a corda. Eu volto o mais depressa que puder.

Ele então desamarrou o cavalo de Fredericks e conduziu o capão na outra direção, bem depois da ruela que ia dar no chalé da família Hardman. Estava começando a nevar forte, mas os flocos pequenos e duros só faziam deslizar pela estrada de terra batida e o vento formava finas linhas brancas no chão.

Estar em terreno aberto na companhia de um cadáver nunca era algo confortável, mas era ainda mais complicado quando se estava perto de gente inclinada a pensar que os assuntos particulares de todo mundo também lhe diziam respeito. Por sorte, o mau tempo impedira o corpo de inchar e ele tampouco produzia ruídos estranhos.

Ali estava ele: o pinheiro alto, negro em contraste com o céu aceso pela neve. Ian havia pisoteado um trecho de vegetação rasteira na visita anterior, então conduziu o cavalo com cuidado até lá e o fez passar entre duas árvores jovens bem juntas uma da outra. O cavalo pareceu desconfiado, mas passou e uma das árvores cedeu com um estalo.

– Muito bem, *a charaid* – murmurou Ian. – Só mais um minutinho, está bem?

Depois do grupo de carvalhos e pinheiros jovens, o terreno descia em um pequeno desfiladeiro. Ele havia contado os passos até a borda na primeira visita, e que bom: a luz estava fraca e o desfiladeiro era cheio de arbustos e pequenas árvores cheias de galhos desordenados.

Amarrou o cavalo a uma distância segura da borda, então desamarrou Fredericks e o tirou da sela, deixando-o cair no chão com um baque semelhante ao de um búfalo morto. Arrastou o finado juiz até a beira do desfiladeiro, então voltou até o pé do pinheiro grande para pegar o galho morto quebrado que escolhera mais cedo. O galho que tinha usado antes era de alguma árvore frutífera; ele o havia retirado e guardado na bolsa para jogar fora mais tarde.

Pensou se existiria algum amuleto ou prece gaélica referente à desova do corpo de alguém que se houvesse assassinado. Se existia, ele não conhecia. Os mohawks tinham preces, sim, mas não ligavam muito para os mortos.

– Depois pergunto a tio Jamie – disse ele para Fredericks entre dentes. – E, se houver alguma, eu a recitarei para você. Mas por enquanto está por conta própria.

Ele tateou o rosto frio e duro, localizou a órbita ocular vazia e cravou nela a ponta afiada de seu galho com o máximo de força que conseguiu. O arranhar da casca e da madeira no osso, seguido pelo afundar repentino, fez os pelos de seus ombros e braços se eriçarem.

Ele arrastou o corpo até a borda do desfiladeiro e o empurrou lá para baixo. Por um segundo, temeu que o corpo não fosse cair, mas ele foi escorregando por cima das agulhas dos pinheiros e, após vários instantes, rolou de forma quase preguiçosa uma, duas vezes e desapareceu nos arbustos lá embaixo com um *chrac* abafado que mal pôde ser ouvido por causa do vento que soprava cada vez mais forte.

Sentiu-se tentado a ficar com o cavalo. Se alguém reparasse, diria apenas que o havia encontrado perambulando pela estrada. Mas, se o cavalo e ele continuassem na companhia de Silvia Hardman e de suas filhas na Filadélfia, isso seria demasiado arriscado. Assim, ele levou o capão de volta até a estrada e se despediu do animal com um tapa nas ancas. Ficou olhando o cavalo se afastar, então deu meia-volta e partiu correndo pela estrada em meio à neve que se adensava.

78

VOCÊ ESTÁ CHEIRANDO A SANGUE

Ian tinha entrado em algum momento depois da meia-noite sem fazer barulho. *Como um indígena*, pensou Rachel. Havia se agachado junto à cama e soprado de leve em seu ouvido para fazê-la acordar, de modo a não assustá-la e correr o risco de acordar Oggy. Ela olhou rapidamente para o filho, então colocou os pés para fora da cama e se levantou para abraçar o marido.

– Você está cheirando a sangue – sussurrou. – O que matou?

– Um animal – sussurrou ele de volta e espalmou a mão em sua bochecha. – Fui obrigado, mas não me arrependo.

Ela assentiu, sentindo um nó na garganta.

– Pode ir lá fora comigo, *mo nighean donn*? Preciso de sua ajuda.

Ela tornou a assentir e se virou para pegar a capa que usava como roupão. Ian parecia um pouco soturno. Havia alguma coisa o incomodando e ela não soube dizer o quê.

Estava torcendo para ele não ter levado o corpo para casa imaginando que ela fosse ajudá-lo a enterrá-lo ou escondê-lo, fosse o que ou quem fosse, mas ele *tinha* acabado de matar algo que considerava mau e talvez estivesse se sentindo perseguido.

Assim, ela levou um susto quando o seguiu até a diminuta saleta de seus aposentos e lá encontrou uma mulher descarnada, com o rosto todo machucado, e três meninas encardidas e maltrapilhas, quase mortas de fome, amontoadas em cima do sofá como uma fileira de corujas aterrorizadas.

– Amiga Silvia, esta é minha esposa Rachel – disse Ian suavemente.

– Amiga? – disse Rachel, espantada, porém mais animada. – Você é quacre?

A mulher aquiesceu com hesitação.

– Sou – respondeu, falando com clareza apesar da voz baixa. – Nós somos. Meu nome é Silvia Hardman e estas são minhas filhas: Patience, Prudence e a pequena Chastity.

– Elas precisam de algo para comer, *mo chridhe*. E depois talvez...?

– Um pouco de água quente – disse Silvia Hardman na hora. – Por favor. Para... para nos limparmos.

Suas mãos unidas com força sobre os joelhos esmagavam o tecido caseiro desbotado e Rachel deu uma olhada rápida naquelas mãos. Ela ajudou Ian a matar? Tornou a sentir um nó na garganta, mas assentiu enquanto fazia um carinho na menor das crianças, uma menininha bonita de rosto redondo que devia ter entre 1 e 2 anos e estava mais do que parcialmente adormecida no colo de uma das irmãs.

– Agora mesmo – prometeu. – Ian... vá chamar sua mãe.

– Eu estou aqui – disse Jenny atrás dela. Sua voz tinha soado alerta e interessada. – Vejo que temos companhia.

Rachel foi na mesma hora até o aparador, onde encontrou pão, queijo e maçãs, que distribuiu para as duas meninas mais velhas; como a menor tinha mergulhado em um sono profundo, Rachel a pegou no colo com todo o cuidado e a levou até o quarto, colocando-a na cama ao lado de Oggy. A menina estava suja e magra, com os cachos escuros embaraçados, mas seu rosto redondo e bonito tinha uma inocência que, na opinião de Rachel, as irmãs já haviam perdido fazia tempo.

O *porquê* desse fato logo ficou claro.

Jenny havia ignorado a comida e levado água quente, sabão e uma toalha para Silvia Hardman. A mulher estava se limpando, lenta e meticulosamente, com as sobrancelhas unidas de concentração e sem fixar os olhos em nada.

Ian a olhou rapidamente, então explicou a situação para Rachel e para a mãe de modo simples e brutal, apesar da presença das crianças. Rachel relanceou os olhos para as meninas e arqueou as sobrancelhas para o marido. Mas Ian apenas disse "Elas estavam lá" e seguiu falando.

– Então eu me livrei dele – concluiu. – Vocês não precisam saber como nem onde.

Uma das meninas suspirou com o que poderia ter sido alívio ou pura exaustão.

– Sim – disse Jenny, descartando o assunto. – Realmente não dava para deixá-las onde estavam. O que aconteceria se o encontrassem perto demais da casa?

– Foi em parte por isso, sim. – Apesar da hora e do fato de ter passado o dia anterior e metade da noite realizando o que devia ter sido uma atividade muito cansativa, Ian aparentava estar desperto e em plena posse de suas faculdades. Sorriu para a mãe.

– Tio Jamie me disse que, se a amiga Silvia por acaso estivesse passando por alguma dificuldade, eu deveria resolver o assunto.

Silvia Hardman começou a rir. Bem baixinho, mas com um viés de histeria evidente. Jenny se sentou a seu lado, passou o braço em volta de seus ombros e Silvia parou abruptamente de rir. Rachel viu que suas mãos ainda molhadas e escorregadias de sabão tremiam.

– Você acredita em anjos, Rachel? – perguntou ela. Sua voz saiu baixa e levemente distorcida por causa do lábio inchado.

– Se estiver se referindo a Ian ou Jamie, eles negariam com firmeza essa descrição – respondeu Rachel, abrindo um sorriso reconfortante e tentando não desviar os olhos do grande lanho que atravessava o rosto de Silvia e fazia seus olhos parecerem estranhamente desconectados do restante de seus traços. – Mas eu conheço os dois já faz algum tempo e acho que Deus às vezes encontra alguma serventia para eles.

79

MULHERES DEMAIS

Pela manhã, Jenny assumiu as meninas para Rachel poder ir com Silvia Hardman conversar com os "amigos importantes" – o máximo de que um quacre era capaz em matéria de atribuir status a alguém –, responsáveis pela Reunião Anual da Filadélfia, e ver se alguma moradia, algum trabalho ou dinheiro poderiam ser providenciados para ajudar a família. Ian as teria acompanhado, mas tanto Rachel quanto Silvia expressaram dúvidas se sua presença se mostraria útil.

– Não pretendo mencionar o animal que você matou. – Rachel tinha dito reservadamente. – Portanto, é provável que seu testemunho cause mais problemas. Além disso, você tem assuntos para resolver, não?

– Meus não – disse ele e lhe deu um beijo breve. – Mas prometi a tia Claire fazer uma visita a um bordel.

A frase não pareceu afetar sequer um fio do cabelo castanho-escuro de Rachel.

– Não traga uma prostituta para casa – aconselhou ela. – Você já tem mulheres demais.

Para uma ruela em uma cidade grande, a Elfreth's Alley até que não era ruim. Na verdade, mal chegava a ser uma ruela de verdade, pensou Ian, desviando-se de uma pequena poça de vômito. Era larga o suficiente para se passar de carroça e várias das casas tinham maçanetas de latão polido. A de mãe Abbott era uma delas, apesar de ser a porta dos fundos do estabelecimento. Mas naturalmente a porta dos fundos de um prostíbulo devia ser tão usada quanto a da frente, se não mais.

Sentadas nos degraus de trás da casa estavam duas jovens prostitutas enroladas em capas. Ian se perguntou se estariam ali para fazer propaganda ou apenas para respirar um pouco de ar puro. Fazia frio do lado de fora e a respiração de ambas subia em filetes brancos e desaparecia conforme falavam. Uma delas o viu e as duas se calaram.

A mais alta o examinou rapidamente, então se recostou, com um cotovelo apoiado no degrau atrás de si, e fez a capa escorregar do ombro, deixando entrever um pedaço de pele rosada acima da combinação e o peso arredondado de seu seio através do tecido. Ele sorriu para ela.

A expressão dela se modificou e Ian se deu conta de que ela acabara de reparar em suas tatuagens. Pareceu desconfiada, mas não desviou o olhar.

– Bom dia, minha senhora – disse ele e a sobrancelha dela se arqueou quando ela ouviu seu sotaque escocês.

A outra prostituta se sentou mais ereta e o encarou. Ele parou na frente das duas, inclinou a cabeça para trás e olhou para o alto. A casa se erguia acima dele, três andares de sólido tijolo vermelho.

– Uma boa casa, esta aqui? – indagou.

As prostitutas trocaram olhares e ele viu a mais baixa dar de ombros, cedendo-o para sua companheira mais alta, que se empertigou mas deixou a capa descuidadamente aberta. O frio destacava seus mamilos, redondos e duros sob o fino tecido de algodão.

– Muito boa, sim, senhor – respondeu ela e abriu um sorriso experiente. Encolheu as pernas, preparando-se para se levantar. – Não quer entrar e beber algo para espantar o frio?

– Pode ser – respondeu ele com um sorriso. – Mas o que eu quis perguntar foi se aqui é um bom lugar para as senhoras.

Elas não pareceram entender e continuaram a encará-lo com a boca escancarada de espanto. A mais baixa, de cabelos louros despenteados, foi a primeira a se recuperar.

– Bom, é melhor do que dentro de uma carruagem, ou do que ter um cafetão que manda você trabalhar em antros de bebedeira e ringues de boxe, isso eu posso garantir.

– Trixie! – A moça alta de cabelos castanhos deu um chute na companheira e se levantou, sorrindo para ele. – Eu sou Meg. Esta é uma casa boa e limpa, meu senhor, e as meninas são todas asseadas. Saudáveis… e bem alimentadas.

Ela sopesou um dos seios muito saudáveis com a mão para ilustrar o que dizia.

Ian aquiesceu e levou a mão à bolsa, de onde tirou a bolsinha de dinheiro recheada de moedas.

– Eu também sou saudável, menina.

A mais baixa inclinou a cabeça.

– Pode ser. Todo mundo diz que os escoceses são maus.

Sua amiga alta a chutou outra vez, com mais força.

– Ai!

– Os escoceses são espertos, menina, não maus – disse Ian, ignorando a distração. – Queremos que nosso dinheiro seja bem gasto. Se ele for...

Ele jogou a bolsinha para o alto de leve e a agarrou de novo, fazendo o dinheiro tilintar.

A moça alta desceu os degraus e parou na frente dele, bem perto, os mamilos frios próximos o suficiente para ele imaginá-los encostados em seu peito nu e sentir os pelos ali se eriçarem.

Rachel, me perdoe, pensou.

– Ah, eu posso prometer que vai ser bem gasto – disse ela, sorrindo em meio à condensação da própria respiração. – *Qualquer coisa* que o senhor desejar.

Ele aquiesceu com simpatia enquanto a olhava de cima a baixo.

– O que quero, moça, é uma menina com bastante experiência.

Quando ouviu isso, seu semblante mudou. E ele reparou que a havia deixado um pouco assustada. Talvez não fosse uma coisa ruim.

– Vocês têm alguma menina que trabalha na casa há... digamos, uns cinco anos pelo menos?

– *Cinco anos?* – repetiu a mais baixa.

Ela se levantou depressa. Primeiro, Ian achou que fosse fugir, mas ela só queria dar uma olhada nele mais de perto. Examinou-o com a mesma franqueza que havia demonstrado com sua amiga, mas com um ar de fascínio também.

– O que uma prostituta pode *fazer* que leve cinco anos para aprender?

Sua pergunta tinha uma curiosidade genuína e Ian a encarou com mais interesse. Podia achá-lo um pervertido, mas estava disposta, e ele ficou um tiquinho chocado ao constatar que isso o excitava mais do que os mamilos de Meg.

Limpou a garganta com um pigarro.

– Eu também gostaria de saber a resposta para essa pergunta, moça – falou, sorrindo para ela. – Mas o que eu quero no momento é uma menina que tenha conhecido Jane Pocock.

80

PALAVRA PARA ISSO

As ruas da Filadélfia estavam cheias de comida, ao menos quando o Exército Britânico não ocupava a cidade. Não era o caso no momento, e havia tortas à venda, tanto de carne quanto de frutas, grandes *Bretzeln* alemães polvilhados com sal e transportados em varas como argolas de jogar, peixe frito, bolinhos doces polvilhados de açúcar, folhas de repolho recheadas e baldes de cerveja, tudo disponível a poucos passos da edificação em que a Reunião Anual da Filadélfia da Sociedade dos Amigos conduzia a maior parte de seus assuntos.

Infelizmente, a maior parte dos alimentos disponíveis não tinha um estilo ou um formato que tornassem muito gratificante atirá-los na parede. Furiosa, Rachel olhou de um lado para outro e acabou escolhendo um vendedor de maçãs.

– Tome – falou, entregando a Silvia Hardman uma das frutas amarelas e rosadas.

Silvia olhou a maçã espantada, então a levou à boca com hesitação.

– Não – disse Rachel. – *Assim!*

E, girando nos calcanhares, esticou o braço para trás e lançou a maçã com a maior força que conseguiu no tronco de um imenso carvalho do parque. A maçã explodiu em suco e pedacinhos e Rachel respirou satisfeita.

– Imagine que é a cabeça do amigo Sharpless – aconselhou a Silvia. – Ou quem sabe a daquele imbecil Phineas Cadwallader.

– Ah, a dele, com certeza. – O rosto de Silvia estava tão corado quanto a maçã e com um pequeno *hum!* ela arremessou a fruta na árvore, mas errou.

Rachel correu para catar a maçã do chão, então guiou Silvia até mais perto do carvalho.

– Ponha os dedos *assim* – falou. – Depois leve o braço para trás e fixe os olhos com firmeza no ponto que tiver escolhido. Então atire, mas não deixe seu olhar se desviar.

Silvia assentiu e, segurando melhor a maçã, encarou a árvore com a fúria que deveria ter demonstrado ao amigo Cadwallader e atirou.

– Ah. – Ela produziu um leve ruído de surpresa satisfeita. – Não pensei que fosse conseguir. – Então riu, mas foi um riso acanhado, olhando por cima do ombro. – Imagino que seja pecado desperdiçar, mas...

– Pergunte aos esquilos se eles acham isso – aconselhou Rachel, indicando com a cabeça um desses animais, que tinha descido correndo o tronco da árvore segundos após o primeiro impacto e agora estava no chão, empanturrando-se com os fragmentos do bombardeio.

Silvia olhou para o esquilo, então à sua volta. Pelo menos uma dezena de outros se aproximavam saltitantes pela grama, as caudas emplumadas e decididas.

– Pois bem, então – disse ela e inspirou fundo. – Você tem razão. Estou bem mais calma.

– Ótimo. Está com fome? – perguntou Rachel. – Eu estou faminta. Que tal comermos uma torta e debatermos o que fazer a seguir?

A calma desapareceu na mesma hora do rosto de Silvia e foi substituída por uma pálida apreensão, mas ela aquiesceu e, obediente, seguiu Rachel de volta para a rua.

– Não deveria ter ido – disse Silvia, parando de comer após uma ou duas mordidas de sua torta de carne com cebola. – Já sabia o que eles iriam dizer.

– Sim, você me disse, mas eu não quis acreditar. – Com a testa franzida, Rachel deu uma mordida na torta. – Pessoas que professam caridade e amor de Cristo falando desse jeito! Não é de espantar que seu marido tenha lhes virado as costas.

– Gabriel não era homem de suportar algo que considerasse interferência – concordou Silvia com pesar. – Mas você ouviu o que eles disseram? Eu *sou* o que eles disseram... uma prostituta.

Rachel quis contradizê-la na hora, mas parou e deu outra mordida na massa esfarelada com molho.

– Você não teve escolha – falou, depois de mastigar e engolir.

– O sr. Cadwallader pareceu pensar que sim – disse Silvia com certa petulância. – Eu deveria ter me casado outra vez...

– Mas você não sabia se seu marido estava morto! Como poderia se casar?

– Poderia ter vindo para a cidade e começado a trabalhar como lavadeira ou costureira...

– O que não renderia dinheiro suficiente para se alimentar, quanto mais para alimentar suas filhas!

– Talvez o amigo Cadwallader não tenha tido oportunidade de descobrir como é a vida de uma lavadeira – disse Silvia. Ela terminou de comer sua torta e seus ombros ossudos afundaram um pouco, relaxando sob o sol de fim de tarde. – Imagino que devamos buscar a luz dentro dele e do amigo Sharpless, não?

– Sim – respondeu Rachel com relutância. – Mas vou precisar de mais algumas maçãs e de uma garrafa de cerveja antes de essa busca ser eficaz.

Silvia riu e Rachel ficou feliz ao ouvir isso. Silvia Hardman era uma mulher maltratada pela vida, quanto a isso não havia dúvida... mas não destruída, não ainda.

– Mesmo assim, teria sido bom participar de uma reunião outra vez – disse Silvia com nostalgia. – Há anos não tenho companhia ou apoio desse tipo.

Rachel engoliu o último bocado e segurou a mão de Silvia. A mão era esguia, castigada e cheia de calos, marcada pelas queimaduras e cicatrizes de uma labuta incessante e de muitos pequenos desastres domésticos.

– "Pois onde se reunirem dois ou três em meu nome, ali eu estou no meio deles" – disse Rachel e apontou primeiro para Silvia, depois para si. – Uma. Duas.

Silvia sorriu, ainda que a contragosto, e sua verdadeira índole espiou por trás do cansaço em seus olhos: gentil e bem-humorada.

– Então minha reunião é você, Rachel. Eu sou abençoada.

Ian voltou de sua visita à Elfreth's Alley em uma espécie de devaneio, alheio aos gritos das leiteiras e dos vendedores de cerveja.

Pensara que talvez fosse precisar gastar um tempo e um dinheiro consideráveis para conseguir que as moradoras do bordel falassem, mas a simples menção do nome de Jane Pocock bastara para abrir comportas de mexericos. Ele estava com a mesma sensação de alguém que fora lançado de um navio e carregado até terra firme em uma enxurrada de espuma e detritos.

Agora queria ter prestado mais atenção no desenho que Fanny tinha da irmã.

A sra. Abbott, a cafetina, considerava Jane Pocock uma moça esquisita, *muito* esquisita, e provavelmente praticante das Artes Sombrias. Ela *não sabia* como ela e as outras meninas tinham sido assassinadas em suas respectivas camas. Ian se perguntou por que uma jovem com tais habilidades trabalharia como prostituta, mas, considerando as circunstâncias, não comentou nada.

Foi preciso algum tempo para o falatório sobre o assassinato do capitão Harkness se acalmar, mas Ian Murray sabia como se portar em um bordel. Quando o fluxo da conversa diminuiu, pediu mais duas garrafas de champanhe caras.

Isso alterou a disposição geral para algo mais focado e menos difamatório. Em meia hora, a sra. Abbott já havia se recolhido a seu santuário e as prostitutas se acomodado em silêncio entre si. Ele se viu sentado em um sofá de veludo vermelho com Meg de um lado e Trixabella do outro.

– Trix era amiga de Arabella… digo, de Jane – explicou Meg. Trix assentiu, pesarosa.

– Queria não ser sido – disse ela. – Aquela menina não tinha sorte, e esse tipo de coisa pode ser contagiosa. O que é isso em seu rosto?

– Ah, pode? – Ian tocou a maçã do próprio rosto. – Uma tatuagem mohawk.

– Ah! – exclamou Trix, um pouco mais interessada. – O senhor foi capturado por indígenas?

Esse pensamento a fez dar uma risadinha.

– Não, fui por livre e espontânea vontade – respondeu ele, calmo.

– Bom, eu também – disse Trix, com o queixo empinado e um aceno da mão provavelmente destinados a atrair a atenção dele para a natureza luxuosa de seu local de trabalho. – Mas Arabella não. A sra. Abbott ganhou ela e a irmã de um capitão da Marinha que não tinha com que pagar a conta. Aquelas meninas foram escravizadas por dívida.

– Ah, é? E quanto tempo faz isso? A senhorita não pode estar aqui há mais de um ano ou dois.

Na verdade, ela parecia estar exercendo o ofício há uma década, no mínimo, mas pequenos galanteios faziam parte das preliminares esperadas e ela riu e bateu os cílios para ele de um modo experiente.

– Calculo que deve fazer uns seis… sete anos, talvez? O tempo voa quando estamos nos divertindo, ou é o que dizem.

– *Tempus fugit.* – Ian encheu o copo e brindou, sorrindo. Trix exibiu as covinhas de modo profissional, bebeu e recomeçou a falar:

– Veja bem, eu tinha só dois anos a mais do que Jane… – Mais uma piscadela. – A sra. Abbott não teria ligado para elas, mas as duas eram bonitas e Jane tinha idade suficiente para… ahn… para começar.

Ian estava contando de trás para a frente: seis anos antes, Jane teria mais ou menos a idade que Fanny tinha agora. *Idade suficiente…*

Após alguns relatos de experiências iniciais penosas no ramo, ele conseguiu puxar a conversa de volta para Jane e Fanny.

– A senhorita disse que um capitão da Marinha vendeu as meninas para a sra. Abbott. Alguma de vocês por acaso lembra o nome dele?

Meg fez que não com a cabeça.

– Eu não estava aqui – disse ela. – Trix…?

Ela ergueu uma sobrancelha para a amiga, que franziu um pouco o cenho e pressionou os lábios.

– Ele voltou aqui… desde então? – perguntou Ian, observando Trix com atenção. Ela pareceu espantada.

– Eu… Bom, sim. Eu só o vi duas vezes e já faz muito tempo, então talvez não lembre o nome com certeza.

Ian suspirou e lhe deu um guinéu de ouro.

– Vaskwez – disse ela sem hesitar. – Sebastian Vaskwez.

– Vas…? Ele era espanhol? – indagou Ian após transformar mentalmente a versão dela em "Sebastián Vasquez".

– Não sei – respondeu Trix com franqueza. – Nunca estive com um espanhol… digo, que eu saiba. Não saberia que sotaque eles têm.

– Todos falam igual na cama – disse Meg, espiando Ian com o canto do olho.

Trix encarou a amiga com um olhar capaz de fazê-la murchar.

– Ele tinha um sotaque estrangeiro, *disso* eu não tenho dúvida. E não falava pelo nariz nem fazia aqueles *weh-weh* que os franceses fazem. Já tive três franceses – explicou ela a Ian com uma leve expressão de orgulho. – Alguns vieram para a Filadélfia quando o Exército Britânico esteve aqui.

– Quando foi a última vez que Vasquez esteve aqui? – perguntou ele.

– Dois… não, talvez mais para três anos atrás.

– E ele foi com Jane dessa vez? – Ian quis saber.

– Não – foi a resposta inesperada de Trix. – Ele foi comigo. – Ela fez uma careta. – Estava fedendo a pólvora… como um artilheiro. Só que não era artilheiro: todos têm pólvora entranhada na pele e as mãos pretas, mas ele estava limpo, embora cheirasse a pistola disparada.

Um pensamento ocorreu a Ian, muito embora pensar estivesse ficando difícil. Não se importou com o fato de seu corpo estar reparando muito nas meninas, mas a excitação raramente contribuía muito para as faculdades mentais.

– Deu para a senhorita notar se ele ainda era capitão da Marinha? – perguntou ele. Ambas exibiram um ar de incompreensão.

– Quero dizer… Ele mencionou algum navio, ou quem sabe estava contratando tripulantes? Estava com cheiro de mar ou… ou de peixe?

Isso fez as duas rirem.

– Não, só de pólvora – respondeu Trix, recuperando-se.

– Mas mãe Abbott o chamou de "capitão" – acrescentou Trix. – E estava bem claro que não era um soldado.

Mais algumas perguntas esvaziaram as duas garrafas e ficou claro que as meninas tinham lhe contado tudo que sabiam. Pelo menos ele tinha um nome. Houve barulhos na casa, portas se abriram, passos pesados se fizeram ouvir, seguidos por vozes masculinas e saudações de mulher. A hora do chá havia acabado e os clientes começavam a aparecer.

Ian se levantou, endireitou-se sem a menor vergonha e fez uma mesura para as duas moças em agradecimento pela ajuda.

No pé da escada, ouviu Trix chamá-lo. Ao erguer os olhos, ele a viu debruçada por cima do corrimão no patamar do andar de cima.

– Sim? – falou.

Ela olhou em volta para se certificar de que não houvesse ninguém por perto, então desceu a escada e o segurou pela manga.

– Eu sei mais uma coisa – falou. – Quando mãe Abbott foi vender a virgindade de Arabella, ela não era mais virgem, então tiveram que usar uma bexiga cheia de sangue de galinha.

Silvia despachou as filhas com uma bandeja abarrotada de comida para comer no quarto. Então se sentou à mesa, onde Jenny e Rachel haviam disposto grossas fatias de pão sobre as quais serviram o toucinho e o feijão, uma vez que dispunham de apenas dois pratos de madeira deformados, que tinham sido fornecidos junto com o quarto.

Ian pensou que o simples cheiro de comida poderia bastar para derrubá-lo: não conseguia se lembrar da última vez que havia comido; achava que talvez tivesse sido em algum momento do dia anterior, mas ficara ocupado demais para prestar atenção. Partiu a borda de uma das fatias de pão coberta por uma boa porção de feijão cozido com toucinho e cebola, enfiou tudo na boca e produziu um som involuntário que fez todas as mulheres o olharem.

– Você parece um lobo faminto, rapaz – comentou sua mãe, arqueando as sobrancelhas.

Rachel riu e Silvia sorriu muito delicadamente. Comia com dificuldade por causa do lábio ferido e Ian pensou, pelo modo hesitante com que mastigava, que talvez um ou dois dentes também tivessem se soltado. Se ele tivesse algum arrependimento por ter matado o juiz Fredericks, teria desaparecido na hora.

Era mais ou menos o mesmo sentimento que tinha pelos supostos amigos da Reunião Anual. Rachel havia lhe contado muitas coisas sobre a natureza das reuniões quacres e Ian entendia que, embora qualquer um fosse bem-vindo para se sentar e prestar louvor, fazer parte da reunião era diferente: as pessoas só eram aceitas após considerações e debates.

Havia nisso algo parecido com o funcionamento de um clã: uma expectativa de obrigação que era de mão dupla. Por isso, ele tentava compreender por que os amigos da Filadélfia não abriram os braços para Silvia. Mesmo assim, esse fato lhe desagradava.

– Amigos devem ser compassivos, pacíficos e honestos – disse Rachel com o cenho franzido. – Isso *não quer* dizer que não teçam julgamentos, ou que não tenham opiniões fortes, que naturalmente podem se sentir à vontade para expressar.

– E eles fazem fofoca? – perguntou Ian.

Rachel deu um suspiro.

– Nós fazemos. Quero dizer, desencorajamos qualquer coisa que seja uma fofoca mal-intencionada, divulgação de escândalos ou difamação pessoal... mas, pela natureza de uma reunião, todo mundo fica a par dos assuntos de todo mundo.

– Sim. – Ian passou um último pedaço de pão pela borda da panela para pegar o restinho do caldo suculento. – Bem, os assuntos da amiga Silvia não são da conta deles. Tem alguma ideia do que gostaria de fazer ou para onde gostaria de ir? – perguntou, dirigindo-se a Silvia. – Seja o que for, vamos ajudá-las.

– Eu quero ir com vocês – disparou Silvia. Seu pescoço magro foi varrido por uma maré vermelha que lhe coloriu as bochechas. – Sei que não tenho direito de pedir isso...

Na mesma hora, Rachel olhou para Ian e a mãe dele a imitou. Bem, ele era o homem e era por culpa dele que elas estavam ali. Assim, Ian supôs que tivesse o direito de decidir com quantas mulheres conseguiria lidar de modo razoável. Mesmo assim...

– Eu não quero continuar na Filadélfia – disse Silvia. Tinha se controlado e sua voz estava firme. – Não vou encontrar aceitação aqui agora que a Reunião Anual sabe quem sou... tanto de nome quanto de reputação – acrescentou ela com um leve tom de amargura. – Qualquer reunião que me aceitasse logo se daria conta do erro. E, embora eu pudesse ganhar a vida como prostituta, em hipótese alguma vou expor minhas filhas a uma vida dessas.

– Sim – disse Ian com relutância. – Imagino que tenha razão. Mas... estamos a caminho de Nova York, menina, e das terras dos Haudenosaunee.

– A Liga Iroquesa – interveio Rachel. – Mais especificamente... estamos a caminho de uma cidadezinha chamada Canajoharie, habitada pelos mohawks.

– Imagino que eu talvez encontre um lugar para ficar antes de chegarmos a Canajoharie. Caso contrário, os mohawks têm alguma objeção em relação a prostitutas? – perguntou Silvia e franziu levemente as sobrancelhas.

– Eles não têm uma palavra para isso – respondeu Ian. – E, se não têm uma palavra para algo, é porque isso não é importante.

Até então muito entretido em uma conversa com os dedos dos pés, Oggy olhou para cima, disse muito claramente "Da", em seguida voltou aos dedos.

Ian sorriu, então respirou fundo e se dirigiu ao filho:

– Três mulheres e três meninas pequenas. Tenho certeza que você vai me ajudar quanto puder, *a bhalaich*, mas não tem jeito. Vou precisar de outro homem.

81

AINDA MUITO PERTO

Tinha sido um daqueles dias lindos de outono, em que o sol brilha forte e quente, mas começa a esfriar de madrugada, levando a noites geladas em que são mais do que bem-vindos uma boa fogueira, uma colcha grossa e um homem forte na cama ao nosso lado.

O homem em questão se espreguiçou, grunhindo, e tornou a se entregar com um suspiro ao luxo do descanso, a mão pousada em minha coxa. Afaguei sua mão e rolei na direção dele, desalojando Adso, que havia se deitado ao pé da cama, mas saltou para o chão com um breve *miau* irritado.

– E o que você fez o dia inteiro, Sassenach? – perguntou Jamie, afagando meu quadril.

Embora parcialmente fechados devido ao sono e ao calor, seus olhos estavam concentrados em meu rosto.

– Ah, meu Deus… – O amanhecer parecia ter acontecido há séculos, mas eu me espreguicei e me ajeitei confortavelmente sob o toque dele. – Só obrigações… mas um homem chamado Herman Mortenson veio do Moinho de Woolam no final da manhã para eu lancetar e drenar um cisto pilonidal na base de suas costas. Não sentia um cheiro tão ruim desde que Bluebell rolou em uma carcaça de porco podre. Mas depois passei a maior parte da tarde na horta – emendei, sentindo que talvez aquele não fosse o melhor assunto para dar início a um encontro agradável naquele início de noite outonal. – Arrancando pés de amendoim e colhendo. E conversando com as abelhas, claro.

– Elas tinham alguma coisa interessante a dizer, Sassenach?

Os afagos tinham virado uma agradável massagem em minhas nádegas, que teve o efeito colateral positivo de me fazer arquear as costas e pressionar os seios de leve no peito dele. Usei a mão livre para soltar a combinação, pegar um dos seios e esfregar o mamilo no dele, o que o fez apertar minha bunda e dizer algo em gaélico entre dentes.

– E *seu* dia, como foi? – perguntei, desistindo.

– Se fizer isso de novo, não respondo pelas minhas ações – disse ele, coçando o mamilo como se tivesse sido mordido por um mosquito grande. – Quanto ao que fiz, construí um portão novo para o chiqueiro dos leitões. Falando em porcos…

– Falando em porcos… – repeti, devagar. – Você, ahn… entrou no chiqueiro?

– Não. Por quê? – A mão dele desceu mais um pouco e segurou minha nádega esquerda.

– Eu tinha esquecido de contar, porque você foi ao Tennessee conversar com o sr. Sevier e o coronel Shelby e demorou uma semana para voltar. Mas fui lá há uma semana, pegar um vidro de terebintina que havia deixado depois de vermifugar os animais, e... sabe como a caverna faz uma curva para a esquerda?

O chiqueiro era uma pequena caverna no penhasco de calcário acima da casa. Ele aquiesceu, com os olhos fixos em minha boca como se estivesse lendo meus lábios.

– Bom, eu fiz a curva e ali estavam eles.

– Quem?

– A Porca Branca em pessoa, com o que imagino serem duas filhas ou netas... as outras não eram brancas, mas deviam ser parentes, porque todas as três tinham o mesmo tamanho. Eram imensas.

Um porco selvagem médio tinha cerca de 1 metro de altura do ombro até o chão e pesava de 100 a 150 quilos. A Porca Branca, ela própria não um porco selvagem, mas produto de uma linhagem porcina domesticada criada para engorda, era bem mais velha, comilona e brava do que a média. Embora eu não tivesse o mesmo talento de Jamie para estimar o peso de animais, teria avaliado que ela pesava uns 300 quilos. Seus descendentes não eram muito menores.

A sensação de plácida malignidade tinha me feito congelar e minha pele se arrepiou na mesma hora quando me lembrei daqueles inteligentes olhinhos vermelho-escuros a me fitar nas sombras da caverna.

– Ela perseguiu você? – Preocupado, Jamie correu a mão pela curva de meu ombro e sentiu a pele arrepiada. Fiz que não com a cabeça.

– Achei que fosse perseguir. A cada segundo que passei lá, e a cada segundo que levei para recuar centímetro por centímetro até a claridade e sair da caverna, pensei que ela fosse se levantar e me alcançar. Estavam todas reclinadas sobre a palha amassada. Mas apenas... olharam para mim.

Engoli em seco e uma nova onda de arrepios de pavor desceu por meus braços.

– Enfim, elas não me devoraram – concluí, aconchegando-me um pouco mais junto ao calor dele. – Talvez ela lembre que eu lhe dava sobras para comer... mas não sei se tem a mesma boa disposição em relação a *você.*

– Vou levar meu fuzil quando for lá – prometeu ele. – Se as vir, vamos ter carne para o inverno.

– Tome cuidado – falei e belisquei a pele de seu ombro. – Não acho que consiga pegar as três antes de uma delas o pegar. E acho que matar a Porca Branca talvez dê azar.

– Pff – fez ele, despreocupado.

Fazendo-me rolar de costas, Jamie me imprensou contra o colchão com um ruído de penas emplumadas. Baixou a cabeça e mordiscou o lóbulo de minha orelha, o que fez com que eu me contorcesse e abafasse um gritinho.

– Me conte sobre as abelhas – pediu, expirando ar quente em meu ouvido. – Talvez isso a acalme o suficiente para deixar seu pensamento onde ele deve ficar em vez de nas porcas.

– Foi você quem *perguntou* – falei, recusando-me com dignidade a abordar a questão de onde meu pensamento deveria estar. – Quanto às abelhas... eu achei que fossem hibernar, mas Myers diz que não, embora fiquem dentro das colmeias quando chega o frio. Mas na horta ainda há algumas flores tardias e elas continuam trabalhando. Pouco antes de eu descer hoje, no fim do dia, encontrei duas encolhidas dentro do cálice de uma malva-rosa, cobertas de pólen e com as patas entrelaçadas.

– Estavam mortas?

– Não. – Ele tinha saído de cima de mim, mas ainda estava muito perto. Seus cabelos soltos, macios e despenteados cintilavam ruivos e cor de prata à luz do fogo aceso e eu os ajeitei atrás de sua orelha. – Pensei que estivessem, mas não. Estavam dormindo. Quando o sol as aquece, acordam e saem voando. Não sei se para elas é parecido com acampar fora de casa ou se simplesmente estão cansadas demais para voltar para a colmeia, ou então se são surpreendidas pelo cair da noite e se deitam onde podem – acrescentei. – Mas em geral você vê uma abelha só fazendo isso. Ver duas juntas assim... foi muito bonitinho.

– Bonitinho – repetiu e, entrelaçando nossos dedos, ele me beijou com delicadeza, fazendo-me sentir gosto de fumaça, cerveja e pão com mel.

– Sabe por que a malva em inglês se chama *hollyhock*?

– Não, mas acho que vai me dizer.

Uma das mãos grandes desceu pela lateral de meu pescoço e beliscou meu mamilo com delicadeza. Fiz o mesmo com ele, apreciando a textura áspera de seus pelos.

– Os cruzados a levaram para a Inglaterra, porque com a raiz dá para fazer um bálsamo particularmente bom para ferimentos no jarrete dos cavalos, o *hock*. Ao que parece, as Cruzadas exigiam muito dos jarretes.

– Humm... Não duvido.

– Então – sussurrei, dando um peteleco de leve com o polegar – *holly* é um jeito antigo de escrever *holy*... que significa sagrado ou santo. Como em Terra Santa?

– Humm...

– E *hock*... bom, por causa dos jarretes. O que acha disso?

Um tremor interno percorreu seu corpo e Jamie se deitou por cima de mim e fez as duas mãos escorregarem por baixo de meus quadris. Senti seu hálito fazer cócegas quentes em minha orelha.

– Acho que gostaria de dormir com você dentro de uma flor, Sassenach.

Estendi a mão para apagar a vela e meu pensamento se aquietou no devido lugar, no coração quentinho da escuridão iluminada pelo fogo.

• • •

Dormi o sono dos justos, a exaustão física intensificada pela tranquilidade, e sonhei com ervas daninhas, o que não foi uma surpresa. Eu as arrancava do chão ao pé de uma imensa parede de trepadeiras, jogando-as por cima do ombro e as ouvindo tilintar no chão como se fossem moedas, então percebia que estava chovendo...

Despertei do sonho com lesmas e hortaliças molhadas de chuva e me dei conta de que Jamie tinha se levantado e usava o penico após ter se afastado até uma distância educada para fazê-lo. Como sabia que a Velha Raposa, seu avô, tinha tido problemas com uma próstata aumentada, senti-me inclinada a prestar atenção no barulho, com o máximo de tato possível, para o caso de perceber qualquer indício adverso, mas o som estava tranquilizadoramente forte e definido. Quando ele tornou a entrar na cama, fechei os olhos e fingi ter acabado de acordar.

– Humm? – murmurei e afaguei seu braço. Ele se deitou com um suspiro e segurou minha mão.

– Que dia é hoje? Ou que dia vai ser quando o sol nascer?

– Que dia...? Ah, a data, você quer dizer? Sete de outubro. Tenho certeza porque escrevi dia 6 em meu livro negro quando fiz anotações depois do jantar. Por quê?

– Mais alguns dias, então. Vai ser no dia 11.

– O que vai ser no dia 11?

– Segundo o desgraçado de seu primeiro marido, vai ser nesse dia que os americanos vão levantar o cerco a Savannah. – Ele produziu um ruído baixo e irritado no fundo da garganta. – Eu nunca deveria ter deixado Brianna ir!

Fiz uma pausa de um minuto antes de responder, sem saber direito onde estava pisando.

– A cidade não vai ser invadida – falei, embora também estivesse apreensiva. *Se formos acreditar no livro de Frank, e imagino que devamos...* – E você não teria conseguido impedi-la de ir, sabe?

– Teria, sim – retrucou ele, teimoso. – Ou poderia ter impedido Roger Mac – acrescentou, de maneira mais justa. – E ela não teria ido sem ele. E agora a família inteira está lá, maldição.

Ele mexeu as pernas, nervoso, sob as cobertas.

– Sim – falei e inspirei fundo. – Está mesmo. Inclusive William.

Ele parou abruptamente de se agitar e passou um tempinho inspirando pelo nariz.

– É – disse, relutante. – Mas eu não devia ter... mandado Bree na direção do perigo. Nem mesmo pelo bem de William.

O chamado grave de uma pomba sonolenta nas árvores anunciou a chegada do amanhecer. De nada adiantava tentar acalmar Jamie para fazê-lo voltar a dormir, mesmo se isso fosse possível, e não era. Sua apreensão era contagiosa. Sabia que ele estava apenas hesitando depois da decisão tomada; tudo aquilo já tinha sido debatido. Roger e Bree sabiam quando a batalha iria acontecer e que a cidade não seria tomada. Mesmo assim, eles teriam tido tempo suficiente para sair da cidade se as coisas parecessem perigosas. E, apesar do nervosismo, Jamie confiava em John Grey para garantir a segurança de todos… até onde alguém poderia estar seguro em um momento como aquele.

– Jamie – falei suavemente e toquei de leve sua mão –, não existe lugar seguro agora. Savannah não é segura. Nem Salisbury, nem Salem. Nem aqui.

Ele se imobilizou. *Nem aqui.*

– Não – falou suavemente e apertou minha mão. – Nem aqui.

82

JF SPECIAL

Jamie entrou no consultório segurando em um dos braços três garrafas de uísque e empunhando uma quarta na mão livre.

– Ah… presentes? – perguntei sorrindo.

– Bem, esta aqui é para você… ou para seus pacientes pelo menos. – Ele colocou a garrafa que segurava sozinha sobre minha bancada, no meio dos restos de ervas secas espalhados, do pilão e do almofariz, dos frascos de óleo e das pilhas de quadradinhos de gaze. Limpei das mãos as migalhas de hidraste, peguei a garrafa, tirei a rolha e cheirei.

– Imagino que este não seja o Jamie Fraser Special? – falei, tossindo de leve e recolocando a rolha no lugar. – Tem cheiro de removedor de tinta.

– Eu poderia ficar ofendido com isso, Sassenach – disse ele sorrindo. – Só que não fui eu quem fabricou.

– Quem foi?

– O sr. Patton, marido de Mary Patton, que fabrica pólvora no condado de Tennessee.

– É mesmo? – Semicerrei os olhos para a garrafa, que era atarracada e quadrada. – Bom, imagino que a pessoa talvez precise de um trago no fim do dia, depois de passar o tempo todo moendo um pó capaz de fazê-la voar pelos ares a qualquer momento. Espero mesmo que ninguém esteja bebendo isso para acalmar os nervos *antes* de trabalhar.

– Ele não bebe uísque – informou Jamie, pondo as outras garrafas sobre a mesa. – Só cerveja. O que explica o sabor, imagino. Ele vende para quem vai comprar a pólvora da esposa. Ou é o que diz.

Encarei-o.

– Acha que ele está vendendo para os indígenas?

O Braço da Pólvora do rio Wautauga, onde ficava o moinho de pólvora de Patton, era muito próximo da Linha do Tratado dos cherokees. Jamie ergueu rapidamente o ombro.

– Se não está, em breve vai estar. A não ser que a esposa o impeça. Ela é bem mais sensata do que ele… e a maior parte do dinheiro lhe pertence. Ela o usa para comprar terras.

– Bem, parece prudente. – Olhei para as três garrafas em cima da bancada de meu consultório. – Essas também são do alambique do sr. Patton?

– Não – respondeu ele em um tom que era um misto de orgulho e pesar. – Essas aí são *mesmo* o Jamie Fraser Special… as últimas três garrafas. Tem mais dois tonéis pequenos na caverna, e talvez mais um ou dois no fundo das pedras… mas depois acabou, até eu conseguir fabricar mais.

– Ai, ai. – O barracão de maltagem fora destruído pela gangue que havia atacado a Cordilheira, e pensar nisso me deixou com o estômago embrulhado. O alambique em si também fora danificado, mas Jamie o vinha reparando nos breves intervalos da construção da casa. – E depois ainda é preciso envelhecer.

– Ah, não se preocupe – disse ele e, pegando uma das garrafas especiais, tirou a rolha e serviu uma dose em uma de minhas canecas de remédio. – Aproveite enquanto pode, Sassenach.

Aproveitei, mas o prazer que senti ao beber foi temperado pela consciência de que o uísque era nossa principal fonte de renda. Era bem verdade que Jamie ainda devia ter mais das safras menores… será que uísque tinha safra? Provavelmente não…

Jamie interrompeu esses devaneios levando a mão ao *sporran*, de onde retirou um pequeno objeto de madeira.

– Quase esqueci. Aqui está o badulaquezinho que você me pediu.

Era um cilindro com mais ou menos 5 centímetros de diâmetro, 8 de comprimento e afunilado de modo que a boca fosse mais larga do que o fundo. Fora lixado e esfregado com óleo, as laterais estavam lisas e lustrosas e as quinas, chanfradas e brilhantes.

– Ah, Jamie, que lindo… obrigada! – Ele o havia fabricado com um pedaço de bordo e o grão da madeira desenhava lindos arabescos na superfície curva.

– Ah, Sassenach, imagine – disse ele, satisfeito por eu estar admirando o objeto. – Mas para que serve isso? Você não me disse. É um brinquedo para Amanda ou um mordedor para o filho de Rachel?

– Ah. Não. É um…

Eu me calei. Tinha virado o objeto na mão e visto que, como em geral fazia com os objetos que fabricava, ele havia gravado suas iniciais *JF* na parte inferior da peça.

– O que houve, *a nighean*? – Ele se aproximou para olhar e, segurando minha mão, virou-a para expor o cilindro.

– Ahn… nada. É só que… Bom. – Pude sentir as orelhas esquentarem. – É um presente para Auld Mam.

– Ah, é? – Ele olhou para o cilindro sem entender.

– Você por acaso se lembra de que Roger a visitou e ela lhe confidenciou que, quando ia ao banheiro, seu… seu útero saía em sua mão?

Ele ergueu os olhos para mim com um ar de espanto. Então seus olhos tornaram a se fixar no objeto em minha mão.

– Isto aqui, hum, se chama um pessário. Se você inserir na…

– Pode parar por aí, Sassenach. – Ele inspirou fundo e expirou devagar, com os lábios franzidos.

– É lindo, na verdade – garanti. – E vai ficar perfeito. É só que… eu pensei que talvez ter sua marca nele fosse fazê-la ficar… com vergonha…

Também me ocorrera que Auld Mam, que não batia bem da bola, poderia se sentir especial e prestigiada pelo patrão. O que não era nada de mais, mas poderia facilmente levá-la a retirar o pessário na frente dos outros para mostrá-lo.

Ele me encarou e, com toda a delicadeza, usou dois dedos para tirar o pessário de minha mão.

– Uma coisa eu digo, Sassenach: nem de longe ela ficará tão envergonhada quanto *eu*. Vou lá tirar as iniciais com a lixa.

83

A PENA DA FRENTE DA ASA DE UM JACURUTU

Real colônia de Nova York
Início de outubro de 1779

Os dedos de Rachel tremeram na hora de dar o nó na fralda de Oggy, a ponta lhe escapuliu da mão, a fralda se abriu e o pequeno pênis de Oggy, exposto ao ar frio, na mesma hora ficou duro e disparou um jato de urina fumegante um bom metro para cima, por pouco não atingindo seu rosto.

Sentado parcialmente vestido na cama ao lado do filho, Ian riu feito um louco. Rachel lançou-lhe um olhar irritado e ele parou de rir, embora o sorriso permanecesse em seu rosto enquanto pegava o trapo de limpeza úmido de sua mão. Ele se ajoelhou no chão e começou a limpá-lo enquanto dizia alguma coisa para Oggy em mohawk. As palavras pareceram passear sob a pele de Rachel.

Ele vinha falando cada vez mais em mohawk com Oggy à medida que avançavam Nova York adentro, chegando cada vez mais perto de Canajoharie. Não que ela o culpasse. Patience e Prudence adoravam a sonoridade do idioma e eram agora capazes de dizer várias coisas úteis, entre elas "Não me mate", "Me dê comida", "Não, eu não quero me deitar com você" e "Eu pertenço a Irmão do Lobo, do clã do Lobo dos kahnyen'kehaka, e se me molestar ele vai castrar você".

Rachel podia escutá-las treinando essas falas no cômodo ao lado, onde Jenny ajudava Silvia a vestir todo mundo com as roupas que eram supostamente suas melhores. Pois era nesse dia que chegariam a Canajoharie.

Sua sensação era de ter engolido um copo inteiro de balas de mosquete, que se reviravam pesadamente dentro do estômago. Eles… bom, pelo menos ela, tinham tido medo de encontrar soldados desgarrados, batalhas aleatórias ou os homens que a guerra isolava da sociedade, mas, com a ajuda de Deus, da capacidade de Ian de prever as coisas e evitá-las, e sem dúvida de pura e simples sorte, tinham atravessado mil quilômetros sem topar com problemas sérios. Mas nesse dia iriam chegar a Canajoharie... e era possível que encontrassem Trabalha com as Mãos.

Ela era bonita. Eu a conheci perto da água... a superfície sem nenhuma ondulação. Mesmo assim, dava para sentir o espírito do rio se movendo por ela.

As balas de mosquete afundaram uma por uma dentro de suas entranhas quando ela recordou as palavras de Ian. *Ela era bonita...*

E tinha três filhos, um dos quais talvez fosse dele.

Ela fechou os olhos e fez uma breve e fervorosa prece pedindo perdão, e também tranquilidade mental e paz de espírito. Enquanto rezava, pousou a mão sobre o corpo de Oggy, que se contorcia, e a paz de espírito veio na mesma hora. *Ele* era sem dúvida filho de Ian, e ela tampouco podia duvidar do amor que Ian tinha por ele... ou por ela.

– *Ifrinn!* – exclamou Ian. Ela sentiu uma umidade quente e repentina brotar sob a palma de sua mão, e o ar foi tomado por um fedor terrível. – Nesse ritmo nunca vamos sair, rapazinho!

Enquanto limpava e colocava outra fralda em Oggy e Rachel limpava o que tinha vazado, Ian de repente se virou, beijou-a na testa e lhe sorriu, com os olhos cheios de afeto acima das tatuagens.

Obrigada, pensou ela na direção de Deus e sorriu de volta para o marido.

– Ian, eu já disse que os amigos não têm doutrinas, não disse?

– Disse, sim. – Ele inclinou a cabeça e ela arqueou a sobrancelha e lhe passou um dos pregadores de arame que Brianna chamava de alfinetes de segurança, para prender a fralda.

– Isso não significa que nós aprovemos qualquer tipo de comportamento pelo simples fato de ele ser a prática usual de outras pessoas.

– Humm... E qual comportamento normal você tinha em mente que não vai tolerar?

– Eu tinha em mente a poligamia.

Ele riu e o espírito dela tornou a desabrochar.

Eles chegaram a Canajoharie durante a tarde e Ian achou dois quartos em uma hospedaria pequena e relativamente limpa, então mandou um recado escrito em mohawk para Joseph Brant, um dos líderes militares mais poderosos dos mohawks e parente de Emily, apresentando-se e solicitando uma audiência. Antes do cair da noite já tinha chegado uma resposta, em inglês: *Venha à tarde e tomaremos chá. Ficarei feliz em conhecê-lo.*

– Ele escreve bem – observou Jenny, avaliando não só a mensagem mas também o papel no qual estava escrita, que era de boa qualidade e estava fechado por um lacre de cera.

– Thayendanegea já foi a Londres, *mam* – respondeu Ian. – Ele deve falar inglês melhor do que você.

– É, bem, *isso* nós vamos ver – disse ela, mas Patience e Prudence riram e começaram a cantar uma canção de ninar sobre um gatinho que vai a Londres visitar a rainha.

– *Ele* foi a Londres visitar a rainha? – perguntou Patience, interrompendo a canção.

– Sua mãe pode perguntar a ele por você – respondeu Ian, fazendo Silvia ficar ruborizada até as orelhas.

Oggy teria que ir com eles, já que Rachel não aguentaria passar tempo demais longe dele, mas Silvia lhe garantiu que Prudence e Patience poderiam facilmente cuidar de Chastity. Se algum problema acontecesse, como a hospedaria de repente pegar fogo ou ser invadida por ursos, elas eram rápidas e levariam a irmã consigo ao fugir.

Tanto Silvia quanto Jenny tinham se oferecido para ficar, e Rachel também, mas Ian foi firme: todas deviam acompanhá-lo.

– Não seria adequado eu me apresentar sozinho, como se não tivesse família. Thayendanegea iria me considerar um indigente.

– Ah – disse Jenny, arqueando a sobrancelha com interesse. – Então é isso? Se você é capaz de sustentar uma penca de mulheres e crianças, isso prova que tem um pouco de dinheiro guardado no colchão?

– Exato – confirmou ele. – Ou pelo menos um pouco de chão. Use seu relógio de prata, *mam*, pode ser? E, se não se importar em usar a outra capa de Rachel, amiga Silvia…

Nenhuma das mulheres tinha roupas coloridas, já que Jenny ainda usava seu preto de viúva, Silvia possuía apenas um vestido sem furos e o modesto guarda-roupa de viagem de Rachel não continha nada mais ornamentado do que um forro de pele em sua melhor capa, no qual Ian havia insistido mais por uma questão de sobrevivência do que de vaidade. Mas eram todas roupas limpas e decentes, e os tecidos, de lã de boa qualidade, e pelo menos o corpete de Jenny era de pesada seda preta.

– E não estamos com as unhas sujas de terra nem de excrementos de animais – assinalou Jenny. – E temos toucas boas, ainda que um pouco de renda não fosse cair mal.

Ian balançou a cabeça com afabilidade e pôs três pulseiras por cima das mangas do casaco, duas de prata e uma de cobre polido. Curvou-se para espiar no minúsculo espelho de barbear que a dona da hospedaria tinha providenciado, para ajeitar nos cabelos as espetaculares penas azul e vermelha que John Quincy Myers havia lhe dado, penas de "arara", embora houvesse sido incapaz de descrever que aspecto poderia ter uma ave assim, já que nunca tinha visto nada dela exceto um punhado de penas.

– Como se pronuncia o nome do cavalheiro, Ian? – pediu Rachel, sentindo-se vencida pelo nervosismo.

– T'ai'ENDan'egg-e-a – respondeu Ian, semicerrando os olhos para o espelho com as mãos ocupadas atrás da cabeça. – Mas não importa. O nome inglês dele é Joseph Brant.

– Brant – repetiu Rachel e engoliu em seco.

– E minha... a mulher de quem viemos ter notícias... chama-se Wakyo'teyehsnonhsa – acrescentou ele com aparente casualidade. Sorriu para Rachel no espelho. – Só para você saber quando estivermos falando nela.

Jenny fungou e conduziu Rachel até o cômodo externo, de modo a dar espaço para Ian terminar de se arrumar no quarto de dormir pequeno e apertado.

– Não imagino que vamos *falar* com ela – disse ela a Rachel entre dentes quando a nora adentrou a pequena sala. – Ou eu estaria perguntando a Ian como se diz "Vá embora, sua vagabunda descarada" em mohawk. Embora talvez isso não seja educado...

– Provavelmente não – disse Rachel, sentindo o espírito ficar um pouco mais leve. – Mas, se a senhora descobrir, por favor me diga. Só por garantia.

Jenny lançou-lhe um olhar de esguelha.

– E isso sendo amiga – disse ela, fingindo reprovação. – Embora eu imagine que ter a luz de Cristo dentro de si não impeça uma mulher de ser uma vagabunda descarada... – Ela apertou o pulso de Rachel com a mão livre. – Não se preocupe, minha menina. O rapaz ama você. Você sabe disso, certo?

– Não tenho dúvida – garantiu ela.

E não tinha mesmo. O que a incomodava eram as crianças. Os filhos de Emily.

Mas aquela escolha quem precisava fazer era Ian. Tinha que ser assim. Ele então saiu do quarto, resplandecente. Tinha uma atitude grave, mas quase podia escutar o zumbido da empolgação em seu sangue. Rachel já tinha pegado sua capa, mas ficou parada com ela na mão, observando-o.

– Talvez eu devesse ficar com as crianças. Com certeza você deveria ir primeiro sozinho – sugeriu. – Para... para...

– Não – interrompeu ele em um tom que indicava não estar disposto a debater o assunto e pegou Oggy no colo. – Nós fomos convidados para o chá.

Para sua infinita surpresa, era *mesmo* chá. Um chá formal em um salão elegante, em uma casa que poderia ter sido construída por um comerciante de Boston moderadamente bem-sucedido. Joseph Brant também se vestia de modo parecido com um comerciante: um traje azul de boa qualidade, embora usasse um largo bracelete de prata que apertava o tecido de lã azul logo acima do cotovelo e tivesse os cabelos presos em uma trança e amarrados com um cordão do qual pendiam duas pequenas, porém brilhantes, penas vermelhas.

Rachel pensou que ninguém o poderia ter confundido, independentemente da roupa que estivesse usando. Não era um homem alto, mas os ombros largos lhe conferiam presença e ele tinha um rosto largo e de maxilar quadrado, com uma boca firme e carnuda e grossas sobrancelhas negras.

– Agradeço por sua gentileza em nos receber – disse ela, fitando-o nos olhos e sorrindo.

Amigos não se curvavam nem faziam mesuras, mas ela estendeu a mão e Brant se inclinou bastante acima dela e se levantou com um ar de interesse no rosto.

– A senhora é amiga? – indagou.

– Sou – respondeu ela e meneou a cabeça na direção de Silvia. – Assim como minha amiga Silvia Hardman.

– Sejam bem-vindas – respondeu ele, inclinando-se bastante para as duas, uma depois da outra, e mais ainda para Jenny. – É uma honra, minha senhora.

– Bem, eu não sou amiga, senhor – disse ela. Examinou suas penas e joias. – Mas sou amigável.

Por enquanto, dizia sua expressão.

Brant sorriu ao ouvir isso, um sorriso genuíno que lhe alcançou os olhos.

– Ouvir isso me deixa aliviado. Acho que eu não gostaria de ter a senhora como inimiga.

– Não, não gostaria – garantiu Ian com um semblante impávido. – Por sorte, viemos todos em missão de paz. Meu tio mandou uma prova de sua amizade.

Jamie e Ian haviam escolhido juntos o presente para Brant e Ian mandara fabricá-lo na Filadélfia: um belo tinteiro de cristal pesado com armação de prata. Havia um desenho gravado nele: quatro triângulos simbolizando ar, terra, fogo e água, e na tampa dois triângulos sobrepostos apontando em direções opostas que significavam "Tudo que há". O tinteiro vinha acompanhado de uma pena, igualmente cingida em prata e fornecida por Jamie, tirada de um jacurutu ou corujão-orelhudo.

Com interesse, Brant examinou a pena e Ian. Era a pena da frente da asa do corujão, com filamentos mais curtos de um dos lados, o que lhe imprimia uma longa curva abaulada no lado dianteiro, ao passo que os filamentos do lado traseiro eram serrilhados feito um pente. Era aquilo que permitia ao jacurutu voar em silêncio, sem dar indícios de sua presença até mergulhar de repente do escuro da noite para agarrar sua presa. Como presente, uma pena daquelas podia ser interpretada como um elogio… ou um aviso. Corujas representavam sabedoria, mas também podiam ser um prenúncio de algo difícil ou perigoso.

Uma mulher tinha aparecido sorridente no vão largo da porta atrás de Brant. Era bonita, tinha os cabelos escuros e estava usando um vestido em estilo europeu de algodão vermelho estampado com caules de plantas e no colo um xale branco preso por um broche dourado em formato de borboleta.

– Querida – disse Brant, inclinando-se para ela em uma versão elegante de modos londrinos. – Permita-me apresentar Okwaho, iahtatehkonah, e também sua esposa e sua mãe. E a acompanhante deles – acrescentou, inclinando-se na direção de Silvia. –

Minha esposa Catherine – concluiu, com um floreio que pareceu um tanto casual na direção da mulher de vermelho.

A mulher o encarou com um olhar incisivo, mas tornou a sorrir enquanto fazia uma mesura para os viajantes. Pareceu espantada quando nenhuma das mulheres retribuiu seu cumprimento e olhou rapidamente para o marido indagando se ele havia reparado naquela grosseria.

– Elas são quacres – disse ele com um leve dar de ombros e os dela então relaxaram.

Jenny Murray não faria mesura nem para o rei da Inglaterra, quanto mais para um homem que ela considera um assassino monarquista, pensou Rachel, mas manteve o semblante agradavelmente neutro.

Catherine lançou um olhar hesitante para Jenny, que sabia exibir uma expressão inescrutável quando assim desejava, mas não estava fazendo isso no momento. A sra. Brant decidiu que as mulheres mais jovens talvez fossem mais fáceis de abordar e se virou para elas, indicando com um aceno que se aproximassem da mesa onde estava servido o chá e as convidando a se sentar.

– Alguma de vocês por acaso é uma mediadora de paz? – indagou ela, sorrindo enquanto se acomodava.

– Duvido – respondeu Rachel com cautela e olhou para Silvia, que balançou a cabeça.

– Eu não sou, mas já ouvi falar neles – disse esta. Virou-se para Rachel antes de explicar: – Como os amigos são conhecidos por serem imparciais e defensores da paz, alguns foram convidados a conduzir negociações entre... pessoas em conflito? – concluiu, olhando com uma expressão de dúvida para Catherine Brant.

– Sim, isso mesmo. – A sra. Brant serviu o chá por um coador de prata de borda decorada com flores gravadas e um vapor perfumado e vagamente familiar se ergueu feito um fantasma.

– Chá! – disse Rachel involuntariamente, então enrubesceu. Thayendanegea lhe sorriu por entre o vapor.

– É, sim – disse ele e arqueou a sobrancelha. – Devo entender que faz algum tempo que a senhora não se depara com chá?

Foi uma pergunta formulada com delicadeza. Mas Ian estava pronto para ela: tinha dito a Rachel que não pretendia fazer rodeio em relação à política, uma vez que não havia meios de saber quanto Thayendanegea já sabia sobre eles.

– Sim, faz tempo – disse Ian com naturalidade, ao mesmo tempo que pegava um pão doce do prato de porcelana florido que uma criada lhe estendeu. – Chá faz meu tio espirrar.

Os olhos de Brant se vincaram, bem-humorados.

– Já ouvi falar de seu tio – disse ele. – Alguns dos iroqueses o chamam de Nove-Dedos?

Rachel nunca tinha escutado esse apelido. Se também era uma novidade para Ian, ele disfarçou a surpresa.

– Isso. Os *tsilagi* o chamam de Matador de Urso.

– Um homem de muitos nomes – comentou Brant, achando graça. – E creio que o general Washington o chama de amigo.

– Ele é amigo da liberdade – disse Ian, encolhendo os ombros.

– Um chá delicioso, sem dúvida – disse Jenny à sra. Brant, mas pousou a xícara sem beber. – E uma bela casa. Já faz algum tempo que moram aqui?

Rachel não sabia se a palavra "liberdade" era um sinal combinado entre mãe e filho ou apenas o ritmo natural de uma conversa que precisava se equilibrar entre a política e a cortesia, mas Catherine Brant respondeu à pergunta de Jenny e as duas passaram a conversar sobre a casa, os móveis e então, graças aos desenhos da porcelana, sobre comida, e a partir daí a conversa se tornou verdadeiramente cordial.

Apesar de um interesse genuíno por sopa de milho e pão de frigideira, Rachel manteve um dos ouvidos atento à conversa dos homens, que se alternava com naturalidade entre o inglês e o mohawk. Identificou um nome aqui e ali: reconheceu o nome mohawk de Olha para a Lua e Ounewaterika, o nome pelo qual os indígenas chamavam o general Lee. Então seu ouvido captou o nome pelo qual estava esperando: Wakyo'teyehsnonhsa.

Ela tentou não escutar e se forçou a não olhar para Ian. Sentiu, mais do que viu, o olhar incisivo que Jenny lhe lançou.

O que quer que tivesse sido dito sobre a mulher não durou muito, pois logo Brant se virou para ela e pediu notícias de seu irmão Denzell, que conhecera rapidamente em Albany, e os redemoinhos da conversa na mesa convergiram para formar uma correnteza plácida.

Plácida o suficiente – agora que o assunto relacionado a Trabalha com as Mãos tinha sido momentaneamente resolvido – a ponto de Rachel poder respirar aliviada e refletir sobre as peculiaridades daquela mesa e de seu dono, que agora conversava do modo mais amigável possível com Silvia Hardman sobre perus.

Como podiam estar sentados ali, entretidos em conversas sobre o cotidiano, diante de um homem que se dizia ter matado e mandado matar diversas pessoas?

Você não só se senta para almoçar com Jamie Fraser, mas o ama e o respeita, assinalou sua luz interior. *Ele por acaso não fez as mesmas coisas?*

Não com gente inocente, pensou ela, teimosa. Embora, para ser sincera, soubesse muito bem que se podia dizer qualquer coisa a respeito de um homem sem que fosse necessariamente verdade.

E os dois fizeram o que fizeram porque estamos em guerra... Sua luz interior era cética em relação a isso, mas uma súbita mudança na conversa a fez recuar.

Brant tinha dito algo para Ian em mohawk. Foi em tom casual, mas com um olhar de esguelha para Rachel que fez os cabelos formigarem em seu couro cabeludo. Ian se virou de propósito para o lado a fim de que ela não pudesse ver seu rosto, então respondeu algo no mesmo idioma que fez Brant rir.

Rachel reparou que Jenny, sentada a seu lado, encarava Brant com os olhos semicerrados. E que Catherine Brant os observava por cima da borda de sua xícara com a sobrancelha arqueada. Ao ver que Rachel tinha percebido, ela pousou a xícara e se inclinou um pouco para a frente.

– Ele disse que, se Irmão do Lobo chegar à conclusão de que pode ter duas esposas, deveria saber que Trabalha com as Mãos possui 34 hectares de terras boas em seu nome nas planícies aluviais… Ela é *mesmo* muito boa fazendeira. Mas Irmão do Lobo não deve temer por seu futuro… – ela sorriu para Rachel – … porque uma boa mediadora de paz seria bem-vinda em qualquer casa e o próprio Thayendanegea se ofereceria para sustentá-la.

Contrariando suas melhores intenções, Rachel escancarou a boca.

– Ah… não nesse sentido – garantiu Catherine. – Ele quer dizer que a sustentaria como um membro valioso de sua família, não para se deitar em sua cama.

– Ah – fez Rachel debilmente.

Antes de ela conseguir pensar em uma recusa educada a qualquer uma das duas propostas, uma corrente de ar frio veio do hall de entrada quando a porta da frente se abriu, e passos macios ecoaram no hall.

Todos se viraram para olhar e Rachel viu um mohawk mais velho, ainda esbelto e de costas eretas, mas com cabelos grisalhos enfeitados com botões de prata e um par de asas de pombo-passageiro penduradas em uma trança de linha azul. Tinha traços bem marcados e as rugas e olhos escuros mostravam uma pessoa segura de si e dotada de um profundo bom humor. O homem se inclinou para as damas com os olhos vincados de interesse.

– Ah, aí está o senhor – disse Joseph Brant em tom de quem se diverte. – Eu deveria saber que não conseguiria se manter longe dos visitantes. – Ele se levantou e se curvou da mesma forma para as damas. – Madame Murray, madame Outra Murray e madame… Hardman? É mesmo muito estranho… Permitam-me apresentar meu tio, o *sachem*.

– Encantado, *mesdames* – disse o *sachem*, cujo sotaque hesitava em algum ponto entre um inglês bem-educado e o francês. – E o senhor deve ser Okwaho, iahtahtehkonah, claro – emendou com um meneio de cabeça cordial para Ian. – Sim, obrigado – acrescentou para a criada que vinha trazendo outra cadeira e para a segunda, que havia acabado de entrar carregando travessas, talheres e guardanapos de linho.

Sentou-se entre Rachel e Jenny, para quem se virou sorrindo.

Rachel se perguntou se a aparição do *sachem* fora calculada para distrair as mulheres enquanto Ian conversava sobre política com Brant, mas sua conversa teria enfeitado qualquer salão. Em poucos instantes, seu lado da mesa se animou com observações, elogios e casos de todo tipo.

Estava acostumada a observar pessoas e escutar o que diziam, e ficou impressionada com o *sachem*: ele fazia perguntas inteligentes e prestava atenção nas respostas.

Contudo, quando pressionado em relação à própria vida, era espirituoso e divertido para impedi-la de ficar ruminando as implicações dos comentários de Brant sobre múltiplas esposas.

– O senhor tem nome? – Jenny quis saber. – Ou já nasceu *sachem* e pronto?

Rachel encarou a sogra com um olhar intrigado. Tinha certeza que Jenny sabia o que era um *sachem*: Ian havia passado os quilômetros que separavam a Filadélfia de Canajoharie explicando e descrevendo os mohawks e seus costumes. Ela vira o rosto do marido, todo aceso de lembranças e expectativa, e passara esses mesmos quilômetros dividida entre sentir prazer com a animação dele e um desejo indigno de que não parecesse assim *tão* encantado com a ideia de reencontrar aquela gente... que, afinal de contas, lembrou a si mesma com severidade, era *sua* gente...

– Ah, uma pessoa tem o direito de ter mais de um nome – respondeu o *sachem*, franzindo os olhos com bom humor. – Estou certo de que a senhora tem outros nomes além de Murray... Afinal, esse deve ter pertencido a seu marido.

Jenny pareceu espantada, mas então se deu conta, como Rachel já tinha feito, de que o *sachem* conhecia suficientemente bem os costumes europeus para ter reconhecido por seu traje que ela era viúva.

Ou isso, pensou Rachel, achando graça, *ou ele adivinha bem.*

Seu bom humor desapareceu no instante seguinte, quando o *sachem* segurou a mão de Jenny e disse, em tom bastante casual:

– Seu marido *ainda* está com a senhora... Pediu-me para dizer que caminha sobre duas pernas.

A boca de Jenny se escancarou, assim com a de Rachel.

– Sim, eu nasci *sachem* – disse ele, sorrindo e soltando a mão de Jenny. – Mas meu nome de adulto, se a senhora preferir usá-lo, é Okàrakarakh'kwa. Significa "Sol brilhando sobre a neve" – arrematou e seus olhos tonaram a se vincar.

– São Miguel nos acuda – disse Jenny em gaélico entre dentes. – Sim – falou mais alto e, empertigando as costas, conseguiu exibir um arremedo de sorriso educado. – *Sachem* vai servir muito bem por enquanto. Meu nome é Janet Flora Arabella Fraser Murray. Pode me chamar de sra. Janet se quiser.

84

SARDINHAS FRITAS E MOSTARDA FORTE

Se sabia mais alguma coisa de natureza perturbadora, o *sachem* guardou a informação para si. Em vez disso, contou-lhes que tinha acompanhado o sobrinho a Londres como seu acompanhante e conselheiro, explicando assim sua familiaridade com o inglês e seu apreço pelo chá e por sardinhas fritas com mostarda forte.

Foi uma refeição longa e elaborada. Quando chegaram ao doce de milho com morangos secos, os seios de Rachel já tinham começado a formigar e a pressionar seu espartilho com uma urgência cada vez maior. Agora que já conseguia comer um pouco de comida sólida, Oggy mamava com menos frequência e fazia algum tempo que aquela sensação de estar prestes a rebentar não acontecia.

Ela afastou o pensamento. Se pensasse em Oggy por mais um minuto, seu leite iria vazar. Rachel havia colocado pedaços de tecido dobrados dentro do espartilho como precaução, mas eles não resistiriam ao fluxo por muito tempo. Cruzou olhares com Catherine e adotou um breve ar interrogativo enquanto meneava a cabeça em direção à porta.

Catherine se levantou na mesma hora e, tocando o ombro do marido em um breve gesto de carinho, indicou com um meneio de cabeça que Rachel a seguisse.

– Oggy… meu bebê – disse Rachel no hall. – Onde ele está?

Ela fora induzida a deixar uma menina mohawk cuidando de Oggy enquanto eles tomavam chá, mas não fazia ideia de para onde ela o poderia ter levado.

– Ah – disse Catherine, franzindo um pouco a testa. – Vi Bridget levá-lo lá para fora ainda há pouco. Não se preocupe – acrescentou com gentileza ao ver a expressão de Rachel. – Ele está bem agasalhado e tenho certeza que logo vão voltar.

Logo não seria suficiente: os seios de Rachel estavam começando a vazar só de pensar em Oggy.

– Nesse caso – disse ela, tentando preservar a dignidade –, será que a senhora se importaria em me indicar onde fica o reservado?

O reservado ficava do lado de fora, uma estrutura de tijolo bem cuidada, e Catherine deixou Rachel lá com um sorriso. Rachel agradeceu e se dirigiu apressada para trás da latrina. Precisava de privacidade, mas não tinha a intenção de tirar seu leite dentro de uma fossa.

Conseguiu abrir o espartilho bem a tempo. Bastou pensar no filho, pesado e molengo na concentração da mamada, na sucção repentina e forte de sua boca, e o leite jorrou de ambos os seios e esguichou nas trepadeiras vermelhas esfarrapadas que cobriam a parede da latrina. Ela fechou os olhos e deu um suspiro de alívio, então os abriu quase na mesma hora ao escutar o rangido da porta da latrina do outro lado da construção, seguido por passos no chão.

Mal teve tempo de tapar os seios expostos antes de um homem surgir pela quina do reservado.

– Eeeeei! – fez ele, encarando-a com os olhos arregalados.

Era um homem branco, ainda que queimado de sol, como Ian. Não tinha tatuagens, mas usava uma vestimenta que era uma combinação de trajes indígenas e europeus, como Joseph Brant, embora suas roupas fossem de qualidade muito inferior. Ela reparou que ele mancava e andava com o auxílio de uma bengala.

– Se não se importar, amigo, eu ficaria agradecida por alguns instantes de privacidade – disse ela com o máximo de dignidade possível.

– O quê? – Ele desgrudou os olhos de seus seios e mirou seu rosto. – Ah. Ah, certamente. Me perdoe. Ahn... minha senhora. – E recuou devagar, embora parecesse incapaz de tirar os olhos do peito dela.

Na quina do reservado, ele se virou apressado e quase na mesma hora colidiu com alguém que vinha depressa no sentido contrário. Rachel escutou o impacto, uma exclamação de mulher, um xingamento em mohawk do homem e então...

– Gabriel! – disse a voz de Silvia Hardman com espanto.

– Silvia!

Rachel ficou paralisada, com o leite morno a escorrer por sobre os dedos.

As duas vozes falaram ao mesmo tempo, em tom de acusação:

– O que *você* está fazendo aqui?

– Senhor, tende piedade – disse Rachel entre dentes e deu dois passos até a quina do reservado, por onde espiou com cautela.

– Eu... eu... – Gabriel estava pálido pelo choque, mas Rachel pôde ver que ele exibia sinais de trabalho, de longos meses exposto ao sol, e marcas de inanição em um passado não muito distante. – Eu... Silvia? É você? É você mesmo?

Os ombros de Silvia tremiam sob a capa cinza. Ela levou uma mão trêmula ao rosto, como a se perguntar se era *mesmo* ela.

– Sim... sou eu – falou, parecendo em dúvida, mas a mão baixou e ela deu alguns passos em direção ao marido.

Depois parou, apenas o encarando. Sua cabeça se inclinou quando olhou para baixo, e Rachel viu que, além da bengala que tinha deixado cair, ele usava uma muleta encaixada sob um dos braços e a perna e o pé desse lado eram estranhamente tortos.

– O que aconteceu com você? – sussurrou Silvia.

E sua mão se estendeu em sua direção. Gabriel fez um pequeno movimento convulso para lhe segurar a mão, mas então recuou.

– Eu fui... capturado. Pelos shawnees. Eles me levaram para o norte. Uma noite, eu fugi. Isso os deixou zangados e eles... cortaram meu pé ao meio. – Ele engoliu em seco. – Com um machado.

– Ah, Jesus Cristo, piedade!

– Ele teve – disse Gabriel, conseguindo arrancar não se sabe de onde um pequeno sorriso. – Eles não me mataram. Eu ainda tinha valor como escravo. O que...

– Você é escravo aqui? – Silvia começava a controlar as emoções; além do choque, sua voz denotou indignação.

Mas Gabriel fez que não com a cabeça.

– Não. O Senhor de fato me protegeu: os shawnees me venderam para um bando de mohawks no qual havia um padre jesuíta... Eles o acompanhavam até uma missão no Canadá. O jesuíta só falava francês e eu falava muito mal esse idioma, mas ele fez um curativo e emplastros em meu ferimento e eu lhe mostrei que sabia escrever e contar. No fim das contas, ele convenceu meus captores de que eu valeria mais para um homem de posses do que trabalhando na lavoura para alguém.

– O sr. Brant? – Silvia soou horrorizada. Rachel também estava.

– Sim. – Gabriel de repente soou cansado e as linhas que marcavam seu rosto sobressaíram. – Mas eu… não sou escravo aqui. Sou… livre.

Livre.

A palavra ficou pendurada no ar frio da manhã, cintilante e afiada como um pingente de gelo. Por alguns segundos, ninguém falou nada. Mas as palavras não ditas estavam tão claras para Rachel quanto se tivessem sido gritadas.

Então por que não voltou para casa? Ou pelo menos mandou avisar que não tinha morrido?

– Você… tem passado bem, Silvia?

Gabriel ficou parado, apoiado na muleta. Estava sem peruca e o vento frio soprou seus cabelos finos e ralos e os fez tremeluzir por um instante, como um halo efêmero.

A pergunta fez Silvia rir, uma risadinha aguda e quase histérica.

– Não – respondeu ela, calando-se abruptamente. – Não, não tenho passado bem. Não tinha dinheiro e pouca ajuda. Mas mantive minhas meninas alimentadas da melhor forma que consegui.

– As meninas. Pru e Patience estão com você? Aqui?

A animação em sua voz não foi fingida e os ombros de Rachel relaxaram um pouco. Talvez ele houvesse sido impedido de partir, mesmo não sendo mais escravo.

– Prudence, Patience e a pequena Chastity – respondeu Silvia, com um tom de voz que o desafiou a fazer a pergunta. – Sim, elas vieram comigo.

Ele congelou por um instante enquanto examinava o rosto dela. Mesmo dos fundos da latrina, foi fácil para Rachel conseguir visualizar qual devia ser a expressão de Silvia: vergonha, desafio, esperança… e medo.

– Chastity – repetiu ele devagar. – Quando ela nasceu?

– No dia 4 de fevereiro de 1778 – respondeu Silvia com clareza, o desafio tomando a dianteira, e o semblante de Gabriel endureceu.

– Imagino que tenha se casado outra vez – disse ele. – Seu… marido veio com você?

– Eu não me casei – disse ela entre dentes.

Ele adotou um ar chocado.

– Mas… mas…

– Como disse, mantive minhas filhas alimentadas.

Rachel sentiu que não deveria estar testemunhando intimidades tão dolorosas entre os Hardmans. Mas uma trepadeira de madressilva ressecada havia se agarrado em suas roupas e seus pés estavam afundados no que restava dos pés de tomate mortos. O vento havia cessado e ela não tinha como se mover naquele silêncio medonho sem ser detectada.

– Entendo – disse Gabriel por fim.

Sua voz saiu sem entonação e ele passou vários segundos parado, com as mãos unidas diante de si, claramente tomando uma decisão em relação a algo. Enquanto refletia, sua expressão se modificou. As emoções da raiva, da pena, da vergonha e da confusão se tranquilizaram em uma superfície dura e decidida.

– Eu me casei – disse ele baixinho. – Com uma mohawk, sobrinha do *sachem*. Ele é...

– Eu sei quem ele é. – A voz de Silvia soou débil e distante.

Outros longos instantes de silêncio e Rachel escutou o leve estalo quando Gabriel passou a língua pelos lábios.

– Os... os mohawks têm um conceito diferente de casamento – disse ele.

– Imagino que sim. – Silvia ainda soava como se estivesse a 200 quilômetros dali, participando daquela conversa por meio de sinais de fumaça.

– Eu poderia... eu *poderia* ter duas esposas. – Ele não parecia considerar agradável a perspectiva de um matrimônio duplo.

– Não, não poderia – disse Silvia com frieza. – Não se achar que vou ser uma delas.

– Não achei que fosse me julgar – disse Gabriel, seco. – Não disse nada para repreendê-la por...

– A expressão em seu rosto falso basta como reprimenda! – O choque tinha vencido e a fúria fez a voz de Silvia aumentar de volume: – Como se atreve, Gabriel? Há quanto tempo está aqui, com todas as possibilidades de escrever e se comunicar, sem mandar notícia? Se eu tivesse sido uma viúva respeitável, e se você não tivesse nos afastado da Reunião Anual e dos outros amigos da Filadélfia, eu *teria* tornado a me casar, embora lamentasse sua ausência. – Sua voz falhou e ela ficou respirando de modo audível enquanto tentava recuperar o controle de si. – Mas ninguém sabia se você estava morto, preso ou... o que fosse! Eu não podia me casar. Fiquei sem nada... *nada*... a não ser aquela casa. Um teto sobre nossas cabeças. O Exército levou minhas cabras e pisoteou minha horta, e eu vendi todo o resto, exceto uma cama e uma mesa. E depois...

– Chastity... *castidade*, pois sim – disse Gabriel em tom desagradável.

Silvia estava ereta feito um jovem carvalho, com os punhos cerrados junto às laterais do corpo e tremendo de raiva. Quando falou, porém, sua voz soou calma e melodiosa:

– Eu me divorcio de você. Casei-me com você de boa-fé, amei e reconfortei você, gerei suas filhas. E você me abandonou, me tratou de má-fé e pretende continuar a fazê-lo. Não existe casamento entre nós. Eu me divorcio de você e o repudio.

Gabriel estava estupefato. Rachel sabia que o divórcio era *possível* entre os amigos, mas nunca conhecera ninguém que tivesse se divorciado. Teria mesmo aquilo acabado de acontecer em sua frente?

– Você. Se divorciar de *mim*? – Pela primeira vez, a raiva fez o rosto dele corar. – Se alguém devesse declarar nula nossa união...

– *Eu* não enganei meu cônjuge. *Eu* não cometi bigamia. Mas *eu* direi que nosso casamento está acabado, e você não tem como me impedir.

Rachel tinha se afastado de fininho, com uma das mãos espalmada em frente à boca, como se corresse o risco de proferir uma exclamação de protesto diante da cena ocorrida.

Estava prestes a se retirar quando Gabriel tornou a falar.

– Vou ficar com Patience e Prudence, claro – garantiu ele a Silvia e Rachel gelou.

Sentiu-se obrigada a espiar outra vez com toda a cautela pela quina da estrutura, nem que fosse para se certificar de que o silêncio de Silvia não queria dizer que ela havia sido fulminada pelo choque ou pela fúria.

Não era o caso, embora Silvia houvesse se virado de leve, e ficou claro pela sua expressão que somente a incapacidade de escolher as palavras a impedia de falar.

– Senti muito a falta delas – disse Gabriel e, pela expressão em seu rosto, parecia ser sincero.

– Naturalmente não sentiu falta de Chastity – disse Silvia com a voz trêmula de raiva.

Rachel teve certeza de ter visto no rosto de Gabriel um misto de pena e irritação.

– Eu… eu não condeno você – disse ele. – Quer tenha sido por estupro ou… ou por escolha, você…

– Ah, foi por escolha – sibilou Silvia. – A escolha entre abrir as pernas ou ver minhas filhas morrerem de fome! A escolha que *você* me deixou!

Gabriel se retesou.

– Qualquer que tenha sido a… a causa de seu nascimento, a menina não pode ser condenada nem julgada culpada – disse ele. – Ela carrega dentro de si a luz de Cristo, assim como todos os homens, mas…

– Mas você não está disposto a reconhecer Cristo nela… nem em mim, suponho!

O maxilar de Gabriel se contraiu e ele lutou por alguns instantes, tentando controlar as emoções que o dominavam.

– Você acabou de me interromper – disse ele em tom neutro. – Eu disse que vou ficar com Patience e Prudence. Elas serão bem cuidadas e terão uma vida feliz e segura. Mas vou dar a você uma quantia em dinheiro com a qual sustentar a si mesma e… a menina.

– O nome dela é Chastity – disse Silvia no mesmo tom neutro. – E você sabe por quê, embora *ela* nunca vá saber, se Deus quiser. – Ela inspirou de forma audível e expirou uma nuvem lenta e branca como o hálito de um dragão. – Com toda a certeza vou ficar com ela… e com as irmãs dela também. Não vou falar de você para elas. As duas merecem pensar que o pai as amou.

Ela pôs apenas uma levíssima ênfase na palavra "pensar".

– Você não tem o direito de tirá-las de mim – disse Gabriel. Ele não soava mais zangado, apenas pragmático. – Crianças pertencem ao pai; é a lei.

– Lei? – repetiu Silvia com desprezo. – Lei de quem? Sua? Do rei? Do Congresso? – Pela primeira vez, ela olhou em volta, para além dos extensos campos escuros e das árvores desfolhadas, para as casas embaçadas pela fumaça ao longe. – Você não me disse que os mohawks têm uma visão diferente do casamento? – Ela tornou a encará-lo com os olhos duros feito pedra. – *Nesse caso* eu vou falar com seu patrão e nós veremos.

Depois de dar esse ultimato, determinada, Silvia se virou e partiu em direção à casa. Gabriel Hardman a seguiu, fazendo a muleta dar pancadas no chão, tamanho seu afã de alcançá-la, mas, se ela chegou a escutar suas importunações, elas não tiveram efeito.

Ao se ver sozinha, Rachel se sacudiu violentamente para tentar desalojar a lembrança dos últimos poucos minutos e permitir aos próprios sentimentos alguma forma de acomodação. Entrou no reservado e, apesar do ambiente úmido e malcheiroso, baixou o trinco e se sentiu cercar por uma bem-vinda sensação de privacidade e calma. O funcionamento suave de seu corpo também a acalmou com seu reconforto tranquilo. Certa vez seu irmão Denny havia lhe contado que os judeus, uma raça muito dada à oração, tinham preces breves previstas para serem recitadas em ocasiões íntimas como aquela, agradecendo ao Criador pelas operações sem percalços da bexiga e dos intestinos. Isso no início a tinha feito rir, mas naquele momento concluiu que era algo bem sensato de se fazer.

O formigamento de seus seios, que já tinham recomeçado a encher, tornou-a consciente de outros processos e ela fez um agradecimento rápido pelo filho enquanto saía para o ar cortante de tão frio.

– E pela pequena Chastity e suas irmãs também – acrescentou em voz alta, dando-se conta de repente de que a cena terrível que acabara de presenciar entre os Hardmans certamente sugaria para dentro de seu furacão três crianças inocentes. – Senhor, elas não sabem ainda sobre o pai!

Olhou nervosa na direção da casa, mas não viu Silvia nem aquele que um dia fora seu marido. A porta se abriu, porém, e por ela saiu seu marido, cujo semblante se iluminou ao vê-la.

– Aí está você! – Ele alargou o passo para alcançá-la mais depressa e a tomou nos braços. – Demorou tanto que pensei que poderia ter encontrado uma cobra na latrina. Está tudo bem? – emendou ele, olhando para seu rosto com súbita preocupação. – Comeu alguma coisa que não fez bem?

– Não foi a comida – disse ela. Rachel quis se agarrar a ele, mas seus seios estavam tão sensíveis que se afastou. – Ian...

– O homenzinho está aos urros querendo você – disse ele, inclinando a cabeça em direção à casa.

Estava mesmo: Rachel podia escutar dali os berros de Oggy e seus seios na mesma hora começaram a vazar. Ela correu na direção da porta com Ian em seu encalço.

– Está vendo? – disse Ian para Oggy ao pegá-lo no colo. – Eu disse que sua *mammaidh* não ia deixar você morrer de fome.

Estavam no quarto de hóspedes que Catherine tinha lhes oferecido depois de Brant passar o recado de Wakyo'teyehsnonhsa, e Rachel afundou na cama enquanto abria o espartilho de qualquer maneira com uma só mão. Oggy se atirou em cima dela, abocanhou o mamilo disponível feito um jacaré faminto e os berros cessaram no mesmo instante.

– O *sachem* se interessou pela minha mãe – disse Ian no silêncio repentino. – Ele a desafiou para uma competição... pistolas a dez passos.

– Competição ou duelo? – indagou Rachel, fechando os olhos de alívio quando o leite começou a correr. O seio livre pingava, mas ela não ligou.

– Seja como for, eu apostei cinco contra um em Mam – respondeu Ian rindo. – O pai dela lhe ensinou a atirar e tio Jamie e meu *da* a levavam para caçar coelhos e tetrazes nas charnecas quando eram jovens. A dez passos ela consegue acertar uma moeda de 6 *pence*, contanto que a mira da pistola esteja reta.

– Com quem apostou? Com Joseph Brant ou com o *sachem*?

– Ah, com Thayendanegea, claro. O que houve, menina?

Ela abriu os olhos e o rosto dele estava a poucos centímetros do dela. Pôde sentir o calor de seu corpo no quarto gelado e se aconchegou mais para junto dele.

– Imagino que não saiba que o marido da amiga Silvia está aqui.

Ian pestanejou.

– O quê? Aquele que supostamente teria morrido?

– Infelizmente ele não morreu. Mas *está* aqui. Os dois se encontraram agorinha, em frente ao reservado.

– Infelizmente? – repetiu ele devagar e arqueou a sobrancelha. – Por que seria melhor ele estar morto?

Rachel deu um suspiro que fez Oggy grunhir e abocanhar o seio com mais ferocidade ainda.

– Ai! Não tenho objeção alguma ao fato de o pobre homem ainda estar vivo, o problema é o "aqui". – Ela contou rapidamente o que tinha acontecido. – E Patience e Prudence? – perguntou, ajeitando Oggy no colo. – Pelo que me contou, elas sabem muito bem a situação difícil em que a mãe estava e como lidou com as circunstâncias. É óbvio que amam Silvia e são leais a ela. Mas agora seu pai voltou, e elas o amam também!

– Mas elas ainda não sabem... que ele não morreu e está *aqui*?

– Não. – Rachel fechou os olhos e beijou a pequena cabeça redonda de Oggy, macia com sua penugem de cabelos escuros sedosos. – Fiquei pensando em como poderíamos ajudar as meninas e a amiga Silvia, mas não vejo uma solução boa. Você tem alguma ideia?

– Não – respondeu Ian. Ele foi até a janela e olhou para fora. – Não vi nenhum dos dois. Não que eu fosse saber que aspecto o homem tem, mas...

– Ele manca muito e anda de muleta. Os shawnees que o capturaram cortaram fora metade do pé dele com um machado.

– Jesus! Então não é de espantar que ele não tenha voltado para casa.

– Silvia disse que iria falar com seu… com o patrão do marido. Imagino que estivesse se referindo a Joseph Brant. Talvez estejam com ele agora?

Ian fez que não com a cabeça.

– Não estão, não. Foi isso que vim dizer: Thayendanegea saiu. Eu tinha dito desde o começo por que estava aqui. Assim que terminou de comer, ele disse que iria falar com Wakyo'teyehsnonhsa e combinar um encontro com ela. – Ele ergueu o queixo em direção à janela, por onde entrava a luz fraca da tarde. – Disse que são 13 quilômetros, mas que voltaria a tempo do jantar se saísse imediatamente.

– Ah. – A notícia foi um choque, pelo simples fato de ela ter se esquecido da pequena questão da primeira esposa de Ian. – Que… quanta gentileza dele.

Ian ergueu o ombro.

– É, bem, é de bom-tom mandar um recado no caso de uma visita formal… e a nossa é – acrescentou ele, encarando-a. – Mas tem razão, foi gentileza dele ter ido pessoalmente. Não sei se é por respeito a tio Jamie ou a Wakyo'teyehsnonhsa…

– Então ele a tem em alta conta. – Rachel tentou dizer isso como uma afirmação em vez de uma pergunta, mas Ian era sensível aos tons de voz.

– Ela é parte do povo, da família dele – respondeu ele. – Estava com ele em Unadilla a última vez que a vi, muito antes de você e eu nos casarmos.

Ele tornou a se virar para a janela e protegeu os olhos da luz.

– Para onde acha que Silvia foi?

Alguns instantes de reflexão forneceram a resposta.

– Foi pegar as filhas – disse Rachel com certeza. Ian a encarou.

– Ela está em alguma condição de montar?

– Absolutamente não. – A agitação fez Rachel se retesar e Oggy cravou os dedos em seu seio para se firmar. – Ai!

– Então é melhor eu encontrá-la. Transmita minhas desculpas à sra. Brant pelo jantar.

85

UMA FUGA AO LUAR

Ian parou para vestir seu casaco de urso – o céu exibia apenas uma névoa, mas esta tinha o tom de lavanda que prenunciava neve e o ar esfriava depressa –, mas não se deu ao trabalho de se armar com nada além da faca no cinto. Mesmo que Gabriel Hardman fosse um quacre relapso, não achava que um homem aleijado de muleta apresentaria alguma dificuldade. Ficou feliz por não ter trançado os cabelos para aquela visita: se tivesse que ir e voltar de Canajoharie a cavalo no frio e na neve, o cabelo lhe seria bastante útil.

Saiu da casa para ir até o barracão em que tinham deixado os cavalos. Silvia não montava bem e, mesmo que tivesse conseguido selar e arrear o cavalo sozinha, não devia ter ido muito longe.

Ele havia escutado os estampidos aleatórios de tiros de pistola, mas sem dar atenção. Só depois reparou que sua mãe e o *sachem* tinham feito a competição: pregado em um imenso carvalho sem folhas havia um lenço encardido perfurado por buracos chamuscados e enegrecidos.

Jenny estava corada por causa do frio e sua touca havia escorregado quando baixou o capuz da capa. Naquele momento, tateava à procura da touca e ria de algo que o *sachem* lhe dissera. Apesar dos cabelos cor de prata, Ian reparou, um tanto espantado, que ela parecia uma mocinha.

– Okwaho, iahtahtehkonah – disse o *sachem* ao ver Ian. Abriu um largo sorriso e olhou para Jenny. – Sua mãe é mortal.

– Se estiver querendo dizer com uma pistola, imagino que sim – retrucou Ian com os olhos semicerrados. – Ela também não é ruim com um alfinete de chapéu... se alguém lhe der motivo.

O *sachem* riu e, embora não tivesse feito o mesmo, Jenny fungou de um modo que indicava ter achado graça. Ela arqueou uma sobrancelha para Ian. Tinha lido o semblante do filho.

– O que houve? – perguntou, mudando de expressão no mesmo instante.

Ele fez um breve relato para os dois. Ocorreu-lhe que o velho *sachem* não apenas era tio de Thayendanegea, mas tinha influência sobre ele.

O *sachem* não interrompeu nem fez perguntas. Ian até julgou que ele estivesse achando o relato divertido. Ao concluir a história, contudo, ocorreu-lhe também que o *sachem* conhecia Gabriel Hardman e talvez lhe devesse certa lealdade.

Enquanto Ian falava, a mãe ficara ocupada limpando sua pistola, inserindo um trapo no cano com sua pequena vareta. Tornou então a pôr a arma no cinto, dobrou o trapo manchado e o guardou dentro da caixa de munição.

– Nós fizemos uma aposta, não foi? – perguntou ela ao *sachem*.

Ele recuou um pouco, balançando-se nos calcanhares, com um sorriso ainda à espreita nos cantos da boca.

– Fizemos.

– E o senhor reconhece que ganhei, sendo um homem honesto?

O sorriso se tornou franco.

– Não posso dizer o contrário. Que prenda a senhora quer?

Jenny meneou a cabeça na direção da casa.

– Que o senhor acompanhe minha amiga Silvia para falar com o sr. Brant. E garanta que a justiça seja feita – acrescentou ela, como quem acaba de pensar nisso.

– A senhora não ganhou por *tanta* margem assim – disse o *sachem* em um leve tom de reprimenda. – Mas, como ela é sua amiga, claramente irá com ela aonde for.

E, como a senhora é minha amiga também... não é? – interrompeu-se ele, erguendo uma sobrancelha branca.

– Se isso o fizer ir com ela, sou sim – disse Jenny com impaciência.

– Eu irei com a *senhora* – disse o *sachem*, fazendo uma mesura – aonde a senhora quiser ir.

Esse diálogo deixou Ian perturbado, mas ele não teve tempo de fazer mais do que lançar um breve olhar de "Se importunar minha mãe, arrancarei suas tripas como se fosse um peixe" para o *sachem* a caminho do barracão. Sua mãe captou esse olhar e pareceu achar graça, embora o *sachem* tivesse a decência de manter o semblante impassível.

Silvia estava de fato no barracão, com o capão malhado chamado Henry no qual viera montada desde a Filadélfia, apoiada na forma grande e quente do cavalo com o rosto enterrado nos braços enquanto ele arrancava com toda a calma bocadas de feno de um feixe suspenso e mastigava com um ruído reconfortante de baba. A sela e os arreios estavam caídos no chão a seus pés.

Silvia ergueu o olhar ao ouvir os passos de Ian. Tinha o rosto vermelho de tanto chorar, a touca torta, e seus cabelos castanhos sem vida se encontravam desfeitos do coque em um dos lados e pendiam junto à orelha, mas ela se abaixou na mesma hora para pegar os arreios do chão.

– Eu estava... esperando... ele comer. Não podia arreá-lo enquanto ele...

Ela fez um gesto impotente em direção ao cabresto de Henry e às mandíbulas que mastigavam devagar.

– E para onde pretende ir? – perguntou Ian, educado, embora estivesse bastante claro.

A pergunta fez a mente de Silvia se concentrar e ela se empertigou, com os olhos vermelhos mas uma expressão feroz.

– Pegar minhas meninas e levá-las embora. Você me ajuda?

– Embora para onde, menina? – Ian estendeu a mão para os arreios, mas ela não os largou, desesperada.

– Embora! – falou. – Não importa, eu vou achar um lugar!

– Rachel disse que estava pensando em falar com Thayendanegea sobre o assunto.

– Pensei nisso, sim. Estava tentando decidir – disse ela, pousando a mão no pescoço do cavalo. – Se espero ele voltar e peço a opinião dele para decidir entre mim e Gabriel... ou se pego o cavalo, vou até a hospedaria, pego as meninas e fujo. – Ela respirava feito um cavalo fugido e então parou para enxugar o rosto e engolir saliva. – Se eu esperar... Gabriel poderia conseguir ajuda para ir atrás de nós. Eu... eu duvido que conseguisse impedi-lo de me tirar as meninas. E... e se Brant ficar do lado de Gabriel? – Um pensamento tardio lhe ocorreu. – Os mohawks acreditam que as crianças são propriedade do pai?

– Não – respondeu Ian com calma. – Se uma mulher expulsa o marido de casa ou ele vai embora, os filhos ficam com ela.

– Ah! – Ela se sentou de repente na sela e ergueu uma mão trêmula para ajeitar os cabelos soltos. – Então talvez...?

– Talvez isso não seja da conta de Thayendanegea – disse Ian com pragmatismo. – Aquilo que acontece entre marido e mulher é... aquilo que acontece entre marido e mulher, a não ser que esteja causando confusão ou incomodando os outros. Quero dizer, se você desse um tiro em seu marido, isso talvez causasse certo problema, mas não suponho que pretenda fazer isso, sendo amiga e tudo isso.

– Ah! – Ela tornou a exclamar. Passou um tempo sentada encarando o chão repleto de feno e ele a deixou assim. – Eu *gostaria* de dar um tiro em Gabriel – falou e olhou para o feno um pouco mais, com os lábios bem pressionados. Então balançou a cabeça e se levantou, cambaleando. – Mas tem razão. Não vou fazer isso.

Ela inspirou fundo e estendeu a mão para o arreio que ele segurava.

– Mas preciso ter minhas meninas comigo agora. Você me ajuda a ir buscá-las?

A noite estava muito densa e um vento trazia o hálito frio para dentro do barracão, agitando os pedaços de feno espalhados pelo chão de terra batida.

Ian apenas aquiesceu e se abaixou para pegar a sela de Silvia.

– Vá buscar sua capa, menina, ou vai congelar.

O trajeto até a hospedaria levava menos de uma hora, mas o sol já tinha se posto, engolido por um súbito paredão de nuvens que se erguia das árvores como um pão negro fermentando. A neve começava a cair.

Ian tinha posto Silvia em sua frente, dizendo que ela poderia se enroscar na corda conduzindo o segundo cavalo. O que era verdade. Mais verdade ainda era que, embora não estivesse mais morta de fome, ela ainda era magra e frágil. Ian sentia uma necessidade urgente de abrigá-la.

Tinha parado de ventar, graças a Deus, mas a neve caía espessa e silenciosa, calando todos os sons e carregando os galhos dos pinheiros e abetos. Mesmo a estrada sendo boa, ele forçou um pouco Henry, para não correr o risco de ela desaparecer sob os cascos do animal. Aquela não era sua região e ele não queria se perder e acabar passando a noite na mata com Silvia.

– Conheci Gabriel na Filadélfia – disse ela, de modo inesperado. – Meus pais ainda eram vivos e íamos à mesma reunião. Eles tinham escolhido outra pessoa para mim, um ferreiro dono da própria oficina. Mais velho do que eu dez anos, bem estabelecido. Um homem gentil – acrescentou ela após uma pausa. – Com casa, com bens. Gabriel era um escrevente, tinha a mesma idade que eu e mal ganhava o suficiente para se sustentar, quanto mais sustentar uma esposa.

– Bom, eu não era nada além de um batedor indígena quanto conheci Rachel

– disse Ian, observando a respiração brumosa de Henry escorrer para trás de seu pescoço conforme avançavam. – Além disso, era um matador. Mas eu tinha algumas terras – acrescentou ele, para ser justo.

– E uma família – disse ela. – Meus pais morreram menos de um ano depois, de varíola, e não sobrou ninguém exceto eu. Não tinha irmãos nem irmãs. Gabriel havia rompido com os parentes quando entrou para a Sociedade... ele não nasceu amigo como eu.

– Então vocês só tinham um ao outro.

– É – disse ela e passou um tempo calada. – E então tivemos as meninas – falou, tão baixinho que ele mal a escutou. – E fomos felizes.

A neve tinha parado de cair quando chegaram à hospedaria, embora tudo em volta estivesse levemente coberto de gelo. A neve reluzia dourada nos pontos em que a luz das lamparinas vazava pelas janelas e prateada nas nesgas efêmeras de luar que escapavam por entre as nuvens. Silvia deixou que Ian a ajudasse a descer do cavalo, mas, assim que ele fez menção de acompanhá-la, ela o deteve.

– Eu agradeço, Ian – disse ela baixinho. – Preciso falar com minhas filhas sozinha. Você deve voltar para Rachel e seu filho.

Ele podia ver seu rosto magro e cansado à luz cambiante, ora tornado liso pelas sombras, ora contraído de aflição.

– Vou esperar – disse ele com firmeza.

Para sua surpresa, ela riu. Uma risada baixa e cansada, mas genuína.

– Prometo não pegar as meninas e sair cavalgando sozinha no meio de uma nevasca – disse ela. – Tive paz para pensar enquanto vínhamos, e para rezar... Agradeço a você por *isso* também. Mas ficou claro para mim que preciso deixar Patience e Prudence verem o pai. Primeiro, porém, preciso explicar para elas o que aconteceu.

A voz dela hesitou na palavra "aconteceu" e ela pigarreou.

– Estarei à sua espera no bar da hospedaria.

– Não – disse ela, de modo tão firme quanto ele. – Sinto o cheiro do jantar que a dona da hospedaria está preparando. As meninas e eu vamos comer juntas, conversar e dormir... Pela manhã vou pentear os cabelos delas, vesti-las com roupas limpas e pedir à dona da hospedaria que providencie uma carroça que nos leve de volta. Não precisa se preocupar comigo, Ian – acrescentou ela com brandura. – Não vou estar sozinha.

Ele a examinou por alguns instantes, mas ela estava falando sério. Então suspirou e sacou a bolsa.

– Vai precisar de dinheiro para a carroça.

86

PROFECIA INDESEJADA

Fazia frio e o ar do alvorecer estava tão cristalino quanto cacos de vidro e igualmente cortante para os pulmões. Ian havia saído para caçar com Thayendanegea naquela manhã e os dois perseguiam um carcaju. Perseguindo, não caçando. Nevara durante toda a noite – ainda caíam alguns flocos no momento – e o animal estava visível, um pontinho negro minúsculo sobre a neve cinza daquela distância, mas se movendo do modo imperturbável e rebolante que denotava grande paciência em vez do passo gracioso e veloz da perseguição. O carcaju também parecia estar perseguindo alguma coisa.

– *Ska'niònhsa* – disse Thayendanegea, meneando a cabeça para um trecho de neve lamacenta na qual se podia ver a marca de um casco.

– Ferido, então – retrucou Ian, anuindo. Um carcaju não ousaria atacar um alce saudável. Poucos animais o fariam. Mas poderia passar dias seguindo um alce ferido, esperando pacientemente a fraqueza fazer o *ska'niònhsa* se ajoelhar. – Melhor o carcaju torcer para os lobos não o encontrarem primeiro.

– Tudo é sorte – filosofou Thayendanegea e tirou o fuzil da bandoleira.

Apesar do fuzil, Ian julgou aquele comentário não de todo filosófico. Balançou a cabeça de um lado para outro, indicando hesitação.

– Meu tio é jogador – falou, embora a palavra em mohawk que usou não tivesse o mesmo significado da inglesa. Queria dizer algo como "alguém que vive com ousadia" ou "alguém que tem descuido pela própria vida", dependendo do contexto. – Ele diz que é preciso correr riscos, mas que só um tolo corre riscos sem saber quais são.

Thayendanegea olhou para ele achando graça.

E com um pouco de cautela também, pensou Ian.

– E como podemos saber os riscos?

– Perguntando e escutando.

– E o senhor veio para me escutar?

– Eu vim ver Wakyo'teyehsnonhsa – respondeu Ian, cortês. – Mas seria um desperdício ir embora sem ouvir um homem com sua experiência e sabedoria, já que o senhor tem a bondade de falar comigo.

A risadinha que se seguiu foi de Joseph Brant, não de Thayendanegea, assim como o olhar experiente que a acompanhou.

– E seu tio, é claro, talvez esteja interessado no que tenho a dizer?

– Talvez – respondeu Ian, neutro.

Tinha levado seu velho mosquete. A arma era boa o bastante para qualquer coisa que eles porventura encontrassem. Estavam passando agora por um grupo de imensos abetos. Havia pouca neve abaixo dos galhos espinhosos e a grossa camada de folhas no chão estava escorregadia.

– Ele me disse para avaliar se deveria contar o que ele sabe – confessou Ian.

– Suponho então que o senhor tenha decidido fazê-lo – disse Brant, e o ar de quem achava graça se intensificou. – O que ele *sabe*? Ele disse isso? Não o que ele *acha*?

Ian deu de ombros, com os olhos pregados no carcaju distante.

– Ele sabe.

Tio Jamie e ele haviam debatido o assunto e tio Jamie no fim das contas deixara a seu critério decidir como contar. Se transmitiria aquilo como informações coletadas no período de Jamie como agente indígena, e graças às suas conexões tanto com o governo britânico quanto com o Exército Continental, ou se contaria a verdade. Brant era o único comandante militar a quem essa verdade específica *podia* ser contada... o que não significava que fosse acreditar. Mas, apesar da esposa metade irlandesa e da educação universitária, ele ainda era um mohawk.

– A esposa de meu tio – disse Ian, observando as palavras saírem como pequenas nuvens de névoa branca. – Ela é uma *arennowa'nen*, mas é mais do que isso. Ela já andou com um fantasma dos kahnyen'kehaka e já viajou no tempo.

Thayendanegea virou a cabeça de modo tão abrupto quanto uma coruja em plena caça. Ian não tinha nada a esconder e não se deixou abalar. Após alguns instantes, Thayendanegea aquiesceu, embora os músculos de seus ombros não tivessem relaxado.

– A guerra – disse Ian sem rodeios. – O senhor até agora esteve do lado dos britânicos, e por bons motivos. Mas estamos dizendo que os americanos vão vencer. O senhor, é claro, decidirá o que é melhor para seu povo à luz dessa informação.

Os olhos escuros piscaram e um sorrisinho cínico surgiu nos lábios de Thayendanegea. Ian não insistiu, mas seguiu andando com tranquilidade. A neve rangia sob suas botas; estava ficando mais frio.

Ian levantou a cabeça farejando o ar. Apesar de estar limpo, captou uma sensação de mais neve, a débil vibração de uma tempestade distante. Mas o que sentiu na brisa foi cheiro de sangue.

– Ali! – falou entre dentes, agarrando a manga de Thayendanegea.

O carcaju havia desaparecido por alguns instantes. No entanto, enquanto prestavam atenção no ambiente, viram-no saltar de pedra em pedra, como água escorrendo morro acima, até parar em um ponto alto do qual ficou olhando para baixo com atenção.

Os dois homens não disseram nada, mas começaram a correr, soltando a respiração em uma correnteza branca.

O alce tinha caído de joelhos ao abrigo de um grupo de pinheiros escuros; o forte cheiro de sangue se misturava à terebintina das árvores e rodopiava à volta deles. Os lobos não demorariam a chegar.

Thayendanegea fez um gesto rápido para Ian seguir em frente. Aquilo não era uma questão de coragem nem de destreza, apenas de velocidade. O animal havia quebrado uma das patas traseiras, que despontava em um ângulo perturbador, o osso branco rachado exposto através do pelo, e a neve estava salpicada e respingada de sangue.

Por mais enfraquecido que estivesse, o alce levantou o peito da neve gelada e os ameaçou: era um jovem macho em seu primeiro inverno. Ótimo. A carne estaria razoavelmente macia.

Mesmo jovem e fraco, o animal era um alce adulto e muito perigoso. Ian descartou a possibilidade de cortar sua garganta e pôs fim a sua agonia com um tiro certeiro de mosquete entre os olhos. O alce soltou um grito estranho e oco e se balançou de um lado para outro com um olhar vazio até desabar no chão com um baque.

Thayendanegea aquiesceu uma vez, então se virou e gritou para o vazio atrás deles. Uns poucos homens os haviam acompanhado, mas tinham se separado a fim de caçar e os deixado a sós para conversarem. Provavelmente ainda deviam estar no raio de alcance de sua voz. Eles precisavam esquartejar a carcaça antes de os lobos aparecerem.

– Vá procurá-los – disse Thayendanegea para Ian enquanto sacava a faca. – Eu o degolo e mantenho o carcaju afastado. – Ele ergueu o queixo para indicar a rocha alta onde o animal continuava atento com seus olhos miúdos.

Quando Ian se virou para partir, ouviu Thayendanegea dizer, quase como se fosse um detalhe sem importância:

– O senhor dirá isso ao *sachem*.

Então pelo menos ele estava levando a sério. Isso causou em Ian uma satisfação pesarosa, mas não lhe deu esperanças.

Após percorrer 100 metros correndo, ouviu os estalos dos cascos de um animal de montaria e, ao fazer uma curva na trilha, viu-se cara a cara com alguém que devia ser Gabriel Hardman, montado em uma mula grande, de ossos largos e com um olhar rebelde. Ian deu um passo para trás, fora do alcance da boca do animal.

– Eu matei um alce – falou, sucinto, e apontou para trás com o polegar. – Vá ajudá-lo.

Hardman assentiu, hesitou por alguns instantes, como se quisesse dizer alguma coisa, mas estalou as rédeas no pescoço da mula.

Os homens voltaram juntos, carregados de carne e empolgados pelo frio e pelo sangue. Estavam na metade da manhã quando chegaram em casa. Rachel espiava pela janela da frente à espera deles. Ela deu um aceno e sumiu.

Ian viu Hardman sair do barracão, onde tinha ajudado a terminar de esquartejar o alce.

– Posso saber como estava viajando com minha… com Silvia e as… meninas? – começou Hardman, encarando-o. – Imagino que não soubesse que eu estava aqui, como Silvia pelo visto não sabia.

– Não. Eu vim visitar a mulher que já foi minha esposa – respondeu Ian. De nada adiantava guardar segredo: Canajoharie inteira já estaria sabendo naquela tarde, isso se já não soubesse. – Fiquei sabendo que ela e os filhos estavam em Osequa na ocasião do ataque e que o marido dela tinha sido morto… mas nenhum de meus amigos sabia sobre sua situação. Então pensei que o melhor fosse vir ver.

– De fato. – Gabriel Hardman o encarou com uma sobrancelha erguida.

– Eu agora tenho outra esposa – disse Ian, neutro, em resposta àquele sinal. – Ela veio comigo, assim como nosso filho.

– Foi o que soube – disse Hardman. – Ouvi dizer que ela é amiga?

– Sim, e ela me disse que os amigos não aprovam a poligamia – falou Ian. – Nunca tive a intenção de ser polígamo. Se tivesse, não a teria trazido.

Hardman o fitou com um olhar incisivo e deu uma risada curta.

– Então Silvia contou tudo. Por que ela está com você? Por que a trouxe até aqui?

Ian se deteve e encarou Hardman.

– Ela fez um grande favor a meu tio, que me mandou vir garantir seu bem-estar. Se quiser saber o estado em que encontrei ela e as filhas, posso contar. Seria bem feito para o senhor se contasse.

Hardman recuou como se tivesse levado um soco no peito.

– Eu… eu não podia… não *podia* voltar para a Filadélfia – disse ele, furioso. – Eu estava prisioneiro… escravo!

Ian não respondeu, mas olhou deliberadamente à sua volta: para a casa, para a mata e para a estrada aberta.

– Vou deixá-lo aqui. Vá com Deus – falou e se afastou.

87

NO QUAL RACHEL PINTA O ROSTO

Brant tinha visto Trabalha com as Mãos na noite anterior e dito a Ian que ela poderia receber sua visita na tarde daquele dia.

– Você vai comigo – disse Ian com firmeza para Rachel. – Você e o homenzinho, os dois. Eu vim ver se ela estava bem, não cortejá-la. O certo é minha família me acompanhar. Além do mais – emendou, abrindo um sorriso repentino –, não quero deixar você aqui sozinha atirando em latas com o *sachem* e imaginando que sou eu amarrado na árvore.

– E por que eu faria isso? – perguntou ela, disfarçando o sorriso. – O que deveria me deixar nervosa no fato de você visitar sua ex-esposa sozinho?

– Nada – respondeu ele e lhe deu um beijo de leve. – Foi exatamente o que eu quis dizer.

Rachel ficou feliz por ele querer que ela fosse. Na verdade, não estava nem um pouco nervosa em relação a conhecer aquela mulher que havia compartilhado a cama e o corpo de seu marido... e também um bom pedaço de sua alma, pelo que ele tinha contado sobre os filhos mortos.

Ah, pensou ela. *Quer dizer que devo chegar diante dessa mulher levando o lindo, grande e saudável filho de Ian. Ele quer que ela veja isso... e me envergonha admitir que também quero. Mas não é* certo *ela ver o que estou sentindo em meu íntimo. Eu não vim aqui triunfar sobre ela... nem fazê-la questionar a decisão de ter dispensado Ian.*

A consideração sobre o que usar na ocasião não era vaidade, garantiu a si mesma. Era um desejo de apresentar um aspecto... apropriado.

Ela possuía apenas dois vestidos; teria que ser o azul-índigo. Além disso...

Catherine a tinha levado para consultar o *sachem*, que escutara com atenção seu pedido e a encarara com o tipo de interesse que ela já tinha visto no rosto de Claire Fraser, e de Denny, aliás, quando confrontados com algum fenômeno médico – como um teratoma, um tumor oco cheio de dentes ou pelos. Mas o *sachem* tinha aquiescido e, com todo o cuidado, havia lhe mostrado como fabricar a pintura usando argila branca e um punhado de frutinhas escuras secas, pelo cheiro embebidas no que devia ser urina de cervo, depois moídas até virarem uma pasta azul e misturadas com um pouco da argila.

Catherine tinha observado o processo e, uma vez preparados os pigmentos e aprovados pelo *sachem*, levou Rachel até seu *boudoir* para ela poder usar o espelho de lá e aplicá-los com cuidado usando um pincel de pé de coelho.

Rachel havia penteado e prendido os cabelos para trás, depois pintado apenas a metade superior do rosto de branco, da linha dos cabelos até logo abaixo dos olhos, e abaixo disso, após pensar um pouco, feito uma faixa azul estreita que passava por cima do osso do nariz. Ian tinha lhe dito alguns meses antes, e Catherine Brant confirmou apesar de ter achado graça em sua intenção, que pintar o rosto de branco significava que a pessoa vinha em missão de paz e que o azul representava sabedoria e autoconfiança.

Rachel queria perguntar a Catherine se ela achava aquilo uma atitude sensata, mas não o havia feito. Sabia muito bem que não, mas a intenção da faixa azul era ser uma exortação para quem a visse, bem como para quem a estivesse usando.

– Mas isso *se faz*? – perguntou Rachel; já tinha perguntado antes e repetiu a pergunta apenas para ser tranquilizada. – Mulheres também pintam o rosto como os homens?

– Ah, sim – garantiu Catherine. – Não uma pintura de guerra, claro, mas para celebrar alguma ocasião... um casamento, a visita de um chefe, o Festival dos Morangos...

– Uma ocasião – disse Rachel em tom de certeza. – Sim, é isso.

– Impressionante – disse Catherine, espiando por cima do ombro de Rachel para ver seu reflexo pronto no espelho. – Com essas sobrancelhas e esses cílios escuros, seus olhos estão… surpreendentes. De um jeito positivo, com certeza – acrescentou depressa, dando alguns tapinhas no ombro de Rachel.

Wakyo'teyehsnonhsa tinha em suas terras uma casa de fazenda boa, apesar de modesta, e, assim como Thayendanegea, uma maloca indígena mais atrás, construída na orla da floresta, o que fazia a madeira, as peles e as correias de couro que sustentavam a estrutura parecerem se diluir entre as árvores.

Como um animal de grande porte à espreita de alguma coisa, pensou Rachel.

Ela os recebeu no quintal em frente à casa, convidando-os a entrar e lhes ofereceu leite e uísque com alguns biscoitinhos. Elogiou Oggy e, embora estranhasse a pintura de Rachel, a tratou com respeito e delicadeza, mesmo evitando olhar para ela.

Ela era *mesmo* muito bonita. Vestida no estilo mohawk, com camisa e calça feitas de pele de cervo macia, e enfeitada com uma dúzia de pequenos anéis de prata, miúda e ainda atraente apesar de ter dado à luz três filhos vivos e Yeksa'a, a filha natimorta de Ian. Rachel pensou que os dois deviam ter praticamente a mesma idade, embora Trabalha com as Mãos exibisse no rosto as marcas do clima e da tristeza. Seus olhos continuavam calorosos, porém, e vivazes, e ela cruzou olhares com Ian com frequência e sem pudor.

As crianças apareceram logo depois, levadas por uma mulher mais velha que sorriu para Ian. As duas mais novas, meninas de seus 2 e 4 anos, eram muito bonitas e tinham os mesmos olhos escuros suaves da mãe e rostos belos e sólidos que talvez se parecessem com o do falecido pai. Rachel evitou olhar com demasiada atenção para o menino mais velho, que devia ter uns 7 ou 8 anos, e resistiu com sucesso à tentação de comparar seu rosto com o de Ian.

Rachel notou que ele se parecia com as irmãs, mas não tanto quanto uma se parecia com a outra. Tinha um rosto vivaz, mais charmoso do que lindo, e os olhos não se pareciam com os da mãe. Eram escuros, mas com um brilho cor de mel que as meninas não tinham. Apesar de alto para a idade, era magro.

– Este é meu filho mais velho – disse Emily, apresentando as crianças com um sorriso de orgulho. – Nós o chamamos de Tòtis.

Tòtis olhou para os visitantes com curiosidade, mas pareceu principalmente interessado em Oggy e perguntou qual era seu nome, em inglês.

– Ele ainda não tem um nome de verdade – respondeu Ian, sorrindo para o menino. – Nós o batizamos em homenagem ao governador da Geórgia, um homem chamado Oglethorpe, até o nome de verdade dele surgir.

As crianças foram levadas embora e eles ficaram conversando enquanto comiam. Depois de comerem, Trabalha com as Mãos disse que precisava ir até a maloca alguns instantes… e convidou Ian para acompanhá-la, alegando que talvez fizesse muito tempo que ele não entrava em um lugar assim. Não disse nada sobre Rachel, deixando a seu critério decidir se ia também, mas Rachel aquiesceu com educação e disse que daria de mamar a Oggy e depois talvez fosse a seu encontro.

– Confesso que estou curiosa – falou, sorrindo para Trabalha com as Mãos. – Gostaria de ver o tipo de lugar que meu marido chamou de lar por tanto tempo.

Podia imaginar muito bem o motivo para Wakyo'teyehsnonhsa convidar Ian até a maloca. Aquele era o ambiente em que ele se sentira atraído por ela pela primeira vez, o lugar em que os dois moraram juntos. Esse pensamento fez seu coração bater mais depressa.

Pela primeira vez, ela se perguntou se Ian tinha querido que ela o acompanhasse como uma forma de proteção.

– Só Deus sabe – falou para Oggy enquanto abria o cordão do espartilho. – Mas vamos fazer o melhor que pudermos, não é?

Ian sentiu o cheiro bem antes de ela afastar a pele de urso pendurada no vão da porta da maloca. Fumaça e suor, um quê de urina e fezes. Mas principalmente o cheiro de fogo e de comida, de carne, milho e abóbora na brasa, um odor acre de cerveja… e o cheiro das peles de animais. Tinha dado o melhor de si para esquecer o toque frio do inverno em sua pele e o perfume almiscarado dela no meio das peles macias e quentes. Empurrou a lembrança de lado com facilidade e entrou. Mas o ar espesso o tocou e o seguiu escuridão adentro como a mão de alguém pousada de leve em suas costas.

A maloca era pequena, apenas duas fogueiras. Junto a uma delas, duas mulheres sentadas vigiavam umas panelas, enquanto três crianças pequenas brincavam nas sombras, e o choro de um bebê se interrompeu quando a mãe o levou ao seio.

O guincho fez os pelos de seu pescoço se arrepiarem por reflexo. Outra lembrança, e essa ele tinha *de fato* esquecido: as lágrimas silenciosas de Emily no escuro, depois da perda de cada um de seus bebês, quando escutava o choro dos recém-nascidos na maloca durante a noite. Mas Oggy era mais velho e gritava mais alto. Bem mais alto. Um menino forte, e pensar nisso o reconfortou.

Ela o conduziu até o compartimento em que dormia e se sentou na plataforma, indicando-lhe com um gesto para se sentar a seu lado, em frente à massa escura e macia das peles enroladas.

Estavam longe o suficiente das mulheres lá fora para não serem ouvidos. A menos que gritassem, mas Ian não achava que fosse chegar a tanto. Mas o brilho das fogueiras bastava para ele ver o rosto dela. Um lindo rosto: ainda jovem, mas sério, e obscurecido por algo que foi incapaz de nomear. Mas que o deixou pouco à vontade.

Ela passou vários instantes olhando para ele sem dizer nada.

– Não conhece mais esta pessoa? – perguntou ele baixinho em mohawk. – Esta pessoa é um desconhecido para você?

– Sim – respondeu ela, mas com a sombra de um sorriso. – Mas um desconhecido que acho que conheço. Você acha que conhece *esta* pessoa? – Ela tocou o seio com a mão, pálida e graciosa como uma mariposa na semiescuridão.

– Wakyo'teyehsnonhsa – sussurrou ele, segurando a mão dela. – Eu sempre conheceria o trabalho de suas mãos.

Era grosseria perguntar a uma pessoa o que ela estava pensando, a não ser no caso de homens planejando uma guerra ou uma caçada, e ele pousou a mão dela sobre seu joelho e aguardou, paciente, enquanto ela organizava os pensamentos ou tomava coragem.

– A questão, Okwaho, iahtahtehkonah, é que esta pessoa vai se casar com John Whitewater – disse ela por fim, usando seu nome formal. – Na primavera.

Bem, então era isso. Ela já tinha levado Whitewater para a cama: era possível sentir um fedor masculino nas peles atrás dele. Aquilo despertou nele uma pontada absurda de ciúme, seguida por culpa ao pensar em Rachel, e ele se perguntou por um instante por que seria pior agora que ele sabia o nome do homem.

– Esta pessoa deseja a você felicidade e saúde – falou Ian. Foi uma afirmação formal, mas ele estava sendo sincero e deixou esse fato transparecer. Ela sorveu uma inspiração, relaxou um pouco, então lhe sorriu de volta: um sorriso genuíno, que reconhecia o que tinha havido de verdadeiro entre os dois e demonstrava pesar por aquilo que não podia mais ser.

Ela estendeu a mão por impulso e ele a segurou, beijou-a… e a devolveu.

– A questão… – repetiu ela, e o sorriso adquiriu um tom de seriedade – … é que John Whitewater é um homem bom, mas ele sonhou com meu filho.

– Com Tòtis? O que ele sonhou? – Estava claro que os sonhos não eram bons.

– Ele sonhou que, em uma noite de lua cheia, haverá um menino em pé ali… – Ela ergueu o queixo para indicar a entrada de seu compartimento de dormir. – Na contraluz do luar que entra pelo buraco da chaminé, e o rosto do menino não aparece, mas claramente é Tòtis. Esperando. Ele sonhou que o menino aparecia noite após noite, que a luz ia ficando mais forte atrás dele, e o menino, maior. E John Whitewater sabe que, quando a lua ficar cheia, um homem que é meu filho vai matá-lo.

– Bem, isso não é um sonho bom, não mesmo – disse Ian em inglês. – Você mesma não sonhou isso?

Emily fez uma careta e balançou a cabeça, e a sensação que palpitava na coluna vertebral de Ian se acalmou. Ele não perguntou se ela acreditava que Whitewater tivesse de fato sonhado isso; estava claro que sim. Mas, se ela estivesse sonhando a mesma coisa, seria muito sério.

– Não compartilhei desse sonho – respondeu ela, tão baixo que Ian mal a escutou.

– Mas quando ele me contou… na noite seguinte, também tive um sonho. Sonhei que ele matava Tòtis. Quebrava o pescoço de meu filho como se fosse o de um coelho.

A sensação saltou da coluna direto para a garganta de Ian, o que foi uma coisa boa, aliás, pois o impediu de falar.

– Esse sonho aconteceu duas vezes, e esta pessoa rezou – disse ela, voltando a falar kahnyen'kehaka. – Esta pessoa rezou… – repetiu ela, erguendo os olhos para seu rosto. – E você está aqui.

Ele ficou surpreso por não estar chocado. Mais Veloz dos Lagartos contara que a velha Tewaktenyonh tinha dito *a ele* que Tòtis era filho do espírito de Ian. Obviamente ela devia ter dito a mesma coisa a Wakyo'teyehsnonhsa… ou então Emily havia contado à velha mulher.

– Achei que teria que mandar meu filho para ficar com minha irmã em Albany – disse ela. – Mas ela não tem marido e tem três filhos para alimentar. E eu me preocupo. As coisas estão muito perigosas. Thayendanegea diz que a guerra vai acabar em breve, mas a esposa dele diz que não acredita nisso.

– A esposa dele tem razão. – Os dois sussurravam agora, embora Ian pudesse ouvir os murmúrios das mulheres conversando no extremo da casa. – A esposa de meu tio é… – Havia palavras para magia e previsão do futuro, como as que ele tinha usado com Thayendanegea, mas nenhuma lhe pareceu adequada naquele momento. – Ela sabe o que vai acontecer. Foi por isso que vim: encontrei Olha para a Lua e Caça como um Carcaju no lugar onde moro, e eles me contaram sobre o massacre em Osequa e a morte de seu marido. Não sabiam se você continuava com o povo de Thayendanegea nem como estavam seus filhos. Então eu vim conferir – concluiu ele com simplicidade.

Não se deu conta de que Emily vinha prendendo a respiração até soltá-la em um suspiro longo e profundo.

– Obrigada – disse ela. – Agora que sabe… vai levar Tòtis?

– Vou. – Ele falou sem hesitar, ao mesmo tempo que se perguntava como iria contar para Rachel.

O alívio de Emily o tocou e ela pegou sua mão e a apertou contra o peito.

– Se sua esposa não quiser o menino no fogo dela… – falou, e um viés de ansiedade tornou a se insinuar em sua voz – … você pode encontrar uma mulher para cuidar dele?

Isso acontecia às vezes: se a esposa de um homem morresse e ele se casasse com alguém que não se desse bem com seus filhos, ele procurava por toda parte até encontrar uma mulher que aceitasse ser sua segunda esposa ou, caso fosse casada, que cuidasse de seus filhos em troca de carne e peles.

– Talvez sua mãe? – disse Emily, e a esperança se misturou à dúvida em sua voz.

– Nem minha esposa nem minha mãe deixariam uma criança passar fome – garantiu Ian, embora sua imaginação fosse incapaz de conceber o que qualquer uma das duas diria.

Ele apertou a mão dela de leve e a soltou. Já sabia que não conseguia explicar Emily para Rachel; agora se dava conta de que tampouco jamais conseguiria explicar Rachel para Emily e sorriu com ironia para si mesmo.

– Minha esposa é amiga, sabe? E pinta o rosto com sabedoria.

– Eu tenho um pouco de medo dela – disse Emily, sincera. – Você vai... pedir a ela... agora?

– Venha comigo – disse ele e se levantou. Foi só depois que saíram para a luz fraca da neve e da neblina que algo lhe ocorreu.

– Emily, você disse que rezou – falou Ian, e ela piscou ao ouvir o som do nome pelo qual a chamava. – Para quem estava rezando?

Perguntou por curiosidade: alguns mohawks eram cristãos e podiam rezar para Jesus ou Nossa Senhora, mas ela nunca fora cristã, nem mesmo quando a conhecera.

– Para todo mundo – respondeu ela apenas. – Torci para alguém escutar.

Quando afastaram a pele que cobria o vão da porta, Ian viu Rachel andando em direção à maloca com Oggy, e Emily na mesma hora foi até ela e a convidou para entrar.

Rachel se deteve por um instante e piscou para o espaço escuro. Então buscou Ian e viu o que queria no rosto dele, pois sorriu. O sorriso diminuiu quando ela se virou para Emily, mas ainda perdurou. Por fim, desapareceu quando Ian contou a situação de Tòtis.

Ele a viu engolir a saliva e a imaginou recorrendo à sua luz interior.

– Sim, claro – disse a Emily e se virou para o menino com um olhar caloroso. – Ele será sempre seu filho, e fico honrada que seja meu também. Certamente lhe darei de comer em minha casa... tanto quanto quiser, sempre.

Ian não tinha reparado que Rachel estava com a barriga contraída até senti-la relaxar e inspirar bem fundo. Tòtis vinha encarando Rachel com um ar curioso, mas sem medo. Olhou rapidamente para a mãe, que aquiesceu, então foi até Rachel, segurou sua mão e deu um beijo na palma.

– Ah – disse Rachel suavemente e afagou a cabeça do menino.

– Tòtis – disse Emily, e o menino se virou e foi até ela. Deu-lhe um abraço apertado e beijou sua cabeça, e Ian viu o brilho das lágrimas que só derramaria quando o filho tivesse realmente ido embora. – Dê a ele agora – sussurrou ela em mohawk e ergueu o queixo na direção de Ian.

Ian estivera entretido demais na conversa para reparar nos objetos que ocupavam o recinto, com exceção das peles de dormir e das lembranças dos dois. Quando Tòtis assentiu e saiu correndo na direção de um grande cesto no canto do compartimento, parcialmente escondido pela prateleira, ele teve uma súbita ideia do que este poderia conter.

– Acorde! – disse Tòtis, empurrando a tampa para abrir o cesto e se inclinando lá para dentro.

Batidas suaves vieram das profundezas, e o ruído longo e semelhante ao rangido de um bocejo. Tòtis então se levantou segurando nos braços um filhote de cachorro grande cinza e peludo, e com a boca aberta em um sorriso ao qual faltavam dois dentes.

– Um dos muitos netos de seu lobo, Okwaho, iahtahtehkonah – disse Emily com um sorriso parecido com o do filho. – Achamos que você devesse ter alguém para segui-lo outra vez. Vamos – falou, incentivando o menino. – Dê a ele.

Ainda sorrindo, Tòtis ergueu os olhos para Ian. Quando ele se aproximou, porém, virou-se e estendeu o filhote para Oggy.

– Ele é seu, meu irmão.

Tinha falado em mohawk, mas Oggy entendeu o gesto e guinchou de alegria enquanto debruçava metade do corpo para fora do colo de Rachel na ânsia de tocar o cachorro. Ian o pegou e se sentou no chão com ele, e Tòtis soltou o filhote. O animal pulou em cima de Oggy e começou a pisar nele de leve com as patas enquanto lambia seu rosto e abanava o rabo, tudo ao mesmo tempo. Oggy não chorou, mas riu e chutou com as perninhas, e soltou gritinhos à luz das fogueiras. Tòtis não resistiu e se juntou à farra, rindo e empurrando.

Por um instante, Emily ficou impassível. No entanto, quando Ian falou "Obrigado, menina", tornou a sorrir.

– Então – disse ela. – Você batizou meu filho para mim; deixe-me fazer o mesmo com o seu. – Ela falou em tom grave, em inglês, e olhou do rosto de Ian para o de Rachel e novamente para o de Ian.

Ele sentiu Rachel se retesar e temeu que aquilo talvez fosse demais para a luz interior. A tinta azul tinha começado a desbotar com o suor que escorria no calor da maloca e espalhava por suas faces pequenos caules e gotas azuis que pareciam brotos de trepadeira. Sua boca se abriu, mas ela não pareceu capaz de formar palavras. Ian viu seus ombros se endireitarem, porém, e ela assentiu para Emily.

– O nome dele será Hunter – disse ela, voltando-se séria para Oggy. – Caçador.

– Ah – murmurou Rachel e seu sorriso desabrochou devagar por entre as trepadeiras.

88

NO QUAL AS COISAS NÃO FAZEM SENTIDO

Para alívio de Rachel, Ian recusou o convite para passar a noite na maloca. Ele apertou sua mão e, quando ninguém estava olhando, levou-a aos lábios.

– *Tapadh leat, mo bhean, mo ghaol* – sussurrou ele.

Aquele pouco de gaélico ela conhecia e seu rosto, um pouco tenso sob as riscas azuis e brancas, relaxou e voltou à sua beleza normal.

Ela apertou a mão dele de volta e sussurrou:

– Hunter James... e seja lá como se diga "pequeno lobo" em mohawk.

– Ohstòn'ha Ohkwàho – disse ele. – Feito.

Ele se virou para fazer suas despedidas.

Tòtis ficaria com a mãe até os Murrays partirem na viagem de volta para a Cordilheira. Assim, apenas os três voltaram para a casa de Joseph Brant a bordo da carroça em meio à escuridão silenciosa e fria. A tempestade da manhã tinha passado, e a pouca neve, derretido; a lua lançava luz suficiente para tornar a estrada lamacenta visível à sua frente.

Ele lhe agradeceu mais uma vez por ter concordado em levar Tòtis, mas ela balançou a cabeça.

– Eu cresci órfã na casa de pessoas que me abrigaram por dever, não por amor. E, embora tenha tido Denzell durante alguns desses anos, meu maior desejo era ter uma família grande, uma família que fosse minha. Ainda quero isso. Além do mais, como poderia não amá-lo? – acrescentou ela casualmente. – Ele se parece com você. Tem um lenço limpo? Acho que minha pintura está escorrendo pelo pescoço.

A casa tinha um aspecto acolhedor, com todas as janelas iluminadas e a chaminé cuspindo faíscas.

– Acha que Silvia e as filhas já chegaram? – perguntou Rachel. – Tinha me esquecido delas.

Ian sentiu o coração dar um tranco. Ele também as havia esquecido.

– Sim, já – disse ele. – Mas a casa continua em pé. Suponho que seja um bom sinal.

Todos pareciam estar nos fundos da casa. Ao longe, era possível ouvir conversas e risadas, e o cheiro do jantar dominava o ar, mas apenas a criada estava visível.

Rachel implorou a Ian que desculpasse sua ausência no jantar. Tudo que ela queria naquele momento era descansar depois de dar de mamar a Oggy, que, após ter dormido o caminho de volta inteiro em seu colo, feito um pequeno e pesado tronco de madeira, agora dava sinais de vida.

– Vou pedir à cozinheira que mande um lanchinho, que tal? Sinto cheiro de salmão e cogumelos na brasa.

– Cogumelos só têm cheiro se estiverem bem debaixo do nariz – disse ela com um bocejo. – Mas sim, por favor.

Ela desapareceu no primeiro andar e Ian se virou para anunciar sua chegada. Ao fazê-lo, porém, ouviu passos no patamar de cima e, quando se virou, viu Silvia acompanhada por Prudence e Patience, as meninas reluzindo de tão limpas e com os cabelos trançados sob as toucas.

– Olá, amigas – falou, sorrindo para as meninas.

Elas lhe desejaram boa-noite, mas evidentemente estavam um pouco agitadas, e a mãe também.

– Posso ajudar? – indagou ele baixinho quando Silvia desceu e se aproximou. Ela fez que não com a cabeça e ele viu que estava tensa como a corda de um pião.

– Estamos bem – disse Silvia, mas sua garganta se moveu quando engoliu em seco e ela continuou a segurar com força uma das dobras da saia. – Nós… vamos encontrar Gabriel. Na sala.

Patience e Prudence se esforçavam para manter algum decoro, mas as duas fervilhavam com um misto de entusiasmo e apreensão.

– Ah, é? – disse Ian. Olhou para Silvia antes de fazer a pergunta em voz baixa: – Você falou com elas?

Ela aquiesceu e levou a mão à touca para se certificar de que estava no lugar.

– Disse a elas o que aconteceu com o pai e como ele veio parar aqui – falou. Seu lábio superior avantajado apertou com força o inferior por alguns instantes. – Expliquei que ele vai contar… todo o resto.

Ou talvez não, pensou Ian, mas se curvou diante das três enquanto as direcionava para a sala. Uma risadinha escapou da boca de Prudence e ela a tapou com a mão.

Para surpresa de Ian, Silvia abriu a porta da sala e acenou para as meninas entrarem, mas logo a fechou atrás delas. Apoiou-se na parede ao lado da porta, com o rosto mortalmente pálido e os olhos fechados. Ele achou melhor não deixá-la sozinha. Apoiou-se na parede, cruzou os braços e aguardou.

– Papai? – disse uma das meninas dentro da sala, quase em um sussurro. Sua irmã repetiu mais alto "Papai" e então as duas gritaram ao mesmo tempo.

– *Papai, papai, papai!* – Ouviram-se sons de passos correndo por um piso de madeira e as pernas de uma cadeira se arrastando quando corpos bateram nela.

– Prudie! – A voz de Gabriel saiu engasgada, tomada de alegria. – Pattie! Ah, minhas queridas. Ah, minhas meninas queridas!

– Papai, papai! – Elas não paravam de dizer, interrompendo com suas exclamações as perguntas e observações parcialmente formuladas pela outra, e Gabriel ficou repetindo os nomes das duas várias vezes, como um feitiço contra seu desaparecimento. Todos choravam.

– Eu senti tanta saudade de vocês – disse ele com a voz rouca. – Ah, minhas bebezinhas. Minhas lindas bebezinhas amadas!

Silvia também chorava, em silêncio, pressionando a boca com um lenço branco embolado. Ela fez um gesto para Ian e ele segurou seu braço e a ajudou a atravessar o hall, pois ela caminhava como se estivesse bêbada, trombando nele e nas paredes. Quis sair da casa e ele pegou uma capa no gancho junto à porta e apressadamente a enrolou nela enquanto a guiava para fazê-la descer os degraus de madeira.

Levou-a até a árvore que sua mãe e o *sachem* tinham usado para seu treino de tiro, observando de modo distraído que um deles ou alguém havia tornado a atirar ali, pois o canto rasgado de um lenço de fino algodão cor-de-rosa esvoaçava cravado em um prego, com as bordas inferiores rasgadas e chamuscadas de marrom. Mas havia um banco ali e ele sentou Silvia e se acomodou a seu lado, tocando o ombro dela com o seu enquanto o pranto a sacudia.

Dali a alguns minutos ela parou e ficou sentada sem se mexer, torcendo nas mãos o lenço molhado.

– Fico tentando pensar em um jeito – falou, com a voz pastosa. – Mas não consigo.

– Um jeito de…? – começou ele com cautela. – Deixar as meninas ficarem com o pai?

Ela assentiu devagar. Tinha os olhos cravados no chão, onde a neve fina fora pisoteada, deixando uma maçaroca feita de terra, neve e poças d'água parcialmente congeladas.

– Mas não consigo – repetiu ela e assoou o nariz. Ian não gostou da visão dolorosa do lenço úmido encostado no nariz vermelho e irritado, e lhe passou o que tinha na manga, seco, apesar de sujo de tinta. – Duas de minhas filhas são dele… mas eu tenho três. Mesmo se…

Ian fez um breve ruído na garganta e ela o encarou com um olhar incisivo.

– O quê?

– Tenho certeza de que ele mesmo teria lhe contado, se estivessem se falando – disse Ian. – Mas Thayendanegea me disse hoje de manhã que ele tem dois filhos pequenos com a mulher que… ahn…

Ela teria descoberto de toda forma, argumentou ele em silêncio. Mesmo assim, continuou se sentindo culpado, sentimento em nada melhorado pela expressão de pura traição no rosto dela.

– Xingar alguém em voz alta ajuda? – perguntou ela por fim.

– Bom… sim. Ajuda um pouco. Mas você não conhece nenhum xingamento, conhece?

Ela enrugou a testa enquanto refletia.

– Conheço algumas palavras – falou. – Os homens que… que iam à minha casa muitas vezes diziam coisas extravagantes, sobretudo quando levavam bebida ou… ou quando havia mais de um e eles… brigavam.

– *Mac na galladh* – murmurou ele.

– Isso é um xingamento escocês? – perguntou ela e se sentou mais ereta, ainda com o lenço torcido nas mãos. – Talvez eu ache mais fácil dizer palavras feias em outra língua.

– Não, os xingamentos em *gàidhlig* são diferentes. Eles são… bom, nós criamos um xingamento específico para a ocasião, por assim dizer. Na verdade, *temos* palavras feias, mas o que dizemos pode ser algo como: "Que vermes se criem em sua barriga e sufoquem você quando saírem." Não ficou muito bom – disse ele em tom de quem se desculpa. – São coisas improvisadas, entende? Tio Jamie é capaz de xingar de um jeito que arrepia os cabelos sem o menor esforço, mas eu não sou tão bom assim.

Ela produziu um som de *hã* que não se pareceu com uma risada, mas que tampouco foi um choro.

– O que foi que você disse, então? – perguntou ela após alguns instantes calada. – Em gaélico?

– Ah, *mac na galladh*? Significa apenas "filho da mãe", algo que podemos dizer quando não conseguimos pensar em nada melhor para falar e precisamos dizer alguma coisa ou vamos explodir.

– *Mac na galladh*, então – disse ela e se calou. – Não precisa ficar comigo – acrescentou alguns segundos depois.

– Não seja boba – retrucou ele em tom afável, e eles passaram algum tempo sentados juntos. Até a porta dos fundos se abrir e a forma de um homem de muleta se destacar por um instante na contraluz. A porta se fechou e Ian ficou em pé. – Que Deus a abençoe, Silvia – falou suavemente e apertou seu ombro de leve em uma despedida.

Ele não foi longe, claro. Só até as sombras debaixo de um lariço próximo.

– Silvia? – chamou Gabriel, espiando a escuridão. – Você está aí? O sr. Brant disse que tinha saído.

– Estou aqui – disse ela. Falou em tom perfeitamente neutro e Ian pensou que devia ter lhe custado bastante falar assim.

O marido percorreu mancando a lama coberta de feno até a árvore que servia de alvo e se abaixou para encará-la nas sombras.

– Posso me sentar? – indagou.

– Não – respondeu ela. – Diga o que precisa dizer.

Ele fez um muxoxo curto, mas pousou a muleta no chão e se endireitou.

– Pois bem. Quero que as meninas fiquem aqui. Elas também querem isso – acrescentou depois de uma pausa.

– É claro que elas querem – disse Silvia com uma voz sem entonação. – Elas amavam você. Ainda amam você. Você disse que tornou a se casar e que tem outra família?

Fez-se um silêncio. Depois de alguns instantes, ela riu, amargurada.

– E disse que não quer nem ouvir falar na irmã delas? Ou por acaso mudou de ideia em relação a Chastity?

– Você mudou de ideia em relação a *nosso* casamento? Como eu disse, posso ter duas esposas. Talvez você pudesse encontrar um lugar aqui perto, onde poderia morar com… com a menina, e Prudence e Patience poderiam visitá-la. E eu, claro – acrescentou ele.

– Eu não mudei de ideia – disse ela com uma voz fria como a noite. – Não vou ser sua concubina nem vou deixar Patience e Prudence ficarem aqui.

– Eu estou longe de ser rico, mas posso… *vou* conseguir dar conta da despesa – começou ele, mas ela o cortou ao se levantar com um pulo, agora visível à luz débil que vinha da casa.

– Que se dane a "despesa" – falou, enfurecida. – Depois do que disse, espera que eu...

– O que foi que eu disse? – Ele exigiu saber. – Se eu falei quando estava em choque...

– Você disse que eu era uma prostituta.

– Não usei essa palavra!

– Nem precisou! Sua intenção ficou bem clara.

– Eu não quis dizer... – começou Gabriel, e ela se virou para ele com os olhos em brasa.

– Ah, mas quis, *sim*. E diga o que for, ainda assim quis dizer o que disse. Se eu me deitasse em sua cama, você iria murchar de tanto pensar nos homens que vieram antes e ficaria consumido por mais raiva ainda de mim por causar sua desgraça.

Ela soltou o ar pelo nariz e suas narinas de repente exalaram vapor.

– E ficaria pensando se esses homens eram melhores do que você. Preocupado se eu estaria pensando em alguns deles quando tocava seu corpo, se o achava fraco e repulsivo. Eu *conheço* você, Gabriel Hardman, e a esta altura sei bastante sobre outros homens também. E você se atreve... se *atreve!* – Ela agora gritava e com certeza podia ser ouvida do barracão. – Você se atreve a me dizer que é de Deus e aceitável levar mais de uma mulher para a cama, só porque mora com gente que faz essas coisas!

Apesar de lívido de raiva, Gabriel conseguiu se controlar. Ele queria as filhas.

– Peço desculpas pelo que falei – disse ele entre dentes. – Eu falei quando estava em choque. Como pode me culpar por falar sem pensar?

– Você não falou sem pensar quando disse que iria tirar Prudence e Patience de mim – retrucou ela.

– Eu sou o pai delas e *vou* ficar com elas!

– Não vai, não – disse ela em tom neutro e se virou para a árvore de Ian. – Vai?

Ian saiu de trás da árvore.

– Não – disse ele com voz branda. – Não vai.

Gabriel umedeceu os lábios e bufou um grande suspiro branco.

– O que vamos fazer então, Silvia? – perguntou, lutando para manter a calma. – Você sabe que as meninas querem ficar comigo tanto quanto eu quero ficar com elas. Pense o que quiser do que fiz, mas como pode ser tão sem coração a ponto de tirá-las de mim?

– Com relação a você, imagino que seus *outros* filhos vão reconfortá-lo – respondeu Silvia no tom mais maldoso que Ian jamais havia escutado sair de sua boca. Esfregou a mão no rosto com força, também lutando para manter a calma. – Mas nisso você tem razão. Eu sei quanto elas o amam, e nunca vou dizer nada às duas que prejudique esse sentimento. Mas acho que você deveria contar a elas sobre seus filhos. Isso elas vão entender. Só que elas vão entender por que você escondeu a verdade. Mais cedo ou mais tarde, elas saberão de tudo. E não será por mim.

Gabriel também tinha se movido até a luz arrastando o pé coxo. Havia adotado um aspecto esquisito e manchado, como uma velha bétula cujo tronco está descascando.

– Não vou deixá-las aqui – disse Silvia depois de recuperar certo controle das próprias emoções. – Mas vou escrever para você quando tivermos encontrado um lar e você poderá visitá-las. Eu as ajudarei a escrever e talvez elas possam voltar aqui para vê-lo, se for seguro. – Ela endireitou as costas e alisou o vestido. – Eu perdoo você, Gabriel – falou baixinho. – Mas nunca mais serei sua esposa.

89

A FIAÇÃO

Savannah
30 de setembro de 1779

Alfred Brumby não parecia um contrabandista, ou pelo menos não correspondia à ideia que Brianna fazia de um. Por outro lado, ela era obrigada a admitir que seus únicos conhecidos considerados contrabandistas profissionais eram seu pai e Fergus. O sr. Brumby era um cavalheiro de estatura mediana, dono de um físico sólido e vestido com roupas esplêndidas. No instante em que lhe foi apresentado, ele havia inclinado a cabeça para trás, protegendo os olhos do sol mas mantendo-os direcionados para ela, em seguida rira e se curvara em sinal de respeito.

– Posso ver que lorde John conhece o valor de um bom artista – dissera sorrindo. – A senhora cobra sua comissão por centímetro? Se a resposta for sim, talvez eu seja obrigado a vender minha carruagem.

– Eu cobro por centímetro, sim, senhor – respondera ela com educação, inclinando a cabeça para sua minúscula esposa. – Mas a base seria o tamanho do quadro, não da artista.

Ele tinha rido a valer, assim como sua mui jovem esposa. *Meu Deus*, tinha pensado Brianna. *Ela mal tem 18 anos!* Brumby então se virara para Roger, apertara-lhe a mão e puxara uma conversa animada com ele, enquanto a esposa Angelina se ajoelhava no chão, sem se importar com o vestido elegante, para conversar com Mandy e Jem. Em seguida ela se levantou depressa e os convidou para conhecer o estúdio da mãe.

O hospitaleiro sr. Brumby concordou que os MacKenzies ficariam morando em sua casa enquanto Brianna pintava o retrato de sua esposa e seriam tratados como membros da família. Quando chegou a hora do jantar, todos já estavam acomodados no lar dos Brumbys, um lar grande e alegre, com muitos empregados, uma excelente cozinheira, e Henrike, uma gorda e muito competente criada alemã que tinha sido ama-seca de Angelina e insistira em acompanhá-la após o casamento com o sr. Brumby.

– E como pretende ocupar seu tempo, sr. MacKenzie, enquanto sua esposa estiver ocupada pintando? – indagou o sr. Brumby enquanto saboreavam um delicioso assado de carne de porco com molho de maçã ao conhaque.

– Tenho diversas incumbências a cumprir, senhor – respondeu Roger. – Em nome do Presbitério de Charles Town, que me confiou várias cartas para entregar… além de algumas tarefas a executar para meu sogro, o coronel Fraser.

– Ah, sim. – Os olhos do sr. Brumby se iluminaram atrás dos óculos. – Já ouvi falar no coronel Fraser… Bem, quem *não* ouviu? Só não sabia que ele fabricava uísque dessa qualidade.

Ele indicou com a cabeça a garrafa que Roger tinha lhe dado de presente antes do jantar. Brumby a levara para a mesa e tomava golinhos em uma caneca de prata que o mordomo ia reabastecendo com frequência ao longo da refeição.

– Se ele estiver interessado em vender para um mercado maior… – sugeriu Brumby.

Roger sorriu e garantiu ao sr. Brumby que Jamie só fabricava uísque para uso pessoal, o que fez seu anfitrião rir alto e lhe dar uma piscadela exagerada enquanto levava um dedo à lateral do nariz.

– Muito sensato, muito sensato mesmo – disse ele. – Com as taxas alfandegárias e os tributos internos como estão, não valeria a pena vender comercialmente a não ser por um preço extorsivo… o que apresenta certas dificuldades, é claro.

Brianna apreciou o jantar e ficou encantada com a casa, construída por um arquiteto de talento. Mas estava ficando cansada de tanto menear a cabeça alternadamente para o senhor e a senhora Brumby. Ambos falavam sem parar e com frequência ao mesmo tempo. Assim, aproveitando a chegada dos charutos e do conhaque para os cavalheiros, ela se levantou e pediu licença para verificar se as crianças ainda estavam onde as havia deixado.

Jem e Mandy tinham sido acomodados em camas de armar montadas no espaçoso quarto de vestir contíguo ao muito bem ajeitado quarto de hóspedes atribuído ao casal MacKenzie. Quando ela os espiou, estavam limpos e dormindo a sono solto, após terem sido alimentados mais cedo pela sra. Upton, a cozinheira.

– Eu bem que poderia me acostumar com isso – disse Roger ao entrar mais tarde, bocejando enquanto tirava o casaco. – Nem parece que há um cerco armado acontecendo lá fora, não é?

A casa dos Brumbys ficava na Reynolds Square, de frente para a fiação onde se criavam bichos-da-seda. A profusão de árvores, entre elas o grande arvoredo de amoreiras-brancas necessárias para a dieta dos bichos em questão, dava à praça uma sensação de abrigo e paz pastoral.

– Você está checando o calendário, não está? – Bree vestiu sua combinação de dormir, notando pelo cheiro que deveria falar com a lavadeira dos Brumbys no dia seguinte. – Quantos dias faltam para as portas do inferno se abrirem?

– Menos de três semanas – respondeu ele em tom mais sério. – Seu pai não deu muitos detalhes sobre a batalha, mas sabemos que os americanos vão perder. O cerco vai acabar no dia 11 de outubro.

– E você vai estar aqui, seguro dentro de casa, certo? – Ela ergueu as sobrancelhas e ele sorriu e segurou sua mão.

– Vou – falou e beijou a mão de Brianna.

90

A RAPOSA DO PÂNTANO

Savannah
8 de outubro de 1779

Roger tinha se arrumado para seus compromissos. Por sorte, o mesmo terno de lã preta, casaco longo e botões de estanho iria servir para os dois, já que era o único que possuía. Brianna lhe havia trançado e prendido os cabelos em um penteado austero e ele estava barbeado tão rente que a pele do maxilar chegava a arder. Um colarinho branco alto em volta do pescoço completava o traje de um clérigo respeitável, ou assim ele esperava. Os sentinelas britânicos na barricada da White Bluff Road não tinham lhe dedicado mais do que um olhar desinteressado antes de mandá-lo seguir com um gesto. Só lhe restava torcer para os sentinelas americanos do lado de fora da cidade sentirem a mesma falta de curiosidade por pastores.

Ele percorreu uma boa distância a cavalo após sair da cidade antes de virar para leste e começar a dar meia-volta em direção às linhas do cerco americano, e foi logo depois do meio-dia que os avistou.

Apesar de rústico, o acampamento americano era organizado: cerca de meio hectare de barracas de lona esvoaçando ao vento como gaivotas aprisionadas, e os navios de guerra franceses extraordinariamente grandes visíveis no rio mais além, dos quais de vez em quando uma salva de tiros de canhão jorrava em labaredas de fogo, liberando imensas nuvens de fumaça branca que saíam flutuando rente aos pântanos com nuvens esparsas de gaivotas e ostraceiros assustados com o barulho.

Havia piquetes posicionados entre os arbustos de *yaupon* e um dos sentinelas se levantou feito um joão-bobo e apontou um mosquete para Roger de modo profissional.

– Alto lá!

Roger puxou as rédeas e ergueu seu bastão com o lenço branco amarrado na ponta. Sentiu-se um tolo, mas deu certo. O sentinela assobiou entre dentes para chamar um colega, que se levantou ali perto e, respondendo a um meneio de cabeça do primeiro, adiantou-se para segurar o cabresto de Dundee.

– Qual é seu nome e o que o senhor deseja? – O homem exigiu saber, semicerrando os olhos para Roger.

Usava a calça e a camisa de caçar de todo dia de um morador das florestas do interior, mas botas militares e um estranho quepe de uniforme no formato de uma mitra episcopal amassada. Uma plaquinha de cobre em seu colarinho informava *Sargento Bradford.*

– Meu nome é Roger MacKenzie. Sou pastor presbiteriano e trouxe para o general Lincoln uma carta do general James Fraser, que lutou sob o comando do general Washington em Monmouth.

As sobrancelhas do sargento se ergueram até desaparecer debaixo do chapéu.

– General Fraser – disse ele. – Monmouth? O sujeito que abandonou as tropas para cuidar da esposa?

A frase foi dita em tom zombeteiro e Roger sentiu as palavras como um soco no estômago. Tinha sido dramática, é bem verdade, mas então era assim que a renúncia de Jamie era vista no Exército Continental! Diante dessa constatação, ele começou a achar que sua missão talvez fosse um pouco mais delicada do que imaginara.

– O general Fraser é meu sogro, sargento – respondeu Roger em tom neutro. – Um homem honrado… e um soldado valoroso.

A expressão de desdém não chegou a desaparecer do rosto de Bradford, mas se moderou até virar um curto meneio de cabeça e ele virou as costas ao mesmo tempo que fazia um movimento com o queixo indicando que Roger podia segui-lo se assim desejasse.

A barraca do general Lincoln era de lona verde, grande, porém gasta, com um mastro na frente em que as listras vermelhas e brancas da bandeira colonial americana tremulavam ao vento que soprava do rio. O sargento Bradford resmungou alguma coisa para o guarda na entrada e se afastou de Roger com mais um breve meneio de cabeça.

– Reverendo MacKenzie, é isso? – disse o guarda, olhando-o de cima a baixo com uma expressão cética. – E uma carta do general Fraser, se bem entendi?

Meu Deus. Será que Jamie sabia o que diziam a seu respeito? Roger recordou o instante de hesitação do sogro ao lhe entregar a carta. Talvez ele soubesse.

– Sou, e o senhor entendeu bem, sim – respondeu Roger com firmeza. – O general Lincoln pode me receber?

Sua intenção era deixar a carta e voltar para buscar a resposta, se houvesse uma, depois de conversar com Francis Marion, mas então pensou que seria melhor descobrir se Benjamin Lincoln compartilhava aquela visão negativa das ações de Jamie.

– Espere aqui.

O soldado, um regular do Exército Continental usando um uniforme de cabo, abaixou-se para passar pela porta de lona da barraca, que manteve fechada por causa da brisa gelada. Pela fresta que se abriu por um instante Roger entreviu um homem grande, de uniforme, encolhido em cima de um catre, com as largas costas azuis viradas para a porta. O débil zumbido de um ronco chegou aos ouvidos de Roger, mas pelo visto o cabo não estava com a menor intenção de acordar o general e dali a um minuto reapareceu, tendo aguardado esse tempo em nome da plausibilidade, supôs Roger.

– Infelizmente o general está ocupado no momento, senhor...?

– Reverendo – repetiu Roger com firmeza. – Reverendo Roger MacKenzie. Já que o general Lincoln não está disponível, será que eu poderia falar com... – *Merda, qual é mesmo a patente de Marion agora?* – Com o capitão Francis Marion, talvez?

– *Tenente-coronel* Marion, imagino que o senhor quis dizer. – O cabo o corrigiu com naturalidade. – Talvez o encontre lá perto do cemitério judaico. Eu o vi indo naquela direção um tempo atrás com alguns *chasseurs*. Sabe onde fica? – Ele fez um gesto na direção oeste.

– Vou encontrar. Obrigado.

O guarda pareceu aliviado por se livrar dele e Roger seguiu na direção indicada segurando o chapéu de aba larga que o vento teimava em puxar.

A atmosfera movimentada do acampamento contrastava com a breve visão de seu comandante adormecido. Homens passavam atarefados para lá e para cá. Ao longe, ele viu muitos cavalos... um esquadrão de cavalaria, na verdade. O que estariam fazendo?

Entrando em formação. Sentiu como se Jamie tivesse falado em seu ouvido, pragmático como sempre, e sua barriga se contraiu. *Se preparando.*

A data era 8 de outubro. Segundo o livro de Frank Randall, o cerco a Savannah começara em 16 de setembro e terminaria em 11 de outubro.

Até parece que isso vai ajudar, seu idiota. Pela milésima vez, ele se fustigou por não saber mais, por não ter lido tudo que havia sobre a Revolução Americana... mas sabia, embora se repreendesse, que as chances de qualquer conhecimento literário algum dia se parecer com a realidade da sua experiência eram mínimas.

Um pequeno bando de pelicanos desceu por sobre a água distante, todos ao mesmo tempo, e seguiu voando com serenidade logo acima das ondas, ignorando navios, canhões, cavalos, homens aos gritos e o céu que rapidamente se cobria de nuvens.

Que bom deve ser, pensou Roger enquanto olhava para as aves. *Nada em que pensar exceto quando o próximo peixe vai aparecer...*

Um mosquete disparou em algum lugar atrás dele, uma nuvem de penas explodiu de um dos pelicanos e a ave desabou feito uma pedra dentro d'água. Vivas e assobios ecoaram atrás dele e foram interrompidos abruptamente pela voz furiosa de um oficial que repreendeu o atirador por ter desperdiçado munição.

Certo, entendido.

Para apoiar o fuzileiro, um estouro ecoou ao longe, seguido por outro. *Canhões de cerco*, pensou Roger, e um arrepio incontrolável de animação desceu por sua coluna ao pensar nisso. *Medindo o alcance.*

Ele se perdeu um pouco, mas um cabo que passava o pôs no caminho certo e o acompanhou até o cemitério, demarcado por um grande portão de pedra.

– O coronel Marion é aquele ali, reverendo – disse seu acompanhante, apontando. – Quando tiver concluído seu assunto com ele, um de seus homens o levará de volta à barraca do general Lincoln. – O homem se virou para partir, mas então tornou a se virar para fazer um alerta: – Não fique andando por aí sozinho, reverendo. Não é seguro. E também não tente sair do acampamento. Os sentinelas têm ordens para atirar em qualquer um que tente sair sem ter um salvo-conduto do general Lincoln.

– Pode deixar – disse Roger.

Mas o cabo não tinha esperado uma resposta: já estava voltando apressado para a área principal do acampamento, fazendo as conchas brancas das ostras estalarem sob as botas.

Estava perto... bem mais perto do que tinha pensado. Podia sentir o acampamento inteiro zumbindo, uma sensação de energia nervosa, homens se preparando. Mas com certeza ainda era cedo demais para...

Ele então atravessou o alto portão de pedra do cemitério, com seu lintel decorado com a estrela de Davi, e viu na hora aquele que devia ser o tenente-coronel Francis Marion, de chapéu na mão e com um casaco de uniforme azul e bege jogado por cima do ombro, profundamente entretido em uma conversa com três ou quatro outros oficiais.

O termo infeliz que surgiu na mente de Roger foi "marionete". Francis Marion era o que Jamie chamaria de homenzinho, com não mais de 1,65 metro de altura pelas estimativas de Roger, magrelo, de pernas finas e com um nariz francês muito avantajado. Não exatamente a imagem evocada pelo codinome romântico de "Raposa do Pântano".

Sua aparência ficava ainda mais pitoresca por causa de uma disposição capilar inovadora, que combinava fios finos penteados em um cuidadoso topete acima de um crânio calvo e dois tufos um tanto maiores de um lado e do outro da cabeça, parecendo protetores de orelha. Roger ficou consumido de curiosidade para saber como seriam as orelhas daquele homem para demandar aquele tipo de disfarce, mas descartou esse pensamento com um grande esforço mental e aguardou pacientemente o tenente-coronel terminar seus assuntos.

Chasseurs, tinha dito o cabo. Soldados franceses, portanto. Estavam muito bem-vestidos, de casaco azul com forro verde, calças curtas brancas e vistosas e chapéus enfeitados de laços e penas amarelas que lembravam fogos de artifício do dia 4 de julho. Falavam francês, vários ao mesmo tempo.

Por outro lado... eram negros, algo que ele não esperava.

Marion levantou a mão e a maioria parou de falar, embora tivessem se movimentado bastante e exibido uma atitude geral de impaciência. O tenente-coronel se inclinou para a frente, a fim de falar bem na cara de um oficial 15 centímetros mais alto do que ele, e os outros pararam de se agitar e esticaram o pescoço para escutar.

Roger não conseguiu ouvir o que estava sendo dito, mas tinha plena consciência da corrente elétrica que percorria o grupo: era a mesma que havia sentido percorrer o acampamento, só que mais forte.

Cristo rei todo-poderoso, estão se preparando para lutar. Agora.

Apesar de nunca ter estado em um campo de batalha de verdade, tinha visitado locais históricos de combate com o pai. O reverendo Wakefield era um grande interessado por história militar e sabia contar boas histórias: soubera evocar a sensação de fuga confusa e aterrorizada do campo aberto em Sheriffmuir e a atmosfera de ruína e massacre no terreno assombrado de Culloden.

Roger agora experimentava uma sensação bem parecida, que emanava da terra silenciosa do cemitério e invadia seu corpo, e cerrou os punhos, desejando com urgência ter uma arma na mão.

Apesar de frio, o ar estava úmido, com um débil trovejar ecoando sobre o mar ao longe, e o suor se condensava sobre sua pele. Ele viu Marion limpar o rosto com um lenço grande e encardido, em seguida guardá-lo com um gesto impaciente e dar um passo mais para perto do oficial *chasseur*, levantando a voz e dando um tranco com a cabeça na direção do rio atrás deles.

Ele estava falando francês e a distância era grande demais para Roger identificar mais de uma expressão aqui e ali, mas o que quer que tivesse dito pareceu acalmar os *chasseurs*, que grunhiram e menearam a cabeça uns para os outros, depois se reuniram atrás de seu oficial e partiram em marcha acelerada na direção dos navios. Marion os observou se afastar, então deu um suspiro e se sentou em uma das lápides.

Parecia absurdo abordá-lo com suas perguntas naquelas circunstâncias, mas o tenente-coronel o havia visto e levantou o queixo com um ar de interrogação. Roger não teve outra escolha além de dizer pelo menos um oi.

– Boa tarde, coronel – falou, curvando-se de leve. – Perdoe-me a interrupção. Estou vendo que… – Na falta de palavras adequadas, ele acenou com a mão na direção do acampamento distante.

Marion riu, um som grave de bom humor sincero.

– Bem, sim – falou, com um sotaque que pareceu levemente matizado pelo francês que havia falado pouco antes. – Está claro, não? Mas imagino que o senhor não soubesse. Caso contrário…

Uma sobrancelha se ergueu.

– Caso contrário, não estaria aqui – concluiu Roger.

Marion deu de ombros.

– Poderia ter vindo se oferecer como voluntário. O Exército Continental não é muito exigente, embora eu deva dizer que os pastores ocasionais que vêm lutar conosco em geral não o façam usando suas melhores roupas. – A expressão bem-humorada se intensificou quando olhou Roger de cima a baixo. – Então *o que* está fazendo aqui, reverendo?

– Meu nome é Roger MacKenzie e sou genro do general James Fraser, antigo comandante da...

– É mesmo. – As duas sobrancelhas estavam erguidas ao máximo. – Fraser o mandou como enviado para o general Lincoln e eles o mandaram me procurar porque Benjamin está dormindo?

– Não exatamente. – Era melhor falar logo. Fosse qual fosse a reputação de Jamie no Exército Continental, seu assunto com Marion era bastante direto. – Imagino que o senhor saiba que o general Fraser renunciou a sua patente depois da Batalha de...

– Monmouth, sim. – Marion moveu o traseiro magro sobre a lápide. – Acho que todo mundo a esta altura já sabe. É verdade que ele escreveu sua carta de renúncia nas costas de um tenente e a mandou para Lee com uma camisa suja de lama?

– A carta foi escrita com o sangue da esposa dele – respondeu Roger. – Mas sim.

Isso apagou a expressão bem-humorada dos olhos de Marion. Ele aquiesceu de leve e o parco tufo de cabelos grisalhos no topo de sua cabeça se agitou com a brisa que se intensificava, como que perturbado pelos pensamentos no interior.

– Não conheço monsieur Fraser, mas já conversei com quem conhece – disse ele. Encarou Roger com a cabeça inclinada. – O que ele quer comigo?

– Ele está formando uma milícia – respondeu Roger, igualmente direto. – Uma milícia independentista. Não quer ter mais relação com o Exército Continental... e imagino que o sentimento seja recíproco. Mas pretende lutar.

– Suponho que será obrigado. – Foi uma afirmação, feita sem qualquer emoção, mas proferida *ali*, com o ar à sua volta ameaçador como uma tempestade de raios, ela atingiu Roger como um soco no peito.

– Sim.

– E ele quer ter uma... uma *liaison* com o Exército, talvez? Uma conexão, mas não formal. Algo assim.

Os lábios de Marion estavam finos e exangues. Muito apertados, ficaram invisíveis, dando-lhe o aspecto de uma marionete com o maxilar articulado esculpido em madeira.

– Ele também sabe sobre o senhor – disse Roger com cuidado. – Que o senhor tem experiência em constituir unidades de milícia e em... empregá-las de modo eficiente em um... contexto militar formal...

– É bem mais eficiente empregá-las fora desse contexto – disse Marion, olhando na direção do muro do cemitério. O barulho de cavalos e homens ficava cada vez mais alto, ainda mais agora que as armas tinham se calado. Seus grandes olhos escuros se voltaram e encararam o rosto de Roger. – Diga isso a ele: que deve ficar longe do Exército. Eles com certeza vão usar sua milícia; precisam de todos os homens que conseguirem. Mas o risco para ele é muito grande… o risco pessoal. Se não fosse o julgamento de Lee e a intervenção favorável de La Fayette, Fraser teria sido julgado em corte marcial depois de Monmouth; talvez até enforcado.

Marion falou isso em tom casual, mas Roger sentiu a cicatriz na garganta se contrair e arder escondida sob o colarinho branco alto, e teve uma ânsia repentina e incontrolável de abrir os braços para se livrar da lembrança da corda e da impotência.

Engoliu ar e tentou falar, mas nenhuma palavra saiu. Em vez disso, girou nos calcanhares com violência, pegou uma pedra no chão e a arremessou na parede rochosa. A pedra acertou com um estalo semelhante a um tiro e uma gaivota pousada no muro levantou voo com um guincho e saiu batendo asas, largando uma poça de fezes líquidas no chão entre os dois homens.

Marion o encarou com ar preocupado.

Roger pigarreou e cuspiu no chão. Não se desculpou; não havia nada que pudesse dizer.

– Direi isso a ele – falou, rouco e formal. – Obrigado pelo conselho, coronel.

Estava tremendo. A sensação de algo iminente não fora embora, só aumentava. O chão parecia vibrar, mas devia ser apenas ele.

Um jovem tenente entrou pelo portão debaixo da estrela de Davi, com o semblante aceso de medo e empolgação.

– Estão esperando o senhor, coronel.

Marion aquiesceu para o garoto e se levantou.

– Infelizmente o senhor não pode sair – disse ele para Roger em tom de quem se desculpa. – Vai começar daqui a pouco. Quer lutar? Posso conseguir um bom fuzil.

– Eu… não. – Roger tocou o colarinho no pescoço. A atenção de Marion estava concentrada nos sons para lá do muro do cemitério. Não, não era sua imaginação: o chão estava *mesmo* vibrando. *Cavalos. Os cavalos…* – Mas eu… gostaria de ajudar. Se puder.

– *Bon* – disse Marion em tom quase distraído.

Deslizou os braços para dentro das mangas do casaco e o fez subir até os ombros, ajeitando os botões inferiores com os dedos, sem olhar. Mas sua atenção retornou a Roger, por um segundo apenas.

– Então volte para o acampamento – falou. – E aguarde. Se as coisas derem errado, o senhor pode ajudar a nos enterrar. Ou se derem certo, imagino.

Marion olhou na direção do portão e balançou a cabeça de leve.

– Não estou com uma boa sensação em relação a isso, não mesmo – falou, quase para si mesmo, e se afastou.

O jovem tenente o seguiu. Roger hesitou por uma fração de segundo, então foi atrás dos dois, esticando os passos para alcançá-los.

– Não sou bom com um fuzil – falou. – Mas, se puder me conseguir uma espada, eu os acompanho.

Marion lançou-lhe um olhar muito breve, assentiu e fez um pequeno gesto para o tenente.

– *Bon* – falou. – Venha, então.

91

SITIADOS

Brianna cortava um pedaço de frango frito para Mandy na cozinha quando ouviu uma batida na janela. Ergueu os olhos, espantada, e viu lorde John do lado de fora, de uniforme. Ele fez uma careta e meneou a cabeça, em uma indicação de que gostaria de se abrigar da chuva.

– O que está fazendo aqui? – perguntou ela, abrindo a porta que dava para o jardim de trás.

Tinha tomado chá com ele duas vezes desde que chegara, mas não esperava uma visita informal.

– Queria falar com você – respondeu ele, entrando e pegando a toalha que ela lhe estendeu. – Mas não posso perder tempo em civilidades com o sr. ou a sra. Brumby. Obrigado, minha cara.

Ele tirou o chapéu, enxugou o rosto, passou a toalha nos ombros da capa azul que vestia e a devolveu.

– Vim dizer que o cerco vai terminar em breve – falou com cuidado, olhando para Jem, Mandy e a cozinheira, sra. Upton.

– É mesmo? Mas que… – Ela se deteve ao ver a expressão dele. – O que… o que o faz pensar isso? – perguntou com cuidado e ele abriu um breve sorriso.

– Os americanos começaram a movimentar sua artilharia – respondeu ele.

– Ah, é mesmo? Já não era sem tempo! – comentou a sra. Upton, com os olhos pregados nos ovos que estava batendo. – O patrão acha que os franceses e seus navios irão embora logo, pois não querem ser destroçados pelos furacões.

– Furacões? – repetiu Jem, interessado. – Tem furacões aqui?

– Temos sim, senhorzinho Jem – respondeu a sra. Upton, meneando a cabeça com um ar agourento para a janela salpicada de chuva. – Está vendo essa chuva? Dá para ver a força do vento! Viu como as gotas escorrem enviesadas pelo vidro? Nesta época do ano o vento aumenta… e às vezes não diminui mais. Por muitos dias.

– Sei que você não tem muito tempo, mas venha comigo até o estúdio, sim? – disse Bree olhando para John. – Gostaria da sua opinião sobre uma coisa.

– Com prazer. *Bonsoir, monsieur, mademoiselle.*

Ele meneou a cabeça para Jemmy, então segurou solenemente a mãozinha rechonchuda de Mandy, com garfo, frango e tudo, curvou-se acima desta e plantou ali um beijo discreto que fez a menina dar um gritinho e rir.

– A sra. Upton tem razão, até certo ponto – disse ele a Bree depois de os dois descerem o corredor. – D'Estaing *não quer* perder metade da sua frota em um furacão. Mas tampouco quer zarpar sem conseguir o que veio tentar.

– Ou seja...?

– Ou seja, os americanos estão movimentando suas peças de artilharia menores... mas não para levá-las de volta para os navios. Um grande número de soldados parece estar se deslocando para o sul da cidade, dando a volta pelos pântanos, algo que eu pessoalmente não faria, mas os estilos de comando variam.

Ela havia cerrado os punhos. Ao perceber isso, relaxou com algum esforço.

– Quer dizer que vão tentar... tomar a cidade? Agora?

– *Tentar*, com certeza – garantiu ele. – Não acho que vão conseguir, mas têm mais homens do que nós, o que sem dúvida lhes dá uma sensação de otimismo. Em todo caso...

Ele afastou a capa de modo a alcançar a bolsa que trazia a tiracolo e dela tirou um embrulho preso com barbante.

– É uma bandeira americana – falou, entregando-lhe o objeto. – Hal a pegou de um prisioneiro. Na probabilidade improvável de os americanos conseguirem entrar, pendurem isso em uma janela ou preguem na porta da frente.

Roger. Ela engoliu em seco. Ele tinha saído para visitar um pastor presbiteriano idoso e aposentado que morava no pequeno povoado de Bryan Neck. Com sorte, não estava nem *perto* de Savannah no momento. Mas ele *tinha* comentado que talvez fosse procurar Francis Marion a pedido de Jamie. Se a Raposa do Pântano estivesse no acampamento americano... Mas não estava previsto para acontecer *agora*... Seu coração começava a bater de modo irregular e ela levou a mão ao peito para acalmá-lo.

– Você disse que eles têm mais homens. – Lorde John ajeitava a capa, pronto para partir, mas ergueu a cabeça ao escutar isso. – Quantos?

– Ah, algo entre três e quatro mil – respondeu. – Estou chutando.

– E vocês, quantos homens têm?

– Não tantos – disse ele. – Mas nós *somos* o Exército de Sua Majestade. Sabemos fazer esse tipo de coisa. – Ele sorriu e, pondo-se na ponta dos pés, deu-lhe um beijo na bochecha. – Não se preocupe, minha cara. Se algo drástico acontecer, venho buscá-los se puder.

Ele já tinha quase chegado à porta dos fundos quando ela se livrou o suficiente da sensação de choque para correr atrás dele.

– Lorde John!

Ele se virou na mesma hora, com as sobrancelhas arqueadas, e ela reparou por um instante como parecia jovem. Animado com a proximidade da batalha.

Roger. Roger, ah, meu Deus...

– Meu marido – conseguiu dizer, ofegante. – Ele está voltando para casa de... de uma incumbência. Pensei que fosse chegar a tempo do jantar...

Lorde John fez que não com a cabeça.

– Se ele não chegou até agora, não vai mais chegar. – Viu a expressão no rosto dela e se corrigiu: – Digo, não vai conseguir entrar na cidade. A estrada foi fechada e a cidade está cercada por abatises. Mas vou mandar avisar ao capitão da guarda da cidade. Me lembre: como seu marido se chama e que aspecto tem?

– Roger – disse ela, apesar do nó na garganta. – Roger MacKenzie. Ele é alto, moreno e tem o aspecto… de um pastor presbiteriano.

Graças a Deus você vestiu suas roupas boas hoje, pensou.

Lorde John havia prestado atenção nas suas palavras, mas a última frase o fez sorrir.

– Nesse caso, tenho certeza de que ninguém vai atirar nele – falou e, erguendo a mão, deu-lhe um beijo rápido. – *Au revoir*, minha cara.

– Ótimo… – disse ela por reflexo, mas então congelou. Ele educadamente fingiu não perceber, tocou com delicadeza seu rosto, em seguida se virou e saiu, puxando o chapéu para baixo por causa da chuva.

A luz suave a acordou na manhã seguinte. Ela passou alguns instantes deitada, sem entender. O que estava errado?

– Mamãe, mamãe!

Uma cabecinha encaracolada com olhos castanhos brilhantes surgiu no nível do seu olhar e ela piscou tentando fazê-la entrar em foco.

– Mamãe! A sra. Upton disse que tem barras de cereais e purê de batatas para o café da manhã! Vem logo!

Mandy sumiu e Bree ouviu a barulheira dos dois filhos descendo a escada, ambos pelo visto já vestidos e calçados. Era verdade: aromas apetitosos de comida e café subiam flutuando da sala de jantar no térreo da casa.

Ela se sentou na cama e pôs os pés para fora, e então entendeu. Era o silêncio. As armas tinham parado de atirar. Depois de cinco dias sendo acordada no escuro antes do amanhecer pelos navios franceses treinando seus bombardeios ao longe, nesse dia a casa ia acordando tranquilamente e o sol da manhã se infiltrava pela névoa, calmo feito mel.

– Obrigada – murmurou ela e fez o sinal da cruz enquanto fazia uma prece ligeira para Roger e outra pelo pai, seu primeiro pai. Tinha acreditado no que ele dissera em seu livro: o cerco a Savannah iria fracassar. Mas era difícil ter fé na história quando ela estava explodindo à sua volta.

– Obrigada, papai – murmurou e estendeu a mão para pegar o espartilho.

92

NÃO SE PODE RECOLHER A ÁGUA QUE SE ESPALHOU PELA TERRA

Nos pântanos ao redor de Savannah,
uma hora depois da meia-noite
9 de outubro de 1779

A pena mal passava de um toco rombudo, os filamentos sebentos deformados por mãos obstinadas decididas a mandar um último recado. Roger já havia escrito mais de um recado assim naquela noite, para os homens analfabetos ou que não tinham ideia do que dizer. Agora o acampamento dormia um sono leve à sua volta e ele encarava o mesmo problema.

Bree, minha querida, escreveu e parou para respirar antes de prosseguir. Havia apenas *uma* coisa a dizer e ele escreveu: *Me desculpe*. Mas ela merecia mais, e aos poucos ele encontrou as palavras:

> *Eu não tinha a intenção de estar aqui, mas tenho um sentimento muito forte de que é aqui que deveria estar. Não foi exatamente "Quem enviarei? Quem irá por nós?", mas algo bem parecido, e a minha resposta também.*
>
> *Se Deus quiser, irei vê-la em breve. Por ora e para sempre, sou seu marido e amo você.*
>
> *Roger*

As últimas palavras foram fantasmas no pedacinho de papel grosseiro e salpicado de chuva, os últimos resquícios de tinta. Seu nome mal passou de arranhões, mas tudo bem; ela saberia quem havia escrito.

Deixou a tinta secar e dobrou com cuidado o papel. Então se deu conta de que não tinha como mandá-lo, tampouco havia sobrado tinta para escrever o endereço de Bree. As outras cartas tinham sido entregues ao escrevente da companhia de Marion, que agora roncava debaixo de um cobertor perto de uma das muitas fogueiras acesas, anônimo em meio às ovelhas encolhidas e adormecidas.

Com gestos lentos, guardou o papel no bolso da frente do casaco. Se morresse pela manhã, alguém talvez o encontrasse. Francis Marion sobreviveria àquela batalha; Roger podia confiar nele para despachar a carta... para Jamie, pelo menos.

Deitou-se no chão enlameado, entregou a alma a Deus e dormiu.

Duas horas antes do amanhecer
9 de outubro de 1779

Uma luz estremeceu no céu a leste, mas a névoa estava tão densa nos pântanos que não era possível ver a cidade. Era fácil acreditar que ela não estava ali, que tinham se desorientado no escuro e estavam agora de frente para o interior, de costas para Savannah. Que, quando a ordem fosse dada, iriam partir para cima de tranquilas terras cultivadas, berrando feito demônios, assustando as vacas que dormiam e os escravos na sua lida.

Mas o ar úmido e pegajoso se agitou e de repente Roger sentiu o cheiro do pão assado dos fornos públicos de Savannah: um cheiro fraco, mas tão delicioso que sua barriga vazia roncou.

Brianna. Ela estava lá, em algum lugar no meio da névoa, com o pão que assava.

Alguém murmurou algo em francês, baixo demais para ele entender as palavras, mas obviamente algo espirituoso, pois foi seguido por uma onda de risos e a tensão relaxou por um instante.

Eles estavam reunidos em colunas, quatro ao todo, cada uma com oitocentos soldados. Não havia por que fazer silêncio: os britânicos sabiam de sua presença. Roger agora podia ouvir gritos de um dos refúgios no limite da cidade, que produziram um estranho eco na bruma. Spring Hill, era como chamavam aquele lugar. Havia outro refúgio em algum lugar à esquerda, mas ele não se lembrava do nome.

Fazia frio, mas o suor escorria pela lateral do seu rosto e ele o enxugou, sentindo sob a palma a textura áspera da barba que despontava. Todos os oficiais tinham se barbeado antes do amanhecer e vestido seus melhores uniformes, como toureiros se preparando para a arena, mas os soldados tinham se levantado de seus cobertores e sacos de dormir desgrenhados feito corvos. Mas despertos. E prontos.

É o dia errado. Com certeza é o dia errado…

Balançou a cabeça com violência. Ele também era historiador… ou tinha sido. Mais do que ninguém, deveria saber quão imprecisa a história era. Mas ali estavam eles, engolidos pela névoa rodopiante, de frente para uma cidade invisível e armada ao alvorecer. No dia errado.

Sorveu uma funda e trêmula inspiração.

Nós vamos perder desta vez.

Frank Randall tinha dito que sim.

Sua barriga se contraiu, a fome esquecida.

Senhor, ajudai-me a fazer o que quereis que eu faça… mas, em nome de Cristo Vosso filho, permitai que eu sobreviva.

– Se não permitir, vai ter que se explicar com minha esposa – murmurou ele e tocou o cabo da espada emprestada.

O coronel Marion estava curvado na sela, falando francês com dois dos oficiais de São Domingos. Por mais densa que fosse a bruma, Roger estava perto o suficiente para ver o amarelo-vivo das lapelas e dos laços dos oficiais. *Pica-paus de peito amarelo*, pensou.

Poderiam muito bem ser mesmo, pelo pouco que entendia do que diziam. Roger falava francês, mas não aquele tipo de francês, cheio de sibilos e consoantes oclusivas.

Ninguém tentava fazer silêncio. Todo mundo sabia o que estava prestes a acontecer, inclusive a guarnição britânica. Os americanos e seus aliados tinham abandonado a posição em frente à cidade e, arrastando seus desajeitados canhões pelos pântanos no escuro, dado a volta em Savannah, tornando a se reunir em frente aos dois pontos em que poderiam romper as defesas da cidade, ao sul da Louisville Road.

Senhor, ajudai-os. Ajudai-me a ajudá-los. Por favor, guardai-nos.

Ele sabia que era uma prece vã. Mesmo assim, rezou com todo o seu coração.

– *Les abatis sont en feu!* – Ouviu o grito mais alto do que os burburinhos, murmúrios e clangores do exército, e sentiu o choque de esperança como um raio no fundo do coração.

Alguém tinha conseguido incendiar os abatises! A notícia correu pelos pântanos como um foguete e Marion se levantou nos estribos para tentar ver através da névoa.

Roger lambeu os lábios e sentiu gosto de sal. Os britânicos sabiam se defender de um cerco: a cidade inteira estava cercada no lado da terra firme por trincheiras generosamente reforçadas com troncos de árvores afiados e fincados na terra, com as pontas viradas para fora.

Sentiu cheiro de fumaça, mas de natureza distinta da fumaça dos fornos ou da que vinha das chaminés da cidade: uma fumaça mais selvagem, mais rústica.

Mas o vento mudou de direção e o cheiro de fumaça cessou. Houve grunhidos e xingamentos em vários idiomas. O fogo tinha morrido, sido apagado pelos ingleses ou pela umidade. Quem poderia saber?

Mas as toras afiadas continuavam em pé, e os canhões também, apontados do chão entre os refúgios. Fascinado, ele ficou observando enquanto eles desapareciam devagar. Ordens começaram a ser gritadas. O débil som de uma gaita de foles flutuou no ar: havia homens das Terras Altas nos refúgios. Os canos pretos das armas despontavam da névoa que se dissipava, e agora havia outro tipo de fumaça que ele soube que devia ser dos fusíveis, para disparar os canhões.

Estava na hora, e ele escutou as batidas do coração ecoarem nos ouvidos.

– Pode voltar se quiser, reverendo. – Era Marion, curvado sobre o cavalo, a respiração visível no ar gelado. – O senhor não jurou nem recebeu para estar aqui.

– Eu vou ficar.

Não soube dizer se tinha dito isso ou só pensado, mas Marion se endireitou na sela, sacou a espada da bainha e pousou a lâmina sobre a coxa. Usava um tricórnio azul na cabeça, mas os tufos de cabelo que lhe cobriam as orelhas estavam salpicados de orvalho.

Roger pegou a espada que tinham lhe emprestado, embora só Deus soubesse o que poderia fazer com ela. *Só Deus sabia*. Na verdade, foi um pensamento reconfortante, e por alguns instantes ele conseguiu inspirar fundo.

– Salvar a própria vida, talvez – dissera-lhe o tenente Montserrat ao entregar a arma na véspera. – Mesmo que não tenha a intenção de lutar.

Eu não tenho a intenção de lutar. Por que estou aqui?

Porque eles estão. Os homens à sua volta, suando apesar do frio, sentindo o cheiro da morte misturado com o aroma do pão recém-saído do forno.

Um rugido veio da primeira coluna e se espalhou pelo campo de batalha, e o pânico o dominou.

Eu não sei o que fazer.

Morteiros próximos dispararam repentinamente e ele constatou que seus joelhos e suas mãos tremiam, e que precisava urinar com urgência.

Você não sabia o que fazer quando o urso matou Amy Higgins, disse uma voz que talvez fosse a dele dentro de sua cabeça. *Mesmo assim, fez algo. As coisas teriam sido piores se eu não tivesse feito, isso eu sei. Tenho que ir.*

A primeira coluna de repente começou a correr, não em linha reta, mas como uma turba, que avançou na direção do refúgio e dos estalos dos tiros de mosquete gritando a plenos pulmões, alguns disparando armas, outros apenas correndo e gritando com facas nas mãos, escalando as toras pontiagudas e caindo conforme as balas os atingiam, os da frente derrubados feito pinos de boliche pelas balas de canhão que chegavam quicando. Um sapo apavorado pulou de um trecho de mato amarelo e duro perto do pé de Roger e aterrissou em uma poça, onde desapareceu.

– Não estou gostando disso – disse Marion em um breve instante entre uma explosão e outra. Balançou a cabeça. – Não mesmo. – Ele ergueu a espada. – Que Deus o acompanhe, reverendo.

Não foi Deus que ele encontrou a seu lado, mas a segunda melhor opção. Foi o major Gareth Barnard, um dos amigos de seu pai, um ex-capelão do Exército. Barnard era um homem alto, de rosto comprido, que usava os cabelos grisalhos repartidos no meio de um jeito que o fazia parecer um velho sabujo, mas tinha um senso de humor estranho e tratava Roger, então com 13 anos, como um homem feito.

– Você já matou alguém? – perguntara ele ao major certa noite quando estavam sentados em volta da mesa e os mais velhos contavam histórias sobre a Segunda Guerra.

– Já – respondera o major, sem hesitar. – Não poderia ajudar meus homens se morresse.

– O que o senhor fazia para ajudá-los? – Roger tinha perguntado, curioso. – Quero dizer... o que um capelão faz durante uma batalha?

O major Barnard e o reverendo haviam trocado um rápido olhar, mas o reverendo tinha aquiescido e Barnard inclinara o corpo, com os braços apoiados na mesa à sua frente. Roger viu a tatuagem em seu pulso, alguma espécie de ave com as asas abertas acima de um rolo de pergaminho no qual havia algo escrito em latim.

– Ficava com eles – respondera o major baixinho, sem deixar de encarar Roger com ar muito sério. – Tranquilizava-os. Dizia que Deus estava ao lado deles. Que *eu* estava ao lado deles. Que não estavam sozinhos.

– Você ajuda quando pode. – O pai de Roger tinha dito, olhos pregados no oleado cinza que cobria a mesa. – Quando não pode, segura a mão deles e reza.

Ele viu, realmente *viu* um tiro de canhão. Uma flor desabrochada vermelho-viva do tamanho da sua cabeça, que piscou no meio da névoa junto com o som de um fogo de artifício e depois desapareceu. A névoa se abriu no local da explosão e ele viu tudo com clareza por um segundo: o vulto negro da peça de artilharia, a bocarra redonda escancarada, coberta por uma fumaça mais densa do que a névoa, a névoa se derramando no chão como se fosse água, o vapor que emanava do metal quente subindo para se unir à névoa revolta, os artilheiros se precipitando para cima do canhão, frenéticas formigas azuis e marrons engolidas no instante seguinte por um redemoinho branco.

E então o mundo à sua volta enlouqueceu. Os gritos dos oficiais tinham começado com o tiro de canhão. Roger só soube porque estava perto o suficiente de Marion para ver sua boca se abrir. Mas então um rugido coletivo emanou de sua coluna, cujos homens atacaram e começaram a correr feito demônios em direção à forma indistinta do refúgio na sua frente.

A espada estava na sua mão e ele corria gritando palavras ininteligíveis.

Tochas brilharam débeis na névoa: soldados tentando recolocar fogo nas toras do abatis, pensou ele.

Marion tinha sumido. Ouviam-se berros agudos que poderiam ou não ser do coronel.

Quantos canhões seriam? Ele não soube dizer, mas eram mais de dois: os tiros se sucediam num ritmo impressionante e o impacto sacudia seus ossos a cada meio minuto.

Roger se forçou a parar e se curvou, ofegante e com as mãos nos joelhos. Pensou ter escutado tiros de mosquete, estouros abafados e ritmados entre um e outro tiro de canhão. As salvas disciplinadas do Exército Britânico.

– *Carregar!*

– *Fogo!*

– *Recuar!* – Os gritos de um oficial ecoaram de súbito no segundo de silêncio entre um estouro e o seguinte.

Você não é soldado. Se for morto, ninguém vai estar aqui para ajudá-los. Para trás, seu idiota!

Ele estava atrás da fileira com Marion. Mas agora se achava cercado por homens que avançavam juntos e aos empurrões. Corriam para todos os lados. Ordens eram bradadas, e ele *achou* que alguns dos homens estivessem se esforçando para obedecer: ouviu gritos aleatórios, viu um garoto negro que não poderia ter mais de 12 anos lutando desanimado para carregar um mosquete mais alto do que ele. O garoto usava um uniforme azul-escuro, e um lenço de pescoço amarelo-vivo apareceu quando a névoa se abriu por um instante.

Ele tropeçou em alguém no chão e caiu de joelhos, sentindo a água salobra ensopar sua calça. Tinha caído com as mãos em cima de um homem e o calor repentino em seus dedos frios foi um choque que o fez voltar a si.

O homem gemeu e Roger puxou as mãos de volta com um tranco, então se controlou e estendeu a mão para segurar a do soldado. A mão não estava mais ali e a sua foi atingida por um jorro de sangue quente que tinha o mesmo cheiro fétido de um matadouro.

– Meu Deus – murmurou ele e, após limpar a mão na calça, tateou a bolsa em busca de panos... Pegou alguma coisa branca e tentou amarrá-la... Buscou freneticamente um pulso, mas o pulso também não estava mais ali. Conseguiu tocar um fragmento de manga e foi tateando braço acima o mais depressa que conseguiu, mas o homem havia acabado de morrer; pôde sentir a súbita inércia do corpo sob as mãos.

Ainda estava ajoelhado com o pano sem uso na mão quando alguma coisa tropeçou *nele* e caiu de cara no chão com um esparramo imenso de água. Roger se levantou e foi de cócoras até o soldado caído.

– Você está bem? – gritou, curvando-se para a frente. Algo passou assobiando por cima de sua cabeça e ele se jogou em cima do outro homem.

– Meu Deus do céu! – exclamou o soldado, socando Roger de qualquer maneira. – Saia de cima de mim, seu desgraçado!

Os dois passaram alguns instantes nessa luta na lama, cada qual tentando usar o outro como apoio para se levantar, e os canhões seguiram disparando. Roger empurrou o outro para longe e conseguiu se ajoelhar na lama. Gritos de socorro vinham de mais atrás e ele se virou naquela direção.

A névoa tinha quase sumido, expulsa pelas detonações, mas a fumaça das armas flutuava branca e baixa rente ao solo irregular, mostrando-lhe breves clarões de cor e movimento quando se esgarçava.

– Socorro, me ajudem!

Foi então que viu o soldado de quatro no chão, arrastando uma das pernas, e chapinhou pelas poças até alcançá-lo. Não havia muito sangue, mas a perna estava ferida. Roger pôs o ombro debaixo do braço do soldado, escorando-o, e o colocou de pé, então o puxou o mais depressa possível para fora do alcance da artilharia.

O ar tornou a se estilhaçar e a terra pareceu ceder sob seus pés. Ele estava caído com o soldado ferido por cima, com a mandíbula arrancada e sangue quente e pedaços de dentes empapando o peito da camisa. Em pânico, desvencilhou-se do corpo que se contorcia.

Ah, meu Deus, ah, meu Deus, o homem ainda está vivo.

Então se ajoelhou a seu lado, escorregando na lama, apoiando-se com uma das mãos no peito onde ainda podia sentir o coração batendo no mesmo ritmo do sangue que jorrava.

Ah, Deus, ajudai-me!

Em um frenesi, tentou encontrar as palavras. Todas tinham sumido. Todas as palavras de conforto, toda a sua experiência no ofício...

– Você não está sozinho – falou, ofegante, enquanto pressionava com força o peito arfante como se pudesse ancorar o homem à terra na qual ele se dissolvia. – Estou aqui. Não vou abandonar você. Vai ficar tudo bem. Você vai ficar bem.

Não parou de repetir isso, mantendo as mãos pressionando com força, e então, no meio da carnificina em volta, sentiu a vida deixar aquele corpo.

Ela simplesmente... se foi.

Sentou-se nos calcanhares, arquejando, petrificado, com a mão ainda no soldado como se estivesse colada ali, e então ouviu os tambores.

Um débil latejar misturado aos sons ritmados da artilharia, que seu corpo tinha absorvido sem ele perceber. Podia sentir a maré descer quando a primeira fileira de mosquetes recuava, e subir quando a segunda fileira chegava à borda do refúgio e atirava. Algo no fundo de sua mente ia contando... *um... dois...*

– Mas que droga – murmurou com voz pastosa, balançando a cabeça.

Havia três homens perto dele, dois ainda caídos, o terceiro lutando para ficar em pé. Ele se levantou e cambaleou até onde estavam, deu a mão ao terceiro homem e, sem dizer nada, puxou-o. Um dos dois outros estava morto; o segundo, moribundo. Ele soltou o homem que ajudava e caiu de joelhos junto ao que agonizava. Segurou seu rosto frio com as duas mãos, os olhos escuros congestionados por causa do medo e do sangue que se esvaía.

– Estou aqui – falou, embora nesse instante o canhão tivesse disparado e suas palavras não produzissem som algum.

Os tambores. Agora podia ouvi-los com clareza, e escutou uma espécie de grito, muitos homens gritando juntos. Então um ronco, um barulho de lama, o chapinhar de água, e de repente havia cavalos por toda parte, correndo... Correndo para cima dos refúgios coalhados de artilharia.

Houve um estrondo de tiros e a cavalaria se dividiu: metade dos cavalos empinou, deu meia-volta e partiu correndo na outra direção, e o restante se espalhou e ficou dançando no meio dos soldados caídos, evitando pisar nos corpos, as cabeçorras dando trancos tentando se libertar das rédeas.

Ele não correu; não podia. Foi caminhando devagar para a frente, com a espada pendurada junto ao flanco, e parava toda vez que topava com um homem no chão. Alguns ele podia ajudar com um gole d'água ou pressionando um ferimento com a mão enquanto um amigo amarrava um pano em volta. Uma palavra, uma bênção onde conseguia. Alguns já tinham morrido e ele pousava a mão sobre eles em uma despedida e lhes encomendava a alma a Deus com uma prece rápida.

Encontrou um menino ferido, pegou-o no colo e o carregou de volta em meio à fumaça e às poças para longe dos canhões.

Um novo rugido. A quarta coluna chegou correndo pelo chão destruído e se atirou ao combate em frente ao refúgio. Ele viu um oficial com uma bandeira de algum tipo chegar correndo aos gritos, então cair depois de levar um tiro na cabeça. Um menininho, um menininho negro de azul e amarelo, pegou depressa a bandeira e então outros corpos o esconderam.

– Meu Deus do céu – murmurou Roger, pois não havia mais nada que pudesse dizer. Podia sentir o coração do menino bater sob a sua mão através do tecido encharcado do casaco. E então o coração parou.

O ataque da cavalaria tinha se dispersado por completo. Cavalos eram levados embora, montados ou puxados pelo cabresto, e alguns jaziam caídos no chão pantanoso ou lutavam para se levantar relinchando em pânico.

Um oficial de uniforme em cores vivas engatinhava para longe de um cavalo morto. Roger pôs o corpo do menino no chão e correu com dificuldade até ele. O sangue esguichava da coxa e do rosto do oficial, e Roger tateou no bolso mas não encontrou nada ali. O homem se curvou ao meio, pressionando a virilha com a mão e dizendo algo em uma língua que Roger não reconheceu.

– Está tudo bem – disse ele, segurando-o pelo braço. – Você vai ficar bem. Não vou deixá-lo.

– *Bóg i Marija pomóżcie mi* – arquejou o oficial.

– Sim, está bem. Que Deus o acompanhe.

Ele o virou de lado, puxou a camisa para fora da calça e a rasgou, então a embolou na calça do homem e apertou a umidade quente. Apoiou-se no ferimento com as duas mãos e o homem berrou.

Então apareceram vários cavaleiros, todos falando em vários idiomas ao mesmo tempo, e empurraram Roger para o lado e recolheram o oficial ferido, que levaram embora.

A maioria dos disparos agora tinha cessado. Os canhões estavam silenciosos, mas nos ouvidos de Roger era como se sirenes de incêndio tocassem dentro de sua cabeça, que doía.

Ele se sentou devagar na lama e tomou consciência da chuva que escorria por seu rosto. Fechou os olhos. Depois de algum tempo, tomou consciência de que algumas palavras tinham lhe voltado à mente:

Das profundezas clamo a ti, Senhor. Ouvi, Senhor, minha voz!

O tremor não cessou, mas algum tempo depois ele se levantou e se afastou cambaleando na direção dos pântanos ao longe, para ajudar a enterrar os mortos.

93

RETRATO DE UM HOMEM MORTO

O ar ainda cheirava a queimado e o vento que soprou do mar à noite trouxe um leve fedor de morte ao aroma habitual dos pântanos. Mas a batalha tinha acabado e os americanos foram derrotados. Lorde John aparecera durante a tarde, todo sujo de fumaça de pólvora, mas bem-disposto, e lhe garantira que tinha acabado *mesmo* e que estava tudo bem.

Brianna não *achava* que tivesse gritado com ele, mas, seja lá o que quer que tivesse dito, o rosto de John ficara sério por baixo da sujeira de pó preto. Ele apertou sua mão com força e disse: "Vou encontrá-lo." E foi embora.

No dia seguinte, ela havia recebido um recado de lorde John dizendo apenas: *Percorri o campo de batalha inteiro com meus ordenanças. Não o encontramos, nem morto nem ferido. Uns cem prisioneiros foram capturados e ele não está entre eles. Hal enviou uma solicitação oficial ao general Lincoln.*

"Nós não o encontramos, nem morto nem ferido." Ela passou o dia inteiro sussurrando isso entre dentes, como um jeito de impedir a si mesma de sair para passar o pente-fino naquele maldito campo de batalha, revirar cada grão de areia e cada folha de capim. No fim do dia, lorde John tornou a aparecer, abatido e cansado, mas com o rosto limpo e sorridente.

– Você disse que seu marido pretendia falar com um certo capitão Marion, então fui até o acampamento americano com uma bandeira branca procurá-lo. Pelo visto ele agora é tenente-coronel, mas de fato falou com Roger… e me disse que Roger saiu do campo de batalha com ele, ileso, e foi ajudar a enterrar os americanos mortos.

– Ai, meu Deus!

Seus joelhos haviam cedido e ela tinha se sentado, com os sentimentos caóticos. *Ele não morreu, não foi ferido.* E o sentimento de alívio foi imenso… mas na mesma hora matizado de dúvida, perguntas e um medo persistente.

Se ele está vivo, por que não está aqui?

– Onde? – conseguiu perguntar depois de alguns instantes. – Onde… estão sendo enterrados?

– Eu não sei – respondeu lorde John com o cenho franzido. – Se quiser, posso descobrir. Mas acho que os sepultamentos a esta altura já devem com certeza ter acabado… A carnificina no campo de batalha foi considerável, mas o tenente-coronel Maitland acha que não houve mais de duzentos mortos. Ele era o comandante do refúgio – acrescentou diante do ar de incompreensão de Brianna. Pigarreou. – Talvez ele possa ter acompanhado os médicos do Exército, para ajudar os feridos – sugeriu, hesitante.

– Ah. – Ela conseguiu puxar uma inspiração que lhe encheu os pulmões, a primeira nos últimos três dias. – Sim. Parece… parece bem razoável pensar assim.

Mas por que ele não me mandou um recado?

Reuniu forças suficientes para se levantar, agradecer a lorde John e lhe estender a mão. Ele segurou sua mão, puxou-a para si e lhe deu um abraço. Aqueles braços eram o primeiro calor que se lembrava de sentir desde que Roger fora embora.

– Vai ficar tudo bem, minha cara – disse ele, calmo, dando-lhe alguns tapinhas e soltando o abraço. – Tenho certeza de que vai ficar tudo bem.

Brianna vacilava entre também ter certeza e não ter certeza alguma, mas o equilíbrio de indícios parecia indicar que Roger estava (a) vivo e (b) razoavelmente ileso, e essa convicção foi suficiente para lhe permitir voltar ao trabalho e tentar afogar suas dúvidas em terebintina.

Não conseguia decidir se pintar Angelina Brumby era mais como tentar capturar uma borboleta sem rede ou passar a noite inteira de tocaia perto de um curso d'água à espera de algum animal arredio, que faria uma aparição de alguns segundos durante a qual, se tivesse sorte, poderia fotografá-lo.

– E o que eu não daria para ter minha Nikon agora… – murmurou ela entre dentes.

Aquele era o primeiro dia dos cabelos. Angelina havia passado quase duas horas nas mãos do cabeleireiro preferido de Savannah e surgira enfim sob uma nuvem de cachos e cachinhos meticulosamente posicionados, empoados ao máximo e decorados ainda por cerca de uma dúzia de brilhantes dispostos de modo aleatório. A construção toda era tão gigantesca que dava a impressão de Angelina estar carregando na cabeça uma tempestade particular, com relâmpagos e tudo.

Essa ideia fez Brianna sorrir, e Angelina, que até então tinha um ar bastante apreensivo, reagiu empertigando as costas.

– A senhora gostou? – perguntou, esperançosa, tocando a cabeça com toda a delicadeza.

– Gostei – respondeu Bree. – Venha aqui, deixe eu…

Angelina, que não conseguia – ou não queria – dobrar a cabeça o suficiente para olhar para baixo, estava prestes a colidir com a pequena plataforma sobre a qual fora colocada sua cadeira de posar.

Uma vez acomodada, voltou a ser a mesma Angelina de sempre, tagarela e fácil de distrair, além de o tempo todo em movimento: acenos das mãos, giros da cabeça, olhos arregalados, perguntas e especulações constantes. No entanto, se ela era difícil de reproduzir na tela, era também encantadora de se observar, e Bree vivia dividida entre a irritação e o fascínio, tentando captar algo da borboleta fugaz sem precisar cravar um alfinete de chapéu no seu peito para fazê-la ficar *parada* cinco minutos.

Só que já fazia quase duas semanas que estava pintando Angelina. Por isso, pôs um vaso de flores de cera sobre a mesa e deu a ela a firme instrução de olhar fixamente para elas e contar as pétalas. Então virou uma ampulheta de dois minutos e disse a sua modelo para não falar nem se mexer até a areia acabar de descer.

Esse procedimento, repetido a intervalos regulares, permitiu que desse a volta em Angelina com o bloco de rascunho na mão e fizesse esboços grosseiros da cabeça e do pescoço, além de anotações visuais rápidas de um cachinho caindo pela curva do pescoço ou de uma mecha grande acima de uma das orelhas rosadas da jovem... o sol da manhã entrava pela janela e iluminava belamente a orelha. Ela queria tentar reproduzir aquele rosa...

Talvez desse tempo de trabalhar nos braços e nas mãos... Já tinha o que necessitava para os cabelos por enquanto e Angelina usava um macio roupão de seda cinza que deixava os braços nus até os cotovelos.

– Ah! Está me pintando agora? – perguntou a moça, endireitando as costas e franzindo o nariz ao sentir cheiro de terebintina fresca.

– Vou pintar em breve – garantiu Bree, dispondo a paleta e os pincéis. – Mas, se a senhora quiser se esticar por alguns minutos, agora seria um bom momento.

Angelina desceu da plataforma até o chão, segurando com uma das mãos os cabelos que balançavam e estendendo a outra para se equilibrar, e desapareceu sem uma segunda ordem. Brianna pôde ouvi-la sair ruidosamente para o sol nos fundos da casa enquanto chamava Jem e Mandy, que jogavam bola no quintal com o pequeno filho dos Hendersons, da casa do lado.

Bree respirou fundo, saboreando aquela solidão momentânea. O ar tinha um forte toque outonal, apesar do sol quente que entrava pela janela, e uma única mamangaba tardia entrou zumbindo devagar, esvoaçou frustrada ao redor das folhas de cera e tornou a sair.

Em breve seria inverno nas montanhas. Ela sentiu uma pontada de saudade dos altos penhascos e do aroma limpo dos abetos-balsâmicos, da neve e da lama, do cheiro próximo e morno de animais no curral. E muito mais dos pais e da sensação da família à sua volta. Movida por um impulso, virou a página do bloco de rascunho e tentou fazer um desenho do rosto do pai: só uma linha ou duas do perfil, o nariz reto e comprido, o cenho marcado. E a pequena linha curva que sugeria seu sorriso, escondido no canto da boca.

Aquilo bastava por enquanto. Com a sensação reconfortante da presença dele por perto, ela abriu a caixa na qual guardava os pequenos tubos de folha de chumbo que havia fabricado, com as extremidades dobradas para fechá-los, e os potinhos de pigmentos moídos manualmente, e criou sua paleta simples. Branco de chumbo, um toque de negro de fumo e um pouco de laca de garança. Hesitou por um instante, então acrescentou uma fina linha de amarelo de chumbo e estanho e um pinguinho de azul de cobalto, a cor mais próxima do cobalto que era capaz de conseguir...

Até agora, pensou, determinada.

Pensando na cor das sombras, foi até a pequena coleção de telas encostada na parede, descobriu o retrato inacabado de Jane e o colocou sobre a mesa, onde pegaria a luz da manhã.

– Talvez o problema seja esse – murmurou.

A luz. Tinha pintado o retrato com uma fonte de luz imaginária vinda do lado direito, de modo a realçar a linha delicada do maxilar. Mas o que não lhe ocorrera era que *tipo* de luz seria. As sombras lançadas por uma luz matinal às vezes tinham um leve tom esverdeado, enquanto as do meio-dia, mais escuras, davam um leve tom amarronzado aos tons de pele naturais e as do fim da tarde eram azuis e cinza, e às vezes de um lilás bem escuro. Mas que hora do dia combinava com a misteriosa Jane?

Franziu o cenho para o retrato enquanto tentava sentir a jovem, conhecer alguma coisa dela pelas palavras de Fanny, pelas suas emoções.

Ela era prostituta. Fanny tinha dito que o desenho original fora feito por um dos... clientes do bordel. Certamente então fora feito à noite, não? *Luz de uma lareira... ou de velas?*

Suas ruminações foram interrompidas pelo som da risada de Angelina e por passos no corredor. Uma voz de homem, achando graça... o sr. Brumby. *E o que ele estará pensando no momento? Estará contente com a batalha ou consternado?*

– O sr. Salomon está em meu escritório, Henrike – disse ele por cima do ombro ao entrar. – Leve algo para comer, sim? Ah, sra. MacKenzie. Desejo uma excelente manhã para a senhora. – Alfred Brumby parou no vão da porta e sorriu. Agarrada ao seu braço, Angelina o encarava radiante e sujava de pó branco a manga de seu casaco verde-garrafa, mas ele não parecia notar. – E como está avançando o trabalho, se me permite perguntar?

Ele teve a cortesia de fazer soar como se estivesse pedindo *mesmo* permissão para perguntar em vez de estar solicitando um relatório.

– Muito bem, senhor – respondeu Bree.

E deu um passo para trás enquanto fazia um gesto para ele se aproximar e ver os esboços da cabeça que havia feito até ali, dispostos em leque sobre a mesa: a cabeça e o pescoço de Angelina completos e de vários ângulos, closes da linha dos cabelos de lado e de frente, e diversos pequenos detalhes de cachinhos, ondas e brilhantes.

– Lindo, lindo! – exclamou ele. Curvou-se acima dos desenhos e extraiu do bolso um monóculo, que usou para examiná-los. – Ela captou você exatamente, minha querida... coisa que eu não teria achado possível sem agrilhoar suas pernas, confesso.

– Sr. Brumby! – Angelina agitou a mão para ele, mas riu, corando feito uma rosa no mês de junho.

Meu Deus, essa cor! Mas não havia a menor chance de o rubor durar tempo suficiente para ela o estudar; teria que memorizá-lo e tentar depois. Lançou um olhar de anseio para o pingo tentador de garança em sua paleta ainda fresca.

O sr. Brumby, porém, era cioso do próprio tempo, e também do de Brianna. Assim, após mais alguns comentários elogiosos, beijou a mão da esposa e saiu ao encontro do sr. Salomon, deixando Angelina com um tom rosado ainda encantador nas faces.

– Sente-se – disse Bree, estendendo-lhe a mão. – Vamos ver quanto conseguimos avançar antes do lanche da manhã.

O assombro diante das verdadeiras tintas a óleo, auxiliado talvez pelas emanações de terebintina e óleo de linhaça, pareceu acalmar Angelina. Embora ela posasse com uma rigidez maior do que o normal, isso não teve muita importância. O estúdio foi temporariamente tomado por um silêncio cheio de paz feito de pequenos ruídos: crianças do lado de fora, cães se coçando e bufando, o ruído abafado de panelas e conversas vindo da cozinha, batidas de pés e murmúrios de vozes no andar de cima conforme as criadas varriam as lareiras, esvaziavam os penicos e arejavam as roupas de cama, o sacolejo e os estalos das carroças passando na rua.

Um único *bum* distante foi trazido pela brisa que entrou pela janela e Brianna se retesou por alguns instantes. No entanto, como nada mais aconteceu, ela tornou a relaxar no trabalho, embora agora imaginando Roger parado junto a seu ombro esquerdo... observando-a pintar. Imaginou-o por um instante com o braço em volta de sua cintura e os cabelos de sua nuca se eriçaram com a expectativa da respiração quente.

O relógio na prateleira da lareira do salão mais adiante no corredor bateu as onze com um som imperioso e Bree pôde sentir a barriga roncar de expectativa. O desjejum fora servido às seis, e uma fatia de bolo e uma xícara de chá seriam bem-vindas.

– Stá ptando mnha bca? – perguntou a sra. Brumby, movendo o mínimo possível os lábios, só por garantia.

– Não, pode falar – assegurou Brianna, contendo o riso. – Mas não mexa as mãos.

– Ah, claro! – A mão que tinha levantado inconscientemente para mexer nos cachos esculpidos dos cabelos caiu feito uma pedra em seu colo, mas ela então deu uma risadinha. – Será que Henrike vai ter que me dar o lanche na boca? Já a estou ouvindo chegar.

Henrike pesava cerca de 90 quilos e era possível ouvi-la chegando um bom tempo antes de ela aparecer, pois os saltos de madeira de seus sapatos batiam nas tábuas nuas do piso do corredor em um compasso cadenciado semelhante às batidas de um surdo.

– Eu *preciso* pintar aquele forro de chão que a senhora me pediu – disse Bree e só se deu conta de que tinha falado em voz alta quando Angelina riu.

– Ah, faça isso – disse ela. – O sr. Brumby prefere a estampa dos abacaxis. Aliás, a senhora por acaso conseguiria terminar antes da próxima quarta-feira? Ele quer dar um jantar de gala para o general Prévost e seus oficiais. De agradecimento, por sua galante defesa da cidade. – Ela hesitou e sua linguinha cor-de-rosa saiu depressa da boca e tocou os lábios. – A senhora acha… ahn… eu não quero, não quero ser… isto é…

Brianna deu uma longa e lenta pincelada e uma faixa de rosa-claro misturado com creme reproduziu o brilho da luz na superfície redonda do delicado antebraço de Angelina.

– Não tem problema – disse ela, mal prestando atenção. – Não mexa os dedos.

– Não, não! – disse Angelina, agitando os dedos, culpada, em seguida tentando se lembrar de como estavam antes.

– Está bem assim. Não se mexa!

Angelina congelou e Bree conseguiu pintar uma sugestão cinzenta de sombra entre os dedos enquanto Henrike entrava. Para sua surpresa, contudo, não houve barulho de louça de café tilintando, tampouco qualquer indício do bolo cujo cheiro ela sentira naquela manhã ao se vestir.

– O que foi, Henrike? – Angelina continuava sentada com as costas rígidas e eretas. Embora tivesse recebido permissão para falar, manteve os olhos fixos no vaso de flores. – Onde está nosso café?

– *Da ist ein Mann* – informou Henrike à patroa em tom agourento, baixando a voz como para evitar que outra pessoa a escutasse.

– Alguém está à porta? – Angelina arriscou um olhar curioso para a porta do estúdio antes de tornar a mover os olhos com um tranco para a posição. – Que tipo de homem?

Henrike franziu os lábios e meneou a cabeça para Brianna.

– *Ein Soldat. Er will sie sehen.*

– Um soldado? – Angelina saiu da pose e olhou espantada para Brianna. – E ele quer falar com a sra. MacKenzie? Tem certeza, Henrike? Não acha que ele talvez queira falar com o sr. Brumby?

Henrike gostava da jovem patroa e evitou revirar os olhos, limitando-se em vez disso a menear a cabeça outra vez para Bree.

– Ela – falou, em inglês. – *Er sagte* "*die* senhor-ra pintor-ra". – Ela uniu as mãos sob o avental e ficou aguardando pacientemente novas instruções.

– Ah. – Era óbvio que Angelina não sabia o que fazer… e também era óbvio que tinha saído completamente da pose.

– Devo falar com ele? – perguntou Bree.

Ela girou o pincel de pelo de esquilo dentro do solvente e o envolveu em um pedaço de trapo úmido.

– Ah, não… traga-o aqui, sim, Henrike?

Angelina obviamente queria saber qual era o motivo daquela visita. E ser vista na emocionante situação de estar sendo pintada, pensou Bree, com um sorriso interior ao vê-la ajeitar os cabelos.

O soldado em questão se revelou um homem muito jovem... vestido com o uniforme do Exército Continental. Angelina arquejou ao vê-lo e deixou cair a luva que segurava na mão esquerda.

– Quem é o senhor? – indagou, sentando-se o mais ereta possível. – E por que está aqui, se me permite perguntar?

– Vim sob a bandeira da paz trazer um recado. Tenente Hanson, madame, a seu dispor – respondeu o rapaz, curvando-se. – E senhora – emendou, virando-se para Brianna. Tirou de dentro do casaco um bilhete lacrado com cera e lhe fez uma mesura. – Se me permite a liberdade de perguntar... a senhora é casada com Roger MacKenzie?

Ela teve a sensação de ter sido largada dentro de um abismo glacial, de temperatura gélida e ofuscante de tão branco. Lembranças confusas de telegramas amarelos vistos em filmes de guerra, a recordação de peças de artilharia de cerco.

Onde está Roger?

– Eu... sim – respondeu.

Tanto Angelina quanto Henrike olharam para ela e entenderam na hora a situação. Angelina correu para ampará-la.

– O que aconteceu? – indagou Angelina com sofreguidão, abraçando Bree pela cintura e fuzilando o soldado com os olhos. – Fale agora mesmo!

As mãos de Henrike se retesaram nos ombros de Bree e ela pôde ouvir atrás de si uma prece sendo sussurrada em alemão: "*Mein Gott, erlöse uns vom Bosen...*"

– Ahn... – O rapaz parecia estupefato; não podia ter mais de 16 anos, pensou Bree vagamente. – Eu, ahn...

Bree controlou os músculos da garganta e engoliu em seco.

– Ele foi morto em combate? – perguntou, com o máximo de calma de que foi capaz.

Ah, meu Deus, não vou conseguir contar para as crianças, não vou conseguir fazer isso... Ah, meu Deus...

– Ora, sim, madame – disse o soldado, piscando. – Mas como a senhora sabia?

O bilhete continuava em sua mão, parcialmente estendido. Ela se soltou das mulheres, arrancou-lhe o papel da mão e o manuseou freneticamente para tentar abrir.

Por alguns instantes, as palavras escritas em uma letra desconhecida ficaram boiando diante de seus olhos e seu olhar desceu até a assinatura. *Um médico, graças a Deus...* Então subiram para a saudação.

Amiga MacKenzie.

– O quê? – falou, erguendo os olhos para o jovem soldado. – Quem escreveu esta carta?

– Ora, madame, o dr. Wallace – respondeu ele, chocado com seu linguajar. Então compreendeu. – Ah. Ele é quacre, madame.

Mas ela havia tornado a virar os olhos para a carta e não estava prestando atenção.

Seu marido me pede para lhe transmitir seus melhores votos e dizer que estará consigo em Savannah daqui a três dias, se Deus quiser.

Ela fechou os olhos e inspirou tão profundamente que ficou tonta.

Teria escrito de próprio punho para avisar, mas deslocou o polegar sem gravidade, o que o impede de escrever de modo confortável.

Ele se ausentou em uma incumbência breve, porém urgente, para o tenente-coronel Marion. Nesse meio-tempo, pergunta se poderia vir ao acampamento americano em Savannah (o soldado que está levando este recado sob a bandeira da paz irá acompanhá-la) para executar um serviço artístico de generosidade e compaixão.

Um dos mais estimados comandantes da cavalaria americana foi morto em combate e o general Lincoln deseja ter alguma recordação concreta do general Pulaski. O amigo Roger prestou consolo aos amigos do general e sugeriu que, como você estava perto, talvez se dispusesse a vir fazer um desenho do cavalheiro antes de ele ser enterrado.

Nesse momento o espanto começou a sobrepujar o choque e ela pôs-se a respirar mais devagar. Ainda estava tonta e seu coração palpitava; espalmou uma das mãos no peito por reflexo. Mas as palavras escritas no papel tinham se firmado.

Pulaski. O nome lhe era conhecido; devia tê-lo escutado na escola. Um dos voluntários europeus que tinham se unido à causa americana. Havia algo em Nova York batizado em sua homenagem, não? E agora… *agora*, nesse dia, duzentos anos no passado, ele tinha morrido.

Tomou consciência de Angelina, Henrike e do jovem soldado, todos a encará-la com graus variados de preocupação e ansiedade.

– Está tudo bem – falou. Sua voz tremeu e ela pigarreou e balançou a cabeça para aliviar a tontura. – Está tudo bem – tornou a dizer com mais firmeza. – Meu marido está bem.

– Ah… – A expressão de Angelina relaxou e ela segurou as mãos de Brianna. – Ah, sra. MacKenzie, fico *tão* feliz!

Atrás de Angelina, Henrike se benzeu solenemente e o medo se esvaiu de seu olhar. O soldado tossiu.

– Sim, madame – falou, desculpando-se. – Eu deveria ter dito logo. É que nunca pensei…

– Não faz mal – disse Bree.

Suas mãos estavam úmidas e ela pegou um pano relativamente limpo a fim de secá-las. Em seguida, dobrou o bilhete com todo o cuidado e o guardou no bolso. Seu coração já batia mais devagar e seu cérebro recomeçava a funcionar.

– Sra. Brumby... Angelina... preciso ir com o cavalheiro. Só por algumas horas – acrescentou depressa ao ver a ansiedade tornar a surgir nos grandes olhos castanhos. – É um pedido de meu marido, algo urgente que preciso fazer. Mas voltarei o mais depressa possível. A senhora acha que talvez... as crianças?

Ela olhou para Henrike com ar de quem se desculpa, mas a empregada aquiesceu com vigor.

– *Ja*, eu cuido delas. Eu... – O barulho da aldraba de latão da porta a interrompeu e ela se virou com um movimento abrupto. – *Ach! Mein Gott!*

Afastou-se determinada, resmungando algo entre dentes que Brianna não soube interpretar, mas que imaginou ser algo do tipo "Quando não é uma coisa, é outra...".

– Vou pedir à cozinheira que prepare algo para levar. E a sra. MacKenzie vai precisar de um cavalo? – Angelina se virou depressa para o jovem soldado, que enrubesceu.

– Eu trouxe uma boa mula para a senhora montar, madame – disse ele. – O... o acampamento não fica muito longe.

– Acampamento? – disse Angelina sem entender, interrompida em seus preparativos mentais. – O acampamento... *americano*? Certamente não está se referindo às linhas do cerco?

Bem, aquilo poderia *se complicar...*

– É uma questão de amizade, Angelina – disse Bree com firmeza. – Meu marido é pastor; ele conhece muita gente de ambos os lados desta guerra e foi um amigo dele que me pediu para ir, um médico chamado dr. Wallace.

– Dr. Wallace...? Ah! Não está se referindo ao dr. Wallace que operou o governador, está? – Angelina a essa altura estava com os olhos arregalados e, apesar de alarmada, parecia empolgada com a sensação de emergência.

– Ahn... possivelmente – respondeu Brianna, espantada. – Ainda não o conheci. Estou certa de que...

– Desejo falar com a sra. MacKenzie – disse uma voz masculina grave de algum lugar mais adiante no corredor. – Meu amigo deseja contratá-la para um retrato. Lorde John Grey recomendou que a chamássemos... um amigo em comum. Queira informar que trouxe uma carta de apresentação e...

– *Mein Gott* – disse Brianna entre dentes. *John Grey? Mas o que é que...*

O cavalheiro, cuja voz era inglesa e educada, deparava-se com a resistência de Henrike. Brianna já estava pegando lápis, bastões de carvão e enchendo uma caixa com as coisas de que poderia precisar para desenhar o retrato de um morto. Não havia tempo...

– Angelina – falou por cima do ombro –, será que poderia dizer a esse senhor que precisei sair para uma obrigação urgente? Ele pode voltar amanhã ou, quem sabe, depois de amanhã – acrescentou, em tom de dúvida. Não dava para saber quanto tempo aquilo poderia levar.

– Claro!

Angelina se dirigiu decidida para o corredor e Brianna fechou os olhos e tentou pensar. Primeiro as crianças. Pelo menos ela podia contar que o pai logo voltaria. Depois... o que vestir para uma tarefa daquelas? Teria que ser seu vestido de pintar grosseiro, pois iria montada em uma mula e estaria nas condições de um acampamento de cerco, fossem quais fossem...

Será que lá há trincheiras?, pensou.

As vozes no corredor tinham ficado mais altas e numerosas. Angelina e Henrike discutiam com o que agora pareciam ser *dois* homens, ambos decididos a falar com a sra. MacKenzie a qualquer custo.

Não havia tempo para aquilo. Impaciente, ela saiu para o corredor com a intenção de mandar os visitantes embora. O sol da manhã entrava pela porta da frente aberta, destacando o contorno do que parecia ser um grupo de bonecos de sombra, corpos negros, cabeças sem rosto, membros delineados em luz cintilante conforme eles se moviam. Foi uma dessas imagens súbitas e belas que acontecem sem aviso, e ela se deteve por um segundo para fixá-la na mente. Então uma das silhuetas mais altas se virou e ela viu o contorno do mesmo nariz comprido e reto, da mesma testa alta que seus dedos haviam desenhado tão pouco tempo antes.

– Espere! – falou.

Não teve lembrança de percorrer o corredor a passos largos, mas de repente se viu cara a cara com ele. Não havia mais sombra a ocultá-lo, mas sim o sol da manhã a iluminar um par conhecido de olhos azuis oblíquos cravados nos dela.

– Caramba – disse ela, atônita. – Você!

– Seu irmão? – Angelina estava alvoroçada ao extremo. – E nenhum dos dois sabia que o outro estava aqui? Que espantoso!

– Sim – respondeu Bree. – Sim... espantoso.

Hesitante, ela estendeu para ele uma das mãos. William piscou uma vez, segurou a mão e se curvou acima dela, beijando-a de leve. A sensação do hálito dele na sua mão fria de terebintina arrepiou os pelos do seu antebraço e ela lhe apertou os dedos. Ele se endireitou, mas não se afastou. Seus dedos se viraram e cobriram os dela.

– Não quis atrapalhar você – falou, e ela pôde ver e sentir os olhos de William examinando seu rosto da mesma forma que ela examinava o dele.

– Ah, imagine – disse ela, querendo dizer o contrário. Ele captou isso, sorriu de leve e soltou sua mão. – Eu... você disse que lorde John o mandou?

– Mandou, sim, aquele patife sonso. Ahn... queira me perdoar, madame.

Ele tirou os olhos dela por um instante e os virou na direção do outro cavalheiro. Este era um rapaz alto e de ombros bem largos, mestiço, com um impressionante capacete de cabelos castanhos arruivados muito encaracolados e cortados rente.

– Permita-me apresentar meu amigo, sr. John Cinnamon – disse William.

Angelina e Henrike fizeram uma mesura imediata, com desabrochar de saias. O sr. Cinnamon pareceu um tanto horrorizado, mas, depois de um rápido olhar para William, curvou-se e murmurou:

– Seu mais humilde criado... madame. E... ahn, madame.

– Ahn... madame? Sra. MacKenzie? – O tenente Hanson, um tanto ofuscado por William e o sr. Cinnamon, ambos uns bons 30 centímetros mais altos do que ele, esforçou-se para recuperar a atenção de Brianna. – Temos que ir andando, madame, ou não vamos chegar a tempo de a senhora... ahn... fazer o que precisa fazer.

Ele limpou a garganta com um pigarro.

– E o senhor quem é, posso saber? – William tinha o cenho franzido para o uniforme azul e bege do tenente. – O que está fazendo aqui?

Foi a vez de Bree pigarrear alto.

– O tenente Hanson veio me buscar para uma tarefa urgente – falou. – E ele tem razão. Temos que ir, assim que eu terminar de empacotar minhas coisas e trocar de roupa. E contar para as crianças. Quer... vir comigo até meu estúdio? Podemos conversar enquanto arrumo as coisas.

Por consenso tácito, William foi sozinho, deixando o amigo e o tenente Hanson sob os atenciosos cuidados de Angelina e Henrike, que já falavam em bolos, café e, quem sabe, fatias de presunto frio, parecendo dois passarinhos piando.

A barriga de Brianna roncou ao pensar em sanduíches de presunto, mas ela reprimiu aquilo por enquanto e se virou para William.

Meu irmão.

– Eu queria contar – falou na mesma hora, fechando a porta e apoiando as costas nela. – Da primeira vez que nos encontramos. Lembra? Foi no cais de Wilmington. Roger estava comigo... meu marido, e Jem e Mandy também. Quero dizer... eu queria que você os conhecesse, que os visse, mesmo sem saber que eram... seus.

Ele desviou os olhos e pôs uma mão sobre a mesa, tocando a madeira com a ponta dos dedos. Ela sentiu a solidez da porta nas escápulas e compreendeu a necessidade de um apoio físico.

– Meus? – perguntou ele, baixando os olhos para os papéis e pincéis espalhados sobre a mesa.

– Eu deveria dizer algo educado, do tipo "só se nos quiser" – disse ela. – Mas é...

– Um pouco tarde para isso – completou ele e ergueu para ela um olhar cauteloso, mas direto. – Para mentir sobre a verdade, digo. – Sua boca se curvou levemente de lado, mas ela não teve certeza se foi um sorriso. – Ainda mais quando ela é tão evidente quanto o nariz no meio de sua cara. E da minha.

Ela tocou por reflexo o próprio nariz e riu, um pouco nervosa. O nariz dele era *mesmo* igual ao dela, e os olhos também. Mas ele era queimado de sol, usava os cabelos ruivos escuros presos em um rabo de cavalo e, embora tivesse um rosto muito parecido com o do pai, o pai de ambos, a boca tinha vindo de outro lugar.

– Mas eu peço desculpas por não ter contado.

Ele a encarou sem expressão por quatro batidas de seu coração e ela sentiu cada uma delas.

– Desculpas aceitas – disse ele, seco. – Embora, para ser bem sincero, eu ache bom você não ter me contado. – Ele então fez uma pausa, considerando que aquilo poderia soar deselegante, antes de completar: – Não teria sabido como reagir a uma revelação dessas. Na época.

– E agora sabe?

– Não, droga, não sei – respondeu ele com franqueza. – Mas, como meu tio assinalou recentemente, pelo menos não estourei meus miolos. Quando tinha 17 anos, poderia ter feito isso.

Um forte rubor surgiu nas faces de Brianna. Ele não estava brincando.

– Que lisonjeiro – disse ela e, para evitar encará-lo, virou-se e retomou a arrumação de sua caixa de desenho.

Ouviu-o fazer um pequeno muxoxo entre dentes e então seus passos bem perto atrás de si.

– Sou *eu* que peço desculpas – disse ele baixinho. – Não quis dizer isso como se fosse uma implicação negativa em relação a seu... a você, ou à sua família...

– À *sua* família, você quer dizer – disse ela sem se virar.

O lápis com ponta de prata? Não: carvão e grafite; a ponta de prata era delicada demais para aquilo.

Ele limpou a garganta antes de falar, formal:

– Estava me referindo apenas à minha situação. O que não tem nada a ver com...

Ele se calou. Brianna se virou para encará-lo e o pegou com os olhos pregados no retrato de Jane, como se tivesse visto um fantasma. Empalideceu por baixo do bronzeado e fechou parcialmente as mãos.

– Onde arrumou isso? – perguntou. Sua voz saiu rouca e ele pigarreou com violência. – Esse quadro. Essa... moça.

– Eu pintei – respondeu ela apenas. – Para Fanny.

Ele fechou os olhos por alguns segundos, então os abriu, ainda fitando o quadro. Depois virou as costas, porém, e ela percebeu o movimento de seu pomo de adão quando engoliu com força a saliva.

– Fanny – repetiu ele. – Frances. Então você a conhece. Onde ela está? *Como* ela está?

– Bem – respondeu Bree com firmeza e, atravessando os poucos metros que os separavam, pousou a mão em seu braço. – Ela está com meus pais na Carolina do Norte.

– Você a viu?

– Sim, claro... embora não a veja desde o início de setembro. Paramos por um tempinho em Charleston... Charles Town – corrigiu-se ela. – Para visitar meu... bom, suponho que seja meu irmão postiço, e Marsali, bem, ela é meio que minha irmã postiça, mas eles não são...

O cansaço tinha retornado aos olhos de William. Apesar disso, ele não se afastou e Bree sentiu o calor de seu braço através do pano do casaco.

– Essas pessoas também são meus parentes? – perguntou ele, como se temesse que a resposta pudesse ser sim.

– Suponho que sim. Pa adotou Fergus. Ele é francês, mas... bom, não importa. Ele era órfão em Paris. Então, depois disso Pa se casou... bom, isso também não importa, mas Marsali, a esposa de Fergus, e Joan, a irmã dela, são enteadas de Pa, então... humm... E os filhos de Fergus e Marsali, eles têm cinco agora, seriam...

William deu um passo para trás, afastando-se, e ergueu a mão.

– Chega – disse com firmeza. Apontou para ela um indicador comprido. – Com você eu consigo lidar. E nada mais. Hoje não.

Ela riu e pegou o xale meio gasto que guardava no estúdio para trabalhar nas horas geladas da manhã.

– Hoje não – concordou. – William, eu preciso ir. Quer que nós...?

– Sua encomenda – disse ele e balançou a cabeça como para organizar os pensamentos. – O que é?

– Bom, se quer mesmo saber, estou indo ao acampamento do cerco americano desenhar o retrato de um comandante de cavalaria que morreu.

Ele piscou e Brianna então viu seu olhar se dirigir para o retrato de Jane. O sol tinha mudado de posição e o quadro estava na sombra. Ela parou com o xale em volta dos ombros, espantada com a expressão no rosto. Não durou mais de um segundo, porém, e William se virou, pegou sua caixa de desenho e a pôs debaixo do braço.

– Retratos de gente morta são uma especialidade sua? – indagou, com uma leve ironia.

– Ainda não – respondeu ela no mesmo tom. – Me dê minha caixa.

– Eu carrego – disse ele e estendeu a mão para abrir a porta. – Vou com você.

94

BATEDORES

A névoa vinda do rio tinha enfim se dissipado e o sol estava quente.

Para seu alívio, a mula que o tenente Hanson tinha lhe trazido era alta e esguia; apesar de ossuda e orelhuda, tinha um temperamento amigável. Ela havia se imaginado montada em um jumento encarquilhado, arrastando os pés pelo chão, cercada por homens grandes sobre cavalos altos que a fariam parecer uma anã. Na verdade, tanto William quanto John Cinnamon montavam capões sólidos, mas sem nada de especial. O tenente, por sua vez, montava uma mula menor do que a dela. E não estava nada feliz.

– Não vou permitir que minha irmã entre em um acampamento militar desacompanhada – William tinha dito com firmeza enquanto desamarrava o próprio cavalo em frente à casa dos Brumbys.

– *Mais oui* – disse o sr. Cinnamon e se abaixou para ajudar Brianna a subir na sela.

– Mas... *eu* vou acompanhá-la! O general Lincoln está esperando que eu leve a sra. MacKenzie!

– E vai receber a sra. MacKenzie – garantiu ela ao tenente enquanto ajeitava as saias e empunhava as rédeas. – Mas com batedores, pelo visto.

O tenente Hanson havia encarado William com um olhar de profunda desconfiança. E não era de espantar, pensou ela. Sentado na sela, alto e descontraído, usava um traje esfarrapado e sujo de tanto viajar que já não era da moda quando novo, mas até alguém bem menos experiente que o tenente Hanson o teria reconhecido como um soldado... e não só isso. Como um oficial acostumado a comandar. O fato de o sotaque e a postura de William não condizerem com suas roupas ordinárias era ainda mais perturbador.

O pensamento do tenente estava claro para ela, e provavelmente para William também, embora a expressão dele se mantivesse impassível. Seria ele um soldado britânico em trajes civis? Um espião? Um soldado britânico querendo virar a casaca e aceitar um cargo no Exército Continental? Ela viu o olhar do sr. Hanson se dirigir para John Cinnamon, em seguida se desviar. E *ele*?

Mas não havia opção: o tenente Hanson fora incumbido de buscar uma artista e não podia voltar sem ela. Com os ombros encolhidos, ele virou a cabeça da mula em direção à White Bluff Road.

– Conte-me mais sobre o general Pulaski – sugeriu Brianna, emparelhando com ele. – Ele foi morto hoje de manhã?

– Ah. Ahn... não, senhora. Quero dizer... – emendou Hanson, esforçando-se para ser preciso. – Ele morreu hoje de manhã, *sim*, no navio. Mas...

– Que navio? – perguntou ela, espantada.

– O *Vespa*, acho que esse é o nome. – Hanson lançou um rápido olhar por cima do ombro e baixou a voz: – O general foi atingido dois dias atrás enquanto liderava a cavalaria entre suas baterias, mas...

– Ele liderou um ataque de cavalaria... para cima de canhões?

Pelo visto, o tenente Hanson não tinha baixado o suficiente a voz, pois a pergunta foi feita por William, que vinha cavalgando logo atrás. A voz dele soou incrédula e um pouco bem-humorada, e Bree se virou e o fuzilou com o olhar.

Ele o ignorou, mas apressou o cavalo na direção da mula de Hanson. O tenente portava sua bandeira da paz e, quando William se aproximou, moveu-a por instinto e a apontou para ele ao modo de uma lança de duelo medieval.

– Não foi minha intenção ofender o general – disse William em tom brando, erguendo a mão em uma defesa negligente. – Essa seria uma manobra muito ousada e corajosa.

– E foi – retrucou Hanson.

Ele levantou um pouco a bandeira e virou as costas para William, deixando os irmãos cavalgando lado a lado, enquanto John Cinnamon fechava a retaguarda. Bree encarou William com um olhar semicerrado que lhe sugeria fortemente ficar de boca fechada. Ele a encarou por um instante, em seguida desviou os olhos com uma expressão impassível.

Ela quis rir quase tanto quanto quis cutucá-lo com alguma coisa pontiaguda. Como não estava carregando uma bandeira da paz, contentou-se com um muxoxo audível.

– *À vos souhaits* – disse o sr. Cinnamon educadamente atrás dela.

– *Merci* – respondeu ela com igual educação.

William fez um muxoxo.

– *À tes amours* – disse o sr. Cinnamon, parecendo achar graça.

Nada mais foi dito até chegarem ao limite da cidade, poucos minutos depois. Um destacamento de escoceses das Terras Altas protegia o fim da rua, embora esta fosse protegida por um par de refúgios grandes escavados pelos britânicos, visíveis do lado mais próximo do rio. A visão dos soldados de kilt e o som de suas vozes conversando em gaélico provocaram nela uma sensação esquisita e tensa. Um panelão de acampamento fervia acima de uma minúscula fogueira e o cheiro de café e pão tostado lhe deu água na boca. Fazia tempo que ela tomara café e, na pressa de saírem, eles tinham se esquecido de levar o embrulho de comida de Henrike.

Brianna devia estar olhando esfomeada para os poucos homens que comiam em volta do fogo, pois William cutucou seu cavalo para fazê-lo chegar mais perto e murmurou:

– Vou providenciar comida assim que chegarmos.

Ela olhou para ele e anuiu. Agora já não havia bom humor nem descontração em sua atitude. Apesar de relaxado na sela, segurando as rédeas frouxamente enquanto o tenente Hanson falava com o oficial escocês no comando, seus olhos nunca se desgrudaram dos soldados.

Eles passaram pelo posto de controle em silêncio. Ela podia sentir na pele os olhos dos soldados e seus cabelos se arrepiaram. *O inimigo...*

As linhas do cerco americano ficavam a menos de meio quilômetro de distância, e o acampamento, talvez 1,5 quilômetro mais além, mas o tenente Hanson os conduziu imediatamente na direção oposta à do rio, de modo a dar a volta nos refúgios americanos e nas peças de artilharia francesas arrastadas até ali dos navios. Os canhões estavam silenciosos, *graças a Deus*, mas ela pôde vê-los com clareza: formas escuras na névoa matinal, ainda densa ali perto do rio.

– O senhor estava me falando sobre o general Pulaski – disse ela, emparelhando com o tenente. Não queria olhar para os canhões e pensar em Jem e Mandy na cidade... nem nos rombos e telhados incendiados que tinha visto nas casas de Savannah mais próximas do rio. – O senhor disse que ele estava em um navio?

O tenente havia relaxado um pouco depois de sair de Savannah e ficou satisfeito em narrar a terrível, porém nobre, morte de Casimir Pulaski.

– Sim, senhora. O *Vespa*, como disse. Quando o general caiu, seus homens o recolheram na hora, claro, mas era óbvio que estava gravemente ferido. O dr. Lynah... ele é o médico do acampamento... tirou os estilhaços do corpo dele, mas o general Pulaski avisou que queria subir a bordo do navio. Não sei por que ele...

– Porque os franceses não vão ficar mais muito tempo aqui – interrompeu William. – Estamos na temporada de furacões; D'Estaing deve estar ansioso. Imagino que Pulaski também soubesse disso e não quis correr o risco de ser deixado para trás, ferido, se... digo, *quando* os americanos abandonarem o cerco.

Hanson se virou na sela, lívido de raiva.

– E o que o *senhor* poderia saber sobre esses assuntos, seu... seu dândi idiota?

William o encarou como poderia ter encarado um mosquito que zumbia, mas deu uma resposta razoavelmente educada:

– Eu tenho olhos, tenente. E, se bem entendo, o general Pulaski era o comandante da cavalaria de todo o Exército Americano. Correto?

– Sim – respondeu Hanson entre dentes. – E daí?

Até mesmo Bree podia perceber que aquilo era pura retórica e William apenas deu de ombros.

– Eu quero saber sobre o ataque de cavalaria do general – disse John Cinnamon, interessado. – Tenho certeza de que ele deve ter tido um bom motivo – acrescentou, com certo tato. – Mas por que fez isso?

– Sim, eu também gostaria de saber – interveio Bree depressa.

O tenente Hanson fuzilou William e John Cinnamon com os olhos e, após um comentário resmungado no qual ela conseguiu captar apenas as palavras "bela dupla de jogadores de gamão", endureceu os ombros e se deixou ficar um pouco para trás de modo que Brianna pudesse emparelhar com ele na estrada estreita. O terreno ali era plano e aberto, mas a terra era arenosa e densamente coberta por um tipo de capim grosseiro e áspero, que prendia nas patas dos cavalos.

Mas ela percebeu que a estrada fora muito usada recentemente. Marcas de cascos, pegadas, estrume de cavalo, rodas de carroça... o chão estava revirado e enlameado, e as bordas, pisoteadas pelo avanço rápido de soldados a pé. Um arrepio repentino subiu por suas costas quando o vento mudou de direção e ela sentiu o cheiro do exército.

Um cheiro de bicho, de suor e carne, metal e gordura, matizado pelo fedor de sabão de lixívia, estrume, comida parcialmente queimada e pólvora.

O sr. Hanson tinha relaxado um pouco ao ver que dispunha da atenção integral de sua plateia e explicava que os americanos e os franceses, seus aliados, tinham planejado e executado um ataque às forças britânicas no refúgio de Spring Hill. "Dá para vê-lo daqui, madame"; ele apontou na direção do mar. Como parte desse ataque, a cavalaria do general Pulaski deveria seguir o ataque inicial da infantaria, "para causar confusão no inimigo".

O ataque da cavalaria havia cumprido esse modesto objetivo, mas o ataque de modo geral fora um fracasso, o próprio Pulaski fora abatido ao ser pego no fogo cruzado entre duas baterias britânicas.

– Uma baita perda – disse William, sem qualquer sarcasmo.

O tenente Hanson olhou para ele, mas aceitou o comentário com um breve meneio de cabeça.

– Foi mesmo. Ouvi dizer que o capitão do *Vespa* queria sepultar o general no mar, mas um dos amigos dele a bordo disse que não, que não deveriam fazer isso, e trouxe o corpo para terra firme hoje de manhã logo após o amanhecer, de canoa.

– Por que o amigo não quis que ele fosse sepultado no mar? – perguntou Brianna, tomando cuidado para não imprimir à pergunta nenhuma crítica implícita.

– Por causa de seus homens – explicou William antes de o tenente Hanson poder responder. Ele falou em tom de sóbria certeza. – Ele é o comandante. Eles precisam se despedir... direito.

O tenente já tinha se levantado de leve nos estribos, pronto para se indignar com a interrupção. Ao ouvir a explicação, porém, tornou a baixar e se inclinou de leve para Brianna.

– Exatamente, madame – falou.

Passada a artilharia, seguiram serpenteando por mais ou menos meio hectare de terreno ocupado por barracas enlameadas e soldados. O ar em volta era uma estranha mistura de maresia, resquícios acres de pólvora e um sopro de putrefação outonal vindo de plantações ceifadas mais além. Brianna inspirou fundo para saber mais e logo expirou. Trincheiras para servir de latrinas.

Seu destino era um grupo de barracas grandes, decerto o quartel-general de Lincoln, que esvoaçavam e balançavam delicadamente no ar da manhã feito um grupo de amigos conversando bem próximos uns dos outros. Essa agradável ilusão foi rompida no instante seguinte, quando uma bateria de canhão disparou atrás deles.

Brianna se sobressaltou e puxou as rédeas com um tranco. A mula, acostumada àquele tipo de coisa, reagiu com outro tranco da cabeça. A mula do tenente Hanson e os dois cavalos se mostraram mais suscetíveis ao barulho e recuaram violentamente com as narinas dilatadas.

– Estão começando um pouco tarde hoje de manhã, não? – perguntou William para Hanson enquanto fazia seu cavalo andar em círculos para acalmá-lo.

Ao vê-lo, Brianna pensou: *E quem ensinou você a montar, irmão?* Lorde John era bom cavaleiro, mas Jamie Fraser tinha sido cavalariço na propriedade em que William fora criado.

– A névoa. – Foi a resposta curta de Hanson. – Os tiros de canhão a dispersam. – Ele virou a cabeça da mula na direção de uma das barracas grandes. – Venha. A senhora deve falar com o capitão Pinckney.

Ela se viu ao lado de William quando retomaram seu lento avanço e se inclinou mais para perto de modo a lhe falar reservadamente:

– Você disse que eles tinham começado tarde... a disparar as peças de artilharia, quis dizer?

– Sim. – Ele a olhou com uma sobrancelha escura levantada. – Não precisa se preocupar, é só um gesto.

– Eu não estava... – começou ela, mas parou. Estava preocupada, *sim*, com medo de o pai talvez ter se enganado e de o cerco continuar... – Bem, certo, eu estava – confessou. – Como assim, um gesto?

– Eles perderam – respondeu William, olhando para o tenente Hanson. – Mas não levantaram oficialmente o cerco. O general Lincoln deve estar discutindo sobre isso com D'Estaing.

Ela o encarou.

– Você parece saber bastante sobre a situação para um cara que acabou de chegar.

– Cara? – A sobrancelha subiu mais um pouco, mas relaxou quando deixou aquilo passar. – Eu *já fui* soldado, sabia? E sei qual deve ser a sensação em um acampamento militar. Este aqui está... – Ele ergueu a mão em direção às fileiras irregulares de barracas. – Eles não estão admitindo, daí os tiros de canhão, mas... Segure firme as rédeas, lá vem outro.

E veio mesmo, uma nova e desafiadora salva de artilharia, mas dessa vez as mulas e os cavalos só fizeram sapatear e bufar, pois não foram pegos de surpresa.

– Mas? – disse ela, voltando para o mesmo lugar ao lado de William. Ele lhe lançou um sorriso de viés.

– Mas eles sabem que o fim está chegando – concluiu. – Quanto a meu conhecimento da situação, no entanto, admito que é mais do que observação. Meu pa... – Uma careta breve e intensa atravessou seu semblante e desapareceu. – Lorde John me contou sobre a batalha. Ele não tinha dúvida alguma em relação ao desfecho, nem eu.

– Então o cerco está *mesmo* prestes a acabar? – insistiu ela, querendo uma certeza.

– Está.

– Ah, que bom – disse ela e deixou os ombros relaxarem de alívio.

Ele lançou-lhe um olhar esquisito e interessado, mas não disse mais nada e cutucou o cavalo para fazê-lo apressar o passo.

O capitão Pinckney devia ter uns 30 anos, talvez, e devia ser bonito, embora a falta de sono e a derrota o tivessem emaciado. Ele piscou ao ver Bree apear da mula sem ajuda e se virar para cumprimentá-lo. Ela era uns 10 ou 15 centímetros mais alta do que ele. O capitão fechou os olhos por um instante, tornou a abri-los e se curvou para ela com uma cortesia impecável.

– A seu inteiro dispor, sra. MacKenzie. E devo transmitir os melhores cumprimentos do general Lincoln e de suas tropas. Devo transmitir também suas mais profundas dívida e gratidão pela sua gentil ajuda.

Apesar de falar como um inglês, ela achou que suas vogais tinham uma suavidade tipicamente sulista. Não tentou fazer uma mesura, mas curvou as costas para ele também.

– Fico muito feliz em ajudar – falou. – Pelo que entendo, pode ser que haja alguma urgência na... ahn, na situação. Talvez o senhor possa me mostrar onde o general Pulaski está?

O capitão Pinckney olhou para William e John Cinnamon, que haviam apeado e passado as respectivas rédeas para o ordenança que o acompanhava.

– William Ransom, capitão, a seu dispor. – William se curvou e, ao endireitar as costas, meneou a cabeça para Cinnamon. – Meu amigo e eu viemos acompanhar minha irmã. Vamos esperar para acompanhá-la de volta quando a tarefa estiver cumprida.

– Sua irmã? Ah, ótimo. – O capitão Pinckney pareceu aliviado com a revelação de que não seria o único responsável por Brianna. – A seu dispor, senhor. Queiram me acompanhar.

As armas tornaram a disparar uma salva irregular. Dessa vez Brianna não se sobressaltou.

O general morto estava em uma pequena barraca verde gasta armada na margem do rio, isolada do acampamento. Essa localização poderia ter sido um sinal de respeito, mas havia também um aspecto prático, como Brianna descobriu quando o capitão Pinckney tirou da manga um lenço amarfanhado, porém limpo, e lhe passou antes de erguer educadamente a aba da barraca para ela entrar.

– Obri... Ai, meu Deus do céu! – Algumas moscas retardatárias se levantaram preguiçosamente do cadáver e ficaram flutuando no fedor que emanava dele e o cobria de modo mais completo do que o lençol limpo estendido sobre seus rosto e tronco.

– Gangrena – informou William entre dentes atrás dela.

– Meu Deus. – John Cinnamon tossiu alto uma única vez e se calou.

– Peço desculpas, sra. MacKenzie – disse Pinckney, segurando seu cotovelo, como se temesse que ela fosse fugir ou desmaiar.

– Eu… tudo bem – conseguiu dizer ela por entre as dobras do lenço.

Não estava tudo bem, mas Bree empertigou as costas, contraiu a musculatura da barriga e se aproximou da plataforma improvisada sobre a qual Casimir Pulaski fora disposto. William foi na mesma hora se postar a seu lado. Não disse nada nem a tocou, mas ela ficou aliviada com sua presença.

Com um olhar de esguelha, para se certificar de que ela não estava prestes a desmaiar, o capitão Pinckney removeu o lençol.

O general estava pálido, com os olhos fechados, a pele um pouco manchada por tons de roxo e a linha do maxilar levemente esverdeada. Ela teria que ajustar isso; eles podiam querer o retrato de um morto, mas ela estava quase certa de que não queriam que parecesse morto *de verdade*, só… romanticamente morto. Engoliu em seco e, mesmo através do lenço, pôde sentir o cheiro viscoso, adocicado e nauseabundo. Tossiu, soltou o ar com força pelo nariz e chegou mais perto.

Romanticamente é a palavra, pensou. O general tinha a testa larga, com a linha dos cabelos já um pouco recuada, um bigodinho escuro encerado com cuidado para fazer as extremidades ficarem viradas para cima e traços que eram uma interessante mistura de força e delicadeza. Seu semblante estava inexpressivo: ele devia ter perdido a consciência antes de morrer (*e foi melhor assim, coitado…*).

– Ele tem… tinha esposa? – perguntou Brianna, recordando o que sentira ao pensar por um instante apenas que Roger…

– Não – respondeu Pinckney com os olhos fixos no rosto de Pulaski. – Ele nunca se casou. Não tinha dinheiro, claro. Na verdade, não tinha interesse por mulheres.

– A família dele está na Polônia? – arriscou Brianna. – Quem sabe eu devesse fazer um retrato para eles também?

O capitão Pinckney nesse momento ergueu os olhos, mas apenas para trocar um breve olhar com o tenente Hanson.

– Ele não falava sobre a família, senhora – disse o tenente e mordeu o lábio enquanto olhava para o morto. – Ele… – Hanson engoliu em seco de modo audível. – Ele tinha a gentileza de afirmar que nós… que nós éramos sua família.

– Entendo – disse ela baixinho, e de fato entendia. – Para todos vocês, então.

Ela baixou os olhos para o corpo, reparou nos detalhes do uniforme de gala limpo com o qual fora vestido e se perguntou morbidamente onde e como ele tinha se ferido. Será que podia perguntar?

Pulaski tinha um talho profundo na cabeça, que começava logo acima de uma das têmporas e tinha uma cor preta avermelhada, com minúsculos pedacinhos de pele enegrecida nas bordas. Ao olhar mais de perto para onde o talho desaparecia sob os cabelos do general, pensou ter visto… Por impulso, estendeu um dedo e sentiu o crânio frio ceder sob seu toque, mesmo mal tendo encostado nele. Ouviu o capitão Pinckney inspirar com um arquejo e retirou depressa o dedo.

– Metralha? – indagou William, soando um pouco interessado.

– Sim, senhor – respondeu o capitão Pinckney com um ar de severa reprimenda que Brianna pensou estar sendo dirigido a ela. – Ele foi atingido em vários pontos... no corpo e na cabeça.

– Coitado – disse Brianna baixinho.

Sentiu um forte impulso de tocá-lo outra vez, de pousar a mão de leve no peito coberto pelo forro vermelho debruado de prata do uniforme... O uniforme tinha uma gola alta feita de algum tipo de pele branca... Não, era lã de cordeiro forrada de veludo rosa encardido. Mas o olhar de censura do capitão a fez sentir que não podia fazê-lo.

– O médico... *nosso* médico... pensou que ele poderia ser salvo. – Pinckney havia baixado discretamente a voz para se dirigir a William. – Estava consciente, falando... mas insistiu para ser levado até a bordo do *Vespa*, e o médico da Marinha... – Ele deu um pigarro explosivo e inspirou fundo. – Foi o ferimento na virilha que infeccionou, ou foi o que me disseram.

– Uma grande pena, capitão – lamentou William com sinceridade evidente. – Um cavalheiro muito distinto.

– Sim – concordou o capitão, e ela percebeu que ele passara a simpatizar mais com William.

– Pelo que entendi, minha irmã deve fazer um retrato do general – disse William, e ela ergueu os olhos. Ele aquiesceu, então inclinou a cabeça na direção do capitão. – Pode dizer ao capitão Pinckney as coisas de que necessita para a tarefa, irmã?

Ouvir a palavra "irmã" na voz dele fez um estranho e leve calor desabrochar no peito de Brianna.

– E, enquanto tudo estiver sendo preparado – emendou ele antes que ela pudesse falar –, talvez se houver algo para ela comer... Viemos na mesma hora em resposta ao chamado do general Lincoln.

– Ah. Claro. Naturalmente. – O capitão olhou por cima do ombro. – Tenente Hanson... pode providenciar algo para a dama e seus acompanhantes?

– A ser comido em outro lugar – disse William com firmeza.

Luz. Isso era a primeira coisa. E um lugar para sentar. Um lugar para pôr seu material. Um copo d'água.

– Na verdade, é só disso que preciso – disse ela, tornando a olhar para trás na direção da barraca silenciosa. Hesitou por alguns instantes. – Não sei se os senhores estavam pensando em... um retrato a óleo do general, ou se... ou se desejam apenas um desenho, ou desenhos. Quero dizer, o recado dizia apenas retrato, e posso fazer o que quiserem, embora tudo que consiga hoje sejam alguns esboços e anotações para um… retrato mais formal.

– Ah. – O capitão Pinckney inspirou fundo, com o cenho franzido, e ela viu seus olhos deslizarem de lado por um instante, em seguida tornarem a encará-la. Ele endireitou os ombros. – Não creio que isso tenha ficado resolvido, sra. MacKenzie. Mas garanto que… que a senhora será remunerada adequadamente por qualquer… formato que o retrato possa vir a tomar. Eu mesmo garantirei isso.

– Ah. Não estava preocupada com isso. – A vergonha a fez corar de leve. – Eu não esperava ser paga… ahn, quero dizer… desde o início pretendia fazer isso como um gesto de… de boa vontade. Em apoio ao… ao Exército, quero dizer.

Todos os quatro homens a ficaram encarando com graus variados de espanto. Seu rubor aumentou.

Nunca lhe tinha ocorrido que lorde John poderia não ter dito a William que ela era rebelde. O dr. Wallace sem dúvida devia conhecer sua posição política, mas talvez tivesse achado mais discreto não a mencionar. E ela estava hospedada em uma casa pró-britânica em uma cidade ocupada pelos britânicos, contratada por um proeminente legalista.

Bem, agora estava tudo às claras. Ela encarou William com um olhar firme e arqueou uma sobrancelha. Ele lhe arqueou outra e desviou o olhar.

Era o meio da tarde e a luz já estava indo embora; dali a uma ou duas horas estaria escuro. Haveria velas, garantiu-lhe o capitão Pinckney, tantas quantas quisesse. Ou um lampião, talvez?

– Talvez – disse ela. – Farei quantos esboços puder. E quanto tempo…? – Levando em conta o fedor do morto, ela imaginou que fossem enterrá-lo o mais depressa possível.

– Vamos enterrá-lo com as devidas honras amanhã de manhã – respondeu o capitão Pinckney, interpretando de maneira correta sua pergunta. – Os homens virão hoje à noite depois do jantar prestar suas homenagens. Ahn… está bem assim?

Ela se espantou, mas só por alguns instantes, ao imaginar esse processo de visitação.

– Sim, muito bem – falou, firme. – Irei desenhá-los também.

95

POZEGNANIE

Ela ficou sentada discretamente nas sombras. Com a cabeça baixa, o barulho suave do carvão se perdendo em meio aos pigarros e ao farfalhar das roupas. Mas os observou se abaixarem em grupos de dois ou três para passar pela aba da barraca e chegar perto do general. Ali, cada homem se detinha para encarar seu rosto, tranquilo à luz das velas. Brianna captava o que podia das correntezas que lhes atravessavam o semblante: sombras de luto e pesar, olhos por vezes escuros, de medo, ou então vazios, de choque e cansaço.

Com frequência, choravam.

William e John Cinnamon a ladeavam, logo atrás dela, calados e respeitosos. O ordenança do general Lincoln lhes oferecera banquinhos, mas eles recusaram com educação. A presença deles era como dois pilares estranhamente reconfortantes.

Os soldados chegavam por companhias e seus uniformes (em alguns casos apenas distintivos de milícias) iam mudando. John Cinnamon de vez em quando passava o peso de uma perna para outra e às vezes inspirava profundamente ou pigarreava. William não.

O que ele está fazendo?, pensou ela. *Contando os soldados? Avaliando a condição das tropas americanas?* Estavam maltrapilhos, imundos e mal-ajambrados. Apesar do comportamento respeitoso, poucas das companhias pareciam ter noção de ordem.

Pela primeira vez lhe ocorreu se perguntar qual teria sido a exata motivação de William para estar ali. Havia ficado tão feliz ao encontrá-lo que aceitara sem hesitar sua declaração de que não deixaria a irmã entrar em um acampamento militar desacompanhada. Mas seria mesmo isso? Pelo pouco que lorde John dissera, William havia renunciado ao cargo de oficial no Exército... o que não queria dizer que houvesse mudado de lado. Ou que não tivesse interesse pelo estado do cerco americano, *ou* não pretendesse passar adiante qualquer informação que conseguisse apurar naquela visita. "Eu já fui soldado", dissera ele. Era óbvio que *ainda* conhecia pessoas no Exército Britânico.

A pele de seus ombros formigou quando pensou nisso e sua vontade foi se virar e olhar para ele. Após hesitar alguns segundos, foi exatamente o que fez. Apesar da expressão grave, ele olhava para ela.

– Está tudo bem? – perguntou em um sussurro.

– Tudo – respondeu ela, reconfortada pela sua voz. – Só estava pensando se você teria pegado no sono em pé.

– Ainda não.

Ela sorriu e abriu a boca para dizer alguma coisa, desculpar-se por mantê-los, ele e o amigo, acordados a noite inteira. Mas William a impediu com um pequeno movimento dos dedos.

– Não tem problema – falou, suave. – Faça o que veio fazer. Vamos ficar aqui e levá-la para casa de manhã. Eu estava falando sério: não vou deixá-la sozinha.

Ela engoliu em seco.

– Eu sabia que estava – falou, no mesmo tom suave. – Obrigada.

Houve uma agitação audível do lado de fora. O cortejo arrastado de soldados havia cessado. Ela se sentou mais ereta e sentiu os dois homens a seu lado mudarem de posição. Captou um murmúrio baixo de William:

– Deve ser o general Lincoln, imagino.

John Cinnamon produziu um ruído de interrogação semelhante a um bufo, mas não disse nada. Segundos depois, a aba da barraca foi afastada bem para trás e um homem muito gordo e atarracado, trajando um uniforme continental completo que incluía o chapéu inclinado, entrou mancando seguido por um grupo compacto de oficiais com uniformes variados. Tinha começado a chover e uma bem-vinda corrente de ar fresco e úmido entrou com eles.

Brianna guardou os esboços dentro da mesa de escrever e pegou algumas folhas em branco, mas não voltou imediatamente ao trabalho; não queria chamar atenção para si. Aquilo... aquilo era a história acontecendo bem na frente dela.

Seu coração, que tinha ficado tranquilo durante todo o tempo, nesse momento acelerou e começou a bater com força, de um jeito desagradável que a deixou preocupada que estivesse prestes a desembestar. Ela pressionou com força a frente do espartilho e articulou mentalmente um *Quieto!* firme, como se o seu coração fosse um cachorro grande e desobediente.

O general parou antes de chegar ao corpo, tossiu – todos estavam tossindo, pois o cheiro vinha piorando apesar da noite fria – e tirou o chapéu devagar. Virou-se para murmurar alguma coisa para o homem que o acompanhava... Seria um francês? Ela achou que Lincoln estivesse falando francês, ainda que um francês muito esquisito. Ela sentiu outra corrente de ar que trouxe a chuva e a noite, e viu as gotículas que ele sacudiu do chapéu formarem pontinhos na terra escurecida do chão.

Lincoln acenou para três homens se adiantarem. *Franceses*, disse a observadora objetiva no fundo de sua mente, e seu lápis foi fazendo traços rápidos, indicações genéricas de bordados, ombreiras, casacos azuis de aba comprida, coletes e calças vermelhos...

Os três homens – seriam oficiais da Marinha? – deram um passo, um deles na frente segurando solenemente contra o peito o chapéu enfeitado com renda. Ela ouviu William produzir um *hum* na garganta. Seria aquele o almirante D'Estaing?

Brianna se inclinou um pouco para a frente. Não estava desenhando agora, e sim memorizando, guardando na mente o movimento da luz das fogueiras que entrava através da lona da barraca no rosto do oficial, o tamborilar da chuva no teto. Apesar de esbelto, o almirante, se é que era mesmo ele, tinha um rosto redondo com as bochechas caídas, mas olhos estranhamente infantis e uma boca pequena e carnuda... Ele murmurou algumas palavras em um francês formal, então se inclinou para a frente e pôs a mão no peito do general Pulaski.

O general peidou.

Foi um peido comprido, alto e estrepitoso, e a noite foi tomada por um fedor tão medonho que Brianna soltou bufando todo o ar que tinha nos pulmões em um esforço vão de escapar dele.

De puro choque, alguém riu. Foi uma risada aguda e, por um instante, ela pensou que o riso tivesse saído de sua boca e a tapou depressa. A barraca foi tomada por risos constrangidos e abafados pontuados por arquejos e ruídos de engasgo, enquanto toda a essência putrefata das tripas do general Pulaski tomava conta do ambiente. O almirante D'Estaing se virou para o lado depressa e vomitou no canto.

Ela precisava respirar... Gemeu como se o cheiro tivesse lhe dado um soco e sentiu um engulho. Era como respirar uma banha rançosa, uma putrefação gordurosa que besuntava o interior do seu nariz e da garganta.

– Vamos. – William a segurou por um braço e Cinnamon pelo outro, e eles a retiraram da barraca em um único e implacável segundo, trombando com o general Lincoln para tirá-lo do caminho.

Chovia forte do lado de fora e ela sorveu o ar e a chuva em golfadas, respirando o mais profundamente que conseguiu.

– Ai, meu Deus! Ai, meu Deus! Ai, meu Deus...

– Foi pior do que aquele urso morto na floresta acima de Gareon, não acha? – perguntou John Cinnamon para William em tom meditativo.

– Bem pior – garantiu William. – Meu Deus do céu, eu vou passar mal. Não, esperem... – Ele se curvou com os braços dobrados sobre a barriga, inspirou em golfadas por alguns instantes, então se endireitou. – Não, está tudo bem. Não vou. Você vai? – perguntou a Brianna.

Ela fez que não com a cabeça. Água fria escorria por seu rosto e as mangas do vestido estavam grudadas nos braços, mas ela não ligou. Teria pulado dentro de um buraco no gelo do Ártico para se limpar *daquilo*. Era como se tivesse um limo feito de cebolas podres grudado no céu da boca. Ela pigarreou com força e cuspiu no chão.

– Minha caixa de desenho – falou, limpando a boca e olhando na direção da barraca.

Houvera um êxodo geral e apressado e homens se espalhavam em todas as direções. O almirante D'Estaing e seus oficiais seguiam aos empurrões por um caminho que ia dar em uma grande barraca verde iluminada, reluzindo ao longe qual uma esmeralda lapidada. Com o chapéu todo molhado de chuva, o general Lincoln olhava em volta, impotente, enquanto seus ajudantes e ordenanças tentavam em vão manter uma tocha acesa. O local de descanso do general Pulaski, por sua vez, estava deserto e escuro como breu.

– Ele apagou as velas – disse William e deu uma risadinha muito breve. – Que bom que a barraca não explodiu.

– Teria sido bem divertido – disse Cinnamon com pesar evidente. – E adequado também, para um herói. Mas os desenhos de sua irmã... Vamos tirar cara ou coroa para ver quem entra para buscar.

Ele tateou no bolso e pegou 1 xelim.

– Coroa – disse William na mesma hora. Cinnamon lançou a moeda, pegou-a nas costas da mão com um tapa e olhou.

– Não consigo ver. – Se havia lua, estava encoberta por nuvens de tempestade, e a noite chuvosa estava tão escura quanto um cobertor preto encharcado.

– Dê aqui. – Brianna estendeu a mão e correu as pontas dos dedos pela face molhada e fria da moeda. E era mesmo uma face, embora ela não soubesse dizer de quem. – Deu cara.

– *Stercus* – foi o breve comentário de William.

Ele soltou o colarinho molhado, tornou a fechá-lo ao redor da parte inferior do rosto e se jogou no caminho em direção à barraca escura.

– *Stercus*? – repetiu Bree, virando-se para John Cinnamon.

– Quer dizer "merda" em latim – explicou o indígena alto. – A senhora não é católica, é?

– Sou, sim – respondeu ela, surpresa. – E conheço um pouco de latim. Mas tenho quase certeza de que *stercus* não faz parte da missa.

– Não de nenhuma que eu tenha participado – garantiu ele. – Mas achei que a senhora não fosse católica. William não é.

– Não. – Ela hesitou, perguntando-se quanto aquele homem saberia sobre William e as complicações de sua paternidade em comum. – O senhor… ahn… já faz algum tempo que está viajando com William?

– Um ou dois meses. Mas ele não me falou sobre a senhora.

– Imagino que não. – Ela se calou, sem ter certeza se deveria perguntar *o que* William tinha dito, se é que dissera alguma coisa.

Antes de poder se decidir, o próprio William voltou correndo, arquejando e engasgando, com a caixa de desenho debaixo do braço. Empurrou-a para as mãos dela, arrancou o colarinho da frente do rosto, virou-o de lado e vomitou.

– *Filius scorti* – falou ofegante e cuspiu. – Foi a pior coisa que…

– Sra. MacKenzie? – Uma voz conhecida emergiu da escuridão e o interrompeu. – É a senhora?

Era o tenente Hanson, encharcado até os ossos, mas segurando um lampião. A chuva tilintava no metal e vapor d'água flutuava pela nesga de luz.

– Aqui! – chamou ela e o lampião se virou em sua direção, tornando a chuva subitamente visível como agulhas de prata caindo através da luz.

– Venha comigo – disse o tenente Hanson ao alcançá-los. – Encontrei um abrigo para a senhora e seus… ahn…

– Graças a Deus – disse William. – E obrigado também, tenente – falou, curvando-se.

– Não há de quê, senhor – respondeu Hanson com hesitação.

Ele ergueu o lampião para mostrar o caminho e Bree lhe agradeceu e se pôs a avançar seguida por William e Cinnamon. Ouviu um deles produzir um ruído, porém, e se virou. O tenente Hanson tinha parado e olhava na direção da barraca dentro da qual Casimir Pulaski jazia morto no escuro.

O tenente ergueu um pouco o lampião, em um cumprimento, em seguida falou, em voz baixa e límpida:

– *Pozegnanie.*

Então se virou decidido e caminhou na direção do grupo que o aguardava.

– Quer dizer "adeus" em polonês – disse ele a Brianna, pragmático. – Ele costumava nos dizer isso quando se despedia de nós à noite.

96

UMA COISA DE VALOR

A pequena estrutura de madeira até a qual o tenente Hanson os acompanhou talvez fosse originalmente um galinheiro, pensou Brianna, abaixando-se para passar por baixo do frágil lintel. Mas alguém vinha morando lá: no chão havia dois estrados grosseiros com cobertas, uma jarra e uma bacia de cerâmica lascada entre eles e um penico de latão esmaltado em condição bem melhor.

– Peço desculpas, madame – disse o tenente Hanson pela décima vez. – Mas metade de nossas barracas foi estraçalhada pelos canhões e os homens estão tendo que dividir as que sobraram.

Ele ergueu o lampião e examinou com ar de dúvida as manchas escuras que entranhavam as tábuas de uma das paredes.

– Não parece estar vazando muito. *Ainda* – comentou Hanson.

– Está adequado – garantiu Brianna, encolhendo-se para sair do caminho e deixar seus dois altos acompanhantes entrarem se espremendo atrás dela.

Com quatro pessoas lá dentro não havia espaço nem para se virar, quanto mais para se deitar, e ela agarrou sua caixa de desenho sob a capa, sem querer que fosse pisoteada.

– Nós somos gratos, tenente. – Apesar de quase dobrado ao meio por causa do teto baixo, William conseguiu menear a cabeça na direção de Hanson. – Comida?

– Agora mesmo, senhor – garantiu Hanson. – Sinto muito não haver fogo, mas pelo menos estarão abrigados da chuva. Boa noite, sra. MacKenzie... e obrigado mais uma vez.

Ele passou se espremendo pelo vulto de John Cinnamon e desapareceu na noite de chuva e vento, segurando o chapéu na cabeça.

– Fique com aquele – disse William a Brianna, indicando com o queixo o estrado mais distante da parede que vazava. – Cinnamon e eu nos revezamos no outro.

Ela estava cansada demais para discutir. Pousou a caixa de desenho, sacudiu o cobertor e, após constatar que nenhum chato, piolho ou aranha caiu lá de dentro, sentou-se, sentindo-se uma marionete cujos cordões acabam de ser cortados.

Fechou os olhos enquanto escutava William e John Cinnamon se movimentarem com cuidado, mas deixou as vozes baixas passarem por ela como o vento e a chuva lá fora. Imagens se acumulavam no fundo de seus olhos: a grama pisoteada da trilha que margeava o rio, os rostos desconfiados dos escoceses nos limites da cidade, a luz sempre cambiante no rosto do morto, o irmão movendo o queixo da mesma exata maneira que seu pai fazia, o pai de ambos... riscas escuras de água e riscas claras de cocô de galinha nas tábuas que a luz do lampião tingia de prateado... a luz... parecia fazer mil anos desde que ela vira a luz da manhã brilhar rosada através da pequena orelha encantadora de Angelina Brumby... E Roger, Roger estava vivo, onde quer que estivesse...

Ela abriu os olhos para a escuridão ao sentir a mão de alguém no ombro.

– Não durma antes de comer alguma coisa – disse William, bem-humorado. – Prometi providenciar sua alimentação e não gostaria de quebrar a promessa.

– Comida?

Ela balançou a cabeça e piscou. Uma claridade súbita surgiu atrás de William e ela viu o enorme indígena pousar uma panela de barro junto ao toco de vela que acabara de acender. Inclinou a vela sobre o fundo do penico virado, então a grudou na cera derretida e a segurou até a cera endurecer.

– Desculpe. Deveria ter perguntado primeiro se a senhora queria usar o penico – disse Cinnamon, encarando-a com ar de quem se desculpa. – Mas não tem outro lugar para pôr a vela.

– Não faz mal – disse ela e balançou a cabeça para clarear os pensamentos. – Tudo bem. Tem alguma coisa para beber?

Não tinha bebido praticamente nada o dia inteiro e, apesar da umidade generalizada, sentia-se muito seca.

O tenente Hanson conseguira encontrar várias garrafas de cerveja, algumas fatias de carne de porco assada fria com uma borda de gordura, um pão seco e escuro, um pote de mostarda forte e um grande pedaço de queijo esfarelado. Ela nunca tinha comido nada melhor na vida.

Eles não conversaram. Os homens comeram com a mesma concentração que ela e, engolida a última migalha, Brianna se deitou no cobertor, enrolou-se na capa e pegou no sono sem dizer uma palavra.

Presa no arrepio inquietante entre o sono e a vigília, Brianna sonhou. Sonhos com homens. Eles pareciam sombras, vagarosas de pesar. Homens trabalhando com suor a escorrer pelos braços nus, com cicatrizes nas costas... Homens caminhando em fileiras, uniformes escuros de água e sujos de lama, não havia como saber quem eram... um menininho muito pequeno fuçando seu peito com grande determinação, sem saber que não havia nada ali.

Ela acordou algumas vezes, por pouco tempo, mas raramente chegou a romper a superfície do sonho. Aos poucos, tornava a mergulhar no sono, os cheiros dos homens e de galinhas emprestando estranhos tocos de asas a um homem que subia voando até o céu...

Acordou de repente com a sensação de asas batendo dentro do peito.

– Merda – falou baixinho enquanto pressionava o esterno com a palma da mão.

Como isso não adiantou nada, ela ficou deitada forçando a respiração a ficar o mais rasa possível, torcendo para aquilo passar. Estava deitada de lado e, apesar de se achar nas sombras, o rosto do irmão adormecido no outro estrado, a menos de meio metro de distância, era visível.

Tinha parado de chover, o vento havia cessado e ela podia ouvir a água pingar dos beirais do barracão. O luar entrava por frestas entre as tábuas, acendendo e apagando conforme as nuvens passavam depressa. E a palpitação em seu peito diminuiu e seu coração bateu duas ou três vezes descompassado, então retomou o ritmo normal.

Ela inspirou com cautela e se sentou devagar para não acordar William, mas ele dormia como se estivesse morto, o corpo comprido esparramado e inerte de exaustão.

– Tem água – disse uma voz suave à sua direita. – Quer um pouco?

– Por favor.

A secura fez sua língua estalar e ela estendeu a mão para a sombra grande que devia ser John Cinnamon. Ele estava sentado em cima do penico virado e se inclinou para a frente a fim de lhe entregar um pequeno cantil.

A água estava fresca e fria, com um gosto metálico agradável por causa do cantil, e ela bebeu com avidez, conseguindo apenas com esforço parar sem esvaziar o cantil. Devolveu-o, relutante, e limpou a boca com o dorso da mão.

– Obrigada.

Cinnamon respondeu com um pequeno grunhido e se recostou; as tábuas do barracão protestaram com um rangido. Agora ela precisava fazer xixi, percebeu. Bom, não havia outro jeito.

Levantou-se, desajeitada, e Cinnamon também se levantou, de modo bem mais gracioso, e a segurou pelo braço para impedi-la de cair.

– Eu... eu vou... vou só lá fora um instante.

– Ah. – Ele soltou seu braço com hesitação e se voltou na direção do penico virado, com a intenção de pegá-lo.

– Não, está tudo bem. Parou de chover.

A porta do barracão estava empenada, inchada de umidade; ele esticou o braço pela sua frente e a soltou com um tranco. Um ar puro e frio invadiu o recinto e ela ouviu um farfalhar quando William se moveu.

– Eu vou primeiro – sussurrou Cinnamon no seu ouvido enquanto dava um jeito de se espremer para passar. – Espere até eu chamar.

– Mas...

Mas ele saiu, deixando a porta entreaberta. Ela olhou para William, mas ele continuava a dormir feito pedra. Era possível ouvir um ronco leve na escuridão e o som a fez sorrir.

O mais silenciosamente possível, ela empurrou a porta do barracão e espichou a cabeça para fora. A noite se espalhava pelo céu em um movimento silencioso e as nuvens de bordas brilhantes passavam velozes na frente de uma meia-lua radiosa.

Dali ela podia escutar com mais clareza a água pingando, caindo das folhas de uma árvore grande que ficava junto do galinheiro. Pôde ouvir um barulho de água mais constante também e tornou a sorrir. John Cinnamon tinha aproveitado a oportunidade para fazer suas necessidades.

Ela foi se abrigar ao pé da árvore grande, apesar dos pingos, e ali fez sem cerimônia o que precisava fazer.

– Estou aqui – falou, aparecendo a tempo de evitar o chamado de Cinnamon.

Ele se virou abruptamente da porta do barracão, então meneou a cabeça ao vê-la e fez um leve movimento interrogativo em direção ao interior, mas ela balançou a cabeça.

– Ainda não. Preciso tomar um pouco de ar.

Ela inclinou a cabeça para trás e inspirou, grata pelo frescor da noite e pelas estrelas que apareciam e desapareciam lá em cima, vívidas nos retalhos de noite negra riscada pelas nuvens em movimento.

Embora tivesse ficado lhe fazendo companhia, John Cinnamon não disse nada. Ela podia sentir sua presença, grande e reconfortante.

– Faz tempo que o senhor conhece meu… irmão? – perguntou por fim.

Ele ergueu um ombro, em uma resposta dúbia.

– Sim e não – falou. – Passamos um inverno juntos em Québec em… quando foi? Três anos atrás, talvez. Eu fui seu guia, seu batedor. Depois nos encontramos de novo por acidente… três meses atrás? Mais ou menos isso.

– Onde se encontraram dessa vez? – perguntou ela, curiosa. – No Canadá?

– Ah, não. Na Virgínia. – Ele virou a cabeça ao escutar um estalo repentino, mas em seguida o descartou. – Um galho quebrado caindo. Foi em um lugar chamado Mount Josiah. A senhora conhece?

– Já ouvi falar. O que o levou até lá?

Ele produziu um leve murmúrio, mas então decidiu contar e aquiesceu.

– Lorde John Grey. A senhora conhece Sua Senhoria?

– Sim, muito bem – respondeu ela, e a lembrança a fez sorrir. – Ele estava na Virgínia, então?

– Não – respondeu Cinnamon com ar pensativo. – Mas seu irmão, sim.

– Ah. E ele também procurava lorde John?

– Acho que não. – Ele passou alguns instantes calado antes de emendar: – Estava procurando outras coisas. Pode ser que ele conte; eu não sei.

– Entendi – disse ela, curiosa.

Com o choque e a emoção de encontrar William, não tivera tempo de pensar, quanto mais de perguntar o que o levara até Savannah, o que o fizera renunciar a seu cargo no Exército, o que pensava de seus pais… o que pensava dela. Quem ele era.

Seu pai não tinha dito quase nada sobre William e ela não havia perguntado. Sentia que haveria tempo de sobra. Mas a hora obviamente havia chegado.

Apesar disso, não queria ser enxerida nem deixar John Cinnamon constrangido perguntando se ou o que sabia sobre Jamie Fraser.

– William me disse que ele… ou melhor, que o senhor queria mandar fazer um retrato – disse ela, passando para o que parecia um terreno mais seguro. – Seria um prazer. Ahn… é para alguma dama de sorte?

Isso o deixou surpreso e ele riu, um som grave e caloroso.

– Não, não tenho mulher. Pretendo mandar o retrato para meu pai – disse ele.

– Para seu pai? Onde ele está? – As nuvens tinham se dissipado e a luz da lua que se punha lhe mostrou o rosto largo, agora com uma expressão suave e pensativa. Seria maravilhoso pintá-lo.

– Em Londres – respondeu ele, surpreendendo-a.

Ele *viu* que a tinha surpreendido e baixou a cabeça, encabulado.

– Eu sou bastardo, claro – falou, em tom de quem se desculpa. – Meu pai era um soldado britânico; ele me teve com uma indígena no Canadá.

– Eu... entendi. – Não parecia haver mais nada que ela pudesse dizer e Cinnamon abriu um sorrisinho tímido.

– Sim. Eu pensei... Por muitos anos pensei que meu pai fosse lorde John. Foi ele quem me pegou quando minha mãe morreu... eu era bebê ainda... e deu para os padres da missão de Gareon criarem. Mandava dinheiro para me sustentar, entende?

– Isso... parece típico dele – disse ela, embora na verdade nunca tivesse julgado lorde John capaz de algo assim.

– Ele é um homem bom. *Muito* bom – acrescentou ele com firmeza. – William me trouxe até Savannah para falar com ele. Também pensava que lorde John pudesse ser meu pai. E foi Sua Senhoria quem me contou a verdade. Meu verdadeiro pai me abandonou. Essas coisas acontecem muito, sabe?

Seu tom foi pragmático; provavelmente aconteciam *mesmo*.

– O que não quer dizer que seja *certo* – emendou ela, com raiva daquele pai desconhecido.

Ele deu de ombros.

– Mas lorde John me disse o nome dele e me deu um endereço. Agora posso... posso mandar o retrato.

– O senhor vai enviar um retrato para o homem que o abandonou? Mas... por quê?

Ela falou com cautela. Aquele rapaz era um realista; será que pensava mesmo que um retrato do filho mestiço já adulto iria tocar o coração de um idiota egoísta e frio que...?

– Não acho que ele vá me reconhecer – garantiu Cinnamon. – Não quero que me reconheça. Não quero dinheiro nem nada que ele possa considerar de valor. Mas ele tem uma coisa que eu quero, e espero que me dê isso se vir meu rosto.

– E o que é?

Até mesmo os pingos das árvores tinham parado agora. A noite estava tão quieta que ela pôde ouvi-lo deglutir.

– Eu quero saber meu nome – disse ele, tão baixo que Brianna mal o escutou. – Quero saber o nome pelo qual minha mãe me chamava. Ele é o único que sabe.

Brianna sentiu a garganta apertada demais para conseguir falar. Foi até ele e o envolveu nos braços, abraçando-o como a mãe poderia ter feito se tivesse vivido para vê-lo crescido.

– Prometo que seu rosto vai partir o coração dele – sussurrou quando conseguiu falar.

Ele lhe deu alguns tapinhas nas costas, muito de leve, e recuou.

– A senhora é muito gentil – falou. – Deveria dormir agora.

97

EXCELENTE PERGUNTA

John Cinnamon teve o tato de deixar William e Brianna a sós logo depois de passarem pelo que restava da linha de abatises em direção à cidade, dizendo que tinha coisas a resolver na beira do rio e que veria William mais tarde na casa de lorde John.

– Gostei muito de seu amigo – comentou Brianna enquanto via as costas largas de Cinnamon desaparecerem à luz salpicada de sombras de uma praça cujo nome não sabia.

– Eu também. Só espero que... – William se deteve, mas sua irmã se virou para ele com uma expressão de solidariedade no rosto.

– Eu também – falou. – Está se referindo a Londres e ao tal de Matthew Stubbs?

– Malcolm, mas sim.

– Que tipo de homem ele é? – perguntou ela, curiosa. – Você o conheceu?

– Sim, encontrei-o duas vezes, que me lembre. Uma em Ascot e outra em um dos clubes do meu p... de lorde John. – Ele a olhou para ver se ela havia notado, mas é claro que sim.

– Tudo bem chamar lorde John de pai... quero dizer, não tem problema – disse ela, transferindo para ele a expressão de solidariedade. – Pa não iria se importar.

O sangue coloriu as bochechas de William, mas ele foi poupado de dizer o que pensava sobre as preferências de Jamie Fraser em relação àquele assunto quando Brianna retornou na mesma hora ao tema de Malcolm Stubbs:

– E como ele é, esse tal de Stubbs?

Ele não pôde evitar sorrir ao escutar o tom desconfiado de "esse tal de Stubbs".

– De aspecto, tem um nome bem condizente. É baixo e grosso feito um toco, um *stub*, e tem os cabelos iguais aos de Cinnamon, só que louros meio claros. Pode ser que estejam grisalhos agora – emendou ele. – Em público ele sempre usa peruca.

Ela arqueou as sobrancelhas, grossas para uma mulher e ainda por cima ruivas, mas muito expressivas.

– Eu não sei – disse ele sinceramente em resposta àquele arquear de sobrancelhas. – Tem uma coisa que *talvez* possa ajudar. Pa... digo, papai – falou, lançando-lhe um breve olhar frio que a desafiava a fazer qualquer comentário. – Ele me disse que Stubbs tem uma esposa negra.

Brianna pestanejou.

– Em *Londres*?

A irmã soou tão chocada ao perguntar que ele riu.

– Por que o lugar faria alguma diferença? Ela também seria surpreendente aqui, se não mais. – Ele acenou com uma das mãos para as imponentes mansões com persianas nas janelas em volta da St. James Square.

– Humm... – fez ela. Então emendou em tom curioso: – Ele a alforriou e se casou com ela?

– Ela não era escrava – respondeu William, um tanto surpreso. – Meu pai contou que conheceu Stubbs em Cuba. A primeira esposa de Stubbs havia acabado de morrer de algum tipo de febre e ele levou essa mulher... Inocencia é o nome dela, isso, sabia que era alguma virtude em espanhol. Ele a levou para Londres e se casou com ela. Enfim – disse ele, trazendo a conversa de volta ao assunto em pauta –, tenho certeza de que papai disse que Stubbs tinha filhos com essa mulher.

– Ou seja, ele não iria virar as costas para John Cinnamon por ele ser...

Ela deu um aceno para indicar o aspecto indígena perceptível de Cinnamon.

– Sim.

Apesar da firmeza da resposta, William duvidava daquilo. Ter filhos de uma cor fora do comum suscitava comentários, mas não era um escândalo contanto que fossem legítimos, e os filhos de Stubbs certamente o eram. Se um indígena adulto, imenso e extraconjugal aparecesse reivindicando paternidade, isso talvez fosse outra história. E ele constatou não querer mesmo que John Cinnamon se magoasse.

Brianna estalou a língua e sua montaria a obedeceu e saiu da sombra dos carvalhos para entrar na Jones Street. William viu que havia muita gente na rua: da noite para o dia, a sensação de medo e opressão tinha se dissipado com o fim do cerco. Embora o cheiro de queimado ainda permeasse o ar e houvesse galhos de árvore quebrados espalhados por toda parte, as pessoas precisavam comer e os negócios precisavam ser feitos. A maré normal da vida cotidiana subia depressa.

– Você vai com ele? Para Londres? – perguntou Brianna por cima do ombro.

Cutucou a mula com os calcanhares e puxou as rédeas para fazê-la sair do caminho de uma carroça carregada de barris que exalavam um cheiro adocicado de cerveja.

– Para Londres? – repetiu William. – Não sei.

De fato ele não sabia e deixou tamanha incerteza transparecer na voz que sua irmã fez a mula parar um instante para esperá-lo, então ele meneou a cabeça na direção de uma ruela que passava atrás da igreja batista, indicando que a seguisse.

– Não é da minha conta – disse Brianna quando entraram na sombra fria da igreja. – Mas... o que pretende fazer? Quero dizer, agora que o cerco acabou, imagino que possa ir para onde quiser...

Excelente pergunta.

– Eu não sei – respondeu ele com sinceridade. – Realmente não sei.

Ela aquiesceu.

– Bom, você tem alternativas?

– Alternativas? – ecoou ele.

Tinha achado graça. Mesmo assim, a palavra lhe dava a sensação de ter engolido uma enguia viva. *Você não faz ideia, irmã minha…*

– Lorde John disse que você tem uma pequena fazenda na Virgínia – comentou ela. – Se não quiser voltar para a Inglaterra, suponho que pudesse morar lá.

– É possível, eu acho. – Ele pôde escutar a dúvida na própria voz, e ela também.

Ela o encarou abruptamente com uma sobrancelha arqueada.

– Aquilo lá é uma ruína, embora as plantações tenham sido mantidas em condição razoável. Mas a guerra… – Ele fez um gesto para a casa mais próxima, toda marcada por balas de canhão e com a tinta azul-viva chamuscada e enegrecida de fuligem em uma das laterais. – Acho que ela talvez não passe por mim como uma pedra no meio da correnteza, sabe?

Algo estranho atravessou o semblante de Brianna e ele a encarou com surpresa considerável.

– Algo ocorreu? – perguntou ele.

– Sim, mas não é… quero dizer, não é relevante neste exato momento. – Ela descartou com um aceno qualquer que tivesse sido o pensamento. – Sei que lorde John e seu tio… sei que o duque ainda se considera seu tio…

– E eu também o considero meu tio – disse William com ironia, mas pensar nisso lhe deu uma leve sensação de alívio.

Tio Hal era *mesmo* uma rocha, por quem enchentes e torrentes tinham passado com frequência, deixando-o ileso.

– Eles querem que você volte para a Inglaterra – disse Brianna. – Eu mesma andei pensando… Você é conde. Isso não significa que tem… pessoas? Terras? Coisas que precisam ser cuidadas?

– Tem uma propriedade, sim – respondeu ele. – Eu… o quê?

Seu cavalo tinha se imobilizado e a montaria de Brianna tentava dar meia-volta na ruela enquanto bufava por causa de algum cheiro perturbador.

Então seu olfato mais fraco também o captou: um fedor de morte. No fim da ruela havia uma carroça com as laterais cobertas por um pano preto puído e desbotado de uso até ficar da cor de ferrugem. A carroça não estava atrelada e não havia cavalos nem mulas à vista, mas um pequeno grupo de homens usando trajes grosseiros, tanto pretos quanto brancos, estava em pé em um trecho de sol logo depois do fim da ruela em uma atitude de atenção e expectativa.

Vozes soaram ao longe, abafadas, mas numerosas, um murmúrio pontuado por um lamento agudo que fez os homens que aguardavam se sobressaltarem e desviarem os olhos com os ombros encolhidos.

Brianna se virou na sela, olhando por cima do ombro e puxando as rédeas, obviamente querendo voltar. Mas pessoas vinham em sua direção pela ruela, pessoas de luto, com véus e braçadeiras negros. Bree olhou para William e ele balançou a cabeça e fez seu cavalo se aproximar da mula, afastando-se para a beira da ruela de modo a deixar espaço para os recém-chegados passarem. Poucos olharam para eles, um ou dois com os olhos arregalados ao ver Brianna montada com as saias arregaçadas e uma quantidade indecente de canela exposta, mas a maioria estava tão concentrada no próprio luto que ficou indiferente ao espetáculo.

Um movimento junto à carroça fez com que William olhasse para trás: o corpo estava sendo trazido… Não, *os corpos.*

Ele tirou o chapéu depressa, apertou-o contra o peito e baixou a cabeça. Para seu espanto, Brianna fez o mesmo.

Não havia caixões. Aquele era um funeral de gente pobre. Dois pequenos corpos envoltos em mortalhas grosseiras foram trazidos em cima de tábuas e suspensos com cuidado até em cima da carroça.

– Não! Não! – Uma mulher que devia ser a mãe das crianças se soltou dos braços daqueles que a amparavam e correu até a carroça gritando "nããão" a plenos pulmões. – Não, não! Me deixem ir com eles! Não os tirem de mim, *não!*

Uma onda de amigos consternados e abalados se fechou ao redor dela e a puxou para trás, tentando fazê-la calar pela simples força da compaixão.

– Ah, meu santo Deus – murmurou Brianna com a voz embargada.

William viu que lágrimas escorriam por seu rosto enquanto ela olhava fixamente para a cena comovente e recordou-se com um choque das crianças que ouvira brincando em frente à casa dos Brumbys, seus filhos.

Estendeu a mão e segurou seu braço. Brianna soltou as rédeas e agarrou a mão dele como se estivesse se afogando e tentando se salvar, com uma força impressionante para uma mulher. Vários homens tinham se aproximado para segurar as varas da carroça; as rodas começaram a se mover com um rangido e o pequeno cortejo iniciou seu triste percurso. A mãe tinha cessado seus lamentos e agora caminhava atrás da carroça como uma sonâmbula, tropeçando quando seus joelhos fraquejavam, apesar do apoio de duas mulheres.

– Onde está o marido? – sussurrou Brianna, mais para si do que para William.

– Deve estar com o Exército – respondeu ele.

Muito mais provavelmente tinha morrido também, mas sua irmã devia saber disso tão bem quanto ele.

Já o marido de Brianna… só Deus sabia onde estava. Ela evitara responder quando William perguntou, mas estava claro que MacKenzie era um rebelde. Se tinha participado da última batalha… mas não, pelo menos a essa tinha sobrevivido, lembrou William a si mesmo.

Ela não perguntou por ele quando estávamos no acampamento… Por que não?

Mesmo assim, podia sentir um tremor leve e constante percorrer a mão de sua irmã e apertou-a de volta para tentar reconfortá-la.

– *Monsieur?* – Uma voz aguda perto de seu estribo esquerdo lhe deu um susto e ele se sobressaltou na sela e fez o cavalo se agitar e bater com os cascos no chão.

– O que foi? – indagou, olhando para baixo sem acreditar. – Quem é você?

O pequeno menino negro se curvou de modo solene. Deus do céu: ele usava os resquícios de um uniforme azul-escuro, de modo que devia ser ou tinha sido um tocador de tambor. Seu rosto, sua orelha e sua mão estavam negros de fuligem em um dos lados e havia bastante sangue em suas roupas, mas ele não parecia estar ferido.

– *Pardon, monsieur. Parlez-vous français?*

– *Oui* – retrucou William, espantado. – *Pourquoi?*

O menino se empertigou e fitou William nos olhos. Devia ter uns 11 ou 12 anos. Então escarrou um naco de muco preto, em seguida balançou a cabeça como para organizar os pensamentos.

– *Votre ami a besoin d'aide. Le grand indien* – acrescentou após pensar um pouco.

– Ele está dizendo alguma coisa sobre John Cinnamon? – perguntou Brianna com o cenho franzido. Enxugou as lágrimas que lhe escorriam pelo rosto e se sentou mais ereta, controlando-se também.

– Sim. Ele está dizendo… devo entender que você não fala francês?

– Um pouco. – Ela o encarou.

– Certo. – Ele se virou para o menino, que se balançava devagarinho para a frente e para trás enquanto encarava algo invisível, obviamente dominado pela exaustão. – *Dites-moi. Vite!*

O menino o fez com uma simplicidade admirável.

– *Stercus* – resmungou William, então se virou para a irmã. – Ele disse que um destacamento de alistamento obrigatório dos navios franceses ouviu Cinnamon falando francês com alguém na beira do rio. Eles o seguiram e tentaram capturá-lo. Ele conseguiu fugir, mas está escondido… em uma caverna, segundo o menino, embora isso pareça improvável. Em todo caso, ele precisa de ajuda.

– Então vamos. – Ela encurtou as rédeas e olhou para trás, avaliando o espaço para virar.

Ele já quase tinha deixado de se espantar com ela, mas não por completo.

– Você ficou louca? – indagou, tentando não parecer descortês. – *Steh* – falou com firmeza para o próprio cavalo.

– Que língua está falando *agora*? – indagou ela, soando impaciente.

– *Steh* quer dizer "fique" em alemão… quando se está falando com um cavalo, e *stercus* significa "merda" – informou ele com secura. – Você tem filhos, senhora… filhos como esses pelos quais estava chorando agora mesmo. Se não quiser que os seus tenham o mesmo fim, sugiro que vá para casa cuidar deles.

Brianna ruborizou-se, como se alguém tivesse acendido um fogo debaixo da sua pele, fuzilou-o com os olhos e recolheu em uma das mãos as pontas soltas das rédeas de um modo que sugeriu estar considerando usá-las para golpeá-lo no rosto.

– Seu bas… – começou ela e então pressionou os lábios, impedindo a palavra de sair.

– Bastardo – emendou ele. – Sou, mesmo. Vá para casa.

E, virando-lhe as costas, estendeu a mão para o menino e o suspendeu até ele conseguir encaixar um pé no estribo e montar na garupa.

– *Où allons-nous?* – perguntou apenas, e o menino estendeu a mão para trás deles em direção ao rio.

Uma grande mão de mulher segurou o cabresto de seu cavalo. O animal bufou e balançou a cabeça em protesto, mas Brianna não soltou.

– Alguém já disse para você que seu descuido ainda vai levá-lo à morte? – indagou, imitando seu tom educado. – Não que eu ligue muito para isso, mas você provavelmente vai fazer esse moleque e John Cinnamon serem mortos também.

– Moleque? – Foi tudo que ele conseguiu dizer, tamanha a profusão de palavras emboladas que tentavam sair de sua boca.

– Criança, menino, rapaz, *ele!* – disparou ela, dando um tranco com o queixo na direção do pequeno tocador de tambor atrás dele.

– *Quel est le problème de cette femme?* – O menino quis saber, indignado.

– *Dieu seul le sait, je ne sais pas* – respondeu William apenas por cima do ombro. *Só Deus sabe, eu não.*

– Que droga, quer soltar isso? – disse ele para a irmã.

– Daqui a um instantinho – retrucou Brianna, fuzilando-o com um olhar azul-escuro. – Escute o que vou dizer.

William revirou os olhos, mas retribuiu com um meneio de cabeça curto e brusco e um olhar igualmente raivoso. Ela recuou um pouco na sela, mas não soltou seu cavalo.

– Ótimo – falou. – Andei pela beira desse rio quase todos os dias antes de os americanos aparecerem, e meus gu… meus filhos enfiaram o dedo em cada buraquinho daquelas pedras. Só tem quatro lugares que poderiam ser chamados de caverna, e só um deles é fundo o suficiente para um homem do tamanho de Cinnamon poder ter alguma esperança de caber lá dentro.

Ela parou para tomar ar e passou a mão livre abaixo do nariz, encarando-o para ver se ele estava prestando atenção.

– Estou escutando – disse ele, irritado. – E?

– E não é uma caverna. É o final de um túnel.

O ar zangado o abandonou na mesma hora.

– Onde fica a outra saída?

Ela abriu um leve sorriso e soltou seu cabresto.

– Está vendo? Você pode ser temerário, mas sabia que não era burro. A outra saída fica no porão de uma taberna na Broad Street. O lugar é conhecido como

Casa dos Piratas e, pelo que se diz na cidade, existe um bom motivo para isso. Mas se eu fosse você...

Ele fez um muxoxo breve e encurtou as rédeas. O fim da ruela estava desimpedido agora, livre de carroça, pessoas enlutadas e pequenos corpos cobertos por mortalhas.

– Madame, a senhora é minha irmã – falou. – E sou grato por isso – acrescentou com pouco mais de um segundo de hesitação. – Mas a senhora não é minha mãe. Na verdade, *não* sou burro, e John Cinnamon também não. – Ele fez uma pausa de alguns segundos antes de arrematar: – Mas obrigado.

– Boa sorte – disse ela apenas e ficou sentada observando-o virar o cavalo e se afastar.

Brianna não saiu dali na hora. Ficou olhando William se afastar cavalgando, com as costas rígidas de determinação e o menino agarrado na cintura. Pelo visto, o menino nunca tinha montado antes. Estava morto de medo e preferiria morrer a confessar isso. Somado a William, ela pensou que John Cinnamon poderia ter feito uma escolha pior em matéria de aliados. A ânsia de segui-lo, de não deixá-lo ir sozinho, a fez estremecer, mas o desgraçado tinha razão! Ela não podia correr o risco de algo lhe acontecer, por causa de Jem e Mandy...

Recolheu as rédeas e estalou a língua; mais pessoas estavam vindo na direção da praça e da igreja. Vestidas com sobriedade e caminhando juntas. Aquela igreja não tinha sino, mas algum sino estava tocando em algum lugar da cidade.

Mais enterros, pensou ela e sentiu o coração se apertar no peito. Bem devagar, foi avançando entre os integrantes do cortejo e virou na Albercon Street.

Com quantas pessoas é possível se preocupar ao mesmo tempo? Jem, Mandy, Roger, Fanny, seus pais, agora William e John Cinnamon... Ainda estava abalada por causa das crianças mortas e da mãe; somado ao fato de ter passado a noite no pântano com Casimir Pulaski, isso lhe dava a sensação de que sua pele estava prestes a descascar. Uma súbita lembrança de sua última visão do general lhe invadiu o pensamento e uma risadinha aguda e descontrolada lhe escapou da boca. Do mesmo modo repentino, a bile subiu por sua garganta e seu estômago embrulhou.

– Ah, meu Deus!

Ela sufocou a onda de náusea, mas viu que pessoas a observavam e se deu conta de que, além de estar rindo feito uma doida, continuava segurando o tricórnio com uma das mãos, tinha os cabelos soltos e as pernas arranhadas e picadas por mosquitos nuas dos joelhos até os bicos dos sapatos absurdamente rebuscados: ela havia tirado as meias molhadas na noite anterior e se esquecera de procurá-las pela manhã. Sentindo-se subitamente envergonhada por causa dos olhares de soslaio e cochichos, ela empertigou as costas e jogou os ombros para trás, desafiando as pessoas. A mão grande de alguém segurou sua canela nua e ela gemeu e bateu com o chapéu em quem quer que fosse, fazendo a mula se retrair com violência.

Quem quer que fosse era Roger, que também se retraiu com violência.

– Meu Deus do céu!

– Car... quero dizer, caramba! – exclamou ela, tornando a controlar a montaria. – Por que fez isso?

– Eu chamei, mas você não me escutou. – Ele deu um tapa amigável no garrote da mula e ergueu a mão para ela. Parecia cansado e tinha os olhos vincados de preocupação. – Desça aqui e me conte o que aconteceu. Você foi ao acampamento americano? Eu não deveria ter pedido para você ir... Deus do céu, você está com uma cara horrível.

As mãos dela de fato tremiam. E ela estava mesmo se sentindo horrível. Quando seus pés tocaram o chão, quase caiu em cima dele, abraçou-o e recomeçou a viver.

98

MINERVA JOY

Lorde John voltou de uma visita ao hospital da cidade onde estavam sendo tratados os feridos britânicos, e também os moradores de Savannah vitimados por estilhaços lançados ou incêndios em suas casas, e encontrou o irmão sentado diante de sua escrivaninha no escritório com uma cara de quem acaba de ser fulminado por um raio.

– Hal! – exclamou, alarmado. – O que aconteceu?

A boca de Hal se abriu, mas tudo que saiu foi um pequeno chiado. Sobre a escrivaninha havia uma carta aberta que parecia ter percorrido certa distância na chuva e na lama, e possivelmente sido pisoteada por um cavalo no caminho. Sem dizer nada, Hal empurrou a carta em sua direção e ele a pegou.

Amigo Pardloe,

Escrevo com a mente e o espírito atormentados, e meu tormento se intensifica com a consciência de que preciso compartilhar esses sentimentos consigo. Me perdoe.

Dorothea deu à luz uma menina saudável, a quem batizamos de Minerva Joy. Ela nasceu na prisão de Stony Point, pois eu estava preso lá e não quis confiar o bem-estar de Dorothea à parteira da região, de cuja competência duvidava.

Mina (como nós a chamávamos) cresceu e vicejou, assim como a mãe. Mas houve um surto de febre na prisão e, temendo pela saúde das duas, eu as mandei para a cidade, onde se refugiaram com uma família quacre. Infelizmente, não mais de uma semana depois de irem para lá, recebi um recado do marido dessa família com a terrível notícia de que duas pessoas tinham adoecido de disenteria hemorrágica e que minhas queridas esposa e filha exibiam sinais da doença.

Tentei na mesma hora conseguir autorização para tratar minhas parentes e consegui (com relutância) obter uma saída temporária com esse fim. (O comandante da prisão não queria que eu me ausentasse por muito tempo, pois valoriza meus serviços junto aos doentes.)

Cheguei a tempo de segurar minha filha no colo durante suas últimas horas de vida. Agradeço a Deus por esse presente e pelo presente que ela foi para seus pais.

Dorothea ficou gravemente doente, mas foi poupada graças à misericórdia divina. Está viva, mas debilitada tanto no corpo quanto na mente. Além disso, ainda havia muita doença na cidade. Eu não podia deixá-la.

Sei quanto preza a honra militar, mas amigos não consideram as leis dos homens acima das de Deus. Enterrei minha filha, em seguida violei minha condicional e trouxe Dorothea para um lugar mais seguro, onde talvez eu possa, com a bondade de Deus, curá-la.

Não me atrevo a escrever o nome do lugar onde estamos, pois temo que esta missiva possa ser interceptada. Não faço ideia da penalidade em que poderia incorrer por ter violado minha condicional caso seja capturado, tampouco me importo com isso. No entanto, se eu for pego, enforcado ou fuzilado, Dorothea vai ficar sozinha, e ela não está em condições de ficar só.

Sei do amor que tem por ela e confio, portanto, que mandará qualquer ajuda possível. Tenho um amigo que conhece seu paradeiro e que tem sido de grande auxílio para nós. Creio que seu irmão poderá deduzir o nome e o endereço dele.

Denzell Hunter

John deixou a carta cair como se o papel estivesse pegando fogo.

– Ah, meu Deus do céu! Hal…

Seu irmão tinha se levantado da escrivaninha e se balançava sem sair do lugar, com uma expressão vazia de choque no rosto, que exibia um branco tão encardido e amarfanhado quanto a carta.

John o amparou e o segurou com a maior força de que foi capaz. Hal se sentiu um manequim em seus braços, a não ser por um profundo arrepio que pareceu varar seu corpo em ondas longas e violentas.

– Não – sussurrou ele e seus braços se contraíram em volta dos ombros de John com a força repentina de um espasmo. – *Não!*

– Eu sei – sussurrou John. – Eu sei.

Ele esfregou as costas do irmão e sentiu as escápulas ossudas por baixo da lã vermelha enquanto repetia "Eu sei" a intervalos regulares, ao mesmo tempo que Hal estremecia e arquejava tentando respirar.

– Shh – fez John e começou a se balançar suavemente de um pé para outro levando consigo o peso relutante do irmão.

Não esperava que Hal fosse se acalmar, claro. Aquilo era só a única coisa tranquilizadora que lhe ocorria fazer. O natural teria sido dizer em seguida "Vai ficar tudo bem", mas era óbvio que jamais ficaria.

Ele já tinha estado naquela situação antes, pensou. Não em um escritório abarrotado, mas na sala de um antigo casarão em Havana, com um anjo de asas abertas já desbotado pintado na parede de gesso a observar sua compaixão enquanto ele abraçava a mãe aos prantos com a notícia da morte de sua prima Olivia e da filhinha pequena.

Sentiu um nó na garganta do tamanho de uma bola de golfe, mas não podia fraquejar agora, assim como não pudera fraquejar em Havana.

Hal começava a chiar loucamente: John podia escutar os arquejos de suas inspirações e o leve assobio quando exalava.

– Sente-se – falou e o conduziu até uma cadeira. – Você precisa parar agora. Mais um pouco e não vai conseguir respirar, e eu não sei o que fazer em relação a isso. Então você precisa parar, droga – arrematou em tom firme.

Hal se sentou, com os cotovelos apoiados nos joelhos e a cabeça nas mãos. Continuava tremendo, mas o primeiro choque da dor tinha passado, e John então o escutou soltando o ar e puxando de volta de um modo ritmado e consciente que devia ser a técnica ensinada por Claire Fraser para ele não morrer de asma. Sentiu-se grato a ela, e não era a primeira vez que sentia isso desde que a conhecia.

Puxou outra cadeira e se sentou. A sensação era de que as próprias entranhas tinham sido arrancadas. Durante poucos segundos não conseguiu pensar. Em nada. Sua cabeça tinha se esvaziado por completo. Ele olhava para uma mesinha atrás de Hal, em cima da qual havia uma garrafa de algo. Levantou-se e foi buscar a garrafa, tirou a rolha com os dentes e tomou um gole do líquido que ela continha sem ligar para o que fosse.

Era vinho. Ele engoliu, respirou, então segurou a mão de Hal e a fechou em volta da garrafa.

– Dottie está viva – falou e se sentou. – Lembre-se: ela está *viva.*

– Está? – retrucou Hal entre uma respiração e outra. – Ela esteve... está doente.

– Hunter é médico, e um bom médico – disse John com firmeza. – Não vai deixá-la morrer.

– Ele deixou minha *neta* morrer – disse Hal arrebatado, esquecendo-se de respirar.

Tossiu e engasgou, e seus dedos se contraíram no gargalo da garrafa de vinho.

– A menina era filha dele – disse John, pegando a garrafa. – Ele não a deixou morrer. As pessoas morrem e você sabe disso. Pare de falar e *respire*, droga! Pode ser?

– Eu sei... mais do que ninguém – Hal conseguiu dizer e sucumbiu a um acesso de tosse.

Uma mecha de cabelos tinha se soltado e os fios estravam grudados em seu rosto. Os cabelos escuros estavam riscados de branco. John não soube dizer quanto disso era pó de arroz.

Hal sabia, claro. Seu primeiro filho tinha morrido no parto com a mãe. Isso já fazia muitos anos, mas essas coisas nunca iam embora por completo.

– Respire – disse John, incisivo. – Precisamos buscar Dottie, não é? Não posso encontrá-la e ter que contar que *você* morreu.

Hal produziu um som que não era uma risada, mas poderia ter sido caso tivesse tido mais fôlego. Franziu os lábios e soprou, mas o ar que saiu foi só um fiapo. Seu peito então relaxou: pouco mais de 1 milímetro, mas foi visível, e John respirou fundo por sua vez. Hal estendeu a mão para a carta sobre a mesa e John a pegou e lhe deu.

Ele então a segurou e abriu com todo o cuidado o papel amassado até estendê-lo sobre a mesa.

– Por que… ele não escreveu… a porcaria da *data*? – perguntou, endireitando as costas e passando a mão com força pelo rosto. – Não fazemos… ideia de quanto… tempo faz que aconteceu. Dottie pode já ter morrido!

John evitou assinalar que, se fosse o caso, o fato de Hal saber a data da carta de Hunter não faria diferença. Aquilo não era hora para lógica.

– Bom, precisamos buscá-la mesmo assim, não é?

– Sim, agora!

Hal se virou em um movimento brusco, chiando alto e fuzilando com os olhos as coisas à sua volta, como se as desafiasse a impedi-lo.

Quem sabe um pouquinho só de lógica…

– Não sei o que o Exército faria com Hunter se o pegasse – disse John. – Mas sei muito bem o que faria com *você* caso… saísse atrás dela. E você também sabe – acrescentou, sem necessidade.

Hal tinha conseguido se controlar. Encarou a carta com um olhar raivoso, a boca contraída e os olhos úmidos em brasa, então os ergueu para John.

Franziu os lábios, expirou e deu um arquejo.

– Bom, o que ele quer dizer com… *você* saberá "deduzir" o nome… do amigo? Por que você?

– Não sei. Deixe-me olhar outra vez.

Ele pegou a carta, sentindo o peso da tristeza que ela carregava. Já tinha visto muitas cartas manchadas de lágrimas, às vezes as próprias, para saber a profundidade da angústia de Hunter.

Tinha uma boa ideia do que o médico quisera dizer com "deduzir". Hunter já havia viajado com Jamie Fraser, isso ele sabia… e sabia que Fraser tinha sido, entre outras coisas, um espião jacobita em Paris. A palavra "espião" lhe trouxe uma lembrança perturbadora de Percy, mas ele a afastou e segurou o papel mais perto da luz, para o caso de haver alguma escrita secreta com vinagre ou leite… Às vezes era possível ver a leve diferença no reflexo da luz sobre a superfície do papel, muito embora as palavras só aparecessem mediante a ação do calor.

Foi mais simples do que isso. No verso da carta havia algumas palavras escritas de leve a lápis. Parecia um parágrafo curto em latim. De fato, eram palavras em latim, mas incoerentes. Até mesmo Hal reconheceria naquilo uma mensagem cifrada, embora não soubesse o que fazer com ela.

Apesar da seriedade da situação, John deu um pequeno sorriso. Era um código, e a chave para decifrá-lo era a palavra "amigo".

Em cinco minutos ele obteve o nome: Elmsworth, Wilkins Corner, Virgínia.

– Vamos mandar William – falou para Hal com o máximo de confiança que conseguiu. – Não se preocupe. Ele vai trazê-la de volta.

William teve a sensação de ter levado um tiro de canhão no peito. Sua boca abriu e fechou: ele a sentiu fazer isso como se fosse a mandíbula de madeira de um fantoche, mas durante alguns instantes nada saiu.

– Que coisa mais terrível – conseguiu dizer por fim em um murmúrio engasgado. – Sente-se, papai. Você vai cair.

Seu pai parecia mesmo um boneco cujas cordinhas tinham sido cortadas. Estava branco feito um cadáver e sua mão tremeu quando William pôs nela um copo de conhaque. Ele correu os olhos pelo pequeno barracão que William dividia com John Cinnamon como se nunca o tivesse visto antes, então se sentou e bebeu o conhaque.

– Bem – disse ele. Tossiu e pigarreou. – Bem.

– Não tão bem assim – disse William, encarando-o. – Como está tio Hal?

Seu choque começava a passar, embora ainda sentisse um peso de ferro dentro do peito.

– Como se poderia esperar – respondeu o pai e puxou uma funda e úmida inspiração. – Transtornado – falou com mais clareza após ter tomado outro gole grande. – Querendo montar em um cavalo agora mesmo para buscar Dottie. Não que eu o culpe. – Ele tomou outro gole. – Também quero fazer isso. Mas duvido que sir Henry fosse ver a situação dessa forma. A guerra, você sabe.

A guerra, de fato. A previsão era de metade do regimento deixar Savannah na terça-feira para se juntar às tropas de Clinton em Charles Town. O peso havia se transferido para um ponto mais baixo no corpo de William e ele agora conseguia respirar.

– Eu vou, claro – falou, e arrematou em uma voz mais branda: – Não se preocupe, papai. Vou trazê-la de volta.

99

ISAÍAS, CAPÍTULO 6, VERSÍCULO 8

– Me desculpe – disse Roger enfim. – Eu precisava...

Não faz mal – disse ela, mantendo a voz firme. – Você voltou. Só isso importa.

– Bom, talvez não *só* isso – disse ele, com um leve tom de bom humor na voz. – Não como nada desde ontem no café da manhã, e estou fedendo que nem uma pilha de lixo queimada.

Sua barriga roncou alto para comprovar. Ela riu e o soltou.

– Vamos – falou, virando-se de volta para sua mula. – Quando chegarmos em casa, diga só oi para as crianças e vá se lavar. Eu aviso a Henrike que precisamos de comida...

– *Muita* comida.

– Muita comida. Vamos!

Ela encontrou tanto Henrike quanto Angelina na cozinha na companhia da cozinheira, ambas zumbindo de animação. As duas se atiraram em cima dela ao mesmo tempo, com os olhos arregalados e cheias de perguntas. O sr. MacKenzie tinha visto a batalha? Ele estava ferido? O que tinha dito sobre o combate? Tinha visto o general Prévost no campo de batalha, ou lorde John?

Teve a sensação de que Angelina tinha lhe dado um soco no estômago. Sabia que lorde John participara da batalha, ele e o irmão. Só não havia parado para pensar no que isso significava. É claro que tinham combatido. Tivessem disparado ou não uma arma ou sacado uma espada, eles sem dúvida deram ordens e ajudaram a acender o pavio que explodira e matara sitiantes americanos.

Ouviu na lembrança a voz de lorde John, leve e reconfortante: "Nós *somos* o Exército de Sua Majestade. Sabemos fazer esse tipo de coisa."

Todo o sangue se esvaiu do seu rosto e ela sentiu a pele fria e pegajosa. Não havia lhe ocorrido que elas fossem pensar que Roger tinha lutado com o Exército Britânico. Mas é claro que iriam.

Não lhe ocorrera que homens que ela conhecia, de quem gostava, que admirava, haviam matado outros homens pelos quais ela sentia a mesma coisa poucos dias antes. Sentiu a escuridão fria e fétida da barraca onde Casimir Pulaski jazia morto à luz dos lampiões e a própria mão direita fechada com força, a musculatura dolorida e uma camada de suor entre o carvão e a pele à medida que atravessava a noite desenhando, reproduzindo tristeza, dor, raiva e amor conforme os soldados compareciam para se despedir.

Pozegnanie.

Conseguiu pedir que mandassem comida e que alguém providenciasse um banho para Roger, e subiu para o quarto pousando com cuidado os pés em cada degrau da escada. As roupas usadas de Roger estavam jogadas no chão junto à janela e um cheiro acre de guerra pairava no ar.

Com todo o cuidado, ela recolheu o que restava do terno preto de Roger. A roupa estava imunda, o casaco e a calça sujos de lama dos ombros até os joelhos, e uma areia cinza se derramou da aba do casaco quando a sacudiu. No peito do casaco havia uma grande mancha áspera de algo que tinha secado quase da mesma cor da lã preta. Quando ela a esfregou com um trapo molhado, o pano saiu vermelho e com um leve cheiro de sangue.

Dentro do bolso da frente havia algo pequenino e duro. Ela fez um gancho com o dedo para pescar lá dentro um objeto amarronzado que se revelou um dente, rachado, cariado e com metade da raiz faltando.

Com um pequeno bufo de asco, ela o pousou sobre a mesa e voltou ao casaco. Havia mais alguma coisa dentro do bolso, algum tipo de papel.

Era um pequeno bilhete, dobrado ao meio e grudado com o sangue que havia empapado a roupa, mas o sangue já estava seco e ela conseguiu abri-lo raspando o sangue com cuidado usando a lâmina do canivete.

Não deveria ter se espantado: tinha sentido o cheiro de pólvora ao abraçá-lo. Mas o sangue era bem mais imediato, pensou. Ele não tinha apenas estado perto da batalha, tinha estado *na* batalha, e ela não soube ao certo se deveria sentir raiva ou medo ao pensar nisso.

– Onde você estava com a *cabeça*? – murmurou entre dentes. – Por que, pelo amor de Deus?

Conseguira abrir parcialmente o papel… o suficiente para ler o próprio nome. Com muito cuidado, descolou o resto do sangue seco e abriu o papel sujo e amassado sobre a mesa.

Bree, minha querida.

Me desculpe. Eu não tinha a intenção de estar aqui, mas tenho um sentimento muito forte de que é aqui que deveria estar. Não foi exatamente "Quem enviarei? Quem irá por nós?", mas algo bem parecido, e a minha resposta também.

Bem devagar, ela se sentou na cama, com sua colcha limpa e segura e seus travesseiros imaculados, e releu o bilhete. Passou alguns minutos assim, respirando lenta e profundamente para se acalmar.

Não era nem de longe uma estudiosa da Bíblia, mas conhecia aquele trecho: ele surgia pelo menos uma vez por ano nas leituras da missa e o jovem padre que lhe ensinara o catecismo na escola o usara para falar sobre vocação com os alunos do oitavo ano.

Era um trecho de Isaías, a história na qual o profeta é despertado do sono por um anjo que encosta um carvão em brasa em seus lábios para purificá-lo, para torná-lo capaz de dizer a palavra de Deus. Achava que sabia o que vinha depois, mas se levantou e desceu o corredor silencioso até a biblioteca, onde sabia ter visto uma Bíblia na estante. Lá estava ela: um belo volume encadernado em couro preto fresco, e Bree se sentou e encontrou sem dificuldade o que estava procurando.

Isaías, capítulo 6, versículo 8:

> *Então ouvi a voz do Senhor, conclamando: "Quem enviarei? Quem irá por nós?" E eu respondi: "Eis-me aqui. Envia-me!"*

Pôde sentir os lábios se moverem e repetirem "envia-me", mas eles se moveram em silêncio e as palavras ecoaram somente em seus ouvidos.

Envia-me.

Ficou sentada com o livro aberto nos joelhos. Apesar das mãos suadas, seus dedos estavam frios e ela teve dificuldade para virar a página.

> *Então eu perguntei: "Até quando, Senhor?" E ele respondeu: "Até que as cidades estejam em ruínas e sem habitantes, até que as casas fiquem abandonadas e os campos estejam totalmente devastados."*

– Meu Deus do céu – sussurrou ela. Roger havia escutado aquele chamado e o atendera. Ela engoliu em seco, sentindo um nó na garganta. – Que idiota você é – sussurrou, mas foi consigo mesma que falou, não com ele.

Tinha dito que faria tudo que pudesse para ajudá-lo se tivesse certeza de que ser pastor era realmente sua vocação. Ela havia estudado com padres e freiras, sabia o que era uma vocação. Só que na verdade não.

Me desculpe, escrevera ele em seu bilhete para ela.

– Não, me desculpe *você* – disse ela em voz alta.

Fechou a Bíblia e passou uns poucos minutos sentada fitando o fogo. A casa à sua volta estava em silêncio, envolta naquele horário tranquilo antes de começarem os preparativos para o jantar.

Imaginara-o fazendo o que ele fazia na Cordilheira, embora de modo mais oficial: escutando pessoas que precisavam de alguém para ouvi-las, aconselhando os atormentados, reconfortando os moribundos, batizando bebês, casando e enterrando pessoas... mas não o imaginara reconfortando homens morrendo em um campo de batalha, em meio a tiros de canhão, nem os enterrando depois disso e chegando em casa sujo de sangue e com o dente estilhaçado de outra pessoa no bolso. Mas algo o havia chamado e ele tinha atendido.

E graças a Deus tinha voltado para ela. Voltado precisando dela. Soltou o ar em uma longa e lenta expiração, levantou-se e foi recolocar a Bíblia no lugar.

Quem enviarei, e quem irá por nós?

– Bom, essa, *sim*, é uma pergunta retórica – falou. – Não tem mais ninguém que possa fazer isso no lugar dele, não é? – Ela inspirou fundo e o ar limpo do mar entrou pela janela aberta. – Envia-me.

100

A FORÇA DA CARNE

Savannah

O cerco terminou deixando a cidade em grande parte intocada pela batalha, a não ser pelos buracos abertos por balas de canhão e por pequenos incêndios nas casas mais próximas da área de combate. Savannah era uma cidade graciosa e sua graça continuou evidente à medida que as pessoas retomavam suas vidas.

John Grey recolheu o lenço que a sra. Fleury acabara de deixar cair pela segunda vez e o devolveu, curvando-se de novo. Não achava que fosse flerte. Se fosse, ela era bem pouco talentosa. Era também uns bons 25 anos mais velha do que ele e, embora ainda tivesse tanto os olhos quanto a língua afiados, ele havia reparado em como a colher chacoalhara no pires quando pegara a xícara de chá mais cedo naquela tarde.

Mas, se suas mãos estavam falhando, não era o caso da mente.

– Aquela moça – disse ela franzindo os lábios na direção de Amaranthus, parada do outro lado do recinto conversando com um rapaz que ele não conhecia. – Quem é?

– Aquela é a viscondessa Grey, madame – respondeu ele, cortês. – Nora de meu irmão.

Os olhos levemente avermelhados da sra. Fleury se semicerraram para examinar melhor.

– Onde está o marido dela?

Grey sentiu a habitual pontada na barriga ao ouvir qualquer referência a Ben, mas respondeu com naturalidade:

– Meu sobrinho teve o infortúnio de ser capturado pelos rebeldes em Brandywine, madame. Recebemos poucas notícias dele desde então, mas esperamos que volte em breve para junto de nós.

Mesmo que seja em um caixão. Hal não conseguiria suportar muito mais incerteza… e *teria* que escrever para Minnie em breve.

– Humm… – A velha senhora ergueu o monóculo e observou Amaranthus com um olhar feroz… Sim, com certeza era um tremor: ele pôde ver a correntinha se sacudir em seu peito. – Aquela jovem não está agindo muito como se estivesse lamentando o sumiço dele, não é?

Para ser franco, não. Mas Grey não queria discutir o comportamento da sobrinha com a sra. Fleury, que soubera aproveitar bem a viuvez e era uma fofoqueira consumada.

– Ela está enfrentando com coragem – falou. – Permita-me lhe buscar outra xícara de chá, madame.

Enquanto cumpria essa missão, deu um jeito de passar perto o suficiente de Amaranthus e William para poder chamá-los. Os dois conversavam abaixo de um grande retrato do finado sr. Fleury, de peruca e trajando veludo bordô. Aquela representação elegante de um bem-sucedido comerciante fora levemente estragada pelo esforço do artista de acrescentar uma próspera pança a uma silhueta na realidade esbelta. A alteração exigira um ajuste apressado na postura do sr. Fleury e uma sobreposição descuidada de tintas fazia parecer que o cavalheiro possuía uma fantasmagórica terceira perna, que pairava hesitante atrás da orelha esquerda de William.

Não havia nada de impróprio na atitude dos dois jovens, mas ele pôde notar muito bem o clima carregado entre eles. A tensão era visível no esforço que os dois faziam para *não* se tocar.

Quando Grey se aproximou, Amaranthus aceitava um prato de bolo de William com um toque tão delicado que era como se ele tivesse caído dentro de uma latrina, enquanto William a encarava, sorridente, com uma expressão que qualquer um que o conhecesse era capaz de interpretar.

E Amaranthus *com certeza* havia interpretado.

Meu Deus do céu. Com certeza esses dois não... Talvez não, mas estão cogitando. Droga.

Isso era perturbador por vários motivos. Em primeiro lugar, ele gostava bastante de Amaranthus. E, como padrasto de William, gostava de pensar que o rapaz fora criado sabendo que não deveria demonstrar interesse por mulheres casadas, quanto mais pela esposa do próprio primo.

Mas ele conhecia muito bem a força da carne. E essa força era grande o suficiente para saltar aos olhos da sra. Fleury, pelo menos.

– John – disse uma voz mansa e ele se retesou.

– Perseverance – disse Grey, balançando a cabeça enquanto aquele que um dia fora seu irmão postiço chegava a seu lado sorrindo. – Perseverança. Nunca homem algum foi mais adequadamente batizado.

– Você está com bom aspecto, John – disse Percy, ignorando o comentário. – Veludo azul sempre lhe caiu bem. Lembra-se das roupas que usamos no casamento de nossos pais?

O sorriso nos suaves olhos castanhos era real e profundo, e Grey ficou espantado e irritado ao senti-lo descer direto pela sua coluna e fazer seus testículos se contraírem.

Sim, droga. Ele se lembrava daquele casamento e daquelas roupas. E, como era a clara intenção de Percy, lembrava-se também de estar em pé lado a lado com ele na igreja enquanto sua mãe desposava o padrasto de Percy, e das mãos de ambos se tocando escondidas sob as abas compridas de veludo azul-royal, os dedos se entrelaçando devagar, o toque uma promessa. Promessa que Percy tinha quebrado.

– O que deseja, Perseverance? – perguntou à queima-roupa.

– Ah, quero uma porção de coisas – respondeu Percy, cujo sorriso então chegou aos lábios. – Mas principalmente... quero falar com Fergus Fraser.

– Você já falou – respondeu Grey, pousando o copo parcialmente vazio na bandeja de um criado que passava. – Em Coryell's Ferry. Eu ouvi o que disse. E ouvi o que *ele* disse – acrescentou. – Ele não acreditou em você na ocasião e duvido que tenha mudado de ideia. Além do mais, o que acha que eu poderia fazer em relação a isso, mesmo que quisesse?

O sorriso de Percy perdurou, mas seus olhos se vincaram de um modo que indicava que ele tinha achado graça na resposta de Grey.

– Tive o prazer de encontrar seu filho no verão, no almoço da sra. Prévost.

Não. Pelo amor de Deus. Droga, não.

– E, embora eu tenha de fato tornado a encontrar brevemente o sr. Fergus Fraser em Charles Town algum tempo atrás, tive também o privilégio de ver o general Fraser de perto durante os *pourparlers* antes de Monmouth.

– E daí? – Grey manteve o sorriso inexpressivo fixo no rosto, embora soubesse muito bem que Percy podia ler em seus olhos o que ele estava pensando.

Percy piscou, tossiu uma vez, então desviou o olhar, que fixou em vez disso na perna fantasma do sr. Fleury.

– Não me encha, Percy – disse Grey, não sem alguma brandura, e foi buscar o chá da sra. Fleury.

A sensação de calor e de leve excitação sexual o acompanhou, porém, assim como uma sensação perturbadoramente empolgante dos olhos de Percy cravados em suas costas. Já fazia muitos anos desde que sentira seu toque, mas se lembrava. Vividamente.

Afastou com firmeza o sentimento. Não estava propenso a sucumbir aos encantos físicos de Percy nem à chantagem canhestra. E se ele decidisse *mesmo* sair por aí contando ao mundo sobre a semelhança um tanto notável de William com um general rebelde escocês? Isso poderia alimentar as fofocas por um curto tempo, mas William já tinha saído do Exército e continuava sendo conde. Sua situação não podia ser ameaçada. Tudo que William precisaria fazer, se alguém lhe perguntasse alguma coisa, seria encarar o curioso com um olhar gélido e ignorá-lo.

Mas precisava descobrir o que Percy estava tramando, e por quê. Um fio de calor tornou a descer por sua espinha, como se alguém tivesse derramado café quente por dentro de sua gola.

Do outro lado do recinto, viu o dedo comprido de Amaranthus encostar com delicadeza no peito de William, apontando para alguma coisa óbvia.

O dedo dela tocou, por um segundo apenas, o maior dos besouros do seu colete, uma criatura de 6 centímetros e meio de seda amarela brilhante com chifres de ponta preta. E, claro, pequenos olhos vermelhos.

– *Dynastes tityus* – disse ela em tom de aprovação. – O besouro Hércules oriental.

– É mesmo? – perguntou William, rindo. – *Dynastes tityus* significa rebelde titânico, se não me engano. Hércules era titânico?

– Ele não era um titã? – Amaranthus inclinou a cabeça e ergueu a sobrancelha. Tinha sobrancelhas suaves, mas bem demarcadas, de um louro mais escuro do que o dos cabelos.

– Não, não era. Mas talvez fosse a isso que estivesse se referindo a pessoa que batizou esta coisa… mas por que rebelde? Este sujeito é conhecido pela rebeldia?

Ele baixou os olhos, indo da ponta do nariz até o peito… onde estava o comprido e fino indicador de Amaranthus. A aliança de casamento dela reluzia no anular e ele sorveu uma inspiração profunda que fez o dedo dela afundar de leve na seda ocre.

Amaranthus sorriu para ele e retirou o dedo devagar.

– Quanto ao besouro, não sei. Mas você é, não?

– Eu? Como assim?

– Quero dizer que não pretende viver a vida para atender às expectativas alheias. Ou pretende?

A pergunta foi bem mais direta do que ele esperava… mas ela era *mesmo* direta.

– Às suas expectativas? – indagou ele.

– Ah, não – disse ela e covinhas se formaram em seu rosto. – Não espero nada, William. Nem de você nem de ninguém. Ela fez uma pausa de alguns instantes, com os olhos fixos nos dele. Os dela estavam cinzentos agora que usava cetim violeta e tão translúcidos quanto chuva em uma vidraça. – A menos que esteja se referindo à modesta proposta que fiz.

Apesar da luta interior em curso, ele sorriu de sua referência a Jonathan Swift… embora na verdade sua proposta tivesse sido quase tão chocante quanto o ensaio satírico do autor defendendo o canibalismo infantil como solução para a pobreza.

– Era o que tinha em mente, sim.

– Folgo em saber que a está considerando – disse ela e, embora as covinhas tivessem sumido de suas faces, sua voz foi claramente audível.

Ele abriu a boca para negar, mas, embora houvesse se recusado a cogitar a absurda sugestão, seu corpo já tinha deixado claras as próprias considerações.

Ele tossiu e correu os olhos pelo recinto. Graças a Deus, seu pai conversava com o diplomata francês e não estava olhando em sua direção.

– Bem… – Ele pigarreou e uniu as mãos atrás das costas. – Não sei se "considerar" é a palavra certa… mas a questão é irrelevante no momento. Vim aqui hoje ver você…

– É mesmo? – Ela adotou um ar satisfeito.

– Para dizer que vou embora amanhã de manhã e não sei quanto tempo vou demorar para voltar.

O ar satisfeito sumiu, o que o fez lamentar, mas não havia nada que pudesse fazer.

– Venha – falou e tocou a mão dela enquanto meneava a cabeça em direção às portas de vidro abertas para o jardim. – Vou contar por quê.

Ela captou na hora sua disposição e aquiesceu de leve.

– Juntos, não – falou. – Eu saio primeiro. Vá beber alguma coisa, depois saia pela porta da frente e dê a volta.

Ele a encontrou por fim, bem no fundo do imenso jardim da sra. Fleury, contemplando uma pequena gruta artificial na qual um *putto* de pedra urinava sobre o sapo no centro da bacia de pedra entalhada de um chafariz, cujos olhos redondos reluziam negros sob o jato.

– É um sapo de verdade – comentou ela, olhando de relance para ele antes de voltar a atenção outra vez para o anfíbio. – Um *Scaphiopus* de algum tipo. Eles vivem principalmente debaixo da terra, mas gostam de água.

– Naturalmente – disse William, mas não deixaria que ela o distraísse e, sem mais delongas, contou sobre a carta que Denzell Hunter havia mandado para tio Hal.

Ela ficou lívida e puxou a capa bem apertada em volta do corpo, como se houvesse sido atingida por uma súbita friagem.

– Ah, coitada!

Para surpresa dele, seus olhos estavam marejados. Só então ele lembrou que ela também tinha um filho e que devia ter se imaginado na mesma hora perdendo Trevor daquele jeito.

– Sim – falou ele, com um nó na garganta. – É terrível mesmo. Tio Hal quer Dottie aqui, onde podemos cuidar dela e garantir sua segurança. Então estou indo buscá-la.

– Claro. – A voz de Amaranthus soou com uma rouquidão inabitual e ela limpou a garganta com um pequeno e preciso "hum", então soltou a capa e endireitou as costas. – Que bom que sua prima vai voltar para junto da família... Estar sozinha depois de uma perda terrível dessas... Quanto tempo acha que a viagem vai levar?

– Não sei – respondeu William. – Se tudo correr bem, talvez um mês, seis semanas... Se não correr, seja por doença, mau tempo ou percalços da viagem... ou movimentos de tropas... – Como sempre, ele sentiu uma leve pontada ao pensar no Exército e na noção de constante propósito que este simbolizava. – ... pode ser que leve mais tempo.

Amaranthus assentiu. O sapo de repente inflou o papo e soltou uma enorme e estrepitosa coaxada. Repetiu o som várias vezes enquanto William e Amaranthus o observavam espantados, em seguida lhes lançou um olhar de acusação e pulou para fora da bacia, desaparecendo debaixo de uma folha graúda.

Amaranthus deu uma risadinha e William sorriu, encantado com o som da risada dela. A tensão entre os dois fora rompida e ele estendeu a mão para tornar a ajeitar a capa sobre seus ombros de um modo bastante natural. Com a mesma naturalidade, ela deu um passo à frente e ele a abraçou, e ninguém teria conseguido dizer, nem na hora nem depois, de quem foi a ideia do beijo nem do que aconteceu a seguir.

101

NA ESTRADA OUTRA VEZ

John Cinnamon suspendeu os alforjes de William para o lombo da égua, então verificou com cuidado o animal, dando a volta nele com os olhos semicerrados, tentando segurar sua pata dianteira e apertar a cilha (e sem querer a soltando) e incomodando a égua de modo geral. Estava um pouco encabulado por ter sido resgatado da Marinha de São Domingos e desde essa aventura vinha tomando um cuidado especial para não ser um incômodo.

– Ela é um bom animal, mas provavelmente vai lhe dar um coice se não parar de importuná-la.

William achava graça, mas estava comovido com o comportamento prestativo e desajeitado de Cinnamon. Sabia que ele queria acompanhá-lo, pois provavelmente não confiava que ele fosse conseguir dar conta sozinho da tarefa de resgatar Dottie sem ser preso, enforcado por acidente ou morto por salteadores na estrada; mas não queria isso o suficiente para ir embora sem que seu retrato estivesse concluído.

– Vai ficar tudo bem – disse ele, dando um tapa no ombro de Cinnamon e se abaixando para apertar a cilha outra vez. – Quando eu chegar à Virgínia, já vai estar quase no inverno. Exércitos não lutam no inverno. Eu já fui do Exército e sei disso.

– Sim, *imbécile* – retrucou Cinnamon em tom brando. – Eu *sei*. Você não me disse que da última vez que esteve no Exército levou uma bordoada na cabeça de um desertor alemão e foi jogado dentro de uma ravina, onde quase morreu, e precisou ser resgatado por seu primo escocês que detesta?

– Eu não detesto Ian Murray – disse William com certa frieza. – Afinal, eu devo minha vida a ele.

– E por isso o detesta – disse Cinnamon, pragmático, e estendeu para William sua melhor faca, a da bainha bordada de miçangas. – Isso e o fato de desejar a esposa dele. Não me diga que vai ficar tudo bem. Já vi o tipo de encrenca em que se mete quando está comigo. Vou acender uma vela por dia para a Santa Virgem até você voltar com sua prima.

– *Merci beaucoup* – disse William com um sarcasmo deliberado. – Você não tem tanto dinheiro assim.

Mas ele estava sendo sincero e Cinnamon lhe sorriu.

– Tem um bom casaco grosso? E uma ceroula de lã para esquentar o saco?

– Cuide do próprio saco – rebateu William, pondo o pé no estribo. – Cuide-se e faça o que minha irmã disser.

Cinnamon arregalou os olhos e fez o sinal da cruz.

– E acha que eu me atreveria a não fazer? – disse ele. – Aquela mulher mete medo. – Ele pensou um pouco antes de continuar: – É linda, mas grande e perigosa. Além do mais, quero que meu retrato se pareça comigo. Se eu a deixar zangada...

Ele envesgou os olhos e espichou a língua para fora pelo canto da boca.

William riu e, enfiando a faca no cinto, deu nela alguns tapinhas e segurou as rédeas.

– Seria bem feito, *gonze. Adieu*!

Cinnamon fez que não com a cabeça.

– *Au revoir* – corrigiu, em tom grave. – *Et bon voyage!*

102

OS VENTOS DO INVERNO

Tirando algumas pancadas rápidas e um dia de chuva constante, o tempo ficou firme e as estradas não estavam ruins. Já os exércitos...

Sua missão era resgatar Dottie e levá-la de volta para casa. Ninguém havia mencionado o marido dela, que podia ainda ser um prisioneiro de guerra foragido. É verdade que Denzell Hunter poderia estar na Virgínia com Dottie. Mas se não estivesse...

Ele conhecia bem a prima; conhecia bem Denzell também. Uma vez Dottie em segurança, Hunter decerto teria voltado para o Exército Continental, tanto por uma questão de crença pessoal quanto de dever militar. Tio Hal havia lhe mostrado os despachos oficiais e dito o que o general Prévost supunha ser verdade em relação ao moral das tropas, tanto as britânicas quanto as americanas. O inverno estava chegando e todas as hostilidades no norte tinham praticamente cessado. Sir Henry Clinton estava entocado em Nova York desde Monmouth e, segundo os despachos de Hal, que seu tio julgava estarem corretos, George Washington continuava mantendo o corpo principal de seus homens nos alojamentos de inverno em Nova Jersey.

No entanto, um dos generais de Washington – Lincoln, aquele que organizara o cerco fracassado a Savannah – tinha seguido para o norte com suas tropas e no momento ocupava a cidade de Charles Town, e Clinton a queria.

– Sendo assim, segundo as mais recentes informações, sir Henry pretendia mandar cerca de catorze mil soldados descerem o litoral para tomar a cidade assim que os franceses de D'Estaing saíssem de Nova York, mas se atrasou quando precisou proteger Newport, que foi para onde os franceses partiram em seguida. – Tio Hal havia folheado a pequena pilha de despachos espiando através dos óculos de meia-lua. – E *logo depois* os franceses aparecerem aqui! Você disse que achou ter visto D'Estaing em pessoa?

– Com meus próprios olhos – garantiu William ao tio, que soltou o ar rapidamente pelo nariz.

– E sabemos que Lincoln saiu daqui depois que o cerco fracassou e foi ocupar Charles Town, que representa uma espécie de obstáculo em seu caminho – fora a contribuição de lorde John.

– Como o inverno está chegando, pode ser que as intenções de sir Henry tenham sido ainda mais atrasadas pelo clima... e pelo pequeno problema de ter que alojar seus catorze mil homens caso Benjamin Lincoln não faça sua vontade na hora e entregue Charles Town. Sendo assim, não faço ideia do que poderá encontrar se for a Charles Town, ou mesmo se chegar perto, mas...

– Mas seria bem mais rápido passar por Charles Town do que dar a volta na cidade – concluiu William com um sorriso. – Não se preocupe, tio Hal. Vou chegar à Virgínia o mais depressa que conseguir.

Obscurecido pelo cansaço e pela preocupação, o rosto de tio Hal relaxou em um daqueles raros e encantadores sorrisos que fazem a pessoa sentir que vai ficar tudo bem, pois certamente o mundo não poderia lhe resistir.

– Eu sei que vai, Willie – disse ele com afeto. – Obrigado.

Portanto, William havia partido em missão com um calor no coração, botas robustas, uma boa montaria e uma bolsa cheia de ouro, já que tio Hal queria garantir que não lhe faltaria nada para transportar Dorothea de volta aos braços do pai. Ele não chegara a mencionar qualquer papel que Denzell Hunter pudesse desempenhar nessas transações, mas lorde John ocasionalmente sim.

– Ele é quacre, claro, mas é também médico do Exército Continental – dissera a William em particular. – *E* um prisioneiro de guerra foragido, já que violou a condicional. Pode ser que esteja com Washington agora, o que significa que provavelmente estará em Nova Jersey. Se estiver, deixe-o lá e traga Dottie de volta com você, independentemente do que ela disser... ou fizer.

– Ela é quacre agora, não? – perguntara William. – Não vai fazer nada de violento.

Lorde John lhe lançara um olhar duro.

– Por algum motivo, duvido que a convicção religiosa baste para suplantar as tendências familiares de Dorothea a reagir com violência. Lembre-se de quem é a porcaria do pai dela.

– Humm... – fizera William, sem querer se comprometer. Na verdade, recordara a última vez que tinha dito a uma moça quacre que ela não lhe bateria. A resposta foi um tapa na cara... Foi a irmã de Denzell Hunter, ainda por cima! Ela também o havia chamado de galo, o que o deixara um tanto ressentido.

William não tinha pensado muito em Denzell durante a conversa sobre o resgate de Dottie. Se tivesse, teria chegado à mesma conclusão de papai e tio Hal. Mandaria avisar Denzell sobre o paradeiro e o bem-estar de Dottie.

Estava se sentindo ao mesmo tempo heroico, sentimental e magnânimo. Isso se devia em grande parte a seus sentimentos atuais em relação a Amaranthus, que, apesar de confusos, o dominavam como uma sensação agradável. Metade dele desejava com urgência ter tirado proveito do jardim de inverno da sra. Fleury para concretizar o primeiro passo do plano que Amaranthus lhe sugerira. A outra metade estava bastante contente por não ter feito isso.

Na verdade, não o fizera em grande parte por causa do bebê de Dottie e da reação de Amaranthus à sua morte, que tornara a menina abruptamente real para ele. Antes de ver as lágrimas repentinas de Amaranthus, ele havia sentido a tristeza da situação. Mas fora uma tristeza abstrata, situada a uma distância segura. Ao ver Amaranthus chorar pela menina, porém, fora atingido de modo bastante súbito e doloroso pela consciência de que ela, a pequena Minerva Joy, tinha sido uma pessoa de verdade, cuja morte havia ferido aqueles que a amaram, mesmo que por um tempo bem curto.

Fora a ternura gerada por esse pensamento, tanto quanto o desejo, que o fizera tocar em Amaranthus e trocar com ela aquele beijo.

Tocou os próprios lábios com o dorso da mão. Um beijo muito estranho e, de alguma forma, maravilhoso. Durante aqueles poucos instantes, quando seus lábios se encontraram e seus corpos se encostaram, aquecendo-se mutuamente no jardim úmido e frio, fora como se uma espécie de conexão tivesse sido criada entre eles... como se agora a conhecesse de algum modo que estava além das palavras.

E, droga, ele quisera conhecê-la bem mais do que isso... e tinha sido mútuo. Em determinado momento, havia deslizado a mão pela coxa nua e comprida debaixo de suas saias, tocado seu monte de vênus e sentido a intumescência e a textura escorregadia do desejo dela. As pontas de seus dedos esfregaram a palma da mão em um gesto parcialmente consciente, formigando.

Ele engoliu em seco e tentou afastar as lembranças de Amaranthus. *Por enquanto.*

A ternura perdurou, porém... e a lembrança da menina. Por isso ele havia parado. Porque de repente lhe ocorrera que o que estava fazendo poderia de fato fazer alguém de verdade nascer.

E que, de alguma forma, não era certo ele obrigar esse alguém a assumir os fardos que cabia a ele próprio suportar, fosse isso justo ou não.

Mas se eu me casasse com ela e não *fosse embora caso ela engravidasse, seu filho...* Que pensamento, meu Deus! Seu filho! Mesmo assim, iria herdar o título de Ellesmere e de Dunsany, mas não antes de estar pronto para isso. Ele poderia preparar o menino, ensinar a...

– Meu Deus do céu!

Balançou a cabeça violentamente para expulsar os pensamentos, ou pelo menos tentar. Era um pensamento novo, assustador... e de certa forma um tanto emocionante. Ele o empurrou para longe e sua mente escorregou de volta para as lembranças de Amaranthus e suas sedosas sobrancelhas louras, de água escorrendo, de grama perfumada e dos olhos negros cintilantes do sapo atento.

Ele mal reparou nos quilômetros que passavam sob os cascos de sua égua e só parou quando a escuridão fez a estrada sumir.

103

O CHAMADO DA VIRGÍNIA

Parou para passar a noite em um povoado uns 50 quilômetros ao norte de Richmond. Sentiu a atração de Mount Josiah: tinha passado a poucos quilômetros da estrada que o levaria até lá. Por alguns instantes esteve lá em espírito, sentado na varanda desmoronada junto com Manoke e John Cinnamon, comendo peixe-gato frito e carne de porco defumada em um buraco no chão, com a brisa do início da noite trazendo o débil perfume doce do tabaco.

Perguntou-se por um breve instante se deveria levar Dottie para lá por algum tempo. A temperatura estava caindo e a chuva era frequente; uma mulher recém--enlutada enfraquecida pela doença com certeza não deveria ser forçada a cavalgar durante semanas em meio a tempestades e lama. E, se Manoke ainda estivesse lá, ele e o indígena poderiam facilmente consertar a casa o suficiente para lhes proporcionar abrigo…

Não. Aquilo era uma fantasia, nascida de seu desejo de ficar sentado nos degraus da frente destruídos de sua casa e pensar na vida. Precisava levar Dottie quanto antes de volta para tio Hal, para que pudesse ser cuidada e se restabelecer. *E talvez você queira apenas rever Amaranthus logo*, disse uma vozinha traiçoeira no fundo da sua mente.

– Isso também – respondeu em voz alta e cutucou a égua para fazê-la acelerar o passo.

Tinha dinheiro suficiente para levar Dottie de volta em um transporte, mas isso supondo que fosse possível encontrar um. O povoado de Wilkins Corner se gabava de ter três bois, uma mula e um pequeno rebanho de cabras, além de um ou dois porcos perdidos. Eram só quatro casas, e uma breve consulta a uma mulher ocupada ordenhando uma cabra o levou direto até a porta de Elmsworth Temente a Deus.

Este se revelou um cavalheiro de 80 e poucos anos e um tanto surdo, mas sua esposa bem mais jovem, de apenas uns 60, conseguiu gritar em seu ouvido a uma distância de uns 5 centímetros para lhe transmitir a identidade e a missão de William.

– Dorothea? – O sr. Elmsworth ergueu para William uma sobrancelha peluda. – O que quer com ela?

– Eu… eu sou o… sou *primo* dela – respondeu William, inclinando-se para se dirigir ao cavalheiro usando o volume máximo da voz.

– Primo? Primo? – O velho olhou para a esposa em busca de uma confirmação dessa frase improvável e após recebê-la balançou a cabeça. – O senhor não se parece nada com ela.

William se virou para a esposa.

– Poderia por favor dizer a seu marido que o pai de Dorothea é meu tio e que o irmão dele é meu padrasto?

A mulher escutou, mas ficou visivelmente perplexa com essa informação genealógica, pois abriu a boca por alguns instantes e em seguida a fechou, com o cenho franzido.

– Deixe para lá – disse William, tentando se manter paciente. – Por favor, apenas avise a Dorothea que estou aqui.

– Dorothea não está aqui – disse o sr. Elmsworth, que de alguma forma tinha entendido isso. Ele pareceu perplexo e encarou a esposa. – Está?

– Não, não está – respondeu a sra. Elmsworth, parecendo perplexa também.

William inspirou fundo e chegou à conclusão de que sacudir a sra. Elmsworth não seria o comportamento de um cavalheiro.

– Onde ela está? – perguntou com delicadeza.

A sra. Elmsworth pareceu espantada.

– Ora, o irmão dela veio buscá-la tem quase um mês.

William tinha aquiescido para a sra. Elmsworth em uma resposta automática, mas em seguida *escutou* o que ela acabara de dizer e se sobressaltou como quem leva uma picada de abelha.

– O irmão dela? – repetiu com cuidado, e os dois idosos assentiram. – Irmão dela. Como ele se chamava?

O sr. Elmsworth, agora ocupado acendendo seu cachimbo de barro de haste comprida, tirou-o da boca por tempo suficiente para dizer:

– Hã?

Era possível que ele tivesse entendido a situação de modo equivocado, refletiu William, mas era, *sim,* possível que tivesse sido Henry. A última vez que ele vira Henry Grey, seu primo estava morando na Filadélfia com uma dona de imóvel negra muito bonita que podia ou não ser viúva, recuperando-se aos poucos de ter perdido um bom meio metro de tripas após levar um tiro na barriga. William supunha que Denzell pudesse ter parado na Filadélfia a caminho de Nova Jersey e alertado Henry sobre a presença de Dorothea, e ou ele pedira a Henry para buscá-la, ou então Henry havia decidido sozinho fazer isso.

Um pensamento repentino lhe ocorreu, porém, e ele inflou os pulmões, inclinou-se mais para perto do orifício peludo da orelha do sr. Elmsworth e gritou:

– Ele estava de *uniforme*?

O sr. Elmsworth se sobressaltou e deixou cair o cachimbo, que a esposa felizmente pegou antes que se estilhaçasse no chão.

– Por Deus, rapaz – disse o velho em tom de reprimenda. – Não é educado gritar dentro de casa. Foi o que sempre ensinei às crianças.

– Peço desculpas, senhor – disse William em tom ligeiramente mais baixo. – A sra. Hunter tem… dois irmãos, entende? Desejo apenas saber qual pode ter sido.

Henry fora exonerado do Exército por invalidez, mas seu irmão mais velho, Adam, o do meio dos três primos de William, era capitão de um batalhão de infantaria.

– Ah, sim – disse a sra. Elmsworth.

E começou a questionar o marido com um uivo agudo, até por fim obter a dúbia opinião de que o rapaz talvez estivesse usando algum tipo de uniforme, embora fosse difícil dizer com tanta gente por aí nos últimos tempos portando armas e usando calças coloridas e insígnias vistosas.

– Não aprovamos a vaidade – explicou ele a William. – Por sermos quacres, entende? Nem mesmo em relação a exércitos ou armas, a menos que sejam para caçar. Caçar, tudo bem. As pessoas precisam comer, sabe? – concluiu, encarando William com um olhar levemente acusador.

Uma vez que não tinha escolha, William manteve a paciência e foi recompensado com um pensamento mais promissor. Virou-se para a sra. Elmsworth.

– Poderia por favor perguntar a seu marido... se o homem que veio buscar Dorothea se parecia com ela?

Henry e Benjamin eram esbeltos e morenos, como o pai, mas Adam se parecia com a mãe, como Dottie: ambos tinham cabelos claros e faces rosadas, queixo arredondado e grandes e sonhadores olhos azuis.

O sr. Elmsworth estava um pouco tenso com o interrogatório e começou a pitar seu cachimbo com ar agitado. No entanto, ao escutar essa pergunta, relaxou. Soltou uma grande nuvem de fumaça azul e meneou a cabeça com força.

– Sim, era – falou. – Muito, muito parecido.

Adam. William também relaxou e agradeceu ao casal Elmsworth, embora eles tivessem recusado qualquer presente em dinheiro.

Quando estava se preparando para ir embora, outra coisa lhe ocorreu.

– A senhora ainda tem o bilhete que minha prima lhes escreveu?

O pedido acarretou um quarto de hora de agitação pela pequena casa, com jarros grudentos de conservas sendo erguidos e recolocados no lugar, que se concluiu com a lembrança tardia do sr. Elmsworth de ter usado o bilhete para acender sua vela.

– Não tinha grande coisa escrita nele, filho – informou a sra. Elmsworth com empatia ao ver sua decepção. – Ela só nos agradecia por tê-la hospedado e dizia que seu irmão iria levá-la até o marido.

O fim do dia se aproximava e sua égua estava cansada e precisava comer, de modo que, apesar da vontade de voltar na hora, William aceitou com relutância a hospitalidade do pequeno celeiro dos Elmsworths para pernoitar. O casal também o convidara para partilhar seu jantar, mas, ao ver que este consistiria em uma minúscula porção de mingau de fubá com umas poucas gotas de melado e algumas fatias de pão duro e deformado, ele garantiu aos dois ter um pouco de comida em seus alforjes e se recolheu ao celeiro para cuidar das necessidades de Betsy antes de buscar o refúgio dos próprios pensamentos.

Na verdade, William dispunha de uma maçã amassada e um pedaço pequeno de queijo duro, já suando gordura e levemente mofado. Mas sua mente estava ocupada com o que fazer a seguir e portanto prestou pouca atenção no jantar frugal.

Adam. Só podia ser. O problema era que não sabia onde Adam poderia estar. Fazia mais de um ano que não via o primo e as conversas que tivera recentemente com papai e tio Hal não o haviam mencionado em absoluto, pois todos estavam ocupados pensando na morte de Benjamin.

A *última* notícia que tinham tido de Adam era que seu primo era capitão de infantaria, mas não no regimento do pai (sábia decisão, na opinião de William). Logo no início da carreira militar, os filhos de Hal chegaram à sábia conclusão de que suas chances de preservar boas relações com o pai dependiam de não serem seus subordinados e aceitaram seus cargos de acordo com isso.

– Bem, então comece pela outra ponta, seu burro – disse ele, impaciente. – O único jeito de Adam ter descoberto onde Dottie estava era por Denzell. Nós supomos que Denzell está com Washington, que segundo tio Hal Washington está passando o inverno em Nova Jersey.

Certo, então. Ele soltou um breve arroto que o fez sentir o leve gosto de putrefação das partes moles da maçã e relaxou um pouco, subindo o casaco até em volta das orelhas e encolhendo os dedos dos pés dentro das botas frias e úmidas. Se seu raciocínio estivesse correto, ele não *precisaria* saber onde Adam se encontrava. Mas seu palpite era que Adam estava com o exército de Clinton em Nova York… isso se Clinton e seus homens ainda estivessem lá. Mas, se Clinton pretendia tomar Charles Town, com certeza não estaria fazendo isso com o ano tão adiantado, estaria? De toda forma, se os Hunters *não* estivessem com Washington em Nova Jersey, Adam era sua única fonte de informação quanto a seu paradeiro.

Betsy levantou o rabo e despejou uma cascata fumegante de cocô a meio metro de onde William estava sentado em cima de um balde virado. Ele se inclinou e esfregou as mãos uma na outra acima do calor enquanto pensava.

Estranhava o fato de Denzell ter decidido mandar buscar Dottie depois de a ter deixado na casa dos Elmsworths por segurança, mas isso não era importante. Sua escolha parecia clara: ir até Nova York procurar Adam, ir até Nova Jersey procurar Denzell ou então dar meia-volta e retornar a Savannah para contar a tio Hal o que tinha descoberto.

Descartou a última opção.

A distância entre onde ele estava e Nova York ou Nova Jersey era praticamente a mesma, uns 500 quilômetros. Olhou para o céu nublado pela porta entreaberta. Uma semana talvez, se as estradas estivessem decentes.

– E não vão estar – falou, observando pequenos flocos duros do que ainda não era neve caírem, aterrissarem em suas mãos e em seu rosto e depois derreterem, provocando leves picadas de frio. – Mas não tem outro jeito, não é?

O ano-novo chegou antes de William alcançar Morristown. Tinha tido tempo de sobra na estrada para tomar sua decisão. E, embora tivesse garantido a si mesmo que Morristown era o lugar lógico por onde começar sua busca, uma vez que era lá que Denzell estava e Dottie àquela altura já devia estar com ele, sua consciência comentou acidamente que aquela decisão era fruto tanto de lógica quanto de covardia. Ele não queria adentrar o quartel-general de sir Henry Clinton como um civil usando roupas maltrapilhas e enfrentar os olhares, ou quiçá as perguntas diretas de homens que conhecia.

Simplesmente não queria.

Morristown contava com duas igrejas e duas tabernas, além de um agrupamento de cerca de cinquenta casas e de uma grande mansão no limite da cidade. Pelas bandeiras que adornavam essa casa e os sentinelas postados na frente, era óbvio que ela agora abrigava o quartel-general de Washington. William bem que gostaria de vê-lo, mas a curiosidade podia esperar.

Foi a curiosidade, porém, que o fez perguntar a alguém no gramado central da cidade por que havia tanta gente aguardando em frente às igrejas, fazendo fila e batendo com os pés no chão por causa do frio.

– Varíola – respondeu o sujeito. – Inoculação. Ordens do general Washington. Tanto soldados quanto moradores da cidade... quer queiram, quer não. Estão inoculando nas igrejas toda segunda e quarta-feira.

William já tinha ouvido falar na inoculação contra varíola. Claire comentara a respeito certa vez, na Filadélfia. Inoculação queria dizer médicos, e o nome Washington significava médicos militares. Depois de agradecer ao informante, foi até o começo de uma das filas e, abaixando ligeiramente o chapéu para a pessoa diante da porta, foi entrando como se tivesse o direito de estar ali.

Um médico e seu assistente trabalhavam perto da pia batismal na parte da frente da igreja, usando o altar como suporte para seu material. O médico não era Denzell Hunter, mas podia ser um ponto de partida, e William avançou pelo corredor central da igreja com passo decidido, atraindo olhares de surpresa das pessoas que aguardavam.

O médico, um cavalheiro gordo que usava um gorro com abas bem afundado na cabeça e um avental sujo de sangue, estava em pé diante da pia batismal, cuja estrutura fora temporariamente coberta por uma tábua larga em cima da qual estavam os instrumentos usados para a inoculação: duas facas pequenas, uma pinça e uma cumbuca cheia do que pareciam minhocas bem finas e vermelho-escuras.

Ao se aproximar, William viu o médico, cuja respiração se condensava ao redor do rosto, abrir um pequeno corte na mão de uma mulher que tinha o rosto virado de lado e fez uma careta quando a faca a cortou. O médico enxugou depressa o sangue que brotou, pegou com a pinça uma das minhocas, que se revelou um fio encharcado de algo repugnante, e a inseriu no corte.

Seria aquilo varíola?, perguntou-se William.

Enquanto a mulher enrolava a mão em um lenço, William se meteu agilmente no começo da fila.

– Com licença, doutor – falou educado, curvando-se. – Estou em busca do dr. Hunter. Tenho um recado importante para ele.

O médico piscou, tirou os óculos e semicerrou os olhos para William, em seguida os recolocou e tornou a pegar a faca.

– Ele hoje está em Jockey Hollow – falou. – Provavelmente na Wick House, mas pode ser que esteja entre os chalés.

– Agradecido, doutor – disse William, sincero.

O médico aquiesceu e acenou para a pessoa seguinte da fila.

Mais perguntas o fizeram subir até Jockey Hollow, uma área um tanto montanhosa – Washington gostava muito de montanhas – onde uma cena de imensa devastação se descortinou. Era como se um meteoro tivesse atingido uma área de mata, destroçando árvores e revirando a terra. Os continentais tinham derrubado o que deviam ser pelo menos 500 hectares de floresta: os tocos despontavam da lama como dedos esfrangalhados e fogueiras feitas com os galhos cortados fumegavam pelo acampamento, cada qual rodeada por uma franja de soldados estendendo as mãos congeladas para o calor.

Havia toras empilhadas por toda parte, em uma arrumação grosseira, e William viu que na verdade chalés razoavelmente grandes estavam sendo construídos. Aquilo pelo visto se tornaria um acampamento semipermanente e nem um pouco pequeno.

Soldados zanzavam de um lado para outro como formigas, a maioria à paisana ou de casaco militar. Se Denzell estivesse ali, seria preciso um tempo razoável para achá-lo. Ele andou até a fogueira mais próxima e abriu caminho aos cutucões pelo círculo de homens em volta.

Meu Deus, que calor maravilhoso.

– Onde fica a Wick House? – perguntou ao homem mais próximo, esfregando as mãos uma na outra para ajudar o calor delicioso a se espalhar.

– Ali em cima.

O homem, bem jovem, talvez alguns anos mais novo do que ele, indicou o caminho com um movimento do queixo na direção de uma casa de aspecto modesto situada ao longe, no alto de um morro. Ele agradeceu ao rapaz e saiu a contragosto de perto do fogo impregnado com o cheiro de fumaça.

Apesar do tamanho modesto, a Wick House era claramente a casa de um homem rico: em volta dela havia uma forja, uma moenda de grãos e um estábulo razoavelmente grande. Ou o homem rico era rebelde, ou então fora tirado de casa à força, pois perto da porta estavam plantadas bandeiras regimentais e a entrada era vigiada por um sentinela bastante zeloso, com a clara intenção de repelir visitantes indesejados.

Bem, já tinha funcionado uma vez... William jogou os ombros para trás, levantou a cabeça e andou até a porta como se a casa fosse dele.

– Eu trago um recado para o dr. Hunter – falou. – Posso encontrá-lo aí dentro?

O sentinela o encarou com os olhos lacrimejantes e vermelhos.

– Não, não pode – respondeu.

– Posso saber onde ele está, então?

O sentinela puxou um pigarro e cuspiu no chão, e a bola de catarro por pouco não acertou o bico da bota de William.

– Ele está aí dentro. Mas o senhor não vai encontrá-lo porque não vou deixá-lo entrar. Se trouxe um recado, dê para mim.

– O recado precisa ser entregue em mãos – disse William com firmeza e estendeu a mão para a maçaneta.

O sentinela deu dois passos para o lado e se postou em frente à porta, com o mosquete posicionado em frente ao peito, tão convencido de estar com a razão que chegava a ser intimidador.

– Amigo, o senhor não vai entrar – disse ele. – O doutor está com o brigadeiro Bleeker e não pode ser incomodado.

William produziu um som grave que parecia um rosnado. Isso não afetou o sentinela, porém, e ele tentou outra vez:

– E a sra. Hunter? Ela por acaso está no acampamento?

Por Deus, tomara que não. Ele olhou por cima do ombro para a enorme bagunça morro abaixo.

– Ah. Sim. Ela está aí dentro. – O sentinela moveu o polegar para trás na direção da casa. – Com o médico e o brigadeiro.

– Brigadeiro... ou seja...?

– O general Bleeker. General Ralph Bleeker.

William deu um suspiro.

– Bem, se eu não posso entrar... será que *o senhor* faria a gentileza de avisar que o primo dela veio trazer um recado para seu marido? Ela certamente poderá sair para recebê-lo.

Quase deu certo. Ele pôde ver a dúvida lutar com o dever na expressão do homem... mas o dever venceu e o sentinela balançou obstinadamente a cabeça e acenou com a mão.

– Xô!

William girou nos calcanhares e foi embora. Desceu o morro sem olhar para trás... e virou assim que a barreira de arbustos e pequenas árvores o escondeu do sentinela.

Foi preciso algum tempo para dar a volta no cume do morro e subi-lo com cuidado, passando pela moenda de grãos, mas ele conseguiu se misturar às pessoas que aguardavam ali para moer sua farinha e pôde ver a casa com facilidade. Sim, havia uma porta dos fundos. E não, glória a Deus, não havia sentinela ali, pelo menos não naquele momento.

Ele esperou até que as pessoas parassem de reparar nele e se afastou do modo meio furtivo de um homem que vai urinar. Passou rapidamente pela forja, chegou à porta... e entrou.

Fechou a porta dos fundos atrás de si sentindo uma onda de prazer.

– Pois não, senhor?

William se virou e se viu na cozinha, alvo dos olhares de uma cozinheira e várias auxiliares. O ar estava permeado pelo aroma de carne na brasa: um porco imenso girava em um espeto na espaçosa lareira e ele começou a ficar com água na boca, mas a comida podia esperar.

Curvou-se e ergueu o chapéu para a cozinheira.

– Perdoe-me, madame. Eu trouxe um recado para o doutor.

– Ah, ele está na sala – disse uma das auxiliares mais novas. A moça ergueu os olhos pelo corpo de William com ar de admiração e ele abriu um sorriso. – Eu levo o senhor!

– Obrigado, minha cara – disse ele e tornou a se curvar em um agradecimento antes de sair da cozinha em seu encalço.

Apesar de confortável, a casa parecia estar ocupada por um número bastante grande de pessoas: ele ouviu vozes e barulhos de passos no teto, já que havia um segundo andar na parte de trás. A auxiliar o conduziu até uma porta fechada e fez uma mesura. Ele tornou a lhe agradecer e, ao estender a mão para a maçaneta de porcelana, ouviu o som inconfundível da risada gorgolejante de sua prima Dottie e um sorriso se abriu em seu rosto.

Ainda estava sorrindo quando entrou na sala. Dottie estava sentada em uma cadeira em frente à lareira com alguma espécie de trabalho de tricô no colo, o rosto animado e atento ao homem de uniforme continental em pé junto ao fogo que lhe dizia alguma coisa.

Denzell também estava presente, perto da janela, mas William mal o notou, petrificado pelo som da voz do homem que falava.

– William! – exclamou Dottie, deixando cair o tricô. O homem junto ao fogo se virou abruptamente.

– Meu Deus do céu! – exclamou ele, encarando William chocado. – O que *você* está fazendo aqui? – O azul de seu casaco emprestava um brilho penetrante a seus olhos de um azul-claro invernal.

William teve a sensação de ter levado um coice de mula na barriga, mas conseguiu sorver uma inspiração.

– Olá, Ben – falou, com a voz sem emoção.

104

A PORCARIA DO GENERAL BLEEKER

Ben o encarou, frio e formal.

– Você quis dizer general Bleeker? – A frase poderia ter sido encarada com humor, só que não foi dita em tom bem-humorado nem tinha essa intenção.

– Bleeker – falou William, transformando o nome quase em uma pergunta. – Tudo bem, se for necessário. Mas *Ralph*?

O semblante de Ben se fechou, mas ele manteve a calma.

– Não é Ralph – disse apenas. – É Rafe.

– Um dos nomes de Ben é Raphael – disse Dottie, agradável, como se estivesse conversando em volta da mesa do chá. – Em homenagem a nosso avô materno, que se chama Raphael Wattiswade.

– Se chama? – repetiu William, encarando-a espantado. – Pensei que o pai de sua mãe já tivesse morrido. – Ele tornou a olhar para o primo. – Aliás, pensei que *você* tivesse morrido.

Dottie e Denzell trocaram um breve olhar conjugal.

– Creio que o amigo Wattiswade se deu algum trabalho para passar essa impressão – disse Denzell, tomando cuidado para não encarar Ben. – Não quer se sentar, William? Tem vinho.

Sem esperar resposta, ele se levantou e indicou com um gesto a cadeira que acabara de vagar, então foi pegar um decânter em uma mesinha perto da porta.

William ignorou tanto a oferta da bebida quanto o assento. Ben era um pouco mais alto do que o pai, mas ainda assim 15 centímetros mais baixo do que William, e ele não iria abrir mão da vantagem de olhar o primo de cima. Ben se empertigou e ergueu para ele um olhar fulminante.

– Vou repetir: o que você está fazendo aqui?

– Vim encontrar sua irmã – respondeu William e se curvou de leve para Dottie. – Dottie, seu pai quer que volte para Savannah.

Agora que tinha tido uma chance de olhar para ela, pensou que tio Hal tivera razão em querer isso. Estava muito magra, com olheiras, seu vestido pendia por cima dos ossos e seu aspecto geral fazia pensar em uma bela peça de porcelana rachada no meio e lascada na borda.

– Eu disse que você não deveria ter escrito para ele – disse ela a Denzell em tom de reprovação.

O marido lhe estendeu um copo de vinho e, ao ver que William não estava disposto a aceitar o outro, sentou-se e tomou um gole ele próprio.

– E eu disse que *você* deveria voltar para casa – retrucou Denzell, embora sem rancor. – Aqui não é lugar para uma mulher, ainda mais uma que…

Ele olhou para Dottie e se calou abruptamente. Um rubor descontrolado havia colorido suas bochechas e seus lábios se contraíram com força. William pensou que ela seria capaz de cair no choro ou então de partir a cabeça do marido com o atiçador de lareira que estava ao alcance de sua mão.

Chances equivalentes, concluiu e se virou de volta para Ben, que tinha ficado com o rosto pálido.

– Venha até lá fora comigo – falou. – Assim poderá me dizer o que está fazendo e por quê. E por que eu não deveria voltar direto para Savannah e contar para seu pai. Se você quiser.

Estava frio lá fora e o céu baixo e pesado tinha a cor do chumbo. William sentiu a força do olhar de Ben abrindo um buraco entre suas escápulas.

– Por aqui – disse o primo abruptamente.

Ele se virou e viu Ben abrir com um empurrão a porta de um grande barracão do qual emergiu um cheiro quente e denso de fumaça e gordura que os envolveu.

Lá dentro o odor estava mais forte, mas o ar aquecido, e William sentiu as mãos formigarem agradecidas. Fazia muitos dias que seus dedos estavam quase congelados. Das vigas pendiam carcaças de veados e ovelhas, e era possível entrever listras de gordura através da fumaça que saía lentamente da trincheira cavada no chão. Grandes espaços mostravam onde a carne já fora levada embora para alimentar os oficiais que ocupavam a Wick House, ele supôs, e se perguntou como Washington estaria planejando alimentar suas tropas durante o inverno. Pela sua avaliação apressada do acampamento que estava sendo construído no sopé do morro, devia haver quase dez mil homens ali, muito mais do que imaginara.

– Adam disse que você renunciou a seu cargo. – Ouviu-se um rangido e uma pancada quando Ben fechou a porta. – É verdade?

– É.

Ele encarou o primo e mudou um pouco de posição. Não tinha motivos para imaginar que Ben fosse tentar agredi-lo, mas tudo ainda estava muito no começo.

– Por quê?

– Não é da sua conta – respondeu William, direto. – Quer dizer que Adam ainda está falando com você? Onde está *ele*, aliás?

– Em Nova York com Clinton. – Ben fez um movimento para a esquerda com a cabeça. Seu rosto estava pálido à luz cinzenta.

– Por acaso lhe ocorreu que você poderia estar fazendo seu irmão correr sérios riscos ao falar com ele… o risco de ser preso e submetido a corte marcial ou, droga, até mesmo de ser *enforcado*? Ou será que essa consideração não pesou diante de suas novas… lealdades? – O coração de William ainda batia acelerado devido ao choque de ter encontrado Ben com vida e ele não estava com disposição alguma para medir palavras. – Porra, como você *ousa*? – explodiu, sentindo a fúria brotar do nada. – Como se não bastasse ser um traidor, ainda por cima é a porra de um covarde! Não podia apenas virar a casaca e ser honesto em relação a isso? Ah, não! Precisava fingir que tinha morrido e matar seu pai de tristeza… e o que acha que sua mãe vai sentir quando ficar sabendo?

Apesar da luz fraca, pôde ver o sangue acorrer ao rosto de Ben e seus punhos se fecharem. Apesar disso, seu primo manteve a voz sob controle:

– Pense um pouco, *Willie*. O que meu pai preferiria… que eu tivesse morrido ou que fosse um traidor? Isso, *sim*, o mataria, droga!

– Ou ele mataria você – retrucou William, brutal. Ben se retesou, mas não respondeu nada. – Por que foi, então? – perguntou. – Por causa da patente, *general* Bleeker? Por dinheiro não há de ter sido.

– Não espero que entenda – disse Ben entre dentes. Inspirou como se fosse dizer mais alguma coisa, mas então parou, com os olhos semicerrados. – Ou talvez sim. Veio aqui se juntar a nós?

– O quê? E virar um lambe-botas de Washington igual a você? Não, porra, não vim. Eu vim encontrar Dottie. Imagine só minha surpresa.

Ele fez um gesto de desprezo na direção do uniforme azul e bege.

– Então por que renunciar a seu cargo? – Ben o olhou de cima a baixo, prestando atenção nas roupas grosseiras e nos tecidos encardidos, nas botas grossas com as barras das meias de lã viradas para fora nos canos. – E por que está vestido assim?

– Vou repetir: não é da sua conta. Mas não foi por causa de política – emendou, e se perguntou por um instante por que tinha sido.

– Bom, para mim foi. – Ben sorveu uma inspiração lenta e profunda e se recostou na porta. – Já ouviu falar em um homem chamado Paine? Thomas Paine?

– Não.

– Ele é escritor. Quero dizer, foi contratado pela Alfândega e Tributos de Sua Majestade, mas foi demitido e começou a refletir sobre política.

– Como fazem os desempregados, suponho.

Ben o fuzilou com os olhos para fazê-lo calar.

– Eu o conheci em uma taberna na Filadélfia. Falei com ele. Achei-o… interessante. Um sujeito de aspecto estranho, mas… intenso.

Ele inspirou fundo demais e tossiu. William podia sentir no peito as cócegas que a fumaça fazia.

– Então, mais tarde, quando fui levado como prisioneiro em Brandywine… – ele pigarreou – … tive a oportunidade de ler o panfleto que ele escreveu. Chama-se *Bom senso*. E conversei com o oficial que me hospedou e… bom, é sensato *mesmo*. – Ele deu de ombros, então os deixou afundar e olhou para William com ar de desafio. – Fiquei convencido de que os americanos estavam com a razão, só isso, e minha consciência não me permitia mais combater do lado da tirania.

– Seu idiota pomposo. – A vontade de bater em Ben só crescia. – Vamos sair daqui. Não quero andar por aí cheirando a presunto defumado, mesmo que você não se importe.

Esse argumento pelo menos conseguiu despertar um pouco de bom senso em Ben. Eles saíram e Ben seguiu na frente morro abaixo, só que na direção oposta à da cidade. Eles atraíram alguns olhares dos homens que carregavam toras em direção ao acampamento, mas Ben os ignorou.

– Se você é general, as pessoas não vão achar estranho que não tenha um bando de ajudantes e puxa-sacos em volta? – perguntou William para a nuca do primo e ficou satisfeito ao vê-la ruborizar apesar do frio.

Estava um gelo ali fora: a neve começava a cair em flocos grossos e velozes que cobriam os montinhos congelados encardidos das nevascas passadas.

– Por isso estamos indo para um lugar onde ninguém nos veja – respondeu Ben, sucinto.

E se pôs a descer uma trilha de lama revirada e endurecida pelo frio na direção de um barracão grande perto de um córrego congelado. O barracão estava trancado com um cadeado que Ben levou alguns minutos para abrir, já que tanto a chave quanto suas mãos estavam geladas e se recusavam a cooperar.

– Deixe-me tentar. – William tinha mantido as mãos nos bolsos e, apesar de congelados, seus dedos ainda estavam flexíveis. Ele pegou as chaves de Ben e o afastou para o lado.

– O que os continentais têm que valha a pena trancar? – perguntou, mas sem real intenção de ofender.

Ben não respondeu, mas abriu a porta com um empurrão para revelar as formas escuras e compridas de peças de artilharia. Eram canhões com capacidade para disparar balas de 2 e 3 quilos, uns nove contados por alto, mais alguns morteiros visíveis no fundo. O arsenal de artilharia dos continentais, pelo visto. O espaço recendia a metal frio, madeira úmida e resquícios de pólvora.

– O barracão de defumar estava um pouco mais quentinho – observou Ben, virando-se de frente para William. – Vamos encerrar nosso assunto, seja qual for, antes de congelarmos.

– De acordo. – A respiração de William saiu branca e ele já estava começando a ter saudades da companhia dos porcos mortos e de suas fogueiras. – Eu quero que Dottie volte comigo para Savannah. Você já deve ter notado que ela precisa de comida, de calor… da família…

Ben exalou e o ar lhe escapou das narinas em um bufido que lembrou o de um touro bravo.

– *Bonne chance* – disse ele. – Hunter não quer ir, porque precisam desesperadamente dele aqui. Ela não quer deixá-lo. *Quod erat demonstrandum.*

Apesar da óbvia irritação de Ben, havia algo de estranho em sua voz. Quase um anseio, pensou William, e esse pensamento despertou a consciência que vinha crescendo lentamente no fundo de sua mente sem que ele notasse.

– Amaranthus – disse ele de repente e Ben se encolheu. O covarde desgraçado *se encolheu*, droga! – Porra, ela pelo menos sabe que você não está morto?

– Sabe – respondeu Ben entre dentes. – Foi por causa dela que eu... Droga, deixe para lá. Não posso obrigar Dottie a sair daqui a não ser a amarrando dentro de um saco e pondo em uma carroça. Acha que você...

– Foi por causa de sua esposa que o quê? – *De sua esposa*. As palavras se contorceram feito vermes dentro da barriga de William e ele fechou a mão e sentiu na palma o calor escorregadio. – Está querendo dizer que contou o que iria fazer e ela...

– Eu era um prisioneiro! Não podia contar nada para ela. Só quando... quando estivesse feito. – Ben o encarava com raiva, mas olhou para outro lado ao dizer isso. – Eu... eu escrevi para ela depois. Claro. Contei o que tinha feito. Ela não ficou contente.

– Não me diga – retrucou William com o máximo de sarcasmo de que foi capaz. – Foi ideia dela fingir que você tinha morrido? Se tiver sido, não posso dizer que a culpo.

– Foi – respondeu Ben, tenso. Seus olhos continuavam pregados na boca negra escancarada de um canhão próximo. – Ela disse... que eu não podia deixar que soubessem que era um traidor. Não só por causa dela ou do meu pai... mas por causa de Trevor. Meu pai iria... ele superaria minha morte, principalmente se eu tivesse morrido como soldado. Mas nunca iria superar...

– O fato de você ser um traidor – concluiu William para ajudá-lo. – Não, droga, não iria mesmo. E o pequeno Trevor tampouco teria uma vida muito fácil como seu herdeiro quando tivesse idade suficiente para entender o que as pessoas estariam dizendo a respeito do pai... e dele. Você sujou sua família inteira com sua merda, não foi?

Ele sentiu o calor repentino do sangue que fervia.

– Cale a boca! – disparou Ben. – Foi por isso que troquei de nome e mandei um aviso oficial de que tinha morrido, pelo amor de Deus! Cheguei até a mandar pôr meu nome em um túmulo no acampamento de Middlebrook, para se alguém fosse procurar!

– Alguém foi – disse William, sentindo a raiva esquentar-lhe o peito. – *Eu* fui, seu desgraçado! Desenterrei o cadáver que estava dentro desse túmulo, no *meio da noite*, debaixo de chuva, porra! Se você não tivesse escolhido um ladrão para enterrar em seu lugar, talvez tivesse conseguido se safar, seu maldito... Meu Deus, como eu queria que tivesse!

Por baixo da raiva, uma dor aguda lhe apertava o peito. Bem no ponto em que tinham estado o besouro Hércules e o dedo esguio e comprido de Amaranthus.

– Sua esposa...

– Isso não é da sua conta, porra! – rosnou Ben com o rosto vermelho. – Por que não conseguiu manter o nariz fora disso? E *o que tem* minha esposa? O que você tem a ver com *ela*?

– Você quer mesmo saber? – A voz de William saiu baixa e venenosa, e ele se inclinou na direção de Ben com os punhos cerrados. – *Quer saber* o que tive a ver com ela?

Ben o socou. Com força, na barriga. Ele o agarrou pelo braço e lhe deu um soco no nariz. O nariz se partiu com um barulho recompensador de algo sendo esmagado e o sangue escorreu pelos ossos da sua mão.

Apesar de mais baixo e mais franzino, Ben tinha a inclinação da família Grey para lutar feito um texugo e contar as perdas depois. William foi arremessado para trás contra um dos grandes canhões com Ben agarrado a seu pescoço e ouviu o casaco azul se rasgar quando o primo tentou esganá-lo. William estava uma fera; Ben estava enlouquecido.

Com dificuldade, William conseguiu enfiar o joelho entre ele e o primo e deu um jeito de se soltar das mãos de Ben por tempo suficiente para lhe dar um soco na parte de trás do pescoço. Ben fez o mesmo barulho de uma pantera que acabou de levar um tiro na barriga, abaixou a cabeça e deu uma cabeçada no peito de William que o derrubou, então caiu por cima dele com os dois joelhos sobre seu peito. Estavam esmagados um contra o outro, engalfinhados no espaço reduzido entre dois carrinhos de canhão, e os nós dos dedos de William estavam feridos de tanto acertar madeira e metal quanto a boca de Ben.

Houve um instante, no qual ele pôde ver a expressão do primo em um raio de luz, em que acreditou que Ben pretendia matá-lo.

Então, de repente, a chuva de socos cessou e o peso saiu de cima dele. Ben estava se levantando, cambaleando acima dele e pingando sangue, e William percebeu, em meio à névoa da briga e às sombras dos canhões, que a luz vinha da porta aberta do barracão e que havia vozes no recinto.

– Um sabotador – disse Ben com voz rouca e cuspiu sangue. A cusparada acertou um dos canhões e escorreu devagar pela curva de ferro frio até pingar no pulso de William. – Levem-no para a prisão. Ele não deve falar com ninguém. Levem-no, já disse!

William comia de tudo. E o feijão mal requentado e o pão de milho seco que lhe foram oferecidos depois de uma noite muito fria na prisão foram como ambrosia… e nem muito difíceis de mastigar, mesmo com o maxilar dolorido.

Era *mesmo* uma prisão, embora pequena: um bloco formado por meia dúzia de celas feitas de tijolo dentro de uma paliçada, com uma guarita do lado de fora. Não havia mais do que um buraco de 15 centímetros no tijolo para deixar entrar luz e ar, e a cela poderia muito bem estar mergulhada em um mar de inverno de tão fria, de tão escura e úmida com a névoa rodopiante que penetrava vinda do mundo lá fora. Ele esfregou o último pedaço de pão de milho no prato de madeira, em seguida chupou dos dedos os últimos resquícios de caldo de feijão. Poderia ter comido três vezes mais se houvessem lhe dado, mas se conformou e fez a comida descer com o litro de cerveja muito rala que tinham lhe servido. Arrotou, apertou o cinto e se sentou para esperar no banco de madeira que constituía a única mobília da cela.

Estava com vários hematomas e arranhões e as costelas doíam quando respirava, mas tinha dormido a noite inteira, de pura exaustão, e lavado o rosto em um balde naquela manhã sem se encolher, embora tivesse primeiro precisado quebrar 1 centímetro de gelo sólido. As escoriações não o incomodavam muito. Exceto como lembrete de seu primo Ben.

Logicamente, Ben deveria ter mandado executá-lo por sabotagem. Isso era óbvio, uma vez que era o único jeito seguro de impedi-lo de revelar a sórdida verdade sobre o brigadeiro Bleeker para tio Hal, tia Minerva, para o regimento de Ben, para os jornais londrinos…

Bom, os jornais não. Deixar aquilo virar um escândalo conhecido destruiria a família inteira, como ele tinha dito ao maldito brigadeiro Bleeker.

Tampouco estava exagerando quando dissera a Ben que causaria problemas para Adam. Era só esperar sir Henry descobrir que Adam havia parlamentado em segredo com um combatente inimigo! Porque ele iria descobrir se eles continuassem a se falar, e o fato de o inimigo em questão ser irmão de Adam só faria piorar as coisas. *Se* a história vazasse, todos pressuporiam que Adam também era um vira-casaca e que passava informações para o irmão.

William tinha uma vaga lembrança de o pai dizer que um segredo só permanecia um segredo enquanto uma única pessoa apenas o conhecesse.

A lembrança veio acompanhada pela visão de um céu lilás muito, muito escuro, com Vênus logo acima do horizonte igual a uma joia brilhante. Era isso: estavam deitados no deque em Mount Josiah, vendo as estrelas surgirem, enquanto Manoke limpava e grelhava os peixes que tinham acabado de pescar.

Ele inspirou com nostalgia, quase esperando sentir o cheiro poeirento da linhaça e o sabor encorpado e suculento de peixe empanado em fubá e frito na manteiga. O gosto de pão de milho ainda presente em sua boca lhe trouxe o sabor por um instante, antes de ir embora e deixá-lo com o cheiro do balde cheio de água suja no canto da cela. Ele se levantou, foi até lá urinar, então pegou água com a mão e molhou o rosto um pouco mais.

A única coisa de que tinha certeza era que não precisaria esperar demais. Ben não se atreveria a deixá-lo muito tempo em um lugar onde as pessoas pudessem ficar curiosas.

– E você não conseguiu pensar em nada melhor do que me chamar de sabotador – disse ele em voz alta para o primo. – Isso vai deixar *todo mundo* curioso, seu estúpido.

Ele também estava curioso em relação ao que aconteceria... Na verdade, não tinha medo de Ben mandar executá-lo formalmente. Sua mente parou por um instante na imagem do rosto de Ben quando Amaranthus havia entrado na conversa. Sim, ele com certeza quisera matar William naquele momento e sem dúvida ainda queria.

Pensar em Amaranthus a invocou como se ela estivesse fisicamente à sua frente, os olhos cinza-azulados franzidos com o sorriso. Alta e curvilínea, cheirando a folhas de vinha e um leve e adocicado perfume de pó de arroz e cocô de criança. E aqueles longos dedos esguios e frescos como água tocando seus...

Ele endireitou os ombros e soltou o ar com força. Haveria tempo suficiente para lidar com *ela* depois que saísse daquele lugar.

Se Ben não tinha mandado fuzilá-lo ao raiar do dia, não iria matá-lo. Além do temor de que William começasse a gritar coisas incriminatórias no caminho até o pelotão de fuzilamento, havia a questão de Dottie. William não tinha dúvidas de que a prima amava Ben, Adam e Henry: a família era unida. Mas Dottie gostava *dele* também... e ainda por cima agora era quacre. Por ter passado algum tempo viajando com Rachel e Denzell Hunter, William tinha um respeito considerável pelos quacres em geral e, embora Dottie fosse o que ele acreditava se chamar amiga professa, ela certamente possuía uma teimosia natural para poder fazer frente a qualquer quacre por nascimento, fosse homem ou mulher.

Sendo assim, ele não se surpreendeu quando um guarda abriu a porta de sua cela uma hora mais tarde e Denzell Hunter entrou, trazendo na mão sua maleta gasta de médico.

– Folgo em vê-lo bem, amigo – disse ele. Falou com voz agradável e neutra, mas seu olhar por trás dos óculos foi caloroso. – Como está se sentindo esta manhã?

– Já estive melhor – respondeu William com um olhar na direção da porta. – Mas tenho certeza de que uma dose de conhaque e um pouco de latim vão me consertar direitinho.

– Está um pouco cedo para conhaque, mas farei o melhor que puder. Tire a calça e deite de bruços no banco, por favor.

– O quê?

– Pretendo fazer um enema para acalmar seus humores – disse Denzell, dando um tranco na direção da porta com a cabeça. – É claro que água gelada *não é* o melhor meio para alcançar esse objetivo... – Ele foi até a porta e deu algumas batidas incisivas. – Amigo Chesley? Poderia pegar um balde de água morna para mim, por favor?

– Água morna? – O guarda, é claro, estava parado logo depois da porta e havia escutado. – Ahn... sim, doutor. Imagino que... o senhor tem certeza de que está seguro aí dentro com ele? Talvez seja melhor sair enquanto vou buscar a água.

– Não, amigo, não tem perigo – disse Denzell, fazendo um gesto para William se deitar no banco. – Ele sofreu um ferimento na cabeça, entre outras coisas. Duvido que consiga ficar em pé.

Um ruído de algo se arrastando se fez ouvir enquanto Chesley puxava o trinco da porta para espiar desconfiado dentro da cela. William gemeu de leve e fingiu desfalecer, com uma das mãos encostada na testa e a outra pendurada languidamente no banco.

– Ah – murmurou Chesley e tornou a fechar a porta.

Passos se afastaram estalando.

– Ele não passou o trinco – sussurrou William, sentando-se abruptamente. – Devo fugir agora?

– Não, você não iria longe e não é necessário. Dottie está servindo o café da manhã de Benjamin. Vai convencê-lo de que a melhor coisa a fazer é dar ordens para você ser levado até o quartel-general de Washington, que fica na casa da família Ford em Morristown. Eu vou aplicar inoculações de varíola na igreja hoje à tarde. Sendo assim, insistirei em acompanhá-lo até Washington para ajudá-lo com sua doença. – Nesse ponto ele fez uma pausa para olhar William de cima a baixo, abriu um breve sorriso e balançou a cabeça. – Sua aparência de quem levou uma surra está convincente. Acho que você corre o risco de sofrer uma hemorragia cerebral e infelizmente morrer por causa dela antes de chegarmos ao general.

– Que médico *bom* você é – disse William. – Devo ter uma convulsão e espumar pela boca para ficar convincente?

– Acho que gemer alto e sujar as calças já vai bastar.

105

SEISCENTOS E CINQUENTA QUILÔMETROS PARA PENSAR

As estradas eram ou neve derretida parcialmente congelada, ou então lama até os joelhos, e as árvores mantinham seus brotos marrons pegajosos rente aos galhos, recusando-se a deixar qualquer folhinha despontar a delicada cabeça naquele clima inóspito. Mesmo assim, William podia sentir o nervosismo no ar: a sensação de algo vivo e selvagem se movendo pelo ar entre os macios e gordos flocos de neve.

Depois de se separar de Denzell em Morristown, tinha resistido ao forte impulso de ir até Mount Josiah ao chegar à Virgínia. Mas naquele momento não precisava de solidão nem de contemplação: a escolha estava bem clara e toda a reflexão que tinha que fazer poderia ser feita a cavalo.

Tivera quase 653 semanas de viagem para tomar sua decisão e não foi tempo suficiente. *Que bom que ainda tenho outros 650 quilômetros para pensar*, pensou, apeando desanimado e levantando o casco dianteiro esquerdo enlameado da égua. Betsy havia começado a mancar e William torcia para ser só uma pedra, não uma torção nem uma minúscula rachadura no osso. A ideia de precisar sacrificá-la e deixá-la para os lobos e as raposas comerem era ainda pior do que a perspectiva de percorrer mais 50 quilômetros a pé em meio ao gelo e à lama... mas o páreo era duro.

Betsy era uma égua dócil e deixou William pressionar sua pata, subir tateando pelo osso da canela e flexionar com delicadeza a articulação da quartela. Até ali tudo bem. Ele enterrou os dedos na lama congelada acumulada em uma grossa camada em volta do casco da égua, pressionando os polegares na ranilha... e ali estava. Uma pedra afiada bem alojada sob a borda da ferradura.

– Boa menina – falou, expirando com alívio uma nuvem de vapor.

Depois de algum tempo, conseguiu tirar a pedra e fez Betsy caminhar um pouco, mas a égua parecia em bom estado e eles retomaram o ritmo habitual, tão acelerado quanto a estrada permitia. Cansado de pensar e faminto, William afastou da cabeça qualquer preocupação a não ser a de chegar a um povoado antes do anoitecer.

Conseguiu, e foi só depois de cuidar de Betsy, comer um jantar decente e se recolher a um quarto sem lareira e a uma cama fria e úmida, com um colchão recheado de palha de milho mofada, que retomou suas ponderações.

A quem devo contar primeiro?

A cada dia ele decidia e mudava de ideia, decidia e mudava de ideia, até ficar com a cabeça zumbindo e a estrada se borrar à sua frente.

Teria que contar a todos eles, mas para quem primeiro? Por uma questão de direito, deveria ser tio Hal. Benjamin era seu filho e ele precisava saber. Mas a ideia de contar para o tio, de ver a compreensão tomar conta de seu rosto emaciado... William já ouvira mais de um pai inglês declarar com ímpeto que preferiria ver o filho morto a ser covarde ou traidor. Perguntou-se quantos deles estariam de fato falando sério... Tio Hal seria um desses?

Seu forte impulso era contar primeiro ao pai. Contar tudo, pedir seu conselho e... Ele socou o colchão úmido. Quem estava tentando enganar? O que ele queria era entregar a papai o fardo daquilo que sabia e deixar *ele* contar para tio Hal.

– Covarde – resmungou, virando-se agitado.

Tinha se deitado vestido, de casacão, e tirado apenas as botas. Mexer-se destruiu a frágil camada de calor que conseguira gerar.

Covarde.

Sem que tomasse uma decisão consciente, a questão fora aos poucos ficando clara para ele e agora, naquele quarto úmido, escuro e sem lareira, com cheiro de suor congelado e carne queimada, essa palavra por fim lhe deu sua resposta.

Ela. Tinha que ser para ela.

Tentou dizer a si mesmo que era a coisa justa a fazer: Amaranthus precisava saber que ele havia encontrado Ben, de modo a tomar qualquer atitude que pudesse para se proteger uma vez que a verdade viesse à tona. Mas já estava farto de mentiras. De jeito nenhum mentiria para si mesmo agora. Ela o tinha feito de bobo e chegado muito perto de arrastá-lo para sua teia.

Ele pretendia contar para Amaranthus porque queria ver a expressão no rosto *dela* quando o fizesse.

Com a decisão tomada, pegou no sono e sonhou com besouros de olhos vermelhos pequeninos.

William tirou pela primeira vez o casacão quando chegou a New Bern. Apesar de estar chovendo, era uma chuva leve com cheiro de primavera. Sua pele ansiava por ar e frescor e seus braços e pernas por uma bela esticada. O tempo precisaria esquentar bastante para ele tirar o restante das roupas.

Conseguiu encontrar uma hospedaria com um estábulo para Betsy. Depois de atender às necessidades da égua, foi caminhando até a beira do rio, tirou as botas e meias imundas com um suspiro de alívio e avançou até a areia fria e molhada acima da linha da correnteza.

Embora fosse a hora do crepúsculo e não houvesse ninguém na beira do rio, sentiu cheiro de um fogo a lenha e caranguejos cozidos vindo de um grupo de casebres distante. Sua barriga roncou.

– Devo estar descongelando – falou alto, e sua voz lhe soou áspera e falhada.

William não pensava conscientemente em comida desde que tinha se recuperado da pancada na cabeça em Morristown. Denzell Hunter lhe trouxera comida na ocasião, insistindo para ele comer algo antes de iniciar a viagem para casa. Ele tentara recusar, pois sabia que aquela era a ração do dia inteiro de Denzell, mas a fome e a insistência do médico tinham vencido. Comera de vez em quando no caminho para o sul, claro, mas sem prestar muita atenção em quê.

Queria ter conseguido convencer os Hunters a voltarem com ele, mas pelo menos Dottie tinha escrito uma carta para os pais. Ele tocou o bolso interno do casaco e o farfalhar do papel o tranquilizou.

O vento havia parado de soprar e o único barulho que se ouvia era o leve silvo da correnteza.

Pensar na carta de Dottie o fez pensar em tio Hal… não que o tio houvesse estado muito longe de seus pensamentos. A sensação da areia sob os pés e a visão das próprias pegadas, compridas e bem arqueadas, como uma sequência de vírgulas a segui-lo pela praia, trouxe de volta aquela conversa perto do pântano em Savannah. *Alta traição.*

– Pelo menos aqui não tem a porcaria de um jacaré – resmungou ele, mas por reflexo olhou por cima do ombro, então soltou o ar pelo nariz e riu de si mesmo.

Com todas as outras preocupações, havia semanas que não pensava no dilema de seu título de conde e percebeu com alguma surpresa que se sentia em paz consigo mesmo e relutava em segurar esse fardo outra vez. Pouco lhe importava quem fosse, mas ele não era o conde de Ellesmere. Teria que fazer algo em relação a isso, mas não agora.

Pelo menos a sugestão de Amaranthus está fora de cogitação. Não que ele a fosse aceitar, de qualquer forma, mas saber que o marido dela ainda estava vivo eliminava essa possibilidade.

Sua mão se fechou involuntariamente, molhada de chuva, e ele esfregou os dedos na palma, apagando assim a lembrança do beijo que havia depositado ali, com um minúsculo toque morno da ponta da língua.

Maldito Ben. Idiota egoísta.

Uma onda repentina de água salobra subiu em volta de seus tornozelos e o frio lhe varou o corpo como o choque elétrico de uma garrafa de Leyden, enquanto a água sugava a areia de baixo de seus pés. Ele cambaleou para trás, piscando para tirar a chuva dos cílios, e se deu conta de que sua camisa estava úmida e os ombros do casaco, molhados.

Uma rajada de vento lhe trouxe de novo o cheiro de comida e ele foi embora da praia enquanto a correnteza forte apagava as pegadas que havia deixado.

106

A VANTAGEM DO TERRENO

Montanha dos Reis, condado do Tennessee
Abril de 1780

Ter a vantagem do terreno mais alto era um dos pilares da estratégia militar. Quem tinha dito isso a Jamie fora o seu *da*, certa vez, quando Murtagh e ele haviam ficado acordados até tarde em frente à lareira, tomando uísque e conversando. Jamie ficou encolhido em um canto do chão com os cachorros, torcendo para ninguém prestar atenção nele de modo a poder continuar escutando.

Nenhum dos dois adultos era pouco observador, porém, e eles logo o tinham visto, mas a essa altura já haviam tomado alguns tragos, de modo que seu *da* o deixara ficar a seu lado no canapé, aquecido pelo fogo e pelo corpo sólido do pai enquanto a mão grande que não segurava o copo de uísque repousava distraidamente em suas costas.

– Lembra-se de quando ficamos escondidos nas samambaias? – Murtagh tinha dito, com a recordação a brilhar nos olhos. – Lá no alto do morro, esperando começar?

O leve tremor de uma risada sob as costelas do pai fizera cócegas na orelha de Jamie.

– Eu me lembro de quando você levantou para mijar e Enoch Grant cutucou sua bunda por trás com a ponta do arco e sibilou entre dentes feito uma cobra mandando você se abaixar outra vez. Coisa que você não fez – acrescentara Da, para ser justo.

Murtagh havia soltado um resmungo e Jamie se arriscara a perguntar o que ele tinha feito então.

A pergunta trouxera outro resmungo mais alto e seu *da* tornara a rir, dessa vez mais alto.

– Ele virou para trás, mijou em cima de Enoch Grant, então pulou no pescoço dele e lhe deu uma surra com o cabo da adaga.

– Humm... – murmurou Murtagh, saboreando aquela lembrança.

Mas o infeliz Grant havia escapado de maiores danos, pois naquele exato momento os oficiais tinham começado a gritar e o inimigo, que já pudera ser visto nas duas últimas horas no campo de batalha de Sheriffmuir, começou a se mover.

– Poucos minutos depois, pulamos do meio das samambaias feito um enxame de *brobhadan* e os arqueiros dispararam suas flechas, e aqueles que tinham espadas e escudos partiram para cima dos *sassunaich*! – Da tinha dito para Jamie.

– É, ter a vantagem do terreno não adiantou grande coisa para *nós* – retrucou Murtagh com ar levemente zangado. – Eu quase levei uma flechada nas costas dos nossos homens. A flecha furou a manga da minha camisa!

– Bom, você mijou em cima de Enoch Grant – apontou Da, sensato. – O que esperava que ele fizesse?

Jamie sorriu para si mesmo enquanto escutava os dois conversarem e sentiu nos ossos a lembrança do conforto do sono chegando no calor do cômodo aquecido pelo fogo em Lallybroch.

Estava com calor agora, suado por causa da subida, mas não com sono. Era uma montanha pequena, não tinha nem metade da altura de um *beinn* escocês, mas os flancos eram íngremes e cobertos por densas florestas. Ele seguia uma trilha de gado que subia a encosta da montanha; os moradores das redondezas às vezes punham seus animais para pastar no alto porque lá havia uma boa campina. Mas os carvalhos e bordos jovens e uma cobertura de arbustos baixos a estavam invadindo e a trilha já tinha desaparecido por completo quando chegou ao cume após passar por uma barreira de pinheiros.

Parou na orla da campina comprida, que ocupava uma depressão cujo formato lembrava o de uma sela. Já era fim de tarde e vários cervos pastavam no outro extremo, junto ao abrigo das árvores. Um ou dois animais levantaram a cabeça e olharam em sua direção, mas Jamie permaneceu parado e eles retomaram o que estavam fazendo em meio às sombras cada vez mais espichadas.

Perto das bordas do platô havia afloramentos de rocha. Não eram muito grandes, mas para um único homem armado com um fuzil eram uma posição decente, contanto que se conseguisse chegar até lá sem ser abatido se esfalfando para subir a montanha.

É, ele podia ver bem o que Patrick Ferguson iria pensar. Com bastante munição e um bando de milicianos bem armados, a questão se resumiria a se abrigar perto das bordas e disparar sobre os atacantes mais abaixo na encosta.

Só que, como Frank Randall havia escrito, essa estratégia só daria certo enquanto os atacantes fossem mantidos a distância. Se conseguissem subir um pouco mais ou chegar perto demais da pequena campina, Ferguson então mudaria de tática e passaria a usar baionetas. Mas o problema era que os atacantes que tivessem sobrevivido para chegar alto o suficiente e escapado das baionetas poderiam escalar a borda com as armas carregadas e abater os legalistas que estivessem lutando com armas descarregadas equipadas com baionetas. Segundo o maldito livro, Ferguson tinha pouca experiência em combate, além de ter levado um tiro no cotovelo na única batalha da qual participara, lesão que o havia deixado aleijado. E ele não conhecia o terreno nem o temperamento dos homens que subiriam aquela montanha.

Randall não havia comentado nada a respeito, mas Jamie tinha certeza de que Ferguson estaria usando o próprio fuzil militar com carregamento pela culatra: ele sempre o usava, pois não conseguia carregar uma arma normal com o cotovelo aleijado.

Era estranho pensar naquele homem, aquele tal de Ferguson, cuidando da própria vida em algum lugar naquele exato instante, sem a menor ideia do que iria lhe acontecer.

Mas você sabe que a mesma coisa vai acontecer com você. Um estranho calafrio desceu por trás de suas pernas e ele tensionou as costas e fechou os punhos para fazê-lo parar.

– Não sei, não – falou desafiador para a sombra de Frank Randall. – Você não estava aqui. Não vai estar. Não vou acreditar só porque você escreveu, não é?

Ele tinha falado em voz alta e os cervos desapareceram feito fumaça, deixando-o sozinho no crepúsculo que se adensava.

O início da noite estava tranquilo, mas não a campina. Ele trouxera consigo a própria inquietação e o vento formava sulcos compridos e ondulantes no capim, como se pequenas criaturas estivessem correndo para escapar de um predador.

Deveria haver algum ritual para encarar a própria morte. Na verdade, havia *muitos*. Mas nenhum parecia adequado àquela situação. Na falta de qualquer outra ideia, porém, ele se virou no sentido do movimento do sol e começou a margear o capim, percorrendo um círculo completo ao redor do cume da montanha e das sombras da futura batalha. A primeira prece ao sol que lhe veio à mente foi aquela de andar no sentido horário, usada para abençoar uma criança recém-nascida e protegê-la do mal.

William. É claro que a criança seria William, sempre presente no fundo de sua mente e nas câmaras internas de seu coração. Aquilo talvez fosse a única coisa de valor que conseguiria legar àquele filho, e ele deixou a prece lhe encher o coração enquanto a recitava:

Que seja tua a sabedoria da serpente,
Que seja tua a sabedoria do corvo,
A sabedoria da águia valorosa.

Que seja tua a voz do cisne,
Que seja tua a voz do mel,
A voz do Filho das estrelas.

Que seja tua a bênção da fada,
Que seja tua a bênção da flecha do elfo,
Que seja tua a bênção do cão vermelho.

Que sejam tuas as riquezas dos mares,
Que sejam tuas as riquezas da terra,
As riquezas do Pai do Céu.

Que cada dia teu seja feliz,
Que dia teu algum seja ruim,
Uma vida de alegria e satisfação.

Foi só quando deixou o cume da montanha e iniciou a descida escorregadia, rochosa e sem jeito em meio às folhas novas a se balançar nos bordos que lhe ocorreu quanto daquela bênção na realidade lhe fora concedido. Teriam seu pai ou sua mãe recitado aquela prece para ele quando era pequeno?

– Uma vida de alegria e satisfação – murmurou para si mesmo e se deixou invadir pela paz.

Então, ao chegar ao sopé da montanha se perguntou se, quando morresse, seu *da* ou sua mãe poderiam estar lá para recebê-lo.

– Ou quem sabe Murtagh – falou, e esse pensamento o fez sorrir.

PARTE V

O voo de volta para casa

107

NA MANJEDOURA

Cordilheira dos Frasers

Ele havia comprado duas novilhas de 1 ano no verão, uma quase toda branca com duas manchas pretas, a outra quase toda vermelha com manchas brancas. Mandy dera a elas o nome de Mumu e Rosinha, mas Jemmy tinha folheado meu *Manual Merck* e as apelidado de Lepra e Rosácea. Prático, Jamie disse que os nomes das novilhas pouco importavam, já que ele jamais encontrara uma vaca que atendesse pelo próprio nome. Assim, ele as chamava de Ruaidh e Ban, "vermelha" e "branca" em gaélico.

No momento estava chamando a vermelha de algo em gaélico que traduzi mais ou menos como "filha torta de uma lagarta venenosa", mas imaginei que talvez estivesse deixando escapar as nuances mais sutis.

– Não é culpa *dela* – falei em tom de repreensão.

Ele fez um ruído escocês semelhante ao de uma britadeira e cerrou os dentes. Tinha um braço enfiado até o cotovelo dentro de Rosácea e seu rosto estava quase tão vermelho quanto o pelo do animal à luz trêmula do lampião.

Não era *mesmo* culpa da pobre vaca: ela fora cruzada jovem demais e estava tendo muita dificuldade para parir a primeira cria. Tampouco a culpa era de Jamie. Fazia quinze minutos que ele tentava segurar as duas patas do bezerro de modo a puxá-lo para fora, mas Rosinha estava arisca e não parava de esquivar a parte traseira. O focinho do bezerro aparecia de vez em quando, com as narinas dilatadas no que devia ser pânico, pensei. Também estava me sentindo assim, mas tentava me segurar.

Queria ajudar, enfiar minhas mãos bem menores dentro da vaca e pelo menos localizar os cascos do bezerro. Mas eu tinha aberto um corte feio na mão durante o dia e não havia como sujeitar uma ferida aberta ao que Jamie estava tendo que manusear no momento.

– *Nic na galladh!* – exclamou ele, recuando e sacudindo a mão.

Na confusão e com a iluminação fraca, tinha enfiado por acidente a mão no orifício errado e agora agitava o braço para se livrar de uma camada de estrume muito molhado e fresco. Olhou para meu rosto e apontou para mim um dedo pegajoso e ameaçador.

– Se você rir, vou esfregar este dedo na sua cara, Sassenach.

Levei solenemente a mão coberta pelo curativo para diante da boca, embora por dentro estivesse me sacudindo de tanto rir. Ele soltou o ar com força pelo nariz, limpou a mão imunda na camisa e tornou a se curvar para retomar sua labuta enquanto resmungava xingamentos. Em poucos segundos, porém, os xingamentos se transformaram em preces. Ele tinha conseguido segurar as patas.

Eu também rezava. A pobre vaca estava em trabalho de parto desde a noite anterior e começava a titubear, com a cabeça abaixada de tanta exaustão. Aquilo *talvez* ajudasse. Se ela se cansasse o suficiente para relaxar... Jamie pegou os laços de corda que havia preparado, basicamente dois pequenos nós de forca unidos por uma única corda, e os passou depressa ao redor dos minúsculos cascos antes de estes lhe escorregarem das mãos. Então se agachou atrás de Rosinha e começou a puxar com toda a força. Parou quando a contração enfraqueceu e ficou ofegando com a cabeça encostada no flanco da vaca.

Estava escuro dentro do curral: o espaço era uma pequena caverna fechada por um portão e a única fonte de luz era um pequeno lampião a óleo pendurado em um prego cravado na rocha. Mesmo assim, pude ver a onda provocada pelo início de uma nova contração e me inclinei na direção de Jamie, tentando transmitir minha força para ele.

Ele fincou os pés na palha com força e puxou, fazendo um barulho de esforço sobre-humano, e com um *slurp!* de algo se espatifando o bezerro escorregou para fora em meio a uma enxurrada de sangue e gosma.

Jamie se levantou devagar. Ofegava por causa do esforço e tinha o rosto e as roupas escuros de tão sujos de sangue e estrume, mas seus olhos não desgrudavam do bezerro e em seu rosto brilhava a mesma alegria que senti ao observar a jovem mãe, impressionantemente tranquila levando em conta os últimos acontecimentos, farejar a nova cria e então começar a lambê-la com passadas longas e ritmadas da língua.

– Ela vai ser uma boa mãe.

Por um segundo, pensei que Jamie tivesse dito isso. Mas ele estava de frente para mim com uma cara de surpresa e atrás de mim algo se moveu de leve. Virei-me com um gritinho e vi o homem que entrava no curral sem fazer barulho.

– Quem *é*...? – comecei, tateando em busca de uma arma, mas Jamie tinha levantado a mão em um cumprimento.

– Sr. Cloudtree – disse ele e parou para passar o antebraço pelo rosto pegajoso de sangue. – Espero que o senhor e sua família estejam bem.

– Estão todos bastante bem – respondeu o rapaz, mantendo um olho cauteloso fixo em mim e na pá de madeira que eu conseguira pegar. – E já que estou tendo esta oportunidade, madame, gostaria de agradecer. Digo, pelos meus bebês.

– Ah – falei, sem entender direito.

Cloudtree. Os fragmentos de memória foram se encaixando no lugar em volta do nome. O cheiro fecundo daquele curral, o charco de sangue e líquido amniótico, tudo isso trouxe de volta a noite dentro de um pequeno chalé, o esforço interminável e a eternidade atemporal durante a qual havia segurado nas mãos uma pequena luz azul, rezando com o coração e com a alma para ela não se apagar. Engoli em seco.

– Não há de quê, sr. Cloudtree – falei.

Aaron. Era esse o nome do desagradável padrasto de Agnes: Aaron Cloudtree. Encarei-o de modo bem menos amigável, mas ele não reparou, pois estava com a atenção concentrada em Jamie e na cena à nossa frente.

– Um belo trabalho esse que o senhor fez – disse ele a Jamie, meneando a cabeça em um gesto de aprovação para Rosinha e o bezerro, que olhava em volta com os olhos arregalados, atarantado, os pelos enroscados em todas as direções. – Quase tão bom quanto o de sua esposa.

– *Taing* – disse Jamie e se abaixou para pegar a toalha de linho encardida com a qual enxugou o rosto ao se levantar. – O que o traz aqui a esta hora da noite, sr. Cloudtree?

– Eu vim mais cedo, mas vocês estavam jantando – disse Cloudtree dando de ombros. – A bruxa velha estava lá. Não poderia ter falado na frente dela.

Jamie olhou de relance para mim e se acomodou, limpando as mãos devagar.

– Pode falar agora – disse ele.

– O filho da bruxa velha. Cunningham. O senhor sabe que ele tem feito comércio nas aldeias cherokees, logo do outro lado da Linha?

Jamie assentiu, com os olhos fixos no rosto de Cloudtree. Ele tinha sangue mestiço, um homem bonito de cabelos castanhos compridos e sedosos, embora os lábios exibissem uma curva petulante.

– Nem todo mundo o escuta – garantiu Cloudtree. – Mas ele tem alguns homens lá que irão segui-lo, uns vinte talvez. Diz que são sua milícia, mas ele nunca lutou com indígenas ou não estaria falando essa bobagem. Mas eles aceitam suas armas, sua pólvora e suas medalhas, e provavelmente vão fazer o que ele pedir… por um tempo.

– O que ele está pedindo? – Jamie tinha acabado de limpar as mãos e agora segurava a toalha torcida entre elas.

– Não foi dele que escutei isso – disse Cloudtree, chegando mais perto e baixando a voz: – Mas ouvi de dois dos homens dele em Keowee, homens que comprou. Tem um oficial casaco-vermelho chamado Ferguson que veio percorrer as montanhas de um lado a outro para formar milícias legalistas e prender rebeldes, enforcar homens e incendiar casas. Cunningham escreveu uma carta para Ferguson citando seu nome e dizendo que deveria vir aqui com suas tropas, porque o senhor é uma espécie de rei entre os rebeldes e a sua pele valeria o esforço que seria preciso para consegui-la.

Todo o ar parecia ter sido sugado para fora do curral. Após alguns instantes, porém, Jamie inspirou fundo e soltou o ar devagar.

– O senhor sabe quando? – perguntou com calma.

Cloudtree deu de ombros.

– Sobre Ferguson? Não sei. Parece que ele tem muito com que se ocupar onde está. Mas Cunningham se cansou de esperar resposta. Os homens com quem falei disseram que ele pretende prender o senhor e levá-lo para Ferguson… de modo que ele possa enforcá-lo para dar o exemplo. Eles disseram… – Ele olhou para as mãos e foi dobrando os dedos conforme contava. – Daqui a oito dias a contar de ontem. Cunningham está esperando um sujeito chamado Partland, que vai chegar do Noventa e Seis com mais alguns homens.

Jamie cruzou olhares comigo e eu soube que estávamos pensando a mesma coisa: dali a sete noites seria a noite da loja. Se viessem pegar Jamie, seria o momento lógico para agir. Uns bons 300 quilômetros separavam o assentamento Noventa e Seis da Cordilheira, mas Partland e seus amigos poderiam muito bem chegar a tempo.

– Aquela *cobra* desgraçada! – exclamei. Estava alarmada e com raiva, mas a raiva com certeza predominava. – Como ele ousa?

– Bom, Sassenach, afinal de contas, eu tirei as armas deles – disse Jamie em tom brando. – Falei para você que eles ficariam ressentidos.

Ele encarou Aaron com ar pensativo e passou as costas da mão pela boca. Fez uma careta, esfregou a mão na calça e deu uma cusparada na palha.

– Está bem – falou. – O senhor me fez um favor, sr. Cloudtree, e irei me lembrar disso. Conhece um homem chamado Scotchee Cameron?

Aaron, que estava correndo os olhos interessado pelo curral, empertigou-se de atenção ao escutar esse nome.

– Todo mundo conhece – respondeu e transferiu então o interesse para Jamie. – Superintendente indígena, não é? Seu amigo?

– Nós já dividimos um cachimbo algumas vezes. Eu fui agente indígena durante algum tempo.

Olhei para Jamie. Sabia que ele tinha fumado com os cherokees ao visitá-los, mas nunca lhe perguntara que tipo de conversa havia sido. Da mesma forma, nunca tinha encontrado Alexander Cameron, mas, assim como todo mundo, sabia quem ele era. Um escocês que havia se casado com uma indígena e decidido viver entre eles, caçando e fazendo comércio. Mas ele havia se tornado superintendente indígena após a renúncia de Jamie e, como agora o fato de Jamie ser rebelde era de conhecimento geral, fizera a cortesia de não procurar Scotchee quando fora fazer comércio em terras cherokees. Segundo Jamie, porém, Cameron ainda era respeitado, conhecido e digno de confiança por toda parte.

– O senhor sabe onde ele está agora? – perguntou Jamie.

Aaron franziu os lábios enquanto refletia. *Será que ele quer saber onde Cameron está?*, perguntei-me. *Ou está pensando no que pode ganhar com a situação?*

– Sim – respondeu ele, embora com um viés de dúvida na voz. Coçou a cabeça para conseguir pensar melhor. – Ele mora com os cherokees Overhill, mas esteve em Nensanyi semana passada, então é provável que já tenha chegado a Keowee. É onde moramos – falou, virando-se para mim. – Susannah, as crianças e eu.

Ele parecia querer se justificar comigo, possivelmente se lembrando de ter dado um tapa na cara de Agnes na noite do parto da mãe. E talvez tivesse medo do que Agnes poderia ter me contado a respeito.

– Que bom saber que vocês têm uma casa – falei, abrindo-lhe um sorriso um pouco rígido. – Por favor, mande lembranças minhas para Susannah. Diga a ela que, se algum dia precisar de um médico, é só mandar me chamar.

A expressão dele se suavizou e ele assentiu.

– É muita bondade sua, dona. Ah… o senhor quer que eu encontre Scotchee e fale sobre esse seu problema? – perguntou a Jamie com ar de hesitação. – Talvez ele consiga fazer os cherokees que estejam mancomunados com os legalistas mudarem de ideia.

– Quero – respondeu Jamie. Ele conferiu as vacas com uma olhada, mas o bezerro recém-nascido já tinha se levantado cambaleando e balançava a cabeça. Ele aquiesceu para si mesmo, então se abaixou e pegou a toalha imunda que estava usando. – Desça conosco até a casa, sim, sr. Cloudtree? Minha esposa vai encontrar algo para o senhor comer enquanto eu escrevo um recado para Scotchee. Podemos arrumar uma cama também, se quiser.

Cloudtree fez que não com a cabeça.

– Eu gosto de caminhar à noite – disse apenas. – A noite conversa comigo. Mas não diria não para um pouco de comida e bebida, dona.

Eu tinha subido para nosso quarto após providenciar para Jamie e o sr. Cloudtree um prato de pãezinhos recheados com queijo e minha versão caipira do *chutney*, conhecido como *Branston pickle*, mas estava sem sono. Tinha sentido um frio na espinha com a história de Aaron, embora minhas entranhas pulsassem com um calor raivoso.

Tentava distrair a cabeça lendo *As duas torres*, que Jamie havia deixado ao lado da cama, mas não parava de imaginar o capitão Cunningham caracterizado como Laracna, porém com um chapéu de renda dourada, enquanto planejava batizar minha seringa de Ferroada.

– Jesus H. Roosevelt Cristo – resmunguei, deixando o livro de lado e saindo da cama.

O piso estava frio sob meus pés, mas não liguei. Fiquei andando pelo quarto feito um cachorro em um canil, enfurecida. Sabia que estava abastecendo minha raiva para não ser dominada pelo medo, mas era uma batalha perdida. Como iria encarar Elspeth Cunningham nos olhos? Fatalmente a veria no domingo, talvez antes. Faltar à igreja não ajudaria: se ela achasse que eu poderia estar doente, apareceria na hora para me medicar.

Será que ela sabe o que o capitão está tramando?, pensei, passando por cima de Adso estirado de lado sobre o tapete trançado em frente à lareira, achatado de sono. Se soubesse… o que poderia fazer?

Provavelmente nada. Ela tinha me avisado, afinal. E eu a *ela*.

Um graveto queimado se partiu dentro do fogo com um *crac* bem forte e centelhas se ergueram em um pequeno chafariz. Algumas ficaram presas na grade de lareira que Bree tinha fabricado, onde reluziram vermelhas por alguns segundos antes de se apagar. O gato moveu uma das orelhas, mas continuou sem se mexer.

Senti mais do que escutei a porta da frente se fechar: uma vibração abafada que percorreu a estrutura da casa. Aaron Cloudtree tinha ido embora. Fechei um pouco mais o roupão e desci, deixando Adso sozinho para cuidar do fogo.

– Acha que esse tal de Scotchee pode ajudar? – perguntei, em tom de dúvida.

O sr. Cloudtree, cheio de uísque e de *chutney*, tinha ido embora levando no bolso um bilhete lacrado a cera, escrito em gaélico e não assinado, para o caso de ser interceptado ou compartilhado por indiscrição. Estávamos sentados em frente à lareira da cozinha dividindo o que restava do uísque rodeados pela paz da casa em repouso. Era muito tarde, talvez duas ou três da madrugada, a julgar pela profunda e gélida imobilidade do ar lá fora, mas nenhum de nós queria ir para a cama.

– Não sei – admitiu Jamie.

Ele esfregou as mãos no rosto, em seguida balançou a cabeça, deixando os cabelos bagunçados e espetados, os fios curtos que brotavam da cabeça vermelhos à luz do fogo. Deu um bocejo, piscou e tornou a balançar a cabeça, mais para dispersar a névoa mental do que para reconhecer o sono que se aproximava, pensei.

– Depende – retomou ele após dar um gole com uma expressão meditativa. – De onde ele está, de com quem pode falar. E se ainda consegue ler *gàidhlig* – acrescentou Jamie com um sorriso de pesar. – Se não souber, nossa situação não estará pior do que antes. Se tivermos sorte, ele pode tomar a iniciativa de descobrir com quem Cunningham tem tratado entre os cherokees e quem sabe dar uma palavrinha com o chefe dessa aldeia.

Aquiesci, cética. O território cherokee era imenso, com centenas de aldeias. Por outro lado, Jamie era bastante conhecido por lá como o agente indígena anterior a Scotchee, e eu preferi achar que, embora alguns dos cúmplices de Cunningham pudessem conhecer alguns dos chefes cherokees, Cunningham certamente não conhecia. Alexander Duff e o filho viviam a menos de meio quilômetro do chalé dos Cunninghams; Donald MacGillies morava pertíssimo dos Duffs. Sandy Duff e Donald MacGillies eram homens de Ardsmuir, de total confiança, e eu sabia que vinham ficando de olho nas idas e vindas dos que cruzavam a Linha do Tratado.

– O que fez com os fuzis que pegou de Cunningham? – perguntei, servindo outra xícara de leite quente e acrescentando um fiozinho de mel.

– Dei a maioria para homens em quem posso confiar. Falando nisso… – disse ele e tornou a bocejar. – Ah, meu Deus… preciso mandar avisar os homens do outro lado das montanhas, embora não vá conseguir avisar todos a tempo. Mas Sevier talvez consiga vir: ele está mais perto e é um homem sólido. E não gosta muito de indígenas.

108

NOITE DA LOJA

Sete dias mais tarde

Jamie não conseguiu jantar, apesar de não ter comido nada desde a noite anterior. Sua barriga estava contraída feito uma luva embolada. A falta de comida aguçava seus ossos e clareava sua mente. Apesar de calmo, era como se estivesse atrás de uma vidraça, observando a si mesmo.

– Hã? – Claire tinha lhe dito alguma coisa, mas ele não havia escutado. Fez um breve gesto de quem se desculpa e ela o encarou com os olhos semicerrados, mas não irritada: preocupada. – Está tudo bem, Sassenach – garantiu ele. – Cunningham não me quer morto. O pior que pode acontecer é ele me levar preso hoje.

– Mas e o que vai acontecer depois disso?

Estava tesa como um relógio a que se acabou de dar corda. Jamie pôde ver suas engrenagens girando e sorriu. Ela arqueou a sobrancelha e ele se inclinou para a frente e depositou um beijo ali.

– Não se preocupe, *a nighean*. Depois disso o capitão pode escolher o que quiser fazer, não é mesmo? Pode me tirar da Cordilheira, e boa sorte para ele se for essa a sua opção, ou tentar me levar até o outro lado da Linha e atravessar as terras cherokees para chegar até Ferguson… esteja o pobre diabo onde estiver agora. Embora os parceiros de Cunningham tenham amigos entre os cherokees, eu também tenho. Se Aaron Cloudtree encontrar Scotchee Cameron ou falar com mais alguém, e eu apostaria minha melhor meia que falou, já que dá para perceber que é um falastrão… pode ser que o capitão tenha bem mais dificuldade para me levar a qualquer lugar que seja.

– Ah, ótimo – disse ela e a linha entre suas sobrancelhas se suavizou um pouco. – Então, depois que provocar uma pequena guerra perto da Linha do Tratado, o capitão vai ter que matá-lo sozinho.

Jamie deu de ombros. Não tinha pensado tão longe assim, mas pouco importava.

– Ele pode tentar.

Apesar de não aparentar muito menos preocupação, Claire sorriu a contragosto. Ver seu sorriso deu a Jamie uma vontade súbita e urgente de estar com ela, e isso ficou evidente em sua expressão, pois o sorriso dela se alargou… Sua olhada na direção da porta, no entanto, o convenceu de que ela não o deixaria curvá-la por sobre a mesa e tentar terminar antes de o pequeno Aggie entrar.

– Depois da loja, então – disse ele com um sorriso.

Ela inspirou fundo e assentiu.

– Depois da loja – falou, tentando soar tão certa quanto ele.

...

Eu estava folheando meu *Merck*, passando das alterações pleurais e do uso da toracocentese para um relato emocionante sobre inflamação da mucosa retal. Embora meu cerebelo pudesse ser convencido a se distrair, o tronco encefálico, a medula espinhal e os nervos sacrais não aceitavam. Se eu tivesse um rabo, estaria encolhido com força entre as pernas; pequenos choques de algo a meio caminho entre a eletricidade e a náusea atravessavam meu abdômen em disparos inesperados.

As meninas sabiam que algo estava acontecendo. Tinham passado o jantar caladas, feito dois camundongos, encarando Jamie como se estivessem hipnotizadas. Eu ficara igualmente hipnotizada ao vê-lo se vestir depois do jantar.

Tinha ficado para ajudar a tirar a mesa, guardar as sobras e as raspas da refeição e abafar o fogo na lareira da cozinha. Ao subir para nosso quarto, eu o encontrara de costas para mim no outro extremo do recinto. Jamie não se virou; pensei que talvez não tivesse me ouvido entrar. Seu rosto estava refletido na janela, mas pude notar que ele não estava olhando para o próprio reflexo.

Não olhava para *lugar algum*, na verdade. Seu olhar estava fixo e tomado de escuridão e os dedos se moviam ágeis para liberar botões, desenrolar o lenço do pescoço e soltar a calça, como se estivesse em outro lugar, alheio ao que suas mãos faziam. Preparava-se para lutar.

Seu pano xadrez estava em cima da cama com uma camisa limpa e seu gibão de couro. Ele se virou, decerto para pegá-lo, e me viu. Pareceu não entender minha presença e então a vida tornou a inundá-lo.

– Você parece que viu um fantasma, Sassenach – falou, com uma voz que soou quase normal. – Sei que envelheci um pouco, mas com certeza não estou tão ruim assim.

– Você meteria medo no Diabo em pessoa – falei. Não estava brincando e ele sabia.

– Eu sei – disse apenas. – Estava me lembrando de como era pouco antes do ataque. Em Drumossie. As pessoas gritavam e eu conseguia ver o *gunna mòr* do outro lado do campo de batalha, mas isso não importava. E comecei a tirar as roupas porque não me restava mais nada a não ser sacar a espada e sair correndo pela charneca. Sabia que nunca conseguiria chegar ao outro lado, mas estava pouco ligando.

Não consegui dizer nada. Ele tampouco, mas continuou em silêncio a tarefa de se lavar, de pôr sua camisa limpa e seu pano xadrez preso com o cinto. Ao chegar aos pés, sorriu para mim, embora seus olhos ainda guardassem lembranças.

– Não se preocupe, Sassenach. Cunningham quer me entregar para Patrick Ferguson e levar o crédito. É sua melhor chance de promover seu nome entre as forças legalistas.

Aquiesci, obediente, sabendo tão bem quanto ele que o motivo para começar uma briga com frequência não tinha nada a ver com o modo como as coisas acabavam acontecendo.

Ele começou a andar em direção à porta, então parou para me esperar. Aproximei-me devagar e o toquei. Ainda não tinha vestido o casaco e seu braço através do pano da camisa estava firme e quente.

– Vai ser hoje? – falei sem pensar.

Por duas vezes ele já tinha me deixado na beira de um campo de batalha e me dito que, embora talvez chegasse o dia em que iríamos nos separar, não seria aquele dia. E das duas vezes tivera razão.

Ele pousou a mão em minha bochecha e passou um longo tempo me olhando, e eu entendi que estava me gravando na memória, como eu acabara de fazer com ele.

– Eu acho que não – respondeu por fim, grave. Sua mão se afastou e minha bochecha esfriou subitamente onde ele a havia tocado. – Mas não vou mentir para você, Claire. Acho que vai ser uma noite ruim.

De costume, a noite da loja começava mais ou menos duas horas depois do jantar, de modo a dar tempo para todos fazerem a digestão, darem conta das tarefas do início da noite e percorrerem o caminho desde onde quer que morassem. Algumas casas ficavam a 8 ou 10 quilômetros de distância da Casa de Encontros.

Jamie queria com urgência chegar cedo, tanto para prever qualquer emboscada quanto para dar uma olhada discreta em volta, para o caso de Cunningham ter decidido postar sentinelas na mata próxima. Mas não chegou. Parou no estábulo para ver como estavam as vacas, depois passou no chiqueiro e contou as formas escuras e trêmulas amontoadas na palha, pensando que seria melhor trocá-la naquela semana.

Então subiu o morro devagar em direção à Casa de Encontros. O tempo havia esquentado e morcegos chispavam pelos ares entre as árvores abocanhando insetos depressa demais para serem vistos. Brianna tinha lhe explicado como faziam isso. Se prestasse bastante atenção, às vezes podia escutar seus guinchos agudos, finos e afiados como cacos de vidro.

Tom MacLeod saiu do meio das árvores e começou a caminhar a seu lado após cumprimentá-lo com um "Mac Dubh" discreto. Aquilo às vezes lhe causava um sentimento estranho, quando um de seus homens de Ardsmuir o chamava assim. Lembranças da prisão, das coisas difíceis – e como tinham sido difíceis –, mas também a pulsação fugidia e regular da união que os mantivera vivos e que os ligaria para o resto da vida. E no fundo de seu coração, sempre, uma leve sensação da presença do pai, do Negro de quem era filho.

– *Dean Urnaigh dhomh* – sussurrou ele. Reze por mim, Da.

Então ouviu homens entre as árvores, avançando pelas trilhas da montanha em grupos de dois e três, e reconheceu suas vozes: MacMillan, Airdrie, Wilson, Crombie, MacLean, MacCoinneach, dois dos irmãos Lindsay, Bobby Higgins vindo logo atrás...

Sorriu ao pensar em Bobby. Ele era um daqueles para quem tinha contado sobre aquela noite. Já fazia alguns anos que Bobby não lutava com ninguém – tirando um eventual guaxinim –, mas já fora soldado e se lembrava de como fazer. E dos dez, por mais que tivesse sido um soldado inglês, Bobby Higgins era um daqueles a quem confiaria a própria vida.

Não era dado a anseios vãos, mas pensou por um segundo lancinante em como aquela noite poderia ser diferente se tivesse o Jovem Ian e Roger Mac a seu lado. Se tivesse Germain e Jeremiah também, à espera do lado de fora e prontos para sair correndo em busca de mais ajuda se preciso fosse.

Pelo menos não vai fazer nenhum deles morrer. Não soube ao certo se tinha sido um pensamento seu ou a voz do pai, mas pensar isso foi reconfortante.

Os Crombies e Gillebride MacMillan esperavam em frente à Casa de Encontros. Lá estavam também vários homens que ele sabia serem legalistas discretos, talvez aliados de Cunningham, talvez não, mas que provavelmente não moveriam nem um dedo para salvá-lo se a coisa chegasse a esse ponto. Achou que um ou dois deles o olharam de um jeito estranho, mas a luz estava fraca através das peles curtidas com óleo que cobriam as janelas; não soube dizer com certeza e afastou o pensamento.

Não fez movimento algum para entrar, por enquanto. O costume era jogar um pouco de conversa fora ali ao ar livre antes de iniciar os trabalhos. Participou das conversas e riu vez ou outra, mas não teve mais do que uma vaga noção do que lhe estava sendo dito. Podia sentir Cunningham. No meio das árvores escuras atrás dele, à espera.

Ele quer ver quantos homens eu tenho.

Jamie também queria ver quantos homens Cunningham tinha, e quem eram. Com esse intuito, Aidan Higgins estava escondido na vegetação baixa junto à trilha principal que ligava a parte ocidental da Cordilheira à Casa de Encontros, e Murdo Lindsay mais acima, perto da trilha que vinha da parte oriental. Se algum cherokee viesse participar da ação daquela noite, era por lá que chegaria, e com a ajuda de Deus e de Murdo ele ficaria sabendo a tempo de agir.

109

DE PROFUNDIS

Minha mão direita latejava no mesmo ritmo das batidas de meu coração. O corte na palma havia sarado superficialmente, mas fora profundo o suficiente para afetar os nervos da derme, que de vez em quando despertavam para protestar contra a ofensa. Virei a mão e verifiquei distraída para ver se detectava algum inchaço ou as riscas vermelhas de uma infecção tardia, embora soubesse muito bem que não havia nada desse tipo.

Mas as coisas machucadas sempre doíam por mais tempo do que se imaginava que fossem doer.

É claro que eu não iria dormir antes de Jamie chegar em casa mais ou menos inteiro, e só se isso acontecesse. Acendi o pequeno braseiro de meu consultório e alimentei o fogo nascente com lascas de nogueira.

– Como a porcaria de uma vestal – murmurei comigo mesma, mas a luz que ganhava corpo me trouxe um leve conforto.

Já tinha verificado e reabastecido meu kit portátil para o caso de uma emergência. Ele estava pendurado no lugar de sempre ao lado da porta. Tinha deixado de lado o *Manual Merck*; não conseguia me acalmar o suficiente para ler.

Tanto Bluebell quanto Adso haviam entrado no consultório para me fazer companhia: a cadela dormia debaixo de minha cadeira e o gato estava deitado na bancada, os grandes olhos cinza-esverdeados apenas duas riscas, ronronando em jorros curtos como uma motocicleta que acelera ao longe.

– Obrigada pelas pequenas bênçãos – falei para o gato, só para romper o silêncio. – Pelo menos Jamie nunca vai quebrar o pescoço andando de moto.

Talvez ele nunca faça uma porção de outras coisas também...

Interrompi esse pensamento e, estendendo a mão por cima do gato, comecei com determinação a retirar garrafas e potes de vidro do armário. Poderia inclusive fazer uma limpa: jogar fora o que estivesse velho demais para ter propriedades farmacêuticas, fazer uma lista daquilo de que precisávamos para a próxima vez que Jamie fosse a alguma cidade (*e ele vai!*) e quem sabe moer algo, nem que fosse para fingir que estava moendo o rosto de Charles Cunningham... ou mesmo o do rei...

De repente, Bluebell ergueu a cabeça ao mesmo tempo que soltava um pequeno *uf!* de alerta. Na mesma hora, Adso se levantou e saltou para cima do armário alto onde eu guardava as ataduras e meus instrumentos cirúrgicos. Era óbvio que tínhamos companhia.

– Está cedo demais – falei em voz alta.

Não fazia mais de uma hora que Jamie tinha saído de casa. Certamente nada poderia ter acontecido ainda... mas meu corpo estava muito à frente de meus pensamentos e logo cheguei à porta da frente. Não havia baixado a barra depois de Jamie sair, só passado o trinco, então o puxei com um *tchac!* nítido e decidido. Pouco importava quem tinha vindo me dizer o quê. Eu precisava saber.

Fiquei espantada, mas não surpresa.

– Elspeth – falei.

Dei um passo para trás, sentindo que fazia isso em um sonho.

– Eu tive que vir – disse ela. Estava branca feito um fantasma e tinha o mesmo aspecto que eu: estilhaçada.

– Eu sei – falei. – Entre – emendei, automática.

– A senhora *sabe*? – disse ela, e havia em sua voz tanto dúvida quanto o horror de se dar conta de que não existiam mais dúvidas.

Fechei a porta e me virei a fim de voltar para o consultório, deixando-a à vontade para me seguir se quisesse.

Uma vez nós duas no consultório, baixei o pesado kilt que ainda me servia de porta para nos abrigar da noite. Bluey estava logo atrás de meus joelhos e rosnava baixinho de um jeito ameaçador. Ela conhecia Elspeth e teria ido até ela para uma farejada amigável e uma festa.

Hoje não, violão, pensei, mas o que disse foi:

– Sossegue, menina. Está tudo bem.

Está uma ova, era o que se podia ler na cara de Bluebell, mas ela parou de rosnar e recuou devagar até o tapete da lareira, onde se deitou, mas mantendo os pelos das costas eriçados e um olhar desconfiado cravado em Elspeth, que não pareceu reparar.

Acenei para indicar a Elspeth uma das duas cadeiras. Sem perguntar nada, peguei a garrafa de JF Special e enchi duas canecas até a borda. Elspeth aceitou a caneca, mas não bebeu na mesma hora, apesar de estar claro que precisava da bebida. Não hesitei em tomar minha dose.

– Pensei que poderia vir... rezar com a senhora – disse ela.

– Muito bem – falei, sem entonação. – Não há nada mais que possamos fazer agora, não é mesmo?

Bebi, torcendo com todas as forças para estar certa e para ela não ter ido me dizer que o filho havia matado ou capturado meu marido. Mas não: eu podia ver que não à luz do fogo, que coloria seu rosto com uma ilusão de saúde. Ela fora me procurar por medo, não por pena. Suas mãos esguias e envelhecidas estavam comprimidas em volta da caneca, e pensei que, se ela apertasse com muito mais força, o estanho iria envergar.

– Ainda não aconteceu? – perguntei, e fiquei surpresa por soar quase casual.

– Não sei.

Ainda segurando a caneca com as duas mãos, ela por fim a levou à boca. Quando a abaixou, parecia um pouco menos abalada. Passou vários instantes sentada sem dizer nada, estudando meu rosto. Pela primeira vez o fato de meus sentimentos serem evidentes não me incomodou; talvez isso poupasse explicações.

De fato, poupou. Ela estava abalada e pálida ao entrar. Agora demonstrava interesse e um rubor tinha surgido em suas faces encovadas.

– Há quanto tempo seu marido sabe? – perguntou.

– Uma semana, mais ou menos – respondi. – Ficamos sabendo por acaso. Quero dizer... nenhum dos comparsas de seu filho o traiu.

Não soube ao certo por que ofereci essa migalha de caridade; suponho que nada mais restasse entre nós duas agora exceto a lembrança da gentileza.

Ela aquiesceu devagar e baixou os olhos para o âmbar escuro do uísque. Fiquei surpresa ao perceber que Elspeth também tinha o tipo de rosto que não escondia seus pensamentos, e essa percepção restaurou uma pequena parte de meus sentimentos por ela.

– Nós sabemos tudo – falei em tom bastante suave. – E Jamie sabe que o capitão não pretende fazer nenhum mal imediato. Ele não vai matar seu filho.

Só se for preciso.

Ela ergueu os olhos para mim; um nervo tremia no canto de sua boca.

– Só se for preciso? Permita-me oferecer o mesmo tipo de garantia, sra. Fraser.

– Claire – falei. – Por favor. – O consultório cheirava a fumaça de nogueira e ervas curativas. – A senhora conhece alguma prece adequada a esta situação?

Armas eram proibidas na loja, tanto como um símbolo dos ideais da franco-maçonaria quanto, de modo mais pragmático, para aumentar a chance de esses ideais serem respeitados, pelo menos enquanto durasse o encontro de uma hora. Mesmo assim, Jamie tinha ido lá no meio da tarde esconder uma pistola carregada debaixo de uma pedra junto à porta e trazia no *sporran* cartuchos e munição, além da melhor faca de Claire embainhada e enfiada na base das costas, com o cabo oculto pelo casaco e a ponta fazendo cócegas no rego da bunda.

Não costumava usar seu pano xadrez com cinto para ir à loja, mas ficou feliz por ter se dado esse trabalho nesse dia: a roupa o manteria aquecido se fosse capturado e obrigado a passar a noite amarrado em uma árvore, ou então trancado na despensa de legumes de alguém. E na frente do cinto carregava uma *sgian dubh*, escondida pelo avental maçônico. Só por garantia.

– *Ciamar a tha thu, a Mhaighister*. – Hiram Crombie exibia a mesma expressão de sempre, azeda feito um prato de repolho em conserva, e Jamie achou isso reconfortante. A dissimulação não era um dos talentos de Hiram. Se ele soubesse que algo estava sendo planejado, provavelmente não teria ido.

– *Gu math agus a leithid dhut fhein* – disse Jamie, meneando a cabeça para ele. *Igualmente para o senhor.*

– Posso dar uma palavrinha com o senhor depois? – perguntou Hiram, ainda em gaélico.

– Sim, claro – respondeu Jamie na mesma língua, e viu dois dos colonos que não falavam gaélico olharem em sua direção. *Teria sido com um quê de desconfiança?*, pensou.

– Por acaso tem a ver com seu irmão menor? – perguntou, mudando para o inglês, e ficou satisfeito ao notar que ouvir Árvore Alta ser chamado de seu irmão menor fez o canto da boca de Hiram estremecer.

– Sim.

– Está bem, então – disse Jamie, agradável, tentando ignorar as batidas do coração.

– Mas, *a charaid*, eu disse que não vou deixar Frances se casar antes de completar 16 anos... nem depois, se ela não quiser.

Crombie balançou a cabeça.

– Não tem a ver com a menina – falou e entrou na Casa de Encontros seguido por seus parentes e amigos próximos.

E então o homem em pessoa apareceu acompanhado por seus dois jovens tenentes, eles de uniforme semiformal e o capitão trajando calça de linho clara e uma capa cinza-claro, além de um chapéu mole para se proteger da chuva. Um traje simples para seus padrões. Jamie captou o movimento quando Kenny Lindsay virou a cabeça para disfarçar um sorrisinho, mas ele próprio não estava tão certo. Sim, era possível que não fosse ocorrer a um homem do mar que tipo de alvo ele constituiria no escuro, mas era possível também Cunningham nem sequer ter pensado que *pudesse* ser um alvo, ou então a notícia de Cloudtree estar errada e a emboscada, se é que haveria uma, não estar prevista para aquela noite.

Cunningham então adentrou o facho de luz lançado pela porta aberta, viu Jamie e se curvou em um cumprimento.

– Venerável Mestre – falou.

– Capitão – retrucou Jamie.

E seu coração bateu com força nos ouvidos quando ele se curvou, porque Cunningham não era bom jogador. A verdade estava escrita em seus olhos semicerrados e na expressão dura de sua boca.

Uma ocasião formal, então, é isso? Teve uma visão mental repentina dos dois se preparando para um duelo vestidos com kilts, chapéus enviesados e seus aventais maçônicos.

Quais seriam as armas?, pensou. *Sabres?*

– *Dèan ullachadh, mo charaidean* – disse ele casualmente aos homens que estavam a seu lado. *Estejam prontos.*

Visto de fora, o encontro correu bastante bem. O ritual, as palavras de irmandade, companheirismo, idealismo. Mas Jamie percebeu que as palavras soaram vazias e que havia entre os homens uma sensação gélida que cobria seus corações e os separava uns dos outros, deixando todos no frio.

As coisas ficaram mais fáceis quando chegou a hora dos Assuntos, as pequenas coisas que faziam em relação à comunidade. Uma viúva que não conseguia cuidar dos animais do finado marido; um homem que caíra do telhado ao consertar a chaminé e quebrara um braço e uma perna; uma velha rixa entre os MacDonalds e os MacQuarries, vinda à tona em um dia de mercado em Salisbury na forma de uma briga a socos e que tinha voltado para casa com eles, um rastro de antagonismo ainda presente.

Coisas que na verdade não eram da conta da loja, mas que precisavam ser mencionadas, como os boatos de que Howard Nettles estava metido com uma mulher que tinha uma loja no Entreposto Comercial dos Beardsleys e cujo marido era condutor de barca e passava semanas longe de casa.

– Alguém aqui conhece Nettles bem o suficiente para dar uma palavrinha com ele? – perguntou Jamie. – Se é da sra. Appleton que estamos falando, eu já vi o marido dela e ele dá dois de Howard.

Um murmúrio bem-humorado percorreu o recinto e Geordie MacNeil disse que não conhecia Howard bem o suficiente para dizer o que ele precisava escutar, mas que conhecia o primo de Howard, morador de um pequeno povoado perto de Blowing Rock, e poderia dar uma palavrinha com ele a próxima vez que passasse por lá.

– Está bem assim – concordou Jamie, pensando que as abelhas de Claire iriam gostar de saber daquilo. E vamos torcer para dar tempo de salvar o pescoço de Howard. – Obrigado, Geordie. Alguma outra coisa antes de passarmos à cerveja?

Com o canto do olho, viu Cunningham se mover de repente, mas então mudar de ideia e desistir.

Vai ser lá fora, então. Ele inspirou fundo, e sentiu ressoarem em seu sangue as batidas de um longínquo *bodhran.*

Quem tinha levado a cerveja naquela noite fora Hiram Crombie. Ele podia ser sovina – todos os pescadores o eram, pois tinham passado a vida inteira em extrema pobreza –, mas sabia o que era correto e a cerveja estava boa. Jamie se perguntou qual seria o problema com o jovem Cyrus, mas não parecia urgente...

Do outro lado do recinto, Cunnnigham estava conversando sobre lealdade, sobre quando tinha servido na Marinha Real, sobre lealdade ao rei.

Jamie se levantou devagar. Sim, nada impedia os homens de discutirem política ou religião fora da loja, mas aquilo não era fora o bastante e todos sabiam. O silêncio se alastrou dos homens em volta de Cunningham, em cuja fisionomia Jamie prestou atenção. Um frio percorreu o recinto como uma geada que se alastra conforme os outros começavam a ouvir o que estava sendo dito.

Então as palavras cessaram. Cunningham continuou em pé, parado a não ser pelos olhos, que repararam em cada rosto presente. Jamie o havia escutado com atenção, nem tanto por causa do que dizia, mas para pensar em como responder. Mas ele então se levantou. Esqueceu as próprias palavras e outras surgiram no lugar:

– Só vou dizer uma coisa a todos vocês, *a charaidean*. E não são palavras minhas, mas algo que nossos antepassados disseram quatrocentos anos atrás.

Uma leve agitação quebrou a sensação de gelo e os homens se mexeram em seus bancos e se empertigaram para escutar. Olhando para o lado, de modo a avaliar a situação.

Fazia tempo, muito tempo que ele não lia a Declaração de Arbroath, mas não eram palavras que alguém esquecesse:

– "Enquanto permanecerem vivos nem que sejam cem de nós, nunca, em condição alguma, seremos submetidos ao domínio inglês. Na verdade, não é pela glória, por riqueza nem pela honra que estamos lutando..." – Ele se calou e encarou Cunningham. – "... mas pela liberdade e somente por ela, da qual nenhum homem honesto abre mão a não ser com a própria vida."

Não esperou a forte agitação provocada pelo que acabara de dizer, mas girou nos calcanhares e saiu pela porta o mais depressa que conseguiu. Assim que chegou lá fora, começou a correr, com a faca em punho.

Eram três ou quatro homens à sua espera. Mas achavam que ele fosse continuar falando e Jamie os surpreendeu com os olhos vidrados à luz da porta subitamente aberta. Acertou um no maxilar, afastou outro com um tranco do ombro e chegou à mata antes de conseguirem se mexer. Ouviu a gritaria e a confusão enquanto os homens dentro da Casa de Encontros tentavam sair ou bater uns nos outros.

A lua ainda não tinha despontado e a mata estava às escuras, mas Jamie havia escolhido uma pedra grande perto de um imenso abeto como esconderijo. Em instantes, já estava com a pistola na mão. Estava carregada e com pólvora, mas ele não a tinha armado ainda.

Seu coração batia nos ouvidos quando começou a se esgueirar em meio à vegetação. Não se atrevia a correr enquanto estivesse assim tão perto da Casa de Encontros. Mas pensou ter ouvido o grito de tombadilho de Cunningham. O capitão gritava: "Todos a postos!"

Jamie teria rido se tivesse fôlego para tal.

Sua liberdade e sua vida dependiam agora de duas coisas, e ele não tinha controle sobre nenhuma das duas. A primeira era *se* Scotchee Cameron havia recebido seu recado e *se* tinha achado que valia a pena impedir os cherokees de se meterem em uma briga por causa da Linha do Tratado. A outra era se John Sevier havia conseguido encontrar Partland e seus homens no Noventa e Seis e detê-los.

Pelo barulho, Hiram Crombie e os outros mantinham Cunningham e seus homens ocupados. Mas, se Cameron ou Sevier o tivessem deixado na mão, aquela seria uma noite sangrenta.

Já passava muito da meia-noite. Eu tinha mandado as meninas e Bluebell subirem para a cama duas horas antes e agora a exaustão pairava sobre a cozinha como um véu baixo de fumaça da chaminé. Tínhamos exaurido tudo: preces, conversas, atividades, comida, leite e café de chicória. Como era uma cristã devota, Elspeth não fazia uso recreativo do álcool e, ao longo da noite, havia recusado mais do que uma caneca terapêutica de uísque. Embora eu ansiasse por me entorpecer, sentia que precisava permanecer sóbria, estar preparada. Não queria pensar no motivo... pensar era outra coisa que eu tinha exaurido.

Durante algum tempo, tivera a consciência do que *poderia* estar acontecendo na

Casa de Encontros. Visualizara o encontro da loja ou o que sabia a respeito, pois Jamie respeitava os votos maçônicos de sigilo e, embora risse comigo do avental e da adaga, não dizia nada sobre os rituais que praticavam. Eu havia perguntado quando a crise iria acontecer.

– Nada vai acontecer durante o encontro, Sassenach – respondera Jamie, tentando me tranquilizar. – Cunningham é um oficial e um cavalheiro, e é também um maçom do Trigésimo Terceiro Grau. Ele leva o juramento a sério.

– Homens assim são um perigo – falei, citando *Julius Caesar*.

Estava me esforçando para ser bem-humorada, mas Jamie acabara de menear gravemente a cabeça e tirar uma de suas melhores pistolas de seu lugar acima da prateleira da lareira.

Agora minha mente estava vazia, com espaço apenas para uma apreensão sem forma. Aticei o fogo; fiquei encarando as chamas, o rosto quente e as mãos frias como gelo, paradas e inúteis em meu colo.

– Está chovendo.

Elspeth rompeu o silêncio e levantou a cabeça ao ouvir as gotas de chuva baterem nas persianas fechadas. Estávamos mais uma vez sentadas junto ao fogo da cozinha, após termos deixado o consultório um brinco. Ataduras novas. Toalhas de linho. Instrumentos cirúrgicos limpos e esterilizados outra vez, dispostos sobre uma toalha limpa em cima da bancada. O braseiro limpo e preenchido com lascas de nogueira novas e ao seu lado uma seleção de ferros de cauterização. Sem dizer uma palavra sobre o que estávamos fazendo, tínhamos nos preparado para uma súbita e grave emergência.

– É mesmo.

Fez-se silêncio outra vez. Mas o barulho da chuva tinha tornado a despertar meus pensamentos. Será que a chuva os manteria dentro da Casa de Encontros?

Que besteira, Beauchamp, retrucou minha mente. *Quando foi que a chuva impediu um escocês das Terras Altas de fazer qualquer coisa? Nem um oficial da Marinha, imagino...*

– Eu sinto muito. – Elspeth falou de modo abrupto e olhei para ela, espantada.

Suas mãos estavam unidas com força no colo. Seu rosto estava pálido e os lábios contraídos, como se lamentasse ter falado.

– Não é culpa sua – falei antes de arrematar em tom mais consciente: – Nem minha.

Seus lábios relaxaram um pouco quando eu disse isso.

– Não – disse ela suavemente.

Passou algum tempo calada, mas pude ver sua garganta se mover de leve, como se estivesse debatendo algo consigo mesma.

– O que foi? – perguntei por fim, bem baixinho. Ela olhou para mim e vi seu pescoço marcado se mover quando engoliu em seco.

– Cinco anos – despejou ela por fim.

– O quê?

Ela olhou para outro lado, mas então tornou a me encarar, os olhos escuros cravados nos meus e uma expressão esquisita, um pedido de desculpas misturado com alguma outra coisa... Alívio? Triunfo?

– Quando Simon morreu... meu neto... dois anos atrás...

– Jesus H. Roosevelt Cristo! – exclamei e uma lança de medo genuíno me atravessou o coração.

Como todas as outras pessoas presentes naquele dia, eu tinha ficado profundamente comovida com o sermão inaugural de Charles Cunningham e com a história da morte de seu filho... e também com suas últimas palavras. "Eu tornarei a vê-lo. Daqui a sete anos."

– O que a senhora disse? – indagou Elspeth, sem acreditar.

Agitei uma das mãos para ela, descartando o assunto. Se o capitão tivesse acreditado nas palavras do filho, e ele *acreditava*, então sua conclusão devia ser que ele seria essencialmente imortal no meio-tempo. Por cinco anos ainda.

– Santo Deus – falei, conseguindo encontrar uma interjeição mais aceitável.

Ainda havia uns 2 centímetros de leitelho na minha caneca e engoli tudo de uma vez como se fosse uísque ruim.

– Isso... quero dizer... isso não significa que ele vá matar seu marido – disse Elspeth, inclinando-se para a frente com aflição. – Só que seu marido não vai matá-lo.

– Isso deve ser um alívio para a senhora.

Ela corou, envergonhada. É claro que sim. Pigarreou e tentou me tranquilizar dizendo que Charles não tinha a intenção de matar Jamie, só de levá-lo prisioneiro e de...

– E de entregá-lo para Patrick Ferguson para ser enforcado – concluí. – Em nome de um maldito prestígio!

– Em nome do rei e de sua honra como oficial desse rei! – disparou ela, encarando-me enfurecida. – Seu marido é um traidor indultado e agora jogou fora esse generoso perdão! Fez por merecer o que...

Ela se deu conta do que estava dizendo, e que obviamente vinha pensando há bastante tempo, e sua boca se fechou feito uma arapuca.

A chuva se transformou de repente em granizo e as pedras começaram a bater nas venezianas como se fosse uma saraivada de tiros. Nós nos entreolhamos, mas não dissemos nada. Não teríamos conseguido nos escutar, de qualquer maneira.

Passamos algum tempo sentadas diante do fogo, as cadeiras lado a lado, sem falar. *Duas bruxas velhas*, pensei. Divididas pelas lealdades e pelo amor; unidas pelo mesmo medo.

Mas até o medo se torna exaustivo depois de algum tempo e me peguei quase caindo no sono enquanto o fogo fazia sombras brancas piscarem através de minhas pálpebras que se fechavam. A respiração de Elspeth me despertou da sonolência, um som rouco e áspero, e ela mudou subitamente de posição e se inclinou para a frente com os cotovelos apoiados nos joelhos e o rosto enterrado nas mãos. Estendi a mão e a toquei, e ela segurou a minha com força. Nenhuma de nós disse nada.

O granizo tinha passado, o vento parado de soprar, os trovões e raios cessado e a tempestade se acalmado e virado uma chuva pesada, penetrante, incessante.

Ficamos esperando de mãos dadas.

110

...BARULHOS CONFUSOS E ROUPAS SUJAS DE SANGUE...

Algum tempo depois, nós os escutamos. O tempo a essa altura já tinha perdido o significado. Um barulho de vários homens e cavalos. Cascos batendo no chão e sons da urgência.

O barulho havia acordado Fanny e Agnes; escutei seus pés descalços descendo a escada.

Estava à porta sem qualquer lembrança de ter ido até lá, tentando atabalhoadamente abrir o trinco. Não tinha baixado a barra depois de Elspeth chegar. Puxei com força a porta maciça, como se ela não pesasse nada, e vi Jamie no escuro e à luz trêmula de uma vela, no meio de uma massa negra confusa com muitas cabeças, um palmo mais alto do que os outros e me procurando com o olhar.

– Preciso de ajuda, Sassenach – disse ele e, ao entrar cambaleando, tombou para o lado e bateu na parede.

Não caiu, mas vi o sangue em sua camisa molhada, uma mancha ensopada que se alastrava.

– Onde? – perguntei com urgência, segurando seu braço e procurando a origem do sangue. Ele escorria por seu braço por sob o pano da camisa; a mão estava toda molhada de sangue. – Onde você está ferido?

– Eu não – disse ele, arfando com o esforço de respirar. Moveu a cabeça para trás. – Ele.

– Charlie!

O grito de Elspeth fez que eu me virasse e visse Tom MacLeod e Murdo Lindsay tentando manobrar pelo batente da porta uma maca improvisada feita de casacos amarrados em galhos cortados às pressas, tentando não deixar cair nem machucar seu ocupante. O ocupante, no caso, era Charles Cunningham, e seu estado grave era perceptível.

Eles sabiam onde ficava o consultório e se dirigiram para lá em passo acelerado. Jamie se empurrou para longe da parede e gritou para eles em gaélico com voz rouca, e os dois na mesma hora diminuíram o ritmo e passaram a andar quase na ponta dos pés.

– Ele levou um tiro nas costas, Sassenach – disse Jamie. – E talvez... em alguns outros lugares.

Sua mão apoiada na parede tremia e seus dedos deixavam marcas de sangue.

– Vá sentar na cozinha – falei, sucinta. – Peça para Fanny tirar suas roupas, descobrir qual é a gravidade dos ferimentos e depois vir me avisar.

Os maqueiros tinham chegado ao consultório e entrei depressa atrás deles a tempo de supervisionar a transferência do capitão para minha mesa.

– Não o levantem! – gritei ao ver que estavam prestes a pousar a maca no chão. – Ponham a coisa toda em cima da mesa!

Cunningham estava vivo e razoavelmente lúcido. Elspeth não titubeou e já estava do outro lado da mesa. A quatro mãos, tiramos sua roupa com a maior delicadeza possível enquanto ela lhe falava em tom tranquilizador, embora suas mãos tremessem muito.

Ele havia levado dois tiros pela frente: uma bala no antebraço direito, que havia quebrado o rádio logo acima do pulso, e um segundo tiro que passara de raspão nas costelas do lado direito, mas que felizmente não penetrara o tronco. Um dos lados de seu rosto estava arranhado e machucado, mas pela presença de casca de árvore em alguns dos arranhões pensei que o mais provável era ele ter colidido com uma árvore no escuro, e não trocado socos com uma.

– Jamie me disse que o senhor levou um tiro nas costas – falei, abaixando-me o suficiente para falar com ele. – Pode me dizer onde foi o ferimento? Alto? Baixo?

– Baixo – arquejou ele. – Não se preocupe, mãe. Vai ficar tudo bem.

– Fique quieto, Charles! – disparou ela. – Consegue mexer os pés?

O rosto dele estava lívido e a barba por fazer parecia pimenta-do-reino salpicada sobre a pele. Eu estava com as mãos debaixo dele, tateando entre os casacos da maca e as camadas de suas roupas presas ao corpo. As roupas estavam ensopadas, mas as de todos os outros também: eu podia escutar os pingos na entrada, onde vários homens se amontoavam perto da porta, à escuta. Retirei uma das mãos de baixo dele com cuidado e a examinei. Estava vermelha até o pulso. Olhei para seus pés. Um deles estremeceu e Elspeth soltou um arquejo. Ela tentava estancar o sangramento em seu braço, mas parou por um instante e se curvou por cima dele.

– Mexa o outro pé, Charles – falou, urgente.

– Estou mexendo – sussurrou ele.

Ele tinha os olhos fechados e água escorria de seus cabelos. Olhei para a ponta da mesa. Nenhum dos pés se mexia.

Fanny abriu caminho por entre os homens à porta e entrou, os cabelos soltos por cima do roupão e os olhos imensos.

– O sr. Fraser está com um corte feio do ombro direito até o peito – disse-me ela. – Mas a lâmina errou por pouco o mamilo esquerdo.

– Bom, é uma pequena boa notícia – falei, reprimindo um impulso histérico de rir. – Você…

– Nós pusemos uma compressa – garantiu ela. – Agnes está fazendo pressão. Com as duas mãos!

– Com que rapidez o sangue está encharcando a compressa?

Eu estava com as mãos debaixo do capitão Cunningham outra vez, tateando em meio às camadas de tecido ensopado em busca da localização exata do ferimento.

– Encharcou a primeira, mas a segunda está se saindo melhor – respondeu ela. – Ele quer uísque. Tudo bem?

– Faça ele se levantar – falei, chegando ao cós da calça do capitão. – Se ele conseguir ficar em pé por trinta segundos, pode beber uísque. Se não, dê água com mel e faça ele deitar de costas no chão. Pouco importa o que *ele* disser.

– Já estamos dando água com mel – disse ela e examinou nosso paciente com atenção. – Será que o capitão talvez devesse tomar um pouco também?

Eu estava com uma das mãos na artéria femoral do capitão e a outra por baixo. Tínhamos cortado a calça, o casaco e a camisa na frente e afastado as roupas do corpo. Sua pulsação estava surpreendentemente forte, e isso me encorajou, bem como o fato de que, embora o sangue estivesse escorrendo da mesa, não estava pulsando em minha mão. O tiro não tinha atingido um vaso sanguíneo importante. Por outro lado… os pés continuavam sem se mexer.

– Sim – respondi. – Traga um pouco. A sra. Cunningham pode dar para ele enquanto eu… cuido disto aqui.

Com delicadeza, Elspeth colocou sobre o corpo do filho seu braço envolto em uma atadura e afastou os cabelos de sua testa para enxugar seu rosto com uma toalha.

– Você vai ficar bem, Charles – disse. Estava falando baixo agora, mas com a voz firme feito uma rocha. – Logo vai estar aquecido e seco.

Fechei os olhos para ouvir melhor o que minhas mãos estavam me dizendo. Tinha encontrado o ferimento nas costas e não era nada bom. Uma bala havia entrado entre a última vértebra torácica e a primeira lombar. A bala *continuava* alojada ali: pude senti-la com o dedo médio, um pequeno calombo duro. A bala não se moveu quando empurrei um pouco. A pele das costas estava dura e fria, todos os músculos contraídos em um espasmo.

Apesar de o consultório estar bem aquecido, ele tremia. Eu disse a Elspeth para pôr um cobertor por cima dele e indiquei com a cabeça a colcha de lã amarelo--vômito dobrada com cuidado sobre o armário.

Os homens que o tinham trazido continuavam nos corredores, conversando em voz baixa. Reconheci as vozes: eram os homens de confiança de Jamie.

– Gilly! – chamei por cima do ombro, e Gillebride MacMillan espiou com cautela pelo batente.

– *Seadh, a bhana-mhaighister?*

– Alguém se machucou? Fora o capitão e Jamie, digo?

– Ah, só algumas pancadas e costelas quebradas, patroa, e talvez Tòmas tenha quebrado o nariz.

Eu tinha ido até a bancada e estava escolhendo meus instrumentos, mas continuava pensando e falando ao mesmo tempo:

– E os outros? Os que estavam... com o capitão?

Ele ergueu um dos ombros, mas sorriu, e ouvi uma breve risada de alguém do lado de fora. Eles tinham vencido, compreendi, e a adrenalina da vitória ainda os animava.

– Eu não saberia dizer, *a bhana mhaighister*, mas sei que quebrei uma pá na cabeça de Alasdair MacLean. E havia facas, e dois ou três se machucaram no deslizamento, então...

– Deslizamento? – Olhei para ele por cima do ombro, espantada, mas em seguida balancei a cabeça. – Deixe estar. Vou descobrir depois.

– Eles devem ter ido para... para minha casa – disse Elspeth suavemente. – Os legalistas feridos que não vieram para cá. Eu vou... vou ter que cuidar deles.

Mas ela segurava a mão do filho, os dedos entrelaçados nos dele, e seu rosto era pura angústia.

Aquiesci, sentindo a garganta se contrair em solidariedade. Não precisei ver os pensamentos correndo pelo seu semblante para saber quais eram: amor e medo, lutando com dever. E conhecia o medo profundo que começava a nascer dentro dela. Seus olhos não se desgrudavam dos pés descalços do capitão, tentando forçá-los a se mover.

– Gilly, pode ir até a cozinha chamar Agnes?

Ele se virou para sair e eu para Elspeth.

– Ele não vai morrer – falei em voz baixa, porém firme. – Não sei se vai voltar a andar... Pode ser que sim, pode ser que não. A bala não penetrou até a medula, mas causou algum estrago. Que *talvez* sare. Vou tirar a bala e fazer um curativo. Quando o inchaço diminuir e o tecido se recuperar...

Fiz um pequeno gesto de quem equilibra esperança e dúvida.

Ela sorveu uma inspiração longa e trêmula e aquiesceu.

– Fique enquanto eu tiro a bala – falei e estendi a mão para segurar a dela. – Não vai demorar muito, e assim terá certeza de que ele está vivo.

111
RAIOU O DIA

Ainda chovia, mas o amanhecer estava próximo. Encaminhei-me devagar para a débil claridade da cozinha, sem chegar a me apoiar na parede ao passar, mas tocando-a com os dedos de vez em quando, para me certificar de onde estava. A casa cheirava a sangue e queimado, mas o ar estava fresco e cinza com a proximidade da aurora. A mesa e as cadeiras do escritório de Jamie pareciam uma natureza-morta monocromática pintada na parede. Mesmo assim, meus dedos atravessaram o ar vazio quando passei pela porta e não consegui escutar meus passos, como se eu fosse o fantasma que habitava aquela casa.

A maioria dos homens fora para casa, mas havia alguns poucos deitados no chão da sala. Eu tinha deixado Charles Cunningham dormindo sobre a mesa sob o efeito de bastante láudano e Elspeth cochilando na cadeira de meu consultório, com a cabeça a pender do pescoço qual um dente-de-leão. Não iria acordá-la; os legalistas feridos teriam que se virar sozinhos ou com suas esposas.

Na cozinha, Fanny dormia a sono solto esparramada de bruços em um dos bancos largos, com uma perna comicamente pendurada de lado. Bluebell se encontrava encolhida debaixo dela, também ferrada no sono, e Jamie estava deitado de costas no tapete da lareira, parecendo a estátua de uma tumba profanada à luz do fogo agonizante. Na lareira fumegava um fogo quase apagado; ninguém o havia abafado direito. Ao ouvir meus passos, Jamie abriu os olhos. Apesar das pálpebras pesadas, estava alerta.

– Entre e sente-se, Sassenach – murmurou e ergueu um dedo na direção genérica de um banco próximo. – Você está com uma cara pior do que a minha.

– Impossível – falei.

Mesmo assim, sentei-me. O cansaço subiu pelas solas doloridas de meus pés e fechou meus olhos conforme invadia meu corpo como se fosse uma maré de primavera, cheia de areia revirada, fragmentos afiados de conchas e algas. Uma mão morna se fechou em volta do meu tornozelo e ali permaneceu.

– Como está se sentindo? – murmurei. Eu queria saber, mas estava com dificuldade para abrir os olhos.

– Vou ficar bem. Me passe o vidro, Sassenach. – A mão soltou meu tornozelo e subiu até meu colo, onde eu segurava o pequeno vidro de álcool e suturas. – Eu faço.

– Você faz *o quê*? – Abri os olhos e o encarei. – Costura o próprio peito?

– Achei mesmo que isso fosse acordar você. – Ele baixou o braço. – Ajude-me a levantar, *a nighean*. Estou duro feito um mingau de três dias e não quero que você seja obrigada a ficar agachada para me costurar. Além do mais, se me fizer uivar, pode ser que a menina acorde.

– Uivar, sei – falei, um tanto irritada. – Seria bem feito para você. Deixe-me pelo menos olhar antes de tentar se levantar.

O chão estava repleto de panos embolados tingidos de ferrugem pelo sangue seco e uma área grande das tábuas do piso estava suja de sangue. Ajoelhei-me com cuidado a seu lado.

– Isto aqui está com o mesmo cheiro de um matadouro. – Ele recendia a sangue, lama e fumaça, mas o cheiro que sobressaía era o suor rançoso da violência.

Ele inclinou a cabeça para trás, deu um suspiro e fechou os olhos para me deixar olhar seu peito. As meninas o haviam coberto com o pano xadrez molhado para mantê-lo aquecido e posto por baixo uma toalha de linho dobrada embebida em água. Um leve aroma de lavanda e ulmária subiu pelo ar junto com o odor forte de cobre do sangue fresco. Fiquei espantada e me perguntei qual delas teria pensado em usar uma compressa úmida para não deixar as bordas do ferimento secarem. Quem quer que fosse, tinha pensado também em tirar os sapatos de Jamie e pôr a trouxa formada pelo casaco e a camisa dele embolados sob os pés para elevá-los. Ou talvez Jamie tivesse dito a alguém para fazer isso, pensei distraída.

A descrição que Fanny tinha feito do corte era exata: um talho profundo que descia do meio da clavícula direita até o centro do peito e terminava 5 centímetros antes do mamilo esquerdo, que demonstrou sua resiliência se retesando quando o rocei até se transformar em uma minúscula bolota rosa-escura. Pude ver a leve sombra do osso branco dentro do corte vermelho e aberto onde o sabre havia quase tocado seu esterno. Por reflexo, toquei o outro mamilo.

– Os dois estão funcionando – garantiu Jamie, baixando para o peito os olhos semicerrados. – Meu pau também, se estiver avaliando essas coisas.

– Bom saber.

Peguei seu pulso para verificar a pulsação, embora pudesse vê-la claramente no pescoço, batendo em uma velocidade tranquila. Sua textura quente e sólida estava me devolvendo a consciência de meu corpo. Bocejei de repente, sem aviso, e o afluxo de oxigênio acelerou minha circulação. Comecei a me sentir um pouco mais alerta.

– Vai doer para diabo se você tentar se levantar sozinho – observei. Fazer qualquer pressão nos braços contrairia os músculos e a pele rompidos.

– Eu sei – disse ele e na mesma hora começou a tentar fazer isso.

– *E* fazer o corte sangrar mais – acrescentei, pondo a mão em seu pescoço para impedi-lo. – E você não tem nem meio litro de sangue para desperdiçar, rapaz. Fique aí – falei com severidade como teria dito a um cachorro e ele riu, ou pelo menos começou a rir. Ficou lívido, digo, mais lívido ainda, e parou de respirar por um instante. – Viu? – falei e me levantei como pude. – Sem rir. Eu já volto.

Estava me movimentando bem melhor ao voltar para o consultório. Meus pensamentos haviam clareado e o cérebro recomeçara a funcionar. Tirando o impressionante ferimento a lâmina no peito, Jamie parecia ileso. Não havia sinal de choque nem desorientação e o corte estava limpo, o que era bom…

Elspeth continuava sentada na cadeira de meu consultório, mas tinha acordado. Com meu *Manual Merck* aberto no colo. Estaquei no vão da porta, mas ela havia me escutado chegar. Ergueu os olhos para mim com a pele do rosto tão branca e esticada sobre os ossos que pude ver com clareza como iria ficar depois de morta.

– Onde arrumou isto? – perguntou ela em um sussurro, com a mão aberta sobre a página como se estivesse tentando escondê-la. Pude ler as palavras "Lesões da medula" no cabeçalho.

– Minha filha me trouxe de… ahn, da Escócia – falei, improvisando em um momento de pânico.

Mas então me lembrei: havia destruído a página de copyright. Ninguém de fora da família sabia, nem poderia saber, e tornei a respirar.

– Posso pedir a Fanny que copie alguns trechos para a senhora, se quiser. Mas não sei muito de que adiantaria – emendei, com relutância. – Alguns dos procedimentos mencionados não estão disponíveis nas colônias… nem na maior parte da Europa ainda. – Cruzei os dedos por baixo do avental enquanto pensava: *Nem em nenhum outro lugar do mundo.* – Por mais avançadas que sejam algumas das coisas mencionadas aí… elas talvez não atendam às… às suas necessidades específicas.

Olhei para Charles Cunnigham ao dizer isso e quis tornar a cruzar os dedos, dessa vez pedindo sorte. Em vez disso, fui até o pé da mesa e ergui com cuidado a borda da colcha amarelo-vômito para expor seus pés nus. Pareciam normais.

Mas é claro que iriam parecer. Apesar de não ter sido seccionada, e eu não *achava* que tivesse sido, sua medula fora comprimida e danificada em algum nível. E lesões da medula com frequência eram permanentes. No entanto, levaria algum tempo para os efeitos visíveis se tornarem aparentes, como atrofia muscular ou deformação dos membros. Um fedor repentino fez minhas narinas estremecerem e se comprimirem.

Perda de controle do esfíncter anal e da uretra. Esperado, mas nada bom.

– Já viu alguém assim antes? – A voz de Elspeth foi incisiva e ela se levantou como se inclinada a defender o filho.

– Já – respondi. E ela ouviu tudo na minha voz e tornou a se sentar como se também tivesse levado um tiro nas costas.

Quem atirou nele, meu Deus? Por favor, não permita que tenha sido Jamie…

Afastei a colcha e o limpei com um pano úmido. Ele estava desacordado e não se mexeu. Nada se mexeu sob minhas mãos e meus lábios se contraíram. O controle consciente dos homens sobre a reação erétil é muito pequeno, como Jamie tinha acabado de me demonstrar, e eu já havia visto muitos com ferimentos bastante graves ficarem duros sob meu toque. Não aquele dali. Mesmo assim, poderia ser o láudano… isso *com certeza* afetava a reação da libido.

Agarrei-me por enquanto a esse minúsculo fiapo de esperança e tornei a cobrir o capitão. Elspeth agora estava sentada ereta, mas sua atenção estava voltada para seu interior e eu soube que estava pensando as mesmas coisas que eu: cuidar de um filho para quem na verdade não havia esperança, seu último filho. Passar meses, anos... *cinco anos*, foi meu pensamento fulminante, limpando sua bunda e trocando a roupa de cama, movendo as pernas mortas quatro vezes ao dia para evitar a atrofia. Lidando com a amargura de um homem que tinha perdido a vida, mas sem morrer.

Havia luz por trás das persianas agora, ainda que pálida e aguada; o barulho da chuva tinha se assentado no tamborilar constante de um dia chuvoso. Passei por trás de Elspeth e abri as persianas, então uma fresta da janela para deixar entrar no recinto uma corrente de ar frio, limpo e úmido.

Precisava cuidar de Jamie; não havia mais nada que pudesse fazer ali. Virei-me, pousei as mãos nos ombros de Elspeth e senti seus ossos, duros e frágeis por baixo do xale negro.

– Ele vai conseguir falar e se alimentar sozinho – falei. – Mais do que isso... o tempo dirá.

– O tempo sempre diz – retrucou ela com uma voz tão fria quanto a chuva.

112

NÓS NOS ENCONTRAMOS NO PRUMO

Quando saí do consultório, a porta se abriu atrás de mim e o tenente Esterhazy entrou. Parecia tão chocado e desorientado quanto o restante das pessoas naquela manhã, mas pelo menos estava de pé e sem danos visíveis.

– Venha comigo – falei, segurando-o pelo braço. – Seu capitão está dormindo e não vai precisar do senhor por algum tempo, mas eu sim.

– Claro, madame – murmurou ele e balançou a cabeça como se quisesse se livrar de algum pensamento pesado antes de me seguir até a cozinha.

– Onde está o tenente Bembridge? – perguntei, olhando por cima do ombro.

Quase esperava vê-lo entrar pela porta: era tão raro aqueles dois se separarem que às vezes esquecia quem era quem.

– Não sei, madame – respondeu ele e sua voz tremeu de leve. – Ele... ele não voltou para o ponto de encontro ontem à noite, nem hoje de manhã... fui até a Casa de Encontros e andei um pouco chamando por ele. Então vim me reportar ao capitão antes de voltar e retomar a busca.

– Lamento por isso – falei, sincera. – Soube que houve um deslizamento de terra ontem à noite... O senhor estava lá quando aconteceu?

– Não, mas soube. Então, quando Gilbert não voltou, achei que talvez...

– Entendi. E esse deslizamento sobre o qual estou ouvindo tanto falar? – perguntei para Jamie, que tinha dado um jeito de se erguer sobre um dos ombros e espiava o tenente com certa cautela. – O que aconteceu?

– Um bom pedaço de encosta desmoronou com a chuva – respondeu ele. – Árvores, pedras e lama. Porém, mais do que isso não sei dizer. Nem sabia onde estávamos quando aconteceu. Talvez em algum lugar perto da estrada de carroças. – Ele tocou o peito com cuidado e fez uma careta.

– *Isso daí* aconteceu em um deslizamento? – Eu sabia reconhecer um ferimento de sabre… e tinha uma cicatriz de 20 centímetros na parte interna de meu braço esquerdo para provar isso.

– Pouco antes – respondeu ele, sucinto.

Não tinha tirado os olhos do jovem Esterhazy, e finalmente me ocorreu que aquele tenente *talvez* fosse jovem o suficiente, tolo o suficiente e estivesse sob pressão mental suficiente para pensar que poderia capturar Jamie na própria casa. Ele *estava* portando uma pistola e uma adaga de oficial. *E Jamie não está armado.* Um pequeno dedo frio tocou minha nuca, mas então olhei com cuidado para o rapaz, depois de novo para Jamie. Balancei a cabeça.

– Não – falei para Jamie. – Ele está preocupado com o amigo. E provavelmente com seu capitão também – acrescentei. Esterhazy se virou bruscamente e me fitou com os olhos arregalados.

– O que houve com o capitão? A senhora disse que ele estava dormindo!

– Ele levou um tiro – falei apenas. – Vai viver, mas por enquanto não vai a lugar algum.

– O senhor atirou nele? – O rapaz fez a pergunta para Jamie em tom sério.

– Eu tentei – respondeu Jamie, seco. – Disparei bem na hora em que ele veio para cima de mim com o sabre. Não sei se acertei ou não… mas não atirei nele *pelas costas*, isso posso dizer com certeza. Vi bem o rosto dele à luz do relâmpago. E então a montanha desabou em cima de nós – acrescentou após pensar um pouco.

– Um tiro nas costas? – Esterhazy se virou para mim, chocado.

– Jesus H. Roosevelt Cristo – falei entre dentes. – Sim. Extraí a bala e ele está confortável, repousando. Agora, tenente, se o senhor não se importar, preciso de sua ajuda para levantar o coronel Fraser da porcaria do chão e levá-lo para a cama. *Agora* – repeti, ao ver que estava inclinado a fazer mais perguntas.

A conversa despertou Fanny e Agnes apareceu vinda do andar de cima, amarfanhada de sono. Ambas ficaram consternadas ao ver o tenente de camisola e roupão, mas logo pedi a elas que começassem a fatiar cebolas para um emplastro, moer raiz de hidraste e cuidar das necessidades pessoais da sra. Cunningham enquanto o tenente Esterhazy e eu levantávamos Jamie por etapas, colocando-o primeiro sentado no banco, onde Bluebell o farejou aflita e lambeu seus joelhos nus, em seguida de pé, segurando-o com toda a força pelos cotovelos, um de cada lado, enquanto Jamie se balançava para a frente e para trás, quase desmaiando.

Agarrei-o pela cintura e o tenente passou um braço em volta de sua caixa torácica por trás. Juntos, nós o levamos da cozinha e subimos a escada como um bando de bêbados sendo enxotados pela polícia.

Largamos Jamie na cama feito um saco de cimento e fui obrigada a me curvar e levar as mãos aos joelhos, arquejando para conseguir respirar até os pontinhos pretos desaparecerem de meu campo de visão. Quando consegui me levantar outra vez, agradeci ao tenente, que também estava com o rosto vermelho e respirava como se fosse um motor a vapor. Mandei-o descer para que lhe dessem algo quente para beber. Então fui atiçar o fogo e abrir as persianas; precisaria tanto de calor quanto de luz.

Jamie estava deitado na cama, pálido como cera, com a compressa suja de sangue apertada com força contra o peito. Segurei sua mão e forcei os dedos a se abrirem. Visto à luz do dia que entrava pela janela, o corte tinha um aspecto feio, mas não parecia muito grave. Não havia cortado nenhum tendão, tampouco atravessado o músculo peitoral inteiro, e eu achava que houvesse encostado só de raspão na clavícula.

– A lâmina bateu no seu esterno – falei enquanto apalpava delicadamente aqui e ali. – Caso contrário, teria penetrado fundo no seu peito deste lado aqui.

– Ah, que bom – murmurou ele.

Apesar das pálpebras cerradas, eu podia ver os olhos debaixo delas se movendo nervosos de um lado para outro.

– Está bem. – Lavei a área com cuidado com soro fisiológico e pesquei dentro do vidro um fio de seda para suturar. – Quer algo para morder enquanto costuro ou prefere me contar o que aconteceu ontem à noite?

Ele abriu os olhos avermelhados e parou alguns instantes me encarando, pensativo. Então tornou a fechá-los e, resmungando algo em que *pensei* ter captado as palavras "Inquisição espanhola...", fechou os punhos por cima das cobertas, inspirou fundo e relaxou o máximo possível considerando as circunstâncias.

– Tem um pedaço de papel por perto, Sassenach? – perguntou.

Olhei para a mesa de cabeceira, onde havia deixado meu diário. Não era nada do tipo "pensamentos profundos" ou "meditações espirituais", e sim anotações sobre as trivialidades de que se compõem os dias: a panela de cobre pequena fora deixada por tempo demais no fogo e um pequeno buraco havia se aberto no metal derretido; eu precisava me lembrar de mandar consertá-la em Salem quando Bobby Higgins fosse lá na semana seguinte. Bluebell tinha comido alguma coisa estranha e o tapete em frente à lareira no quarto das meninas precisava ser fervido...

– Sim – falei, perfurando a pele com um movimento rápido. Ele grunhiu, mas não se mexeu.

– Pode pôr um papel à mão então, Sassenach, e algo para escrever? Eu quero que anote alguns nomes.

Dei mais três pontos, então me virei para pegar o diário. Como em geral escrevia na cama, usava um pedacinho de grafite com uma tira de pano enrolada em volta em vez de tinta e uma pena; peguei-o também.

– Pode mandar bala – falei, retomando os pontos. – Com perdão do trocadilho.

Sua barriga se contraiu por um breve instante quando achou graça.

– Eu não me importo. É uma lista dos legalistas que estavam com Cunningham ontem à noite. Anote aí Geordie Hallam... e Conor MacNeil, Angus MacLean e...

– Espere, não tão depressa. – Peguei o grafite. – Por que quer uma lista desses homens? É óbvio que lembra quem são.

– Ah, eu sei quem eles são, já sabia bem antes de ontem à noite – garantiu ele com certa gravidade. – A lista é para você, Bobby e os Lindsays, caso me matem nos próximos dias.

O grafite se partiu na minha mão. Pousei-o, limpei a mão com cuidado em um pano úmido e disse "ah" com a voz mais calma de que fui capaz.

– É – disse ele. – Você não achou que ontem à noite se tivesse resolvido a questão, achou, Sassenach?

Considerando o estado atual do capitão Cunningham, eu tinha achado isso, sim. Engoli com força a saliva e tornei a pegar a agulha.

– Quer dizer que existe uma possibilidade de recebermos uma visita dos cherokees?

– Sim, tem eles – disse Jamie, pensativo. – Ou quem sabe Nicodemus Partland com um bando de homens do outro lado da montanha. Veja bem, pode ser que não aconteça – acrescentou ao ver meu rosto. – E meus homens vão estar prontos se isso acontecer. Mas em todo caso, se eu morrer, vão ter que se livrar dos legalistas daqui. Então precisam saber quem são.

Parei para pegar um fio novo e respirei com cuidado, os olhos cravados nos pontos.

– Se livrar deles?

– Bom, não pretendo permitir que continuem a ser meus colonos – disse ele, sensato. – Eles tentaram me matar ontem à noite. Ou me levar para ser enforcado, o que não é muito melhor – acrescentou, e pude ver a raiva fervilhando sob a fina película de racionalidade.

– Sim, faz sentido. – Enxuguei sangue da ferida e dei mais dois pontos. Tinha atiçado o fogo e posto madeira nova, mas sentia um frio na espinha. – Você pode...? Quero dizer, será que eles... iriam embora se você mandasse?

Ele estava olhando para o teto, mas nessa hora virou a cabeça e me encarou. Era o olhar paciente de um leão a quem se houvesse perguntado se poderia mesmo comer aquele antílope ali.

– Humm... – murmurei e pigarreei. – Pode contar sobre o deslizamento de terra?

Sua expressão se acendeu e ele me falou sobre sua fuga da loja, com quatro ou cinco de seus homens em seu encalço, e sobre como os legalistas haviam trombado com eles e sido atrasados enquanto fugia para dentro da noite.

– Só que a trilha que eu pretendia pegar tinha sido apagada pela chuva... Passei um tempo perdido procurando outra. Então começou a trovejar e os raios caíam perto o suficiente para eu poder sentir seu cheiro, mas pelo menos conseguia ver para onde estava indo de vez em quando.

Ele começara a voltar na direção em que pensava ficar a casa, torcendo para encontrar alguns de seus homens a quem dissera para ficar vigiando a Casa Grande por trás e para capturar os homens de Cunningham que aparecessem daquele lado.

– Capturar? – falei, amarrando um dos fios, aparando-o e pegando outro. – Onde pretendia guardá-los? Não na despensa de legumes, espero.

Nossos estoques de comida estavam perigosamente baixos depois de um longo inverno e as poucas frutas secas e legumes precoces que tínhamos estavam na despensa, com sacos de castanhas, nozes e amendoins. Eu podia imaginar muito bem o caos que um punhado de prisioneiros ressentidos poderia armar lá dentro.

Ele fez que não com a cabeça. Seus olhos estavam abertos agora e fixos nas vigas do teto para evitar olhar para o que eu estava fazendo em seu peito.

– Não. Eu tinha dito a Bobby que deveriam pôr qualquer um que capturassem na caverna dos porcos.

– Santo Deus! E se a Porca Branca resolvesse aparecer?

Embora o lendário Monstro da Cordilheira tivesse evitado fazer uma nova toca debaixo daquela casa, graças a Deus, ainda zanzava pelas encostas das montanhas, enchendo a pança com as castanhas caídas no chão da floresta e qualquer outra coisa que lhe desse na telha. De vez em quando, visitava o chiqueiro para libertar alguns de seus habitantes, a maioria seus descendentes.

– Percalços da guerra – respondeu ele, insensível. – Eles deveriam ter pensado melhor antes de seguir um homem que não consegue escolher entre o rei e Deus. Uh!

– Já passamos da metade – falei para tranquilizá-lo. – Quanto ao capitão... a maioria dos legalistas lhe garantiria que, como Deus nomeou o rei, seus interesses ficam na mesma direção. Continue a me contar sobre ontem à noite.

Ele grunhiu e mudou de posição, incomodado, mas então tornou a se acalmar e inspirou com cuidado.

– Sim. Bem, quando consegui ter certeza de onde estava, tinha chegado perto da casa de Tom MacLeod e achei melhor me refugiar lá... Gillebride contou que Tom quebrou o nariz? Então estava chafurdando na lama e nos arbustos, tentando manter o controle de onde estava pelo que podia ver quando caíam os raios, e de repente houve um relampejar que rasgou o céu e um raio monstruoso que me cegou, e a chuva virou granizo de uma hora para outra... – Ele estalou os dedos. – Cobri a cabeça com meu pano xadrez para me proteger e, quando dei por mim, o capitão tinha trombado comigo no escuro. Só que eu não sabia quem era, nem ele, então veio outro relâmpago e estendi a mão para pegar minha pistola e ele o seu sabre, e...

Ele agitou a mão para o talho parcialmente costurado no peito.

– Entendi. Você disse que atirou nele?

– Bom, eu tentei. Minha pólvora estava molhada, e não era de espantar. A arma disparou, mas duvido que a bala tenha chegado nele.

– Talvez tenha chegado, sim – observei, estendendo a mão para pegar mais um fio. – Eu tirei uma bala do braço dele.

– Que bom. Posso tomar um traguinho, Sassenach?

– Como já está deitado, pode.

Eu não vinha prestando atenção em mais nada nos últimos tempos, exceto no peito de Jamie, mas, assim que me levantei para pegar o uísque, ouvi vozes lá embaixo. Vozes exaltadas. Uma delas parecia ser a do tenente Esterhazy e pensei que havia também uma voz de mulher... Elspeth? Alguma outra pessoa que soava conhecida, mas...

Jamie se sentou abruptamente e fez o mesmo barulho de um porco sacrificado.

– Que droga! Fique deitado!

– É Cloudtree – disse ele com urgência. – Vá chamá-lo, Sassenach.

Peguei a compressa usada, empurrei-a para sua mão e empurrei essa mão para cima do lado não costurado de seu peito, que agora sangrava em profusão.

– Deite que eu chamo, droga!

No fim das contas, não precisei. Passos subiram ruidosamente a escada em meio a uma agitação de vozes e a porta se abriu após uma batida sumária.

– Eu disse que ele não podia... – começou Agnes, olhando de cara feia por cima do ombro, mas seu padrasto a empurrou para passar e foi agarrado pelo braço por um irado tenente Esterhazy.

– Parado aí mesmo, senhor!

– Solte-me, seu chupa merda! Tenho uma coisa para dizer ao coronel.

– Tenente! – exclamei, levantando a voz até um tom de comando.

Não tinha muita ocasião de usá-lo, mas ainda sabia fazê-lo. O tenente parou e ficou me encarando boquiaberto. Agnes e Aaron Cloudtree também.

– O coronel quer falar com ele – falei, branda. – Agnes, leve o tenente lá para baixo. Vão ver como está o capitão.

Esterhazy me encarou com raiva por vários instantes, moveu o olhar para Cloudtree, que esfregava a manga molhada de chuva como quem tenta remover marcas de dedo, e se retirou seguido por Agnes, que lançou por sua vez um olhar raivoso na direção do padrasto, que ele não pareceu notar.

– Estive com Scotchee, coronel – começou Cloudtree, avançando em direção à cama. Então reparou no estado do peito de Jamie e seus olhos se esbugalharam. – Meu Deus do céu! O que foi que aconteceu, homem?

– Várias coisas – respondi apenas. – Talvez o senhor...

– E o que Scotchee falou, sr. Cloudtree? – Jamie continuava sentado, alheio às gotas vagarosas de sangue que escorriam por suas costelas.

– Ah. – Aaron demorou alguns segundos para se recompor, mas então meneou a cabeça para Jamie em um gesto tranquilizador. – Ele falou que o senhor vai ficar lhe devendo um bocado por isso, mas que não acha que vai viver o suficiente para pagar a dívida. Então que era para não se preocupar, contanto que tivesse uísque.

113

E NÓS NOS SEPARAMOS NO ESQUADRO

30 de março de 1780 d.C.
Cordilheira dos Frasers, Carolina do Norte
De James Fraser, proprietário da Cordilheira dos Frasers

Aos seguintes homens:

Geordie Hallam
Conor MacNeil
Angus MacLean
Robert McClanahan
William Baird
Joseph Baird
Ebeneezer Baird
William MacIlhenny
Ewan Adair
Peadair MacFarland
Holman Leslie
Alexander MacCoinneach
Lachlan Hunt

Como conspiraram e agiram, todos vocês, para me atacar e me levar prisioneiro com a finalidade desejada de causar minha morte, o contrato de arrendamento assinado entre nós fica, a partir desta data, anulado em sua totalidade.

Com as ações perpetradas, os senhores traíram minha confiança e traíram seu juramento.

Sendo assim, considerem-se todos, por meio desta, despejados das terras que ocupam, destituídos da escritura relativa a essas terras e intimados a ir embora da Cordilheira dos Frasers dentro de dez dias com suas famílias.

Poderão levar comida, roupas, ferramentas, sementes, animais e bens pessoais de sua propriedade. Todas as construções, os anexos, barracões, silos, chiqueiros e outras estruturas não mais lhes pertencem. Caso estes venham a ser incendiados ou danificados em represália, os senhores serão detidos e seus pertences confiscados.

Se tentarem voltar em segredo para a Cordilheira dos Frasers, serão abatidos sumariamente a tiros.

James Fraser, proprietário

– Você consegue pensar em alguma coisa que eu tenha deixado de fora? – indagou Jamie, observando-me ler o texto.

– Não. Está... está bem completo. – Eu sentia um frio na barriga. Aqueles eram homens que eu conhecia bem. Havia cumprimentado cada um deles e suas esposas na ocasião de sua chegada à Cordilheira, muitos sem nada a não ser a roupa do corpo, cheios de esperança e gratidão por terem um lugar naquele Novo Mundo a desbravar. Tinha visitado seus chalés, feito o parto de seus filhos, cuidado de suas mazelas. E agora...

Podia ver que Jamie sentia o mesmo peso no coração. Aqueles eram homens que havia aceitado, em quem havia confiado, a quem tinha dado terras e ferramentas, incentivo e amizade. Devolvi a carta com os dedos frios.

– Se voltarem, você os abateria mesmo? – perguntei em voz baixa.

Ele me lançou um olhar incisivo e vi que, embora seu coração pudesse estar pesado, dentro dele ardia também uma raiva profunda.

– Sassenach – falou –, esses homens me traíram e me caçaram feito um animal selvagem pelas minhas terras em nome do que chamam de justiça do rei. Chega dessa justiça para mim. Se aparecerem outra vez na minha frente, nas minhas terras... sim, eu vou matá-los.

Mordi o lábio. Ele viu e pôs a mão por cima da minha.

– É assim que tem que ser – falou baixinho, encarando-me para se certificar de que eu entendia. – Não só porque vão criar problemas... mas eles não são os únicos homens da Cordilheira nem das redondezas cujas opiniões tomaram esse rumo, e eu sei muito bem que não. Muitos ficaram quietos até agora para avaliar se estou fraco, se vou cair ou ser capturado. Será que alguém virá aqui, como o major Ferguson? Eles têm medo de tomar partido. Se eu demonstrasse clemência com esses daí... se tivesse clemência e permitisse manter não só a vida deles, mas também suas terras e armas, isso daria aos tímidos confiança para se juntar aos outros.

Não só suas vidas...

Senti o mundo se deslocar sob meus pés, só de leve. Até então, conseguira pensar que, estivesse acontecendo o que fosse no mundo além dos limites da Cordilheira, a Cordilheira em si era um refúgio sólido. E não era.

Não só a vida deles. A nossa também.

Ele não precisou dizer que talvez não tivesse homens suficientes, ou armas, para resistir sozinho a uma insurreição em larga escala na Cordilheira.

– Sim, eu entendo – falei e, engolindo em seco, peguei o papel de novo com cuidado. Vi não só o nome dos homens, mas também o rosto das mulheres. – É que... eu não consigo evitar sentir pena das esposas.

E das *crianças*, mas principalmente das esposas, encurraladas entre seu lar e as necessidades da família e o perigo das opiniões políticas do marido. E que agora seriam despejadas, sem nada exceto o que conseguissem carregar e sem ter para onde ir.

Não fazia ideia de quantas mulheres poderiam compartilhar as opiniões do marido. Quer as compartilhassem ou não, seriam forçadas a viver ou morrer segundo o desfecho.

– Sino, livro e vela – disse ele, ainda com os olhos em meu rosto e não sem empatia.

– O quê?

– Toque o sino, feche o livro, apague a vela – disse ele baixinho e tocou o papel sobre meus joelhos. – É o rito da excomunhão e do anátema, Sassenach… e foi isso que eu fiz.

Antes que eu pudesse pensar em qualquer coisa para dizer, ouvi sólidos passos masculinos subindo a escada. Instantes depois, alguém bateu à porta.

– Entre – disse Jamie com voz neutra.

A porta se abriu e relevou o tenente Esterhazy, parecendo vinte anos mais velho.

– Senhor – disse ele, formal, e ficou parado em frente à cama com as costas retas feito uma tábua. – Meu… quero dizer… o tenente Bembridge não voltou. O senhor me autoriza a procurá-lo?

Isso me espantou e olhei para Jamie, que não parecia surpreso. Não me ocorrera que o tenente não fosse mais um amigo da casa, e sim um prisioneiro de Jamie, mas obviamente ambos pensavam assim.

Jamie sabia esconder o que estava pensando, mas não se dava esse trabalho naquele momento. Se deixasse Esterhazy sair, quem o rapaz poderia encontrar e o que poderia lhe dizer? Era óbvio que Jamie não estava em condições de se defender nem de defender sua casa, quanto mais de vigiar a Cordilheira. E se o tenente saísse e voltasse com uma pequena turba? Se fosse embora e se unisse a Ferguson com a intenção de conduzi-lo até ali?

Eu tinha certeza de que nada desse tipo estava passando pela mente do garoto; tudo em que conseguia pensar no momento era em seu amigo. Mas isso não significava que não pudesse pensar em outras coisas uma vez longe da casa.

– Autorizo – disse Jamie, tão formal quanto o tenente. – A sra. Fraser irá acompanhá-lo.

114

NO QUAL A TERRA TREME

– Você tem que ir, Sassenach.

Essas palavras não me saíam dos ouvidos: permaneciam presas lá dentro, teimosas, um minúsculo eco agudo zumbindo em meu tímpano.

Era isso que Jamie tinha dito depois de Oliver Esterhazy sair do quarto para ir até o consultório se despedir de seu superior, ou melhor, de Elspeth.

– Não tem mais ninguém – disse Jamie, sensato, fazendo um leve gesto na direção dos cantos vazios do quarto. – Não posso mandar Bobby nem os Lindsays porque preciso deles aqui. Além do mais… – Ele se reclinou no travesseiro com uma careta quando o movimento forçou os pontos. – Se nada tivesse acontecido com o sr. Bembridge, ele estaria aqui agora. Como não está, existem grandes chances de estar ferido ou morto. Você seria a melhor pessoa para cuidar dele quando for encontrado, não é?

Não podia argumentar contra isso, já que era uma afirmação lógica, mas argumentei mesmo assim:

– Não vou deixar você aqui sozinho. Você não está em condições de se defender caso alguém…

– É *por isso* que preciso dos Lindsays aqui – disse ele, paciente. – Eles estão protegendo a porta. As portas – corrigiu-se. – Kenny e Murdo estão nos degraus da frente, e Evan nos fundos.

– E Bobby, onde está?

– Foi chamar mais alguns homens e espalhar a notícia de que o capitão está… – Ele hesitou.

– *Hors de combat?* – sugeri.

– Sem condições de ser transportado – disse ele com firmeza. – Não quero ninguém pensando que deveria vir invadir minha casa para tentar resgatá-lo.

Encarei-o. Ele estava tão branco quanto o lençol que o cobria, tinha os olhos encovados e rodeados por olheiras de exaustão, e sua mão pousada em cima da colcha tremia.

– E *quando* você tomou todas essas providências? – exigi saber.

– Quando você foi ao banheiro. Vá, Sassenach – insistiu. – Você tem que ir.

Eu fui, mas com a mente perturbada. Abandonar homens feridos contrariava meus instintos, ainda que todos estivessem estáveis no momento e uma recaída fosse pouco provável. E Elspeth, Fanny e Agnes eram capazes de administrar qualquer pequena emergência médica que pudesse surgir, falei para mim mesma.

– Vou acompanhar o tenente Esterhazy para procurar o amigo dele – falei para Elspeth enquanto pegava meu kit portátil do gancho em que o guardava. Ela não estava com aspecto muito melhor do que Jamie, mas assentiu com os olhos fixos no filho. Cunningham começava a se mexer e a gemer.

– Eu cuido de tudo aqui – disse ela em voz baixa e, de repente, ergueu os olhos para mim. Apesar de vermelhos em volta e com bolsas de cansaço embaixo, estavam alertas. – Tome cuidado.

Parei, encarando-a, e um leve rubor subiu por suas faces.

– Não sei o que está acontecendo – disse ela. – Mas as coisas parecem estar… instáveis. Na minha opinião.

– Está se referindo a Joseph Partland? – indaguei à queima-roupa. – E aos homens que ele deveria trazer do Noventa e Seis?

O rubor nas faces dela desapareceu como uma flor atingida pela geada.

– Humm... – murmurei e me retirei.

Oliver estava me esperando na varanda. Na mesma hora se ofereceu para carregar a bolsa com o kit.

– Não, eu levo. Leve esta aqui você. – Entreguei-lhe outra bolsa, contendo água, água com mel, um pouco de comida, um cobertor dobrado, um vidro de sanguessugas e outras coisas que poderiam se revelar úteis. – Está bem, então... por onde devemos começar?

Ele olhou para fora da varanda, atarantado.

– Não sei.

Ninguém havia dormido na noite anterior, e ele também não. Embora fosse um rapaz afável e alegre, na verdade não era a pessoa mais inteligente que eu já tinha conhecido. Agora, somado à preocupação e ao cansaço, parecia lhe restar apenas um punhado de neurônios ainda em condições de funcionar. Inspirei fundo o ar da manhã para me munir de paciência.

– Bem, onde o viu pela última vez? – perguntei.

Essa pergunta sempre irritava os moradores de minha casa em busca de objetos perdidos, mas Oliver Esterhazy piscou e então semicerrou os olhos, concentrado, até por fim dizer:

– Perto da Casa de Encontros.

– Então vamos começar por lá.

– Eu já procurei lá.

– Vamos *começar* a procurar por lá.

Não estava mais chovendo, mas a floresta pingava e minhas saias ficaram encharcadas até os joelhos antes de chegarmos à metade do caminho. Eu não liguei. Passarinhos cantavam, o ar estava tomado pelo cheiro revigorante, intenso e fresco de cedro-vermelho e abeto, dos cornisos e rododendros que começavam a brotar, e a encosta da montanha estava riscada por dezenas de minúsculos arroios e regatos. A primavera pairava no ar e a paz matinal da floresta me invadia, acalmando a aflição da noite e as urgências da manhã até transformá-las em algo parecido com bom senso.

Jamie não estava à beira da morte nem corria risco imediato de estar. Tudo mais podia ser administrado e, como de costume, mesmo deitado na cama e enfraquecido demais para se sentar sozinho, ele estava fazendo isso.

Mesmo assim. queria estar com ele. Mas ele estava certo: não havia mais ninguém que pudesse ter mandado, considerando as circunstâncias. No entanto, sua preocupação de que o tenente Esterhazy pudesse reunir uma turba de legalistas parecia desnecessária no momento. Não vimos nem ouvimos ninguém na trilha: todos pareciam estar mantendo distância de propósito. Batemos à porta de dois chalés no caminho para perguntar sobre o tenente Bembridge, mas fomos recebidos por semblantes fechados e negativas mudas.

A Casa de Encontros estava abandonada. A porta fora deixada aberta, metade dos bancos tinha sido derrubada, havia poças de cerveja no chão e dois guaxinins tinham entrado e estavam ocupados mascando um avental maçônico.

– Saiam daqui!

Oliver empunhou uma vassoura que também fora derrubada no chão e enxotou os guaxinins com o mesmo fervor de um profeta do Antigo Testamento, em seguida resgatou os restos do avental. Era um avental de luxo, feito de couro branco debruado de seda branca pregueada e com cordões de lona um pouco mordiscados. O compasso maçônico fora desenhado na frente com perícia considerável.

– É do capitão? – perguntei enquanto o observava dobrar a peça, e ele assentiu.

Pequenos acessórios estavam espalhados pelo recinto, como o balde e a bacia de madeira para refrescar a garganta de oradores prolixos e uma pilha de leques de papel que as crianças tinham fabricado para o verão seguinte. Ficamos alguns instantes parados em silêncio olhando para aquela ruína, mas nenhum dos dois decidiu comentar sobre a ironia – se é que seria esse o termo correto –, de que fora um encontro de franco-maçons, em teoria dedicados aos ideais de liberdade, igualdade e fraternidade, que havia se desvirtuado em motim e confusão. Não falar de política na loja não tinha adiantado grande coisa…

Saímos e Oliver fechou a porta com cuidado. Então começamos a andar de um lado para outro em círculos cada vez maiores gritando o nome de Gilbert Bembridge.

– Será que ele pode ter ido se refugiar com um dos… seguidores do capitão? – perguntei delicadamente quando tornamos a nos juntar em frente à Casa de Encontros. – Se estivesse ferido, talvez?

– Não sei. – Oliver começava a ficar agitado e olhava em volta como se esperasse que o amigo fosse pular de trás de uma árvore. – Eu… Talvez ele estivesse com os homens que estavam…

– Perseguindo meu marido? – completei, um tanto ácida. – Em que direção foram?

Ele disse que não tinha certeza, mas partiu encosta abaixo em um súbito ímpeto de determinação e eu o segui com mais cautela de modo a não torcer o tornozelo nas pedras e no cascalho que a neve derretida repentinamente tinha deixado expostos nas trilhas.

Começava a achar que havia algo estranho no comportamento do tenente Esterhazy. Ele suava apesar de a mata ainda estar muito fria e, embora se desviasse do caminho de vez em quando, fazia-o de maneira aleatória, voltando em seguida para um caminho de sua escolha. Tive a nítida impressão de que ele *sabia* para onde estava indo e não fiquei surpresa quando chegamos de repente a um trecho em que a mata… não existia.

Estávamos no limite de um grupo de jovens e finos carvalhos, e sob nossos pés o chão desaparecia em uma confusão de terra preta revirada cheia de árvores quebradas e arbustos destruídos, com imensas pedras cinzentas deslocadas pelo deslizamento que agora jaziam parcialmente enterradas no chão, com a parte inferior exposta, toda suja e pegajosa de lama e minhocas desalojadas.

– Bem... – falei após alguns instantes de silêncio. – Então este é o famoso deslizamento. Estava aqui quando aconteceu?

Ele balançou a cabeça. Seus cabelos escapuliam da trança naval bem-feita e grudavam no rosto suado. Ele os alisou para trás, distraído.

– Não – falou. Então repetiu um "não" mais firme.

Não era um deslizamento grande, embora para quem estivesse debaixo dele no escuro decerto houvesse sido surpreendente o bastante. Uns 15 metros de encosta tinham deslizado, escorregando por um declive íngreme de granito e interrompendo parcialmente o curso de um regato.

– A senhora acha... – começou o rapaz, então engoliu em seco e o pomo de adão avantajado subiu e desceu no seu pescoço – ... que Gilbert poderia estar... aí dentro?

– É possível – respondi, olhando com ar de dúvida para o terreno revirado. – Se estiver...

Não estávamos equipados para escavar uma encosta deslizada com as mãos nuas e eu me achava a ponto de dizer isso quando o tenente agarrou meu braço com um grito de espanto e apontou para baixo.

– Ali! Ali!

Um borrão azul-marinho todo sujo de lama e quase da mesma cor da terra molhada despontava do chão a uns 7 metros de onde estávamos. Antes de eu conseguir dizer qualquer coisa, Oliver já estava escorregando e cambaleando pelos torrões úmidos, caindo de joelhos, então tornando a se levantar e seguindo em frente.

Fui cambaleando atrás dele, segurando com força meu kit, mas depois do primeiro salto convulsivo meu coração tinha afundado feito uma pedra. Ele não tinha como estar vivo.

Oliver havia desenterrado um braço e, pondo-se de pé, puxado com todas as forças. Ouvi algo se rachar e a cabeça de Gilbert irrompeu do chão em meio a uma chuva de torrões e cascalho, com o rosto branco feito a morte.

Oliver havia soltado o braço de Gilbert como se estivesse em brasa e balbuciava coisas desconexas de tão chocado, mas não tive tempo para me ocupar dele. Caí de joelhos e esfreguei a mão com força no rosto de Gilbert. Pensei que... mas não. Eu estava certa: tinha *mesmo* visto um leve tremor em suas pálpebras. Tornei a vê-lo então e meu coração subiu até a boca.

– Jesus H. Roosevelt Cristo! Oliver! Eu acho que ele está vivo... Me ajude a puxá-lo para fora!

– Ele... o quê? *Não pode ser!*

Eu tinha largado minha bolsa e estava cavando com as mãos nuas feito um castor. Algo morno tocou minha pele... um levíssimo sopro de respiração.

– Gilbert... Gilbert! Aguente firme, só aguente firme. Nós vamos tirar você daí...

– Não – disse a voz de Oliver atrás de mim. A voz saiu rouca e aguda e eu olhei por cima do ombro e o vi arrancando da lama um galho partido. – Não – repetiu ele com mais força. – Eu acho que não.

Jamie acordou de um sono leve e febril e viu Frances em pé ao lado da cama com uma expressão grave no rosto.

– O que houve? – perguntou. Sentiu a garganta seca como areia e as palavras saíram em um murmúrio débil e roufenho: – Onde está minha mulher?

– Ainda não voltou – disse Frances. – Faz só uma hora que ela e o tenente Esterhazy saíram, o senhor sabe.

O senhor sabe foi dito com uma leve entonação de pergunta e ele esboçou um arremedo de sorriso. Não teve muito sucesso: seu rosto estava tão cansado quanto o resto do corpo. Frances o examinou com um olhar de avaliação, então ergueu a caneca que segurava.

– O senhor precisa tomar isto – falou com firmeza. – Uma caneca inteira de hora em hora. Foi ela quem disse.

Ela foi dito com o devido respeito à divindade local e o sorriso de Jamie cresceu.

Ele conseguiu levantar a cabeça o suficiente para beber, embora fosse necessário que Frances segurasse a caneca enquanto bebia. O líquido era só moderadamente horrível, e Frances, a querida menina, pelo visto tinha interpretado a instrução "com um pouquinho de uísque" de Claire de modo não só literal, mas generoso. Ele tornou a colocar a cabeça no travesseiro, sentindo-se um pouco tonto, embora pudesse ser apenas a falta de sangue.

– Preciso verificar para ver se está vertendo pus – disse Frances no mesmo tom firme.

– Não estou em condições de impedir, menina.

Ele ficou parado, respirando de modo lento e profundo, enquanto ela soltava a atadura e erguia de seu peito a compressa úmida. Ficou interessado ao ver que ela manuseava seu corpo sem a menor hesitação ou compunção, pressionando aqui e ali junto à linha de pontos com a testa franzida de leve sobre as sobrancelhas escuras e macias. Quis rir, mas se conteve. Até respirar doía.

– O que acha, *a nighean*? – perguntou. – Eu vou viver?

Ela fez uma pequena careta com a intenção de dar a entender que sabia que ele estava brincando, mas a testa continuou franzida.

– Vai – falou, mas ficou parada alguns instantes olhando para a colcha de retalhos que era seu peito. Então pareceu se decidir em relação a alguma coisa e recolocou no lugar a compressa, que tornou a prender com a atadura com gestos profissionais. – Quero contar uma coisa para o senhor – disse ela. – Teria esperado a sra. Fraser voltar, mas ela vai estar com o tenente Esterhazy.

– Então fale – disse ele em tom igualmente formal. – Sente-se, se quiser.

E apontou para o banquinho ali perto, inspirando em um arquejo por causa do esforço. Frances o encarou preocupada, mas depois de alguns segundos concluiu que ele não ia morrer e se sentou.

– É Agnes – falou, sem preâmbulo algum. – Ela acha que está grávida.

– Ah, meu Deus do céu!

– Exatamente – disse ela, assentindo. – Ela acha que é de Gilbert... digo, do tenente Bembridge.

– Ela *acha* que é dele? De quem mais poderia ser?

– Bem, de Oliver – respondeu ela. – Mas ela só foi com ele uma vez.

– *Sasannaich clann na galladh!*

– O que isso quer dizer?

– Ingleses filhos do demo – disse ele apenas. Estava se esforçando para dobrar os cotovelos o suficiente para poder se sentar; aquela não era uma notícia com a qual pudesse lidar deitado. – Algum desses desgraçados... ahn... tentou... fazer alguma coisa com você?

A surpresa a fez desfranzir o cenho.

– Eu *nunca* vou me deitar com um homem – disse ela com certeza, então o encarou um pouco menos convicta. – O senhor disse que eu não precisava.

– Não precisa nem nunca vai precisar – garantiu ele. – Se algum homem tentar, eu mesmo o matarei. Há quanto tempo você sabe disso... sobre Agnes?

– Ela me contou pouco antes de eu subir aqui – respondeu Frances com um leve olhar de culpa por cima do ombro. – Não tinha certeza se deveria contar para o senhor, mas ela echt... *está* com medo de Oliver ter matado Gilbert ontem à noite porque descobriu que ela estava...

– Ela tem certeza de que ele descobriu?

Frances aquiesceu com gravidade.

– Ela contou para ele. Ontem. Ele a pediu em casamento e ela disse que não podia porque...

Jamie quis muito descer até o térreo e sacudir Agnes até sua cabeça oca chacoalhar, mas algo bem pior lhe ocorreu e ele se endireitou sentado, sem ligar para a dor ou a tontura.

– Desça e vá chamar Kenny Lindsay para mim – falou com urgência. – *Agora*, Frances.

– O senhor *acha* que não? – repeti, encarando Oliver sterhazy.

– Quero dizer... sra. Fraser, ele está morto! Afaste-se, não toque nele! – Oliver segurou meu braço, mas eu me desvencilhei.

– Ele não está morto, mas pode muito bem morrer nos próximos minutos se não o tirarmos daqui – falei. – Desça e me ajude!

Ele ficou me olhando com a boca entreaberta, então encarou Gilbert, desnorteado: o outro rapaz parecia *mesmo* morto, mas…

– Me ajude! – exclamei e comecei a revirar a terra úmida e pesada.

Cavei feito uma louca, tentando liberar o peito de Gilbert para ele poder respirar. Ele estava deitado quase todo de lado e por sorte não havia muita terra sobre a parte superior de seu corpo, embora as pernas parecessem enterradas mais fundo. Se eu pudesse pelo menos soltá-lo o suficiente para fazer compressões no peito e os ossos não estivessem estilhaçados…

Oliver se agachou a meu lado. Não parava de xingar entre dentes e então me deu um encontrão para tentar me empurrar de lado.

– Deixe que eu faço – falou, brusco. – Eu sou mais forte.

– Eu estou…

– Saia daí! – ordenou ele com violência e me empurrou para o lado.

Perdi o equilíbrio, caí esparramada e senti a terra solta se mover debaixo de mim. Desci rolando em meio a uma chuva de terra molhada, com os braços e as pernas abertos, e parei derrapando ao bater no emaranhado de raízes expostas de uma árvore arrancada, a meio caminho da encosta. Estava atordoada e assustada e meu coração tinha disparado. Estava tão preocupada em resgatar Gilbert Bembridge que não me ocorrera que a terra do deslizamento ainda não estava devidamente assentada e poderia deslizar ainda mais. Rolei até ficar de quatro e comecei a engatinhar de novo encosta acima, na maior velocidade de que fui capaz sem perder meu precário equilíbrio.

Oliver Esterhazy cavava, mas não em volta do amigo. Conseguiu soltar parcialmente um galho quebrado de pinheiro da lama que o prendia, então se levantou e o arrancou com um puxão. Virou-se na direção da cabeça de Gilbert, que despontava da terra, e, com uma expressão determinada, cambaleou pela lama e desferiu nela o galho.

– Seu… *porco*… – disse uma voz sepulcral de baixo das agulhas de pinheiro enlameadas. Uma voz esforçada e rouca, mas proferida em uma expiração.

Antes de eu conseguir me levantar, o braço livre de Gilbert se moveu no ar e agarrou a ponta do galho. Completamente em pânico, Oliver soltou o galho e deu um pulo para trás. Vi um de seus pés calçados com botas afundar até a canela na terra solta e então ele também perdeu o equilíbrio. Com um guincho abafado, caiu de costas e despencou barranco abaixo, como em um tobogã desengonçado.

Sentei-me nos calcanhares e respirei um minuto. Tinha perdido o chapéu e meus cabelos estavam agora soltos. Afastei os fios do rosto e iniciei mais uma vez minha difícil subida. Precisava alcançar Gilbert e soltá-lo ou então me armar antes de Oliver conseguir se recuperar e me alcançar: tinha um bisturi e duas sondas no meu kit portátil, sem contar alguns cogumelos venenosos que havia colhido em minha última saída.

Olhei por cima do ombro: Oliver estava uns 12 metros abaixo na encosta, enrolado em volta de um choupo grosso que havia resistido ao deslizamento. Alguém estava em pé a seu lado, olhando para ele.

Girei nos calcanhares para olhar outra vez. Legalista ou rebelde, pouco me importava: qualquer um dos dois me ajudaria.

Acenei com os braços e gritei: "Olá!" O homem ergueu os olhos. Era indígena, e um que eu não conhecia. Senti uma breve onda de pânico ao pensar que Scotchee Cameron no fim das contas poderia ter nos deixado na mão, mas uma segunda olhada me informou que aquele homem não era cherokee. Tinha estatura mediana e era bastante esbelto, e seus cabelos grisalhos estavam presos com um nó atrás do pescoço. Usava um tapa-sexo e perneiras com um colete de seda bordado... e nada mais da cintura para cima exceto uma coleção de pulseiras de prata. Acenou para mim com uma das mãos e o tilintar foi audível.

– Madame! – gritou ele bem alto em um sotaque que parecia inglês. – Está precisando de ajuda?

– Estou! – gritou de volta e apontei para o corpo de Oliver. – Esse homem está morto?

O indígena olhou para baixo e cutucou a nádega de Oliver com a ponta do sapato. Oliver se mexeu, grunhiu e estendeu a mão para trás para se livrar do incômodo.

– Não – respondeu o indígena e levou a mão ao cinto, onde agora vi que carregava uma faca de algum tipo de tamanho considerável. – A senhora quer que ele esteja?

Pus-me de pé e desci a encosta feito um caranguejo até ficar a uma distância suficiente para poder dialogar com o desconhecido... e com Oliver, que, apesar dos olhos fechados com força, estava consciente e desejando não estar.

– Matar o senhor resolveria uma porção de problemas – falei para ele. – Mas me disseram que a soma de dois erros não resulta em um acerto.

– É mesmo? – indagou o indígena com um sorriso. – Quem disse isso?

– Deixe estar – respondi. – No momento preciso olhar esse homem e ter certeza de que ele não está gravemente ferido. Caso não esteja, preciso voltar lá para cima. – Fiz um gesto com o polegar por cima do ombro. – Para terminar de liberar o homem que está enterrado e poder cuidar dele.

– Ele não morreu? – perguntou o indígena, protegendo os olhos com a mão para olhar encosta acima. – Parece morto.

Parecia mesmo, mas eu torcia para que as aparências enganassem. Estava a ponto de dizer isso quando um leve farfalhar nos arbustos molhados anunciou outra chegada e o Jovem Ian irrompeu da vegetação segurando pela mão um menininho que chupava o dedo enquanto me encarava desconfiado.

– Ah, aí está a senhora, tia – disse o Jovem Ian, cujo rosto se iluminou ao me ver. – Achei que tivesse escutado sua voz!

Tive a sensação de que fosse me liquefazer de tanto alívio e escorrer pela encosta até formar uma poça lá embaixo.

– Ian! – Chapinhei para fora da lama e o agarrei em um abraço de um braço só. – Como está? Este é Oggy? Como ele está crescido! Onde está Rachel?

– Ah, todas as mulheres foram fazer xixi na mata – disse ele dando de ombros. Meneou a cabeça para o indígena mais velho. – Vi que a senhora conheceu o *sachem*. Okàrakarakh'kwa, esta é minha tia, aquela de quem falei.

– Ah – fez o *sachem* e se curvou com a mão no colete bordado. – Encantado, honrada bruxa.

– Igualmente, estou certa – respondi com educação, agitando a barra enlameada do vestido em um arremedo de mesura. Então me virei de volta para Ian.

– Como assim, "todas as mulheres"? E quem é esse? – acrescentei, notando de repente a presença de um menino mais velho de 7 ou 8 anos, talvez, parado timidamente na sombra da mata.

– Este aqui é *Tsi'niios'noreh' neh To'tis tahonahsahkehtoteh* – disse ele com um sorriso, levando a mão livre ao ombro do menino. – Meu filho mais velho. Nós o chamamos de Tòtis.

115

PEQUENO LOBO

Recomeçou a chover muito forte e foi preciso algum tempo para Gilbert Bembridge ser desenterrado, receber um tratamento inicial para choque, ser diagnosticado com uma concussão sem gravidade e ter seu ferimento, um talho comprido porém raso na escápula, onde seu amigo havia tentado apunhalá-lo, protegido por uma atadura improvisada. Oliver Esterhazy recebeu tratamento para choques de vários tipos e diversas fraturas nas costelas. Por sorte, nessa hora Kenny Lindsay e Tom MacLeod apareceram com os chapéus respingando chuva, dois fuzis envoltos em lonas e uma mula, e assumiram a responsabilidade pelos dois tenentes com a intenção de levá-los até o chalé de Kenny, localizado a menos de 2 quilômetros dali.

– Não se preocupe, patroa – disse Kenny, esfregando o dorso da mão debaixo do narigão vermelho. – Minha mulher pode cuidar deles até parar de chover. É melhor a senhora voltar para casa antes de o patrão ter uma apoplexia, se é que já não teve.

– Ele não tem sangue suficiente para uma boa apoplexia – falei, e Kenny riu, pelo visto achando que eu estava sendo espirituosa.

De volta da mata, o grupo de Ian tinha descido até a estrada onde ficara sua carroça e estava todo amontoado com os cavalos desatrelados sob a proteção precária de uma larga placa de calcário e alguns pedaços de lona encerada.

Eu estava extenuada, minhas mãos azuladas de tanto frio, e não conseguia sentir os pés. Mesmo assim, senti uma onda de alegria ao ver o rosto de Rachel espiando de baixo do minúsculo abrigo. Sua expressão ansiosa desabrochou de felicidade e ela saiu correndo pela chuva para agarrar minhas mãos congeladas e me puxar para uma confusão morna de corpos. Todos irromperam em perguntas, exclamações e guinchos intermitentes do que parecia ser uma grande quantidade de crianças.

– Tome – disse uma voz conhecida a meu lado e Jenny me passou um cantil. – Beba tudo, *a leannan*, não sobrou muita coisa. – Apesar de molhada por fora, estava morta de sede e engoli o conteúdo do cantil, que parecia ser um vinho com especiarias diluído em água e misturado com mel. Estava divino e devolvi o cantil vazio recuperada o suficiente para olhar em volta.

– Quem são...? – perguntei meio rouca, dando um aceno.

"Todas as mulheres", tinha dito Ian... e fora isso mesmo que quisera dizer, sem levar em conta as idades. Além de Rachel e Jenny, havia uma mulher pálida e magra feito um cabo de vassoura encolhida junto a um dos cavalos, duas meninas novas de olhos esbugalhados, encharcadas e grudadas em suas pernas, e outra de talvez 2 anos em seu colo.

– Essa é Silvia Hardman, tia – disse Ian, abaixando-se para entrar no abrigo e passando Oggy para Rachel. – Tio Jamie me pediu para providenciar o que ela necessitasse na Filadélfia, e entre uma coisa e outra pensei que o melhor fosse ela e as filhas virem conosco. Então... elas vieram.

Captei um eco por trás daquele casual "entre uma coisa e outra", e a sra. Hardman também. Ela se encolheu de leve, mas então se empertigou, corajosa, e fez o possível para sorrir, com as mãos nos ombros ossudos das filhas.

– Conheci seu marido por acaso há dois anos, amiga Fraser. Ele teve a gentileza de mandar o sobrinho se informar sobre nossa situação, que era... difícil. Espero que... que nossa presença momentânea aqui não seja um incômodo.

A última frase não foi exatamente uma pergunta, mas, apesar de meu rosto estar enregelado de frio e cansaço, consegui sorrir. Pude sentir um filete morno de água escorrer vagarosamente por minha coluna vertebral, abrindo caminho pelas camadas de tecido ensopado que colavam em minha pele.

– Ah, não – falei. – Ahn... Quanto mais gente melhor, não é o que dizem?

Pisquei com força para tirar a água dos cílios, mas isso não pareceu ajudar. Tudo estava cinza e borrado nas bordas, e o vinho era um pequeno calor vermelho em minha barriga.

– Claire – disse Jenny, segurando meu cotovelo –, sente-se antes de cair de cara no chão, sim?

Não caí de cara no chão, mas acabei sendo transportada de carroça, com a cabeça no colo de Rachel, rodeada por crianças ensopadas, mas satisfeitas. Lagarto, que até então não tinha dito uma palavra sequer, decidiu ir a pé com Ian, Sylvia e o *sachem*, enquanto Jenny conduzia a carroça e desfiava por cima do ombro um fluxo ininterrupto de comentários, apontando coisas interessantes para as meninas e as tranquilizando.

– Vocês vão ter um chalé para morar com sua mãe – garantiu ela. – E homem nenhum vai incomodá-las. Meu irmão vai garantir.

– O que houve? – perguntei para Rachel.

Falei baixo, mas uma das meninas maltrapilhas me escutou e se virou para me encarar, séria. Não era bonita, mas tanto ela quanto a irmã quase da mesma idade exibiam uma estranha dignidade que não condizia com sua meninice.

– Nosso pai foi capturado por indígenas – explicou ela sem rodeios. – Minha mãe ficou sem ter como nos sustentar, a não ser pela horta e por pequenos presentes de homens que iam visitá-la.

– Alguns deles não eram gentis – acrescentou a irmã e ambas franziram os lábios e olharam para a mata que pingava água do lado de fora.

– Entendi – falei e pensei que decerto entendia mesmo.

Jamie tinha me feito um relato muito breve sobre a viúva quacre que passara um ou dois dias cuidando dele quando tivera uma crise de coluna enquanto estava em sua casa após ter se encontrado lá com George Washington... e eu tinha me perguntado o que George Washington estivera fazendo nessa casa, mas não cheguei a falar nada devido à pressão dos acontecimentos na ocasião.

– A sra. Murray tem razão – disse. – O sr. Fraser vai encontrar um lugar para vocês morarem. – Afinal, muito em breve teremos um bom número de chalés desocupados pelos colonos despejados por Jamie...

Patience e Prudence se entreolharam e aquiesceram. Era assim que se chamavam as meninas mais velhas. A menorzinha se chamava Chastity.

– Nós dissemos para mamãe que o amigo Jamie não nos deixaria morrer de fome – disse uma delas com uma confiança singela que me deixou comovida.

– Teria sido divertido ficar com os indígenas – disse a irmã em tom nostálgico. – Mas não podíamos fazer isso por causa do pai.

Fiz um ruído de empatia, ponderando o que teria acontecido com seu pai. Rachel enxugou meu rosto com a barra da anágua de flanela, que estava úmida, mas não encharcada.

– Falando no amigo Jamie, onde ele está? – perguntou ela sorrindo para mim. – Mal posso esperar para ouvir como você acabou indo parar em um deslizamento de terra com dois ingleses... Eles eram soldados? Acho que um falou que era tenente. Mas Jamie está em casa, então?

– Espero que sim – falei. – Ontem à noite aconteceu o que ele chamaria de uma espécie de confusão e ele ficou ferido. Mas não foi grave – emendei depressa. – Está tudo bem. Por enquanto...

Ao ouvir isso, Jenny se virou e me encarou com um olhar penetrante. Fiz a cara mais tranquilizadora de que fui capaz e ela fez um leve muxoxo, tornou a se virar e estalou as rédeas para apressar os cavalos.

Sentei-me com cuidado, apoiando-me na lateral da carroça. Fiquei um pouco tonta, mas as coisas então se firmaram. O céu continuava cinza-escuro e turbulento, mas no nível do chão o ar tinha se acalmado e pude escutar os pios e chamados cautelosos dos passarinhos que tiravam a cabeça de baixo da asa e olhavam em volta para ver quanto de mundo ainda restava.

– Acho que me lembro de alguém ter dito que Oggy finalmente ganhou um nome – falei para Rachel enquanto indicava o menino, encolhido com a cabeça no colo de Patience ou Prudence.

A outra menina segurava um filhote de cachorro grande e de pelo grosso, também ensopado e com o pelo todo espetado, mas ferrado no sono. Rachel riu e pensei em como ela era bonita, com o rosto corado por causa do ar frio e o espírito cada vez mais leve à medida que se aproximava de casa.

– Ganhou – respondeu ela e tocou com afeto a forma redonda do traseiro do filho. – O nome dele é Hunter James Ohston'ha Okhkwaho Murray. "James" em homenagem ao tio-avô, claro – arrematou.

– Jamie vai adorar – falei e também sorri. – O que significa a parte mohawk do nome?

– Filho do Lobo – respondeu ela, lançando um olhar para trás da carroça. – Ou Pequeno Lobo, se preferir.

– *Do* Lobo? – perguntei. – Digo, não de um lobo qualquer? – Rachel fez que não com a cabeça e olhou para Ian, entretido na explicação do conceito de morcela para Tòtis, que parecia intrigado.

– Não dá para saber ao certo em mohawk, mas tenho quase certeza de que só existe um Lobo importante por aqui – disse Rachel.

Pensei ter visto uma leve sombra atravessar seu semblante quando disse isso, mas nesse caso ela se dissipou quando perguntei se ela havia escolhido o nome Hunter em homenagem ao irmão.

– Não – respondeu ela e seu sorriso tornou a desabrochar. – Foi a primeira esposa de Ian quem escolheu o nome. Guiada pelo espírito, sem dúvida – acrescentou, circunspecta. Estendeu a mão e coçou a cabeça do filhote de cachorro, fazendo-o se contorcer extasiado e subir em seu colo para lamber seus dedos. – Mas o nome *deste aqui* quem escolheu fui eu – falou, ignorando as marcas enlameadas de patas na saia. – Ele se chama Skénnen.

– O que significa...?

– Paz.

116

NO QUAL SE CONHECEM NOVOS AMIGOS

Quando chegamos ao quintal em frente à porta, eu já tinha me recuperado o suficiente para bolar um plano de ação. E foi bom isso ter acontecido, pois a porta se abriu e Bluebell saiu feito uma flecha, como se um exército invasor houvesse acabado de chegar. O que também não estava muito distante da realidade, pensei enquanto descia da carroça. Parei para tirar da saia o máximo de lama parcialmente seca que consegui, então enxotei todos escada acima.

– Jenny, pode levar todo mundo para a cozinha? Fanny vai aparecer daqui a po… Ah, aí está você, querida! Nós temos visitas, e todas elas com fome. Você e Agnes poderiam vasculhar a despensa e o armário de tortas para ver se conseguem pelo menos encontrar pão e manteiga para todo mundo? E você já preparou alguma coisa para o jantar?

– Sim, senhora – disse Fanny, lançando um olhar interessado para a fila reunida junto à porta da frente e se demorando com ar especulativo em Prudence e Patience, e logo em seguida no novo filhote, que se agachou a seus pés e produziu uma poça de urina.

– Ah, que *gracinha*! – exclamou ela e, esquecendo todo o resto, agachou para fazer carinho em Skénnen enquanto Bluebell ficava à espreita atrás dela, cutucando seu cotovelo com o focinho e soltando ganidos em busca de atenção.

– Cozinha – repeti para Jenny, que já estava reunindo todo mundo. – Menos você – falei, segurando o Jovem Ian pelo braço.

– Vou só subir para ver tio Jamie – protestou ele, fazendo um gesto na direção da escada.

– Ah, ótimo – falei e abri um sorriso. – Era o que eu queria que fizesse. Só quero estar presente quando ele o vir. Mas espere um segundinho só…

O pano xadrez cobria a porta do consultório e não escutei vozes do outro lado. Levantei o pano o suficiente para pôr a cabeça lá dentro e vi o capitão, aparentemente cochilando em cima da mesa, e Elspeth dormindo em uma cadeira grande, com a cabeça caída para trás e os cabelos grisalhos compridos soltos dos grampos escorrendo quase até o chão.

Coitados, pensei, mas pelo menos podiam esperar alguns instantes.

A porta do quarto estava fechada e bati de leve. Antes de abri-la, porém, uma voz de homem firme falou do outro lado:

– Estou mijando, Frances, e não preciso de ajuda! Vá até a despensa fria e traga um pouco de leite, sim?

O jovem Ian girou a maçaneta e abriu a porta, revelando Jamie sentado em um dos lados da cama de camisa, com os lençóis amarfanhados e jogados para o lado.

Ele *não* estava usando o penico, mas se achava pálido e suado, com os punhos cerrados apoiados com força no colchão de um lado e outro após pelo visto ter tentado se levantar mas não ter conseguido ficar em pé.

– Mentindo para menininhas, tio? – perguntou Ian com um sorriso. – Ouvi dizer que se pode ir para o inferno por esse tipo de coisa.

– E para onde *você* acha que vai? – perguntei para Jamie.

Ele não respondeu. Acho que nem me ouviu. Seu rosto se inundou de deleite ao ver Ian e ele se levantou. Então seus olhos se reviraram e ele ficou branco feito um fantasma e caiu com um baque que fez o chão tremer.

Jamie recobrou os sentidos na cama rodeado por várias mulheres, todas de cenho franzido para ele. Uma dor forte vinha de seu peito, onde Claire refazia alguns dos pontos que tinham se soltado na queda, mas sua felicidade era demasiado grande para se importar fosse com a agulha, fosse com a bronca que estava prestes a levar.

– Então vocês voltaram – disse ele, sorrindo para a irmã e então para Rachel, em pé ao lado de Jenny. – Como vai o pequeno?

– *Bonnie* – garantiu ela. – Ou será que deveria ser *braw* quando se está falando de um menino?

– Acho que poderia ser as duas coisas – respondeu ele, balançando a mão para denotar dúvida. – *Braw* é mais usado para se referir a um bom caráter... valente, sabe? Coisa que tenho certeza de que o rapazinho deve ser, com os pais que tem... e *bonnie* quer dizer que ele é bonito de se olhar. E, se ele continuar parecido com você, menina... ai, meu Deus!

Claire tinha chegado ao final da sutura e, sem uma palavra de alerta, despejou uma caneca de solução desinfetante em cima da ferida aberta.

Sem dizer nada por não poder dizer as palavras que tinha na ponta da língua na frente de Rachel, Frances e Agnes, ele ofegou enquanto durou a ardência lancinante. As mulheres o encaravam com expressões que iam de empatia a uma severa condenação, mas todas, até mesmo Rachel, exibiam no rosto o tipo de superioridade que as mulheres costumavam exibir quando pensavam ter vantagem em relação a um homem.

– Onde está Ian? – perguntou ele, para evitar a reprimenda que viu subir aos lábios da esposa.

Um leve tremor provocado por um sentimento que ele não soube nomear percorreu as mulheres. Estariam elas achando graça? Ele franziu o cenho e olhou para cada uma. Ao chegar à irmã, ergueu as sobrancelhas. Jenny lhe sorriu e ele viu em sua expressão alívio e felicidade, embora seu rosto estivesse marcado de cansaço e cabelos despenteados escapassem da touca murcha.

– Foi lá fora falar com um homem que veio procurar você – disse ela. – Não sei o que ele...

Ele ouviu os passos de Ian subirem correndo a escada, dois ou três degraus de cada vez, e se esforçou para se sentar, o que provocou gritos de alarme nas mulheres.

– Deixe, Sassenach – falou, tirando o pano da mão de Claire. – Eu mesmo faço.

Ian entrou com uma carta na mão e uma expressão intrigada no rosto.

– Tio, o senhor estava esperando uma visita do sr. Partland? – perguntou.

– Estava – respondeu Jamie, desconfiado. – Por quê?

– Não acho que ele virá.

Ian lhe entregou a carta, escrita em um papel decente e lacrada com uma impressão digital sobre um pouco de cera de vela. Jamie rompeu o lacre e o que lhe restava de sangue fez formigar a linha do seu maxilar quando seu coração acelerou.

Para o coronel James Fraser, da Cordilheira dos Frasers, Carolina do Norte

Prezado senhor,

Escrevo para informar que, ao receber sua instrução do dia 10 do corrente, reuni um grupo de mais ou menos vinte homens e cavalguei na mesma hora até o Noventa e Seis, para ver se o cavalheiro pelo senhor mencionado estava lá e agindo de modo a causar algum mal.

Eu conhecia o cavalheiro de vista e, quando o avistei cavalgando pela estrada do Moinho da Pólvora com alguns homens, abordei-o e pedi para saber qual era seu destino. Ele me amaldiçoou com alguma veemência e disse que iria para o Inferno antes de me dizer qualquer coisa que não me dissesse respeito. Respondi que qualquer assunto envolvendo um grupo de homens armados a cavalo perto das minhas terras me dizia respeito e era melhor ele me revelar ali mesmo a verdade.

Ao ouvir isso, um dos seus homens, que eu também reconheci, sacou a pistola e disparou contra um dos meus, com quem ele tinha uma rixa de longa data por causa de uma mulher. O tiro errou o alvo, mas vários dos cavalos ficaram nervosos com o barulho e começaram a se agitar, de modo que foi difícil chegar perto dos sujeitos e atacá-los. O cavalheiro, ao tentar erguer seu fuzil para atirar em mim, teve o infortúnio de ser derrubado quando seu cavalo colidiu com outro e foi arrastado por alguma distância, pois o cavalo se assustou e ele ficou com o calcanhar da bota preso no estribo.

Ao ver isso, a maioria dos seus capangas fugiu e meus meninos conseguiram pegar três mais lentos do que os outros, assim como o cavalheiro, que resgatamos do seu apuro.

Mandei esses homens sob escolta para o sr. Cleveland, que exerce a função de agente de polícia no distrito, com um bilhete informando sobre o seu interesse.

Permaneço, senhor, seu mais humilde criado,

John Sevier

Jamie sorveu uma longa e lenta inspiração enquanto dobrava a carta bem direitinho e fechava os olhos, agradecendo silenciosamente a Deus. Então estava acabado. A Cordilheira por enquanto estava segura. Ian, Rachel e Jenny tinham voltado e mesmo que pelo visto faltasse amarrar algumas pontas soltas...

Ele abriu os olhos. Ian tinha acabado de dizer alguma coisa.

– O quê?

– Eu falei, tio, que tem uma pessoa que gostaria de vir prestar homenagem ao senhor – repetiu Ian, paciente. Seus olhos examinaram Jamie com um olhar crítico de avaliação. – Se o senhor estiver em condições de encontrá-la.

Jamie achou Silvia Hardman parecida com uma lasca de bordo: bela e sutil, mas fina, afiada e dura o suficiente para ser usada como agulha, contanto que alguém conseguisse abrir um furo em sua cabeça para passar a linha. Não achava que ninguém fosse conseguir, e pensar isso o fez sorrir.

O sorriso pareceu deixá-la mais à vontade, embora ela continuasse com cara de quem esperava ser devorada por um urso a qualquer momento. Parecia terrivelmente sozinha sem as filhas em volta e por impulso ele lhe estendeu a mão.

– Fico feliz em vê-la, amiga Silvia – falou suavemente. – Não quer vir se sentar a meu lado e tomar um pouco de vinho?

Ela olhou de um lado para outro, indecisa, mas então aquiesceu e foi se sentar ao lado da cama, embora só o tivesse encarado quando ele segurou sua mão.

Ficaram os dois sentados, ele recostado nos travesseiros e ela no banquinho, e passaram alguns instantes se entreolhando.

– Você não parece estar em estado muito melhor do que da última vez que o vi, amigo – disse ela por fim. Sua voz saiu rouca e ela pigarreou.

– Ah, eu vou ficar bem – disse ele, confortável. – Foram só algumas gotas de sangue derramado. Suas meninas vão bem?

Ela por fim sorriu, embora um sorriso trêmulo.

– Estão se afogando em panquecas com manteiga e mel – respondeu. – Acho que a esta altura já devem ter rebentado de tanto comer. – Ela hesitou alguns instantes, mas desabafou por fim: – Nem sei como agradecer, amigo, por ter me mandado seu sobrinho. Ele contou sobre meu... sobre a difícil situação em que nos encontrou?

– Não – respondeu Jamie em tom brando. – Isso importa? A senhora me recebeu sem perguntar nada e cuidou de mim... Não vai me deixar fazer o mesmo em troca?

Um rubor tomou conta do rosto de Silvia e ela baixou os olhos para os sapatos gastos. A lateral de um dos pés tinha se descosturado e ele pôde ver seu dedo mindinho encardido. Ela teria puxado a mão de volta, mas ele não quis soltar.

– Está querendo dizer que...?

– Estou querendo dizer que lhe ofereço o socorro e o abrigo de meu lar, exatamente como a senhora fez por mim. A senhora também esfregou o fogo do inferno em meu traseiro, é verdade, e com a graça de Deus não acho que necessite serviço. Mas espero que goste da Cordilheira e, caso lhe agrade, seria uma honra se a senhora aceitasse vir morar conosco.

O rubor se intensificou.

– Eu não poderia. Eu… eu seria um escândalo para seus colonos.

Ele arqueou uma sobrancelha.

– A senhora tinha planos de se levantar na Reunião e contar para todo mundo o que foi obrigada a fazer para impedir suas filhas de morrerem de fome?

Ela o encarou boquiaberta.

– Reunião? Há *amigos* aqui? – Pareceu querer se levantar e sair correndo, e ele apertou um pouco mais sua mão.

– Só Rachel – garantiu. – Mas temos uma Casa de Encontros e ela vai lá fazer a Reunião no primeiro dia com qualquer um que decida participar. Ela não vai ficar chocada, vai?

O rubor esvaneceu de leve nas faces magras.

– Não – admitiu ela e um minúsculo sorriso de pesar lhe moveu os lábios. – Ela já sabe o pior. Assim como seu sobrinho, sua irmã, toda a Reunião Anual da Filadélfia, Joseph Brant e não sei quantos indígenas mohawk.

– Bem, então – disse ele, soltando sua mão e dando nela alguns tapinhas – você está em casa, amiga.

117

FUNGOS, CASTORES E AS LINDAS ESTRELAS

Além de nossa apresentação cordial na encosta deslizada, eu mal vi o *sachem*. Fanny e Agnes estavam no cômodo que chamávamos de "quarto das crianças", Silvia e as meninas ocupavam o quarto de Brianna e Roger, e o terceiro dormitório do segundo andar era um quarto de hóspedes, embora fosse mais usado para pacientes que precisassem ficar mais tempo além de um pernoite. Eu tinha oferecido uma cama no sótão do terceiro andar, agora impermeabilizado e provido de paredes; podíamos prender couros ou pergaminhos untados com óleo em frente às janelas sem vidraças. Mas ele havia graciosamente recusado e dito que por enquanto ficaria com os lobos, pelo visto sua forma de se referir aos Murrays de modo geral. Não tive certeza se o que o atraía era ter Ian para conversar em mohawk… ou se era Jenny.

…

– Devo falar com ele? – perguntara Jamie a Ian uma semana ou duas depois da chegada do *sachem*.

Jamie havia me acompanhado em uma visita aos Crombies e tínhamos parado para passar o dia com Ian e Rachel na volta, encontrando o *sachem* sentado na cadeira de balanço da varanda vendo Jenny bater leitelho.

– Se estiver querendo saber se deve perguntar quais são as intenções dele, eu já perguntei – disse Ian. – Ele riu e contou para minha mãe. *Ela* também riu.

– Ah, então está bem – resmungou Jamie, mas olhou de esguelha para o *sachem*, que lhe abriu um alegre sorriso.

Ele se virou e disse algo para Jenny, que aquiesceu e continuou a bater. Então se levantou, desceu os degraus da varanda e veio em nossa direção.

– Honrada bruxa – falou, curvando-se. – Está com tempo livre?

– Sim – respondi, desconfiada. – Por quê?

– Encontrei uma coisa muito estranha... um *ohnekèren'ta*, mas um que não conheço. A senhora viria comigo dar uma olhada? Acho que ele tem alguma propriedade, mas não sei dizer se é boa ou má.

– Um cogumelo venenoso – disse Ian em resposta a meu olhar questionador. – Ou talvez comestível; eu não vi.

Jamie irradiava cautela, mas Ian meneou a cabeça para o tio.

Jamie deu de ombros e disse, em gaélico:

– Se ele estivesse tramando alguma coisa, a esta altura eu já saberia.

– Exato – disse o *sachem* com uma expressão radiante.

Jamie ergueu as sobrancelhas.

– O senhor fala *gàidhlig*?

– Não – respondeu o *sachem*. Ele olhou para Jenny por cima do ombro. – Mas talvez aprenda.

Ele me levou até o Poço do Santo, a nascente que tinha uma grande pedra branca na cabeceira.

– Quem é o santo desta nascente? – perguntou, ajoelhando-se no capim para beber com a mão em concha. – Em Londres escutei histórias sobre muitos santos. A senhora conhece aquele chamado Lourenço? Uma viúva me contou sobre ele. Foi assado vivo em uma grelha, mas ficou fazendo piada enquanto sua carne cozinhava e rachava e seu sangue fritava. Ele teria dado um bom mohawk – falou, em tom de aprovação.

– Imagino que sim – respondi, tentando afastar o pensamento de que aquela descrição específica deixava pouca dúvida de que ele já tinha visto *mesmo* alguém ser queimado vivo. Mas, afinal, eu também tinha... Engoli a saliva com mais força ainda. – Quanto ao santo deste poço... nas Terras Altas da Escócia um poço assim pertenceria ao… ahn… ao santo do lugar. Aqui imagino que seja apenas um ponto para as pessoas virem rezar, porque lhes recorda lugares parecidos na Escócia. Rezam para quem quer que possa ajudá-las.

– E a senhora acha que os mortos se importam com os vivos?

Hesitei por alguns instantes. Embora ignorasse por completo a mecânica dessa questão, não tinha a menor dúvida em relação ao que ele pensava.

– Acho, sim. A maioria dos escoceses das Terras Altas também acha. Eles têm uma relação íntima com os mortos. – Por curiosidade, perguntei: – E o senhor? Acha que os mortos se importam com os vivos?

– Alguns sim.

Ele se levantou e acenou para que eu o seguisse. O fungo em questão tinha brotado a curta distância dali, na fenda de um tronco de bétula morta. Era um grupo grande, os cogumelos individuais equilibrados em pés longos e delicados, tanto os chapéus pregueados quanto os pés de um tom vermelho-arroxeado perceptível.

– Já vi esses cogumelos antes – falei, juntando a saia para poder me agachar a seu lado junto ao tronco. – As pessoas os chamam de "capacetes de fadas sangrando", ou às vezes só de "pingos de sangue". – Na verdade, tinham o tom exato do sangue venoso e os pés, ao serem cortados, vertiam um líquido semelhante a sangue. – Não sei se são venenosos, mas não os daria a ninguém para comer.

Supondo que algum dos escoceses das Terras Altas que viviam na Cordilheira fosse provar um. Por terem sido criadas em um habitat carente de alimentos, no qual a aveia não era consumida só no desjejum, a maioria das pessoas mais velhas tinha profunda desconfiança de qualquer coisa de aspecto estranho ou desconhecido… em especial coisas de natureza vegetal.

– Não – disse o *sachem*, pensativo. – A seiva deles é pegajosa… como sangue de verdade, sabe? Já vi esse cogumelo ser usado para ajudar a fechar pequenas feridas, mas nunca vi animais os comerem. Nem mesmo porcos.

– Então o senhor os *conhece*?

– Ah, sim. O que eu nunca tinha visto antes é *isto aqui*.

Ele permaneceu agachado a meu lado e estendeu um dedo longo e ossudo para um trecho isolado dos cogumelos. Os chapéus tinham se aberto por completo, como diminutos guarda-chuvas, mas cada um deles exibia um adorno de cabeça emaranhado feito de finas hastes claras e levemente iridescentes, como se uma profusão de pequenas agulhas tivesse brotado de repente ali.

Não as toquei, mas peguei meus óculos para ver mais de perto.

O *sachem* sorriu para mim.

– Sabe aquelas grandes corujas? – perguntou, levando os indicadores esticados até atrás das orelhas. – Aquelas que piam *hu-hu* e então outra responde *hu*? Dá para ouvi-las melhor nos primeiros dias do inverno, que é quando se reproduzem.

– *Hu* – fiz com uma voz grave e me curvei mais para perto. Com a imagem mais em foco, podia com esforço distinguir minúsculos esporângios de formato esférico na ponta dos pés ou caules pequeninos. – Não sei como se chama, mas parece um parasita... O senhor sabe o que é um parasita?

Ele aquiesceu, grave.

– Estou vendo pequenas... pequenas coisas frutificando... aqui nas pontas – comentei. – Pode ser um tipo de fungo diferente que se alimenta dos maiores.

– Fungo – disse ele e repetiu alegremente a palavra: – Fungo. Que palavra agradável.

Eu sorri.

– Bom, é bem melhor do que "saprófito". Quer dizer que... eles não chegam a ser exatamente plantas, mas são seres vivos que se alimentam de coisas mortas.

Ele pestanejou e se virou para mim com ar especulativo.

– Todas as coisas vivas não vivem das mortas?

Isso *me* fez pestanejar.

– Bom... sim, suponho – falei devagar, e ele aquiesceu, satisfeito.

– Mesmo que a senhora engula ostras, que muitas vezes estão vivas quando consumidas, elas morrem muito rapidamente dentro de seu estômago.

– Que ideia mais desagradável – falei, e ele riu.

– O que significa estar morto? – perguntou ele.

Eu tinha me levantado e cruzado os braços, sentindo-me só um pouco perturbada.

– Por que está perguntando para *mim*?

Ele também tinha se levantado, mas estava bastante relaxado. Ao mesmo tempo, algo novo havia surgido em seus olhos. Continuavam animados, e sem dúvida alguma amigáveis, mas agora havia alguma outra coisa por trás, e senti as mãos subitamente frias.

– Irmão do Lobo disse a Thayendanegea que a esposa de seu tio era uma *wata'ènnaras*. Mas disse também que a senhora tinha viajado no tempo e caminhado com um fantasma mohawk. Irmão do Lobo não mente, assim como sua esposa quacre e sua virtuosa mãe, então creio que ele acha mesmo que a senhora fez isso.

Eu não sabia se naquelas circunstâncias a convicção dele era uma coisa boa ou não, mas consegui menear de leve a cabeça.

– É verdade.

Ele assentiu de volta para mim. Não estava surpreso, mas continuava interessado.

– Thayendanegea disse a Irmão do Lobo para me contar isso e ele contou. Por isso falei que viria junto quando ele voltou para cá. Para ouvir isso de sua boca e saber tudo mais que a senhora puder me dizer.

– Um pedido e tanto – falei. Estava com frio e ofegante, e meus ouvidos internos apitavam como depois de uma trovoada. – Vamos... vamos caminhar um pouco enquanto conto. Se o senhor não se importar.

Ele aquiesceu na hora e me ofereceu o braço vestido com uma camisa de algodão fino e todo cingido por pulseiras de prata com tanta elegância quanto lorde John ou Hal poderiam ter feito.

Apesar de meu incômodo, eu ri.

– Uma história contra outra. Eu conto o que aconteceu e o senhor me conta por que foi a Londres.

– Ah, essa é bem simples. – Ele me fez passar com todo o cuidado por um dos pequenos arroios de leito de cascalho que corriam por aquele trecho da montanha. – Eu fui porque Thayendanegea foi. Ele precisava de um amigo para conversar em um lugar estranho, alguém capaz de lhe dar conselhos, julgar os homens que encontrasse, protegê-lo em caso de perigo e, quem sabe, oferecer outra visão das coisas que vimos e escutamos.

– E *ele*, por que foi?

– O rei o convidou – disse o *sachem*. – Quando um rei convida você para algum lugar, em geral não é uma boa ideia recusar, a menos que já saiba que vai travar uma guerra contra ele. E isso não era algo que soubéssemos.

– Uma boa decisão – falei.

E fora mesmo, tanto por parte do rei quanto de Brant. O rei, ou pelo menos o governo, queria manter os indígenas do seu lado para ajudar a sufocar uma rebelião incipiente. E Brant, naturalmente, gostaria de estar do lado vitorioso dessa rebelião, e naquele momento não se podia negar que os britânicos pareciam a melhor aposta.

Tínhamos chegado a um terreno plano e fui na frente até uma trilha que descia suavemente em direção ao laguinho onde pescávamos trutas.

– Então – falei e inspirei fundo. – Era uma noite escura de tempestade. Não é assim que em geral começam as histórias de fantasmas?

– Seu povo conta histórias desse tipo com frequência? – Ele fez a pergunta em tom bastante espantado e olhei por cima do ombro. A trilha naquele ponto tinha se estreitado e ele estava caminhando atrás de mim.

– Histórias de fantasmas? Sim, o seu não?

– Sim, mas em geral não começam assim. Conte-me o que aconteceu depois.

Eu contei. Contei tudo, desde como havia ficado presa na montanha em uma noite de tempestade até quando deparei com Dente de Lontra; o que tinha lhe dito e ele a mim. Com alguma hesitação, contei como tinha encontrado o crânio de Dente de Lontra e a opala que ele guardara como passagem de volta, sua garantia de um retorno seguro pelas pedras.

E então, claro, tive que contar sobre as *pedras*. É muito difícil uma pessoa que possui pregas epicânticas arregalar os olhos, mas ele bem que tentou.

– E o motivo pelo qual eu sabia que o fantasma… eu só soube o nome dele muito depois… o motivo pelo qual sabia que era do meu, ahn, da minha época era porque os dentes dele tinham obturações de prata: um metal que se põe dentro do dente para fortalecê-lo depois da remoção de um pedaço cariado. Isso não se faz hoje em dia e só vai se tornar comum depois de... esqueci quando, mas daqui a mais de ... digamos, daqui a duas ou três gerações. Mas olhe aqui...

Abri a boca e me inclinei na direção dele, afastando a bochecha com um dedo para ele poder ver meus molares. Ele se abaixou e espiou dentro da minha boca.

– Seu hálito é agradável – disse ele, educado, e se endireitou. – Como ficou sabendo o nome dele? Ele voltou para contar?

– Não. Ele deixou um diário que tinha escrito enquanto morava com os mohawks perto de Snaketown. Seu nome inglês era Robert Springer, mas ele tinha adotado o nome "Ta'wineonawira". O senhor lê latim?

Ele riu, o que aliviou um pouco a tensão.

– Eu tenho cara de padre?

Isso me espantou um pouco.

– E por acaso não é? Ou algo parecido? Um... um curandeiro? – Eu tinha vagas lembranças de Ian me falar sobre a Sociedade do Rosto Falso, curandeiros que se reuniam para rezar e cantar à cabeceira de um doente.

– Bem, não.

Ele esfregou o nó dos dedos de leve no lábio superior e pensei que estivesse pela primeira vez tentando *não* rir de mim. Mas não; ele estava apenas decidindo o que dizer.

– A senhora não sabe o que significa a palavra *sachem*?

– Muito evidentemente que não – falei, um pouco irritada. – O que significa?

Ele se empertigou de modo quase inconsciente.

– Um *sachem* é um ancião do povo. Pode aconselhar e conduzir um grande número de pessoas de seu povo. Eu fiz isso.

Bom, isso explicava sua autoconfiança.

– Por que o senhor não é mais *sachem*?

– Eu morri – respondeu ele.

– Ah.

Olhei em volta. Tínhamos chegado ao laguinho de trutas, que cintilava com um brilho frio cor de bronze; o sol estava baixando e a floresta à nossa volta era formada sobretudo por pinheiros e bétulas, que se destacavam escuros contra o céu. Não havia sinal de habitação humana. Inspirei fundo o vento e a noite que se aproximava. Tinha segurado o braço dele ao descer o morro; sua carne era quente e rija, e eu pudera sentir a dureza dos ossos.

– O senhor não é um fantasma, é? – perguntei, e estranhamente pensei que teria acreditado em qualquer uma das duas respostas.

Ele me encarou por vários instantes antes de responder.

– Eu não sei – falou.

Encontramos um tronco caído e nos sentamos. Do outro lado do laguinho, uma família de castores tinha construído uma toca para represar o pequeno córrego que saía dele. Pude ver um dos animais no alto da toca e o contorno de sua silhueta atarracada na contraluz, a cabeça erguida na brisa.

– Jamie disse que eles saem principalmente à noite – falei, meneando a cabeça para o castor. – Mas nós os vemos com frequência de dia também.

– Eles se sentem seguros, imagino. Não ouvi muitos lobos. Tirando o pequeno Hunter. Ele uiva bem, mas ainda não tem tamanho suficiente para caçar castores. E seus pais não o deixam sair à noite.

– Ha-ha – fiz eu, educada. – Como o senhor morreu? Em um acidente?

Ele sorriu para mim, exibindo dentes gastos mas quase todos presentes.

– Poucas pessoas morrem de propósito. Uma cobra me picou.

Ele arregaçou a manga esquerda e me mostrou a cicatriz na parte interna do braço: uma concavidade na carne, profunda e irregular, com uns 5 centímetros de comprimento. Segurei sua mão e a virei para olhar melhor. Ele era muito esguio e estava bem hidratado: os vasos sanguíneos maiores eram claramente visíveis sob a pele.

– Meu Deus, ela parece ter picado o senhor bem na artéria radial. Que tipo de cobra era?

– Vocês chamariam de cascavel. – Ele não tirou minha mão, mas pôs a dele por cima. – Eu soube na mesma hora que ela tinha me matado: senti uma dor imensa no braço e, um segundo depois, senti o veneno atingir meu coração feito uma flecha. Fiquei com calor, depois com tanto frio que comecei a bater os dentes apesar de o dia estar quente. Minha visão escureceu e me encolhi feito uma minhoca, torcendo para aquilo não durar muito.

Tinha durado três dias e três noites.

– Não foi agradável – garantiu ele. – A Sociedade do Rosto Falso apareceu e eles puseram emplastros na ferida e dançaram… Até hoje às vezes vejo seus pés quando sonho: mocassins se arrastando em frente a meu rosto, um depois do outro, sem parar… e as máscaras curvadas acima de mim, um pequeno tambor tocando; ouço isso às vezes também, e meu coração irregular, parando e recomeçando a bater, e os tambores tocando sem parar…

Ele se calou por alguns instantes e eu segurei sua mão. Pouco depois ele inspirou fundo e olhou para mim.

– E eu morri – falou. – Foi no meio da terceira noite. Devia estar dormindo quando aconteceu, porque me vi em pé junto à porta da cabana, olhando para a floresta do lado de fora e vendo as estrelas… estrelas como nunca tinha visto antes nem vi depois – acrescentou. – Foi muito tranquilo, muito lindo.

– Eu sei – falei, no mesmo tom suave. Passamos alguns momentos sentados juntos, recordando.

O castor escorregou pela lateral da toca e saiu nadando, desenhando uma flecha de água escura no lago cintilante, e o *sachem* deu um suspiro e soltou minha mão.

– Fui andando… acho que se chamaria aquilo de andar, embora não parecesse ter pés... mas entrei andando na mata e me afastei de tudo. Estava a caminho de algum lugar, mas não sabia de onde. Então encontrei minha segunda esposa. – Ele fez uma pausa e uma expressão calorosa de anseio lhe iluminou o rosto. – Ela me disse que estava feliz em me ver e que iria me ver de novo, mas não ainda. Ainda não era minha hora de ir. Havia coisas que eu precisava fazer; eu tinha que voltar. Eu não quis, na verdade. Queria ir com ela em direção ao... – Ele se interrompeu e deu de ombros. – Mas voltei. Quando acordei, estava na cabana dos remédios e meu braço doía muito, mas estava vivo. Disseram-me que eu tinha passado horas morto e as pessoas ficaram chocadas. Eu... me conformei.

– Mas não era a mesma pessoa de antes – falei.

– Não. Eu disse aos outros que não era mais o *sachem*; podia ver que meu sobrinho era capaz de conduzir homens em combate e seria seu conselheiro. Quem deveria liderá-los agora era ele.

– E agora... o senhor vê fantasmas?

Jenny me contara o que ele tinha dito sobre Ian Pai e sua perna. *Fiquei com os pelos do corpo inteiro arrepiados*, dissera-me ela, e senti minha nuca formigar.

– Agora eu vejo fantasmas – disse ele, um tanto pragmático.

– O tempo inteiro?

– Não, e ainda bem. Mas aparecem de vez em quando. A maior parte das vezes não têm nada a ver comigo nem eu com eles, e passam por mim feito um clarão. Mas pensando bem...

Ele me observava de um jeito pensativo que fez mais alguns pelos meus se arrepiarem.

– Eu... tenho algum fantasma perto de mim? – perguntei, torcendo para aquilo não ser como ter pulgas.

Ele inclinou a cabeça para o lado, como se estivesse me inspecionando.

– A senhora põe as mãos em muita gente, para tentar curar as pessoas. Algumas morrem, claro, e acho que algumas dessas a seguem por um tempo. Mas elas encontram seu caminho e a deixam. A senhora às vezes tem perto de si uma criança pequena, mas ela é muito tênue. O único outro que já vi com a senhora mais de uma vez é um homem. Ele usa óculos. – O *sachem* traçou círculos com os polegares e dedos médios e os suspendeu até os olhos para imitar óculos. – E um chapéu esquisito, de aba curta. Acho que ele deve ser de seu lugar, do outro lado das pedras, porque nunca vi nada assim.

Eu sinceramente pensei que estivesse infartando. Senti uma pressão enorme no peito e fiquei sem conseguir respirar. Mas o *sachem* tocou meu braço e a pressão diminuiu.

– A senhora não deveria se preocupar – garantiu. – É um homem que a amou. Ele não tem intenção de fazer mal.

– Ah, que bom! – Eu estava suando frio e tateei com a mão para pegar um lenço. Estava enxugando o rosto e o pescoço com ele quando o *sachem* se levantou e me estendeu a mão.

– O estranho… – disse ele enquanto eu me levantava – … é que esse homem muitas vezes segue seu marido também.

Ao chegar de volta em casa, fui direto para o escritório de Jamie. Ele não estava lá: tinha ido ver como andavam as operações na destilaria, como fazia duas vezes por semana. Não ouvi ninguém mais em casa, mas me peguei andando de mansinho feito um gato larápio e me perguntei quem queria pegar de surpresa. A resposta para isso era evidente, e retomei meu passo firme normal, deixando os ecos reverberarem onde quisessem.

O livro continuava atrás dos registros. Virei-o com a nítida sensação de que ele poderia explodir ou a fotografia saltar da quarta capa e me abordar. Nada aconteceu, porém, e a fotografia seguiu sendo… apenas uma fotografia. Certamente era uma imagem de Frank, bem parecida com a lembrança que eu tinha dele, mas não senti sua presença. Assim que esse pensamento me ocorreu, olhei por cima do ombro. Não havia nada ali.

Você saberia se houvesse? Esse pensamento fez meus braços se arrepiarem.

– Saberia – falei com firmeza, em voz alta, e levei o livro até a janela para o sol o iluminar. Frank estava com seus óculos de armação preta de sempre… mas não de chapéu.

– Bem, supondo que ele esteja certo – falei para a imagem em tom de acusação –, por que você está me seguindo *ou* seguindo Jamie por aí?

Sem obter resposta para essa pergunta, sentei-me na cadeira de Jamie.

O *sachem* tinha dito que Frank era "um homem que tinha me amado", sempre supondo que fosse *mesmo* Frank que ele via, embora eu estivesse começando a ter certeza desse fato. *Tinha amado*, no pretérito. Isso me fez sentir uma pontada dupla: em parte perda, em parte tranquilidade. Então com certeza o ciúme post-mortem não era um problema, certo? Mas se não era…

Mas você nem sabe se Jamie está certo *em relação a esse maldito livro!*

Abri o volume, li uma página sem absorver uma palavra sequer do conteúdo e tornei a fechá-lo. Pouco importava, droga. Má ou não, se a intenção de Frank era apenas fruto da imaginação de Jamie, estimulada pela pressão dos atuais acontecimentos ou pelos efeitos de um sentimento equivocado de culpa… Jamie pensava o que pensava e nada diferente de uma Revelação Divina tinha qualquer probabilidade de mudar isso.

Fechei os olhos e permaneci sentada. Ainda não tínhamos um relógio, mas podia ouvir os segundos passarem. Meu corpo tinha uma forma própria de contar o tempo: as batidas do coração e a pulsação do sangue, a maré baixa e a maré cheia do sono e da vigília. Se o tempo era eterno, por que eu também não seria? Ou talvez nós só nos tornássemos eternos quando parávamos de contar o tempo.

Eu já tinha quase morrido três vezes: ao abortar Faith, ao ter uma febre grave e ao levar um tiro em Monmouth… há apenas um ano! Não que eu não me lembrasse, mas minha recordação se limitava a pequenos e vívidos clarões de cada experiência. Sentia uma grande calma ao pensar na morte. Não era algo que eu temesse; só não queria partir enquanto houvesse pessoas que precisavam de mim.

Jamie tinha chegado às portas da morte com mais frequência e com muito mais violência do que eu, e eu também não achava que ele a temesse.

Mas ainda tem gente que precisa de você, *droga!*

Pensar nisso me deu raiva, tanto de Frank quanto de Jamie, e me levantei e enfiei o livro de volta atrás dos registros. Mesmo sem relógio, sabia que estava quase na hora do jantar. Estava no meio da preparação de uma espécie de sopa feita com batatas, cebolas e um pouco de milho seco, mas não estava lá muito bom… Toucinho defumado! Sim, com certeza isso ajudaria.

Estava saindo do barracão de defumar com várias fatias em um prato quando alguns pensamentos a que eu estava decidida a não dar atenção borbulharam até a superfície. Bree tinha falado comigo sobre a carta que Frank lhe deixara, e com Jamie também. Uma carta perturbadora em vários níveis. Mas o que ecoava no presente momento bem no fundo de minha mente era seu último parágrafo:

> *E… tem ele. Claire me contou que Fraser a mandou de volta sabendo que eu as protegeria. Ela achava que ele tinha morrido logo em seguida. Não morreu. Procurei por ele, e o encontrei. E, tal qual ele fez, pode ser que eu a mande de volta sabendo que ele irá protegê-la com a própria vida.*

Pela primeira vez me ocorreu que, se Jamie tivesse razão e Frank estivesse tentando lhe dizer alguma coisa, talvez não fosse uma ameaça, e sim um alerta.

118

A VISCONDESSA

Savannah

Ao chegar a Savannah, William não foi direto para a casa de lorde John. Em vez disso, parou em um barbeiro da Bay Street para um barbear de que estava muito necessitado e para mandar também aparar e prender direito os cabelos. Era o máximo que podia fazer por enquanto, além de desenterrar uma camisa parcialmente limpa do alforje e trocar de roupa na barbearia. Com o rosto sensível e ardido por causa da navalha e da loção pós-barba, e consciente do mau cheiro que exalava por baixo da fragrância, ele deixou seu cavalo em uma cocheira de aluguel e foi a pé até a

Oglethorpe Street. Após alguns instantes de reflexão, deu a volta na casa do pai e entrou no anexo da cozinha dos fundos.

Lorde John tinha saído com o irmão para ir ao acampamento, informou-lhe a cozinheira, espantada. E a viscondessa? Na sala bordando.

– Obrigado – disse ele e entrou na casa, não sem antes parar rapidamente para chutar o degrau com a bota na tentativa de remover parte da crosta de lama.

Não fez qualquer esforço para disfarçar o barulho dos próprios passos: suas botas bateram no forro de chão pintado do corredor com os mesmos baques compassados de um tambor surdo. Quando chegou à porta da sala, ela estava sentada com as costas muito retas e os olhos arregalados, segurando um pedaço grande de seda branca parcialmente bordada que lhe escorria do colo e uma agulha com um fio vermelho parada na mão.

– William – disse ela e inclinou a cabeça para o lado.

Não sorriu, ele tampouco. William se apoiou no batente e cruzou os braços.

– Eu o encontrei.

Ela o encarou por algum tempo, então balançou a cabeça com violência, como se tivesse sido alvo de um ataque de moscas.

– Onde? – perguntou com a voz um pouco rouca, e ele viu que sua mão livre tinha se fechado em volta da seda e a amassado.

– Em um lugar chamado Morristown. Fica em Nova Jersey.

– Encontrou o túmulo dele? O túmulo fica em Nova Jersey? Mas você disse que ele não estava dentro…

– Ele com certeza não está em um túmulo – garantiu William, sem tentar esconder o cinismo no tom de voz.

– Quer dizer então… que ele está vivo?

Ela manteve a expressão sob controle, mas suas bochechas estavam rosadas, não brancas, e ele pôde ver os pensamentos zunindo feito peixinhos no fundo de seus olhos furta-cor.

– Ah, está. Mas isso você já sabia. – Ele a observou por alguns instantes antes de arrematar: – Ele agora é general. General Raphael Bleeker. *Isso* você sabia?

Ela inspirou, uma inspiração demorada e lenta, sem tirar os olhos de William.

– Não – respondeu por fim. – Mas não me espanta. – Seus lábios se comprimiram por um instante. – Então ele está com Washington. Pai Pardloe disse que os rebeldes tinham passado o inverno aquartelados em Nova Jersey.

Ela havia largado a seda, que deslizou até o chão, esquecida. Levantou-se abruptamente, com os punhos cerrados, e se virou de costas para ele.

– Ele disse que a ideia foi sua – disse William, brando. – De fingir que tinha morrido.

– Eu não pude impedi-lo. – Ela falou com o papel de parede amarelo Toile de Jouy, entre dentes a julgar pelo som. – Implorei para não fazer isso. *Implorei*. – Ela se virou e o fuzilou com o olhar. – Mas você sabe como são esses seus Greys. Depois de uma decisão tomada, nada mais importa… nada. Nem ninguém.

– Eu não diria isso – retrucou William. Seu coração tinha desacelerado um pouco desde que a vira pela primeira vez, mas estava batendo forte outra vez. – É verdade que não se pode fazê-los mudar de opinião… mas às vezes eles se importam. Ben se importava com você.

William tinha hematomas para provar o que dizia.

E ainda se importa. Não disse isso em voz alta, mas viu pela expressão dela que não era preciso.

– Não o suficiente – disse ela, sucinta, embora houvesse um ligeiro tremor em sua voz. – *Nem de longe* o suficiente. Foi só quando disse a ele o que isso faria com Trevor… ter um pai traidor, que ele aceitou sumir discretamente em vez de ter uma briga homérica com o pai e sair marchando rumo à glória com seus preciosos rebeldes. Era o que teria gostado de fazer – acrescentou, com um tremor da boca que poderia ter sido de amargura ou então de relutante bom humor.

Um silêncio momentâneo se fez na sala. William podia ouvir passos em algum lugar do andar de cima e gritos abafados que sem dúvida deviam ser de Trevor. Os olhos de Amaranthus se moveram para cima por uma fração de segundo, mas ela não se mexeu. Instantes depois, os passos chegaram ao menino, pois a gritaria cessou de modo abrupto. Os ombros de Amaranthus relaxaram um pouco e ele reparou pela primeira vez que ela usava um vestido azul-escuro e sem xale no decote, de modo que a curva dos seios generosos se destacava branca acima do tecido.

Ela o viu reparar e o encarou com um olhar direto.

– Eu *queria* um covarde, sabe? Um homem que fosse ficar longe do perigo, do sangue e dessas coisas todas.

– E achou que eu poderia ser um? – Mais do que ofendido, ele estava curioso.

Ela soltou um bufido e fez que não com a cabeça.

– No começo. Tio John disse que você tinha renunciado a seu cargo de oficial e eu podia ver que tanto ele quanto pai Pardloe estavam incomodados com isso.

– Imagino que sim – disse William, tomando cuidado para não deixar nada transparecer na voz.

– Mas não levei muito tempo para ver o que você era. Ainda é. – Os punhos dela tinham relaxado aos poucos e uma das mãos dobrou distraidamente o pano da saia.

Ele quis perguntar o que ela pensava que ele *fosse*, mas isso podia esperar.

– Preciso contar para tio Hal sobre Ben – falou em tom firme. – Quero dizer, ele precisa saber que Ben está vivo e onde está… e o que ele é. Mas talvez não precise saber que… que você sabia.

Não tinha pensado sequer por um instante em esconder de tio Hal o que ela sabia sobre Ben até ouvir as palavras saírem da própria boca.

A expressão dela se transformou, como uma gota de mercúrio, e ela tornou a virar as costas e ficou rígida feito um manequim. Ele teve a impressão de ver seu coração batendo, o corpete azul justo estremecendo muito de leve nas costas.

Deu-se conta de repente de que agora quem estava com os punhos cerrados era *ele* e se obrigou a relaxar. Uma gota de suor escorreu por trás de seu pescoço. A lareira estava acesa e fazia calor na sala. Um leve perfume de loção pós-barba continuava presente em meio aos aromas de madeira queimada e cera de vela.

Ela produziu um soluço abafado, cruzou os braços e começou a abraçar convulsivamente o próprio corpo.

Hesitante, ele deu um passo em sua direção, mas se deteve. O que tio Hal poderia fazer caso se inteirasse de sua duplicidade? Imaginava que o tio pudesse ser capaz de lhe tirar Trevor e mandá-la embora…

– Eles vão enforcá-lo – sussurrou ela, tão baixinho que por um instante ele só escutou seu tom de angústia.

Essa angústia o fez pôr as mãos em seus ombros. Um calafrio profundo a percorreu, como se ela estivesse derretendo por dentro, e William a abraçou.

– Não vão, não – sussurrou em seus cabelos, mas ela balançou a cabeça e o calafrio não cessou.

– Vão, sim. Eu os ouvi falando… os oficiais, os políticos, os… os *imbecis* nas festas… se gabando de pensar em Washington e seus generais pendurados em um cadaf-falso. – Ela sorveu uma inspiração funda e dilacerante. – Como frutas podres. É isso que eles sempre dizem… como frutas podres.

A barriga de William se contraiu e seus braços também.

– Então você ainda o ama – disse ele baixinho depois do que pareceu ser muito tempo.

A cabeça dela se encaixava direitinho sob seu queixo. William podia sentir o calor que emanava dela e cheirar seus cabelos; ela estava usando a colônia italiana de seu pai. Fechou os olhos e ficou respirando, uma inspiração após outra, enquanto imaginava arvoredos de cedros, olivais e o sol batendo em uma pedra antiga.

E água pingando em um jardim, e os olhos negros reluzentes de um sapo…

Um segundo depois, a porta se abriu.

– Ah, William – disse lorde John com voz suave. – Você voltou então.

William ainda ficou parado mais um instante com os braços ao redor de Amaranthus. Não sentiu culpa por causa disso – bem, não exatamente – e se recusou a agir como se estivesse sentindo. Deu um passo para trás e apertou os braços dela em um gesto de apoio antes de se virar para encarar o pai.

Lorde John trajava seu uniforme diurno completo, com o chapéu em uma das mãos. Parecia calmo e agradável, mas seus olhos tiravam conclusões, e provavelmente conclusões erradas.

– Encontrei Ben – disse William, e o olhar de seu pai se aguçou no mesmo instante. – Ele está vivo e se aliou aos americanos. Sob nome falso – acrescentou.

– Obrigado, senhor, pelas pequenas bênçãos – disse lorde John, parcialmente entre dentes, então jogou o chapéu sobre uma das cadeiras folheadas a ouro e foi até Amaranthus, que continuava de frente para a parede com a cabeça abaixada. Seus ombros tremiam.

– Você deveria se sentar, minha cara. – Ele a segurou com firmeza pelo antebraço e a fez se virar. – William, diga à cozinheira que queremos um pouco de chá e algo para comer, por favor. Vai se sentir melhor com alguma coisa na barriga – disse a Amaranthus enquanto a conduzia até o canapé.

Ela estava da mesma cor de creme inglês e tinha os cílios baixados... para esconder o olhar revelador, pensou William com cinismo. Não estava chorando; não havia lágrimas em seu rosto. Ele nunca a vira chorar e se perguntou por um instante se ela seria capaz.

– Onde está tio Hal? – perguntou, detendo-se na soleira. – Devo chamá-lo?

Amaranthus arquejou como se ele tivesse lhe dado um soco no estômago e ergueu os olhos, atarantada. Seu pai reagiu mais ou menos da mesma forma, embora de modo mais estoico e militar.

– Meu Deus – murmurou William.

Ficou parado por alguns instantes, pensando, então se sacudiu para recobrar a compostura.

– Ele está a caminho de Charles Town – disse lorde John e soltou um suspiro. – Foi inspecionar as fortificações. Volta daqui a uma semana ou duas.

William e lorde John trocaram um breve olhar, voltaram-se juntos para Amaranthus, então novamente um para o outro.

– Eu... eu não acho que seja uma notícia com prazo de validade – comentou William, sem jeito. – Vou... vou avisar à cozinheira sobre o chá.

– Espere.

A voz de Amaranthus o deteve na porta e ele se virou. Ela continuava lívida e suas mãos estavam unidas logo abaixo dos seios, como se quisessem impedir o coração de escapar. Mas havia recuperado o autocontrole e sua voz tremeu apenas de leve quando concentrou o olhar em lorde John.

– Tio John, eu preciso falar uma coisa.

– Não – disse William depressa. – Não precisa dizer nada agora, prima. Só... só descanse um pouco. Você sofreu um choque. Todos nós sofremos.

– Não – retrucou ela e balançou de leve a cabeça, tirando alguns fios louros do lugar. – Eu preciso, sim.

Fez um esforço para lhe sorrir, mas o efeito foi um tanto medonho. O coração do próprio William parecia uma pedra dentro do peito, mas ele deu o melhor de si para sorrir de volta.

Lorde John esfregou o rosto com a mão, então foi até o aparador, onde pegou uma garrafa e a experimentou com uma sacudidela. O líquido chacoalhou de forma reconfortante.

– Sente-se, William – disse ele. – O chá pode esperar. O conhaque, não.

William se perguntou qual seria a quantidade anual exata de conhaque consumida por seu pai e seu tio. Além das funções sociais, o conhaque era o primeiro recurso habitual de ambos quando confrontados com crises de natureza física, política ou emocional. E, considerando sua profissão em comum, essas crises tendiam a ocorrer com regularidade. A primeira lembrança que William tinha de beber conhaque vinha de seus 5 anos ou algo assim, quando havia escalado a escada do estábulo para subir no lombo do cavalo de lorde John em sua baia, algo que era proibido de fazer. Na ocasião, ele tinha sido jogado no chão pelo cavalo assustado, chocando-se contra a parede do fundo da baia e afundando atordoado no feno entre os cascos traseiros do animal.

O cavalo havia sapateado, tentando evitar pisoteá-lo, como ele compreendeu mais tarde. Mesmo assim, lembrava-se dos imensos cascos negros aterrissando tão perto de sua cabeça que pôde ver os pregos das ferraduras. Um deles havia acertado de raspão sua bochecha. Quando conseguira reunir fôlego suficiente para gritar, formara-se uma grande agitação. Seu pai e Mac, o cavalariço, tinham entrado correndo no estábulo em meio a uma barulheira de botas chamando seu nome.

Mac havia entrado de gatinhas na baia, falando calmamente com o cavalo, e puxara William para fora pelos pés. Depois disso, lorde John fez uma verificação rápida, à procura de sangue e ossos quebrados. Ao constatar que não havia nada de errado, deu-lhe uma boa palmada no traseiro, sacou um pequeno cantil e o fez tomar um gole de conhaque por causa do choque. O conhaque tinha sido um choque quase tão grande quanto, mas, depois que parou de chiar e tossir, até que se sentiu melhor.

Na verdade, sentia-se um pouco melhor agora, ao terminar seu segundo copo. O pai reparou que seu copo estava quase vazio e, sem perguntar nada, pegou a garrafa, tornou a enchê-lo e fez o mesmo com o seu.

Amaranthus mal tinha tomado um golinho de seu conhaque. Estava sentada com as mãos em volta do pequeno cálice. Continuava pálida, mas havia parado de tremer e parecia ter recuperado parte do autocontrole habitual.

William notou que o pai também a observava e, embora um pequeno formigamento de apreensão lhe descesse pela espinha, percebeu que aquela sensação de calma reconquistada tinha a ver tanto com a presença de lorde John quanto com seu conhaque. O que quer que estivesse prestes a acontecer, papai ajudaria a administrar, e isso era um alívio imenso.

Amaranthus também parecia pensar assim, pois pousou seu cálice com um leve *tlim* e, endireitando as costas, encarou em cheio lorde John.

– É verdade – falou. – Eu contei a William o que sabia sobre Ben... quero dizer, acabei de contar. Ele antes não sabia. Foi isso mesmo que aconteceu.

Ela sorveu uma golfada visível de ar, mas, ao não encontrar outras palavras com as quais expeli-lo, expirou ruidosamente pelo nariz e tomou mais um minúsculo gole de conhaque.

– Entendi – disse lorde John devagar. Ficou girando o cálice de um lado para outro entre as mãos enquanto pensava. – E imagino que tenha tido medo de nos contar... ou melhor, de contar para Hal porque achava que ele poderia não acreditar em você.

Amaranthus fez que não com a cabeça.

– Não – disse ela. – Eu não quis contar por medo de ele *acreditar* em mim. – O azul-escuro de seu vestido havia transformado seus olhos em um azul claro e límpido. *O retrato da sinceridade*, pensou William. O que não significava que ela estivesse mentindo. Não necessariamente. – Ben tinha me contado muitas coisas sobre a família depois de nos conhecermos. Sobre a mãe e sobre os... irmãos, e sobre o senhor. E sobre o duque. – Ela engoliu em seco. – Quando Ben decidiu... quando decidiu fazer o que fez, mandou me chamar. Eu fui ao seu encontro na Filadélfia. Adam estava lá com sir Henry e Ben pretendia contar para ele também... para Adam, digo, não para sir Henry.

– É mesmo.

Não foi uma pergunta. Lorde John tinha os olhos fixos no rosto de Amaranthus. Era uma expressão agradável, mas William reconheceu nela a mesma de quando o pai jogava xadrez, visualizando rapidamente as possibilidades e as descartando com a mesma rapidez.

– Ben e Adam... brigaram. – Ela baixou os olhos e William viu suas mãos se fecharem por um instante, como se preferisse ter entrado naquela briga. *Provavelmente ela teria*, pensou, consciente, apesar de tudo, de um leve bom humor. – Trocaram socos. Eu não estava presente, ou os teria impedido – emendou, levantando a cabeça com ar de quem pede desculpas. – Mas, quando foi me ver depois, Ben parecia ter lutado alguns rounds com um boxeador profissional.

O canto de sua boca estremeceu.

– Você já viu uma luta de boxe profissional? – perguntou lorde John, distraído da conversa.

Ela pareceu surpresa, mas aquiesceu.

– Já. Uma vez. Em um celeiro de boxe em Connecticut.

– Bem, eu não achava mesmo que você fosse fresca – comentou papai, abrindo um sorriso.

– Não – disse ela, dando por sua vez um pequeno sorriso de pesar. – Benjamin dizia que eu era dura feito couro de sapato... embora não estivesse dizendo isso como um elogio. – Nesse momento, ela reparou no copo pela metade, pegou-o e tomou um grande gole. – Enfim... – falou, rouca, tornando a pousar o copo. – Ele tinha me contado sobre o pai e, depois da briga com Adam, contou muitas coisas sobre o duque, e que seria bem feito para o velho quando Washington lhe desse uma esfrega em combate, e como o duque ficaria desnorteado ao se dar conta de que o maldito herdeiro tinha... me perdoe – emendou ela em tom contrito. – Estou citando Ben, entende?

– Foi o que imaginei – retrucou lorde John. – Mas quando disse ter medo de Hal *acreditar* se contasse sobre Ben...?

– O que o senhor acha que ele teria feito? – perguntou ela. – Ou melhor, o que acha que *vai* fazer se eu... se eu contar?

Ela havia começado a empalidecer outra vez e William se inclinou para a frente, arrebatou a garrafa e completou seu copo. Sem perguntar nada, tornou a encher também o copo do pai e, em seguida, despejou no seu a borra que restara no fundo da garrafa.

Lorde John deu um suspiro profundo, pegou o copo e tomou tudo de um gole só.

– Para ser sincero, não sei o que ele *faria*. Mas sei como se sentiria.

Fez-se um breve silêncio. William sentiu que alguém precisava dizer alguma coisa.

– Você está querendo dizer que achou que, se contasse ao duque a verdade sobre Ben, ele poderia ficar tão transtornado... tão insanamente zangado que teria sido capaz de expulsar você e Trevor de casa? De mandá-la para o inferno com Ben? Aliás, imagino que ele possa deserdar Ben, já que tem outros filhos.

Amaranthus assentiu, com os lábios bem contraídos.

– Ao passo que, se você fosse a viúva de Ben, ele teria mais probabilidade de recebê-la de braços abertos – continuou William, não sem empatia.

– E a bolsa aberta também – murmurou lorde John enquanto fitava as profundezas do próprio conhaque.

Amaranthus virou a cabeça para ele abruptamente. Seus olhos tinham escurecido de repente.

– O senhor já passou fome um dia sequer na vida, *milorde*? – disparou ela. – Eu já, e ficaria feliz em virar prostituta para evitar que isso aconteça com meu filho.

Ela se levantou, girou nos calcanhares e arremessou seu copo na lareira com grande precisão. Então saiu pisando firme, deixando para trás chamas azuis.

119

ENCÁUSTICA

Savannah

Pronto. Brianna estava parada à luz plácida de um fim de tarde, limpando seus pincéis e se despedindo de suas obras. Era um processo esquisito, abrir mão de algo que passara meses vivendo dentro dela, libertar-se aos poucos dos tentáculos cada vez maiores que haviam tomado conta de seu cérebro, de seu coração e de seus dedos.

As pessoas, que em geral não faziam coisas daquele tipo, comparavam aquilo a um parto. Escrever um livro, pintar um quadro, construir uma casa... ou uma catedral, imaginou ela com um leve sorriso. Com certeza havia paralelos metafóricos, principalmente o misto de alívio e prazer quando tudo se concluía. Mas para ela, que tinha pintado quadros, construído coisas *e* dado à luz, a diferença era bem perceptível. Quando a pessoa concluía uma obra de arte ou um trabalho importante... ele estava *de fato* acabado, enquanto com os filhos isso nunca acontecia.

– Bem *aí* – disse ela com um sentimento de profunda satisfação, apontando o cabo de um pincel molhado para os quatro retratos enfileirados diante da parede à sua frente. – Vocês estão todos bem aí. Prontos. Não vão a lugar algum.

Ela ouviu o eco da voz do pai e riu.

Enquanto isso, suas criações mais móveis gritavam no jardim dos fundos e logo entrariam em casa com estardalhaço exigindo ser alimentadas, lavadas, vestidas com roupas limpas, acalmadas, escutadas, alimentadas outra vez, exigindo ouvir histórias contadas, ser novamente despidas e por fim enfiadas na cama, onde tudo que ela podia fazer era torcer para ficarem por um bom e longo tempo.

Pensar em Roger, porém, deixou-a mais animada. Ele tinha voltado da batalha imundo, exausto... e transformado. Não uma mudança drástica. Mais a materialização de algo iniciado muito tempo antes. Ele não falava muito, mas tinha explicado sua necessidade de ficar e o que havia acontecido. Brianna reparou que, embora tivesse ficado chocado (*e quem não ficaria?*, pensou), fora um choque que o deixara mais decidido. E rodeado por uma espécie de luz estranha e tranquila que parecia ser quase visível às vezes.

– Encáustica – falou em voz alta.

E se imobilizou com os olhos semicerrados para os quadros. Seus dedos tinham movido o pincel que limpava até a posição, pronto para pintar.

– Agora *não* – disse ela e guardou o pincel na caixa.

Podia sentir o quadro que queria pintar de Roger. Um quadro em encáustica, pintado com pigmentos misturados com cera de abelha quente. A técnica produzia uma imagem vívida, mas dotada de uma sensação singular de suavidade e profundidade. Ela nunca a usara, mas se sentiu tomada pela convicção de que aquela seria a técnica correta para captar a luz de Roger.

Qualquer outro pensamento foi interrompido pelo som distante da porta da frente, um murmúrio de vozes masculinas e então as pancadas dos sapatos de sola de madeira de Henrike no forro de chão de abacaxis seguidas por outras, mais altas, de botas pesadas.

– *Ist deine Bruder* – anunciou Henrike ao abrir a porta. – *Und* o indígena dele.

...

"O indígena" se aproximou sorrindo. Brianna agora já conhecia suficientemente seu rosto para reconhecer a bravata que tentava disfarçar a ansiedade. Sorriu de volta e, em um impulso, segurou sua mão e apertou de leve para tranquilizá-lo... se não em relação ao retrato, pelo menos à situação.

Ele piscou, chocado, então ergueu a mão dela com um gesto desajeitado, pensando que ela a havia estendido para que a beijasse. Mas não conseguiu chegar a fazê-lo e apenas respirou acima dos nós de seus dedos, confuso. Brianna ergueu o rosto e cruzou olhares com o irmão. Este mantinha o semblante impassível de um oficial britânico, mas deixou um quê de bom humor transparecer no olhar.

– Obrigada, sr. Cinnamon – disse ela, puxando a mão de volta, e lhe fez uma mesura. Ele corou como uma ameixa e William desviou os olhos.

Mas William teria que esperar. Ela estava recebendo um modelo que queria ver seu retrato pronto.

– Venha – disse Brianna e acenou para Cinnamon se aproximar.

Ele não lhe permitia chamá-lo pelo primeiro nome e tampouco a chamava de Brianna. William devia estar lhe dando aulas de etiqueta... ou quem sabe lorde John.

Ela havia coberto o retrato com um fino pano de gaze para evitar mosquitos, que tinham uma atração fatal por óleo de linhaça e tinta fresca, e então se afastou para um lado e o puxou com um movimento ágil.

– Ah – fez ele.

Sua expressão estava vazia. O coração dela havia acelerado com a chegada dos dois, e mais ainda conforme se aproximava o momento da revelação. Apesar de não estar tão nervosa quanto John Cinnamon, ela sentia um eco de seu nervosismo e de sua empolgação.

Cinnamon ficou parado encarando o retrato, com a boca entreaberta e os olhos arregalados. Um pouco preocupada, Brianna se virou para William, cujo olhar também estava fixo no retrato, mas que exibia uma expressão de surpresa e satisfação.

Ela inspirou e relaxou, sorrindo.

– Você conseguiu – disse William, virando-se para ela. – Conseguiu de verdade. – Ele riu ao olhar de volta para o retrato, uma espécie de ronco de satisfação. – Ficou incrível!

– Ficou... – começou Cinnamon, então parou, ainda fitando o próprio retrato. Balançou a cabeça de leve e se virou para William. – Eu... sou assim mesmo?

– É – garantiu William. – Só que não tão limpo. Você nunca se olha quando está fazendo a barba?

– *Oui*, mas... – A expressão vazia se transformou em fascínio e ele se aproximou com cautela do retrato. – *Mon Dieu* – sussurrou.

Ela o havia pintado com seu traje cinza, o único que possuía, uma camisa branca feito neve e um lenço de pescoço cuja renda caía sobre o peito másculo. William tinha contribuído com um pequeno alfinete de ouro em formato de flor cuja cabeça era um topázio rosa lapidado cercado por pétalas de chapa metálica verde.

Convencera-o a não usar peruca e a abandonar a graxa de gordura de urso com a qual às vezes tentava untar os cachos, e o havia pintado com seus marcantes cabelos castanho-arruivados soltos em profusão por sobre a bela e larga curva do crânio, lançando débeis reflexos no maxilar e nas maçãs do rosto. Cinnamon tinha dado o melhor de si para posar com uma expressão estoica e reservada, mas Brianna havia passado tempo suficiente conversando com ele enquanto fazia esboços para conseguir captar a luz que dançava em seus olhos quando achava graça em alguma coisa. E essa mesma luz dançava também em seu retrato, um minúsculo salpico branco matizado de amarelo.

– Ficou…

Cinnamon balançou a cabeça e piscou com força; ela viu as lágrimas que ele tentava conter e sentiu uma onda de empatia com ele, embora a alegria com sua reação suplantasse quase todo o resto.

Já os sentimentos dele o dominaram a tal ponto que Cinnamon se virou para ela e a agarrou em um abraço esmagador.

– Obrigado! – sussurrou junto a seus cabelos. – Ah, obrigado!

Convocada mais uma vez, Henrike foi buscar uma garrafa de vinho e três copos, e eles brindaram à saúde de John Cinnamon e seu retrato.

– Pode-se brindar à saúde de um retrato? – perguntou Brianna, brindando mesmo assim.

– É o retrato mais saudável que já vi – respondeu William, fechando um dos olhos e o semicerrando na direção do retrato através de seu copo de vinho tinto. Ergueu o copo para Brianna. – Mas podemos brindar à artista, se preferir.

– Viva! – exclamou Cinnamon e, erguendo o copo para Brianna, esvaziou-o em uma golada só.

Seus olhos brilhavam, seus cabelos estavam em pé e ele não conseguia parar de sorrir, espiando de esguelha o retrato de tantos em tantos segundos, como para garantir que não tinha ido embora nem começado de repente a se parecer com outra pessoa.

– Ele deveria passar mais alguns dias secando – disse Brianna, sorrindo e erguendo o copo em um brinde. – Ainda pretende mandá-lo… para Londres? – Para o pai, ela queria dizer. – Posso embalar para o senhor, se quiser. Para não estragar no navio.

John Cinnamon passou alguns segundos a encarando, olhou para o retrato durante um minuto inteiro, em seguida tornou a se virar para ela e aquiesceu.

– Quero – falou baixinho.

– Tenho certeza de que papai poderia organizar o envio do quadro com um amigo diplomata – disse William. – Gostaria que eu perguntasse a ele?

Cinnamon fez uma pausa de alguns instantes para pensar, mas balançou a cabeça. O brilho não havia abandonado seu rosto, mas tinha diminuído um pouco.

– Eu pergunto – disse ele e se levantou. – Vou perguntar agora. Não estou conseguindo ficar sentado – explicou para Brianna em tom de desculpa. – Estou *tão* feliz!

O brilho reapareceu, iluminando seu rosto como um sinalizador, e ele se se retirou. Ao sair, deu um tapinha amigável nas costas de William que quase o derrubou.

Ela imaginou que William também fosse se retirar e ele de fato pegou o chapéu, mas então ficou parado alguns instantes o manuseando, distraído.

– O que são os outros retratos? – indagou em tom abrupto e meneou a cabeça para os três quadros ainda cobertos por panos. – Quero dizer, se não se importar que eu veja – falou, desculpando-se.

– É claro que não me importo. Adoraria saber sua opinião, já que conhece a aparência de todos os modelos.

Ela retirou o pano do maior dos quadros, o retrato de Angelina Brumby, mas manteve os olhos fixos no rosto do irmão para ver sua primeira reação.

Ele olhou rapidamente, como se não ligasse, mas em seguida piscou, concentrou-se, chegou mais perto... e abriu um largo sorriso.

– Consegui, não foi? – indagou Brianna rindo. Aquela era a expressão no rosto de todo homem que conhecia a Angelina de carne e osso.

– Conseguiu – respondeu William, ainda sorrindo. – Ela está... como foi que a fez parecer... que está brilhando? Cintilando, eu acho – corrigiu-se. – Sim, é isso... ela está cintilando.

– *Obrigada!* – agradeceu ela, e o teria abraçado se os dois se conhecessem há um pouco mais de tempo. – Você não quer saber sobre as técnicas, mas é basicamente cor. Minúsculos toques de branco, com um pinguinho mais minúsculo ainda do reflexo da cor da superfície por trás do brilho.

– Acredito em você – disse William, ainda sorrindo. Tornou a se virar para a fileira de retratos. – Você disse que eu conhecia todos os modelos... Um deles é o general americano? O da cavalaria?

Ela assentiu e, sem dizer nada, retirou o véu que cobria o retrato de Casimir Pulaski.

O semblante de William se fez sóbrio no mesmo instante, mas ele chegou mais perto e passou um longo tempo parado diante da imagem, sem dizer nada. Brianna continuou observando seu rosto e pôde ver nele a lembrança das longas horas que Cinnamon e ele haviam compartilhado com ela, às suas costas, protegendo-a na escuridão e na tristeza daquela noite.

Fora difícil pintar aquele retrato. Suas lembranças da barraca escura e da interminável procissão de homens graves, muitos deles ainda exalando o cheiro de sangue e pólvora da batalha perdida, pairavam acima dela durante o trabalho, tão invasivas quanto o cheiro de gangrena e corpos mal lavados para o qual o único alívio eram as ocasionais rajadas de vento vindas do pântano.

– No começo não sabia que direção tomar – disse ela baixinho ao lado dele. – Era coisa demais para...

Brianna fez um gesto vago com a mão, mas William tinha estado lá também; sabia exatamente o que fora demais. Ele assentiu e, sem olhar para ela, segurou sua mão.

– Sim, mas você acabou descobrindo seu caminho – disse William e sua mão apertou mais a dela, morna e grande. – E o que a ajudou?

Embora seus olhos estivessem marejados de lágrimas, ela riu.

– O tenente Hanson. – Engoliu em seco, mas sabia que sua voz iria tremer. Mesmo assim, falou: – Quando ele... quando ele parou. Depois, quando começou a chover e todo mundo estava saindo da barraca. Ele disse algo que... não consigo pronunciar. Era em polonês...

– *Pozegnanie* – disse William em voz baixa. – Adeus.

Ela aquiesceu e sorveu uma funda inspiração.

– Isso. Foi a única coisa... só um vislumbre... de quem ele *era*.

Ela piscou, então enxugou as lágrimas transbordantes com os nós dos dedos. Pigarreou e olhou para o quadro.

– Depois que encontrei o caminho... ele não era mais só um cadáver – falou, conseguindo respirar outra vez. – Nem um herói... *Isso* eu poderia ter feito, pintado um retrato dele montado no cavalo ou atacando. Talvez o Exército tivesse preferido um retrato assim. *Provavelmente* teria, mas...

– O Exército tem muito mais sentimento do que você poderia pensar – disse William com um meio sorriso. – Não é um sentimento delicado, mas *é* um sentimento. E nós entendemos a morte. Ficou perfeito.

Ela apertou a mão dele e a soltou, sentindo o aperto no próprio peito relaxar também. Meneou a cabeça para o último quadro, ainda coberto.

– Esse você já viu, embora estivesse inacabado. Quer ver?

– Jane – disse ele.

Ao ouvir seu tom de voz, Brianna se virou para encará-lo. O maxilar dele se retesou e William fez que não com a cabeça.

– Não – falou. – Agora não. – Inspirou fundo e soltou o ar com um ruído alto. – Imagino que você tenha passado algum tempo na casa de papai desde que chegou à cidade.

– Sim – respondeu ela, interessada. – Por quê?

– Então conheceu Amaranthus.

– Sim, conheci.

– Eu queria conversar sobre ela.

120

NO QUAL WILLIAM CONTA TUDO, OU QUASE

No fim das contas, ele contou quase tudo. Não disse nada sobre jardins frescos, coxas quentes ou sapos de olhos negros. Mas todo o resto contou: Dottie e o bebê, Denzell, o desgraçado do general Raphael Bleeker e o relato de Amaranthus sobre o marido.

Sua irmã falou muito pouco, mas ficou a observá-lo sentada em seu banco alto de pintora, curvada para a frente, com os pés encolhidos atrás das traves. Seu rosto combinava com sua altura: ousadamente belo e com olhos que, embora não tolerassem ofensas, eram calorosos.

– Eu contei a papai… a lorde John… tudo que descobri.

Seu pai tinha escutado, pálido e atento, e fora peneirando o relato conforme William o narrava, prevendo a necessidade de transmiti-lo ao irmão e com os nós dos dedos ficando cada vez mais brancos à medida que a história brutal avançava.

– Não deve ter sido fácil – disse Brianna suavemente.

Ele fez que não com a cabeça.

– Não, mas foi mais fácil do que deveria ter sido… para mim. Eu fui um covarde. Não consegui… não *consegui* me forçar a contar para tio Hal. Então, em vez disso, contei para papai… e deixei o trabalho sujo para ele.

Ela refletiu sobre isso por alguns instantes, a cabeça inclinada de lado. Não estava de touca nem tinha grampos nos cabelos, que caíam por sobre os ombros em uma onda tremeluzente, ignorados. Ela então balançou a cabeça e jogou a onda para trás da orelha, deixando uma marca de tinta branca que havia ficado em seus dedos sem que percebesse.

– Você não é covarde – falou. – Lorde John conhece o irmão melhor do que qualquer outra pessoa no mundo… é provável que até melhor do que a esposa de Sua Graça – acrescentou ela, franzindo um pouco as sobrancelhas. – Não suponho que exista um jeito *bom* de contar isso para um homem…

– Não existe.

– Mas já ouvi seu… pai falar sobre o irmão. Ele saberá o que seu tio está sentindo, e lorde John é duro na queda… embora Hal provavelmente também seja. Vai conseguir segurar as pontas se Hal surtar, digo, se ficar muito abalado – corrigiu ela ao ver a expressão no rosto de William. – Você poderia, sim, contar a ele… e é provável que precise contar – acrescentou com empatia. – Ele vai querer ouvir os detalhes escabrosos de você. Mas não seria capaz de lhe dar aquilo de que talvez precise depois de ouvir. Seja uma bebida forte ou…

– Tenho certeza de que isso vai ser a *segunda* coisa de que vai precisar – murmurou William. – A primeira vai ser alguém em quem bater.

Brianna sentiu a boca tremer quando ouviu isso e durante um segundo, chocado, William pensou que ela fosse rir. Em vez disso, ela balançou a cabeça e a mecha de cabelos suja de tinta branca caiu em seu rosto.

– Então – falou, endireitando as costas com um sorriso – Amaranthus continua apaixonada pelo marido e ele continua apaixonado por ela. E você…?

– Eu disse que sentia alguma coisa por ela? – indagou ele com irritação.

– Não, não disse. – *E nem precisava, seu bobo… pobre coitado*, dizia a expressão dela. – Suponho que não tenha importância, agora que sabe que ela não é viúva. Quero dizer, você não cogitaria…? – Ela deixou esse pensamento onde estava, graças a Deus, e ele o ignorou. Ela pigarreou. – Mas e Amaranthus? O que acha que ela vai fazer agora?

William conseguiu pensar em várias coisas que ela *poderia* fazer, mas já tinha aprendido que sua imaginação não chegava aos pés da daquela dama em especial.

E quem sabe você pode até gostar.

– Eu não sei – falou, mal-humorado. – Provavelmente nada. Imagino que tio Hal não vá jogá-la na rua. Não foi *ela* quem traiu ele, o rei, o país, o Exército e tudo mais… Além disso, ela *é* a mãe de Trevor, e Trevor é herdeiro de tio Hal. – Ele deu de ombros. – O que mais ela poderia fazer, afinal?

Ele ouviu o eco da voz do tio, mais alta do que os sons do capim áspero e da água. *Se considera a traição a seu rei, a seu país e a sua família uma forma adequada de solucionar suas dificuldades pessoais, William, então talvez lorde John não lhe tenha ensinado tão bem quanto supus.*

– Um divórcio? – sugeriu a irmã. – Parece-me mais… limpo. E ela poderia se casar outra vez.

– Humm… – William tinha visualizado o que poderia ter acontecido se ele *tivesse* aceitado a sugestão de Amaranthus… e só depois descoberto que Benjamin continuava vivo, possivelmente depois de ter gerado… – Não – falou, abrupto, e ficou espantado quando ela riu. – Está achando a situação *engraçada*? – perguntou, furioso.

Ela fez que não com a cabeça e acenou com a mão para se desculpar.

– Não. Não, me desculpe. Não foi a situação… foi o barulho que fez.

Ele a encarou, afrontado.

– Como assim? Que barulho?

– Humm…

– O quê?

– Esse barulho que você fez na garganta… Você provavelmente não vai querer ouvir isso… – emendou ela. Tarde demais. – Mas Pa faz esse tipo de barulho o tempo todo e você soou… igual a ele.

Ele expirou entre dentes e engoliu vários comentários, nenhum deles educado. Porém, obviamente sua expressão disse tudo, pois o semblante de Brianna mudou, perdeu o ar bem-humorado e ela escorregou do banco, foi até ele e o abraçou.

William quis empurrá-la para longe, mas não o fez. Ela era alta o suficiente para o queixo dele repousar em seu ombro e ele sentiu o contato fresco de seus cabelos sujos de tinta na bochecha aquecida. Brianna era musculosa, sólida como um tronco de árvore, e os braços dele a envolveram por vontade própria. Havia gente em casa. Ele podia ouvir vozes ao longe, passos, pancadas e estalos. *Será o chá sendo servido?*, perguntou-se. Não importava.

– Eu sinto muito *mesmo* – disse ela. – Por tudo.

– Eu sei – retrucou ele com a mesma voz suave. – Obrigado.

Ele a soltou e os dois se separaram.

– Um divórcio não é algo simples – falou, limpando a garganta com um pigarro. – Principalmente quando uma das partes é visconde e herdeiro de um ducado. A Câmara dos Lordes teria que votar e autorizar a questão… depois de ouvir um relato completo de tudo, tudo *mesmo*. Toda essa história seria um prato cheio para os jornais e panfletos, sem falar nas fofocas nos cafés, nas tabernas e em todos os *salons* de Londres. – Ele estendeu a mão para seu chapéu. – Mas suponho que o divórcio seria concedido. Um marido condenado por alta traição parece motivo suficiente. Só que o resultado talvez não valha a pena.

Ele empurrou a copa do chapéu para fazê-la recuperar a forma e o pôs na cabeça.

– Obrigado – tornou a dizer e se curvou.

– De nada – respondeu ela. – Disponha sempre.

Ela sorriu para ele, mas foi um sorriso trêmulo, e William se arrependeu de a ter preocupado com seus problemas. Ao se virar para ir embora, seu olhar recaiu pela última vez na fileira de retratos, um deles ainda coberto.

Ela o viu olhar nessa direção e fez um pequeno gesto, que interrompeu no meio.

– O que foi? – perguntou ele.

– Nada. Não quero atrasá-lo…

– Eu tenho muito pouca demanda no momento em relação a meu tempo – disse ele sorrindo. – O que foi?

Ela pareceu hesitar, mas então também sorriu.

– O quadro da irmã de Fanny. Fiquei pensando se você saberia se o desenho original foi feito de dia ou de noite. Eu o pintei como se fosse de dia, mas me ocorreu que…

– Que, levando em conta o ofício dela e o fato de um cliente do estabelecimento ter feito o desenho, poderia muito bem ter sido à noite – concluiu ele. – Tem razão, quase com certeza foi.

Ele meneou a cabeça para Jane, invisível por trás do seu véu de gaze.

– Teria sido à noite. Um fogo aceso na lareira… bom, pelo menos havia um fogo a única vez que estive lá. Como as paredes eram vermelhas, inclua um pouco de vermelho no ar. Mas eu só a vi à luz de velas. Uma vela com um refletor de latão, um pouco atrás e acima dela, fazendo a luz bater no topo da cabeça e descer por um lado do rosto.

As sobrancelhas de Brianna se arquearam; eram grossas para uma mulher.

– Você a recorda muito bem – comentou ela sem julgamento. – Já desenhou ou pintou?

– Não – respondeu ele, espantado. – Quero dizer... eu tive um professor de desenho quando era criança. Por quê?

Ela sorriu de leve, como se guardasse um segredo.

– Nossa avó era pintora. Estava pensando que você poderia... ter herdado algo dela. Assim como eu herdei.

O pensamento fez as mãos de William se fecharem com um ligeiro choque que lhe atravessou os músculos dos antebraços. *Nossa avó...*

– Meu Deus do céu – murmurou ele.

– Ela se parecia muito comigo – disse Brianna em tom casual e estendeu a mão para lhe abrir a porta. – E com você. Foi dela que veio nosso nariz.

121

O DOM DA MISERICÓRDIA

Cordilheira dos Frasers

Eu estava no consultório, separando sementes e saboreando a satisfação de uma coleta bem-sucedida, quando escutei uma batida hesitante na porta da frente. A porta estava aberta para deixar o ar fresco entrar em casa e, em geral, quem quer que estivesse ali teria chamado. Ouvi débeis cochichos e pés se arrastando do lado de fora, mas ninguém chamou, então espichei a cabeça pela fresta para ver quem poderia ser a visita.

Para minha surpresa, a varanda estava ocupada por um grupo bem grande composto por várias mulheres e crianças, todas alarmadas ao me ver. Uma das mulheres parecia ser a líder. Ela reuniu coragem, deu um passo à frente e vi que era a sra. MacIlhenny. Todos a chamavam de Mãe Harriet: a cabeça toda branca, três vezes viúva, mãe de treze filhos e avó de um monte de netos.

– Com sua licença, *a bhana-mhaighister* – disse ela com voz hesitante. – Será que eu poderia falar com o patrão?

– Ahn... – balbuciei, desconcertada. – S-sim, claro. Eu vou... vou só avisar a ele que a senhora está aqui. Ahn... não querem entrar?

Minha voz soou quase tão hesitante quanto a dela, e pelo mesmo motivo. Havia cinco mulheres presentes além de Mãe Harriet: Doris Hallam, Molly Adair, Fiona Leslie, Annie MacFarland e Gracie MacNeil. Eram todas esposas ou mães de colonos excomungados por Jamie e estava bastante claro o que as havia levado até ali. Tinham trazido consigo um total de quase vinte crianças, de meninas de 10 anos com cabelos trançados até crianças pequenas agarradas em saias e bebês de colo, todos esfregados com tanta força que chegavam a reluzir: o cheiro de sabão de lixívia emanava deles em uma nuvem quase visível.

Jamie estava sentado diante da escrivaninha com a pena na mão quando entrei e fechei a porta do escritório. Ele olhou na direção da porta; os cochichos e *shhhs* eram claramente audíveis.

– Isso é quem eu acho que é?

– Sim – respondi. – Cinco. Com os filhos. Elas querem falar com você.

Ele murmurou alguma coisa em gaélico entre dentes, esfregou as mãos no rosto com força e se sentou mais ereto na cadeira, endireitando os ombros.

– Sim. Que entrem, então.

Harriet MacIlhenny entrou de cabeça erguida, o maxilar contraído e o queixo tremendo. Parou abruptamente diante da mesa de Jamie e caiu de joelhos com um baque, imitada pelas outras esposas e por metade das crianças, que vazavam pela porta até o corredor, todas com ar atônito porém obediente.

– Viemos pedir sua misericórdia, senhor – disse ela, curvando-se tanto que falou com o chão. – Não para nós, mas para nossos filhos.

– Foram seus maridos que as convenceram a vir? – Jamie exigiu saber. – Levantem-se, pelo amor de Deus!

– Não, senhor – respondeu Harriet. Levantou-se devagar, mas suas mãos estavam apertadas com tanta força que os nós dos dedos e as unhas tinham embranquecido. – Nossos maridos nos proibiram de vir. Disseram que nos dariam uma surra se puséssemos o pé fora de casa. Os idiotas sacrificariam a nós e as crianças em nome do próprio orgulho... Mas viemos mesmo assim.

Jamie fez um ruído escocês de nojo.

– Seus maridos são tolos e covardes, e vão pagar o preço por essa tolice. Sabiam o risco que estavam correndo ao ficar do lado de Cunningham.

– E um jogador por acaso acha que vai perder, senhor?

Jamie tinha aberto a boca para dizer mais alguma coisa, mas a estocada astuta o fez calar. Harriet MacIlhenny morava na Cordilheira quase desde a fundação e sabia muito bem quem era o maior jogador por aquelas bandas.

– Humm... – fez ele, encarando-a desconfiado. – É. Bem, seja como for, eu disse o que disse e não vou voltar atrás. Expulsei esses homens por um bom motivo, e esse motivo não desapareceu nem é provável que desapareça.

– Não – concordou Harriet com pesar genuíno na voz. Ela abaixou a cabeça entoucada. – Mas meus seis filhos adultos são leais ao senhor e à causa da liberdade... e meus quatro irmãos também. Muitas destas boas mulheres podem dizer o mesmo.

Ela fez um gesto para indicar as fileiras cerradas ainda ajoelhadas no chão atrás de si. Um murmúrio de concordância emanou do grupo às suas costas e uma menininha espichou a cabeça de trás de seu avental e disse, toda animada:

– Meu irmão ajudou a trazer o senhor lá do deslizamento!

Harriet moveu as saias para esconder a criança e tossiu, e a interrupção deu a Jamie tempo suficiente para correr os olhos pelas mulheres e calcular exatamente quantos filhos, irmãos, tios, netos e cunhados elas possuíam... e com quantos *deles* ele contava ou tinha a probabilidade de contar em seu grupo. Vi o rubor subir por seu pescoço, mas vi também o leve afundar de seus ombros.

Harriet também viu, mas foi sensata o suficiente para fingir não notar. Uniu as mãos em frente ao corpo e pôs humildemente o resto das cartas na mesa:

– Sabemos muito bem por que o senhor expulsou os homens. E reconhecemos a gentileza que o senhor sempre teve conosco e com nossas famílias. Então lhe prestamos um juramento... o mais terrível dos juramentos, em nome de Santa Brígida e São Miguel, de que nossos maridos nunca mais vão levantar a mão nem a voz contra o senhor, em qualquer assunto que seja.

– Humm... – Jamie sabia que estava derrotado, mas não iria se entregar ainda. – E como pretendem garantir o bom comportamento deles, *a bhana-mhaighister*?

Uma vibração inaudível, porém nítida, que poderia ter sido bom humor percorreu as senhoras mais velhas, mas sumiu em um instante quando Harriet virou a cabeça para encará-las por cima do ombro. Quando ela se virou de volta, foi em mim que seus olhos se cravaram, o que fez com que eu me sobressaltasse.

– Imagino que sua esposa possa responder isso para o senhor – disse ela, circunspecta, e o canto de sua boca se contraiu por um segundo. – Nenhum dos homens sabe cozinhar. Mas se o senhor não confia no que uma esposa é capaz de fazer com um marido que tirou o teto de cima de sua cabeça e a comida da boca de seus filhos... talvez possa imaginar de que os irmãos e filhos dessas mulheres seriam capazes. Se quiser que eu mande meus rapazes virem aqui lhe prestar esse mesmo juramento...

– Não – respondeu ele, muito seco. – Não sou homem que desconsidere a palavra de uma mulher honesta.

Ele correu os olhos pelo grupo e suspirou enquanto espalmava as mãos na mesa.

– Sim. Pois bem. Vou fazer o seguinte: vou revogar a carta de expulsão... para *seus* maridos... mas os contratos que fiz com eles como arrendatários permanecerão sem efeito. E as senhoras vão mandar seus maridos virem me procurar para jurar lealdade. Não aceitarei em minhas terras homens que conspirem contra mim. Além disso, vou elaborar novos contratos entre mim e cada uma das senhoras, relativos à ocupação das terras nas quais vivem, para assegurar a fidelidade da administração das mesmas.

Um burburinho perceptível percorreu o recinto e, apesar da seriedade da situação, eu sorri.

Jamie não sorriu, mas se inclinou para a frente e encarou cada uma das mulheres.

– Isso significa, vejam bem, que cada uma das senhoras... cada uma, repito... será responsável pelos aluguéis e outros termos do contrato. Se as senhoras quiserem aceitar o conselho e a ajuda de seus maridos, que seja... mas a terra é sua, não deles. Se eles se comportarem com falsidade, quer com as senhoras ou comigo, terão que responder por isso perante mim, inclusive com a morte.

Harriet aquiesceu com gravidade.

– De acordo, senhor. Somos muito gratas pela sua bondosa indulgência... e mais gratas ainda a Deus, por ter nos permitido salvá-lo da culpa de expulsar mulheres e crianças para morrerem de fome.

Ela lhe fez uma profunda mesura, então virou as costas e saiu, deixando que as seguidoras fizessem cada qual sua mesura e murmurassem um "Obrigada" para seu senhorio mudo e vermelho até as orelhas.

E elas se foram, murmurando animadamente entre si e deixando a porta aberta como a tinham encontrado. Uma brisa fresca desceu pelo corredor trazendo um resquício de sabão de lixívia.

Pus as mãos nos ombros de Jamie. Estavam duros como pedra e seu pescoço sob meus polegares também.

– Você fez a coisa certa – falei baixinho e comecei a massagear os músculos contraídos, procurando os nós para desfazê-los. Ele deu um suspiro profundo e seus ombros afundaram de leve.

– Tomara que sim – falou. – Provavelmente estou alimentando um pequeno ninho de víboras em meu lar... mas de fato isso alivia o peso de meu coração. – Após alguns instantes, e sem tirar os olhos da escrivaninha, ele tornou a falar: – Eu pensei nos outros homens, sim, Sassenach. Nos irmãos e filhos que iriam cuidar das mulheres e crianças... dar-lhes de comer, dar-lhes um teto se os maridos não conseguissem encontrar um lugar. Nunca achei que... Meu Deus, foi como se as minhas armas tivessem sido tomadas e apontadas para mim!

– Você fez a coisa certa – tornei a falar e beijei o topo de sua cabeça. – E agora sabe que todas aquelas mulheres e crianças vão estar atentas feito falcões caso aconteça alguma presepada do lado ocidental da Cordilheira.

Ele virou a cabeça e me encarou.

– Não sei o que é presepada, Sassenach, mas Deus me livre que aconteça sem eu saber. É contagioso?

– Muito. Bem-aventurados os misericordiosos, pois obterão misericórdia.

– Que bom vê-lo tão cheio de misericórdia, coronel – disse uma voz seca do vão da porta. – Só espero que não tenha esgotado seu estoque do dia.

Elspeth Cunningham estava do outro lado da soleira, alta, ereta e toda vestida de preto, com um xale de pescoço muito branco realçando seus traços emaciados.

Os músculos sob minhas mãos ficaram momentaneamente duros como concreto. Soltei seus ombros e Jamie então se levantou e se curvou para ela.

– A seu dispor, madame – disse ele. – Pode entrar.

Ela cruzou a soleira, mas ficou parada alguns instantes, hesitando, beliscando a saia com dois dedos.

– Não cogite nem por um segundo se ajoelhar na minha frente – disse Jamie, no mesmo tom em que havia falado segundos antes. – Sente essas ancas e me diga o que a senhora quer.

Dei a volta na escrivaninha e puxei para ela a cadeira das visitas, e ela afundou no assento com os olhos encovados ainda cravados em Jamie.

– Eu quero Agnes – falou, sem qualquer preâmbulo.

Jamie piscou, sentou-se, tornou a piscar e se recostou, relaxando um pouco.

– E a quer para quê? – perguntou, desconfiado.

– Talvez eu devesse ter dito que vim me informar se ela está disponível – disse Elspeth com um sorriso quase imperceptível. – Se for essa a expressão correta.

– Só se a senhora a estiver pedindo em casamento – disse Jamie. – O que imagino ser o caso. Qual dos tenentes tinha em mente, e o que Agnes tem a dizer sobre o assunto?

Elspeth suspirou e separou as mãos para aceitar a caneca de uísque que lhe ofereci.

– No momento, dá no mesmo – reconheceu ela. – A criatura tola não consegue se decidir entre os dois e, como lhe disse que não há como saber qual deles é o pai do bebê, nenhum dos dois pode reivindicar seu afeto de modo mais factual do que o outro.

– Imagino que se possa esperar a criança nascer e ver com quem ela se parece – sugeri.

Dentro de limites um tanto amplos, eu podia identificar tipos sanguíneos. *Talvez* isso pudesse ajudar, mas pensei que por enquanto não era o caso de fazer tal sugestão.

Foi melhor assim, pois ambos me ignoraram.

– Por isso falei que *eu* queria Agnes – disse ela. – Decidi que preciso aceitar sua oferta de providenciar um transporte para meu filho e o restante dos moradores de sua casa. Quando ele soube que o senhor tinha expulsado os homens que… que o haviam seguido, declarou que não poderia mais ficar aqui, sem apoiadores e à sua… mercê.

– À minha mercê – murmurou Jamie, tamborilando na mesa por uns poucos instantes. – Humm… Pelo visto, meu estoque de misericórdia é infinito. E…?

– É claro que Gilbert e Oliver vão nos acompanhar – prosseguiu ela, ignorando o comentário. – E eles não querem abandonar Agnes…

– Agnes tem um lar – interrompeu Jamie com impaciência. – Aqui. Abandoná-la uma ova!

– O senhor certamente irá reconhecer que eles têm responsabilidade em relação à moça – disse Elspeth, baixando para ele as grossas sobrancelhas grisalhas de um jeito que a deixou parecida com uma coruja muito severa.

– Reconheço, sim – respondeu ele. – Mas não vou deixar a menina ser arrancada de seu lar a menos que queira ir *e* eu receba garantias quanto a seu futuro bem-estar. Posso conseguir um bom marido para ela aqui, sabe?

– Eu estou garantindo exatamente isso – disparou ela. – Por acaso o senhor se atreve a dar a entender que eu a deixaria sofrer qualquer tipo de maus-tratos?

– A senhora é uma idosa – assinalou Jamie de modo um tanto brusco. – E se morrer no caminho até para onde quer que esteja levando seu filho?

– Ahn... para *onde* a senhora o está levando? – intervim, mais na esperança de impedir que a conversa saísse dos trilhos do que por querer saber.

– O *senhor* morreria se soubesse que outra pessoa depende inteiramente do senhor? – disparou ela de volta, ignorando minha intervenção.

Ele ficou calado por alguns instantes, então inspirou antes de responder em tom neutro:

– Nem sempre temos escolha em relação a isso, Elspeth.

Suas narinas inflaram quando ela inspirou, mas respondeu com calma.

– Sim – disse ela. – Temos, sim. Exceto quando levamos um tiro no coração ou somos fulminados por um raio – acrescentou, como alguém obrigado a ser sincero. – Mas uma das poucas vantagens de ser uma idosa é que ninguém atira nelas. Quanto aos raios, deixarei isso a cargo de Deus, mas minha confiança n'Ele é considerável. Quanto a nosso destino, estamos indo para Charles Town – respondeu ela, virando-se para mim como se Jamie tivesse deixado de existir. – Há navios de guerra da Marinha lá, e uma grande quantidade de fragatas menores e embarcações de transporte do Exército. Charles escreveu para sir Henry Clinton solicitando o favor de ser transportado de volta para a Inglaterra a bordo de uma delas. Sir Henry é um conhecido de longa data de nossa família e certamente vai nos conceder essa cortesia. Agora, com relação a Agnes... – Ela tornou a mudar o foco para Jamie. – Reconheço que meu desejo de levá-la não é só pensando no melhor para a moça. Eu preciso dela.

Fez-se um longo intervalo de silêncio no qual essa declaração singela ficou suspensa no ar.

Ela precisava mesmo. Os dois jovens tenentes poderiam dar conta das dificuldades físicas da viagem e proporcionar proteção para Charles e ela. Mas Elspeth precisaria de ajuda para cuidar tanto das necessidades físicas exigentes do filho quanto das próprias. Era bem verdade que poderia contratar uma criada. Mas considerando a situação delicada de Agnes...

Ninguém havia mencionado em voz alta o outro aspecto dessa situação, mas a percepção de Elspeth era mais do que suficiente para ter entendido o fato de que, tirando todo o resto, ela era uma resposta às preces de Jamie.

Segundo meus cálculos, a gestação tinha aproximadamente três meses e era uma questão de semanas para a condição de Agnes ser conhecida em toda a Cordilheira. E, sendo Jamie seu patrão, cabia a ele resolver a situação de modo satisfatório. Encontrar o rapaz responsável e obrigá-lo a desposar Agnes seria o normal, mas naquelas circunstâncias... Ter uma criada solteira ficando visivelmente grávida em sua casa ou casá-la às pressas com alguém que obviamente *não* era o pai era pedir para especularem se você tinha tido algo a ver com a condição dela. E nós já tínhamos passado por aquilo antes... Senti um calafrio e a denúncia de Malva ecoou em meus ouvidos: "Foi ele!"

– Na condição de... o outro *loco parentis* de Agnes... – falei. Tanto Jamie quanto Elspeth sorriram involuntariamente, mas eu os ignorei e prossegui: – *Eu* tenho uma pequena condição a sugerir. Ajudarei a convencer Agnes, porque acho que essa é a melhor forma de lidar com o apuro em que se encontra. Mas, *se* ela decidir ir com vocês, quero uma garantia de que vai receber uma educação...

– Agnes? – Os dois tinham falado junto e, embora a entonação de Jamie indicasse dúvida e a de Elspeth bom humor, sua unanimidade me fez hesitar por alguns instantes.

– Educação em que sentido, Sassenach? – perguntou Jamie. – Fanny já ensinou a menina a ler e ela sabe escrever o próprio nome e contar até cem. O que mais acha que ela poderia considerar útil?

Era verdade que, embora Agnes fosse bonita, simpática, gentil e prestativa, e tivesse uma espécie de percepção arguta advinda da experiência, não era uma aluna nata. Mesmo assim, não havia como saber o que poderia lhe acontecer, e eu queria que ela ficasse... segura.

– Bem... Ela deveria saber aritmética suficiente para poder administrar dinheiro – falei por fim. – E deveria ter um pouco de dinheiro para administrar. Dinheiro seu.

– Feito – respondeu Elspeth baixinho. – Meu filho lhe dará uma renda modesta, independentemente do marido... quem quer que este venha a ser – acrescentou com certo desânimo. – E eu mesma cuidarei de sua educação.

Ninguém disse nada por alguns instantes e comecei a ouvir os sons habituais da casa: pancadas, guinchos, arranhões e latidos, e o som de conversas distantes que nossa tensão havia bloqueado.

Passos rápidos e leves cruzaram o telhado acima de nossa cabeça e pude ouvir um murmúrio e risadinhas de meninas novas achando graça em alguma coisa. Relaxei um pouco. Fanny iria sentir uma falta cruel de Agnes, mas pelo menos teria as meninas Hardman para lhe fazer companhia.

– Vou conversar com Agnes agora – falei.

122

A MILÍCIA PARTE EM EXPEDIÇÃO

Jamie se ajoelhou, cortou a costura do saco de aniagem, dobrou a aba para trás e inspirou fundo. Bufou para retirar todo o ar dos pulmões e inspirou mais fundo ainda, então farejou pensativo. Um aroma encorpado, nutritivo, acastanhado e doce. Nenhum cheiro de mofo, pelo menos não na parte de cima. Já lá embaixo, onde a umidade se concentrava…

Levantou-se e empurrou um dos pares das grandes portas de correr que Bree tinha construído para o barracão de maltagem, de modo que pudessem abri-lo quando o tempo estivesse bom. E o dia estava bonito, um dia feito para cantos de pássaro, passeios sem rumo pela mata e quem sabe um pouco de pescaria antes de o sol se pôr. Manhã perfeita para tarefas pequenas e tranquilas, como substituir uma tábua do piso de maltagem que tinha pegado fogo e estava enegrecida o suficiente para poder comprometer o sabor dos grãos tostados. Perfeito para avaliar a qualidade da cevada disponível. No outono, ele havia colhido uns 100 quilos de grãos das plantações e comprado mais cinquenta no entreposto, mas só dera tempo de maltar, fermentar e destilar metade por causa do inverno que chegara cedo, do mau tempo e das perturbações na loja em fevereiro. Ele coçou o peito: a cicatriz havia sarado, mas ele ainda a sentia repuxar quando abria bem os braços.

Arrastou o saco até perto da porta aberta por causa da luz mais forte e o despejou com todo o cuidado no piso, então se ajoelhou e espalhou a cevada com as mãos à procura de grãos germinados, úmidos ou mofados, de bichos ou de qualquer outra coisa que não se pudesse querer no uísque. E, em uma última verificação, mascou alguns grãos que em seguida cuspiu no capim.

– *Tha e math* – murmurou e se levantou.

Foi pegar a pá de maltagem quadrada que estava pendurada em seus ganchos e transferiu os grãos frescos para dentro de modo a abrir espaço para o saco seguinte.

Uma brisa morna roçou seu rosto quando abriu a porta de correr. O dia estava lindo. Talvez ele desse uma passada no chalé de Ian e levasse Lagarto até o lago no fim do dia.

Esses pensamentos agradáveis foram interrompidos pelo súbito bater de asas e pelos chamados de um bando de pombas ali perto, perturbadas pela chegada de algo. Desconfiado, ele segurou a pá e espiou lá fora, mas apenas um homem vinha descendo sozinho a trilha. Hiram Crombie. Eles não se falavam desde a confusão na loja.

– Hiram – disse ele enquanto o outro se aproximava e ergueu o queixo em uma saudação.

O rosto contraído de Hiram se iluminou um pouco quando ele ouviu Jamie usar seu nome de batismo. O outro homem assentiu de leve e chegou mais perto, ainda com ar desconfiado caso ele tivesse a intenção de acertá-lo na cabeça com a pá, supôs Jamie. Ele apoiou o pé no montinho de grãos e se endireitou, enxugando o rosto com a manga.

– Eu vim dizer… – começou Crombie, mas então parou, em dúvida.

– Pois não?

Jamie sabia muito bem o que Crombie fora dizer, mas fazia questão de ouvi-lo expressar as palavras em voz alta. O velho rabugento já era duro feito um graveto seco, mas seus braços agora pareciam grudados nas laterais do corpo. Os punhos se fecharam devagar.

– Eu... nós... sentimos muito... pelo que aconteceu. Na loja.

– Sim.

Silêncio, rompido apenas pelos pios dos pássaros nos pinheiros próximos, esperando Jamie ir embora para que pudessem descer e comer os grãos espalhados. Crombie puxou o ar pelo nariz comprido e cabeludo; isso produziu um leve assobio, mas Jamie não riu.

– Quero que o senhor saiba que nem eu, nem meu irmão, nem meus primos tivemos nada a ver com aquilo. Nós...

Ele se calou e engoliu em seco enquanto resmungava "sentimos muito" entre dentes.

– Bem, Hiram, isso eu já sabia – disse Jamie, esticando as costas. A cicatriz em seu peito ardia de tanto manusear a pá. – Pense o que quiser do rei, não acho que tentaria me matar por causa dele.

Os ombros de Hiram começaram a relaxar, mas, antes de ele poder ficar à vontade, Jamie emendou:

– Mas imagino que soubesse o que Cunningham estava planejando, e não me avisou.

– Não. – Depois de alguns instantes, sentindo que essa não era uma explicação adequada, Hiram soltou o ar e balançou a cabeça. – Não avisei, não. Mas eu sabia que Duff e McHugh tinham percebido o que estava acontecendo... Vi os dois vigiando Cunningham quando estava saindo da igreja, como raposas observando um lobo passar. E eles são seus homens. Achei que o avisariam se algo estivesse para acontecer. É que Geordie Wilson... o irmão de minha esposa, sabe? Ele está com Cunningham. Eu não podia falar com o senhor sem que ele ficasse sabendo, então...

– É – disse Jamie após alguns instantes. – Homem nenhum quer problemas na própria família se puder evitar.

Os ombros de Hiram afundaram de alívio. Ele passou um tempo aquiescendo para si mesmo, então voltou a falar:

– Um tempinho atrás eu disse que desejava falar com o senhor sobre um assunto.

Jamie se lembrava. Na verdade, Crombie o havia abordado no caminho para a loja naquela noite. Isso tornou mais favorável seu sentimento em relação a ele: o homem não tinha como estar metido no que estava sendo tramado se queria um favor de Jamie.

– Sim, em relação a *a' Chraobh Ard*, creio eu, não foi isso que disse?

– Sim. Eu queria perguntar se o senhor poderia aceitá-lo como membro de sua milícia.

Bem, aquilo era uma surpresa. Ele esperava um pedido para deixar Cyrus cortejar Fanny oficialmente e teria respondido não. Mas aquilo...

– Por quê? – perguntou à queima-roupa.

– Ele está com 16 anos – respondeu Hiram, dando de ombros como se isso fosse uma resposta completa.

E era. Um rapaz dessa idade precisava começar a ser homem. E se não tivesse um trabalho de homem para fazer...

O outro lado da questão também estava claro. Hiram Crombie estava ansioso para ter sua família como firme aliada de Jamie, e Cyrus era o refém que oferecia. *Que reconfortante*, pensou Jamie com ironia. *Ele acha que podemos ganhar.*

Jamie cuspiu na palma da mão e a estendeu.

– Feito – falou. – Mande-o me procurar amanhã logo depois do amanhecer. Terei um cavalo para ele.

Silvia tinha se oferecido para acordar cedo, muito cedo, e preparar os litros de sopa de aveia e mingau necessários para alimentar a milícia. O cheiro morno e cremoso subiu pela escada e me acordou de mansinho, como o toque suave da mão de alguém no rosto. Espreguicei-me na cama quente e rolei de lado para apreciar a imagem de Jamie, pernas compridas como as de uma garça e nu em pelo, curvado acima da pia para se olhar no espelho enquanto fazia a barba à luz da vela. A aurora ainda não passava de um apagamento das estrelas do outro lado da janela escura.

– Se arrumando para a gangue? – perguntei. – Vai fazer alguma coisa formal com eles hoje de manhã?

Ele passou a navalha pelo lábio superior esticado, em seguida a sacudiu para se livrar da espuma na lateral da pia.

– Sim. Simulações a cavalo. Hoje vão ser só os homens montados. Teremos 21 contando com Árvore Alta. – Ele sorriu para mim no espelho, os dentes tão brancos quanto o sabão de barbear. – Já basta para uma expedição de roubar gado decente.

– Cyrus sabe montar?

Isso me espantou: os Crombies, Wilsons, MacReadys e Geohagens eram famílias de pescadores que tinham chegado até nós vindas de Thurso e só Deus sabia por quais sinuosos e difíceis caminhos. A maioria tinha um medo declarado de cavalos e quase nenhum sabia montar.

Jamie subiu a navalha pelo pescoço, esticou-o para avaliar o resultado e deu de ombros.

– Vamos descobrir.

Ele enxaguou a navalha, secou-a na toalha de linho gasto, então usou o pano para limpar o rosto.

– Se eu quiser que levem isso a sério, Sassenach, é melhor pensarem que levo.

...

O céu clareava, mas no chão ainda estava escuro e só uns poucos homens tinham se reunido quando Cyrus Crombie surgiu descendo a encosta do meio das árvores acima da Casa Nova. Os homens o olharam surpresos, mas quando Jamie o cumprimentou todos assentiram e murmuraram "*Madainn mhath*" ou então deram um grunhido à guisa de cumprimento.

– Tome aqui, rapaz – disse Jamie, empurrando uma caneca de madeira com sopa de aveia quente para a mão de Árvore Alta. – Esquente esse bucho e venha conhecer Miranda. Ela é a égua de Frances, mas a menina disse que aceita lhe emprestar até conseguirmos encontrar uma montaria para você.

– De Frances? Ah. Eu a-agradeço a ela.

O rosto de Árvore Alta se iluminou de leve e ele olhou timidamente na direção da casa e em seguida para a égua. Miranda era um animal grande, robusto e de garupa larga, e tinha um temperamento dócil e tolerante.

O Jovem Ian agora já tinha descido, de perneiras e casaco, os cabelos trançados e soltos nas costas, seguido por Tòtis. Correu os olhos pelo grupo de homens, aquiescendo, então beijou o filho na testa e ergueu o queixo na direção da varanda. Aproximou-se para pegar seu mingau arqueando uma sobrancelha na direção de Cyrus.

– *A' Chraobh Ard* vai se juntar a nós, *a bhalaich* – disse Jamie em tom casual. – Pode mostrar para ele como selar e arrear Miranda enquanto eu explico aos homens o que vamos fazer?

– Sim – respondeu Ian, engolindo a sopa de aveia quente e soltando uma nuvem branca de vapor. – E *o que* nós vamos fazer?

– Simulações de cavalaria.

A resposta fez Ian erguer as sobrancelhas e olhar por cima do ombro para o grupo reunido, que parecia exatamente o que era: um grupo de agricultores. Todos tinham cavalos e conseguiam ir da Cordilheira até Salem sem cair, mas tirando isso...

– Simulações de cavalaria simples – esclareceu Jamie. – Em baixa velocidade.

O Jovem Ian olhou com ar pensativo para Cyrus, que escutava ansioso e atento.

– Sim – falou e fez o sinal da cruz.

Quando subi para prender os cabelos antes de começar a fabricar sabão, encontrei Silvia e todas as quatro meninas em meu quarto, com Frances, Patience e Prudence mais ou menos penduradas no peitoril da janela para ver a milícia sair. Elas mal repararam em mim, mas Silvia recuou um pouco, encabulada, e começou a pedir desculpas.

– Não se preocupe – falei e cheguei por trás de Patience para olhar lá para fora. – Um grupo de homens e cavalos tem um quê de...

– Com fuzis e mosquetes – disse ela, um tanto seca. – É, tem mesmo.

Eu achava que as meninas ainda não tinham entendido o fato de que a milícia estava fazendo simulações e treinos com o objetivo expresso de matar pessoas, mas sua mãe certamente tinha e ficou observando-os entrar em formação com os chamados e piadas grosseiras de costume, expressando certo desânimo que aprofundava as comissuras de sua boca. Toquei-lhe o braço com delicadeza e ela virou a cabeça, espantada.

– Sei que a senhora e suas filhas prefeririam morrer a ver outras pessoas serem mortas para que isso não aconteça... mas sabe... vocês são nossas hóspedes. Jamie é das Terras Altas e suas leis de hospitalidade o proíbem de deixar qualquer um matar seus hóspedes. Então vou ter que pedir para afrouxar um pouco seus princípios e deixar que ele as proteja.

Seus lábios estremeceram e seus olhos encontraram os meus com um brilho bem-humorado.

– Por uma questão de boas maneiras?

– Exato – falei, sorrindo de volta.

Um gritinho das meninas nos levou de volta à janela. Montado, Jamie subia e descia devagar pela fileira formada por seus homens, inspecionando arreios e armas e parando para fazer perguntas e piadas. Um vapor emanava dos cavalos e dos homens, cuja respiração saía branca no ar frio do amanhecer. Cyrus era o último da fila e o Jovem Ian o instruía sobre os detalhes mais minuciosos da equitação, começando com que pé levantar primeiro para subir na sela.

– Ah, ele não está distinto? – disse Prudence em tom de admiração.

Eu não soube dizer se estava se referindo a Jamie, ao Jovem Ian ou a Cyrus, uma vez que todos estavam mais ou menos no mesmo lugar, mas fiz ruídos de aprovação.

Pareceu demorar muito tempo para os homens se organizarem, mas de repente os cascos de todas as montarias se arrastaram no chão e eles se agitaram até se posicionarem em uma coluna dupla. Jamie assumiu seu lugar à frente e ergueu o fuzil acima da cabeça. Uma espécie de rumor tilintante chegou até nós e a milícia partiu, com uma visível impressão de propósito que foi *mesmo* bem emocionante de ver.

Ereto como um caule de aspargo cru, Cyrus ia ao lado do Jovem Ian na última dupla da fila. Fiz o sinal da cruz, então me virei para minhas tropas.

– Bem, senhoras... que lindo dia para fazer sabão. Me acompanhem!

Jamie e os irmãos Lindsay, com alguma ajuda de Tom McHugh e de Angus, seu filho do meio, tinham abatido as árvores e os arbustos que margeavam um dos lados da estrada de carroças, onde o terreno era plano e não havia barranco entre a estrada e a floresta. Tinham deixado de pé oito árvores grandes, espaçadas uns 10 metros umas das outras.

– Então – disse Jamie para suas tropas reunidas e meneou a cabeça para as árvores. – Vamos serpentear entre essas árvores: passar por um dos lados da primeira, depois pelo lado oposto da segunda e assim por diante. E vamos fazer isso lentamente, um seguindo o outro depois de contar devagar até dez.

– Por quê? – perguntou Joe McDonald, desconfiado, semicerrando os olhos para as árvores.

– Bom, em primeiro lugar, *a charaid*, porque estou dizendo – respondeu Jamie com um sorriso. – Você sempre deve fazer o que seu coronel diz, porque lutamos melhor se estivermos indo todos na mesma direção. Para isso acontecer, alguém precisa decidir em que direção ir. E esse alguém sou eu, não é?

Um burburinho de risadas percorreu os homens.

– Ah, é – concordou McDonald, sem convicção.

Joe era jovem, tinha só 18 anos e nunca havia lutado em uma batalha, tirando brigas a socos atrás do celeiro de alguém para resolver uma rixa.

– Mas se a pergunta é *por que* estou dizendo para fazerem isso... – Ele indicou as árvores com um gesto. – É para os cavalos. Somos uma milícia montada... embora também vamos ter soldados de infantaria... então os cavalos precisam ser ágeis e você precisam saber guiá-los por terrenos desconhecidos. Soldados de cavalaria fazem esse tipo de simulação: chama-se serpentina, porque você serpenteia feito uma cobra, não é?

Sem se deter para mais perguntas, ele olhou para Ian e deu um tranco para o lado com a cabeça.

Ian cutucou seu cavalo e se separou do grupo devagar, puxou a rédea para o lado até ficar de frente para as árvores, então se inclinou para a frente e, com um grito de gelar o sangue, que fez todos os outros cavalos bufarem e baterem com os cascos no chão, cravou os calcanhares na barriga do animal e partiu para cima da primeira árvore como se ele e o cavalo tivessem sido disparados por uma arma. Um segundo antes da colisão, eles se esquivaram e partiram para cima da árvore seguinte, costurando entre a fileira de árvores tão depressa que mal se conseguia contar por quantas passavam. No fim da fila, deram meia-volta em uma fração de segundo e retornaram mais depressa ainda. Ao chegar, Ian deu um grito indígena agudo sob gritos e aplausos.

Jamie olhou para Cyrus; o garoto parecia ao mesmo tempo apavorado e animado, e segurava as rédeas com força junto ao peito.

– Então agora vamos fazer isso devagar – disse Jamie. – Quer ser o primeiro, Joe?

Ao fim de uma hora, tanto cavalos quanto homens estavam aquecidos, mais ágeis e muito animados, tendo evitado colidir uns com os outros ou com as árvores, pelo menos a maioria. O sol estava bem acima do horizonte, ou seja, era melhor voltarem para os homens poderem fazer seu desjejum e ir cuidar de suas outras tarefas do dia. Jamie estava prestes a dispensá-los quando Ian se levantou nos estribos e falou por cima das cabeças dos outros:

– Tio! Aposta corrida comigo? Ida e volta até a curva!

Um rumor generalizado de entusiasmo sucedeu a proposta e Jamie puxou as rédeas sem hesitação para virar o cavalo e chegar ao lado do sobrinho.

– Já! – gritou Kenny Lindsay.

E eles partiram pela estrada de terra batida a toda velocidade, em meio a um redemoinho de poeira e gritos de incentivo dos homens das Terras Altas que haviam ficado para trás. Ian montava uma égua astuta chamada Lucille, que não gostava de ser derrotada, mas Phineas também não gostava e o páreo foi duro até o fim enquanto a floresta passava a seu lado feito um borrão verde.

Chegaram à curva grande da estrada e viraram depressa para voltar. Lucille se esquivou de repente e esbarrou com a espádua em Phineas com uma força que quase derrubou Jamie da sela. De relance, ele viu uma carroça no meio da estrada mas não teve tempo de olhar, pois estava ocupado tentando permanecer montado e voltar a controlar Phin.

Atrás deles se ouviram gritos, o trovejar de cascos e dois ou três tiros: a milícia inteira tinha se deixado levar pela exuberância e entrado na corrida, desgraçados. Phin corcoveava e dava trancos. Embora Jamie não tivesse levado mais do que alguns segundos para chamá-lo de volta ao dever, a essa altura toda a confusão de homens e cavalos já os havia alcançado, gritando e rindo. Ele se levantou nos estribos para chamá-los, enfurecido... então viu a carroça que havia assustado Lucille, cujas mulas se remexiam e batiam com os cascos no chão atreladas ao cabeçalho, mas não tão assustadas a ponto de pretenderem fugir.

A correria tinha cessado do outro lado da carroça, com grande agitação e muita lama revirada, e os gritos silenciaram por um instante. Quem segurava as rédeas era Bree e ele viu que ela estava dando conta do recado. A seu lado, Roger levantou bem alto as duas mãos.

– Não atirem – disse ele com voz rouca. – Nós nos rendemos.

Jamie serviu o que restava do uísque JF Special na caneca de Roger, pegou a dele e a ergueu para as pessoas reunidas em volta da mesa do jantar e espalhadas de lambuja pela cozinha: sua família, a família do Jovem Ian, Silvia e as filhas, mais Cyrus Crombie, Murdo Lindsay e Bobby Higgins, os solteiros e viúvos que tinham voltado junto com ele depois da simulação da milícia.

– Obrigado a Deus pelo retorno em segurança de nossos viajantes – disse ele. Curvou-se para Roger Mac. – E pela orientação e a bênção de nosso novo ministro da Palavra e do Sacramento. *Slàinte mhath!*

Roger Mac não corava com facilidade, mas o calor que sentiu ficou aparente tanto em seu rosto quanto em seus olhos. Ele abriu a boca, decerto para dizer com modéstia que só seria ordenado de verdade no verão, quando os pastores mais velhos poderiam vir do litoral, mas Bree pôs a mão em seu joelho e o apertou para impedi-lo de falar, de modo que ele apenas sorriu e ergueu sua caneca em resposta.

– À família – exclamou ele. – E aos bons amigos!

Também sorrindo e com calor, Jamie se sentou em meio aos gritos que sucederam o brinde e aos socos na mesa que fizeram os pratos dançar. O recinto tremeluzia com a luz do fogo aceso na lareira e os rostos cambiantes, animado pela conversa, pela comida e pela bebida.

Ele desejou que Fergus, Marsali e os filhos estivessem ali também, mas Roger tinha dito que eles haviam deixado Charles Town com os MacKenzies, mas depois seguido rumo ao norte com a intenção de dar uma olhada em Richmond como um lugar possível para retomar suas atividades de impressão. Fez uma breve e silenciosa prece pela segurança deles.

Claire estava sentada a seu lado no banco, com a pequena Mandy adormecida em seu colo, caída por cima de seu braço feito um saco de grãos e igualmente pesada. Jamie estendeu a mão para pegar a menina e aconchegá-la junto ao peito e Claire se curvou em sua direção e encostou a cabeça em seu ombro por um instante, agradecida. Ele viu por um segundo seus cabelos e os de Mandy, os cachos louros todos entrelaçados, e sentiu tanto amor que soube que, se morresse naquele instante, estaria tudo bem.

Claire endireitou as costas e ele então ergueu os olhos e viu Roger Mac com uma expressão bastante parecida no rosto. Seus olhares se cruzaram em perfeita compreensão. E ambos baixaram os olhos para o tampo da mesa e sorriram em meio às cascas e aos ossos espalhados.

123

E A BATIDA PROSSEGUE...

Os viajantes, pelo menos os adultos, dormiram até a manhã já estar bem avançada. As crianças, é claro, pularam da cama ao raiar do dia e desceram correndo para infestar a cozinha. Como boas crianças, Jem e Mandy ficaram amigos na mesma hora de Agnes e das meninas Hardman. Mandy se encantou com Chastity e insistiu para lhe dar o desjejum na boca em pequenos bocados enquanto piava para ela em tom maternal, como se Chastity fosse um passarinho recém-nascido, o que fez a menina rir e esguichar leite pelo nariz.

Ao sair para buscar outro balde de leite na despensa fria, encontrei Brianna descendo a escada, mas ainda não de todo desperta.

– Como está, meu amor?

Examinei-a com atenção: estava mais pálida e mais magra, mas uma viagem de carroça de quase 500 quilômetros, enfrentando só Deus sabia que condições meteorológicas, situações de guerra e um abastecimento incerto de alimentos, administrando duas mulas, um marido e dois filhos, sentada em cima de um carregamento de armas de contrabando disfarçadas de cocô de morcego, cobrava seu preço da pessoa. Apesar disso, ela parecia feliz.

– Não estou acreditando na casa! Ficou... – Ela levantou a mão, olhou em volta e riu. – Mas Pa ainda não instalou a porta de seu consultório.

– Um dia ele instala. – Olhei para a cozinha, mas o zum-zum e os risinhos soavam tranquilos e eu a segurei pelo braço e a puxei em direção ao consultório sem porta. – Deixe eu ouvir seu coração. Deite-se na mesa.

Ela pareceu querer revirar os olhos, mas subiu, atlética feito um grilo. Deitou-se, fechou os olhos e o contato da superfície recém-acolchoada a fez suspirar de prazer.

– *Meu Deus*. Não deito em uma cama tão macia desde que saímos de Savannah. Não tão limpa com certeza. – Ela se espreguiçou languidamente e pude ouvir o estalo suave das vértebras. – Aliás, lorde John mandou um beijo.

– Foi isso que ele disse? – perguntei, sorrindo enquanto estendia a mão para meu estetoscópio Pinard.

– Não, ele disse outra coisa bem mais elegante, mas foi isso que quis dizer. – Ela abriu um dos olhos e me encarou, astuta. – E Sua Graça, o duque de Pardloe, me pediu para transmitir seus melhores votos. Ele escreveu uma espécie de recado para você.

– Uma espécie? – Eu já tinha visto uma ou duas missivas de Hal durante meu breve casamento com John... e escutado muito mais a respeito do próprio John. – Ele assinou o nome todo?

– Assinou, mas estava bem chateado. Mas você sabe, a fleuma britânica e tal.

Encarei-a.

– Chateado? Hal? Com quê? Abra o espartilho.

– Essa é uma história meio comprida – disse Bree, semicerrando os olhos rente ao nariz comprido para ver os dedos que começavam a desatar os cordões. Relanceou-os para mim. – Imagino que Pa soubesse que William estava em Savannah quando sugeriu que eu fosse para lá.

– Lorde John mencionou isso, sim... na carta que escreveu convidando você para pintar o tal retrato. Como terminou isso, aliás?

Ela riu.

– Mais tarde conto tudo sobre Angelina Brumby e o marido – disse ela. Fechou um olho e me fitou com o outro. – Não tente mudar de assunto... William.

– Você esteve com ele? – Não consegui disfarçar a esperança na voz e ela abriu os dois olhos.

– Estive – respondeu e olhou para baixo enquanto soltava o último cordão de seu laço. – Foi... foi muito bom. Ele foi à casa dos Brumbys... lorde John simplesmente o mandou ir lá falar com "a pintora"; ele também não tinha dito nada sobre mim. O que há entre os dois, afinal? – perguntou ela de repente, erguendo os olhos. – Pa e lorde John. Por que fariam *isso*? Não nos avisar que o outro estava em Savannah, quero dizer.

– Por timidez – respondi e sorri com um pouco de pesar. – Os dois têm certa delicadeza... embora se possa pensar que não. Não queriam impor nem a você nem a William uma carga de expectativa. – E Jamie, pelo menos, tinha muito medo de os filhos não se gostarem. Seu desejo de que se *gostassem* era importante demais para falar a respeito, até mesmo comigo. – A intenção deles foi boa. Mas *como* William está?

O deleite subjacente em seu rosto com o fato de estar em casa não diminuiu, mas ela balançou a cabeça com a testa levemente franzida com empatia.

– Coitado dele. É um cara *tão* legal, mas meu Deus! Como é que alguém tão novo consegue ter uma vida tão complicada?

– Sua vida não era tão simples assim com 20 e poucos anos, se bem me lembro... – Soltei a fita de sua combinação e encostei a extremidade plana do Pinard em seu peito. – Acho que vocês escolheram mal seus pais. Inspire fundo, querida, e prenda a respiração.

Ela obedeceu e eu fiquei escutando. Escutei mais um pouco, mudei o Pinard de lugar, escutei mais... *tá-tum, tá-TUM, tá-TUM*... Tão regular quanto um metrônomo, e um som vigoroso e forte. Pus a mão em seu plexo solar para sentir a pulsação abdominal, só por garantia, mas ela também estava forte e a carne firme de sua barriga se balançava de leve sob meus dedos a cada batida.

– Parece estar tudo bem – falei, erguendo os olhos.

Ao ver seu rosto, pensei como ela estava linda. Em casa. Sã e salva. *Viva*.

– Está tudo bem, mamãe? – perguntou ela, encarando-me desconfiada, pois meus olhos tinham ficado um pouco úmidos.

– Com certeza – respondi e pigarreei. – A fibrilação deu muito trabalho?

– Não – respondeu ela, soando um pouco surpresa. – Aconteceu duas ou três vezes na viagem até Charleston e uma ou duas vezes quando estávamos lá. Só duas vezes em Savannah, pelo menos ruins o bastante para eu notar. Mas acho que não aconteceu nem uma vez na viagem de volta... Se aconteceu, durou só alguns segundos. Eu não parei de tomar a casca de salgueiro – garantiu. – Só que depois de um tempo comecei a moer as folhas e a fazer pílulas usando queijo, porque o chá me fazia ir ao banheiro *toda hora* e eu não podia parar de pintar a cada quinze minutos para encontrar um penico. Eu *não acho* que o queijo neutralizaria a casca de salgueiro, você acha?

– Não – falei rindo. – Mas parabéns... você inventou a primeira aspirina sabor queijo do mundo. Não ficou com dor de barriga?

Ela fez que não com a cabeça e suspendeu a frente da combinação.

– Não, mas achei que o queijo talvez pudesse neutralizar a acidez... não mandam quem tem úlcera tomar leite?

– Sim, ou um antiácido. Na verdade, o mel funciona bem para... – Interrompi-me abruptamente.

Ela havia acabado de amarrar a fita da combinação e eu tinha estendido a mão para pegar o espartilho e lhe passar, mas minha mão esquerda continuava pousada em sua barriga, um pouco mais embaixo. E eu ainda estava ouvindo o coração bater.

Batidas débeis e rápidas. Minúsculas, aceleradas e muito fortes.

TatumTatumTatum...

– Mamãe? O que foi? – Bree tinha se sentado, alarmada. Tudo que consegui fazer foi balançar a cabeça.

– Bem-vindo ao lar – consegui dizer ao mais novo morador da Cordilheira. E então comecei a chorar.

Em meio ao estardalhaço de alegria generalizada com a notícia da gravidez de Brianna e à agitação de realocar os moradores da casa – as Hardmans ocuparam o terceiro andar ainda inacabado, com lonas pregadas nas janelas para impedir a chuva de entrar, e Roger e Brianna se mudaram para seu quarto de sempre. Fanny e Agnes, agora "mulheres", receberam um canto próprio no sótão para poderem ter privacidade, mas continuaram a dormir em um bolo desordenado com as crianças mais novas, assim como as irmãs Hardman –, demorei algum tempo para me lembrar do recado que Brianna tinha me dado.

Enfiara o papel no bolso do avental e o esqueci por lá. Encontrei-o vários dias depois, ao decidir que a peça se encontrava imunda demais para ser higiênica e precisava ser lavada.

O recado surgiu, um quadradinho liso de papel intricadamente dobrado, com um ganso voando em frente a uma lua cheia gravado na cera do lacre. Estava endereçado na parte externa à *Sra. James Fraser, Cordilheira dos Frasers, Carolina do Norte*, mas, de modo fiel à descrição feita por John dos hábitos epistolares de Hal, não continha saudação. Eram apenas poucas palavras, mas ele *tinha* assinado.

> *Não sei o que a senhora e meu irmão fizeram um com o outro, mas obviamente são mais do que amigos. Se eu não voltar do que estou prestes a fazer, por favor, cuide dele.*
>
> *Postscriptum: Pode me recomendar alguma preparação de ervas de caráter letal? É para envenenar ratos.*
>
> *Harold, duque de Pardloe*

Abaixo disso havia um H grande, para o caso de eu não o reconhecer pelo título, era de supor. Pus o papel com cuidado em cima do armário de tortas, onde podia ficar olhando para ele enquanto sovava o pão.

Minha vontade era rir. De fato, eu sorri... mas foi um sorriso nervoso. *Para envenenar ratos*, sei... Pelo que conhecia da personalidade de Hal, ele podia estar planejando assassinato, suicídio ou então o real extermínio de roedores em sua adega. Quanto àquilo que estava prestes a fazer…

– Pode ser tudo e mais um pouco – falei entre dentes e bati com a massa elástica no tampo enfarinhado da mesa, dobrando-a e formando outra bola com ela.

Coloquei a bola de volta dentro da tigela e a cobri com um pano úmido, então fiquei parada feito uma galinha estupefata, piscando para a massa e me perguntando o que os irmãos Grey estariam aprontando. Balancei a cabeça, pus a tigela na pequena prateleira perto da chaminé e deixei o pão crescendo enquanto atravessava o hall até o escritório de Jamie.

– Você tem uma folha de papel e uma pena decente? – perguntei.

– Tenho. Aqui estão.

Ele estava recostado em sua cadeira, pensativo, com a fisionomia carregada, mas se inclinou para a frente para pegar uma pena no jarro em cima da escrivaninha e me passou uma folha do papel simples de Bree feito com fibras de tecido.

Peguei os objetos enquanto balançava a cabeça em agradecimento e junto à sua mesa escrevi:

Para Harold, duque de Pardloe
Coronel, 46º Regimento de Infantaria
Savannah, Geórgia

Caro Hal,

Sim.

Folhas de dedaleira. Soque e faça um chá bem forte ou simplesmente as ponha na salada e convide os ratos para jantar.

Sua ex-cunhada,
C.

Postscriptum: Não é um jeito bom de morrer, mesmo para um rato. Um tiro é bem mais eficiente.

Jamie ficara me olhando escrever, lendo com dificuldade a mensagem virada de cabeça para baixo, e ergueu o rosto com as sobrancelhas arqueadas quando terminei e agitei o papel no ar para secar a tinta. Pousei-o na mesa e pus ao lado o recado de Hal, de frente para ele.

As sobrancelhas não baixaram quando ele leu. Ele ergueu o rosto para mim.

– É para ser brincadeira – falei. – Digo, isso da dedaleira.

Ele fez um ruído escocês contido e tornou a empurrar os papéis em minha direção.

– Você pode estar brincando, Sassenach… mas ele não. *O que quer* que tenha escrito.

124

A PRIMEIRA VEZ QUE VI SEU ROSTO

Savannah
5 de maio de 1780

De capitão M. A. Stubbs, Exército de Sua Majestade, aposentado
Para sr. John Cinnamon

Meu caro sr. Cinnamon,

Nem sei lhe descrever a emoção que senti ao ver seu retrato. Na verdade, meu peito está tão pleno de sentimento que sinto que meu coração pode explodir, tomado pela força somada da culpa e da alegria, mas lhe agradeço, do fundo de meu sofrido coração, pelo seu ato nobre e pela coragem que deve existir por trás dele.

Permita-me primeiro implorar seu perdão, embora eu não o mereça. Fui gravemente ferido em Québec e fiquei alguns meses sem poder cuidar de meus assuntos, ao cabo dos quais já fora mandado de volta para a Inglaterra. Deveria ter procurado saber sobre a sua mãe e garantido algum dinheiro para vocês. Mas não o fiz. Preferiria pensar que foram somente o choque e a deficiência que me impediram de cumprir esse dever, mas a verdade é que eu decidi esquecer, por egoísmo e por preguiça. Não sou um homem bom. Lamento por isso.

E me permita, então, supondo que seu perdão seja concedido, suplicar-lhe que venha a meu encontro. Estou estarrecido pela força do sentimento causado em mim pela visão do seu rosto reproduzido em tinta e tela, e mais ainda pela crescente necessidade que sinto de ver seu rosto de verdade. Posso apenas esperar que o senhor também queira ver o meu.

Caso me perdoe o suficiente para vir, mandei instruções para lorde John Grey, que providenciará seu transporte até Londres e os recursos para sua viagem.

Subscrevo-me, senhor, seu mais humilde e obediente criado, e pai
Malcolm Armistead Stubbs

Postscriptum: seu nome é Michel. Sua mãe tinha um medalhão que a avó francesa havia lhe dado com a imagem de Miguel Arcanjo e desejava que o senhor tivesse sua proteção.

Savannah
10 de maio de 1780

Era um dia de temporal e fazia frio no cais. Um vento forte formava espuma nas ondas do rio e tentava soprar também seus chapéus. O escaler tinha quase acabado seu serviço: era a última viagem com destino aos porões de carga do transporte militar *Hermione*, que aguardava ancorado.

– Já esteve em um navio? – perguntou William de repente.

– Não. Só em canoas. – Cinnamon se remexia feito um cavalo arisco prestes a empinar. – Como é?

– Emocionante, às vezes – respondeu William em um tom que torceu para ser tranquilizador. – Mas em geral é um tédio. Tome, trouxe um presente de despedida. – Ele levou a mão ao bolso do casaco e pegou um vidrinho de líquido turvo e um frasco menor com um conta-gotas. – Só por garantia – falou para o amigo ao lhe entregar o presente. – Conserva de pepino com endro e éter. Caso você enjoe.

Cinnamon encarou o mimo com ar de dúvida, mas aquiesceu.

– Chupe um pepino se ficar mareado – explicou William. – Se não funcionar, tome seis gotas de éter. Pode misturar com cerveja se quiser – acrescentou, prestativo.

– Obrigado. – O vento tinha reavivado o brilho avermelhado das faces de Cinnamon. – Obrigado – repetiu ele e segurou a mão de William em um aperto esmagador. – E diga à sua irmã quanto… quanto…

A maré de emoção que lhe subiu pela garganta o sufocou e ele balançou a cabeça e torceu com mais força a mão de William.

– Você mesmo já disse – falou William, soltando a mão e reprimindo um impulso de contar os dedos. – Ela ficou feliz em fazer o que fez. Está feliz por você. Eu também estou – acrescentou, dando alguns tapinhas afetuosos no braço de Cinnamon, tanto para evitar que segurasse sua mão outra vez quanto por causa do afeto muito genuíno que sentia. – Vou sentir sua falta, sabia? – declarou, inseguro.

Iria mesmo, e essa consciência o atingiu como um golpe atrás da orelha. Ele se sentiu subitamente vazio, mas não conseguiu pensar em nada mais para dizer.

– *Moi aussi* – disse Cinnamon e, baixando os olhos para as botas novas, pigarreou para limpar a garganta.

– Todos a bordo! – O tenente naval que comandava o escaler os fuzilava com os olhos. – *Agora*, cavalheiros!

William pegou a mala nova, um presente de lorde John, e a empurrou para a mão de Cinnamon.

– Vá – falou, sorrindo o máximo que conseguiu. – E me escreva de Londres!

Cinnamon assentiu e, depois de um novo grito irado do comandante do escaler, virou-se e se içou às cegas até a bordo da embarcação. As velas do escaler baixaram e se inflaram ao mesmo tempo. Um minuto depois, estavam no meio do rio, flutuando em direção a um futuro desconhecido. William ficou olhando para a pequena embarcação até ela desaparecer, então se virou de volta para a Bay Street com um suspiro, a sensação de perda matizada de inveja.

– *Au revoir, Michel* – falou entre dentes. – E agora, com quem vou conversar?

125

UMA MULHER DO SEGUNDO TIPO

Savannah

Depois que Cinnamon partiu, William aceitou o convite do pai e se mudou da casinha que os dois dividiam para a residência de lorde John. Amaranthus precisava de companhia, disse o pai com firmeza.

– Ela não aceita nenhum convite e só sai de vez em quando para ir às lojas – dissera ele a William.

– Deve estar *mesmo* desanimada – retrucou William. Pretendia fazer piada, mas o modo como seu pai o fuzilou com o olhar o intimidou. – Certamente o senhor disse a ela que ninguém sabe, não disse?

– É claro que eu disse – respondeu lorde John com impaciência. – Com uma dose surpreendente de delicadeza, Hal disse a mesma coisa. Ela só baixa a cabeça e diz que não suporta ser vista. "Na vitrine", foi a expressão um tanto esquisita que ela usou.

– Ah – murmurou William, compreendendo um pouco. – Bom, isso faz mais sentido.

– Faz?

– Bem – disse William, um pouco sem jeito –, como uma jovem viúva e mãe do herdeiro do título de tio Hal, ela atrairia… quero dizer, ela *já atraiu* uma boa quantidade de… interesse? Em festas, almoços e esse tipo de coisa, quero dizer.

– Até onde pude ver, ela apreciou esse interesse – observou cinicamente seu pai enquanto lhe lançava um olhar de esguelha.

– De fato. – William se virou para o lado, pegou um prato de porcelana de Meissen no aparador e fingiu examiná-lo. – Mas agora que ela foi… desmascarada, por assim dizer… mesmo que só entre nós… – Ele tossiu. – Talvez sinta não poder desempenhar o papel de uma linda e jovem viúva e, ahn…

– Ficaria de certa forma constrangida de flertar com rapazes idiotas sabendo que provavelmente viríamos a saber depois. Humm…

Lorde John pareceu achar isso duvidoso, mas plausível. Então fez a dedução seguinte, inevitável, supôs William.

– Afinal, o que ela faria se uma dessas brilhantes e jovens faíscas pegasse fogo e pedisse a mão dela? – Lorde John franziu o cenho quando a coisa seguinte lhe ocorreu.

Olhou rapidamente por cima do ombro, então chegou mais perto de William e baixou a voz: – O que ela teria feito se isso tivesse acontecido *sem* que soubéssemos a verdade?

William deu de ombros e abriu as mãos, fingindo total ignorância.

– Só Deus sabe – respondeu ele com a pura verdade. – Mas não aconteceu.

Lorde John pareceu querer dizer mais alguma coisa. Em vez disso, apenas balançou a cabeça e moveu o prato 5 centímetros, de volta para a posição exata.

– Talvez ela pudesse ir a almoços ou chás, ou a... reuniões de costura? – arriscou William. – Coisas só de mulheres, quero dizer.

Seu pai deu uma leve risada.

– Existem dois tipos de mulher no mundo – disse ele. – As que apreciam a companhia de outras mulheres e as que preferem a dos homens. Por um motivo qualquer – acrescentou, para ser justo. – Nem sempre tem a ver com luxúria ou casamento.

– E está sugerindo que Amaranthus não pertence ao primeiro tipo.

– William, isso é suficientemente óbvio para até *você* ter notado, e garanto que as outras mulheres notaram. Mulheres do primeiro tipo não apreciam mulheres do segundo tipo, em especial se a do segundo tipo for jovem, linda e provida de charme ou dinheiro. – Ele passou a mão pelos cabelos ainda fartos e louros, embora já houvesse fios grisalhos junto ao rosto. – Eu poderia até implorar à sra. Holmes ou a lady Prévost que convidassem Amaranthus para um convescote feminino de algum tipo, mas duvido muito que ela vá.

– O senhor está preocupado que ela esteja se sentindo só, mesmo sabendo de tudo – disse William com bastante gentileza. – Bem, a situação não é culpa dela.

Seu pai deu um pesado suspiro. Estava com um aspecto um tanto desalinhado e um leve odor de leite azedo pairava a seu redor, provavelmente ligado à mancha esbranquiçada limpada com imperfeição em sua manga cor de carvão. Trevor já fora desmamado, mas ainda não dominava os mistérios de beber de uma caneca.

– O senhor precisa de uma ama-seca – disse William.

– Preciso, mesmo – retrucou seu pai na mesma hora. – Você.

Não podia dizer que lamentava estar de volta à Oglethorpe Street. A vida de solteiro com John Cinnamon tinha sido bastante agradável e era bom ter um amigo sempre à mão para compartilhar o que quer que acontecesse. Mas estava feliz por Cinnamon, ainda que um pouco ansioso. A pequena casa que dividiam na orla do pântano parecia úmida e desolada, e ele ficava desanimado quando o sol se punha e o deixava sozinho nas sombras com o cheiro de lama e peixe morto. Era bom agora acordar de manhã com a luz do sol e o barulho das pessoas lá embaixo na casa.

Além disso, havia a comida. Fosse qual fosse a intransigência de Moira em relação aos tomates grelhados, a mulher era uma lenda nos quesitos peixes, crustáceos e jacaré na brasa com molho de damasco. À custa de certo convencimento e de uma garrafa de bom conhaque, havia até permitido que lorde John lhe ensinasse a fazer batatas *dauphinoise*.

E havia Amaranthus.

Ele viu na mesma hora o que lorde John tinha querido dizer: ela estava apagada, ficava fazendo seu bordado com os olhos baixos e só falava quando alguém lhe dirigia a palavra. Era sempre educada, mas sempre distante, como se seu pensamento estivesse em outro lugar.

Provavelmente em Nova Jersey, pensou ele, e se espantou ao sentir uma espécie de empatia com ela. Realmente não era culpa sua.

William se incumbiu de trazê-la de volta ao convívio social e ao longo desse processo descobriu que algumas facetas do próprio temperamento que tinha deixado de lado no último ano na verdade não estavam mortas. Ele estava começando a sonhar à noite… com a Inglaterra.

Depois do jantar, eles jogavam. Xadrez, damas, gamão, dominó… se Hal ou mais alguém tivesse ido jantar com eles jogavam cartas, uíste ou *brag* e todos os três homens sorriam ao ver Amaranthus se animar no fogo da disputa: ela era um ás no carteado e jogava xadrez como um gato, os olhos furta-cor fixos no tabuleiro como se as peças fossem camundongos, com rabos imaginários a ondular suavemente para lá e para cá atrás do ombro até o momento em que davam o bote e mostravam os dentinhos brancos.

Ainda assim, a sensação de estar apenas matando o tempo era levemente opressiva. A cidade inteira estava dominada pela mesma atmosfera, ainda que a sensação de atividade suspensa tivesse um motivo profundo e urgente. Agora que os navios franceses tinham partido e Lincoln e os americanos se retirado para Charles Town, Savannah começara a catar seus caquinhos: casas destruídas por canhões tinham sido consertadas o mais depressa possível, mas com a primavera veio a tinta fresca e os vivos cor-de-rosa, amarelos e azuis da cidade tornaram a desabrochar.

Os abatises e os refúgios fora da cidade permaneceram, embora os temporais e as cheias do inverno tivessem erodido as defesas mais afastadas. Os resquícios do acampamento americano tinham praticamente desaparecido, aproveitados por escravos e aprendizes.

Mas, se Benjamin em Nova Jersey continuava presente sob o verniz controlado de Amaranthus, Charles Town ocupava de modo explícito e constante a mente da guarnição de Savannah.

Despachos traziam com frequência notícias de Nova York e Rhode Island, onde sir Henry Clinton preparava suas tropas para uma viagem. Sendo Hal quem era, e sendo John não apenas seu irmão, mas também seu tenente-coronel, os moradores da casa estavam cientes da intenção do general Clinton de atacar Charles Town assim que o clima permitisse tal aventura.

Os despachos tinham chegado durante todo o mês de abril, trazidos por navios ou cavaleiros, em um crescendo de animação e intensidade. À medida que o cerco progredia, tio Hal andava de um lado para outro da casa, sem conseguir suportar o confinamento, mas sem querer sair para não correr o risco de alguma notícia chegar durante sua ausência momentânea.

– É muito improvável termos que transferir mais homens para Charles Town – dissera lorde John para William, que acabara de comparar o tio a uma gata prenha prestes a parir. – Clinton tem homens e artilharia suficientes. Ele tem Cornwallis e, sejam quais forem seus outros defeitos, o Exército Britânico sabe conduzir um cerco. Mesmo assim, se, ou melhor, quando a cidade cair, *pode ser* que sejamos convocados, e nesse caso vai ser com muita pressa. O mais provável, porém, é nos deixarem aqui de molho – acrescentou em tom de alerta ao ver a expressão de ansiedade no rosto de William. Deteve-se, porém, e ficou observando o filho com ar pensativo. – Você consideraria aceitar um cargo se isso acontecesse?

O primeiro impulso de William foi responder que sim, claro, e ficou evidente que seu pai viu isso, pois, embora lorde John tivesse feito o possível para evitar dizer qualquer coisa a William com relação a seu futuro, a referência a um cargo no Exército tinha feito um débil raio de esperança iluminar seu rosto.

William inspirou fundo, pensou um pouco e balançou a cabeça.

– Não sei – falou. – Vou pensar no assunto.

Savannah estava toda florida, as praças e ruas cobertas por pétalas de magnólias e azaleias, com gardênias, jasmins e glicínias perfumando o ar e encantando os olhos. Aconchegante e quentinha no inverno, a casa de lorde John parecia pequena e insuportavelmente abafada.

William convenceu Amaranthus a dar uma volta com ele para aproveitar o ar da manhã e a brisa refrescante vinda do mar. E ela pareceu gostar: manteve a cabeça orgulhosamente erguida e chegou ao ponto de incliná-la de modo agradável para senhoras conhecidas, a maioria das quais se curvou ou meneou a cabeça em resposta. William também sorriu e se curvou, embora tivesse notado as expressões de especulação em seus rostos sob os largos chapéus de palha e as toucas de renda. Houve também um ou dois lábios contraídos e olhares de esguelha.

– Elas estão decepcionadas – comentou Amaranthus, parecendo achar um pouco de graça. – Acham que eu seduzi você.

– Deixe acharem – retrucou William, dando alguns tapinhas rápidos na mão que ela havia pousado na parte interna de seu braço. – Se não quiser exibir sua presa em público, podemos ir até a praia.

Eles pararam no alto dos degraus de pedra que desciam até a beira do mar no fim da Bay Street e tiraram as meias e os sapatos. A pedra estava molhada e escorregadia, mas a sensação nas solas dos pés de William foi maravilhosa. A areia estava ainda mais gostosa e ele soltou a mão de Amaranthus, tirou o casaco e saiu correndo até bem longe pela praia, com a calça dobrada até os joelhos, sentindo o vento no rosto e ouvindo as aves marinhas no alto.

Ao voltar, descabelado e feliz, descobriu que ela havia tirado o chapéu e a touca, soltado os grampos dos cabelos e estava dançando na areia, fazendo mesuras para um par invisível, rodopiando para longe e voltando com a mão estendida.

Ele riu e, aproximando-se por trás, segurou sua mão, girou-a em sua direção, curvou-se e lhe beijou os nós dos dedos. Ela também riu e os dois saíram saltitando devagar pela praia, os dedos dos pés descalços afundando na areia úmida. Não tinham se falado desde que haviam chegado à praia e nem parecia haver necessidade. Algumas pessoas estavam por perto: pescadores, mulheres catando camarões com redes na água rasa ou cavando a areia em busca de mariscos, ou gente passeando como eles. Ninguém lhes dirigiu mais do que uma olhada casual. Por acordo tácito, eles começaram a andar para o lado oposto ao da cidade, atravessaram o capim e foram subindo o rio, passando por uma lona parcialmente enterrada, antiga barraca militar agora abandonada e estalando ao vento.

Por fim, sabendo que já tinham ido longe o bastante, ficaram parados por algum tempo observando os barcos e as balsas de pesca descerem o rio e as embarcações a remo e os botes fazendo a travessia até o outro lado, onde alguns armazéns aguardavam as mercadorias que traziam.

Amaranthus suspirou e William pensou que havia certo anseio em sua expressão, como se ela também desejasse poder sair navegando livre pelas águas.

– Você poderia pedir o divórcio – disse ele por fim.

Ela virou a cabeça de modo brusco, com o corpo tensionado, e o olhou de cima a baixo, como para determinar se aquela frase era uma tentativa inoportuna de fazer humor. Ao concluir que não, deixou os ombros relaxarem e respondeu apenas "Não poderia, não" no mesmo tom paciente que se poderia usar para explicar a uma criança por que ela não deveria pôr a mão no fogo.

– Poderia, sim. Bom, quase com certeza – corrigiu-se ele. – Eu... andei pensando que preciso voltar para a Inglaterra em breve. Para resolver algumas coisas. Você poderia viajar comigo, sob minha proteção. Ben ainda não é duque, mas tem uma posição privilegiada. Isso significa que um divórcio precisaria ser autorizado pela Câmara dos Lordes... e eles autorizariam em um piscar de olhos se ficassem sabendo sobre o general Bleeker. Uma simples infidelidade é uma coisa; alta traição é outra coisa bem diferente.

As narinas dela embranqueceram, mas ela manteve a calma.

– Era *exatamente* a isso que estava me referindo, William. Acha que eu já não pensei em divórcio? Considera-me descerebrada a esse ponto?

Não havia uma boa resposta possível para essa pergunta e ele teve o bom senso de nem tentar retrucar.

– Então ao que "exatamente" estava se referindo? – perguntou em vez disso.

– A alta traição – respondeu ela exasperada. – A que mais poderia estar me referindo? Como disse, se eu fosse solicitar o divórcio à Câmara dos Lordes porque Ben me abandonou, não por causa de uma rameira, mas sim do general Washington, eles me autorizariam na hora se eu conseguisse provar... e até acho que você testemunharia se fosse preciso, William. – Ela lhe abriu um quase sorriso de pesar antes de retomar a argumentação: – E todos os jornais, grandes e pequenos, assim como todos os *salons* londrinos passariam semanas em polvorosa com esse assunto... semanas não, meses! O que isso causaria em seu tio? Na esposa dele? No irmão dele? Nos irmãos e na irmã de Ben? Não poderia fazer isso com eles. – Ela fez um gesto arrebatado e abriu os braços de frustração. – E o regimento? Mesmo que o rei não o dissolvesse na hora, nunca mais confiaria em pai Pardloe. Nem ele nem o Exército.

– Entendi – disse William, rígido, depois de alguns instantes em silêncio. Respirou fundo e então segurou a mão dela com cuidado. Ela não a retirou com um tranco nem lhe deu um tapa, tampouco reagiu a seu contato. – Só queria dizer que não sugeri um divórcio por nenhum motivo de interesse próprio – disse ele baixinho. – Achei que você pudesse pensar...

Ela estivera olhando fixamente para a água do rio, mas, ao ouvir isso, cruzou o olhar com o dele com uma expressão firme e séria, os olhos tão cinza quanto o céu nublado.

– Eu poderia ter pensado – falou suavemente. Estava perto o suficiente para que suas saias agitadas pelo vento envolvessem os tornozelos nus de William e ele beijou de leve os nós de seus dedos e soltou sua mão. – Seria melhor nós... – começou ela, mas então se deteve. – O que é aquilo ali?

Ele se virou para olhar e viu um cúter da Marinha, bandeira flutuando ao vento, descendo o rio em sua direção a toda velocidade. Quando a embarcação passou, distinguiu uniformes militares a bordo.

– Notícias – falou. – De Charles Town. Vamos!

Eles viram o cúter no cais quando estavam voltando apressados e logo em seguida um pequeno grupo de oficiais do Exército e da Marinha subindo com dificuldade a escadaria de pedra escorregadia que ia dar na Bay Street.

William inflou os pulmões e berrou:

– Charles Town caiu?

A maioria dos oficiais o ignorou, mas um jovem oficial de infantaria um pouco mais para trás do grupo se virou e gritou "Sim!" com ar radiante. O rapaz foi rapidamente agarrado pelo braço e arrastado com os outros, mas o grupo obviamente estava com pressa demais para perder tempo com um desmentido oficial.

– Ai, santo Deus!

Amaranthus ofegava, com a base da mão pressionada no espartilho. William praticamente a tinha esquecido de tão animado, mas na mesma hora pegou os sapatos e meias da sua outra mão e lhe pediu para se sentar e deixar que ele ajudasse a calçá-la.

Ela assim o fez e riu com pequenos arquejos ofegantes.

– Sério. William. Por quem você me toma? Calçando-me como se eu fosse... uma égua?

– Não, não. Certamente não. Talvez uma potranca.

Ele sorriu e subiu sua última meia até o joelho. Foi obrigado a deixar abertos os botões do sapato, pois não achou as casas nem fazia ideia de como usar uma se tivesse achado, mas amarrou suas ligas depressa e ela pôde pelo menos caminhar.

– Eles devem ter ido para o quartel-general de Prévost – disse ele quando os dois chegaram à Oglethorpe Street. – Vou acompanhar você até a casa de papai, depois vou lá descobrir os detalhes.

– Volte assim que puder – disse ela. Estava despenteada por causa do vento e arfante, com as bochechas vermelhas por ter apressado o passo pelo calçamento de pedra das ruas. – Por favor, William.

Ele assentiu e, após deixá-la no portão, saiu caminhando a passos largos na direção do quartel-general de Prévost.

Quando voltou, já passava muito da hora do chá, mas Moira, Amaranthus e a nova governanta de lorde John, mulher alta e irritadiça muito adequadamente chamada srta. Crabb, "caranguejo", tinham lhe guardado um pouco de bolo e estavam aguardando impacientes para saber as notícias.

– Foi em parte graças aos escravos – explicou William, lambendo uma migalha de bolo do canto da boca. – Sir Henry já tinha divulgado uma proclamação oferecendo alforria para qualquer escravo de um rebelde americano que decidisse lutar junto com o Exército Britânico... Quando isso se espalhou pela zona rural ao redor de Charles Town, houve um fluxo considerável de homens *tanto* da zona rural quanto da cidade. E eram homens com grande conhecimento do terreno, por assim dizer...

Moira tornou a encher sua xícara, os olhos brilhando acima do bule atarracado e cinza de chá.

– Está dizendo que foram os negros que se viraram contra os senhores e foi por isso que a cidade caiu? Bem feito para eles!

– Sra. O'Meara! – exclamou a srta. Crabb. – Não pode estar falando sério!

– Uma ova que não! – retrucou Moira decidida, devolvendo o bule para a mesa com tanta força que o chá respingou na toalha. – E a senhorita diria o mesmo se já tivesse sido escravizada por dívida como eu. Morte aos senhores, é o que digo!

Amaranthus soltou uma risada chocada que tentou transformar em acesso de tosse enterrando o rosto em um lenço.

– Bem, pelo que entendi, lorde Cornwallis e suas tropas regulares tiveram algo a ver com a rendição – disse William, mantendo com alguma dificuldade a compostura. – Ele conduziu seus homens pelo continente e sitiou a cidade com canhões e trincheiras, enquanto sir Henry capturava as ilhas próximas ao litoral. E, enquanto tudo isso estava acontecendo, em meados de abril, sir Henry mandou dois de seus oficiais tomarem um lugar chamado Monck's Corner. Banastre Tarleton e Patrick Ferguson... eu conheço o primeiro, um oficial de grande vigor. Os dois foram...

– Você conhece Ban Tarleton? – indagou Amaranthus, surpresa. – Eu também. Que engraçado! Imagino... que ele não tenha se ferido.

– Até onde sei, não – respondeu William, igualmente surpreso.

Tinha quase certeza de que nada exceto uma bala de canhão a curta distância teria conseguido afetar Tarleton: tivera uma breve interação com o sujeito por causa de Jane, e pensar nisso invocou toda uma série de sentimentos com os quais não queria lidar. Ele engoliu o chá e tossiu um pouco.

– Nunca ouvi falar de Ferguson... Você o conhece?

Supunha que não fosse estranho se ela conhecesse. Antes de virar a casaca, Ben era major do Exército Britânico e seu batalhão, pelo que William sabia, continuava com Clinton.

Ela deu de ombros de leve.

– Encontrei o major Ferguson uma vez. Uma criatura escocesa baixinha e pálida com o braço aleijado. Mas muito intenso, com olhos verdes daqueles bem claros.

– Imagino que seja mesmo. Intenso, digo. Sir Henry o despachou para reunir legalistas e formar uma milícia da província. Pelo que soube, ele se saiu bastante bem. Seus legalistas lutaram com as tropas do major Tarleton para tomar Monck's Corner... e isso interrompeu a principal linha de retirada dos americanos. De modo que...

Antes de contar tudo que sabia, a mesa já era uma ruína de pratos vazios, pires cheios de chá derramado e fileiras de açúcar, pimenta e sal para ilustrar os movimentos do exército de Clinton.

– Então anteontem Charles Town caiu – concluiu ele, um pouco rouco de tanto falar. – Lincoln tinha oferecido desistir da cidade três semanas antes se seus homens pudessem sair ilesos. Mas Clinton sabia que estava com a vantagem e manteve o bombardeio até Lincoln se render sem condições. Dizem que cinco mil homens foram levados prisioneiros. Um exército inteiro. Tem mais chá, Moira, por favor?

– Tem – respondeu ela, levantando-se. – Mas se a decisão fosse minha, filho, mandaria servir o conhaque do bom. Uma vitória dessas merece.

A ideia foi aclamada por todos. Quando lorde John chegou em casa, bem depois da meia-noite, não havia mais copos limpos e restavam apenas 2 centímetros de conhaque na última garrafa.

Ele correu os olhos pela sua sala de pernas para o ar, encolheu os ombros, sentou-se, pegou a garrafa e a secou.

– Como está, papai?

William tinha ficado acordado, deixando as mulheres se encaminharem cada qual para sua cama, e se sentara em frente à lareira pensando. Compartilhando a animação geral da vitória, claro... mas também com inveja dos homens que a tinham obtido.

Sentia falta da camaradagem do Exército, mas, mais do que isso, do sentimento de propósito comum, de saber que tinha um papel a desempenhar e pessoas que dependiam dele. O Exército tinha restrições que não eram insignificantes... Por outro lado, sua vida atual era informe e vazia... de tudo. De tudo.

– Estou bem, Willie – respondeu o pai com afeto. Lorde John estava exausto, sustentado em grande parte pelo uniforme, mas bem-disposto. – Amanhã eu conto tudo.

– Sim, claro.

William se levantou, mas, ao ver o pai encolher as pernas e hesitar, como se não soubesse ao certo o que vinha a seguir, sorriu e se inclinou para ajudar lorde John a se levantar da cadeira. Passou um bom tempo segurando o braço do pai para se certificar de que estivesse firme e sentiu a quentura sólida de seu corpo e o cheiro de homem e de soldado, de suor, aço, lã vermelha e couro.

– Você perguntou se eu consideraria obter um cargo no Exército – disse William abruptamente, surpreendendo a si mesmo.

– Perguntei. – Lorde John oscilava um pouco. Os 2 centímetros de conhaque da garrafa que acabara de consumir eram apenas a cereja do bolo naquela noite. Apesar de vermelhos, seus olhos estavam firmes e ele encarou William com uma aprovação matizada de dúvida. – Mas você precisa ter certeza.

– Eu sei – disse William. – Estou só pensando.

– Não é um momento ruim para se realistar – comentou judiciosamente seu pai. – Quero dizer, você vai querer entrar antes de a diversão acabar. Cornwallis disse que os americanos não vão durar outro inverno. Tenha isso em mente.

– Terei – respondeu William com um sorriso. Ele não estava muito menos alcoolizado do que o pai e sentia uma benevolência calorosa em relação ao Exército, à Inglaterra e até mesmo a lorde Cornwallis, embora em geral considerasse o cavalheiro um idiota cansativo. – Boa noite, papai.

– Boa noite, Willie.

O início de uma batalha em geral é muito mais bem definido do que seu fim e, muito embora a de Charles Town tivesse se concluído com uma rendição formal e incondicional, o que veio depois disso, como de costume, foi longo, demorado, complicado e difícil.

A enxurrada de despachos não arrefeceu, apesar de a proporção de animação em relação ao tédio ter diminuído consideravelmente. Mais tropas da guarnição de

Savannah foram separadas e enviadas para o norte, mas para vigiar prisioneiros e escoltá-los até navios-prisão ou outros locais insalubres, não para participar de uma gloriosa batalha.

– Pelo menos no final de *nosso* cerco Lincoln levou junto seu exército – comentou William com o pai e o tio. – Menos coisa para arrumar, digo.

– Levou o exército para o norte para Cornwallis poder capturar todos eles, você quis dizer.

Tio Hal tinha tendência a ser ríspido, mas Wiliam havia passado a maior parte da vida convivendo com soldados e sabia reconhecer a natureza venenosa, contagiosa e lenta de uma tensão que não podia ser descarregada em um bom combate e que resultava em irritabilidade e mau humor.

– Pelo menos Ben não estava lá – acrescentou tio Hal em um tom que fez papai encará-lo com um movimento brusco. – Assim me poupa de precisar abatê-lo com um tiro para ele não ser enforcado.

O canto da sua boca subiu com um espasmo, em uma tentativa aparente de fazer aquilo soar como uma brincadeira. Nem seu irmão nem seu sobrinho se deixaram enganar.

Um arquejo abafado vindo da porta fez todos os três olharem para lá e verem Amaranthus, vestida com sua casaqueta de algodão e seu chapéu de palha, recém-chegada da rua. Ela apertava a boca com a mão, para evitar dizer o que estava pensando ou quem sabe para não vomitar, pensou William. Estava branca feito uma das estatuetas de porcelana de sir John e William se adiantou para lhe segurar o braço caso estivesse prestes a desfalecer.

Ela tirou a mão da boca e deixou que ele a conduzisse até uma cadeira, lançando um olhar horrorizado para tio Hal ao passar. Este ficou muito vermelho e limpou a garganta com um ruído bem forte.

– Não estava falando sério – disse ele, nada convincente.

Amaranthus passou alguns segundos respirando; seu peito agitava as dobras do lenço azul-claro em seu decote. Ela balançou a cabeça de leve, como quem rejeita o conselho de um anjo a lhe cochichar no ouvido, e cerrou as mãos enluvadas sobre os joelhos.

– O senhor preferiria mesmo que ele estivesse morto? – indagou, com uma voz que foi como um caco de vidro. – Ele ser traidor é mais importante do que ser seu filho?

Hal fechou os olhos e sua expressão ficou vazia. Sem saberem o que fazer, lorde John e William trocaram olhares aflitos.

Hal fez uma leve careta e abriu os olhos, azul-claros e frios como o inverno.

– Ele fez sua escolha – falou, dirigindo-se a Amaranthus. – Isso eu não posso mudar. E preferiria que tivesse uma morte limpa a ser capturado e executado como traidor. Uma boa morte talvez seja a única coisa que ainda posso lhe dar.

Ele virou as costas e se retirou em silêncio, sem deixar atrás de si nenhum som exceto o chiado das velas queimando.

Na manhã seguinte, William se vestia antes de descer para tomar café quando batidas frenéticas à porta de seu quarto o interromperam. Ele a abriu e deparou com a srta. Crabb, de roupão e com os cabelos cheios de papelotes, segurando no colo um Trevor vermelho de tão transtornado.

– Ela foi embora! – exclamou a governanta e empurrou para seu colo o menino, que urrava. – Ele está berrando há quase uma hora e eu não aguentei, realmente não aguentei, então desci e encontrei *isto aqui*!

Ele não estava com nenhuma das mãos livres, mas ela lhe sacudiu um bilhete dobrado com um ar acusador, então o enfiou entre seu peito e Trevor, sem poder mais suportar o contato daquilo.

– A senhorita... ahn, leu? – perguntou ele com a maior educação possível, mudando Trev de braço para poder pegar o papel na frente da camisa.

A governanta bufou como uma galinha raivosa, ainda que descarnada.

– O senhor está me acusando de impertinência? – indagou ela mais alto do que o lamento de "mamãããeeee" proferido por Trevor.

Então baixou os olhos e reparou que William, que ainda não tinha vestido a calça, estava com a barba por fazer, descalço e só de camisa. Ela arquejou, virou as costas e escapou.

William começava a se perguntar se estava no meio de um pesadelo, mas Trevor pôs fim a essa ideia mordendo seu braço. Ele suspendeu o menino até o ombro, deu-lhe alguns tapinhas nas costas de um modo profissional e o carregou até o andar de baixo, ainda aos berros, para procurar ajuda.

Estava estranhamente calmo, como as pessoas às vezes ficam durante os pesadelos, apenas observando enquanto coisas terríveis acontecem.

Ela foi embora. Não tinha a menor dúvida de que a srta. Crabb estava certa. No entanto, não conseguia fazer nada além de apenas assimilar o simples fato do sumiço de Amaranthus. *Ela foi embora.* A parte de sua mente capaz de fazer perguntas e de especular ainda estava adormecida ou então paralisada de choque.

Ele empurrou a porta da sala de jantar e entrou. Lorde John estava sentado à mesa vestido com seu roupão listrado de roxo, molhando uma torrada na gema de um ovo quente. Ao ver William e a trouxa que carregava, largou a torrada e se levantou.

– O que aconteceu? – perguntou, incisivo, e foi na mesma hora até William. Estendeu os braços para pegar Trevor. – Onde está Amaranthus?

– Ela foi embora – respondeu William, e dizer essas palavras em voz alta de repente abriu um vazio dentro de seu peito, como se alguém tivesse lhe retirado o coração. Com todo o cuidado, descerrou o punho e deixou cair sobre a mesa o bilhete amassado. – Deixou isto aqui.

– Leia – disse lorde John apenas.

Tinha enfiado um pedaço de pão molhado no ovo na boca de Trevor, silenciando-o como por magia, então se sentou e começou a balançar o menino em cima dos joelhos.

Caro tio John, leu William, consciente do coração batendo com força nos ouvidos.

Causa-me imensa contrariedade ter que ir embora desse jeito, mas não posso mais suportar ficar aqui. Pensei em dizer que estava indo me afogar nos pântanos, mas não gostaria que Trevor pensasse que é filho de uma suicida, embora não me importasse que Sua Graça tivesse crises de consciência por acreditar que tivesse me levado a cometer tal ato.

Tomei providências para voltar para a casa do meu pai na Filadélfia. Deixo meu querido a seus cuidados, sabendo que ele estará seguro com o senhor. Deixá-lo me parte o coração, mas a viagem não é segura. Além do mais, Trevor é herdeiro dos bens e do título de Sua Graça; ele precisa ser criado ciente de sua herança e das responsabilidades que a acompanham. Tenho confiança em que Sua Graça irá proporcionar isso e que o senhor irá proporcionar o amor e a segurança constantes que uma criança exige.

Por favor, acredite que lhe sou grata além do que posso expressar por toda a sua gentileza e seu cuidado comigo e com meu filho. Escreverei assim que tiver chegado ao meu destino.

Sentirei sua falta.

Sinto que estou escrevendo esta despedida com o sangue de meu coração, mas serei sempre

Sua sobrinha Amaranthus, viscondessa Grey

126

À NOITE, QUANDO VOU DORMIR, EU MORRO

Cordilheira dos Frasers
18 de junho de 1780

O quarto dos MacKenzies estava em silêncio: a casa tinha se recolhido, até mesmo Adso, que havia entrado e se enrodilhado no colo de Brianna uma hora antes, roncava com uma espécie de ronronar sincopado interrompido por barulhinhos de *mirp* quando camundongos apareciam em seu sonho. O barulho tinha feito Roger acordar de seu sono leve. Deitado de lado, ele observava a mulher por entre uma agradável névoa do sono que o havia abandonado, mas sem ir muito longe.

Como todas as pessoas ruivas, a cor dos cabelos de Brianna dependia da luz sob a qual era vista: castanhos na sombra, flamejantes ao sol… Naquele instante, à luz do fogo baixo da lareira, era um outono de luzes cambiantes matizado de fios dourados. Ela escrevia devagar e de vez em quando erguia a pena e fitava o papel com a testa enrugada, tentando encontrar uma palavra ou uma ideia. Adso se mexeu, bocejou e começou a massagear suas coxas e sua barriga, espetando-a com as unhas através da combinação e do roupão. Ela sibilou entre dentes e recuou para longe da mesa.

– Você deixa a desejar como muso – murmurou ela para o gato, largando a pena e soltando com cuidado as unhas da roupa.

Pegou o gato, levantou-se e o levou até a cama, onde Roger estava deitado encolhido em meio às cobertas, com os olhos quase fechados. Depositou Adso no pé da cama e ficou parada observando. O gato se espreguiçou languidamente e então, sem abrir os olhos, escorregou cama acima e se aninhou no espaço entre o rosto e o ombro de Roger, ronronando alto.

Roger pôs a mão por baixo de Adso, levantou-o e o largou no chão sem a menor cerimônia.

– Você vai vir para a cama? – perguntou ele, sonolento, enquanto limpava pelos de gato da boca.

– Agora mesmo – respondeu ela.

Tirou o roupão com um movimento dos ombros e o jogou no chão, onde Adso, que piscava mal-humorado, imediatamente se apossou daquele ninho gostoso e quentinho e se acomodou ali, tornando a semicerrar os olhos de prazer. Brianna apagou a vela. Roger ouviu o som quase inaudível das gotinhas de cera pingando na mesa.

– O ronronar desse gato parece uma lancha. O que ele está fazendo aqui, aliás? Não deveria estar no celeiro caçando roedores?

Roger ergueu as colchas e se afastou de modo a lhe abrir espaço. Tinha chovido mais cedo e o frio da noite que emanava dela era uma delícia. Ela se acomodou solidamente em seus braços, estremecendo ao relaxar, e ele descansou a mão satisfeito em sua linda barriga que começava a despontar.

– Segundo mamãe, gatos são atraídos por pessoas que estão trabalhando, assim podem atrapalhar. Acho que eu era a única pessoa na casa fazendo alguma coisa a esta hora.

– Humm… – Ele respirou junto a seu ouvido. – Você está com cheiro de tinta, então devia estar escrevendo, não desenhando. Cartas?

– Nããão, só… pensamentos, sabe? Talvez alguma coisa para o livro das crianças, talvez não.

Ela estava tentando soar casual, mas a referência ao *Guia prático para viajantes do tempo* o fez despertar por completo.

– Ah? – fez ele com cautela. – Eu preciso saber?

– Provavelmente não – respondeu ela, franca. – Mas eu gostaria de contar. Só que pode esperar até de manhã...

– Até parece que se consegue ter uma conversa coerente de manhã por aqui – disse ele e virou de costas bocejando. – Certo, pode me contar.

– Bom... lembra que eu estava pensando no problema da massa?

– Vagamente, sim. Mas não me lembro do que decidiu.

– Não decidi – disse ela com franqueza. – Simplesmente não sei o suficiente... e a hipótese tem muitos problemas que não sei como resolver. Mas fiquei pensando no que *é* massa.

– Humm... – Ele estava de olhos fechados, mas sua mão desceu deslizando pelas costas dela e segurou seu traseiro, quente e generoso. Ele sacudiu a carne de leve. – Aqui tem um pouco. Tenho quase certeza de que isto aqui é massa.

– É. Isto aqui também. – Ela deslizou a mão entre os dois e segurou seus testículos. De leve, mas isso o fez abrir os olhos.

– Verdade – disse ele e moveu a mão para a base das suas costas. – E?

– O que acha que acontece com a gente quando morre?

Isso o fez acordar de vez, embora tivesse levado algum tempo para organizar as palavras.

– Quando a gente morre – falou devagar. – Se estiver se referindo à nossa alma, a verdade pura e simples é que não sabemos, mas temos fé de que continuamos a existir, e temos um motivo bastante bom para ter essa fé. Mas não é disso que está falando, é?

– Não. Estou falando dos corpos. Fisicamente.

Ele trocou de marcha metafísica, não sem uma leve sensação de pancadas e arranhões.

– Alguma coisa além de... ahn... da decomposição, você quer dizer?

– Bom, não, é *isso mesmo* que quero dizer, mas meio que... além da putrefação.

Ele virou de lado; ela o acompanhou e se aconchegou sob seu queixo de modo semelhante ao de Adso, só que com os cabelos mais cheirosos.

– Além da putrefação...? É esse o tipo de coisa que faz você ficar acordada à noite? Meu Deus, que tipo de sonhos você tem? A cientista aqui é você, mas, até onde *eu* sei, o processo simplesmente continua... não é isso?

– Dissolução. Exatamente.

– Você sabe que as pessoas normais falam sobre sexo na cama, não sabe?

– A maioria provavelmente fala sobre aquela coisa horrorosa que o filho fez durante o dia, sobre o preço do tabaco ou sobre o que fazer com a vaca que está doente. Isso quando conseguem ficar acordadas. Mas enfim... eu só fiz as matérias obrigatórias de física na faculdade, então isso é bem básico e pode ser que eu esteja errada...

– E ninguém nunca vai conseguir provar nem que sim nem que não, então não vamos nos preocupar com essa parte – propôs ele.

– Boa ideia. E já que estamos falando em cheiros ruins... – Ela virou a cabeça e cafungou de leve o pescoço de Roger. – Você está com cheiro de pólvora. Não andou caçando, andou?

– Não, não andei. Seu *da* me pediu que ensinasse *a' chraobh àrd* a carregar seu mosquete novo e disparar um tiro sem perder todos os dentes.

– Cyrus Crombie? – estranhou ela. – Por quê? Pa não vai alistá-lo na gangue, vai?

– Creio que "bando de partidários" seja o termo correto – retrucou Roger, formal. – E não. Hiram pediu a Jamie que ensinasse o garoto a lutar... com uma arma e uma adaga, digo. Ele disse que, no caso de uma briga de socos, qualquer pescador não teria que fazer o menor esforço para deixar um homem do interior estatelado no chão feito um linguado... e Hiram tem razão. Mas ninguém do pessoal de Thurso tinha sequer segurado uma arma antes de vir para cá, e a maioria ainda não o fez. Eles pescam, caçam animais com arapucas e trocam por carne.

– Humm... Você acha que Hiram o obrigou ou foi ideia do próprio Cyrus?

– A segunda opção. Ele está cortejando Frances, a seu modo, mas sabe que não tem a menor chance a não ser que seu *da* ache que ele vá dar um bom marido para ela. Então pretende mostrar seu valor.

– Quantos anos ele tem? – perguntou Brianna com um viés de preocupação na voz.

– Dezesseis, eu acho – respondeu Roger. – Idade suficiente para lutar, pelo menos.

– Pelo menos – murmurou ela, bufando um pouco entre dentes; ele entendeu por quê.

– Jemmy não vai ter idade suficiente para ir com eles antes de a guerra acabar – garantiu ele. – Ainda que saiba manejar uma arma muito bem.

– Ótimo. Assim ele pode ficar protegendo as muralhas aqui comigo, Rachel, tia Jenny e o *sachem* enquanto o bando de partidários... e mamãe, porque ela não vai deixar Pa ir sozinho... e provavelmente *você* percorrem a região levando tiros na bunda.

– Mas você estava falando sobre suas aulas de física...?

– Ah. – Ela parou para retomar o raciocínio com um leve franzido entre as sobrancelhas. – Bom. Você sabe sobre átomos, elétrons e esse tipo de coisa?

– Vagamente.

– Bom, existem coisas menores do que isso... partículas subatômicas. Mas ninguém sabe quantas são ou como funcionam. Só que, enquanto a gente estava ouvindo sobre isso na aula, o professor disse alguma coisa tipo tudo... tudo no Universo, e provavelmente mesmo que exista mais de um universo... tudo é feito de poeira de estrelas. Pessoas, plantas, planetas... e as estrelas, imagino eu. "Poeira de estrelas" não é um termo científico – acrescentou ela, só para o caso de Roger pensar que sim. – Isso só quer dizer que tudo é formado pelas mesmas partículas infinitesimais de matéria.

– E?

– Então o que estou pensando é... talvez seja isso que acontece quando alguém atravessa o tempo. Tenho quase certeza de que é um fenômeno eletromagnético de *algum* tipo, por causa das linhas de ley.

– Linhas de ley? – Ele soou surpreso. – Não achei que fosse ouvir falar nisso em uma aula de física.

Ela rolou um pouco de modo a poder encará-lo. Sua respiração fez cócegas nos pelos do peito dele e esquentou seu pescoço enquanto ela falava. Brianna havia se aquecido de tanto falar: ele sentiu as vibrações que as palavras causavam em suas costas conforme falava. Foi curiosamente excitante.

– Linha de ley é meio que um termo informal, mas... você sabe que a crosta terrestre é magnética, não sabe?

– Não posso dizer que soubesse, mas estou disposto a acreditar.

– Pode acreditar. E você sabe que os magnetos têm direção? Já brincou de ímã quando era criança?

– Polo positivo e polo negativo. Se a gente encosta os polos positivos de dois ímãs eles se repelem? Sim, mas o que isso tem a ver com linhas de ley?

– Isso *é* uma linha de ley – respondeu ela, paciente. – O eletromagnetismo da Terra corre em linhas paralelas e elas se alternam na direção da sua corrente magnética. Embora não seja tão arrumadinho assim, claro. Elas divergem e se sobrepõem de várias formas. Eu já não falei para você sobre isso?

– É possível. – Ele abandonou suas intenções amorosas parcialmente formadas com uma sensação de pesar. – Mas as linhas de ley que *eu* conheço são... não sei como se poderia dizer em termos de classificação. Folclore, crenças de antigos construtores? Pelo menos nas Ilhas Britânicas. Se analisarmos antigas fortificações em morros e igrejas construídas em locais de devoção bem mais antigos e... bom, coisas como círculos de pedras, muitas vezes é possível constatar uma linha reta interligando três ou quatro desses lugares, uma linha na maioria das vezes muito reta, como se tivesse sido demarcada. Os arqueólogos as chamam de linhas de ley... tem quem chame de caminhos dos espíritos, porque se acredita que os mortos andam... Ah, meu Deus.

Um breve e incontrolável calafrio o percorreu.

– Passou um fantasma? – perguntou ela, a empatia levemente prejudicada por uma expressão satisfeita.

– Nem todo mundo consegue atravessar – disse ele, ignorando tanto a empatia quanto a superioridade. Empurrou as cobertas para longe e se sentou. – As pedras. É isso que está dizendo? Que quem *não* atravessa, ou não atravessa direito, acaba aparecendo morto nessas linhas de ley, o que leva à suposição não de todo absurda de que alguma coisa sobrenatural está acontecendo.

– Eu nunca tinha ouvido falar em caminhos de espíritos – admitiu ela. – Então não posso afirmar que tenha sido isso que quis dizer... mas faz sentido, não faz? – Ela não esperou que ele reconhecesse, mas prosseguiu na própria linha de raciocínio: – Então estou pensando que... que os pontos de travessia talvez sejam... talvez sejam lugares em que várias linhas convergem. Nesse caso, o que acontece com o eletromagnetismo desses pontos deve ser interessante e *pode ser* que... isso torne o tempo acessível? Quero dizer, a teoria do campo unificado de Einstein...

– Vamos deixar Albert fora dessa – disse Roger depressa. – Pelo menos por enquanto.

– Tá – respondeu ela, dócil. – Einstein nunca conseguiu mesmo fazer essa teoria funcionar. O que estou dizendo é só que talvez, quando passa em um desses lugares... se tiver a carga genética certa para tal... você morre. Fisicamente. Se dissolve até virar poeira de estrelas, se preferir chamar assim... e suas partículas conseguem atravessar a pedra porque são menores do que os átomos que as compõem.

Roger sentiu um engulho nas entranhas ao lembrar a sensação que isso causava. Estar morto não era um exagero, mas...

– Mas a gente sai do outro lado – assinalou. – Se a gente morre, não continua morto.

– Bom, alguns não. – Ela também havia se sentado e estava abraçando os joelhos. – Se formos acreditar no diário de Dente de Lontra e no desagradável Wendigo Donner, alguns de seus companheiros conseguiram atravessar as pedras, mas saíram delas mortos. E tem todos aqueles incidentes no diário de Geillis Duncan sobre pessoas aparecendo mortas perto de círculos de pedras... pessoas estranhas, muitas vezes usando roupas esquisitas.

– É – disse ele, com o leve incômodo que o acometia toda vez que sua hexavó de olhos verdes era mencionada. – Então você... tem uma ideia de por que isso não acontece com todo mundo.

– Não tenho certeza de que chegue a *tanto* – admitiu ela. – Mas isso meio que encaixa com o que estava dizendo em relação à fé dos cristãos: de que a gente segue vivendo depois da morte. Se você pensar na sensação que a gente tem quando está... lá dentro. A sensação de estar se despedaçando, mas de estar dando o máximo de si para não deixar isso acontecer, para manter sua noção de... do próprio corpo, eu acho.

– Sim – disse ele.

– Então talvez seja dentro disso que a gente esteja... durante a travessia... na nossa parte imortal. Na nossa alma, se preferir.

– Como pastor cristão, eu prefiro – disse ele, tentando imprimir àquela conversa algum ar de normalidade. Quer quisesse ou não, estava se lembrando, *sim,* do frio espectral e da pele toda arrepiada de seus braços e pernas. – E...?

– Bom, talvez seja aí que entrem as pedras preciosas – explicou ela. Chegou mais perto dele e lhe tocou a coxa nua e arrepiada com a mão morna. – Você conhece a sensação de quando elas queimam... de quando os elos químicos entre suas moléculas, ou talvez entre seus átomos ou suas partículas subatômicas, estão se rompendo. E, quando um elo químico se rompe, isso libera muita energia. Como essa energia está sendo liberada dentro de nossas... de nossas nuvens de poeira em dissolução, talvez...?

– Talvez seja isso que mantenha unidos os pedaços do nosso corpo, é isso que você quer dizer?

– Aham. E... essa parte acabou de me ocorrer... – Ela se virou para ele e arregalou mais os olhos. – Talvez seja possível perder alguns pedacinhos na viagem, mas chegar ao outro lado... só que com um pequeno estrago. Como batimentos cardíacos irregulares.

Nenhum dos dois disse nada enquanto passavam um tempo refletindo.

– Você está *mesmo* escondendo o tal livro, né? – perguntou ele.

Aquela conversa por si só já era perturbadora o bastante; pensar em ter a mesma com Jemmy o deixou com o estômago embrulhado.

– Estou – garantiu ela. – Estava guardando no fundo de minha caixa de desenho, mas até Mandy já sabe abrir aquilo agora.

– Talvez eles não se interessem. Quero dizer, não tem título nem imagens...

Ela lançou-lhe um olhar incisivo.

– Não confie nisso. Crianças fuçam. Quero dizer, talvez *você* não fuçasse, já que era um filho de pastor todo certinho... – Apesar de estar rindo dele, por dentro ela estava muito séria. – Mas eu fuçava as coisas de meus pais o tempo todo. Quero dizer, eu sabia o tamanho dos sutiãs e das calcinhas de minha mãe.

– Bom, isso era uma coisa que valia a pena saber... Mas, sim, eu também fuçava – admitiu ele. – Não as cuecas do reverendo... ele usava ceroulas compridas de botão o ano inteiro... mas aprendi muitas coisas interessantes que não deveria ter ficado sabendo, a maioria sobre os fiéis da congregação. Ele me deu as cartas que meu pai escreveu durante a guerra quando eu devia ter uns 13 anos... mas eu já tinha lido uns dois ou três anos antes, na escrivaninha dele.

– Sério? – perguntou ela, interessada. – Você também usava ceroulas compridas de botão?

– Eu e todos os outros garotos dos anos 1940 em Inverness. Você *sabe* como faz frio por lá no inverno. Na verdade, quando eu tinha uns 13 anos, encontrei um baú com o antigo uniforme da RAF de meu pai e coisas que tinham mandado de volta depois de ele... desaparecer. – Roger engoliu em seco, apunhalado pela lembrança da última vez que vira o pai, e fora *mesmo* a última, tinha certeza disso. – Entre essas coisas havia algumas cuecas; o reverendo me disse que os aviadores as chamavam de *shreddies*, algo como "farrapos" ou "triturados", só Deus sabe por quê... mas elas pareciam o que a gente chamaria de cueca samba-canção. Comecei a usar essas no verão.

– *Shreddies* – disse ela, saboreando a palavra. – Não tenho certeza se preferiria ver você usando uma dessas ou as ceroulas compridas com braguilha de botão. Enfim, agora estou escondendo o livro no escritório de Pa. Todo mundo tem medo de mexer lá... a não ser mamãe... e imagino que eu deva mostrar o livro para ela, de toda forma. Depois que tiver pensado um pouco mais.

– Para ser sincero, acho que seu pai ficaria de cabelo em pé se lesse o que está escrevendo.

– Como se essa história não deixasse qualquer um de cabelo em pé.

E ele não é o único, pensou Roger. Uma rajada fria de ar com cheiro de chuva entrou pela janela e bateu em suas costas.

– Você me disse que, quando um cientista formula uma hipótese, a coisa seguinte a fazer é testá-la, certo?

– Isso.

– Se pensar em um jeito de testar essa daí… não me conte, pode ser?

127

MAPANUPUALPAL DOSPOS VIAPIAJANPANTESPES DOPO TEMPEMPOPO, CONPONSERPERVAPAÇÃOPÃO DAPA MAPASSAPA

No dia seguinte, Roger desceu do piso de maltagem em busca de cerveja para Jamie e Ian e encontrou Brianna escrevendo no escritório do pai.

Ela ergueu os olhos para ele, cenho franzido e lápis na mão.

– Quanto tempo faz que a língua do pê existe, você sabe?

– Não tenho ideia. Por quê? – Ele observou o papel por cima de seu ombro.

MAPANUPUALPAL DOSPOS VIAPIAJANPANTESPES DOPO TEMPEMPOPO, CONPONSERPERVAPAÇÃOPÃO DAPA MAPASSAPA

– Manual dos viajantes do tempo? – perguntou, olhando-a de lado.

Ela estava corada e exibia uma ruga profunda entre as sobrancelhas, mas nenhuma dessas coisas diminuía sua beleza.

Brianna assentiu, ainda fitando a página com o cenho franzido.

– Aquilo que estávamos discutindo ontem à noite… Eu tive uma ideia e quis anotar antes de esquecer, mas…

– Não quer correr o risco de alguém encontrar e ler – concluiu ele.

– É. Mesmo assim, tem que ser alguma coisa que as crianças consigam ler se precisarem… pelo menos Jemmy.

– Então me diga qual foi essa sua ideia brilhante – sugeriu ele e se sentou bem devagar.

Tinha passado os últimos três dias trabalhando na destilaria com Jamie, transportando sacos de cevada, e depois carregando os caixotes de fuzis, os vinte a mais que Jamie conseguira graças aos leais serviços de Scotchee Cameron, de seu esconderijo debaixo do piso de maltagem até a gruta do estábulo, e por fim desembalando os fuzis em questão. Estava dolorido do pescoço até os joelhos.

– Quer dizer que não sabe nada sobre a língua do pê? – indagou ela, encarando-o com ar cético. – Lembra o que eu disse sobre o princípio da conservação da massa?

Ele fechou os olhos e fez a mímica de quem escrevia em um quadro-negro.

– A matéria não pode ser criada nem destruída – falou e abriu os olhos. – É isso?

– Muito bem.

Ela deu alguns tapinhas na sua mão e reparou no estado desta: toda encardida e parcialmente fechada, os dedos rígidos de tanto segurar os ásperos sacos de aniagem. Puxou sua mão para o colo, abriu os dedos e começou a massageá-los.

– O postulado formal é: *o princípio da conservação da massa afirma que, considerando qualquer sistema fechado a todas as transferências de matéria e energia, a massa do sistema deve permanecer constante ao longo do tempo, uma vez que ela não pode se modificar, portanto não é possível acrescentar nem subtrair qualquer quantidade.*

Roger tinha os olhos semicerrados, em um misto de cansaço e êxtase.

– Meu Deus, como é bom isso!

– Ótimo. Então o que estou pensando é: os viajantes do tempo com certeza têm massa, certo? Então, se eles estão viajando no tempo, será que isso significa que o sistema fica momentaneamente desequilibrado em termos de massa? Quero dizer, será que 1780 fica com 193 quilos a mais do que deveria… e, inversamente, 1982 fica com 193 quilos a menos?

– Esse é o peso de todos nós somados? – Roger abriu os olhos. – Eu muitas vezes achei que cada uma das nossas crianças pesasse isso sozinha.

– Tenho certeza que pesa – disse ela sorrindo, mas sem querer perder o fio da meada. – E é claro que estou partindo do pressuposto de que a dimensão temporal faz parte da definição de "sistema". Me dê aqui a outra.

– Está imunda também. – E estava, mas ela sacou um lenço do corpete e limpou dos dedos a mistura de gordura e sujeira. – Por que seus dedos estão tão engordurados?

– Se vai despachar um fuzil para atravessar o oceano, você o embala antes em gordura para impedir que a maresia ou a água causem corrosão. Ou que o guano entre no mecanismo.

– Abençoado São Miguel, nos defenda – disse ela e, apesar de estar sendo sincera, ele riu de seu sotaque gaélico de Boston.

– Está tudo bem – garantiu Roger, engolindo um bocejo. – Os fuzis estão seguros. Fale mais sobre a conservação da massa. Estou fascinado.

– É claro que está. – Seus dedos longos e fortes foram apertando e esfregando, puxando as articulações e evitando em grande parte as bolhas. – Então… você se lembra do *grimoire* de Geillis, certo? E do registro que ela mantinha dos cadáveres encontrados nos círculos de pedras ou perto deles?

Isso o despertou.

– Lembro.

– Bom. Se você move um pedaço de massa para um tempo diferente, talvez precise equilibrar isso removendo outro pedaço.

Ele a encarou e Brianna o encarou de volta, ainda segurando sua mão, mas já sem massageá-la. Seu olhar estava firme, na expectativa.

– Está dizendo que, se alguém passar por um... por um portal, outro alguém daquela época tem que morrer para manter o equilíbrio?

– Não exatamente. – Ela recomeçou a massagem, dessa vez mais devagar. – Porque, mesmo se a pessoa morre, a massa dela continua lá. Mas estou pensando que talvez seja meio isso que as impede de passar: elas estão indo para uma época que não tem... que não tem espaço para elas em termos de massa?

– E... aí elas não conseguem passar e morrem? – Parecia haver alguma coisa ilógica nesse raciocínio, mas o cérebro de Roger não estava em condições de dizer o quê.

– Também não é exatamente isso. – Brianna levantou a cabeça e apurou os ouvidos, mas qualquer que fosse o som que tivesse escutado não se repetiu e ela retomou o que estava dizendo, abaixando a cabeça para observar a palma da mão dele: – Nossa, que bolhas *enormes*! Espero que sarem até o dia da ordenação... todo mundo vai apertar sua mão depois. Mas pense um pouco: quase todos os cadáveres nos registros de Geillis não foram identificados e a maioria estava usando roupas esquisitas.

Ele a encarou por alguns segundos, depois flexionou a mão com cuidado.

– Então você acha que eles vieram de outro lugar... de algum outro tempo, e morreram depois de passar pelas pedras?

– Ou então eram daquele tempo, mas sabiam para onde estavam indo – disse ela com delicadeza. – Ou para onde *pensavam* estar indo, porque não conseguiram chegar. Então, sabe...

– Como eles descobriram que talvez *pudessem* ir? – concluiu ele por ela. Baixou os olhos para o caderno. – Talvez mais gente do que você pensa conheça a língua do pê.

128

RENDIÇÃO

Cordilheira dos Frasers
21 de junho de 1780

Roger estava sentado no reservado da família, não devido a qualquer necessidade física, mas sim à necessidade urgente de passar cinco minutos sozinho. Imaginava que pudesse ter entrado na mata ou buscado um refúgio momentâneo na despensa de legumes ou na despensa fria, mas a casa e todas as cercanias fervilhavam de presença humana e ele precisava apenas daqueles poucos minutos para ficar sozinho. Não sozinho realmente, de jeito nenhum, mas sem outras pessoas.

Davy Cladwell tinha chegado na noite anterior, acompanhado pelos reverendos Peterson (de Savannah) e Thomas (de Charles Town). A casa estava tão pronta quanto uma dúzia de mulheres decididas podia deixá-la. A igreja fora limpa, arejada e recheada com tantas flores que metade das abelhas de Claire entravam e saíam pelas janelas como minúsculos aviões borrifando pesticida. O cheiro de carne de porco na brasa, salada de repolho com vinagre e mostarda e cebolas fritas entrou flutuando pelas frestas das paredes e fez sua barriga estremecer de antecipação. Ele fechou os olhos e ficou escutando.

Escutou o barulho das festividades, o rumor distante de pessoas conversando, as rabecas e os tambores sendo afinados perto da horta de Claire... até mesmo o som alto e anasalado de uma gaita de foles mais longe. Quem a tocava era Auld Charlie Wallace, que faria o acompanhamento musical quando os ministros entrassem na igreja... e de novo quando saíssem, com Roger tornado um deles.

Levando em conta as opiniões do reverendo sobre música na igreja, Roger tivera dúvidas quanto à gaita, mas Jamie, surpreendentemente, tinha dito não achar que o som de uma gaita de foles pudesse ser qualificado de música.

– As pessoas dançam ao som da gaita de foles – tinha dito Bree, achando graça.

– É, bem, as pessoas dançam ao som de qualquer coisa se beberem o suficiente – retrucara seu pai. – Mas o governo britânico considera as gaitas de foles uma arma de guerra, e não vou dizer que está errado. Pense da seguinte maneira, menina: você sabe que eu não escuto música, mas ouço perfeitamente bem o que as gaitas dizem.

Roger sorriu ao recordar isso. Jamie não estava errado, tampouco o governo britânico.

Muito adequado, pensou e fechou os olhos. Não tinha ilusão alguma de que aquilo que estava prestes a fazer fosse um dos inúmeros passos no caminho rumo a uma grande batalha.

Sim, pensou, respondendo a uma pergunta silenciosa que já tinha respondido antes e que responderia de novo quantas vezes fosse feita... *Sim, estou com medo. Mas vou seguir em frente.* E no silêncio de seu coração todos os sons se dissolveram em uma imensa e generalizada paz.

Jamie já tinha assistido a uma ordenação, na grande catedral de Paris. Tinha ido com Annalise de Marillac, cujo irmão Jacques era um dos ordenandos, e consequentemente se sentara com a família dela em um lugar do qual pudera ver tudo. Embora suas lembranças das primeiras etapas da cerimônia estivessem sobretudo relacionadas com o busto de Annalise e sua quentura perfumada e animada latejando a seu lado, lembrava-se de tudo. Tinha certeza de que ter uma ereção em uma catedral devia ser algum tipo de pecado, mas ficara envergonhado demais para contar isso na confissão. No fim, colocou tudo no saco dos "pensamentos impuros". Ele pigarreou, olhou para Claire e endireitou as costas.

Aquela cerimônia era bem diferente, claro, mas no fundo era surpreendentemente igual.

As palavras eram em inglês, não em latim, mas diziam coisas semelhantes.

Que a graça e a paz
de Deus nosso Pai e do Senhor Jesus Cristo os acompanhem.
Irmãs e irmãos em Cristo, estamos aqui reunidos nesta congregação e
neste presbitério para louvar o Senhor que nos fez chegar a este
dia da ordenação
De Roger Jeremiah MacKenzie como ministro desta
congregação e paróquia.

A Notre-Dame de Paris tinha um órgão de respeito e um coro de muitas vozes; ele se lembrava de como o som sacudira o ar e parecera estremecer seus ossos. Ali não havia outra música além do canto dos pássaros que entrava pelas janelas abertas, nem outro incenso que não o cheiro das tábuas de pinheiro e o odor pungente e agradável de sabão e suor dos presentes. À sua esquerda, Brianna recendia a farinha e maçãs. À sua direita, Claire exalava seu próprio e variado aroma habitual de coisas verdes e flores. Com o canto do olho, ele captou um leve movimento: uma abelha acabara de pousar na cabeça dela, logo acima da orelha.

Ela levantou a mão distraidamente para se livrar da sensação de cosquinha, mas ele segurou sua mão e a manteve presa por alguns segundos, até a abelha ir embora. Ela o encarou, surpresa, mas sorriu e tornou a olhar para o que acontecia à sua frente.

Os ministros mais velhos falaram, um após outro, e tocaram a cabeça, os ombros e as mãos de Roger Mac da mesma forma que o bispo tinha posto a mão nos jovens padres. A mesma sensação de assombro o dominou quando reconheceu o que estava acontecendo. Aquilo era a transmissão de uma Palavra que já durava séculos; uma confiança solene sendo passada adiante de que o homem que a recebia também a manteria… para sempre.

Sentiu lágrimas lhe assomarem aos olhos e mordeu o lábio para contê-las.

Louvado seja Deus e Pai de nosso Senhor Jesus Cristo!
Em Sua grande misericórdia ao ressuscitar Jesus Cristo dos mortos
Ele nos fez renascer para uma esperança viva.
Senhor nosso Deus, louvamos a Vós por Cristo nosso Senhor.
Louvamos a Vós pela irmandade da Igreja;
Louvamos a Vós pela fé transmitida
Conforme sucessivas gerações narram Vossos poderosos atos;
Louvamos a Vós pela adoração oferecida mundo afora,
Louvamos a Vós pelo testemunho e pela dedicação dos santos ao longo dos tempos.
Senhor nosso Deus… Pai, Filho e Espírito Santo, louvamos a Vós.
Amém.

Em Paris, os jovens – eram vinte, ele tinha contado – se prostraram em suas vestes brancas e limpas e ficaram deitados de bruços no chão de pedra, com as mãos erguidas acima da cabeça em postura de submissão. Rendendo-se.

Deus e Pai de nosso Senhor Jesus Cristo,
Chamai-nos em Vossa misericórdia;
Amparai-nos com Vosso poder.
Em cada geração, Vossa sabedoria provê nossa necessidade.
Mandastes a nós Vosso único filho, Jesus Cristo,
para ser o apóstolo e sacerdote supremo de nossa fé
e o pastor de nossas almas.
Pela Sua morte e ressurreição, Ele superou a morte
e, tendo ascendido ao céu,
derramou Seu Espírito,
criando alguns apóstolos,
alguns profetas, alguns evangelistas,
alguns pastores e mestres,
de modo a equipar todos para a obra do ministério
e a construir Seu corpo, a Igreja.
Rezamos a Ele agora para que
DERRAME SEU SANTO ESPÍRITO SOBRE ESTE SEU SERVIDOR, Roger Jeremiah, A QUEM AGORA, EM SEU NOME E EM OBEDIÊNCIA À SUA VONTADE, POR MEIO DA IMPOSIÇÃO DE MÃOS, ORDENAMOS E NOMEAMOS PARA O OFÍCIO DO SANTO MINISTÉRIO DENTRO DA ÚNICA, SANTA, CATÓLICA E APOSTÓLICA IGREJA, CONFIANDO-LHE AUTORIDADE PARA MINISTRAR SUAS PALAVRAS E SEUS SACRAMENTOS.

Aqueles eram presbiterianos, pouco dados ao espetáculo. Roger Mac inspirou profundamente e fechou os olhos, e Jamie tremeu ao sentir o testemunho da rendição lhe fender o coração.

Gotas mornas pingaram em suas mãos unidas no colo, mas ele não ligou. Um murmúrio de assombro e alegria tomou conta da igreja e Roger Mac se levantou, o rosto também molhado de lágrimas e tão brilhante quanto o sol.

Era quase meia-noite quando fomos para a cama. Eu ainda podia ouvir as comemorações prosseguindo ao longe, embora àquela altura os tiros aleatórios tivessem cessado e fosse apenas uma cantoria, de natureza muito pouco religiosa, com uma única rabeca a soar de modo intermitente em meio às vozes.

Estava morta de cansaço por causa da forte emoção. Não conseguia imaginar como Brianna e Roger ainda estavam de pé, mas os tinha visto no caminho de volta para casa, abraçados e se beijando à sombra de uma grande nogueira. Perguntei-me vagamente se a profunda emoção de uma ordenação em geral se transformava em desejo sexual... e o que os jovens padres católicos recém-ordenados faziam para expressar o próprio júbilo.

Tirei as roupas e vesti uma camisola limpa, suspirando em um êxtase discreto por não ter nada a não ser ar sobre meu corpo confinado pelo espartilho. Minha cabeça saiu pela gola e vi Jamie, deitado na cama de camisa. Ele tinha a cabeça inclinada na direção da janela e uma expressão de certo anseio; pensei se ele preferiria estar lá embaixo dançando... mas não consegui imaginar por que não estaria.

– Em que está pensando?

Ele ergueu os olhos e sorriu para mim. Tinha soltado o rabo de cavalo formal e seus cabelos caíam por cima dos ombros e reluziam à luz da vela.

– Ah... eu estava só pensando quando voltaria a ouvir a missa ser rezada.

– Ah. – Tentei pensar. – Quando foi a última vez? No casamento de Jocasta?

– É, acho que sim.

O catolicismo era proibido na maioria das colônias com exceção de Maryland, fundada especificamente como uma colônia católica. Mesmo lá, a igreja oficial era a anglicana, e os padres católicos eram uma raridade nas colônias do Sul.

– Não vai ser sempre assim – falei e comecei a massagear seus ombros devagar. – Brianna lhe contou sobre a Constituição, não contou? Ela vai garantir liberdade religiosa... entre outras coisas.

– Ela me recitou o início. – Ele deu um suspiro e baixou a cabeça, me pedindo para massagear os músculos compridos e contraídos do pescoço. – *Nós, o povo...* Um texto corajoso. Espero um dia conhecer o sr. Jefferson, embora ache que ele roubou uma ou outra frase aqui e ali, e algumas de suas ideias têm um quê de conhecido.

– Montesquieu talvez tenha tido uma pequena influência – falei, achando graça. – E creio que já ouvi alguma referência a John Locke também.

Ele me olhou por cima do ombro com uma sobrancelha erguida.

– Sim, é isso. Eu não imaginava que tivesse lido os dois, Sassenach.

– Bom, eu não li exatamente – admiti. – Mas não cursei a escola nos Estados Unidos, só a faculdade de medicina, e lá eles não ensinam outra história que não a da medicina, onde dão exemplos horríveis de pensamento primitivo e práticas horrorosas... todas as quais cheguei a usar em um momento ou outro, com exceção de soprar fumaça de fumo no traseiro da pessoa. Como será que fui deixar passar essa? – Tossi. – Mas Bree aprendeu tudo sobre história americana no quinto e no sexto ano, e mais ainda no ensino médio. Foi ela quem me contou como o sr. Jefferson não se fazia de rogado para roubar palavras alheias. Por outro lado, tem também Benjamin

Franklin... pelo menos algumas das citações dele eu acho que foram originais. Eu me lembro de: "Tem-se uma república... quando se consegue mantê-la." Foi isso que ele disse... *vai* dizer no fim da guerra. Mas eles... nós *conseguimos* manter a república. Pelo menos nos próximos duzentos anos. Talvez por mais tempo ainda.

– Vale a pena lutar por uma coisa assim, não acha? – disse ele e apertou minha mão.

Apaguei a vela e entrei na cama a seu lado. Todos os músculos de meu corpo se dissolveram de puro êxtase.

Jamie se virou de lado e me puxou para perto de si, e ficamos deitados confortavelmente enroscados ouvindo os barulhos da comemoração lá fora. Estava mais discreta agora à medida que as pessoas começavam a cambalear de volta para casa ou a encontrar uma árvore ou um arbusto tranquilo debaixo do qual dormir, mas a música de uma única rabeca continuava a cantar para as estrelas.

129

A BUSCA DA FELICIDADE

William levou três segundos para concluir que tinha a intenção de ir atrás de Amaranthus e o resto do dia foi gasto tentando descobrir como ela havia partido. Não sabia quanto tempo passara planejando a fuga – *provavelmente desde que voltei de Morristown*, pensou com gravidade –, mas tinha dado conta do recado muito bem.

Ao chegar em casa no início da noite ele já tinha bolado um plano, se é que se podia chamar aquilo de plano. O passo seguinte foi convencer um tio e um pai muito céticos de suas virtudes durante o jantar.

– Quer ela tenha ido a cavalo, de carroça ou de barco, acho que seu destino deve ser Charles Town. – Ele hesitou, mas não havia por que não contar isso para os dois: – Quando mencionei Banastre Tarleton na ocasião da queda de Charles Town, ela comentou que o conhecia. O que significa que ele também conhecia ou conhece Ben.

– Ele conhecia... conhece – disse Hal com surpresa – bastante bem, aliás. Durante um curto período foram da mesma companhia... De brincadeira, eram conhecidos como Ban e Ben.

– Bom, então – disse William satisfeito. – Amaranthus sabe que Ban está em Charles Town com Clinton. Se achasse que precisa de ajuda ou proteção na viagem... não iria procurá-lo?

– É uma hipótese plausível – disse seu pai, mas sua expressão era de dúvida. – Ela obviamente não se preparou por muito tempo.

– Não sei se não – retrucou William. – Talvez estivesse planejando fugir desde antes de eu voltar. Ou pelo menos considerando. Independentemente do meio de transporte, porém, não pode ter chegado muito longe. Eu talvez consiga alcançá-la na estrada. Se por acaso não conseguir, pode ser que Ban a tenha visto... ou organizado a etapa seguinte de sua viagem. Não imagino que Ben já saiba. Se ela pretende ir a seu encontro… Ban certamente a teria ajudado.

Uma leve pontada de dor apareceu na expressão de tio Hal, mas um segundo depois foi brutalmente suprimida.

– E o que sugere fazer se a encontrar? – perguntou ele com voz rascante. – Carregá-la de volta para cá à força?

Impaciente, William ergueu um dos ombros.

– Para começar, vou descobrir o que ela realmente pretende fazer – disse ele. – *Talvez* esteja mesmo indo para a casa do pai na Filadélfia. Nesse caso… irei garantir que chegue lá em segurança. Se for Ben… – Ele fez uma pausa durante a qual recordou como havia escapado por um triz em Morristown. – Eu a levarei até Adam. Ele vai garantir a segurança dela. Se a intenção de Amaranthus for *mesmo* procurar Ben…

– Meu Deus do céu! Adam sabe? – A voz de Hal falhou e ele tossiu.

William viu o pai lançar um olhar incisivo para Hal e andar até a sineta para chamar uma empregada. Hal o encarou com o cenho franzido e fez um gesto brusco para detê-lo.

– Eu estou bem – disse apenas, mas a última palavra saiu forçada. De repente, sua respiração ficou arquejante.

– Não está, não – retrucou lorde John e, segurando Hal pelo cotovelo, puxou-o até o sofá e o empurrou para que se sentasse. – Willie, vá dizer a Moira para ferver café… bem forte e bastante… e *agora*.

– Eu vou – começou Hal, mas se interrompeu para tossir.

Ele havia pressionado o punho fechado no peito e estava adquirindo uma cor horrível que deixou William alarmado.

– Ele está…? – começou William. Seu pai se virou para ele como se fosse um tigre.

– *Agora!* – gritou lorde John e, enquanto William se precipitava para fora da sala, ouviu o pai dizer atrás de si: – Pegue meus alforjes!

As poucas horas seguintes transcorreram em um borrão de atividade, com pessoas correndo para lá e para cá, buscando coisas e fazendo sugestões aflitas e idiotas enquanto Hal ficava sentado no sofá, segurando a mão de papai como se fosse uma corda e ele um nadador se afogando, alternando-se entre soprar o ar com força, arquejar e beber café preto com algum tipo de erva esfarelada dentro que papai havia desencavado em seus alforjes.

Sem saber como ajudar, mas sem querer ir para a cama, William tinha ficado na cozinha, para poder levar mais café conforme a necessidade, mas principalmente para escutar Moira e a srta. Crabb, pelas quais ficou sabendo que o duque padecia de uma enfermidade chamada asma e que (vozes mais baixas e uma olhadela cautelosa por cima do ombro) a esposa-mas-que-na-verdade-não-era-esposa de lorde John era uma célebre curandeira e tinha dado a lorde John os pequenos gravetos secos para pôr no café.

– Como Sua Graça vai fazer se tiver outra crise dessas no navio? Eu não sei! – disse Moira balançando a cabeça.

– Navio? – indagou William, erguendo os olhos de seu terceiro pedaço de torta de maçã. – Ele pretende ir a algum lugar?

– Ah, sim – respondeu a srta. Crabb, meneando a cabeça como quem sabe das coisas. – Para a Inglaterra.

– Para falar na Câmara dos Lordes – acrescentou Moira.

– Sobre a guerra – disse a srta. Crabb depressa, antes de Moira poder lhe roubar mais algum pedaço de informação.

William disfarçou um sorriso atrás do guardanapo, mas estava curioso. Perguntou-se se tio Hal tinha alguma opinião relacionada à condução da guerra que se sentisse obrigado a compartilhar com a Câmara dos Lordes ou se teria buscado um bom pretexto para voltar para a Inglaterra… e para tia Minnie.

O que ele *sabia*, pelo pai, era que Hal não tivera forças para escrever para a esposa sobre Ben.

– Quando ele pretende ir? – perguntou.

– Daqui a um mês – respondeu a srta. Crabb e franziu os lábios.

– Lorde John também pretende ir?

William meio que torceu para a resposta ser não. Embora não quisesse que tio Hal morresse engasgado sozinho em um navio, preferia muito ter papai ali, cuidando de tudo enquanto ele, William, ia atrás de Amaranthus.

Ambas as mulheres fizeram que não com a cabeça, graves. Talvez tivessem dito mais coisa, mas nesse instante os passos rápidos de papai vieram atravessando o hall e um segundo depois sua cabeça loura despenteada apareceu na porta.

– Ele está melhor – declarou, cruzando olhares com William. – Venha me ajudar. Ele quer ir para a cama.

O duque passou a maior parte do dia seguinte na cama. Quando William subiu para verificar seu estado de saúde, porém, encontrou-o sentado e escrevendo, com um suporte de escrever apoiado nos joelhos. Ele ergueu os olhos quando William chegou e se antecipou a qualquer pergunta dizendo:

– Então ainda pretende ir atrás dela.

A frase não foi formulada como uma pergunta e William assentiu. Hal fez o mesmo e pegou uma folha de papel em branco na pilha sobre a mesa de cabeceira.

– Amanhã, então – falou.

No dia seguinte, ao amanhecer, William prendeu seu colarinho, abotoou seu colete bege, vestiu o casaco vermelho que nunca mais pensara que fosse usar e desceu, os passos firmes dentro das botas recém-engraxadas.

Seu pai e seu tio já estavam tomando café e, apesar da impaciência para partir, o cheiro de broa de milho com manteiga, ovos fritos, presunto fresco, geleia de pêssego, bolinhos fritos de caranguejo e truta do mar na brasa bastou para fazê-lo se sentar sem discutir. Tanto papai quanto tio Hal o encararam com a mesma expressão, um misto de aprovação e ansiedade velada que lhe deu vontade de rir, mas ele não o fez. Em vez disso, limitou-se a inclinar a cabeça; nenhum dos dois era muito loquaz de manhã, mas pelo visto aquele dia seria uma exceção.

– Aqui está. – Tio Hal empurrou pela mesa na sua direção dois documentos dobrados fechados com lacres de cera. – O vermelho é seu cargo e o outro, suas ordens... as poucas que existem. Eu lhe dei a patente de capitão e suas ordens dizem que tem salvo-conduto para ir a qualquer lugar que quiser, sem obstrução ou empecilho, e pode solicitar o auxílio dos oficiais e soldados de Sua Majestade conforme a necessidade e a disponibilidade.

– O senhor acha que posso precisar de uma coluna de infantaria para me ajudar a arrastar Amaranthus de volta? – perguntou William antes de dar uma mordida em uma fatia morna de broa de milho na qual acabara de passar manteiga e uma grossa camada de geleia de pêssego.

– E você acha que não? – rebateu seu pai, arqueando a sobrancelha.

Lorde John se levantou, chegou por trás de William, soltou sua trança feita às pressas e a refez, bem apertada e lisa, então a dobrou para formar um rabo e a prendeu com sua fita preta. O contato das mãos do pai em seu pescoço, cálidas e leves, o deixou comovido.

Tudo naquela manhã tinha um frescor e uma sensação de movimento que o fizeram sentir que iria recordar cada objeto visto ou tocado e cada palavra dita enquanto vivesse.

Sua mente pulsava com tanta energia que mal conseguira dormir. Era como se o embotamento e a petrificação do último mês não tivessem existido. Sua declaração de que iria atrás da moça não encontrara oposição: papai e tio Hal haviam trocado um olhar demorado e começaram a fazer planos.

– Ela disse que tinha tomado providências – dizia papai, examinando com o cenho franzido uma garfada de truta. – Que tipo de providência?

– Pelo que as empregadas sabem, ela saqueou a despensa e fugiu com comida suficiente para três ou quatro dias, levou suas roupas mais simples... e a maior parte das joias – respondeu Hal. – Ela...

– Ela levou a aliança de casamento? – interrompeu William.

– Levou – respondeu lorde John e William deu de ombros.

– Então está indo encontrar Ben. Se estivesse tudo acabado, teria deixado a aliança.

Tio Hal lhe lançou o tipo de olhar com o qual teria fitado uma pulga acrobata que houvesse acabado de dar um salto mortal, mas papai escondeu um sorriso atrás do guardanapo.

– Nós não a deixaríamos ir sozinha mesmo se tivéssemos certeza de que está *mesmo* indo para a casa do pai – disse ele. – Uma jovem sozinha na estrada... e nós *de fato* achamos que está sozinha – emendou mais devagar. – Embora eu imagine que seja possí...

– Mais do que possível – disse tio Hal, pesaroso. – Aquela moça é...

– Sua nora – interrompeu lorde John. – E mãe de seu herdeiro. Como tal, temos obrigação de garantir sua segurança.

– Humm... – William ouviu o grunhido de aprovação que ele próprio tinha dado e se imobilizou por um instante, com uma garfada de ovo suspensa e pingando gema em seu prato. *Você provavelmente não vai querer ouvir isso... Mas Pa faz esse tipo de barulho o tempo todo.*

Olhou depressa do pai para o tio, mas nenhum dos dois parecia ter reparado em nada de estranho em sua resposta e o trio retomou o consumo silencioso e regular do desjejum.

Birdie, a égua nova de William, ficou contente ao vê-lo e o farejou em busca de maçãs, que ele de fato trouxera e que ela mastigou com um prazer evidente, fazendo o sumo escorrer por sua manga quando ele lhe pôs o cabresto.

Ela percebeu sua animação, empinou as orelhas e bufou um pouco, balançando a cabeça enquanto William apertava a barrigueira. Ele se perguntou como Amaranthus tinha conseguido levar a cabo seu sumiço; nenhum dos cavalos da casa estava faltando, nem mesmo a égua já velhusca que Amaranthus estava acostumada a montar.

Ela poderia ter pegado uma diligência, mas era improvável. Tio Hal devia ter mandado na mesma hora alguém à hospedaria da diligência fazer perguntas, e Amaranthus teria concluído que ele faria isso. Poderia ter contratado uma carruagem ou um cavalo de aluguel. Ou então ela tivera ajuda de alguém para fugir e o maldito ajudante havia lhe providenciado um transporte. Irritado, começou a pensar em uma lista de galantes da cidade que ela poderia ter seduzido para alcançar seus objetivos, mas foi interrompido pela aparição de lorde John, trazendo uma bolsa de dinheiro em uma das mãos e uma pequena mala na outra.

– Um traje civil, meias e uma camisa sobressalente – disse ele apenas, entregando a mala ao filho. – E dinheiro. Aí dentro tem uma carta de crédito também... talvez seja melhor guardá-la no bolso, só por garantia.

– Se eu for obrigado a pagar um resgate por ela para um bando de salteadores? – perguntou William enquanto pegava a bolsinha.

Estava agradavelmente pesada. Ele a guardou no bolso do casacão e, pegando uma das pistolas dentro do alforje, enfiou-a no cinto.

– Ha-ha – fez seu pai, educado. – William... se ela estiver *mesmo* indo encontrar Ben, e se conseguir chegar até ele... *não tente* tirá-la dele. Desta vez ele vai matar você.

Essa opinião foi proferida em tom suficientemente categórico para William decidir não discutir, embora seu orgulho discordasse com veemência.

– Não vou tentar – disse ele apenas e, com um sorriso, deu alguns tapinhas no ombro do pai. – Não precisa se preocupar com isso.

130

HERR WEBER

Um mês depois da queda de Charles Town, a cidade ainda tinha o mesmo aspecto de um formigueiro chutado. Todos os moradores pareciam estar do lado de fora, carregando pedras, toras e cestos cheios de terra ou baldes de tinta, e os que não estavam ocupados na limpeza e nos consertos gritavam e vendiam: carnes e frutas, hortaliças, aves, presuntos, moluscos e mariscos, camarões e ostras, e tudo mais que houvesse neste maldito mundo passível de ser colhido no mar e comido. A ideia de comer, aliada ao cheiro de peixe na brasa que pairava no ar, deixou William com água na boca.

O vendedor dos saborosos peixes estava infelizmente cercado por uma companhia de soldados, todos competindo por atenção enquanto a mulher e sua filha tiravam de cima de tijolos quentes pequenos peixes chiando e os punham sobre pedaços de jornal velho como se fossem cartas de baralho. Um menino pequeno agachado junto a uma panela amassada recolhia moedas dos soldados e as jogava dentro da panela para fazê-la tilintar.

Sem querer atrair atenção usando seu uniforme de capitão para abrir caminho na multidão, ele se virou na direção das docas, onde certamente encontraria comida e bebida em uma das numerosas tabernas.

O que encontrou, porém, foi Denys Randall, subindo e descendo despreocupadamente um cais estreito, à espera de alguém.

– Ellesmere! – exclamou Randall ao vê-lo.

– Ransom – corrigiu William.

Denys acenou para indicar que era tudo a mesma coisa.

– De onde você surgiu? – perguntou ele, correndo os olhos pelo uniforme de William. – E por quê?

– Estou procurando Ban Tarleton. Você o viu recentemente?

Denys fez que não com a cabeça, de cenho franzido.

– Não. Mas acho que poderia perguntar por aí. Onde está hospedado?

– Por enquanto, em lugar nenhum. Tem algum decente? – Ele olhou em volta para uma fila de homens sem camisa que reluziam de suor enquanto carregavam até a beira do cais cestos, carrinhos e caixotes de madeira cheios de entulho. – O que pretendem fazer com tudo isso? Construir um quebra-mar? Ou melhor, construir não, consertar.

Para lá do que restava do quebra-mar existente havia um punhado de fortificações em mau estado, que tinham sofrido muito nos bombardeios do cerco.

– Eles deveriam, mas acho que vão só jogar isso no mar e esquecer o assunto. Quanto a um lugar para dormir, tente a casa da sra. Warren na Broad Street. – Denys pegou seu chapéu e deu um aceno rápido para William. – Vou perguntar sobre Tarleton.

William agradeceu com um meneio de cabeça e se afastou em busca da Broad Street, da sra. Warren e de comida, não necessariamente nessa ordem. Logo encontrou comida na forma de arroz e feijão-vermelho cozido com linguiça em uma barraca perto do terreiro de treinamento militar. Como era de costume quando havia um exército por perto, era grande o número de civis, fornecedores, lavadeiras, vendedores de comida e prostitutas, que se alimentavam do Exército como uma horda de piolhos vorazes.

Bom, quem com ferro fere com ferro será ferido, pensou ele, devolvendo a cumbuca para o vendedor do feijão com arroz para uma segunda porção. Enquanto comia um pouco mais devagar, examinou a multidão para ver se via algum sinal de Amaranthus ou de Banastre Tarleton, mas não. Teria reparado na hora em qualquer um dos dois, pois ambos tinham predileção por roupas de cores vivas.

Saciado, pôs-se a percorrer a cidade, subindo e descendo as ruas importantes, espiando dentro de lojas, bancos e igrejas pelos quais passava. Não tinha a menor ideia se Amaranthus ou Ban eram religiosos – por algum motivo duvidava que fossem –, mas igrejas eram lugares frescos e era bom se sentar alguns instantes e ficar escutando o silêncio para descansar um pouco do barulho da cidade.

Chegou à casa da sra. Warren um pouco antes do pôr do sol e, depois de um jantar de peixe bem decente, foi para a cama cansado feito um cachorro e bastante desanimado.

Essas condições já tinham se revertido pela manhã e ele pulou da cama com a mente e o corpo renovados e o espírito decidido. Primeiro iria ao quartel-general de Conrwallis: nas peregrinações da véspera já tinha visto a casa, com suas bandeiras do regimento. Alguém lá sem dúvida saberia onde Banastre Tarleton *deveria* estar.

E sabia. Contudo, a notícia não foi animadora: o coronel Tarleton tinha saído da cidade duas semanas antes para conduzir uma companhia da sua Legião Britânica para o sul, no encalço de um grupo de milícia americano em fuga. Um mensageiro tinha voltado para relatar o desfecho de um pequeno, porém acirrado, confronto próximo a um lugar chamado Waxhaws: as tropas de Tarleton haviam sobrepujado os americanos, matado ou ferido a maioria e capturado o restante como prisioneiros. O coronel Tarleton, no entanto, tinha se ferido quando seu cavalo caíra em cima dele e ainda não havia retornado a Charles Town.

Certo, isso tirava Ban da lista de William de modo mais ou menos definitivo. Não havia a menor possibilidade de Tarleton ter ajudado Amaranthus a fugir.

As docas, claro. Ele começara a procurar lá na noite anterior, antes de sua barriga ter outras ideias. Mas, se ela estivesse *mesmo* indo para a Filadélfia, como dissera, e não tivesse embarcado em um navio em Savannah – coisa que não fizera, ele tinha verificado –, então Charles Town era o porto de grande porte seguinte no qual teria sido provável fazê-lo. E certamente uma jovem viajando sozinha (Deus do céu, estaria ela *mesmo* sozinha? Poderia ter fugido com alguém? Certamente não…) acharia uma viagem de navio mais segura, além de mais confortável, do que se arriscar a percorrer estradas repletas de soldados, sapadores, ex-escravos e carroças de mercadorias.

O dia estava lindo e ele começou sua busca a partir do escritório do capitão do porto, onde solicitou uma lista das embarcações que houvessem partido na última semana com destino à Filadélfia ou a Nova York (*só para o caso de ela estar indo encontrar Ben...*) e a lista de passageiros. O nome de Amaranthus não constava em nenhuma das listas... mas não necessariamente constaria, argumentou consigo mesmo: se tivesse embarcado como passageira exclusiva em uma embarcação de pequeno porte, não estaria listada em lugar algum...

No fim, o resultado foi o que ele já sabia que seria: uma peregrinação a pé pelas docas fazendo perguntas a todos com quem cruzava. Depois de uma hora fazendo isso, o dia lindo começou a ficar encoberto com a chegada de uma nuvem. Ele decidiu matar a sede e começou a subir o cais em direção à cidade, um pequeno cais no qual atracavam barcos de pesca e pequenas embarcações comerciais. Mas o que encontrou ali foi Denys Randall. Outra vez.

– Ei! – disse William bem alto, chegando por trás de Denys e lhe dando um tapa no ombro. – Você *mora* nas docas?

– Eu poderia fazer a mesma pergunta a você – retrucou Denys, sucinto, e ele então reparou que o outro homem não estava sozinho: tentava proteger da visão de William um homem baixinho, cujo rosto enrugado o deixava parecido com um quebra-nozes de Natal. – Está procurando quem agora?

– Uma moça – respondeu William em tom ameno. – E seu amigo, quem é?

Denys perdeu por alguns instantes seu ar levemente zombeteiro e controlado. William pensou que naquele momento ele se parecia muito com um gato pisando em tijolos quentes. Denys olhou rapidamente para o companheiro, cuja semelhança com um quebra-nozes de Natal ficava mais pronunciada a cada segundo, então tornou a se virar para William com uma veia pulsando de modo visível na lateral do maxilar.

– Preciso falar com uma pessoa – falou. – Vai ser rápido. Este é Herr Weber. Fique de olho nele. Volto o mais rápido que conseguir.

E, depois de dizer isso, desapareceu pelo cais na direção da água, quase correndo, tamanha a pressa.

William hesitou, sem saber ao certo o que fazer. Estava com um pouco de medo de Denys poder ter se assustado... Bom, ele obviamente *tinha* se assustado, mas com quê? Ainda por cima, abandonara seu acompanhante alemão. Nesse caso, o que deveria fazer com o sujeito?

Weber tinha os olhos cravados nas tábuas do cais e a testa levemente enrugada. William pigarreou.

– Aceita algo para beber? – perguntou, educado, e meneou a cabeça em direção a um barraco com a frente aberta ali mesmo no cais, que um par de barris grandes e a presença de um marujo caído desacordado no chão indicavam ser um local onde se vendia bebida alcoólica.

– *Ich spreche kein Englisch* – disse o homem, abrindo as mãos em um pedido educado de desculpas.

– *Keine Sorge* – respondeu William, curvando as costas. – *Ich spreche Deutsch.*

Foi como se tivesse informado a Herr Weber que sua calça estava pegando fogo em vez de ter lhe dito apenas que falava alemão. O alarme fez os traços do quebra-nozes se convulsionarem e ele se virou atarantado à procura de Denys, que àquela altura tinha desaparecido.

Com medo de Weber estar a ponto de sair correndo, William o segurou pelo braço. O resultado disso foi um grito alto e um soco em sua barriga. Levando em conta o tamanho de Weber, não foi uma tentativa ruim, mas o impacto fez William grunhir, soltar o braço de Weber, segurá-lo pelos dois ombros e sacudi-lo feito uma ratazana.

– *Still!* – exclamou ele. – *Ich tue Euch nichts!*

A afirmação de que não pretendia lhe fazer mal não pareceu tranquilizar o cavalheiro, mas pelo menos as sacudidas o fizeram parar de se debater para fugir. Ele ficou inerte sob as mãos de William e começou a arquejar.

– O que está acontecendo? – perguntou William em alemão em tom incisivo. Indicou o cais com um gesto da cabeça. – Aquele homem o está mantendo prisioneiro?

Weber fez que não com a cabeça.

– *Nein. Er ist mein Freund.*

– Pois então. – William o soltou e deu um passo para trás com as mãos abertas para mostrar que era inofensivo. – *Meiner auch.*

Weber aquiesceu desconfiado e ajeitou o colete, mas se recusou a continuar a conversa e retomou sua impassibilidade inexpressiva. Um leve tremor percorria de vez em quando seu corpo, mas o rosto nada demonstrava, apesar de olhar de tempos em tempos para a névoa que se adensava no final do cais. William podia distinguir formas, a maioria mastros que surgiam de repente da névoa quando esta se deslocava, e o ar espesso trazia gritos aleatórios que soavam distantes em um segundo e próximos no seguinte. A névoa se adensava e tomava conta do cais, e ele teve uma sensação repentina de desorientação, como se o mundo estivesse se dissolvendo sob seus pés.

E então Denys de repente apareceu, sem qualquer aviso. Apesar de ansiosa, sua expressão exibia um ar de firme decisão. Ele segurou Weber pelo braço, olhou de relance para William e disse apenas "*Kommt*". William não perdeu tempo com discussões, mas segurou o cavalheiro pelo outro braço e, a dois, Denys e ele carregaram o homenzinho para dentro do nevoeiro e por uma passarela que de repente apareceu.

Um homem alto de casaco azul se materializou no convés, ladeado por dois marinheiros. Encarou Denys com atenção, assentiu, então percebeu a presença de William e deu um tranco para trás como se tivesse visto um demônio.

– *Um* soldado – disse ele para Denys, ríspido, e o segurou pela manga. – Eles disseram um! Quem é esse?

– Eu sou… – começou William, mas Denys lhe deu um chute no tornozelo – … amigo dele – arrematou, meneando a cabeça casualmente para Denys.

– Não há tempo para isso – disse Denys.

Levando a mão até dentro do casaco, pegou uma pequena e recheada bolsinha que entregou ao homem. O capitão, pois é isso que deveria ser, pensou William, hesitou por alguns instantes, tornou a olhar para ele desconfiado, mas aceitou o dinheiro.

No instante seguinte, ele estava descendo apressado a passarela outra vez, impelido por um empurrão ansioso de Denys nas costas. Chegou ao cais cambaleando, mas recuperou na hora o equilíbrio e se virou para ver o navio, que pelo que podia ver através do nevoeiro parecia ser um pequeno brigue, puxar a passarela como se fosse uma língua sugada para dentro da boca, soltar uma última corda e, com um chacoalhar de panos e estalos de velas se enchendo de vento, começar lentamente a se afastar do cais. Em poucos instantes já tinha desaparecido em meio à névoa.

– O que foi isso que acabou de acontecer? – perguntou em tom um tanto ameno, considerando todo o ocorrido. Denys respirava como se tivesse corrido 2 quilômetros carregando seu equipamento completo, e a borda do seu lenço de pescoço estava escura de suor. Ele olhou por cima do ombro para se certificar de que o navio tinha mesmo zarpado, então se virou para William com a respiração começando a se normalizar.

– Herr Weber tem inimigos – falou.

– Todo mundo hoje em dia tem. *Quem é* Herr Weber?

Denys fez um som que poderia ter sido uma tentativa de rir com sarcasmo.

– Bom… ele não é Herr Weber, para começo de conversa.

– Tem planos de me dizer quem *é?* – perguntou William, impaciente. – Porque, se você não tiver mais o que fazer, eu tenho.

– Além de procurar uma moça, você quer dizer?

– Quero dizer jantar. Você pode me dizer quem é nosso amigo recente no caminho.

– Ele tem alguns codinomes – disse Denys após ter consumido metade de uma tigela de uma generosa sopa de mariscos. – Mas o nome dele é Haym Salomon. É judeu.

– E…?

William tinha tomado a própria sopa em tempo recorde e estava limpando a tigela com um pedaço de pão. O nome lhe soava familiar, mas ele não conseguia pensar por que deveria. *Salomon. Haym Salomon…* A palavra “judeu” foi que proporcionou o elo perdido para sua lembrança.

– Ele por acaso é polonês? – perguntou e Denys se engasgou com um marisco. – Ah, é sim. – William levantou a mão para a mulher que os estava servindo e indicou sua tigela vazia com um gesto dando a entender que gostaria que a enchesse outra vez. – Como ele conseguiu escapar de ser executado em Nova York?

Denys tossiu, engasgou e tornou a tossir de modo explosivo, espalhando pelo tampo da mesa migalhas de pão, gotículas de sopa e um pedaço grande de marisco. William revirou os olhos, mas estendeu a mão para pegar a jarra de cerveja e completou suas canecas.

Denys esperou o segundo prato de sopa ser trazido e seus olhos pararem de lacrimejar, então se curvou acima da própria tigela e falou em uma voz que mal saiu alta o bastante para ser ouvida acima das batidas das canecas de cerveja e das conversas animadas no bar.

– Mas *como* pelo amor de Deus você sabe disso? – perguntou.

William deu de ombros.

– Algo que meu tio disse. Um judeu polonês que tinha sido condenado à morte como espião em Nova York. Ele estava um tanto surpreso por ouvir dizer que o sujeito continuava vivo e que estava aqui.

Ele tomou com cuidado uma colherada de sopa antes de prosseguir:

– Então, se Salomon for esse amiguinho... e muito claramente *é*... então fico meio me perguntando quem... ou melhor, o que *você* é ultimamente. Porque Herr Weber não trabalha para Sua Majestade.

Denys tomou o resto de sua cerveja devagar, examinando William com o cenho franzido.

– Acho que não importa você saber; ele já está fora de alcance – falou por fim. Deu um leve arroto, disse "Desculpe" e se serviu de mais cerveja enquanto William aguardava pacientemente.

– O sr. Salomon é banqueiro – disse Denys e, tendo decidido contar a William mais ou menos a verdade, seguiu falando.

Nascido na Polônia, Salomon chegara jovem a Nova York e construíra uma carreira de sucesso. Também começara a se meter, com muita cautela, na política revolucionária e organizara diversas transações financeiras para o novo Congresso e a revolução emergente.

– Mas ele não foi tão cuidadoso quanto pensava e os britânicos o pegaram. Ele foi de fato condenado à morte... mas foi perdoado, embora o tenham posto em um navio-prisão no Hudson e o obrigado a passar um ano e meio lecionando inglês para soldados hessianos. – Ele tomou outro gole de cerveja. – Mal sabiam eles que o sujeito estava incentivando todos a desertarem... coisa que aparentemente um bom número de fato fez.

– Eu sei – comentou William, seco.

Um grupo de desertores hessianos tinha tentado matá-lo durante a Batalha de

Monmouth... e quase conseguido, os desgraçados. Se aquele seu maldito primo escocês não o tivesse encontrado no fundo de um desfiladeiro com o crânio rachado... Mas não valia a pena ficar pensando nisso. Não agora.

– Sujeito persistente, então – falou William. – Quer dizer que ele agora está aqui e, como não parece haver nenhum hessiano por perto para ser convencido a desertar, imagino que tenha voltado a praticar seus truques de finanças, é isso?

– Até onde sei – respondeu Denys, agora à vontade. – Ouvi dizer que ele é um bom amigo do general Washington.

– Que bom para ele – comentou William. – Mas e *você?* Como está sentado aqui me contando tudo isso, devo supor que agora também é um amiguinho pessoal do sr. Washington?

Na verdade, William não estava surpreso por escutar aquelas coisas.

Denys sacou um lenço do bolso e enxugou com delicadeza os lábios.

– Nem tanto eu, mas meu padrasto – respondeu. – O sr. Isaacs é muito amigo do sr. Salomon e compartilha tanto suas opiniões políticas quanto sua argúcia financeira.

– *É*? – disse William, arqueando as sobrancelhas. – Você não me disse que seu padrasto tinha morrido e que era por isso que tinha tirado o "Isaacs" do sobrenome?

– Eu disse isso? – Denys adotou um ar reflexivo. – Bom... digamos que muita gente *acredita* que ele morreu. Muitas vezes é mais fácil fazer determinadas coisas se as pessoas não souberem com quem estão lidando.

O fato de que William *não sabia* com quem estivera lidando estava se tornando dolorosamente evidente.

– Quer dizer que... você é um vira-casaca, mas não se deu ao trabalho de tirar o casaco e virá-lo, é isso?

– Acho que a palavra correta talvez seja *intrigante*, William, mas que peso tem uma palavra? Comecei a trabalhar com meu pai quando tinha uns 15 anos e aprendi a navegar no mundo das finanças e da política. Como você sabe, esses dois fios se entrelaçam durante uma guerra. E uma guerra custa caro.

– E às vezes dá lucro?

Algo que poderia ter sido uma ofensa estremeceu sob a expressão plácida de Denys, mas sumiu com um pequeno e digno gesto de quem descarta o assunto.

– Meu pai de verdade é soldado, sabe, e ele me deixou uma quantia em dinheiro confortável e estipulou que eu deveria usá-la para adquirir um cargo... isso se eu nascesse menino, quero dizer. Ele morreu antes de eu nascer.

– E se tivesse nascido menina? – William de repente começou a se perguntar se Denys poderia estar com uma pistola carregada no colo embaixo da mesa.

– O dinheiro teria sido meu dote de casamento e eu sem dúvida hoje seria a esposa de algum comerciante rico e maçante, que me daria uma surra por semana, me comeria uma vez por mês e, fora isso, me deixaria livre para viver minha vida.

Apesar do cansaço, William riu.

– Minha mãe queria que eu fosse do clero, coitada. – Denys deu de ombros. – Mas no caso...

– Sim?

As batatas das pernas de William se contraíram. Sua mão esquerda estava debaixo da mesa, ainda segurando a colher da sopa, com o cabo encaixado entre os dedos fechados. Não era a arma que teria escolhido, mas, caso fosse necessário, estava pronto para enfiá-la no nariz de Denys. Uma conversa como aquela só poderia ter uma única finalidade: convidar William para se juntar à sua conspiração.

Estava achando certa graça na situação. Também estava um pouco irritado, mas decidido a agir com cautela. Se Denys fizesse o convite e William recusasse, ele poderia considerar perigoso deixá-lo solto por aí para repetir o que tinha escutado.

– Bem... – Denys observou seu uniforme. – Você me disse que tinha renunciado a seu cargo, não disse?

– Disse. – Ele moveu a mão livre pela frente do casaco vermelho. – Isto aqui é só para fazer vista... e para me garantir um salvo-conduto enquanto procuro a esposa de meu primo.

Os olhos de Denys se arregalaram.

– É essa a moça que está procurando? Ela se perdeu?

Reparei que não perguntou qual primo.

– Não, ela não se perdeu. Ela teve um desentendimento com o marido. – *Para não dizer outra coisa.* – E decidiu voltar para a casa do pai. Mas meu tio ficou preocupado com a segurança dela na estrada e me mandou vir me certificar de que chegasse sã e salva a seu destino. Pensei que, se tivesse passado por Charles Town, coisa que provavelmente faria, talvez procurasse Ban Tarleton para pedir ajuda. Ela e o marido o conhecem.

– Infelizmente o major Tarleon não está em Charles Town. – A voz falou atrás dele, uma voz inglesa que seu corpo reconheceu antes de sua mente.

Apertando a colher com força, William se virou depressa.

– Bom dia, capitão lorde Ellesmere – disse Ezekiel Richardson. Olhou com indiferença para a colher e se curvou de leve. – Queiram me perdoar a interrupção, cavalheiros. Eu por acaso entreouvi o nome do major Tarleton. O major Ferguson e ele estão no encalço de vários grupos de milícia americanos que saíram da cidade e fugiram para o sul.

William hesitou por alguns instantes, dividido entre uma curiosidade matizada de indignação e a pressa. Mas hesitou por um segundo além da conta: Richardson puxou um banco e se sentou entre Denys e ele diante da pequena mesa redonda. Bem no raio de alcance para que ele o agarrasse ou o acertasse com um tiro ou uma punhalada.

– Herr Weber nos deixou em segurança? – perguntou Richardson, provavelmente se dirigindo a Denys, mas com os olhos fixos em William.

– Um pouco nervoso, mas intacto – respondeu Denys. – Nosso amigo William foi muito útil para impedi-lo de saltar do cais e voltar nadando para casa enquanto eu cuidava das últimas providências.

– Ficamos muito gratos ao senhor, lorde Ellesmere.

– Meu nome é Ransom.

As sobrancelhas falhadas se ergueram.

– É mesmo. – Richardson, que não estava de uniforme e usava um traje cinza decente, lançou um rápido olhar para Denys, que ergueu ligeiramente os ombros. – Eu acho que sim – falou, enigmático.

– Se o que os senhores acham é que vou aceitar entrar para seu jogo de traições, cavalheiros, devo lhes assegurar do contrário – disse William, afastando-se da mesa. – Tenham um bom dia.

– Não tão depressa – disse Richardson, segurando com firmeza o antebraço de William. – Por favor... milorde.

Esse "milorde" foi dito com um leve tom de zombaria, ou pelo menos foi assim que soou aos ouvidos de William, que não estava com disposição para brincadeiras.

– Eu não tenho cargo, não tenho patente e não sou "milorde". Queira ter a gentileza de tirar a mão de mim. Caso contrário, eu a tirarei para o senhor.

William fez um ligeiro gesto com a colher, que, apesar de frágil, era feita de latão e cujo cabo terminava em uma ponta triangular. Richardson hesitou e os músculos de William se retesaram. A mão, no entanto, se ergueu bem a tempo.

– Sugiro considerar a sugestão de Denys – disse Richardson em tom leve. – Renunciar a seu cargo sem dúvida deve ter causado alguma fofoca nos círculos militares... e o senhor se negar a ser chamado pelo seu título vai causar mais ainda. Eu acho, porém, que o senhor talvez hesite em gerar o tipo de fofoca que será provocado caso o motivo por trás de suas ações venha a público.

– O senhor não sabe nada sobre meus motivos. – William se levantou e Richardson também.

– Sabemos que o senhor é o filho bastardo de certo James Fraser, traidor jacobita e atual rebelde – disse ele em tom agradável. – E bastaria uma olhada em vocês dois, desenhados lado a lado nos jornais, quem sabe, para convencer qualquer um da verdade.

William deu uma risada curta, mas que saiu como um latido rouco.

– Pode dizer o que quiser para quem quiser. Vá para o inferno!

E dizendo isso cravou o cabo da colher na mesa e se virou para ir embora. Atrás dele, Richardson tornou a falar, com a voz ainda agradável:

– Eu conheço sua irmã.

Os ombros de William se tensionaram, mas ele seguiu andando até as docas de Charles Town ficarem bem para trás.

131

TEMPESTADES NA CORDILHEIRA

4 de julho de 1780

De John Sevier
Para o coronel James Fraser, Cordilheira dos Frasers

Sr. Fraser,

Em primeiro lugar, escrevo para lhe agradecer pelo excelentíssimo uísque que o senhor me mandou de presente. Tive recentemente a oportunidade de visitar a sra. Patton e dividi com ela uma pequena garrafa que havia levado. A julgar pelo comportamento dela, creio que o senhor será bem-vindo como cliente em seu moinho sempre que desejar, contanto que vá armado com o tipo certo de moeda.

Escrevo ainda para informar que Nicodemus Partland, embora inadvertidamente responsável por me permitir apreciar seu uísque, não é ele próprio nenhum presente para uma sociedade liberal. Na sua condição de agente de polícia, o sr. Cleveland prendeu o sr. Partland e três de seus comparsas sob a acusação de terem perturbado a paz. Ele os manteve em seu celeiro por três semanas e então os libertou separadamente, um por semana, nas três semanas subsequentes, garantindo assim que o sr. Partland não fosse recebido por um grande grupo de seguidores quando afinal reaparecesse.

Mantive os ouvidos apurados, mas nada escutei sobre uma nova tentativa de reunir um grupo de agressores (não chamarei tal corpo de comitê de segurança, pois esse termo sofre muitos abusos) nas proximidades da Linha do Tratado.

Se as terras dos cherokees estão tranquilas, o mesmo não acontece em outros lugares. Tive notícia de certo major Patrick Ferguson, que no meio do cerco a Charles Town foi enviado para o sul junto com o major Tarleton (pois sei que o senhor conhece o nome desse cavalheiro) e sua Legião Britânica legalista, tendo expulsado uma força americana de Monck's Corner, perto de Charles Town. O senhor tinha me perguntado se eu conhecia o major Ferguson e agora eu conheço. Ficarei atento a qualquer outra notícia relacionada a ele.

A seu dispor,
John Sevier

10 de julho de 1780

Após uma semana inteira de temporais nas montanhas, o dia tinha começado com um breve tamborilar de chuva nas persianas cerca de uma hora antes do amanhecer e com uma rajada de vento frio que desceu pela chaminé, bateu no montinho de brasas abafadas e espalhou cinzas quentes por todo o piso do quarto. Jamie pulou da cama, despejou a água da moringa no tapete da lareira e pisoteou as fagulhas que sobraram com os pés descalços enquanto praguejava com uma voz sonolenta em gaélico.

Ele atiçou as brasas que sobraram, enfiou dois pedaços grossos de pinheiro e uma tora de nogueira de combustão mais lenta com mais alguns gravetos no meio delas, e ficou parado ali de camisa, com os braços cruzados para se proteger do frio que fazia no quarto, esperando para ter certeza de que a madeira nova tinha pegado fogo. Ainda aconchegada na cama, pisquei sonolenta e fiquei apreciando a visão. A luz nascente do fogo novo o iluminava e resplandecia nas pedras da prateleira da lareira, tornando a sombra de seu corpo comprido visível através da roupa de cama. O toque daquele corpo ainda estava impresso de modo vívido em minha pele e comecei a me sentir um pouco menos sonolenta.

Com a certeza de que o fogo estava bem encaminhado, ele meneou a cabeça e murmurou alguma coisa, mas eu não soube dizer se foi para si mesmo ou para a lareira. Era verdade que nas Terras Altas *existiam* bênçãos de fogo, e ele devia conhecer algumas. Ele virou as costas, tornou a entrar na cama, envolveu-me com suas pernas e seus braços frios e compridos, relaxou com um suspiro junto ao calor de meu corpo, soltou um pum e voltou a dormir satisfeito.

Quando acordei de novo, já tinha saído, o quarto estava aquecido e um cheiro agradável de terebintina e fogo a lenha ainda pairava no ar. No entanto, pude ouvir o vento gemer nas quinas da casa, e o rangido das toras e ripas novas das paredes do terceiro andar logo acima de mim. Outra tempestade se aproximava: podia sentir no ar o cheiro forte de ozônio.

Fanny e Agnes já tinham acordado: escutei o barulho abafado de suas vozes na cozinha em meio aos ruídos reconfortantes do desjejum sendo preparado. Com um misto de receio e empolgação, Agnes tinha aceitado partir para Charles Town com os Cunninghams e de lá para Londres, quando em teoria já teria decidido qual dos dois tenentes se tornaria seu marido. O capitão havia sobrevivido, mas tivera uma recaída que atrasara sua partida. Havia se recuperado, mas sua saúde continuava frágil, e Jamie tinha lhe dito que podia ficar até as estradas estarem mais seguras. Não havia como ele viajar montado: suas pernas continuavam paralisadas, muito embora tivesse sensibilidade nos pés e eu *pensasse* ter visto um leve movimento em seu dedão esquerdo.

Silvia e as meninas também já haviam acordado, mas apenas um débil murmúrio de vozes chegava até mim das alturas do terceiro andar. Jamie cogitara lhes dar um dos chalés abandonados pelos legalistas, mas tanto ele quanto Jenny e Ian tinham pensado que fazer quacres herdarem espólios de guerra talvez trouxesse má sorte. Ian, Roger e ele construiriam um chalé novo para as Hardmans antes de o inverno chegar. Por minha parte, estava mais do que contente por ter três outras presenças femininas capazes de cozinhar sob o mesmo teto, embora a experiência das Hardmans não fosse muito além de assar batatas e fazer ensopados.

Eu não era exigente. Ainda saboreava a novidade de ter várias outras pessoas para lidar com o constante malabarismo de transformar comida em refeições, para não falar na ajuda com coisas como fabricar sabão e velas. E lavar roupa…

Roger e Bree tinham ido de carroça a Salem trocar coisas por cerâmica e tecido – Bree ainda não tivera tempo nem espaço para começar a construir um tear –, mas havia diversos pares de mãos disponíveis para desempenhar as tarefas da casa.

Passei água fria no rosto, escovei os dentes e me vesti, sentindo-me mais alerta conforme planejava o dia. Jamie não saíra para caçar naquela manhã: podia ouvir sua voz no térreo trocando amenidades com as meninas. Se pretendesse passar o dia em casa, talvez eu conseguisse convencê-lo a se recolher comigo depois do almoço para um pequeno descanso…

Como ele consegue fazer isso?, pensei. Como o som de sua voz, não palavras, apenas um rumor suave, podia me fazer recordar a penumbra quente de nossa cama antes do amanhecer?

Ainda pensava nisso de modo um pouco vago quando entrei na cozinha e o encontrei lambendo as últimas gotas de leite da sua colher.

– Mas quanto luxo! Leite no mingau? – falei, sentando-me em sua frente com um pote de mel e meio pão que fora pegar no armário de tortas. A maioria dos escoceses das Terras Altas franzia o nariz para um capricho desses e preferia a virtude severa da aveia temperada com nada além de uma pitada de sal. – Jenny iria renegar você.

– Provavelmente – respondeu ele, sem parecer abalado com essa possibilidade. – Mas já que tanto Ban quanto Ruaidh estão com cria, temos leite de sobra e não seria correto desperdiçar, seria? Isso aí é mel?

Seus olhos se cravaram no pote assim que o pus na mesa.

Parti um pedaço de pão, cobri-o com um pouco do mel claro e lhe entreguei.

– Prove isso. Assim não! – falei, ao ver que estava prestes a enfiar o pedaço inteiro na boca. Ele parou com metade do pão para dentro.

– Como é que vou provar se não posso pôr na boca? – perguntou, desconfiado. – Você pensou em algum método novo de ingestão?

Atrás de mim, Fanny riu. Agnes semicerrou os olhos ao ouvir a palavra "ingestão" enquanto colocava uma travessa de toucinho defumado junto ao cotovelo dele, mas não disse nada. Ele ergueu o pedaço de pão até o nariz e o cheirou com cautela.

– Devagar. A ideia é saborear – falei em tom de reprovação. – É especial.

– Ah. – Ele fechou os olhos e inspirou fundo. – Bom, tem um aroma agradável e leve. – Arqueou as sobrancelhas, ainda com os olhos fechados. – E com certeza um belo buquê... lírio-do-vale, açúcar queimado, alguma coisa um pouquinho amarga, talvez...? – Ele enrugou a testa, concentrado, então abriu os olhos e me encarou. – Estrume de abelha?

Tentei agarrar o pedaço de pão, mas ele o tirou de meu alcance, enfiou na boca, tornou a fechar os olhos e adotou uma expressão extasiada enquanto mastigava.

– Espere só para ver se algum dia volto a dar meu mel de azedinha para você provar! – exclamei. – Eu estava guardando!

Ele engoliu em seco, piscou e lambeu os beiços, pensativo.

– Azedinha. Não foi o que deu a Bobby Higgins semana passada para fazê-lo cagar?

– As folhas, sim. – Acenei para um vidro grande no alto do armário de ervas. – Segundo Sarah Ferguson, mel de azedinha é extremamente bom e raro. Pelo que ela me disse, o pessoal de Salem e Cross Creek troca um presunto pequeno por um vidro. Mandei Bree levar um pouco.

– Troca mesmo? – Ele encarou o pote de mel com mais respeito. – E isso é das suas abelhas?

– É, mas as árvores de azedinha só florescem por umas seis semanas e eu por enquanto só tenho duas colmeias lá perto. Colhi esse mel assim que as árvores pararam de florir. Por isso está tão...

Uma trovoada de passos ecoando na varanda e na porta da frente abafou minha voz e o ar foi tomado por vozes animadas de menino gritando "Vovô!", "*A Mhaighister!*" e "Sr. Fraser!".

Jamie espichou a cabeça para o corredor.

– O que foi? – perguntou, e os pés que corriam se detiveram atabalhoadamente em meio a uma cascata de exclamações e arquejos, no meio da qual só consegui captar uma única expressão: "casacos-vermelhos!"

Jamie não esperou para ouvir mais. Levantou-se, tirou os meninos da frente e se encaminhou para a porta de entrada.

Corri até o consultório, peguei uma faca de amputar grande e curva dentro do armário e saí correndo atrás de Jamie e dos meninos. Jem, Aidan e dois amigos ainda estavam explicando aos arquejos em uma algaravia confusa: "São dois!", "Não, são três!" "Mas o terceiro não é soldado, ele é..." "É um homem preto, *a Mhaighister*!"

Um negro? Isso seria algo digno de nota em qualquer lugar das Carolinas, exceto nas altas montanhas. Havia alguns negros livres em Brownsville e pequenos assentamentos onde viviam pessoas de sangue mestiço, mas... um negro de casaco vermelho?

Jamie tinha deixado sua espingarda em pé ao lado da porta na véspera e então a pegou com uma expressão dura e cautelosa.

– *Bidh socair* – falou rapidamente para os meninos. – Vão para a cozinha, mas fiquem lá dentro e apurem bem os ouvidos. Se ouvirem algum tipo de confusão, saiam pelos fundos com as mulheres e as façam subir em uma árvore. Depois vão rápido chamar seus pais.

Os meninos assentiram, ofegantes. Deixei claro com meu olhar que, independentemente do que viesse a acontecer, era melhor eles nem *pensarem* em me fazer sair pela porta dos fundos e me empurrar para cima de uma árvore. Nenhum deles cruzou olhares comigo, mas todos abaixaram a cabeça.

Jamie abriu a porta com um tranco e o ar frio entrou com força pelo hall e agitou minhas anáguas em um turbilhão ao redor dos joelhos.

Os homens – eram três, a cavalo – vinham subindo vagarosamente a encosta em direção à casa. E, como os meninos tinham dito, eram soldados britânicos de farda vermelha, e o terceiro, o que vinha na frente, era de fato um homem de cor. Na verdade... todos eram.

Vi Jamie correr os olhos pela mata e pela paisagem em volta. Será que estavam sozinhos? Espiei nervosa de trás de seu cotovelo, mas não consegui ver nem sentir nada de errado. Jamie também não: seus ombros relaxaram de leve e ele verificou a espingarda para se certificar de que estava com pólvora – carregada de munição a arma sempre estava – antes de tornar a encostá-la com todo o cuidado atrás da porta. Então saiu para a varanda. Eu não iria largar minha faca, mas a escondi nas dobras da saia.

Os homens que se aproximavam nos viram na varanda. O líder deteve seu cavalo por um instante, então levantou a mão para nós. Jamie respondeu levantando a dele e eles continuaram chegando mais perto.

Dezenas de motivos possíveis para aquela visita me passaram pela cabeça, mas pelo menos eles não pareciam ameaçadores. O líder parou junto a nosso poste de prender cavalos, apeou e soltou as rédeas, confiando seu cavalo aos outros soldados, que continuaram montados. Isso me tranquilizou um pouco. Talvez só quisessem pedir informações. Até onde sabia (e esperava com todas as minhas forças), o Exército Britânico não tinha assuntos a resolver conosco. Obviamente aquele não era o major Ferguson.

Mesmo assim, uma sensação esquisita surgiu entre minhas escápulas. Não medo, mas algo perturbador. Aquele homem tinha alguma coisa conhecida. Senti Jamie inspirar fundo e soltar o ar outra vez, com cuidado.

– Seja bem-vindo – disse Jamie com voz agradável, mas neutra. – Perdoe-me não usar seu sobrenome. Eu nunca soube qual era.

– Stevens – respondeu nosso visitante e, tirando o chapéu rendado, curvou-se para mim. – Capitão Joseph Stevens. Ao seu dispor, sra. Fraser. E ao seu, senhor – acrescentou em tom nitidamente irônico que me fez piscar.

Usava uma peruca militar e de repente eu o vi como o conhecera antes: de peruca branca perfeita e libré verde, na fazenda River Run.

– Ulysses! – exclamei e deixei cair a faca com um *tum* bem alto.

Jamie convidou o "capitão Stevens" a entrar com o tipo de cortesia requintada que significava que estava fazendo um inventário mental da localização de todas as armas dentro da casa. Vi-o conduzir Ulysses à frente dele até o escritório e olhar de relance para a espingarda em pé ao lado da porta da frente quando foi atrás, meneando a cabeça ao passar para os meninos de olhos esbugalhados... e para Fanny, igualmente chocada, que acabara de chegar da despensa fria.

– Fanny – falei. – Vá até a cozinha, por favor, e pegue uma jarra de leite e um prato de biscoitos...

– Nós comemos todos os biscoitos no desjejum, senhora – informou Fanny, prestativa. – Mas tem uma metade de torta no armário.

– Obrigada, meu amor. Você e Agnes, por favor, peguem a torta e o leite e levem para os dois homens na varanda. Ah... Aidan. Leve isto aqui de volta para meu escritório, sim?

Entreguei-lhe a faca de amputar, que ele pegou como se estivesse recebendo a espada Excalibur e levou embora equilibrando-a delicadamente nas palmas das mãos.

Entrei no escritório em silêncio e fechei a porta. A última vez que vira Ulysses fora na fazenda River Run, perto de Cross Creek, onde era o mordomo de Jocasta, tia de Jamie. Ele deixara a fazenda em circunstâncias que poderiam ser qualificadas educadamente de complexas, após ter vindo à tona que por vinte anos fora não apenas o mordomo de Jocasta, mas também seu amante... e que matara pelo menos um homem e talvez até Hector Cameron, o terceiro marido de Jocasta. Não sabia o que andara fazendo nos últimos sete ou oito anos, mas o simples fato de estar se aproximando de Jamie agora, e além do mais acompanhado por uma escolta armada, era perturbador.

– Sra. Fraser. – Ele tinha se virado ao me ver entrar e então se curvou para mim e me olhou de cima a baixo com um olhar avaliador e nada condizente com um mordomo. – Folgo em vê-la com saúde.

– Obrigada. O senhor está muito... em forma também, capitão Stevens.

E estava mesmo. Alto e imponente, vestido com um uniforme bem cortado, de ombros largos e em boa forma física. Apesar da saúde aparente, porém, seu rosto exibia as marcas de uma vida dura... e os olhos estavam diferentes. Não havia mais neles a neutralidade cortês de um criado. Aqueles olhos ali eram abrasadores, marcados por rugas fundas e, para falar francamente, me deixaram com vontade de dar um passo para trás.

Ele viu isso e seus lábios se contraíram um pouco em um esboço de sorriso, mas olhou para outro lado.

Jamie estava pegando o uísque no armário. Indicou para Ulysses com a cabeça que se sentasse na cadeira do lado oposto da escrivaninha e pousou sobre esta a bandeja de estanho surrada com a garrafa e os copos antes de se acomodar na própria cadeira.

– Posso? – falei.

Quando Ulysses meneou a cabeça, servi-lhe uma dose de respeito e outra para Jamie. E uma para mim. Não ia sair dali até descobrir o que o "capitão Stevens" veio fazer em nossa casa. Peguei meu copo e me sentei em um banquinho um pouco atrás de Jamie.

– *Slàinte!* – Jamie ergueu rapidamente seu copo e Ulysses sorriu de leve.

– *Slàinte mhath!* – retrucou ele.

– Então o senhor ainda fala *gàidhlig* – disse Jamie, referindo-se de propósito a River Run, pensei, onde a maioria dos escravos tinha pelo menos uma vaga noção do idioma das Terras Altas.

– Não é de surpreender – respondeu Ulysses, nem um pouco afetado. Ele tomou um gole do uísque, deteve-se para deixar a bebida se espalhar pela boca e balançou a cabeça com um pequeno "humm" de aprovação. – Entrei para a companhia de lorde Dunmore em '74. O senhor conhece Sua Senhoria, naturalmente.

Jamie se retesou de leve.

– Conheço – respondeu ele com educação. – Mas não tenho o prazer de encontrá-lo desde antes de Culloden.

– Como assim? – falei. – Não me lembro de nenhum lorde Dunmore.

– Bem, ele não tinha o título na época. – Jamie olhou para mim e sorriu de leve, como a dividir pesarosamente a recordação daqueles dias difíceis. – Mas você também o conheceu, Sassenach... Na época chamava-se John Murray. Era só um rapaz, um dos pajens de Charles Stuart.

– Ah, sim. – Eu me lembrava dele, sim: um menino feioso e sem queixo, de nariz grande e cabelos ruivos que brotavam em tufos da cabeça. – Quer dizer que ele agora é lorde Dunmore...?

– Sim. E mais recentemente governador da colônia da Virgínia – respondeu Ulysses. – E mais recentemente ainda comandante de uma força importante que lutou contra os indígenas shawnees em Ohio. Empreitada de sucesso da qual tive o privilégio de participar.

Nessa hora ele sorriu e a visão desse sorriso me fez sentir uma leve pontada no fundo do estômago. Guerras contra indígenas eram uma coisa horrorosa.

– Sim – disse Jamie, sem dar muita importância. – Mas o Exército não tem uma contenda desse tipo com os cherokees. Talvez os senhores tenham vindo trazer seu quinhão de pólvora e munição enviados pelo governo?

– Não, não tenho assuntos militares para resolver com os cherokees – respondeu Ulysses com educação. – Na verdade, penso em me aposentar do Exército em breve. Talvez eu siga seu exemplo e me instale como proprietário de terras, sr. Fraser.

Por enquanto, meu assunto é com o senhor... embora esta seja uma visita pessoal, não oficial.

– Uma visita pessoal – repetiu Jamie e se recostou um pouco mais na cadeira com a cabeça inclinada de lado. – E qual poderia ser seu assunto pessoal comigo?

– Sua tia – respondeu Ulysses e se inclinou para a frente com os olhos cravados no rosto de Jamie. – Ela ainda está viva?

Levei um susto. Ao mesmo tempo, dei-me conta de que não estava realmente surpresa. Jamie tampouco: ele não mudou de expressão, mas inspirou fundo antes de responder:

– Está. Embora não possa dizer muito mais do que isso.

A expressão de Ulysses com certeza havia mudado. Seu rosto estava animado, tomado de urgência.

– O senhor pode me dizer onde ela está?

Eu nem sempre conseguia dizer o que Jamie estava pensando, mas nesse caso tinha quase certeza de que estávamos pensando a mesma coisa.

Jocasta havia desposado um dos amigos de Jamie, Duncan Innes... ao mesmo tempo que prosseguia seu caso de longa data com Ulysses, como ficamos sabendo tempos depois. No rastro caótico dos acontecimentos em River Run, e com as revelações dramáticas que se seguiram, Ulysses tinha fugido, Jocasta vendera a fazenda e Duncan e ela se mudaram para Nova Scotia, e de lá para uma pequena fazenda na ilha de St. John.

Eu sabia que o Exército Britânico alforriava os escravos que se dispusessem a entrar para suas fileiras, e fora esse o caminho escolhido por Ulysses com lorde Dunmore. Jocasta o havia alforriado em segredo anos antes, mas uma liberdade reconhecida oficialmente era um caminho bem mais seguro, sobretudo na Carolina do Norte, onde um cativo liberto por seu senhor ou senhora era obrigado a sair da colônia em dez dias. Caso contrário, poderia ser recapturado e vendido.

Então Ulysses agora era um homem livre graças ao governo britânico. Livre de modo completo e definitivo... contanto que não fosse capturado por americanos de opinião divergente. Embora saber isso me deixasse feliz por ele, eu tinha uma boa dose de reserva.

Por trás da máscara dócil da escravidão, aquele homem tinha passado vinte anos vivendo como o senhor secreto de River Run e havia matado sem a menor compunção. Era óbvio que amara Jocasta, e ela a ele. E agora tinha voltado para procurá-la... Que romântico. E perturbador. Recordei vividamente os restos mortais de Daniel Rawlings, sua ossada espalhada pelo chão da cripta em River Run, e um arrepio me eriçou a pele das costas.

Olhei para Jamie, que tomou o cuidado de não olhar para mim. Ele deu um suspiro, esfregou a mão no rosto, então a baixou e encarou Ulysses.

– Não tive notícia de minha tia nos últimos cinco anos – disse ele. – E pouco ouvi a seu respeito a não ser que *ainda* está viva. E bem. Ou pelo menos estava na ocasião em que me inteirei disso por meu primo Hamish quando o encontrei em Saratoga. Isso deve fazer uns três anos. E foi a última coisa que soube.

Tudo isso era em grande parte verdade. Por outro lado, sabíamos um pouco mais, uma vez que Jocasta de vez em quando escrevia para seu velho amigo Farquard Campbell, que morava em Cross Creek. Mas eu podia ver por que Jamie não tinha a intenção de direcionar o capitão Ulysses Stevens por um caminho perigoso em direção a um desavisado e desarmado Duncan Innes, que ainda por cima tinha um braço só.

Ulysses passou vários instantes encarando Jamie; pude escutar o tique-taque do minúsculo relógio de prata de Jenny na prateleira atrás de mim: ela o havia deixado ali quando viera ajudar a pentear e cardar vários tosões na semana anterior. Por fim, Ulysses soltou um pequeno grunhido, que poderia ter sido de bom humor ou de contrariedade, e se recostou na cadeira.

– Achei que pudesse ser o caso – falou, ameno.

– É. Sinto muito não ter uma resposta melhor para o senhor, capitão. – Jamie empurrou sua cadeira para trás e fez menção de se levantar, mas Ulysses ergueu a mão para impedi-lo.

– Não tão depressa, sr. Fraser... ou melhor, queira me perdoar: é *general* Fraser agora, não?

– Não, não é – foi a resposta sucinta de Jamie. – Eu renunciei a minha patente no Exército Continental e não tenho mais vínculo com ele.

Ulysses assentiu com a mesma expressão educada.

– É claro, me perdoe. Mas há coisas às quais é mais difícil renunciar do que a uma patente, não?

– Se o senhor tiver algo mais a dizer, diga e depois vá com Deus – disse Jamie com um viés incisivo na voz. – Não há nada para o senhor aqui.

O sorriso de Ulysses mostrou um pré-molar faltando em um dos lados e um dente morto e cinza logo ao lado.

– Queira me perdoar, sr. Fraser, mas acho que o senhor vai constatar que está enganado. Eu tenho assuntos aqui, sim. Com o senhor.

Soltei o ar, então fiquei inteiramente sem fôlego quando ele levou a mão até dentro do casaco e de lá sacou um documento com um aspecto muito oficial lacrado com cera vermelha. Na minha experiência, cera vermelha em geral era mau sinal.

– Leia isto aqui por gentileza, senhor – disse Ulysses e, desdobrando o papel, depositou-o com todo o cuidado sobre a escrivaninha na frente de Jamie.

Jamie ergueu as sobrancelhas e passou alguns instantes encarando Ulysses, mas em seguida pegou a carta com um dar de ombros e soltou o lacre com a ponta da faca de esfolar que usava como abridor de cartas. Seus óculos estavam em cima da mesa e ele os pôs no nariz com uma lentidão proposital enquanto alisava os vincos da carta.

Pude ouvir vozes pela casa: as meninas tinham voltado da despensa fria com o queijo do jantar e o pote de manteiga necessária para as receitas de forno do dia seguinte. Senti um leve aroma de framboesas quando os passos de Fanny passaram pela porta e o clangor de seu balde de latão roçando na parede quando se virou para chamar Agnes. Então iríamos fazer outra torta… se as frutas sobrevivessem a uma cozinha lotada de meninos famintos…

Jamie disse alguma coisa muito horrível em gaélico, tirou os óculos e encarou Ulysses com uma expressão de quem tencionava pôr fogo em sua peruca. Enfiei a mão no bolso para pegar meus óculos e peguei a carta da mão dele.

O remetente era um tal de lorde George Germain, secretário de Estado responsável pelo Departamento Americano. Eu já tinha ouvido muito falar em lorde George Germain: John Grey trabalhara para ele como diplomata por um curto período e não o tinha em alta conta. Mas isso no momento não importava.

O que *importava* era que lorde George Germain, secretário de Estado, *et cetera*, ficara sabendo que certo James Fraser (outrora conhecido na Escócia como lorde Brok Turch, um jacobita condenado e perdoado) havia obtido por meios fraudulentos no Ano de Nosso Senhor de 1767 uma concessão de terras na colônia da Carolina do Norte disfarçando e ocultando do governador William Tryon sua identidade de católico, uma vez que tais pessoas eram proibidas por lei de obter concessões desse tipo.

Tive a sensação de estar sendo estrangulada.

Era verdade. Não que Jamie tivesse se feito passar por algo que não era perante o governador: Tryon sabia tudo sobre seu catolicismo, mas tinha feito vista grossa de propósito em troca da ajuda de Jamie para povoar, para não dizer pacificar, o tumultuado interior da Carolina do Norte durante a Guerra da Regulação. Mas não havia como negar que, pela lei, católicos não podiam receber concessões de terras. Sendo assim…

Forcei-me a respirar e continuei a leitura:

> *Uma vez que no presente momento a colônia da Carolina do Norte está sem governador, o secretário de Estado responsável pelas colônias ordena por meio desta o supracitado James Fraser a entregar a concessão de terras obtida de modo fraudulento para o capitão Ulysses Stevens, da Companhia de Pioneiros Negros de Sua Majestade, na condição de agente da Coroa, e a evacuar o local da concessão (cujas localização e dimensões vêm descritas no documento em anexo). Quaisquer arrendatários atualmente residentes na concessão podem ali permanecer pelo período de um ano. Após esse período, devem partir ou tomar providências para pagar o aluguel a ser determinado pelo novo beneficiário dessa concessão.*

As palavras se transformaram em borrões diante de meus olhos e deixei cair a carta na escrivaninha.

– Sua *cobra* maldita! – praguejei, olhando para Ulysses. Ele me ignorou.

– Eu tomaria cuidado se fosse a senhora, sra. Fraser. – Ele meneou a cabeça para o papel. – Como pode ver, a carta nada diz sobre processo judicial, multas ou penas de prisão. Mas poderia ter dito. Eu tenho o acordo original assinado pelo senhor, no qual está escrito que o senhor não é católico. E se o senhor decidir ignorar...

A porta se abriu e a cabeça de Fanny surgiu com sua touca impecavelmente arrumada.

– Agnes quer saber se os homens vão ficar para jantar, senhor.

Fizeram-se alguns instantes de profundo silêncio e Jamie então se pôs de pé devagar.

– Não, *a leannan*.

Ainda de pé, ele aguardou até a porta se fechar outra vez. Eu agora respirava tão depressa que pontinhos brancos começaram a aparecer na periferia de meu campo de visão, mas vi a expressão dele com muita clareza.

– Saia de minha casa – disse ele baixinho. – E não volte.

Ulysses permaneceu onde estava, com um leve sorriso no rosto, então se levantou muito devagar.

– Como estava dizendo, *senhor*, deveria obedecer a essa ordem agora mesmo. Caso decida ignorá-la, o Exército terá justificativa mais do que suficiente para incendiar esta casa com o senhor dentro. – Ele fez uma pausa, então se virou para a porta por onde Fanny havia desaparecido. – Com *todos vocês* dentro.

Jamie fez um movimento rápido e Ulysses recuou, para minha grande satisfação. Mas tudo que Jamie tinha feito fora pegar a carta oficial em cima da mesa. Ele a amassou até formar uma bola, virou-se e a arremessou no fogo. Então tornou a se virar para Ulysses com uma expressão que fez o homem se retesar.

Ulysses não disse nada. Ele se abaixou depressa e retirou a carta do meio das cinzas fumegantes, sacudiu-a para limpá-la, então girou nos calcanhares e se retirou, as costas retas como um mordomo carregando uma bandeja.

Jamie se sentou devagar e pousou as mãos com grande precisão na escrivaninha à sua frente, as palmas sobre a madeira, prontas para colocá-lo em ação. Assim que ele tivesse decidido como agir.

Na verdade, a Carolina do Norte tinha, *sim,* um governador interino: Richard Caswell, que conhecíamos razoavelmente bem. Mas ele não era um governador nomeado pelo governo britânico: fora eleito temporariamente pelo Comitê de Segurança escolhido pelo Congresso da Província, ambos entidades um tanto fluidas, mas nenhuma delas legítima no que dizia respeito a lorde George Germain.

– Eles não podem... – comecei, mas não completei a frase.

Podiam, sim. Facilmente. Engoli em seco enquanto sentia a pele formigar com um medo repentino. O cheiro de serragem fresca e piche derretido tinha entrado pela porta com a rajada de vento, trazido de onde os homens serravam calços e cortavam telhas para o telhado com uma enxó junto ao cedro-vermelho. Madeira. Ninguém que tivesse enfrentado um incêndio em casa escuta as palavras "queimar" com serenidade, e eu não estava me sentindo nem um pouco serena. Nem eu nem Jamie.

– Suponho que a carta não seja falsa – falei por fim.

Ele fez que não com a cabeça.

– Já vi documentos oficiais suficientes para conhecer os lacres, Sassenach.

– Você acha... acha que ele é o responsável? Foi ele quem nos denunciou para o governo? Será que seria *capaz?*

Jamie ergueu as sobrancelhas e me encarou.

– Imagino que muita gente saiba... mas duvido que a maioria tenha alguma coisa contra mim, e menos gente ainda seria capaz de chamar a atenção do secretário para uma questão tão sem importância.

– Humm... Lorde Dunmore, talvez? – sugeri com delicadeza. – Ele não ligaria para isso, mas se tiver sentido que deve alguma coisa a Ulysses...

O sangue estava acorrendo às faces de Jamie e seu punho esquerdo se fechou.

– O que foi que o *balgair* falou? Que estava pensando em virar proprietário de terras?

– Jesus H. Roosevelt Cristo. – Encarei com força a superfície da mesa, como se a carta vistosa ainda estivesse ali. – E ele disse que estava com o documento original. Não "o governo" nem "lorde Germain". Ele.

O governo britânico tinha o hábito de confiscar os bens dos rebeldes e entregá-los aos próprios lacaios: fizeram isso do norte ao sul das Terras Altas depois de Culloden e Jamie só conseguira salvar Lallybroch doando a propriedade para o sobrinho de 10 anos antes da batalha.

Um instante de silêncio.

– Se eu acho que ele tem mais do que aqueles dois homens consigo? – indagou ele, mas não era a mim que estava perguntando. Na mesma hora respondeu à própria pergunta: – Sim, acho. Quantos, essa é a questão...

Fosse qual fosse a resposta, ela o fez se levantar com ar decidido. E uma camada subjacente de ferocidade e determinação que não tive dificuldade alguma para identificar. Eu sentia praticamente a mesma coisa e meu choque e meu medo iam se transformando em fúria.

– Que *filho da mãe*! – praguejei.

Ele não respondeu, mas espichou a cabeça para o hall e berrou na direção da cozinha:

– Aidan!

O primeiro a chegar foi Bobby Higgins, com o rosto pálido corado de alarme e empolgação. Ele não era bom cavaleiro, mas sabia montar bem o bastante em uma trilha aberta... e desde o episódio do urso tinha recomeçado a andar armado com um mosquete.

– Ian vai descer assim que puder – disse Jamie enquanto selava e arreava depressa Phineas, o mais veloz de nossos três cavalos de montaria. – E mandei os rapazes irem avisar os Lindsays, Gilly MacMillan e os McHughs. Eles vão espalhar a notícia, mas vão vir para cá sozinhos. Você vem comigo e, assim que tivermos certeza do caminho, mando você de volta para avisar os outros e os levar direto até mim, está bem?

– Sim, senhor! – Bobby disse isso por reflexo, endireitando as costas.

Uma vez soldado, para sempre soldado. Jamie lhe deu um tapa no ombro e pôs o próprio pé no estribo.

– Então vamos.

Abençoou quem quer que estivesse imbuído do clima, fosse santo ou demônio, pois a chuva tinha dado uma trégua e não foi difícil seguir o rastro de Ulysses e seus dois homens no chão lamacento.

Logo ficou evidente que havia *mesmo* mais homens com Ulysses: Jamie e Bobby encontraram um ponto a não mais de 1,5 quilômetro da casa onde as marcas na lama revirada deixaram bem claro que Ulysses tinha se reunido com um grupo de no mínimo vinte homens, talvez mais.

– Volte para a casa! – gritou para Bobby e acenou para abarcar a pequena clareira. – Diga a Ian para trazer o máximo de homens que conseguir e deixar um aviso para os outros. Estes daqui até um cego conseguiria seguir!

Bobby aquiesceu, afundou mais o chapéu na cabeça e partiu encosta acima inclinado perigosamente para trás na sela, com as rédeas apertadas junto ao peito. Jamie fez uma careta, mas deu um aceno tranquilizador quando Bobby olhou para trás por cima do ombro. Ele só precisava se manter em cima do cavalo até chegar na casa.

– Mesmo se cair e quebrar o pescoço, os outros conseguem seguir nosso rastro até aqui – murmurou Jamie para si mesmo enquanto fazia o cavalo dar meia-volta. – Se não chover grosso.

Ergueu os olhos para um redemoinho de nuvens negras que chegava a dar tontura e viu o clarão de um relâmpago silencioso. Contou até dez antes de escutar o rugido de uma trovoada distante.

– *Trobhat!* – gritou para Phin e partiram encosta abaixo atrás das pegadas negras ainda claramente marcadas.

O bando a cavalo avançava depressa, mas não estava em fuga. E, embora Jamie pudesse sentir gotinhas de chuva no rosto, o temporal ainda não tinha começado. Ele se manteve bem para trás, com um ouvido atento para escutar os próprios homens chegando.

E eles de fato chegaram, para seu silencioso porém imenso alívio. Ele os ouviu e puxou as rédeas para subir um pouco a encosta e encontrá-los fora do raio de alcance dos ouvidos dos soldados que estavam seguindo; supôs que devessem ser soldados britânicos legítimos, pois Ulysses não iria montar a farsa de se fazer passar por soldado britânico sem ser. Mas nesse caso ele teria que ser astuto. Não queria um confronto físico: sua milícia nascente ainda não estava em condições de encarar soldados treinados.

O fundo de sua mente vinha mantendo o controle até ali, mas naquele momento aproveitou a oportunidade em que relaxou a vigilância para se perguntar *que diabos queria fazer*.

Queria enfrentar Ulysses sozinho, com uma adaga na mão. Como isso não seria possível, queria alcançar o sujeito e revistar seus alforjes, atrás da maldita carta – *Por que não fora rápido o bastante para impedi-lo de pegá-la?* – e da carta de concessão original, caso Ulysses a tivesse consigo. O que significava isolá-lo dos próprios companheiros e levá-lo à força, por um curto período, para outro lugar. Teria dado o resto dos dedos da mão direita para ter o Jovem Ian a seu lado agora, mas não se atrevia a esperar.

Benzeu-se, fez uma prece rápida para São Miguel e conduziu seu cavalo com todo o cuidado por um grupo compacto de abetos. Ao sair do outro lado, viu de relance o flanco de um cavalo e escutou o tilintar de arreios.

– *Trobhad a seo!* Aqui!

Ainda não estava chovendo, mas o ar guardava aquela textura estranha e abafada, e ele teve a sensação de ter gritado através de um travesseiro.

Eles o escutaram, porém, e um ou dois minutos depois já estavam vindo em sua direção.

– Quem estamos procurando, senhor? – perguntou educadamente Anson McHugh.

O mais velho dos filhos de Tom McHugh tinha vindo com o pai e um irmão mais novo, além dos irmãos Lindsay e alguns outros que moravam perto o suficiente para ter recebido a convocação a tempo.

– Um grupo de soldados britânicos negros – respondeu Jamie.

– Soldados negros? – indagou Anson com ar intrigado. – Isso lá existe?

– Existe – garantiu Jamie. – Lorde Dunmore... você conhece lorde Dunmore? Ah, não conhece. Pouco importa... Ele criou isso alguns anos atrás quando se indispôs com os moradores da Virgínia que deveria estar governando. Eles se negaram a fazer o que ele mandava e Dunmore espalhou a notícia de que todo escravo que decidisse se unir ao Exército seria alforriado. Além de alimentado, vestido e remunerado – acrescentou, pensando que isso era mais do que a maioria dos soldados continentais podia esperar.

Anson assentiu com uma expressão grave no rosto jovem. Todos os McHughs eram sérios com exceção da mãe, Adeline... e Deus bem sabia que a mulher precisava de senso de humor sendo mãe de sete filhos, todos homens.

– Então vamos cometer alta traição? – perguntou Anson. Esse pensamento fez surgir em seus olhos um leve brilho de empolgação.

– Muito provavelmente – disse Jamie e reprimiu um sorriso inadequado ao pensar nisso.

Teve um clarão de lembrança: uma conversa entre John Grey e ele em uma estrada na Irlanda na qual os dois discordaram. Irritado com a recusa de Jamie em lhe contar o que sabia sobre as intenções de Tobias Quinn, Grey tinha dito: "*Suponho que seja supérfluo assinalar que auxiliar os inimigos do rei, mesmo que por inação, constitui alta traição.*"

Ao que ele havia retrucado, em tom calmo: "*Não é supérfluo assinalar que sou um traidor condenado. Esse crime tem vários níveis de gravidade judicial? Eles se somam? Porque, quando fui julgado, a única coisa que disseram foi 'alta traição' antes de passar uma corda em meu pescoço.*"

Espantou-se ao constatar que um sorriso inadequado havia surgido em seu rosto apesar da atual situação de urgência e das circunstâncias penosas daquela recordação. Um grito de Gillebride MacMillan o fez dar as costas para Anson e fazer seu cavalo avançar no passo mais apressado possível por sobre um escorregadio cobertor de agulhas de pinheiro molhadas.

Ofegantes por causa da correria, alcançaram Gillebride, que apontou o caminho com o queixo sem dizer nada.

Os soldados tinham parado junto a um pequeno córrego para dar de beber aos cavalos: foi sorte. Ele viu Ulysses em pé na margem mais próxima, apoiado em um salgueiro cujos galhos pendentes e sem folhas caíam ao redor dele, formando uma espécie de gaiola.

Interpretando isso como um bom presságio, Jamie reuniu seus homens e os pôs a par de seus objetivos. Deixou Anson McHugh gritar "Um… dois… *três!*" e, com esse sinal, o grupo se separou como um ovo que cai no chão: Gillebride e os McHughs partiram para cima do flanco esquerdo, por assim dizer, enquanto os Lindsays e ele partiam direto rumo ao córrego para dividir o grupo, ele próprio com a intenção de agarrar Ulysses… com Kenny Lindsay para lhe dar cobertura se necessário.

– Não esqueçam os cavalos! – gritou, inclinando-se mais para perto de Kenny. – Não sei qual deles é o do nosso homem. O que quero são os alforjes!

– Sim, Mac Dubh – respondeu Lindsay com um sorriso, e Jamie soltou um grito das Terras Altas que fez Phineas, desacostumado com tal coisa, dar uma guinada forte com as orelhas abaixadas para trás.

Os soldados negros se levantaram na mesma hora para se defender, mas a maioria estava desmontada e seus cavalos tinham gostado tão pouco do grito quanto Phineas. Ulysses havia saído de baixo de um salgueiro como um rato-d'água desentocado por uma raposa e correra para tentar pegar seu cavalo.

Jamie freou seu cavalo, que escorregou no chão em meio a uma chuva de folhas molhadas, e se jogou da sela. Correu pela beira do córrego, ignorando as pedras e a água fria, e se atirou em cima de Ulysses bem na hora em que este estava pondo o pé esquerdo no estribo. Com muita raiva, arrastou Ulysses para longe da montaria, empurrou-o, então lhe deu um soco na barriga.

– Alforjes! – berrou por cima do ombro.

E entreviu Kenny escorregar de cima do cavalo e se preparar para sair correndo atrás das bolsas. Essa olhada tirou sua atenção do que estava fazendo por uma fração de segundo e Ulysses o acertou com força na orelha e o empurrou de costas para dentro do córrego. A água fria que entrou por suas roupas foi um choque tão grande quanto a dor surpreendente na orelha, mas Jamie conseguiu recuperar suficientemente o fôlego para rolar de frente e se pôr desajeitadamente de pé. Ouviu-se o estouro de uma pistola disparada à queima-roupa: Kenny tinha atirado em Ulysses, mas errado, e um dos homens de Ulysses se atirou em cima de Kenny por trás e o derrubou no chão.

O antigo mordomo tinha quase conseguido subir na sela. Cravou as botas no cavalo e partiu direto para dentro do córrego na direção de Jamie, que saltou de banda e então tornou a cair quando seu pé resvalou em uma pedra escorregadia. O cavalo o acertou de raspão no quadril com uma das patas traseiras quando ele tentou se levantar e o fez se estatelar.

Jamie estava tão enfurecido que era difícil até mesmo praguejar de modo coerente. Seu olho esquerdo lacrimejava e ele o esfregou com a manga da roupa, sem resultado algum, uma vez que a manga estava ensopada.

Os Lindsays tinham partido no encalço de Ulysses e do pequeno grupo de soldados mais próximos; os McHughs perseguiam a própria presa para longe do córrego, subindo por uma área onde amieiros e tsugas cresciam emaranhados. Ele ouviu gritos e o tilintar ocasional de espadas e canos de armas se chocando.

Não queria que ninguém saísse morto e tinha deixado isso claro, mas os jovens McHughs talvez não se lembrassem desse detalhe no calor de sua primeira luta de verdade. E os soldados de Ulysses decerto não estavam sujeitos à mesma proibição. Seu cavalo, *mirabile dictu*, continuava onde ele o tinha deixado. Phineas não ficou nada contente ao ver que o dono ainda estava se mexendo e, quando Jamie subiu atabalhoadamente na sela encharcado de água, o cavalo tentou mordê-lo na perna. Ele fez a rédea estalar com força no focinho de Phin, obrigou-o a virar a cabeça para a frente e começou outra vez a subir a encosta em direção aos barulhos do conflito.

O temporal tinha começado. Ele mal conseguiu distinguir as marcas escuras de pegadas de cervo que subiam o morro. Saíram de repente para uma pequena clareira escura coberta por várias camadas de folhas mortas pisoteadas para dentro da lama pelos cascos dos cavalos. Alguns dos soldados britânicos portavam mosquetes, mas os atacantes os mantinham ocupados demais para mirar.

Quase todos. Uma das armas disparou com um *pfiiiu* e uma nuvem de fumaça branca. Antes de descobrir se alguém se ferira, o chão à sua frente se mexeu. Se *mexeu*, droga! Phineas chegou a seu limite. Quando impediu o capão de bater em retirada, o animal de repente mudou de ideia e, com um relincho furioso, atacou a forma em movimento.

Um porco preto macho imenso explodiu do meio das folhas sob as quais dormia e todos os cavalos enlouqueceram.

O barulho de cavalos e de homens chegava até mim enfraquecido através das árvores, vindo da direção da casa. Eu estava na despensa de legumes revirando inhames para conferir se estavam podres, mas deixei cair os que segurava e saí depressa da despensa como uma marmota sai da toca, apurando bem os ouvidos.

Não era uma luta. Havia diversos homens, mas não gritos nem barulhos de violência. Bati a porta da despensa e corri em direção à casa, mas diminuí um pouco o passo ao ouvir Bluebell latir. Não era seu latido histérico para pessoas desconhecidas, nem mesmo o chamado reservado para gambás, guaxinins, marmotas ou qualquer outra coisa que julgasse valer a pena perseguir. Era seu latido contente de boas-vindas, e a lança de terror que havia me traspassado na despensa se dissolveu até se transformar em alívio.

Subi trotando o caminho enquanto limpava a terra das mãos com meu avental de jardinagem imundo, perguntando-me quantos homens Jamie teria levado consigo e o que, pelo amor de Deus, eu poderia lhes oferecer de jantar. Perguntei-me também se Jamie teria conseguido recuperar a devastadora carta de lorde George Germain.

Cheguei bem a tempo de me despedir dos Lindsays, que estavam voltando para casa; a esposa de Kenny devia ter preparado alguma coisa para o jantar.

– O resto foi na frente – disse Murdo, meneando a cabeça na direção da parte ocidental da cordilheira. – Nós só viemos aqui caso Mac Dubh precisasse de uma mão.

Uma mão para fazer o quê?, pensei, mas não quis prender Murdo, que já estava montado e obviamente ansioso para ir embora. Era fim de tarde e o céu continuava negro e revolto. Acenei para me despedir deles e entrei para ver o que ou quem Jamie tinha trazido. Certamente não devia ser Ulysses...

Não era. Ouvi-o falando com alguém no consultório em tom cortês e ouvi a resposta de outro homem, mas não um que eu conhecesse.

Afastei um pouquinho a cortina – *Talvez ele fique tempo suficiente em casa para me construir uma porta de verdade um dia desses* – e estaquei de surpresa. Não era Ulysses, tampouco um dos soldados que o haviam acompanhado até nossa porta, mas era *um* de seus soldados, pois era negro e usava um uniforme militar britânico, embora não um que eu já tivesse visto: calça preta e casaco vermelho, mas com uma faixa branca manchada que saía do ombro e cruzava o peito bordada com as palavras "*Liberdade aos Escravos*".

– Ah, Sassenach, aí está você. – Jamie se levantou de minha bancada. Tinha as roupas molhadas e grudadas no corpo. – Estava torcendo para você voltar logo. Tenho o prazer de apresentar o cabo Sipio Jackson... da Companhia de Pioneiros Negros de

Sua Majestade. – Ele fez um gesto indicando o homem deitado na mesa do consultório. – Não se preocupe com cortesias, cabo. Não quero ter que levantar o senhor do chão outra vez.

– A seu inteiro dispor, senhora.

O cabo Jackson não se levantou, mas rolou com dificuldade até se apoiar em um cotovelo e se curvou o máximo que conseguiu para mim, com um olhar de cautela. Tinha um sotaque bem esquisito: inglês, mas misturado com algo mais suave.

– É um prazer conhecê-lo, sr. Jackson – falei, correndo os olhos por ele.

O motivo de sua imobilidade era evidente: a perna direita estava quebrada e ele estava pálido como cera. Era uma fratura exposta bem feia e a ponta quebrada da tíbia tinha furado a meia de lã. Alguém havia tirado sua bota.

– Quanto tempo faz que isso aconteceu? – perguntei para Jamie, segurando o tornozelo do cabo e tateando a fíbula logo acima da articulação.

Havia um leve sangramento na carne lacerada, mas naquele instante só vertia um pouco de sangue. A meia estava ensopada, mas as bordas da mancha tinham a cor de ferrugem: não era um sangue assim tão fresco.

Jamie olhou pela janela: as nuvens começavam a se abrir e uma luz avermelhada e mortiça clareava seu contorno.

– Umas duas horas, talvez. Eu dei uísque para ele – emendou Jamie, meneando a cabeça para a caneca vazia junto à mão do cabo. – Para o choque, certo?

– Eu agradeço ao senhor – disse o cabo. – Foi de grande serventia.

Apesar de cinza feito um fantasma e do rosto banhado de suor, ele estava acordado e alerta. Os olhos se fixaram em minhas mãos, uma delas subindo lentamente pela canela enquanto a outra apalpava o tornozelo. A respiração se interrompeu quando toquei em um ponto do tornozelo uns 3 a 5 centímetros abaixo da parte da tíbia que despontava da meia.

– Sua fíbula também está fraturada – informei. – Jamie, pode me passar aquela tesoura, sim? E dê outra dose a ele, mas misturada com água, meio a meio. Como isso aconteceu, cabo?

Ele não relaxou enquanto eu cortava a meia. Era um homem magro e rijo, e eu podia ver os músculos da perna contraídos com força. Mas ele respirou um pouco mais fundo e agradeceu a Jamie com a cabeça pela nova dose de uísque.

– Eu caí do cavalo, madame – respondeu Jackson. – Ele ficou com medo de um... porco.

Ergui os olhos para ele, surpresa com a hesitação. Ele viu meu olhar, fez uma careta e elaborou um pouco mais a resposta:

– Um porco *muito* grande. Nunca vi um grande assim.

– Era mesmo – confirmou Jamie. – Não era a Porca Branca, mas com certeza um dos descendentes dela. Um macho. Está no barracão de defumar – acrescentou ele, dando um tranco da cabeça em direção aos fundos da casa. – Não foi uma viagem perdida – acrescentou.

Seus olhos estavam voltados para o rosto do cabo Jackson e sua expressão estava calma, mas eu podia ver os cálculos acontecendo atrás daquele olhar.

Pensei que o cabo também devia estar fazendo a mesma coisa: ainda não tinha começado a fazer nada doloroso com sua perna, mas a mão que não segurava a caneca de uísque estava fechada frouxamente e o ar de cautela com o qual havia me cumprimentado não tinha se modificado em nada.

– Fanny está em casa? – perguntei para Jamie. – Vou precisar de ajuda para pôr uma atadura nesta perna.

– Eu ajudo você, Sassenach – disse ele, levantando-se e se virando para meus armários. – De que precisa?

Encarei-o com os olhos semicerrados e ele me encarou de volta sem piscar, calmo e implacável. Por mais incapacitado que o paciente estivesse, Jamie não iria me deixar sozinha com um homem que tecnicamente era um inimigo.

Fiquei dividida entre uma leve irritação e um inegável sentimento de alívio. O que me incomodou foi o alívio.

– Tudo bem – respondi e ele sorriu. Então me detive quando uma pergunta me ocorreu. – Jamie... pode vir comigo um instante? O senhor vai ficar bem aqui, sr. Jackson. Não se mexa demais.

O cabo Jackson ergueu para mim as sobrancelhas falhadas, mas assentiu.

Levei Jamie até a cozinha e fechei a porta de tecido que a separava da frente da casa.

– O que está planejando fazer com ele? – perguntei, direta. – Ele... ele é seu prisioneiro?

Meu plano era reduzir a fratura, pôr uma atadura em volta da perna, então fazer o que na época se conhecia como o método de Basra, acrescido de minhas inovações. Essencialmente, eram ataduras leves, mas frágeis, embebidas em gesso e enroladas em volta de uma meia e de uma camada protetora (musgo seco era tudo de que eu dispunha no momento). A ideia era imobilizar o membro, mas, ao mesmo tempo, permitir ao cabo se movimentar usando uma bengala e tendo um pouco de cuidado. Mas se Jamie precisasse que ele ficasse imobilizado eu iria apenas realinhar os ossos, envolver o ferimento em ataduras e pôr uma tala na perna.

– Não – respondeu ele, franzindo a testa enquanto pensava. – Não vai ser fácil mantê-lo prisioneiro, nem tem qualquer sentido. Eu sei muito bem o que Ulysses pretendia fazer porque ele mesmo me contou. Manter esse homem aqui não o demoveria nem 1 centímetro.

– Acha que ele vai voltar para buscar o sr. Jackson? Quero dizer... ele agora é um oficial do Exército.

Jamie olhou para mim por um instante, então sorriu com ironia ao entender.

– Você ainda acha que eles são homens honrados, Sassenach? O Exército Britânico?

– Eu… bom, alguns *são*, não é? – falei, um tanto espantada com aquela pergunta. – Lorde John? O irmão dele?

– Humm… – Foi uma concordância a contragosto que não chegou nem de longe a constituir uma aprovação integral. – Eu já contei o que Sua Graça fez comigo vinte anos atrás?

– Na verdade, não. Acho que não. – Não me surpreendi que ele ainda carregasse mágoa em relação àquilo, fosse o que fosse, mas o assunto podia esperar. – Quanto ao Exército de modo geral… Bom, imagino que tenha *certa* razão. Mas eu lutei com o Exército Britânico, sabe…?

– Sim, eu sei – disse ele. – Mas…

– Me escute. Eu morei com eles, lutei com eles, consertei seus corpos, cuidei deles e os segurei na hora da morte. Exatamente… como fiz quando lutamos… – Tive que parar e limpar a garganta com um pigarro. – Quando lutamos contra os Stuarts. E…

Minha voz falhou.

– E o quê? – Ele ficou estático, apoiado nos punhos fechados sobre a mesa da cozinha e com os olhos cravados em meu rosto.

– E um bom oficial jamais abandonaria seus homens.

O grande recinto estava em silêncio, a não ser pelo crepitar do fogo na lareira e pelo som da chaleira prestes a ferver. Fechei os olhos e pensei: *Beauchamp, sua idiota*… Porque era isso que ele tinha feito. Abandonado seus homens em Monmouth para salvar minha vida. Não importava que a batalha tivesse acabado, que o inimigo estivesse batendo em retirada, não importava que àquela altura já não houvesse mais perigo para os homens, quase todos de milícias de alistamento temporário e que no amanhecer do dia seguinte já estariam dispensados. Muitos já tinham ido embora. Mas não importava. Ele tinha abandonado seus homens.

– É – disse ele baixinho e eu abri os olhos. Ele endireitou as costas lentamente, espreguiçando-se. – Bom. Você acha que Ulysses é esse tipo de oficial? Ele vai voltar para buscar seu cabo?

– Eu não sei. – Mordi o lábio. – O que vai fazer se isso acontecer?

Ele baixou os olhos para o tampo da mesa e franziu a testa como se as tábuas de carvalho lixado fossem uma bola de cristal capaz de lhe mostrar o futuro.

– Não – falou Jamie por fim. – Não, ele não virá. Não vai chegar perto o suficiente para correr o risco de eu capturá-lo. Mas é provável que mande alguém. Não vai abandonar seu homem aqui.

Ele passou mais alguns segundos pensando e assentiu, tanto para si mesmo quanto para mim.

– Você consegue consertá-lo a ponto de ele poder viajar, Sassenach?

– Sim, dentro de alguns limites. Foi por isso que perguntei.

– Então faça isso, se puder. Quando tiver terminado, converso com o cabo Jackson para decidir o que fazer.

– Jamie. – Ele tinha se virado para ir embora, mas parou e se virou até ficar de frente para mim.

– Sim?

– *Você* é honrado. Eu sei disso, e você também. – Isso o fez sorrir de leve.

– Eu tento ser. Mas guerra é guerra, Sassenach. A honra só deixa um pouco mais fácil aceitar o que você fez.

Fiquei bastante perturbada com aquele "*para decidir o que fazer*", mas não tinha capacidade para fazer mais nada além de reduzir a fratura do cabo Jackson, estancar a hemorragia e aliviar tanto quanto possível sua dor.

– Certo – falei para Jamie. – Mas vou precisar de você por alguns minutos. Alguém precisa segurá-lo enquanto eu estiver endireitando a perna dele e Fanny não é nem de longe alta ou forte o suficiente.

Jamie não pareceu nem um pouco animado com essa ideia. Mesmo assim, ele me seguiu de volta até o consultório, onde expliquei as coisas para o cabo:

– Tudo que o senhor precisa fazer é ficar deitado sem se mexer e relaxar o máximo que puder.

– Farei meu melhor, madame.

Ele suava frio e seus lábios estavam quase brancos. Hesitei por alguns segundos, mas então estendi a mão para pegar meu frasco de éter. A possível sobrecarga em seu coração *versus* as vantagens de sua perna ficar inerte... a escolha era fácil.

– Vou fazer o senhor pegar no sono – falei, mostrando-lhe a máscara de vime trançado e o conta-gotas. – Vou pôr esta máscara em seu rosto, depois pingar em cima dela algumas gotas deste líquido. Tem um cheiro um pouco... estranho, mas se o senhor respirar normalmente vai pegar no sono e não vai sentir dor enquanto endireito sua perna.

O cabo pareceu mais do que duvidar do que eu dizia, mas, antes que pudesse protestar, Jamie apertou seu ombro.

– Se eu quisesse matá-lo, teria simplesmente o afogado no córrego ou abatido com um tiro – disse ele. – Não teria arrastado o senhor morro acima só para minha esposa poder envenená-lo. Deite-se.

Ele empurrou com firmeza os ombros de Jackson para baixo e o homem se rendeu, relutante. Os olhos acima da máscara ficaram atarantados. Olhavam para um lado e para outro, como se estivessem dando um último adeus ao ambiente que o cercava.

– Vai ficar tudo bem – falei no tom mais tranquilizador possível.

Ele emitiu um som repentino e urgente. Estendendo a mão para cima, segurou a bolsinha de couro pequenina que havia escapulido de seu lugar entre meus seios quando me curvei por cima dele.

– O que é isto? – indagou, afastando a máscara de vime com a outra mão. – O que tem aí dentro?

– Ahn... Para ser sincera, não sei – respondi e a retirei delicadamente de seus dedos. – Acho que se poderia chamar de bolsinha medicinal, uma espécie de... amuleto. Uma curandeira indígena me deu alguns anos atrás e muito de vez em quando eu acrescento alguma coisa: uma pedra talvez, ou um pedacinho de erva. Mas... não me pareceu certo despejar o que ela havia colocado.

Sua expressão de choque foi substituída por outra de intenso interesse, matizado com o que parecia ser respeito. Ele estendeu um dedo com hesitação e, erguendo uma sobrancelha para pedir minha permissão, tocou o couro gasto. E eu senti uma débil pulsação que latejou uma vez contra a palma de minha mão.

Ele me viu sentir e seu rosto se modificou. Continuou cinza de medo e frio por causa da hemorragia, mas não estava mais com medo... nem de mim, nem de Jamie, nem de qualquer outra coisa.

– É seu *moco* – disse ele baixinho e aquiesceu com ar de certeza.

– *Moco?* – falei, sem ter a menor certeza, mas entendendo um pouco o que queria dizer. Certamente ele não tinha dito *mojo*...

– Sim. – Ele tornou a aquiescer e puxou uma inspiração funda e demorada, com os olhos ainda cravados na bolsinha. – Minha bisavó é gullah. Ela é *hoodoo*. Acho que a senhora também é.

Ele virou a cabeça abruptamente para Jamie.

– Será que o senhor pode me ajudar? Na minha bolsa... há um pedaço de flanela vermelha preso com um alfinete.

Jamie me encarou com ar de dúvida, mas aquiesci. Balançando a cabeça, ele foi pegar uma mochila surrada jogada no canto do consultório. Instantes depois, voltou com uma trouxinha vermelha na mão.

Jackson agradeceu com um meneio de cabeça, apoiou-se em um cotovelo e, com todo o cuidado, puxou o alfinete, abriu o tecido e remexeu os objetos ali contidos usando o indicador. Segundos depois, pegou algo no meio do monte de pedras, penas, sementes, folhas secas e lascas de madeira e ferro. Com um aceno, ele me indicou que estendesse a mão para poder depositar algo escuro e duro em minha palma.

– É joão-conquistador – disse ele. – Foi minha bisavó quem me deu. Ela me contou que era um remédio para homens e que iria me curar se eu estivesse ferido ou doente. Ponha isso dentro do seu *moco* antes de encostar as mãos em mim, por favor.

Era uma raiz seca e nodosa, de um marrom tão escuro que chegava quase a ser preto, mas muito singular. Pude ver, porém, por que a bisavó dele tinha dito que aquilo era um remédio para homens: o formato era igual ao de um minúsculo par de testículos.

– Obrigada – falei, esfregando o polegar na raiz. A textura era como a de um pedaço de raiz dura e bem polida, mas aquilo não me causava nenhuma sensação específica. – Sua bisavó é... *hoodoo?* Seria um tipo de curandeira?

Ele assentiu, mas torceu a boca para o lado em uma expressão de leve dúvida.

– Principalmente, madame.

Jamie pigarreou de modo veemente. Estava em pé junto ao fogo e pequenos filetes de vapor emanavam de seus cabelos e roupas.

– Certo, então. – Pus o pedaço de raiz dentro de meu amuleto, pigarreei e tornei a pegar a máscara. – Deite-se, sr. Jackson. Não vai levar um segundo.

É claro que levou um pouco mais do que isso, mas a expressão de assombro no rosto do cabo Jackson quando piscou, abriu os olhos e viu sua perna, endireitada, atada e envolta em faixas ainda úmidas de tecido embebidas em uma mistura de gipsita, lixívia e água foi muito gratificante.

– Uau! – exclamou ele e emendou para si mesmo algo em uma língua que não reconheci.

– Pode ser que o senhor fique um pouco tonto – falei, sorrindo para ele. – É só fechar os olhos e descansar por um tempinho. O gesso em sua perna precisa secar antes de podermos movê-lo.

Pus uma toalha dobrada sob sua cabeça e o cobri com meu confiável cobertor do consultório.

– Vou mandar algo quente para tomar que vai ajudar com a dor – falei, ajeitando a coberta em volta de seus ombros. – E volto logo para ver como está passando.

Fanny estava na cozinha, picando toucinho defumado em pedaços pequenos observada de perto por Bluebell, mas teve a boa vontade de parar para preparar uma bebida quente para o sr. Jackson.

– Leite quente misturado com um ovo batido... se tivermos ovos.

– Sim, temos – disse ela, orgulhosa. – Achei três hoje de manhã. Mas talvez sejam ovos de pata – acrescentou em tom de dúvida. – Foi perto do córrego, e eles são um pouco maiores do que aqueles que suas galinhas escocesas põem.

– Melhor ainda, contanto que estejam frescos – falei. – Se tiver um embrião dentro do ovo... o começo de um pato, sabe?... é só tirar e dar para Bluebell comer. Não vai prejudicar a gemada. Não que seja provável o cabo Jackson notar depois que puser junto dois dedinhos de uísque e uma colherada de açúcar – acrescentei, após pensar um pouco. – Acho que ele vai pegar no sono na hora. Se isso não acontecer, pode dar uma colherada do láudano.

Deixei-a com instruções para me chamar se o cabo ficasse febril ou de algum modo agitado e subi para cuidar de meu segundo paciente.

Jamie estava sentado na cama, nu, esfregando os cabelos molhados e soltos com uma toalha. Cheguei perto dele, peguei a toalha, dei-lhe um beijo na nuca e assumi a secagem dos cabelos ao mesmo tempo que massageava seu couro cabeludo. Ele suspirou e deixou os ombros afundarem de alívio.

Não tremia, embora estivesse frio. Frio demais até para se arrepiar: sua carne tinha um aspecto liso de madrepérola e estava úmida e fria quando a toquei.

– Você parece a concha de uma ostra por dentro – falei, esfregando as mãos uma na outra para gerar um pouco de calor antes de encostá-las em seus ombros. – Vamos tentar um pouco de fricção.

Ele fez um pequeno ruído bem-humorado e se inclinou para a frente, esticando as costas em um convite.

– Se você tivesse me achado parecido com uma ostra, eu iria me preocupar – falou. – Ah, meu Deus, como isso é bom. E como está seu paciente?

– Acho que vai ficar bem, contanto que consiga passar algumas semanas sem se apoiar na perna. Uma fratura complexa é sempre algo delicado por causa da possibilidade de infeção ou deslocamento, mas a fratura em si foi relativamente simples.

Notei as roupas que ele havia despido. Seu casacão estava jogado no chão, uma pilha encharcada a verter água, e a camisa de caçar, a calça de couro e as meias de lã formavam uma pilha molhada menor ao lado.

– O que aconteceu? – perguntei enquanto continuava a massagear suas costas, porém mais devagar. – Você caiu dentro d'água?

– Caí – respondeu ele em um tom de voz que indicou não querer falar a respeito.

Então ele não pegou a carta. Isso me fez examiná-lo com mais atenção, porém, e assim, como seus cabelos estavam afastados para trás, reparei que sua orelha esquerda estava muito vermelha… e inchada.

– Foi o porco? – perguntei, tocando-a com cuidado.

– Ulysses – respondeu ele apenas, afastando a cabeça de meus dedos.

– É mesmo? E o que mais?

– Um cavalo me deu um coice – explicou com relutância. – Não é nada, Sassenach.

– Ah – falei, tirando as mãos dele. – *Essa* eu já escutei. Deixe-me ver.

Ele fez um ruído de contrariedade, mas se inclinou para um lado e tirou o braço da frente. Um hematoma recente e azul-claro se estendia por cerca de 20 centímetros, do quadril até a lateral da perna. Apalpei-o, o que produziu mais alguns grunhidos, mas até onde pude constatar não havia ossos quebrados.

– Eu falei – disse ele. – Posso deitar agora?

Ele não esperou autorização e se esticou na cama com um gemido lânguido, flexionou os dedos dos pés e fechou os olhos.

– Quem sabe você não quer acabar de me secar? – Um dos olhos abriu uma fresta. – Um pouquinho de fricção não cairia mal.

– E se Fanny subir enquanto eu estiver ministrando essa fricção para dizer que o sr. Jackson está morrendo?

– Você conseguiria salvá-lo se estivesse?

Com uma das mãos, Jamie penteava distraído o tufo louro-arruivado de pelos pubianos para o caso de eu não ter entendido o que ele quisera dizer, mas eu tinha.

– Provavelmente não, a menos que ele estivesse engasgado com a gemada.

– Bom, ele vai terminar a gemada muito antes de você chegar aos finalmentes aqui...

Ele tinha me dito muito tempo antes que a emoção da batalha podia levar a uma ereção daquelas, contanto que não se estivesse muito gravemente ferido. Imagino que seu desejo de ser friccionado devesse ter sido tranquilizador.

Sentei-me ao seu lado e segurei com um ar pensativo o órgão em questão. Estava frio, descorado e murcho, mas pareceu começar a se aquecer depressa em minha mão.

– Isso me ajudaria a pensar – sugeriu ele.

– Não acho que os homens pensem em nada nessa situação – falei, mas comecei a aplicar uma fricção muito hesitante. Os pelos do seu corpo haviam secado e começado a se eriçar para formar a penugem exuberante de sempre.

– É claro que pensamos – disse ele, tornando a fechar os olhos. Uma expressão de expectativa começava a surgir em seu rosto: eu certamente tinha restabelecido sua circulação.

– Sobre quê? – Deitei-me a seu lado e encostei o rosto em seu ombro, sem soltar. Uma mão grande e fria subiu pela parte de trás de minha coxa, arregaçou a anágua e a combinação e segurou minha bunda com vontade. Dei um arquejo, mas não cheguei a gemer... por pouco.

– Isso – disse ele com satisfação. – Quem sabe você não quer ficar por cima, Sassenach? Ou quem sabe reclinada em um travesseiro... por causa da vista?

Eu não tinha certeza se a adrenalina do combate simplesmente não se dissipava na hora e a proximidade recente da morte induzia uma forte necessidade de se reproduzir... ou se o desejo por sexo expressava apenas uma necessidade de a pessoa se certificar de que ainda estava viva e funcionando bem. Fosse como fosse, precisava reconhecer que o sexo tinha um efeito calmante.

Sacudi e alisei as roupas para me ajeitar quanto possível, olhei para meu reflexo no espelho, balancei a cabeça e prendi os cabelos em um coque improvisado, precariamente preso com um par de penas roubadas da escrivaninha de Jamie ao passar pelo escritório. Ouvi vozes na cozinha e uma delas era a de Ian, o que me deixou animada.

Tòtis e ele estavam sentados diante da mesa comendo pão com mel e conversando com Fanny e Agnes em uma mistura de idiomas: reconheci inglês, gaélico e o que supus ser mohawk, mais algumas palavras em francês e certa quantidade de língua dos sinais relacionada à comida.

– *Aí* está você, então! – falei em um tom não exatamente acusador.

– Aqui estamos nós – confirmou Ian em um tom simpático. – Ouvi dizer que a senhora tem uma visita, tia.

– Tivemos mais de uma – respondi e me sentei, subitamente me dando conta de que fazia muitas horas que não comia nada. – As meninas contaram?

– Elas me contaram sobre os soldados negros – disse ele, sorrindo para Fanny e Agnes. – E sobre o homem cuja perna a senhora... consertou? Mas imagino que a senhora saiba um pouco mais sobre o que aconteceu, não?

– Sei, sim.

Estendi a mão para pegar uma fatia de pão e o pote de mel e o atualizei sobre os acontecimentos. Seus olhos se arregalaram quando contei sobre a aparição de Ulysses, que ele não via desde que o distinto senhor fora embora de River Run anos antes. Os mesmos olhos se semicerraram quando contei o que Ulysses tinha dito.

– É – disse ele quando terminei meu relato. – O que tio Jamie pretende fazer em relação a isso?

– Ele ainda não me falou – respondi, apreensiva. – Mas ele não foi atrás do sujeito. Quero dizer, Jamie poderia ter seguido Ulysses depois da briga e pedido para outra pessoa trazer o cabo Jackson até aqui, mas não fez isso.

Ian ergueu um dos ombros, descartando esse fato.

– Bom, ele não precisa ir atrás dele, não é? Pelo que a senhora está dizendo, Ulysses tem um grupo de homens de tamanho considerável... qualquer um conseguiria rastrear um grupo assim, principalmente com o solo como está. – Ele se abaixou e ergueu bem alto o pé de Tòtis para mostrar a capa de lama que cobria o mocassim do menino e a barra de sua perneira. – E tio Jamie tem um prisioneiro – acrescentou, pousando o pé no chão e bagunçando os cabelos de Tòtis, o que fez o menino rir. – De nada adianta perseguir Ulysses sem a milícia... e seria preciso metade de um dia para reunir os homens de tio Jamie.

– Tenho certeza de que ele não faria isso – falei, servindo uma caneca de leite. – A última coisa que Jamie quer é uma batalha campal que possa causar a morte de alguém... seja de que lado for. Quanto mais matar soldados e causar a ira... bom, uma ira maior ainda do Exército Britânico...

– É, isso daria o que falar – disse Ian em tom pensativo. – E quanto menos gente souber sobre a carta, melhor.

– Meu Deus, não tinha nem pensado nisso – falei.

O pão e o mel estavam repondo o nível de glicose em meu sangue e eu começava a ter pensamentos coerentes. Seria um desastre o conteúdo daquela carta se tornar conhecido por muita gente e, portanto, por legalistas da Cordilheira e do interior próximo. Tudo que queriam era poder formar um chamado Comitê de Segurança, um disfarce para qualquer coisa, da chantagem à criminalidade explícita, e prender o Fraser que dava nome à Cordilheira. Ou então incendiar sua Casa Nova e ilícita com ele dentro, como ameaçara Ulysses.

– O rei castor, de fato.

– Tio Jamie não ficou prejudicado? – perguntou Ian, com uma expressão no rosto que não podia *exatamente* ser chamada de sarcástica ao me encarar.

– Ele está dormindo – falei, ignorando a indireta. – Quer um pouco de torta de maçã com passas, Tòtis?

Tòtis em geral era um menino um tanto solene, mas essa sugestão o fez abrir um imenso sorriso, deixando ver o buraco onde um dente de leite tardio caíra recentemente.

– Sim, por favor, tia-avó Bruxa – respondeu ele.

Fanny riu.

– Tia-avó Bruxa? – repeti, olhando de relance para Ian enquanto me levantava para pegar a torta.

Ele deu de ombros.

– Bom, o *sachem* chama a senhora de...

O *sachem* vivia sozinho em uma pequena cabana que construíra e que parecia fazer parte da floresta, mas passava bastante tempo com os Murrays.

O *sachem* era uma coisa; os moradores da Cordilheira eram outra. Eu não podia impedir os colonos de mentalidade mais desconfiada de pensar ou comentar que eu era uma bruxa, mas meu sobrinho-neto dizer isso em público era bem diferente.

– Humm... – murmurei para Tòtis. – Quem sabe você pode me chamar de bruxa em mohawk?

Ele franziu o cenho para mim, sem entender. Com uma expressão levemente esquisita, Ian se abaixou e sussurrou alguma coisa no ouvido do menino. Ambos então me encararam, Tòtis com assombro, Ian com circunspecção.

– Acho que não, tia – disse ele. – Existe, *sim,* uma palavra em mohawk para isso, mas ela significa que a pessoa tem poderes, sem dizer exatamente de que *tipo*.

– Ah. Bom, então só tia-avó, por favor. – Sorri para Tòtis, que sorriu de volta, mas com uma expressão cautelosa.

– Sim, assim está ótimo. – Ian se levantou e limpou migalhas da calça de couro. – Avise a tio Jamie que fui dar uma olhadinha em Ulysses. Quero garantir que ele saiu mesmo da montanha e não está à espreita aqui por perto. E quero saber para onde está indo. Assim podemos encontrá-lo quando quisermos.

132

REMÉDIO DE HOMEM

A casa recomeçou a respirar à medida que as coisas foram progredindo em direção ao fim do dia. Ian não tinha voltado, mas eu mandara Jem e Tòtis subirem para avisar a Rachel aonde ele tinha ido e os dois voltaram para jantar conosco. O tempo tinha melhorado e esquentado, e um pôr do sol maravilhoso espalhou uma cortina flamejante de nuvens douradas e brilhantes pelo céu do oeste. Todos foram se sentar na varanda para apreciá-lo e eu contei aonde Ian havia ido a Jamie quando desceu para jantar. Ele passou alguns segundos sem dizer nada, com o cenho franzido, mas então aquiesceu, relaxou e segurou minha mão. As vibrações da visita de Ulysses ainda estavam conosco, mas já começavam a se dissipar, embora a presença do cabo Sipio Jackson em meu consultório fosse um lembrete desconfortável.

Organizei as quatro meninas mais velhas em turnos para ficarem sentadas fazendo companhia a Jackson e lhe dar comida se precisasse, água com mel quer ele quisesse ou não e láudano se necessário. Então subi cambaleando a escada, já com os olhos fechando, e peguei no sono sem a lembrança de ter tirado a roupa.

Quando acordei, em algum momento depois da meia-noite, descobri que era porque não tinha tirado nenhuma peça de roupa, mas apenas desabado na cama. Jamie dormia profundamente e nem se mexeu quando me levantei e desci para render a enfermeira de plantão e ver como estava meu paciente.

Agnes cochilava em minha cadeira de balanço, mas se mexeu e se levantou grogue quando entrei no consultório. Levei um dedo aos lábios e acenei para que voltasse a dormir. Ela dobrou os joelhos na hora e, sonolenta, voltou a colocar o traseiro na almofada. A cadeira balançou suavemente para trás com seu peso, já que ela agora estava visivelmente grávida, e então se imobilizou. A única luz vinha das brasas abafadas no pequenino braseiro sobre a bancada, mas a claridade difusa dava ao consultório um aspecto suave e onírico, cintilando em meio aos vidros e mais escura perto das ervas penduradas no teto para secar.

O cabo Jackson também dormia. Eu havia verificado sua condição duas vezes antes de ir me deitar. Na última, ao encontrá-lo acordado e febril, sofrendo daquilo que os funcionários de um hospital denominam com tato "desconforto", tinha lhe dado um chá de casca de salgueiro e valeriana com algumas gotas de láudano. Seu rosto estava flácido e calmo, a boca um pouco aberta, e ele respirava com um ruído leve de congestão. Com cuidado, pus as mãos em sua perna: uma abaixo da atadura com gesso, com o polegar na pulsação do tornozelo, e a outra na coxa. A pele ainda estava perceptivelmente aquecida, mas nada alarmante. Pude sentir a pulsação de sua artéria femoral, lenta e forte, e senti minha pulsação nas pontas dos dedos da mão que lhe tocava o tornozelo. Fiquei parada respirando devagar e senti as pulsações de minhas mãos se equalizarem.

As lentas batidas das pulsações misturadas me fizeram pensar de repente na garganta de Roger... e no coração de Brianna. E então em William. Ela conheceu o irmão, enfim.

Pensar nisso me fez sorrir. Ao mesmo tempo, senti uma profunda pontada de pesar. Eu teria dado muita coisa para presenciar esse encontro.

A julgar pela carta redigida por John, tinha ficado claro que esse encontro era o que ele queria. Não que não aspirasse a ajudar Bree a receber uma gorda comissão nem a tê-la em Savannah por causa de sua companhia, mas percebi que a encomenda era apenas a mosquinha a cintilar na superfície de seu lago. Jamie, que conhecia John muito melhor do que eu, também via isso... Tudo que tinha feito fora pegar o anzol com a isca, examiná-lo e então engoli-lo deliberadamente.

Sim, ele precisava de armas... e com urgência. Sim, queria devolver Germain aos pais. Até certo ponto, também queria que Roger fosse ordenado. Mas eu sabia o que ele mais queria, e sabia que John queria isso tanto quanto ele. Eles queriam que William fosse feliz.

Obviamente nenhum dos dois estava em condições de ajudar William a aceitar o fato de ambos lhe terem mentido. Quanto mais de ajudá-lo a catar os caquinhos da própria identidade. O único que podia fazer isso era William. Mas Brianna *fazia* parte de sua identidade e talvez fosse algo a que ele poderia se agarrar enquanto encaixava o resto das peças de sua vida.

Mais do que testemunhar o encontro entre William e Bree, eu queria ver a cara de Jamie ao presenciar tal encontro.

Balancei a cabeça para deixar a visão se dissipar e fiquei escutando o corpo do cabo Jackson e o sussurro da areia na ampulheta (Agnes e Fanny deviam se revezar a cada duas horas, mas nenhuma das duas conseguia ficar acordada por tanto tempo), deixando a paz noturna do consultório me invadir. E através de mim, com sorte, invadir o rapaz que eu tocava. Eu o julgara mais velho a primeira vez que o vira, mas, agora que as marcas de tensão, medo e dor tinham sumido de seu rosto, estava claro que não tinha mais do que 25 anos.

Movida por um impulso, soltei sua perna e fui buscar no armário a bolsinha de remédios que usava como amuleto.

Ninguém estava me vendo. Mesmo assim, senti-me pouco à vontade ao levar a mão até dentro da bolsinha e pegar a raiz de joão-conquistador. Devia haver algum ritual ligado ao uso daquela raiz. Como não fazia ideia de qual poderia ser, teria que inventar o meu. Fiz uma pausa de alguns instantes, segurando a raiz, e pensei na mulher que tinha lhe dado àquilo. Sua bisavó. Então ela havia segurado aquela raiz, assim como eu estava fazendo agora.

– Abençoe seu bisneto – falei baixinho, pousando a raiz no peito dele. – E o ajude a se curar.

Não soube por quê, mas senti que precisava ficar ali. Já estava naquele ramo havia tempo suficiente para saber quando não contrariar a mim mesma. Acordei Agnes e a mandei para a cama no andar de cima, então me sentei na cadeira de balanço e comecei a me balançar devagar, empurrando o chão com a ponta dos dedos cobertos pelas meias. Depois de algum tempo, parei e fiquei sentada escutando o silêncio do cômodo, a respiração do rapaz e as batidas lentas e regulares de meu coração.

...

A primeira luz da aurora me despertou de meu transe sonolento. Levantei-me endurecida e fui verificar meu paciente. Pelo movimento de suas pálpebras fechadas, estava sonhando. Sua pele estava fresca, e a carne acima e abaixo do gesso, firme, sem qualquer sensação de estufamento ou crepitação. O fogo no braseiro tinha se consumido e virado cinzas, e um frescor agitado pairava no ar.

– Obrigada – murmurei, retirando a raiz de conquistador do peito do sr. Jackson e tornando a guardá-la dentro de meu amuleto.

A magia masculina podia ser uma coisa útil, pensei, considerando os acontecimentos recentes e a perspectiva de outros parecidos.

Saí para usar a latrina, depois subi, lavei o rosto, escovei os dentes, vesti uma combinação limpa e tornei a pôr meu vestido de trabalho. O cheiro de toucinho defumado e batatas fritas se esgueirava apetitosamente para dentro do quarto e minha barriga roncou de expectativa. Talvez desse tempo de comer alguma coisa rápido antes de o sr. Jackson retornar ao mundo dos vivos...

Fanny e Agnes davam risadinhas acima de uma frigideira levemente chamuscada de broa de milho, mas ergueram os olhos com expressão culpada quando entrei.

– Eu esqueci – disse Fanny em tom de quem se desculpa. – Mas depois me lembrei.

– Vai ficar tudo bem – falei, cheirando a broa. – Sirva junto manteiga e um pouco de mel e ninguém vai notar. Já viram o patrão hoje?

– Ah, sim, senhora – respondeu Agnes. – Fomos ao consultório faz uns minutinhos para ver se a senhora estava lá ou se o soldado queria o desjejum. O sr. Fraser estava lá com um... um... utensílio na mão. Ele nos disse para preparar um prato enquanto conversava com o cabo Jackson.

Ela moveu a cabeça para indicar um prato de estanho no canto da mesa, sobre o qual havia dois pãezinhos com geleia, uma pilha de batatas fritas e seis fatias de toucinho.

– Eu levo – falei, pegando o prato e um garfo no pote amarelo sobre a mesa. O metal estava quente e o cheiro, divino. – Obrigada, meninas. Mantenham a comida aquecida até o sr. Fraser ou eu voltarmos, sim?

Jamie fora muito atencioso ao levar um penico para o cabo, pensei, achando graça. Isso deveria contribuir muito para deixá-lo mais tranquilo. Parei por um instante diante da colcha que fazia as vezes de porta do consultório e fiquei escutando para me certificar de que não iria interromper o sr. Jackson em um momento delicado.

A colcha estava com o lado vermelho para fora. Não consegui me lembrar se a tinha prendido daquele jeito na véspera ou não. Era uma colcha dupla face que Jamie havia comprado para mim em Salem: dois pedaços de tecido de lã pesada, elaboradamente unidos por um lindo ponto bordado que contornava as bordas com folhas circulares e zigue-zagues. O pano vermelho tinha a mesma cor de um conhaque envelhecido – ou de sangue, como Jamie havia observado mais de uma vez –, enquanto o outro era marrom-escuro puxando para o dourado, tingido com cascas de cebola e açafrão. Costumava pendurar a colcha com o lado vermelho para fora quando conversava de maneira reservada com um paciente ou quando estava no meio de uma avaliação mais íntima, de modo a indicar aos moradores da casa que não deveriam entrar de supetão.

Ouvi o último resquício de um jato, um profundo suspiro do cabo Jackson e o ruído metálico de um penico de latão deslizando pela madeira, então o barulho de Jamie, pois devia ser ele, fazendo-o escorregar para debaixo da bancada.

– Obrigado, senhor – disse Jackson, cortês mas cauteloso.

– Bom, o senhor não é meu prisioneiro – disse Jamie em um tom de voz pragmático. – Mas pelo visto é meu hóspede. E, como tal, é mais do que bem-vindo para ficar quanto quiser... ou quanto precisar. Embora eu imagine que deve ter outros lugares nos quais preferiria estar depois que minha mulher ficar satisfeita com sua perna.

O sr. Jackson produziu um ruído breve composto em partes iguais de surpresa e bom humor, e um farfalhar e o rangido de minha cadeira de balanço indicaram que Jamie tinha se acomodado.

– Estou grato por sua hospitalidade, senhor – disse Jackson. – E pelo cuidado de sua esposa.

– Ela é uma boa curandeira – disse Jamie. – O senhor vai ficar bem. Mas, como sua perna está quebrada, não vai conseguir sair andando por aí sozinho. Assim que Claire disser que o senhor está pronto, eu o levarei em minha carroça para onde quiser ir.

Jackson pareceu um pouco espantado com isso, pois, em vez de responder na hora, emitiu uma espécie de zumbido baixo.

– O senhor disse que não sou seu prisioneiro – falou devagar.

– Não. Eu não tenho nada contra o senhor, nem motivo para lhe fazer mal.

– O senhor e seus homens pareciam pensar diferente ontem – assinalou o cabo em um tom de voz cauteloso.

– Ah, *aquilo*. – Jamie passou alguns instantes sentado sem dizer nada e então, sem outra emoção aparente que não uma leve curiosidade, tornou a falar: – O senhor está a par do motivo que fez o capitão Stevens me procurar?

– Não, senhor. Nem quero estar – respondeu Jackson com firmeza.

Jamie riu.

– Provavelmente uma boa decisão. Então não vou contar e direi apenas que era uma questão pessoal entre ele e eu.

– Foi o que pareceu.

Haveria uma entonação bem-humorada na voz de Jackson? Eu estava escutando com tanta atenção que me esquecera da comida que segurava, mas o cheiro do toucinho assim tão perto era sedutor.

– É. – O viés bem-humorado foi mais forte na voz de Jamie. – Imagino que ele não tenha arrastado vocês até aqui só para me fazer uma demonstração de força. Mas não tem mais nada em um raio de 80 quilômetros daqui... A próxima cidade de qualquer tamanho fica a mais de 150, com exceção de Salem, e nem a Coroa nem o capitão Stevens teriam qualquer assunto com os irmãos e irmãs morávios. O senhor os conhece?

Foi uma pergunta casual... ostensivamente casual, refleti, e mordisquei o cantinho crocante de uma fatia de toucinho. Jackson a respondeu da mesma forma:

– Estive em Salem uma vez. O senhor tem razão: soldados não têm motivo para ir lá.

– Mas pelo visto têm motivo para visitar o interior.

Silêncio de morte. Então escutei o leve chiado de minha cadeira de balanço se inclinando para a frente e para trás, para a frente e para trás. Engoli o toucinho, sentindo um aperto na garganta.

Para um grupo itinerante de soldados britânicos ter qualquer "assunto" a resolver, provavelmente eles pretendiam reunir legalistas ou então caçar, importunar e frustrar rebeldes. E uma companhia de soldados negros não seria enviada para inspirar legalistas a formar milícias e se voltar contra os próprios vizinhos. Por impulso, olhei para o teto e me recordei dos estalos da madeira e do aspecto das vigas em chamas prestes a desabar.

Mas eles não iriam incendiar aquela casa... ainda. Ulysses a queria.

– Se eu *fosse* seu prisioneiro – disse Jackson por fim, devagar –, não teria que responder às suas perguntas, certo? Eu não sei... – emendou, tímido. – Nunca fui prisioneiro antes.

– Eu já – assegurou Jamie em tom grave. – E, sim, é isso mesmo. O senhor teria que informar a seus captores seu nome e sua patente e a companhia da qual faz parte, mas só. – Ouvi a cadeira se balançar para a frente e o leve grunhido de Jamie quando se levantou. – Como meu hóspede, o senhor não precisa sequer me dizer isso. Mas, como me concedeu a honra de revelar seu nome e a patente, e o capitão Stevens me informou qual era sua companhia, então está tudo no esquadro.

Ouvir essas palavras me fez piscar. Talvez ele tivesse dito aquilo de modo casual, mas "*no esquadro*" era uma das expressões cifradas que os franco-maçons usavam para se identificarem. Eu a havia escutado com frequência na Jamaica, onde tínhamos nos inscrito na loja local para ajudar em nossa busca pelo Jovem Ian. Será que havia maçons negros naquela época? Mas Jackson nada respondeu.

– Não imagino, porém, que o senhor queira passar as próximas semanas deitado na mesa de minha mulher. Ela vai precisar dessa mesa mais cedo ou mais tarde – disse Jamie. – Sendo assim... – sua voz soou um pouco mais alta; ele tinha se virado para a porta – diga para onde quer ir, cabo, e alguém o levará até lá. Enquanto isso, deixe-me ver onde foi parar seu desjejum.

Depois de comer e de ter outra conversa breve com o cabo Jackson, Jamie escreveu um bilhete e mandou Jem subir o morro para entregá-lo ao capitão Cunningham.

Duas horas mais tarde, os tenentes Bembridge e Esterhazy apareceram em nossa porta. Não sabia o que o capitão ou a sra. Cunnigham tinham dito, mas não havia indício de briga entre os dois. Pareciam estar trabalhando juntos, ainda que com certo desconforto. Nessa hora ambos pareciam um tanto perplexos e anunciaram que estavam ali para escoltar nosso prisioneiro, ou melhor, nosso hóspede até o chalé do capitão. Na condição de principal legalista da Cordilheira dos Frasers, o capitão tinha aceitado abrigar o cabo Jackson até o momento em que pudesse se unir de novo à sua companhia.

– Ele não pode andar – informou Jamie. – Vou emprestar uma mula para vocês.

– Ele também não pode montar – falei. – Vai ser preciso fabricar uma maca para transportá-lo.

Enquanto os homens faziam isso, fui verificar o estado de Jackson: ele estava febril, mas não era uma febra alta, e com um pouco de dor e vermelhidão, mas sem infecção evidente (cheirei discretamente sua perna). Escrevi um recado médico para Elspeth Cunningham descrevendo a fratura com observações sobre os cuidados com o gesso. Ofereci-lhe um lanche da manhã, que ele recusou, mas bebeu mais uma gemada medicinal contendo um ovo, creme, açúcar, extrato de casca de salgueiro, erva-de-são-cristóvão e ulmária, uma boa dose de uísque... e láudano suficiente para derrubar um cavalo.

– Tem certeza de que quer ir? – perguntei enquanto o observava bebericar a gemada. – Teremos prazer em cuidar do senhor até estar curado o suficiente para reencontrar sua companhia.

O cabo estava com as pálpebras pesadas e o rosto corado, mas conseguiu dar um sorriso.

– É melhor eu ir, madame. Esse tal capitão Cunningham pode mandar avisar o capitão Stevens, que tomará providências para me levar até Charlotte.

Balancei a cabeça, em dúvida. Ele estava se recuperando bem, mas ser arrastado morro acima por mais de 3 quilômetros atrás de uma mula e com uma das pernas quebrada não era algo que eu desejaria nem a um inimigo, quanto mais a um homem inocente. Apesar disso, a decisão era dele. Tirei minha bolsinha-amuleto do pescoço e a abri. O cheiro habitual se espalhou quando pus o dedo lá dentro, um cheiro terroso e impossível de definir, mas que transmitia uma estranha sensação de reconforto.

– Bom, deixe-me devolver seu joão-conquistador – falei, sorrindo e pegando a raiz. – Espero que não precise dele na viagem, mas só por garantia...

– Ah, não, madame. – Ele me acenou com a mão para afastar o objeto. – A magia dela vai me acompanhar porque a senhora me curou com ela... mas ela agora faz parte de sua magia.

– Ah. Bom... Obrigada, sr. Jackson. Vou cuidar bem dela.

A pequena raiz dura era lisa e lustrosa, e meus dedos a acariciaram por um breve instante enquanto tornava a guardá-la dentro da bolsinha e a fechava com um nó. Ele aquiesceu em aprovação, bocejou de repente e balançou a cabeça, então suspendeu a gemada e a finalizou. Estendeu de repente a mão livre e seus dedos se curvaram em um convite. Segurei aquela mão e levei automaticamente um dos dedos a seu pulso: a pulsação estava um pouco acelerada, mas forte, e, embora sua mão estivesse quente, não era nada alarmante...

Então percebi que ele estava dizendo alguma coisa, com a voz suave e arrastada, mas não era em inglês.

– Como disse?

– Eu a abençoo – disse ele, sonolento.

Então sorriu e seus dedos relaxaram e escorregaram dos meus. Segundos depois, estava apagado.

Após nos certificarmos de que o grupo com a maca tinha partido em segurança, e depois de as meninas e Jem terem cuidado dos respectivos afazeres, Jamie e eu voltamos à cozinha para um segundo desjejum.

Ele se sentou com cuidado, fazendo uma leve careta, mas balançou a cabeça quando o encarei com um ar de interrogação.

– Eu vou ficar bem. Mas talvez tome um dedinho de uísque para acompanhar meu mingau.

Olhei para ele com os olhos semicerrados.

– Tome dois – sugeri, e ele não discutiu.

A grande frigideira de ferro preto estava quente em seu leito de carvões em brasa e pus nela várias fatias recém-cortadas de toucinho e quebrei os últimos ovos da despensa de legumes em uma cumbuca, um de cada vez, para ter certeza de que estavam frescos antes de colocá-los na gordura que chiava. Podia sentir a casa tornando a se acomodar à nossa volta à medida que a sensação de intrusão e perturbação se dissipava. Mesmo assim, meu nariz formigou com a fumaça do toucinho sendo frito, e a lembrança do cheiro do incêndio surgiu vívida no fundo de minha mente.

– O que acha que Ulysses vai fazer agora? – perguntei, pondo os pratos na mesa.

Minha voz estava firme, mas minhas mãos não: a colher tremeu entre meus dedos quando salpiquei sal sobre os ovos, espalhando pela mesa uma chuva de cristais brancos.

Jamie tinha os olhos pregados na mesa e não achei que tivesse reparado no sal espalhado. Mas ele tinha me escutado e, depois de alguns segundos, empertigou-se e aquiesceu.

– Me matar – falou com um suspiro. – Ou tentar – emendou ao ver minha expressão. E deu um sorrisinho de lado. – Não se preocupe, Sassenach. Eu não pretendo deixar.

– Ah, que bom – falei, e ele sorriu, mas foi um sorriso de ironia.

O banco rangeu sob seu peso quando Jamie se inclinou para a frente e recolheu todo o sal espalhado na palma da mão. Atirou uma pitada para trás por cima do ombro esquerdo e, com todo o cuidado, despejou o restante de volta no saleiro.

Comecei a relaxar o suficiente para sentir fome e empunhei meu garfo.

– Mas se ele de algum jeito conseguir se livrar de mim – retomou ele em tom calmo –, pode chegar aqui com seus homens, expulsar você e as meninas e se apossar da casa, sacudindo aquela carta no nariz dos colonos. Eles não iriam gostar, mas Cunningham e seus homens o apoiariam. Embora os Lindsays, os MacMillans e Bobby sejam todos bons de briga, nenhum deles é o que se poderia chamar de líder. Não durariam muito contra soldados treinados e os homens de Cunningham... e Ulysses não hesitaria em incendiar a casa *deles* caso sentisse necessidade. Ele não se importaria em nada com uma pequena guerra.

– Ian e Roger não aceitariam isso – falei.

Jamie arqueou uma sobrancelha.

– Ian é mohawk e lutaria até a morte, mas nunca comandou homens – assinalou ele. – Os mohawks na verdade não lutam assim. E, mesmo que muitos homens na Cordilheira *gostem* dele, um número equivalente sente um pouco de medo... e gostar não é suficiente para fazer um homem arriscar a vida e a família. Quanto a Roger Mac... – Ele sorriu, com certo pesar. – Não vou dizer que nunca vi um padre ser um guerreiro valente, porque já. E Roger Mac é, *sim*, capaz de unir as pessoas e fazê-las escutar. Além do mais... – Ele endireitou as costas e se espreguiçou com um estalo abafado das vértebras. – Ai, puxa! Além do mais... – repetiu e me lançou um olhar bem direto. – Não há como saber quando Roger Mac e Bree vão voltar de Salem. E não sei quando o "capitão Stevens" pode voltar... mas ele vai voltar, Sassenach.

Olhei para a janela. Estava chovendo outra vez e o vidro estava salpicado de gotículas.

– Não suponho que Frank tenha mencionado a Companhia de Pioneiros Negros de Sua Majestade naquele livro...

– Não. Aquele desgraçado só se importava com escoceses – confirmou ele, enrugando a testa. – Não me lembro de uma só palavra no livro sobre soldados negros. – Seu rosto passou alguns instantes sem expressão e ele então fez um ruído escocês entre a repulsa e o bom humor. – Não, ele disse que tinha negros na batalha por Savannah. Mas eram de São Domingos... tinham vindo com a Marinha Francesa.

Ele fez um gesto impaciente para descartar toda aquela complicação.

– O que sei é que Stevens vai tentar me matar, e quanto antes melhor. E sei também que vai mandar alguém vir buscar seu cabo antes disso.

Embora a cozinha estivesse aquecida e aconchegante, a comida congelou em meu estômago.

– Acho que não. O cabo Jackson disse que Cunnigham tomaria providências para despachá-lo até Charlotte – falei depressa.

Jamie passou alguns segundos me encarando e pude ver as peças se encaixando em seu cérebro.

– Ah – disse ele, pensando a mesma coisa que eu: que Charlotte devia ser o lugar onde Ulysses planejava encontrar o restante da Companhia de Prisioneiros Negros. – É para lá que Ian foi, afinal. Ele deve voltar logo. Então…

– Não! – exclamei. – Você não pode ir atrás dele com sua milícia!

– Não era minha intenção – disse ele em tom brando e pegou o garfo. – Seria um bom exercício, mas o tempo está instável e os animais estão começando a se reunir e a se deslocar. Os homens precisam caçar cervos, não soldados britânicos. Além do mais, sabe o que aconteceria se eu o pegasse, mas algum de seus homens escapasse para contar a história?

Eu sabia, mas soltei o ar que estava prendendo: ele não faria aquilo. Então uma segunda possibilidade me atingiu no plexo solar. Congelei por um instante.

– Não – falei e me levantei de repente, avultando-me acima dele. – Não! Se você sair para caçar esse homem sozinho, Jamie Fraser, você… você… Você não pode fazer isso!

Ele piscou. Bluebell acordou sobressaltada e soltou um pequeno *uf* de surpresa, mas, ao não ver nada fora do comum, chegou perto de Jamie e encostou o focinho em sua perna. Ele baixou a mão para coçar suas orelhas, mas manteve os olhos em mim enquanto refletia.

– Jamie – falei, tentando manter a voz firme –, se você me ama… não faça isso. Eu não vou suportar. – E não iria mesmo. Não conseguia suportar a ideia de ele ser morto, tampouco a ideia de ele sair à caça para executar alguém. O barulho de um tiro de espingarda ecoava dentro de minha cabeça toda vez que pensava no homem que ele havia matado, despertando outros ecos: daquela noite, de um corpo pesado no escuro, dor, pânico, e de estar sufocando sem poder me defender.

– E eu nem sei se você o matou com um tiro – falei abruptamente e me sentei. – O… o homem cujo nome eu não sei.

Ele passou alguns instantes me encarando, com a cabeça inclinada de lado, então estendeu a mão e pegou um pouco de gema com a ponta do dedo. Tocou com ele meu lábio inferior e por reflexo eu lambi: morno, salgadinho, uma delícia.

– Eu te amo – disse ele suavemente e pousou a mão grande e quente em minha bochecha. – Do mesmo jeito que o ovo ama o sal. Não se preocupe, *mo chridhe*. Vou pensar em outra coisa.

133

QUE SENSAÇÃO MAIS ESTRANHA

Cordilheira dos Frasers
8 de julho de 1780

De capitão William C.H.G. Ransom
Para sra. Roger MacKenzie, da Cordilheira dos Frasers

Querida irmã,

Que sensação mais estranha escrever isso. É a primeira vez que o faço.

Estive recentemente envolvido em várias circunstâncias estranhas, uma das quais evocou seu nome. Ou melhor, o sujeito disse apenas: "Eu conheço sua irmã."

É possível que seja verdade. No entanto, conheço esse homem há vários anos – o nome dele é Ezekiel Richardson –, durante os quais ele tentou, em uma ou mais ocasiões, me matar ou me raptar, ou interferir de algum outro modo. Quando o conheci, ele era capitão no Exército de Sua Majestade, e bem mais recentemente major no Exército Continental.

Em nosso mais recente encontro (perto de Charles Town), ele me olhou de um jeito estranho e comentou que a conhecia. Seu comportamento, e na realidade o simples fato de ele ter dito tal coisa, foram extremamente singulares e despertaram em mim um sentimento de profundo desconforto.

Não tenho a pretensão de lhe dar qualquer instrução, uma vez que não faço ideia de que conselho devesse dar. Senti, porém, que devia alertá-la... embora não saiba em absoluto em relação a quê.

Com meus mais profundos respeito e afeto,
seu irmão (maldição, também nunca escrevi isso antes)
William

Postscriptum: meu sentimento de inquietação foi tamanho que tentei esboçar um retrato do major Richardson, para o caso de ele vir a procurá-la. Ele tem um rosto dos mais banais; o único traço marcante que observei foi que suas orelhas estão posicionadas de modo assimétrico, provavelmente não no nível em que estão retratadas nesse esboço grosseiro, mas isso pode lhe permitir reconhecê-lo caso tente aparecer à sua porta algum dia.

A mão de Brianna tinha começado a transpirar durante a leitura e um filete de suor escorria pela lateral de seu pescoço. Ela o limpou distraidamente com os nós dos dedos e enxugou a mão úmida na saia antes de desdobrar o papel menor.

Era *mesmo* um esboço grosseiro, um retrato com as orelhas comicamente aumentadas e presas à cabeça de modo assimétrico, como borboletas prestes a alçar voo. Ela sorriu por um instante, então examinou com mais atenção o rosto entre as orelhas. Não era *mesmo* um rosto fora do comum… o que talvez tivesse deixado o desenho melhor, pensou ela com o cenho franzido. Simplesmente não havia nada de complicado no rosto muito comum do major, embora ela tivesse ficado satisfeita ao constatar que William de fato possuía pelo menos algumas habilidades básicas em matéria de desenho: tinha acrescentado um profundo *chiaroscuro* ao lado esquerdo da face e um rápido esfumaçado feito com o polegar para acrescentar sombras abaixo dos olhos pequeninos e astutos que…

Algo fez cócegas em seu cérebro e ela se deteve e olhou com mais atenção. Será que alguém podia ter orelhas tão assimétricas assim? Orelhas grandes eram uma coisa, mas fora do lugar…? Talvez o homem tivesse sofrido um acidente e o cirurgião costurou a orelha de volta meio torta…? A ideia a fez sorrir apesar do desconforto, mas outro pensamento estava surgindo por trás do primeiro, provocado pela ideia de cirurgia. Cirurgia *plástica.*

Ela tornou a examinar, com mais atenção ainda, aquele rosto muito comum ao qual faltava a maioria das linhas de expressão normais. Uma sensação de alarme já a invadia antes mesmo de sua mente conseguir pôr os pingos nos is e as riscas nos tês.

Sentindo um mal-estar súbito, ela se sentou abruptamente, com os olhos fechados. Não tinha almoçado e agora estava enjoada por causa do estômago vazio. Isso era comum nos enjoos ligados à gravidez… mas aquilo não era um enjoo ligado à gravidez. Ela abriu os olhos e tornou a olhar a imagem.

E dessa vez inspirou o ar frio com cheiro de pinheiro, azevinho, borracha queimada e metal quente, e um leve resquício acre de pólvora. Recordou o barulho semelhante ao granizo dos chumbinhos da espingarda tamborilando nas urzes e nos azevinhos. E sentiu a textura morna e sebenta de um velho gorro de lã em sua mão, arrancado da cabeça de um homem cujo rosto ela não tinha visto direito quando ele tentara raptar Jem e Mandy no pátio escuro em frente a Lallybroch. Mas agora o via perfeitamente bem e conseguia desvendar seu disfarce.

Alguém virá.

Ela dobrou o corpo e vomitou.

Roger estava sentado debaixo de uma árvore na margem do córrego, teoricamente redigindo um sermão sobre a natureza da Santíssima Trindade, mas na verdade hipnotizado pela água límpida e amarronzada que passava gorgolejando e deixando citações aleatórias sobre regatos, água e eternidade rolarem dentro de seu crânio como pedrinhas que a correnteza arrasta, esbarrando umas nas outras conforme descem.

– O tempo nada mais é do que um regato aonde vou pescar – murmurou, de modo a testar as palavras.

Não estava preocupado em não plagiar palavras que ainda não tinham sido escritas. Além do mais, Davy Caldwell havia lhe garantido que a citação era a espinha dorsal de bons sermões... e também um bom ponto de partida, para o caso de você se ver sem ideias.

"O que acontece em nove a cada dez vezes", Davy tinha dito, estendendo a mão para pegar uma caneca de cerveja. "E na décima você precisa anotar seu pensamento brilhante e original e deixá-lo de lado, e no dia seguinte reler para ter certeza de que não falou besteira."

– Eu sempre achei que Ralph Waldo Emerson estivesse falando besteira, mas com certeza você não vai dizer *isso* no seu próximo sermão, vai?

– O quê? – Ele ergueu os olhos do caderno, viu Bree descendo com cuidado o barranco que dava no córrego e sentiu o coração se alegrar ao vê-la. Ela parecia mesmo grávida. – Se for viver até os 100 anos, quero viver até os 100 anos menos um dia, para nunca precisar viver sem você – disse ele.

– O quê? – indagou ela, espantada. – Quem disse isso?

– Devo ficar magoado por achar que não fui eu? – respondeu ele, rindo. – Foi A. A. Milne. Em *O ursinho Pooh*, acredita?

– A esta altura eu acredito em qualquer coisa – disse ela e se sentou com um profundo suspiro. – Olhe isto aqui.

Ela lhe entregou o estranho desenho de uma cabeça de homem cujo papel exibia marcas de ter sido dobrado.

– Meu irmão mandou para mim – explicou e, apesar da aparente inquietação, sorriu. – Ele tem razão, é mesmo estranho dizer "irmão".

– O que é? Ou melhor, quem é? – *O que* era ele podia ver: um esboço rápido da cabeça de um homem feito a lápis grosso de grafite. Enrugou a testa. – E o que tem de errado com ele?

– Bem, são duas ótimas perguntas. – Ela inspirou fundo e se acomodou. – Este é o retrato de um homem chamado Ezekiel Richardson. Segundo William, ele é um vira-casaca: começou com os britânicos, depois passou para os continentais. É também algum tipo de pilantra que tentou prejudicar William de vários modos, mas ainda não conseguiu. Está parecendo familiar?

Roger ergueu os olhos para ela, sem entender.

– Não. Por que deveria? – Ele voltou os olhos para o papel e traçou devagar o contorno do rosto. – As orelhas não são muito simétricas, mas imagino que William não tenha seu talento artístico.

Ela balançou a cabeça.

– Não. Não é isso. Tente imaginá-lo com os cabelos mais compridos, encaracolados e louro-claros, as sobrancelhas claras e uma pele queimada de sol.

Agora levemente alarmado e se perguntando por que motivo, Roger franziu a testa para o retrato de um homem de cabelos pretos alisados para trás, sobrancelhas escuras e retas e olhos miúdos que nada revelavam.

– Ele certamente não tem muita expressão...

– Pense em uma plástica malfeita – sugeriu ela.

E foi só depois de uma fração de segundo de incompreensão que Roger entendeu. Sua boca se abriu e a garganta se fechou com força. Por um segundo ele estava sendo enforcado, despencando por meio metro de ar vazio e se interrompendo com um tranco de parar o coração.

– Meu Deus do céu! – exclamou com a voz rouca quando sua garganta finalmente relaxou a tensão. – Um viajante do tempo? Você acha mesmo?

– Eu tenho certeza – disse ela, neutra. – Você se lembra de um cara chamado Michael Callahan quando a gente estava morando em Lallybroch? O apelido dele era "Mike". Um arqueólogo que trabalhava em Orkney? Ele foi olhar o forte da Idade do Ferro no alto do morro acima do... do nosso cemitério. – Ela engoliu em seco. – Talvez não estivesse olhando o forte. Talvez estivesse olhando os túmulos... e a gente.

Ele tirou os olhos dos lábios contraídos de Bree e os virou para o desenho, depois voltou.

– Não estou dizendo que está errada – falou com cuidado –, mas...

– Mas eu o vi de novo depois disso – disse ela, e Roger notou que segurava com força o pano da saia embolado nas mãos. – No tiroteio de O.K. Corral.

Uma onda de vômito escaldante acertou o fundo da garganta de Roger e ele a forçou a descer. Ela viu sua expressão e soltou o pano embolado para segurar as mãos dele com força.

– Eu nem teria pensado nisso... mas aí vi as orelhas, e de repente me ocorreu que a única coisa capaz de deixar as orelhas de alguém desse jeito era se a pessoa tivesse feito algum tipo de cirurgia que não tivesse dado certo... e o jeito como o rosto dele é inexpressivo... De repente eu me lembrei daquela noite. Ele... ele tentou entrar na van em que as crianças estavam e eu... eu arranquei o gorro de lã de sua cabeça, e arranquei um pouco de cabelo junto, e vi só por um segundo o rosto dele... e depois não pensei mais nisso, porque a gente estava tentando ir embora. Aí levei as crianças para a Califórnia e... – Roger notou que a palidez de seu rosto tinha cedido lugar a um rubor de raiva. – É ele. Eu sei que é.

– Caramba – disse ele, encarando de novo o rosto inexpressivo e tentando combiná-lo com o semblante móvel e sempre sorridente de Callahan. Tudo começava a se encaixar, como dominós formando um caminho até o inferno. – Ele conhecia Rob Cameron. E Cameron leu o livro. Ele sabia o que a gente era.

– Rob não conseguia viajar – disse ela. – Mas vai ver Mike Callahan consegue. E ele sabia que a gente o reconheceria.

134

F. COWDEN, LIVREIRO

Filadélfia
25 de agosto de 1780

A construção não era nada fora do normal. Não combinava com o requinte de algumas ruas mais ricas, tampouco pertencia a uma ruela. Uma construção de tijolo vermelho como a maior parte dos prédios da Filadélfia, com contornos de tijolo pintados de branco nas janelas e na porta. William parou um instante para se recompor e enxugar o suor do rosto enquanto fingia examinar os livros na vitrine.

Bíblias, claro, mas apenas uma de tamanho grande, com uma capa de couro gravada em relevo e douração na lateral das páginas, e junto dela um pequeno Livro de Salmos com capa de couro verde, exuberante como um papagaio em miniatura. Ele revisou na mesma hora sua primeira opinião sobre a qualidade da livraria e seus prováveis clientes, opinião embasada pela cuidadosa disposição de romances em inglês, alemão e francês, entre eles uma tradução francesa de *Robinson Crusoé* destinada a crianças, que servira para lhe ensinar francês aos 10 anos ou algo assim. Ele sorriu, distraído por aquela afetuosa lembrança… então ergueu os olhos da vitrine de livros e viu Amaranthus, apenas seu rosto pálido visível através do vidro, como se tivesse sido decapitada.

O choque foi tão grande que William passou alguns segundos a encarando com a boca escancarada. Amaranthus parecia igualmente espantada por vê-lo. Ele se empertigou e a encarou com um olhar cujo objetivo era dizer que não adiantava ela sair correndo pela porta dos fundos e pela ruela, porque ele sem dúvida corria mais depressa e a perseguiria como se fosse uma tartaruga fujona.

Ela o interpretou da maneira correta e seus olhos furta-cor se semicerraram perigosamente. Na penumbra da livraria, os olhos dela pareciam negros.

– Tente e vai ver só – disse ele em voz alta, para espanto de uma senhora idosa que havia parado a seu lado para olhar as mercadorias da loja. – Queira me desculpar, madame – falou, curvando-se. – A senhora teria a bondade de me dar licença?

Sem esperar resposta, ele empurrou a porta da livraria e entrou. Não ficou surpreso ao ver que Amaranthus tinha sumido. Olhou em volta, apressado. Como todas as outras livrarias nas quais havia entrado, o lugar estava repleto de pilhas de livros em todas as superfícies horizontais possíveis. O lugar recendia a tinta, papel e couro, mas naquele momento ele não teve tempo de apreciar o cheiro.

Um gnomo apoiado em uma bengala de ébano saiu de trás da escrivaninha abarrotada de pilhas. Apenas a estatura era de gnomo: o homem era esbelto, mas ereto, tinha cabelos grisalhos fartos, grossos e cortados rente, e um rosto de pele morena bronzeada e rugas profundas cujos traços denotavam determinação.

– Fique longe de minha filha – disse o gnomo, segurando a bengala. – Ou eu vou…

Seus olhos se semicerraram e William viu de quem Amaranthus havia herdado tanto os olhos quanto a expressão. O sr. Cowden, pois com certeza devia ser ele, examinou pensativamente os pés de William, então permitiu que seu olhar subisse até o rosto… situado uns 30 centímetros acima do seu.

– Ou quebro seu joelho – disse Cowden, invertendo agilmente a pegada para segurar a bengala como se fosse um taco de críquete e adotando a postura de alguém cuja intenção fosse acertar a bola até fazê-la parar no condado vizinho.

Sua postura era tão decidida que William deu um passo para trás.

Dividido entre a irritação e o bom humor, ele se curvou.

– A seu dispor, senhor. Meu nome é… William Ransom.

Deu-se conta de que quase havia se apresentado como conde de Ellesmere. Deu-se conta também de quanta deferência esse título poderia valer, uma vez que não estava obtendo nenhuma apenas com seu patronímico.

– Então? – indagou o gnomo, sem alterar em nada a postura.

– Vim entregar um recado para sua filha. De Sua Graça, o duque de Pardloe.

– Pff – fez Cowden.

– O senhor disse "*pff*"? – indagou William, sem acreditar.

– Disse, e pretendo continuar dizendo até o senhor se retirar de minha propriedade.

– Eu me recuso a ir embora sem ter falado com… ahn… qualquer que seja o maldito nome que ela estiver usando agora. Viscondessa Grey? Sra. General Bleeker? Ou será que voltou a ser a srta. Cowden?

A bengala do sr. Cowden passou zunindo a 2 centímetros do joelho de William, só errando porque seus reflexos o tinham feito recuar 1 metro. Antes de o homem poder desferir um segundo golpe, William se abaixou e arrancou a bengala de sua mão. Resistiu à ânsia de quebrá-la: era uma bela peça, com um pesado castão de bronze em formato de corvo. Em vez disso, colocou-a no alto da estante mais próxima, fora do alcance de Cowden.

– Então… por que não quer que eu fale com sua filha? – perguntou, mantendo o tom o mais sensato possível.

– Porque ela não quer falar com o *senhor* – retrucou o sr. Cowden em tom levemente menos sensato que o de William, tampouco enraivecido. – Foi o que ela disse.

– Ah.

A falta de agressividade na resposta de William pareceu acalmar um pouco o livreiro. Seus cabelos tinham se eriçado como a crista de uma cacatua e ele tentou alisá-los com a palma da mão. William tossiu.

– Se ela não quer falar comigo agora, talvez eu possa deixar um recado? – sugeriu, gesticulando na direção do tinteiro sobre a mesa.

– Humm… – Cowden soou dubitativo. – Duvido que ela vá ler.

– Aposto cinco contra um que vai.

A língua do sr. Cowden espetou a bochecha por dentro enquanto refletia.

– Xelins? – indagou ele.

– Guinéus.

– Feito.

Ele foi até atrás da escrivaninha, pegou uma folha de papel e entregou a William uma fina caneta de vidro com um filete azul-escuro formando arabescos de uma ponta a outra da haste.

– Não aperte demais – aconselhou o sr. Cowden. – É de vidro de Murano e bem resistente, mas não deixa de ser de *vidro*, e a mão do senhor parece um presunto. Em termos de tamanho – corrigiu-se. – Não estou me referindo à destreza.

William assentiu e mergulhou a caneta na tinta com delicadeza. Devia-se usar aquilo como uma pena… sim, e ela escrevia lindamente. Era macia como seda e segurava muito bem a tinta. Tampouco deixava borrões.

Ele escreveu um sucinto:

> *De que está com medo? Seja do que for, de mim não é. Fico humilde e obedientemente a seu dispor,*
> *William*

Então salpicou areia no papel e o agitou de leve para se certificar de que estava seco. Não viu cera para lacre, mas seu pai tinha lhe ensinado alguns anos antes a dobrar uma carta como se fosse um quebra-cabeça chinês, de modo a tornar quase impossível abri-la e dobrá-la outra vez do mesmo jeito. Ele pressionou as dobras com a unha do polegar, para ter certeza de que iriam aparecer caso a carta fosse aberta antes de chegar à destinatária certa.

O livreiro aceitou o quadradinho dobrado e arqueou uma grossa sobrancelha grisalha.

– Diga a ela que eu volto amanhã às três da tarde, sem algemas – disse William e curvou as costas. – A seu dispor.

– Nunca tenha filhas – aconselhou o sr. Cowden, guardando o bilhete em um bolso da frente da roupa. – Elas nunca ouvem nada.

William passou a noite acordado, incomodado pelos percevejos da cama e por mariposas curiosas, decididas a explorar suas narinas – apesar de esses orifícios não terem qualquer tipo de luz. Mais do que os insetos, era atormentado pelos próprios pensamentos, que, apesar de indefinidos, estavam bem ativos.

"Você entra em uma situação com uma expectativa", tinha dito certa vez seu tio Hal durante uma conversa sobre táticas militares. "Deve ter em mente o que quer, mesmo que seja nada além da própria sobrevivência. Essa expectativa irá ditar suas ações."

"Priorize. Mas a decisão não é fácil: você deseja sair vivo ou manter viva a maioria de seus soldados?", interviera seu pai. "Ou derrotar um comandante adversário e que se dane o custo?"

William coçou o tronco enquanto meditava.

Sendo assim... o que eu quero?

À primeira vista, ele já tinha cumprido o objetivo de sua expedição: descobrir onde estava Amaranthus e se inteirar de sua situação e bem-estar geral. Muito bem. Ela estava *mesmo* com o pai e não estava doente nem ferida, a julgar pela velocidade com a qual fora embora da livraria.

O que William queria saber agora era se estava ou não usando a aliança de casamento. Infelizmente, não conseguia decidir o que poderia significar sua presença ou ausência. Tampouco conseguia decidir qual das duas condições seria sua preferência pessoal. Será que a visão da mão dela sem aliança provocaria nele pena, solidariedade, satisfação... ou empolgação? Sentiu todas essas coisas ao imaginar aquilo... Não havia como não vê-la: era uma aliança de ouro grossa, com uma protuberância ovalada cortada ao meio por uma fenda profunda na qual estava incrustado um diamante grande rodeado de pérolas e pequeníssimas contas de turquesa persa.

Ele deu um bocejo, espreguiçou-se e relaxou, até onde isso foi possível: a cama da hospedaria era mínima para alguém da sua altura e William estava deitado com os joelhos levantados, um montinho duplo e escuro sob as cobertas. Teria que arranjar um alojamento melhor se...

Se o quê?

Suas ordens não eram arrastar a mulher de volta para Savannah. Ele não precisava ficar ali para tentar convencê-la a acompanhá-lo. Mas e Trevor?

A mensagem de tio Hal, ditada por lorde John, que acreditava que o estilo normal de correspondência de Hal faria fugir qualquer mulher sã na mesma hora, deixava claro que ele a considerava uma filha e que Amaranthus sempre teria proteção e socorro debaixo de seu teto, para si e para o filho.

Será que ela é sã? Tenho minhas dúvidas...

Estava ficando com sono, mas pensar nisso o fez sentir um latejar remoto, pois o fizera recordar a sugestão dela quanto às suas dificuldades pessoais...

E quem sabe você pode até gostar.

Tinha virado de lado e encolhido as pernas, então pôs o travesseiro na cabeça para abafar os barulhos do bar lá embaixo, onde a cantoria parecia acompanhada por alguém tocando um surdo.

– Quem sabe você também – murmurou e dormiu.

Às três horas da tarde seguinte, apresentou-se na livraria. O sr. Cowden estava em pé atrás da escrivaninha, escrevendo em um grande livro-caixa. Ergueu os olhos quando

William entrou, encarou-o com os olhos escuros, então puxou uma gaveta rasa da qual retirou um único guinéu de ouro, que pôs no centro da mesa.

– Ela está no pátio lá atrás – falou e voltou às suas contas. William pegou o guinéu, curvou-se e saiu.

O suposto pátio era um pedaço de terreno pequeno e cercado, mas fora projetado por alguém, provavelmente o sr. Cowden, com um bom olho para criar um jardim e um gosto diversificado em matéria de plantas. Apesar de estar à sua procura, William levou alguns segundos para encontrar Amaranthus. Ela estava sentada em um banco de pedra em um dos cantos, sob um caramanchão de rosas que não estavam em flor, mas cujas folhas eram fartas e tinham um tom avermelhado. Uma pequena fonte de pedra borbulhava à sua frente; por isso ele havia demorado para vê-la.

Ela estava de preto, cor que não lhe caía bem, e tinha os cabelos presos sob uma touca com um finíssimo debrum de renda. Ainda estava de aliança, e ele sentiu uma pequena pontada de algo que talvez fosse decepção. Então viu que, embora ainda estivesse usando o anel, o havia passado da mão esquerda para a direita.

Parou bem ao lado da fonte e lhe fez uma mesura.

– Então agora você não tem mais medo de nada?

Ela o olhou de cima a baixo com uma expressão grave, então o encarou. Olhos azul-claros, translúcidos.

– Eu não diria isso. Mas certamente não tenho medo de você.

Isso poderia ter sido um desafio ou uma zombaria, mas não foi. Foi apenas a afirmação de um fato, e isso o aqueceu um pouco por dentro.

– Que bom – disse ele. – Então por que fugiu ontem?

– Eu entrei em pânico – respondeu ela com franqueza. – Tinha tirado da cabeça qualquer coisa relacionada a... a pai Pardloe, lorde John e Savannah...

– E a mim?

– E a você – respondeu ela com naturalidade. – Depois de um tempo, tudo aquilo começou a parecer irreal, o tipo de fantasia que se tem ao ler um bom livro. Então, quando você apareceu feito o Diabo-rei em uma pantomima... – Ela agitou uma das mãos. Após ficar calada alguns instantes, tornou a falar: – Quer se sentar?

Ele se sentou a seu lado, perto o suficiente para sentir seu calor. O banco era pequeno e William era um rapaz grande. Não soube ao certo o que perguntar. Ainda.

– Então você agora é viúva? – indagou por fim e pegou sua mão para examinar o anel.

– Sim, sou – respondeu ela com frieza.

– É mesmo? Ou isso é só o que seu pai sabe... ele e a Filadélfia?

Ela o encarou com um olhar semicerrado, mas não retirou a mão, tampouco respondeu na hora.

– Porque... – disse ele, alisando as costas da mão dela com o polegar. – Se Ben agora está mesmo morto, você não tem motivo para não voltar comigo para Savannah, tem? Não quer ver Trevor? Ele está com saudades da mãe.

– Seu filho da mãe – sibilou ela. – Me solte!

Ele o fez e uniu as mãos sobre os joelhos.

Durante vários minutos não houve som, exceto as pancadas e os murmúrios do tráfego na rua e o barulho de água na fonte. O cheiro do jardim estava forte e, embora não fosse nem de longe tão luxuriante quanto os aromas sulistas de Savannah, era pungente o bastante para afetar o sangue… e trazer lembranças do jardim da sra. Fleury, com sua pedra molhada e fria e o testemunho silencioso de um sapo de olhos negros.

– Eu sou o único para quem pode contar – disse ele por fim, baixinho. – Não imagino que seu pai saiba, sabe? O que aconteceu com Ben?

Ela riu, uma risada curta e amargurada.

– O que aconteceu com Ben? – repetiu. – Não *o que Ben fez?* O general Washington não apareceu do nada e o raptou. Ele *foi*. Foi ele quem fez tudo, sozinho.

– Mas você foi até ele, não foi? – Isso não era uma suposição: ele tinha reparado que os dedos dela não estavam sujos de tinta. Qualquer pessoa que trabalhasse em uma oficina de impressão ou em uma livraria acabava ficando com os dedos sujos. Seu pai os tinha. Se os dela não estavam, fazia pouco tempo que estava ali.

Ela não respondeu na hora, mas ficou sentada em silêncio, furiosa, com a boca muito contraída.

– Fui – respondeu. – E que tola eu fui por ter ido. Pensei que fosse conseguir convencê-lo. Tinha visto o que aconteceu durante o cerco em Savannah. Achei que fosse conseguir convencê-lo… Pelo amor de Deus, ele era um oficial britânico! Deveria *saber* como o Exército é, e do que é capaz!

– Imagino que saiba – respondeu William em tom brando. – Foi bem corajoso da parte dele pegar em armas contra esse Exército, não?

Ela fez o mesmo ruído de um gato zangado e se afastou dele com um movimento brusco.

– Então ele não quis voltar com você para Savannah. Por que você simplesmente não voltou sozinha? Sabe que os Greys a receberiam de braços abertos… nem que fosse porque Trev não estaria mais sob seus cuidados.

Ela expirou com força pelo nariz, então de repente fez outro movimento brusco e voltou a encará-lo.

– Eu vi Ben. Vi-o na cama com uma prostituta de cabelos pretos que estava chupando o…

A ira a fez engasgar com tanta eficiência quanto Ben decerto tinha feito engasgar sua parceira ao ver Amaranthus surgir no vão da porta.

William hesitou em dizer qualquer coisa por medo de que ela fugisse. Em vez disso, pousou a mão no banco entre os dois, quase sem tocar seus dedos. E aguardou.

– Ele se levantou e me empurrou para seu quarto de vestir, e me impediu de sair até a rameira poder se levantar e fugir, aquela boceta imunda.

– *Onde* aprendeu essa palavra? – perguntou ele, genuinamente chocado.

– Em um livro de poesia erótica da biblioteca de lorde John – respondeu ela, fulminando-o com o olhar. – Minha vontade foi matar os dois ali mesmo, se eu tivesse alguma coisa à mão. Mas não se vai ao encontro do próprio marido depois de uma longa ausência com uma faca no sapato, não é? – Ela encarou a mão esquerda. – Arranquei minha aliança na hora e tentei obrigá-lo a engolir. E quase consegui – disse ela em tom de desafio.

Lágrimas de fúria escorriam por suas faces, mas ela não parecia notar.

– Que pena que não conseguiu – disse ele e sorveu uma inspiração cautelosa. – Não estou de jeito nenhum desculpando Ben, mas... ele é soldado e pensou que você o tivesse deixado para sempre. Quero dizer, uma... uma relação casual...

– Casual uma ova! – rosnou ela, puxando a mão de volta. – Ele se casou com ela!

As palavras o atingiram no fundo do estômago. William abriu a boca, mas não achou nada para dizer.

– Por isso eu trouxe a aliança comigo – disse ela, olhando para o anel. – Não iria deixar para *ela*!

É claro que ela precisava da aliança para sua farsa de viúva, mas, na opinião de William, aquilo parecia mais um flagelo autoimposto. Mas ele não ousou dizer aquilo.

Em vez disso, falou:

– Case-se comigo.

Com o cenho franzido, ela observava um passarinho que havia pousado na borda da fonte para beber: uma criaturinha vistosa, de asas pretas e brancas e laterais vermelho-escuras.

– *Towhee* – disse ela.

– O quê?

– Ele.

Ela ergueu o queixo na direção da ave, que saiu voando na mesma hora. Então se virou no banco e encarou William com o semblante mais ou menos recomposto.

– Casar-me com você – falou devagar.

Um tremor que ela não conseguiu controlar apareceu por um instante no canto de sua boca pálida, mas ele não achou que fosse um impulso de rir. Talvez fosse choque, talvez não.

– Case-se comigo – repetiu ele baixinho.

Os olhos dela estavam vermelhos e agora tinham um tom cinza opaco. Ela os desviou.

– Está se referindo a um *mariage blanc*, suponho – falou com a voz um pouco rouca. – Vidas separadas, camas separadas?

– Ah, não – disse ele e segurou suas mãos. – Eu quero levar você para a cama. Várias vezes. Como se chama esse tipo de casamento?

– Bom, para começar... chama-se bigamia.

Mas ela o encarava de outro jeito e o sangue latejava com força no peito de William.

– Podemos conversar sobre os detalhes no caminho de volta até Savannah.

Ainda segurando com força as mãos dela, ele se inclinou e lhe deu um beijo. A boca de Amaranthus se moveu sob a dele, mais por causa do choque do que retribuindo o beijo…

Ainda assim, foi uma reação.

– Eu *não disse* que aceitava! – exclamou ela, afastando-se com um tranco. Ele a soltou, reparando com uma satisfação distante que ela não havia limpado a boca, enojada.

– Pode me dar sua resposta quando chegarmos a Savannah – disse ele e, levantando-se, estendeu-lhe a mão.

135

SÓ PARA TORNAR AS COISAS INTERESSANTES

Ao chegar a uma cidadezinha ao sul da Filadélfia, ele alugou aposentos para os dois em uma hospedaria decente e ficou satisfeito ao encontrar um pequeno espelho na parede acima de sua pia. Tinha se barbeado cuidadosamente. Amaranthus no início ficara chocada, depois achara graça ao descobrir que sua barba nascente tinha um vivo tom ruivo-escuro. Em seguida, William vestiu seu uniforme de capitão, um pouco amarfanhado por ter ficado enrolado dentro da mala, mas limpo.

Ela piscou quando ele entrou na diligência a seu lado e pôs o chapéu no joelho.

– Pensei que tivesse renunciado a seu cargo.

– E renunciei. Renunciei, sim. Isto aqui é o que se poderia chamar de *ruse de guerre* – falou, indicando com um gesto o casaco vermelho. – Ideia de tio Hal. Ele me concedeu temporariamente uma patente de capitão, com ordens de viagem que me permitiriam passar por qualquer território controlado pelas tropas do rei… o que Richmond e Charles Town certamente são. Eu não estava brincando – acrescentou ele. – Ele está *mesmo* preocupado com você e a quer de volta.

Ela olhou para outro lado, pela janela, e mordeu o lábio.

– Achei que um conde teria alguma dose de cortesia, mesmo sem uniforme.

– Eu também não sou conde – disse ele com firmeza e a cabeça dela se virou com um movimento brusco.

Ela o encarou.

– Eu deveria ter dito isso antes – continuou ele. – Se pensava em se tornar condessa ao se casar comigo, infelizmente não é o caso.

– Eu não pensava – disse ela e sua boca estremeceu de leve.

Ela se virou de novo para a janela, através da qual as ruas enlameadas de Richmond iam sendo substituídas por milharais encharcados de chuva.

– Como conseguiu? – perguntou sem se virar. – Pai Pardloe mencionou que, para isso, precisaria da permissão do rei. Você convenceu o rei?

– Ainda não falei com Sua Majestade – respondeu William, educado. – Mas falarei.

No entanto, o que ele disser não vai fazer diferença. Já tomei minha decisão e não sou mais o conde de Ellesmere... se é que algum dia fui.

Isso, sim, a fez se virar.

Ele sentiu uma onda repentina de... alguma coisa. Medo, talvez, mas principalmente animação, como se estivesse a ponto de saltar de um penhasco bem alto para o mar, sem saber se a água era funda o suficiente e sem se importar.

– Eu sou bastardo – falou. Não era a primeira vez que dizia isso e tinha certeza de que não seria a última, mas inspirou fundo antes de prosseguir: – Quero dizer... legalmente não sou bastardo, porque o oitavo conde e minha mãe estavam casados quando nasci. Mas o velho conde não é meu pai.

Ela o olhou de cima a baixo, parou no rosto e deixou os olhos descerem e subirem outra vez.

– Bom, quem quer que tenha sido, ele devia ser um, ahn... um cavalheiro muito vistoso. Era ele quem tinha...?

Ela levou a mão ao queixo vagamente, sem deixar de encará-lo.

– Sim – respondeu ele, não de todo entre dentes. – *Tinha* não... ele ainda está vivo.

– Você o conheceu?

Ela se virou por completo para ele, com os olhos acesos de interesse. Ele teve a súbita ilusão de poder sentir o toque de seus olhos no rosto, fazendo cócegas na pele.

– Conheci. Ele... sabe que eu sei quem ele é.

Amaranthus passou algum tempo sem dizer nada, mas William conseguia ver a revelação que acabara de fazer borbulhando na mente dela. Ela ainda estava de preto, mas começara a usar junto um xale azul-escuro em vez de branco no decote. A cor deixava seus olhos brilhantes e aquecia o tom de sua pele. Era óbvio que ela sabia disso, e ele disfarçou um sorriso. Mesmo assim, ela percebeu e se recostou, franzindo os lábios.

– Você pretende me dizer quem é esse cavalheiro?

– Não pretendia – admitiu ele. – Mas se você se casar comigo...

– Eu *não vou* aceitar seu pedido. Agora não. Provavelmente nunca – emendou ela. – Mas, mesmo que não aceite, você precisa saber que eu jamais contaria para ninguém.

– É muita bondade sua – disse ele. – O nome dele é James Fraser. Um escocês das Terras Altas, e jacobita... ou ex-jacobita, eu deveria dizer. Tem algumas terras na Carolina do Norte; fui visitá-lo lá quando era bem jovem... não tinha a menor ideia de que ele fosse... quem é.

– Ele o reconheceu? – Amaranthus nunca tinha sido mulher de esconder o que pensava e foi fácil perceber a direção que seus pensamentos tomavam agora.

– Não, e não quero que reconheça – disse William com firmeza. – Ele não me deve nada. Mas, se estiver se perguntando como vou sustentá-la sem os bens de Ellesmere, não se preocupe – acrescentou ele. – Eu tenho uma pequena fazenda bem decente na Virgínia que minha mãe me deixou... bom, minha madrasta, na verdade. A primeira esposa de lorde John.

Havia Helwater também, mas, como ele achava que a propriedade talvez fosse desaparecer com Ellesmere, não a mencionou.

– A *primeira* esposa de lorde John? – Amaranthus o encarou. – Não achei que já tivesse sido casado. Quantas esposas ele teve?

– Bem, que eu saiba, duas. – Ele hesitou, mas na verdade estava até gostando de chocá-la. – A segunda esposa dele era... ainda é... casada com James Fraser, só para tornar as coisas interessantes.

Ela semicerrou os olhos, para ver se ele estava brincando com ela, mas então balançou a cabeça, tirando do lugar um grampo que de repente ficou espetado para fora dos cabelos. Ele não conseguiu resistir: removeu-o e ajeitou atrás da orelha dela o cacho que havia se soltado. Um levíssimo arrepio desceu pela lateral do pescoço de Amaranthus e ela estremeceu, muito de leve, apesar do calor úmido que fazia dentro da diligência.

Duas semanas mais tarde...

Sair da diligência foi como irromper de uma crisálida, pensou ele, esticando as pernas enrijecidas de tanto ficarem dobradas e as costas doloridas antes de estender a mão para ajudar Amaranthus a saltar daquele útero dentro do qual tinham viajado. Ar, luz e, acima de tudo, espaço! Pôs-se a bocejar de modo incontrolável e o ar o inundou e o inflou de volta até suas dimensões normais.

Sua intenção fora levar Amaranthus de volta para os aposentos de tio Hal e ele hesitara um pouco, mas ela havia declarado com firmeza que preferia ir primeiro para a casa de lorde John.

– Estou confiante de que tio John vai me escutar. Por mais que eu goste de pai Pardloe... Por que está fazendo essa cara? Eu gosto dele, *sim*. Só que nunca tenho certeza de como vai agir. Afinal de contas, Ben é seu filho.

– Bom argumento – reconheceu William. – Por outro lado, duvido que meu pai tenha certeza do que Hal vai fazer. Mas pelo menos ele está acostumado a lidar com os efeitos.

– Exato – respondeu Amaranthus.

E nada mais dissera no trajeto cruzando a cidade, limitando-se a observar o próprio reflexo na janela da diligência e tocar de vez em quando os cabelos.

A porta do número 12 da Oglethorpe Street se abriu antes de ele conseguir bater, seu primeiro indício de que algo estava errado.

– Ah, o senhor a encontrou! – A srta. Crabb olhava para Amaranthus por cima do ombro dele e seu rosto magro se alternava entre o alívio e um desejo de continuar irritada. – O bebê está dormindo. Sua Graça foi a Charles Town – acrescentou a governanta, dando um passo de lado para deixá-los entrar. – Achou que voltaria em duas semanas, mas mandou uma carta há dois dias dizendo que tinha ficado retido por ordem de lorde Cornwallis.

Amaranthus havia desaparecido escada acima em busca de Trevor, de modo que essa explicação foi dada apenas a William.

– Entendo – disse ele, entrando na casa. – Meu pai foi com Sua Graça? – Era evidente que lorde John não estava em casa, pois, caso estivesse, estaria presente naquele momento.

A expressão de permanente desagrado da srta. Crabb tinha se modificado, dando a entender certa preocupação.

– Não, milorde – respondeu ela. – Ele saiu anteontem e não voltou mais.

136

DOIS DIAS ANTES

O recado tinha chegado ao número 12 da Oglethorpe Street logo após o almoço. Fora uma refeição casual: sanduíches de presunto e uma garrafa de cerveja consumidos por lorde John na cozinha externa enquanto observava Moira limpar um imenso rodovalho entregue mais cedo pela manhã. Apesar da resistência que demonstrava em relação aos tomates, aquela mulher sabia manejar um cutelo, pensou ele. Uma pena. Ela era capaz de transformar qualquer tomate em ketchup instantâneo com um único golpe. Ele ficou observando em expectativa a cozinheira semicerrar os olhos para o peixe, tão grande que chegava a pender pelas bordas da pequena mesa, enquanto decidia o melhor ângulo para seu ataque seguinte.

Antes de ela poder golpear com o cutelo, porém, uma sombra escureceu o vão aberto da porta e alguém bateu rapidamente no batente.

– *Mein Herr?* – Era o cavalariço Gunter, que trabalhava na estrebaria usada por Hal, obsequioso em seu avental de couro.

– *Ja? Was ist das?* – indagou Grey.

Viu Moira piscar, suspender momentaneamente o golpe seguinte e mover a cabeça dele para Gunter e outra vez para ele com olhos cabreiros e semicerrados.

Gunter deu de ombros, ergueu as sobrancelhas como quem nega responsabilidade e entregou a lorde John um bilhete dobrado lacrado com cera de vela, então acenou com a mão por cima do ombro para indicar que alguém na estrebaria tinha lhe entregado o papel. Grey revirou o bolso em busca de uma moeda, encontrou 1 *penny* e 1 xelim, entregou o xelim ao rapaz e pegou o papel com uma breve palavra de agradecimento.

Primeiro pensara que fosse algo para Hal, mas o recado estava endereçado a *Lorde John Grey* em uma caligrafia bem-feita e profissional, que contrastava bastante com a entrega misteriosa do recado. A mensagem que este continha estava escrita na mesma letra, mas era tão intrigante quanto seu aspecto externo:

Milorde,

Fui informado de que o senhor outrora empregou um homem chamado Thomas Byrd. Esse homem veio da Inglaterra em meu navio, o Pallas, *e pagou pela travessia no embarque. Contudo, ele formou um vínculo com uma jovem que conheceu a bordo e a jovem em questão não pagou pela travessia, viajando escondida no porão. O sr. Byrd disse que ela pagará pela travessia de modo a evitar que seja detida pelo xerife e levada presa, mas que não dispõe de dinheiro para tal. Por relutar em mandar tão graciosa jovem para a prisão local, perguntei se o sr. Byrd talvez tivesse algum amigo que pudesse arcar com sua despesa. Ele negou, sem querer se aproveitar do fato de conhecê-lo, mas eu o escutara mencionar seu nome a bordo e portanto tomo a liberdade de informar sobre sua situação.*

Se desejar auxiliar o sr. Byrd, ou pelo menos lhe falar, ele continua a bordo de nosso navio. O Pallas *está ancorado na ponta leste do cais do armazém.*

Seu mais humilde e obediente criado,

John Doyle, capitão

– Que coisa mais singular – comentou Grey, virando o papel como se o verso pudesse ser mais esclarecedor.

– Ah, não é nada singular. Não, senhor – garantiu Moira, enxugando a testa suada. – É só uma fêmea.

– O quê?

– Uma fêmea – repetiu ela, fazendo um gesto na direção do peixe decapitado. – Quem tem ovos são as fêmeas, nós os chamamos de ovas.

– Ah.

Ele notou que ela não tinha apenas removido a cabeça, o rabo e as nadadeiras, aberto o grande corpo achatado e retirado as tripas, mas também separado uma grande e sólida massa de substância escura, decerto ovas de peixe, que agora escorria sobre um prato que fora posto um pouco mais longe sobre uma prateleira, uma vez que não havia espaço na superfície toda suja de escamas na qual o peixe estava sendo transformado em jantar.

– É mesmo – falou. – Podemos comer com ovos, a senhora acha?

– Exatamente o que pensei, milorde – garantiu ela. – Palitos de torradas frescas com ovos pochê e ovas, e um pouco de manteiga derretida para despejar por cima. Um *hordevra*, como diria Sua Graça.

– Esplêndido – disse ele sorrindo. – Chegarei em casa a tempo de jantar!

Se não tivesse havido essa forte intrusão de feminilidade, ele poderia nem ter ido. Mas a referência a fêmeas o fizera recordar a marcada suscetibilidade de Tom em relação às moças, algo que ele (até onde Grey sabia) mantivera estritamente sob controle ao longo de seus dois matrimônios. Mas a última carta que recebera de Tom, que escrevia bem, ainda que com pouca frequência, tinha lhe informado sobre a morte recente de sua segunda esposa e também que, como seu menino mais velho tinha agora 18 anos, ele estava pensando em deixar o jovem Barney cuidando das coisas por um tempo e quem sabe fazer uma viagem até a Alemanha, país que não visitava desde que haviam travado conhecimento com o Graf von Namtzen, e perguntava se lorde John faria a gentileza de transmitir suas saudações ao *Graf* quando porventura se comunicasse com ele.

Imaginava ser ao menos possível que Tom, após embarcar em uma viagem pessoal de descoberta, tivesse se sentido inspirado a abandonar por completo a Europa. E que, ainda tomado de pesar, poderia muito bem ter se sentido atraído por uma jovem em óbvia situação de grande apuro. Tom era um homem galante e também muito bondoso.

Por outro lado, aquela carta cheirava mal, e não era por causa do peixe. Ele a dobrou com cuidado e a guardou no bolso do colete.

– Que diabos! – exclamou, dando um susto em Moira no meio de outro golpe de cutelo. – Ah, queira me desculpar, sra. O'Meara. Estava apenas comentando como o dia estava agradável para dar uma volta.

O dia estava *mesmo* agradável, com uma brisa aliviando o ar pesado de verão, e ele apreciou o passeio até a Bay Street, onde parou para subir os degraus e caminhar descalço por um trecho da areia da praia antes de retomar sua peregrinação casual em direção ao setor dos armazéns.

A frota de mercadorias frescas, pequenos pescadores e agricultores que chegavam de mais acima no rio trazendo frutas e legumes era constituída principalmente por embarcações de pequeno porte. Portanto, as docas próximas à Bay Street costumavam ser estreitas e próximas umas das outras. As docas pertencentes aos armazéns, contudo, eram construções robustas e largas, nas quais se podia transitar com carrinhos, rolar barris e arrastar caixotes com risco mínimo de cair na água. Os grandes navios que partiam rumo a mares estrangeiros ancoravam junto às docas dos armazéns ou então mais para cima no rio, se o tráfego de embarcações estivesse muito intenso.

O tráfego estava mesmo intenso e Grey parou para admirá-lo: era uma linda visão, com os altos mastros se balançando e o sol a cintilar nas asas das aves marinhas que voavam em círculos ao redor dos navios. Ele gostava de navios de todo tipo, apesar de sempre lhe lembrarem certo James Fraser, a quem os navios desagradavam a tal ponto que ele quase morria de enjoo toda vez que subia a bordo de um. Sorriu; a lembrança de uma travessia atribulada do Canal da Mancha com o escocês anos antes já estava agora distante o suficiente para ser divertida.

Tinha mantido distância da ponta leste das docas; não era tão tolo assim. Comprou algumas maçãs de uma vendedora em uma das docas menores e aproveitou a oportunidade para dar uma olhada nas embarcações de maior porte.

– Que navio mercante é aquele ancorado ali no canal? – perguntou à vendedora de maçãs, fazendo um gesto breve na direção de um navio grande capaz de atravessar o Atlântico.

O navio não exibia nenhuma bandeira que reconhecesse.

– Ah. – disse ela após olhar com indiferença por cima do ombro. – Chama-se *Castelo*. Não, mentira. Chama-se *Palácio*, é isso.

Bem, era um fato a ser anotado: um navio chamado *Pallas* de fato existia e era um transatlântico. Que Tom Byrd estivesse ou não a bordo dele era outra questão, mas...

– Senhor? Senhor! – A repetição do chamado o despertou de seus pensamentos e ele viu na sua frente um marujo baixote de barba cor de ferrugem. – Tem alguma coisa no seu chapéu – disse este, apontando para cima.

Pensando na mesma hora em gaivotas, Grey espalmou a mão por cima da copa do chapéu, então o tirou da cabeça e o baixou para inspecioná-lo. De repente, sua visão escureceu e algo leve fez cócegas em seu rosto. Então alguma coisa explodiu dentro de sua cabeça e tudo ficou preto.

Ele voltou a si com uma dor intensa na parte de trás da cabeça e uma forte vontade de vomitar. Tentou virar de lado para fazer isso, mas descobriu que estava com os braços amarrados junto ao corpo. Estava também com um saco de aniagem na cabeça, o que o fez decidir não vomitar, ainda que uma sensação nauseante de estar sendo balançado para a frente e para trás tornasse a vontade ainda mais urgente.

Merda. Um barco. Então ouviu o chapinhar dos remos e o grunhido de quem quer que os estivesse operando, e sentiu o fértil aroma dos pântanos ao longe. Não era uma embarcação grande: ele fora dobrado ao meio e enfiado em um espacinho entre os assentos. Seus joelhos estavam molhados.

Antes de poder se congratular pela acuidade de suas suspeitas ou se repreender por sua estupidez, o barulho dos remos cessou e no instante seguinte o barco parou com um baque que fez chacoalhar sua cabeça latejante. Mais balançadas e mãos fortes o seguraram e o puseram de pé. Um grito de quem o segurava e uma corda caiu lá de cima e bateu em seu ombro. O raptor – seria só um? – passou a corda por seu tronco, deu um nó, então gritou "Podem içar!" e ele foi erguido no ar com um tranco e içado para o alto como um quarto de carne.

Mãos o puxaram a bordo e tornaram a colocá-lo em pé, mas ele não teve equilíbrio por causa dos braços amarrados e caiu ajoelhado. O saco foi arrancado de sua cabeça e a intensidade da luz do sol em seus olhos foi a gota d'água. Ele vomitou por cima dos sapatos do homem parado à sua frente, então desabou de lado e fechou os olhos na esperança de encontrar equilíbrio.

Ouviu-se certa quantidade de xingamentos e diálogos sendo travados acima dele, mas no momento ele não ligou, contando que nenhum deles tivesse por resultado obrigá-lo a ficar em pé outra vez.

Então ouviu uma voz que reconheceu.

– Pelo amor de Deus, desamarrem-no – disse a voz, impaciente. – O que houve com ele?

Ele abriu uma das pálpebras, só uma fresta. Seus ouvidos não o tinham traído, mas seus olhos tiveram dúvidas: tudo lá em cima parecia em movimento. Mastros, velas, nuvens, o sol, os rostos, tudo rodopiava de um jeito estonteante que o deixou com vontade de vomitar outra vez.

– Alguém bateu em mim. Na cabeça – falou, fechando um olho na esperança de fazer a dança dos mastros cessar. Um tanto para sua surpresa, ela cessou e o rosto atraente porém sem graça de Ezekiel Richardson estremeceu e entrou em foco.

– Minhas desculpas – disse Richardson e, estendendo a mão para o piso, puxou-o para fazê-lo se levantar e o segurou pelo cotovelo enquanto alguém desatava as cordas. – Eu disse para trazê-lo, mas acho que não me ocorreu especificar *como*. Venha até lá embaixo e se sente. Imagino que esteja precisando de uma bebida.

Ele enxaguou a boca com o conhaque e cuspiu em uma bacia, então se recostou e tomou um golinho com cuidado.

Os dois estavam sentados no que era a cabine principal, do capitão, pois as janelas de popa se erguiam em um clarão de luz cintilante refletida do rio mais abaixo. Olhar para aquilo por mais de poucos segundos o deixou enjoado, mas ele estava começando a se sentir melhor.

– Peço desculpas – disse Richardson, e pareceu estar sendo sincero. – Não tenho qualquer animosidade pessoal em relação ao senhor. Se pudesse ter resolvido tudo sem envolvê-lo, teria feito isso.

Com relutância, Grey moveu o olhar para Richardson, que trajava um uniforme de major de infantaria britânico.

– Já ouvi falar em agentes duplos e já conheci alguns – falou em tom mais ou menos educado. – Mas, que Deus me perdoe, nunca vi um menos capaz de se decidir. O senhor faria o obséquio de me dizer de que lado está?

Pensou que a expressão no rosto de Richardson pretendesse ser um sorriso, mas ela não foi de todo bem-sucedida.

– Essa pergunta não é tão simples quanto o senhor poderia pensar – retrucou ele.

– Bem, é a melhor que o senhor vai escutar, considerando as circunstâncias.

Grey fechou os olhos e ergueu o copo abaixo do nariz: talvez inalar emanações de conhaque conseguisse dispersar sua dor de cabeça sem deixá-lo embriagado. Ele achava que podia ser perigoso se embebedar na companhia de Richardson.

– Então me deixe fazer uma. – Richardson estava sentado na cadeira do capitão. Ela rangeu quando ele se inclinou para a frente. – Quando perguntei se o senhor tinha algum interesse pessoal por Claire Fraser, o senhor respondeu que não. Depois o senhor a desposou. Por que fez isso?

A pergunta fez John abrir os olhos. Richardson tinha falado em tom brando, mas o observava com o mesmo ar de um gato muito paciente aboletado junto a um buraco de camundongo. Tocou com cuidado a parte de trás da cabeça, então examinou os dedos. Sim, estava sangrando, mas não muito.

– Eu poderia responder que isso não é da sua conta – falou, limpando os dedos na calça. – Mas não há motivo para segredos. O senhor tinha ameaçado mandar prender essa senhora por sedição. Ela era a viúva de um grande amigo. Pareceu-me que mantê-la longe de suas garras pudesse talvez ser meu último favor para Jamie Fraser.

Richardson assentiu.

– Então foi um gesto galante, milorde? – Ele parecia estar achando graça, mas era difícil dizer. – Pelo que entendi, o casamento teve necessariamente uma curta duração, dado o retorno inesperado do sr. Fraser do túmulo. Mas a dama por acaso contou algo relacionado a seus antecedentes em alguma troca de confidências matrimoniais?

– Não – respondeu Grey sem hesitar.

– Isso me parece bastante notável – disse Richardson. – Embora, considerando a natureza desses antecedentes, talvez a reticência da dama se justificasse.

Um arrepio de apreensão desceu pelo pescoço de Grey: *ou talvez tenha sido só um filete de sangue*, pensou ele. *Antecedentes uma ova*. Recostou-se um pouco, tomando cuidado com a cabeça dolorida, e encarou Richardson com um olhar que torceu para ser inescrutável.

Richardson passou vários instantes a observá-lo, então, aquiescendo para si mesmo, levantou-se para buscar uma pasta de couro na prateleira e tornou a se sentar. Abriu a pasta e dela retirou um documento de aspecto oficial completo, incluindo o lacre e o carimbo, embora Grey não conseguisse identificar de que lacre se tratava.

– O senhor conhece um homem chamado Neil Stapleton? – perguntou Richardson, arqueando a sobrancelha.

– Em que sentido? – rebateu Grey, arqueando as sobrancelhas. – Posso já ter escutado esse nome, mas já faz algum tempo.

Fazia *mesmo* algum tempo, mas o nome "Neil Stapleton", mais conhecido por Grey como Neil Xoxota, o havia atingido no fundo do estômago com a mesma força de um tiro de uma bala de 1 quilo. Fazia muitos anos que não via Stapleton, mas com certeza não o tinha esquecido.

– Talvez eu devesse ter perguntado se o senhor o conheceu... no sentido bíblico? – perguntou Richardson, observando a expressão de Grey.

Empurrou o documento em sua direção e seus olhos se fixaram imediatamente no título: *Confissão de Neil Patrick Stapleton.*

Não, pensou ele. *Que maldição, não pode ser...*

Pegou o documento, vagamente satisfeito por suas mãos não estarem tremendo, e leu um relato detalhado e bastante preciso do que havia acontecido entre Neil Stapleton e ele na noite de 14 de abril de 1759 e depois na tarde de 9 de maio do mesmo ano.

Pousou o documento e encarou Richardson por cima do papel.

– O que fizeram com ele? – perguntou.

Sua barriga se contraiu ao pensar no que eles, pois *certamente* se tratava de "eles", e não daquele homem sozinho, *poderiam* ter feito com um homem como Neil.

– O que fizemos com ele? – repetiu Richardson com ar de quem não tinha entendido.

– Chantagem, suborno, tortura...? Ele não escreveu isso por livre e espontânea vontade. Que homem com a cabeça no lugar o faria? – E, independentemente do que mais ele fosse, Neil nunca tinha tido a cabeça fora do lugar.

Richardson deu de ombros.

– Ele está vivo? – perguntou Grey entre dentes.

– O senhor se importa? – Richardson parecia apenas levemente interessado. – Ah... mas é claro que se importa. Se ele estivesse morto, poderia alegar que o documento era falso. Mas sinto informar que o sr. Stapleton continua vivo, embora não possa dar palpite em relação a quanto tempo mais ele vai permanecer assim.

Grey o encarou. Estaria o sujeito agora de fato ameaçando mandar matar Neil? Mas não fazia sentido...

– Ele está em Londres, porém. Mas felizmente tenho outra... testemunha, digamos assim, mais à mão.

Ele se levantou, foi até a porta da cabine, abriu-a e espichou a cabeça para fora.

– Entre – falou e deu um passo para trás de modo a abrir espaço e deixar Percy Wainwright entrar.

Percy estava com péssimo aspecto, pensou Grey. Desalinhado, sem o lenço de pescoço e com os cabelos encaracolados já grisalhos embaraçados em alguns pontos e espetados em outros. Estava pálido feito leite desnatado, com olheiras escuras. Os olhos estavam vermelhos e se fixaram em Grey na hora.

– John – disse ele, um pouco rouco. Pigarreou para limpar a garganta, com força, então olhou para outro lado e tornou a falar: – Eu sinto muito, John. Não sou corajoso. Você sempre foi, mas eu nunca.

Aquilo nada mais era do que a verdade, reconhecida por ambos e parte do amor que um dia existira entre os dois: John sempre se dispusera a ser corajoso por ambos. Sentiu uma pontada de pena e empatia por baixo do sentimento mais forte de irritação… e de medo.

– Então o senhor também o fez assinar uma declaração de confissão – disse Grey a Richardson, esforçando-se ao máximo para manter a calma.

Richardson franziu os lábios e tornou a abrir a pasta, da qual dessa vez retirou um documento mais longo. *Bom, seria mesmo mais longo*, pensou Grey. *Por quanto tempo fomos amantes?*

– Atos antinaturais *e* incesto – observou Richardson enquanto virava as páginas do novo documento. – Minha nossa, lorde John. Minha nossa.

– Sente-se, Percy – disse Grey, sentindo-se cansado.

No entanto, ele captou um breve vislumbre do cabeçalho do documento e seu ânimo se elevou uma fração de centímetro. *Confissão de P. Wainwright*, dizia o título. Então Percy havia conservado aquele último resquício de respeito por si mesmo: não chegara a revelar a Richardson seu verdadeiro nome de batismo. Tentou cruzar olhares com Percy, mas seu ex-irmão postiço tinha os olhos baixos e fixos nas próprias mãos, unidas no colo como as de um colegial.

Você tentou me avisar, não foi?

– O senhor se deu muito trabalho por nada, sr. Richardson – falou, com a voz calma. – Não me importa o que fizer com esses documentos; um cavalheiro não se submete a chantagem.

– Na verdade, quase todos sim – retrucou Richardson em tom de quem se desculpa. – Mas no caso eu não o estou chantageando.

– Ah, não? – Grey acenou com uma das mãos para a pasta e seu pequeno maço de papéis. – Então qual é o motivo dessa intriga toda?

Richardson uniu as próprias mãos sobre o tampo da mesa, reclinou-se para trás e ficou observando Grey enquanto organizava os próprios pensamentos.

– Eu tenho uma lista – falou por fim. – De pessoas cujos atos conduziram, de modo direto ou indireto, mas sem qualquer dúvida possível, a um desfecho específico. Em alguns casos a pessoa realiza ela própria a ação… Em outros, apenas a facilita. Seu irmão é um dos que irá facilitar um curso de ação específico, que por sua vez irá decidir esta guerra.

– O quê?

Atos que conduziram? Irá facilitar…? Ele lançou um olhar de lado para Percy, que, apesar de ter levantado os olhos, exibia uma expressão de total assombro, e não era de espantar.

Richardson havia observado os pensamentos atravessarem o semblante de Grey.

– Eu posso estar enganado, mas creio que seu irmão pretende fazer um discurso na Câmara dos Lordes. E creio também que os efeitos desse discurso afetarão a vontade do Exército Britânico, e portanto do Parlamento, de dar continuidade a esta guerra.

Percy escutava isso perplexo e Grey não o culpava por isso.

– Eu desejo que seu irmão *não faça* esse discurso – concluiu Richardson. – E acho que sua vida e sua honra provavelmente são as únicas coisas que o impediriam de fazê-lo.

Ele inclinou a cabeça de lado enquanto observava Grey.

Grey piscou.

– Se o senhor acha isso, obviamente não conhece meu irmão.

Richardson sorriu. Não era uma expressão agradável.

– O senhor já viu um homem ser enforcado por sodomia?

– Já.

Na verdade, ele não só presenciara o enforcamento, mas também se pendurara nas pernas de Bates no intuito desesperado de apressar sua morte. Deu-se conta de que uma de suas mãos esfregava distraidamente o próprio peito, bem no lugar em que Bates o havia chutado.

– As colônias americanas não são mais tolerantes em relação à perversão do que a Inglaterra... É provável que sejam menos ainda. Embora o senhor talvez tenha a sorte de morrer apedrejado por uma turba em vez de ser enforcado – acrescentou ele para o bem da precisão e meneou a cabeça em direção aos papéis em cima da mesa. – Garanto ao senhor que seu irmão saberá compreender a situação. O senhor, assim como o sr. Wainwright, permanecerão a bordo como meus convidados enquanto cópias dessas declarações são entregues a seu irmão. O que vai acontecer com o senhor depois disso dependerá de Sua Graça.

Ele fechou a pasta, recolheu-a e se curvou.

– Mandarei trazer comida. Tenham um bom dia, cavalheiros.

137

ATOS INFAMES E ESCANDALOSOS

A primeira reação de William ao se inteirar do sumiço do pai foi sair à sua procura. Ele começou pelo quartel-general do general Prévost.

Foi informado de que ninguém tinha visto o tenente-coronel lorde John Grey. Mas estavam interessados em sua localização, pois o coronel do regimento, Sua Graça o duque de Pardloe, tinha deixado nas mãos do coronel lorde John a responsabilidade pelos soldados que ainda se encontravam em Savannah e, embora os oficiais executivos fossem capazes de mantê-los em boas condições físicas e disciplinares, eles certamente gostariam de receber ordens mais específicas.

Pelo menos o Exército sabia onde tio Hal estava… ou onde deveria estar. Charles Town.

– O que não ajuda muito – disse ele a Amaranthus após dois dias de busca. – Mas se papai não aparecer aqui muito em breve…

– Sim – disse ela, mordendo o lábio. – Suponho que você terá que procurar pai Pardloe em Charles Town. Se ele…

A voz dela se calou.

– Se ele o quê? – William exigiu saber, sem disposição para meias palavras.

Ela não respondeu na hora, mas foi até o aparador e pegou na parte de cima uma garrafa preta bulbosa. Ele a reconheceu: era o conhaque alemão que papai e tio Hal chamavam de conhaque negro, embora na verdade o nome fosse "Sangue dos Mártires". Ele recusou com um aceno impaciente.

– Não preciso beber nada.

– Cheire isto. – Ela havia retirado a rolha da garrafa e a segurava debaixo de seu nariz. Ele deu uma cheirada impaciente, então se deteve. E tornou a cheirar, dessa vez com mais cautela. – Não tenho a pretensão de entender de conhaque – disse Amaranthus, observando-o com atenção. – Mas pai Pardloe certa vez me deu um copo disto para tomar. E o cheiro não era esse… nem o gosto.

– Você provou? – Ele ergueu a sobrancelha e ela deu de ombros.

– Só com a pontinha do dedo. O gosto é bem parecido com o cheiro… condimentado, com muitas especiarias. E não é *esse* o gosto que deveria ter.

William mergulhou a ponta do dedo na bebida e provou. Amaranthus tinha razão. O gosto estava… errado, de alguma forma. Ele limpou a gota da bebida na calça sem deixar de encará-la.

– Está querendo dizer que alguém *envenenou* esta bebida?

Sua incredulidade natural estava debilitada pela preocupação dos últimos dias e ele constatou que não estava nem um pouco resistente a acreditar naquilo.

Amaranthus fez uma careta e com cuidado tornou a pôr a rolha na garrafa.

– Algumas semanas atrás, pai Pardloe me perguntou se eu sabia o que era dedaleira. Respondi que sim. A sra. Anderson cultiva uma quantidade bem grande dessa planta na borda do caminho da frente de seu jardim. – Ela deu uma inspiração curta, como se seu espartilho estivesse apertado demais, então encarou William. – Eu expliquei que era uma planta venenosa. E encontrei isso daí… – Ela apontou com a cabeça para a garrafa. – Estava trancada no cofre do escritório dele. Ele me deu uma chave algum tempo atrás, porque todas as minhas joias estão lá – acrescentou ela à guisa de explicação.

William olhou para a garrafa, negra… e ameaçadora. Sentiu o dedo que havia tocado o líquido subitamente frio e teve a impressão de que formigava. Esfregou-o impacientemente na manga da roupa.

Não que julgasse tio Hal incapaz de matar alguém; só não achava que fosse fazê-lo com veneno. Disse isso para Amaranthus, que passou vários instantes olhando para a garrafa e então tornou a olhar para ele com uma expressão aflita.

– Acha que ele pode ter tido a intenção... de *se matar* com isso? – perguntou ela baixinho.

William engoliu em seco. Confrontado pela iminência de contar à esposa o que tinha acontecido com seu filho mais velho e com a eventual possibilidade de ter sua família e seu regimento desgraçados e destruídos... Não, ele *não achava* que Harold, duque de Pardloe, fosse escolher o suicídio como escapatória. Mas...

– Bom, ele não levou a garrafa para Charles Town – falou com firmeza. – São só três dias a cavalo. Vou até lá encontrá-lo. Guarde isso em um lugar seguro.

Charles Town

William não pensava que algum dia fosse tornar a encontrar sir Henry Clinton. Mas ali estava ele, franzindo o cenho de um modo que tornava evidente que sir Henry se lembrava muito bem de quem ele era. William ficara aguardando em uma antessala da elegante mansão de Charles Town, agora usada como sede do comando da guarnição da cidade, após ter solicitado uma breve audiência com Stephen Moore, um dos ajudantes de ordens de Clinton com o qual tinha boas relações... e que conhecia o duque de Pardloe. Tinha informado seu nome e, cinco minutos depois, sir Henry em pessoa surgiu feito um joão-bobo, dando-lhe um susto.

– *Capitão* Ransom ainda, é? – indagou sir Henry com uma cortesia rebuscada.

Nada impedia um homem de renunciar a um cargo e adquirir outro, mas as circunstâncias em que William renunciara tinham sido dramáticas, e qualquer drama envolvendo seus oficiais subalternos em geral desagradava aos comandantes.

– Sim, general. – William se curvou de modo muito correto. – Folgo em encontrá-lo bem.

Sir Henry fez um ruído de *humm*, mas assentiu. Afinal de contas, estava cercado pelas marcas de uma vitória significativa: as ruas de Charles Town estavam esburacadas e marcadas por tiros de canhão e havia soldados por toda parte, a maioria negra, consertando com dificuldade o que haviam passado semanas destruindo.

– Vim trazer um recado para o duque de Pardloe – disse William.

Sir Henry aparentou uma leve surpresa.

– Pardloe? Mas ele já foi embora.

– Embora – repetiu William com cuidado. – O duque retornou a Savannah?

– Ele não disse que pretendia fazê-lo – respondeu Clinton, começando a se impacientar. – Mas, como partiu faz mais de uma semana, imagino que a esta altura já deva ter voltado para Savannah.

William sentiu um frio na nuca, como se o recinto à sua volta tivesse mudado subitamente de um segundo para outro e uma janela invisível houvesse sido aberta.

– Sim – conseguiu dizer e se curvou. – Obrigado, general.

Saiu para a rua e dobrou à direita, sem qualquer intenção em mente que não se movimentar. Estava alarmado e furioso. O que tio Hal estava tramando? Como ele se atrevia a cuidar dos próprios assuntos quando seu irmão tinha desaparecido?

Estacou por um instante quando lhe ocorreu que seu pai e seu tio poderiam ter desaparecido juntos. *Mas por quê?* Porém, o pensamento morreu no instante seguinte quando viu uma forma de casaco vermelho conhecida uns 100 metros mais à frente na rua, comprando um pacote de fumo de uma mulher negra de turbante de bolinhas. Denys Randall.

– Justamente quem eu queria encontrar – disse ele segundos depois, ajustando o passo ao de Denys quando este se afastava da vendedora de tabaco.

Denys ergueu os olhos, então os voltou para a frente e para trás antes de se virar para William.

– O que está fazendo aqui? – perguntou.

– Eu poderia fazer a mesma pergunta.

– Não seja ridículo! Eu deveria estar aqui, e você não.

William não se deu ao trabalho de perguntar o que Randall estava fazendo. Pouco lhe importava.

– Estou procurando meu tio Pardloe. Sir Henry acaba de me dizer que ele deixou Charles Town há mais de uma semana.

– Sim – confirmou Denys na mesma hora. – Cruzei com ele quando estava vindo de Charlotte no dia… Ah, que dia foi mesmo…? Dia 13? Talvez 14…

– Que se dane em que dia foi. Quer dizer que ele estava indo para o norte, e não para o sul?

– Como você é esperto, William – disse Denys em um tom de aprovação fingido. – Foi exatamente o que quis dizer.

– *Stercus* – disse William. Sentiu um nó na barriga. – Ele estava sozinho?

– Sim – respondeu Denys, olhando para ele de esguelha. – Achei isso esquisito. Mas não o conheço bem a ponto de falar com ele e não tive motivo algum para fazê-lo.

William fez mais algumas perguntas, em vão, e se despediu de Denys Randall pelo que, com sorte, seria a última vez.

Para o norte. E o que havia ao norte dali que pudesse levar o coronel de um regimento grande a se ausentar de repente, sem avisar ninguém, a cavalo e sozinho?

Ben. Ele foi procurar Ben. A visão de uma garrafa preta lhe surgiu no fundo da mente. Teria Hal pensado em se envenenar, envenenar o filho ou as duas coisas?

– Maldição, isso tudo parece uma trama de Shakespeare – disse William em voz alta, virando seu cavalo para o sul. – Seria a porcaria do *Hamlet* ou mais *Titus Andronicus*?

Pensou se o tio algum dia teria lido Shakespeare, aliás. Mas pouco importava: para onde quer que tivesse ido, não tinha levado a garrafa. No momento, tudo que podia fazer era voltar para Savannah e torcer para encontrar o pai lá.

Três dias mais tarde ele adentrou o número 12 da Oglethorpe Street e encontrou Amaranthus na sala atiçando a lareira. Ela se virou ao ouvi-lo entrar e deixou cair o atiçador com um estrondo. Segundos depois, ela o abraçava, mas não com o fervor de uma amante. Era mais a atitude de uma nadadora cansada que se agarra a um tronco flutuante, pensou ele. Mesmo assim, beijou-a no topo da cabeça e segurou suas mãos.

– Tio Hal sumiu – falou. – Ele foi para o norte.

Os olhos dela já estavam escuros de medo. Quando ouviu isso, o pouco de sangue que lhe restava no rosto se esvaiu.

– Procurar Ben?

– Não consigo pensar no que mais teria ido fazer. Teve alguma notícia de papai? Ele voltou?

– Não – respondeu ela e engoliu em seco. Moveu a cabeça na direção de uma carta aberta pousada na mesinha debaixo da janela. – Chegou hoje de manhã para pai Pardloe, mas eu abri. É de um homem chamado Richardson.

William pegou a carta da mesa e a leu depressa. Então tornou a lê-la, sem conseguir entender. E uma terceira vez, devagar.

– *Quem é* esse homem? – Amaranthus havia recuado um pouco e espiava a carta como se esta pudesse de repente ganhar vida e mordê-la. William não a culpou.

– Um homem mau – respondeu, sentindo os lábios rígidos. – Só Deus sabe quem ele realmente é, mas parece ser... não sei ao certo. "Major inspetor-geral do Exército"? Nunca ouvi falar nesse cargo, mas...

– Mas ele diz que prendeu lorde John! – exclamou Amaranthus. – Como é possível? Por quê? O que quer dizer com "atos infames e escandalosos"? Lorde John?

William sentiu os dedos anestesiados e manuseou desajeitadamente a folha de papel para tentar dobrá-la outra vez. Sentiu a aspereza do carimbo oficial abaixo da assinatura de Richardson sob o polegar e deixou cair a carta, que, capturada em uma rajada de vento, rodopiou pelo tapete. Amaranthus pisou em cima dela para imobilizá-la e ficou parada encarando William.

– Ele quer que pai Pardloe vá falar com ele. O que vamos *fazer*?

138

MALES HEREDITÁRIOS

Uma semana mais tarde

Tudo era silêncio, com exceção dos barulhos habituais a bordo de um navio e das ordens gritadas do convés do *Pallas*, a reverberar debilmente acima da água nos outros navios ancorados.

Grey estava recuperado dos efeitos de seu rapto e se sentia razoavelmente preparado quando dois ajudantes de convés apareceram para buscá-lo em seu pequeno compartimento. Eles lhe amarraram frouxamente as mãos na frente do corpo, um detalhe cuidadoso que ele compreendeu como cautela profissional, ainda que deplorasse seus efeitos imediatos, e o fizeram subir uma escada e atravessar o convés até a cabine do capitão, onde Ezekiel Richardson estava à sua espera.

– Sente-se, por favor. – Richardson lhe indicou um assento e ficou em pé olhando para ele. – Ainda não tive notícias de Pardloe.

– Talvez o senhor demore algum tempo para conseguir contatar meu irmão – observou Grey no tom mais casual possível considerando a situação.

Onde você está, Hal?

– Ah, eu posso esperar – garantiu Richardson. – Estou esperando há anos; poucas semanas não farão diferença. Embora, é claro, fosse desejável o senhor me dizer onde acredita que ele está.

– Esperando há anos? – repetiu Grey, surpreso. – Esperando o quê?

Richardson não respondeu na hora, mas o encarou pensativo e então balançou a cabeça.

– A sra. Fraser – respondeu. – O senhor a desposou para fazer um favor a um finado amigo? Digo, considerando suas inclinações naturais. Foi por desejar ter filhos? Ou alguém estava chegando perto da verdade a seu respeito e o senhor desposou uma mulher para disfarçá-la?

– Não preciso justificar meus atos para o senhor – disse Grey, educado.

Richardson pareceu achar isso divertido.

– Não, não precisa – concordou. – Mas suponho que esteja perguntando por que eu tenho a intenção de matá-lo.

– Na realidade, não.

Isso de fato era verdade e Grey não precisou dissimular o desinteresse na voz. Se Richardson pretendesse matá-lo, ele já estaria morto. O fato de não estar significava que ele tinha alguma serventia para Richardson. *Isso, sim,* o intrigava, mas decidiu não comentar.

Richardson inspirou devagar enquanto o olhava de cima a baixo, então balançou a cabeça e tentou outra abordagem.

– Uma de minhas bisavós foi escrava – falou abruptamente.

Grey encolheu os ombros.

– Dois de meus bisavôs eram escoceses – falou. – Não se pode responsabilizar um homem por sua ancestralidade.

– Então o senhor não acha que os pecados dos pais devam ser cobrados dos filhos?

Grey deu um suspiro e pressionou os ombros na cadeira para aliviar o desconforto nas costas.

– Se devessem, acho que a humanidade a esta altura já teria deixado de existir e já teria virado pó sob o peso acumulado dos males hereditários.

Richardson deu de ombros de leve. Grey não soube dizer se com isso corroborava ou descartava sua afirmação. Então se virou para a parede envidraçada e olhou para fora, decerto para dar a si mesmo tempo de pensar em outro tema promissor de conversa.

O sol estava se pondo e a luz que entrava pela grande janela de popa cintilava refletida em um milhão de minúsculas ondulações, faiscando no vidro, no teto – se é que se dizia teto em se tratando de um navio – e na mesa diante da qual Grey estava sentado. A luz incidia em suas mãos, ainda bastante prejudicadas. Ele as flexionou devagar enquanto considerava diversos objetos próximos em termos de sua eficácia como armas. Havia um relógio de aspecto bem sólido e também a garrafa de conhaque, mas ambos estavam a alguma distância, do outro lado da cabine... Maldição, aquela era *sua* garrafa de conhaque! Mesmo de longe ele reconheceu o rótulo manuscrito. O maldito tinha assaltado sua casa!

– Como o senhor disse? – perguntou, subitamente consciente de que Richardson tinha lhe perguntado alguma coisa.

– Perguntei como o senhor se sente em relação à escravidão – disse Richardson, fingindo paciência. Como não obteve resposta imediata, tornou a falar em tom bem menos paciente: – O senhor foi governador da Jamaica, pelo amor de Deus... certamente conhece bem essa instituição, não?

– Suponho que essa seja uma pergunta retórica – disse Grey, tocando com delicadeza o machucado já em vias de cicatrização, mas ainda inchado no couro cabeludo. – Mas já que insiste... sim. Tenho razoável certeza de conhecê-la bastante melhor do que o senhor. Quanto a meus sentimentos em relação à escravidão, eu a deploro tanto por motivos filosóficos quanto de compaixão. Por quê? Esperava que eu fosse me declarar a favor?

– Poderia ter se declarado.

Richardson passou alguns instantes o encarando com atenção, então pareceu chegar a alguma decisão, pois se sentou diante da mesa em frente a Grey e o encarou com os olhos na mesma altura dos seus.

– Mas fico satisfeito que não. Agora... – Ele se inclinou para a frente, concentrado. – Sua esposa. Ou ex-esposa, se preferir...

– A sra. Fraser, o senhor quer dizer – disse Grey com educação. – Ela nunca foi minha esposa, uma vez que nosso casamento foi organizado sob a falsa impressão de que seu marido tinha morrido. Ele não morreu.

– Eu sei muito bem que não. – *Esse* comentário foi feito com certo pesar, o que deixou Grey com uma sensação esquisita no estômago.

O relógio na mesa distante emitiu um nítido *tlin* seguido por mais quatro batidas, só para enfatizar bem. Richardson olhou para o objeto por cima do ombro e produziu um ruído de insatisfação.

– Eu talvez precise ir daqui a pouco. O que quero saber é se o senhor sabe o que a sra. Fraser é.

Grey o encarou.

– Entendo que levar uma pancada na cabeça prejudicou um pouco meus processos mentais… *senhor*… mas tenho a forte impressão de que quem está sofrendo de incoerência não sou eu. O que está querendo dizer com isso?

O homem corou, um rubor estranho e irregular que deixou seu rosto manchado como um tomate parcialmente congelado. Apesar disso, a expressão de desagrado em seu rosto havia relaxado, o que alarmou Grey.

– Acho que o senhor tem uma boa noção do que quero dizer, coronel. Ela contou, não contou? É a mulher mais destemperada que já conheci, seja neste século ou em outro qualquer.

Ouvir isso fez Grey ter um sobressalto involuntário e ele maldisse a si mesmo ao ver o olhar de satisfação nos olhos de Richardson.

Que diabos eu acabei de demonstrar?

– Ah, sim. Bem… – Richardson se inclinou para a frente. – Eu também sou… a mesma coisa que a sra. Fraser, a filha e os netos dela são.

– Como é? – Aquilo deixou Grey estupefato. – O que o senhor acha que eles são, posso saber?

– Pessoas capazes de passar de um período da história para outro.

Grey fechou os olhos e aguardou alguns instantes, então suspirou profundamente e os abriu.

– Torci para estar sonhando, mas vejo que o senhor continua aqui – falou. – Esse é meu conhaque? Se for, me dê um pouco. Não vou escutar esse tipo de coisa sóbrio.

Richardson deu de ombros e lhe serviu um copo, que Grey bebeu como se fosse água. Apenas bebericou o segundo, e Richardson, que o observava com toda a paciência, assentiu.

– Certo. Então escute. Existe um movimento abolicionista na Inglaterra… Já ouviu falar nisso?

– Vagamente.

– Bem, ele vai criar raízes. No ano de 1807, o rei vai assinar a primeira Lei da Abolição, tornando o comércio de escravos ilegal no Império Britânico.

– Ah, é? Bem… ótimo.

Ele vinha procurando discretamente uma rota de fuga desde que acordara no convés e se dera conta de estar a bordo de um navio. Então percebeu que olhava para ela. As janelas da fileira inferior daquela imensa parede envidraçada tinham dobradiças; duas delas estavam abertas e deixavam entrar uma brisa fresca do mar distante.

– E em 1833 a Câmara dos Comuns vai aprovar a Lei da Abolição da Escravatura, que tornará ilegal a escravidão e libertará os escravos da maioria das colônias britânicas… uns oitocentos mil no total.

Grey era um homem esbelto e não era alto. *Achava* que conseguiria se espremer para passar por um dos painéis de vidro. E se conseguisse mergulhar no rio tinha quase certeza de ser capaz de nadar até a margem, embora tivesse visto as correntezas...

– Oitocentos mil – falou, educado, uma vez que Richardson tinha se calado enquanto esperava uma resposta. – Muito impressionante.

Estava dando conta de tomar o conhaque com os pulsos amarrados, mas nadar eram outros quinhentos... Olhou rapidamente para a corda. Talvez roer um dos nós até soltá-lo... Mas será que deveria esperar ter caído n'água, para o caso de alguém aparecer e o pegar roendo?

– Sim – concordou Richardson. – Mas nem de longe tão impressionante quanto o número de pessoas na América que *não* serão libertadas e continuarão escravas e depois sofrendo...

Grey parou de escutar ao reconhecer que o tom do discurso de Richardson tinha passado da conversa para a preleção. Deixou as mãos caírem no colo e puxou a corda discretamente para testar a folga...

– Como disse? – indagou, reparando que Richardson tinha parado de falar por um instante e o fuzilava com o olhar. – Queira me desculpar... Devo ter cochilado outra vez.

Richardson se inclinou, pegou o copo de conhaque na mesa e jogou a borra do fundo em sua cara. Pego desprevenido, Grey inalou parte do líquido, tossiu e engasgou, com os olhos ardendo.

– Queira *me* desculpar – disse Richardson com educação. – O senhor sem dúvida vai precisar de um pouco d'água com isso.

Havia uma jarra sobre a escrivaninha; ele a pegou e a virou na cabeça de Grey.

Isso na verdade ajudou a lavar quase todo o conhaque ardido de seus olhos, mas não teve efeito algum nos tossidos e engasgos, que duraram ainda alguns minutos. Quando finalmente se acalmaram, ele se recostou e enxugou os olhos com o dorso das mãos amarradas, então balançou a cabeça, o que espalhou gotículas pela escrivaninha. Algumas delas atingiram Richardson, que inspirou com força pelo nariz, mas em seguida pareceu recuperar o controle.

– Como eu dizia... – falou ele, encarando Grey com raiva. – O que vai permitir que a escravidão perdure por aqui sem ser combatida é a Revolução... e isso irá levar, em parte pelo menos, a outra guerra sangrenta e mais crueldade...

– Sim. Ótimo. – Grey ergueu as mãos com as palmas para a frente. – E o senhor sugere fazer algo em relação a isso se deslocando no tempo. Entendi perfeitamente.

– Duvido – retrucou Richardson, seco. – Mas vai acabar entendendo. É muito simples: se os patriotas não vencerem, as colônias americanas vão continuar sob domínio britânico. Elas não praticarão o comércio de escravos, e seus atuais escravos serão todos libertados nos próximos cinquenta anos. Elas não se tornarão uma nação escravocrata e a Guerra Civil, que vai ocorrer mais ou menos daqui a cem anos se não conseguirmos deter a guerra atual, não vai acontecer, salvando assim centenas de milhares de vidas, e as consequências a longo prazo da escravidão não vão... Está tentando fingir que pegou no sono outra vez, lorde John? Eu talvez seja obrigado a acordá-lo com um tapa, já que a jarra está vazia.

– Não. – Grey balançou a cabeça e endireitou as costas. – Estava só pensando. Acho que o senhor está me dizendo que pretende fazer a atual rebelião fracassar para que os americanos continuem sob domínio britânico, é isso? Sim. Certo. E como pretende fazer isso?

O homem não iria calar a boca antes de expor sua teoria inteira; pessoas como ele nunca se calavam. Gemeu interiormente, pois sua cabeça estava doendo de novo de tanto tossir, mas deu o melhor de si para aparentar atenção.

Richardson o encarou com os olhos semicerrados, mas então aquiesceu.

– Como eu disse... se é que o senhor se lembra, meus companheiros e eu identificamos várias pessoas importantes cujos atos afetarão a trajetória desta guerra. Seu irmão é uma delas. Se não o impedirmos, ele irá para a Inglaterra e fará um discurso na Câmara dos Lordes descrevendo a própria experiência da guerra americana e insistirá que, embora a guerra possa ser vencida, o custo de fazê-lo será desproporcional a qualquer benefício de manter as colônias.

Meu Deus! Se Hal fizer isso, estará fazendo por Ben. Se a guerra acabar e os americanos forem autorizados a vencer, Ben não será capturado nem enforcado como traidor. Ele não vai ser *um traidor, contanto que fique na América. Ah, Hal, meu Deus...* Seus olhos estavam lacrimejando outra vez, mas não por causa das emanações do conhaque.

– Ele não é a única pessoa em uma posição pública a defender essa opinião – acrescentou Richardson. – Mas será uma das que, quer por obra do acaso ou do destino, estarão no lugar certo na hora certa. Ele dará a lorde North a desculpa que este vem buscando para abandonar a guerra e dedicar os recursos da Inglaterra a empreitadas mais importantes. Não vai ser só Pardloe, claro... Nós temos uma lista.

– Sim, o senhor disse. – Grey começava a ter uma sensação desagradável no estômago. – O senhor disse "*nós*". Quantos vocês são?

– Isso o senhor não precisa saber – disparou Richardson e Grey sentiu uma pequena onda de satisfação. A resposta devia ser ou "Muito poucos", ou então "Eu sou o único", pensou.

Richardson se dirigiu a ele com o dedo em riste:

– Tudo que o senhor precisa saber, milorde, é que seu irmão não deve fazer esse discurso. Com sorte, a preocupação dele com sua saúde bastará para detê-lo. Caso contrário, seremos obrigados a revelar seu caráter e suas atividades publicamente, e tornar o escândalo o mais sensacional possível mandando executar o senhor por crime de sodomia. Isso deve bastar para desacreditar seu irmão e qualquer coisa que disser.

Ele fez uma pausa dramática, mas Grey não disse nada. Richardson o encarou, então deu uma risadinha.

– Mas o senhor terá o conforto de saber que sua morte vai significar alguma coisa. Terá salvado milhões de vidas... e incidentalmente impedido o Império Britânico de cometer o maior erro de cálculo econômico da história ao abandonar a América. É mais do que a maioria dos soldados consegue, não?

139

SONHOS DE GLÓRIA

Cordilheira dos Frasers
4 de setembro de 1780

Eu estava tendo o tipo de sonho delicioso em que você se dá conta de estar dormindo e aproveita esse fato. Sentia-me aquecida e tão relaxada que era como se não tivesse ossos e minha mente estava deliciosamente vazia. Estava apenas começando a afundar nessa camada nebulosa de prazer rumo aos reinos mais profundos da inconsciência quando um movimento violento do colchão debaixo de mim me fez ficar alerta em um instante.

Por reflexo, rolei de lado e estendi a mão para Jamie. Não tinha ainda alcançado o estágio do pensamento consciente, mas minhas sinapses já haviam tirado as próprias conclusões. Ele ainda se encontrava na cama, de modo que não estávamos sendo atacados e a casa não estava pegando fogo. Tudo que escutei foi sua respiração acelerada. As crianças estavam bem e ninguém tinha arrombado a casa. Portanto... o que o fizera acordar fora somente um sonho.

Esse pensamento penetrou a parte consciente de minha mente bem na hora em que minha mão tocou seu ombro. Ele se retraiu, mas não com a mesma violência que costumava demonstrar caso eu o tocasse depois de um pesadelo. Estava acordado, portanto. Sabia que era eu.

Graças a Deus por isso, pensei e inspirei fundo.

– Jamie? – falei baixinho.

Meus olhos já estavam acostumados à penumbra: podia vê-lo parcialmente encolhido a meu lado, tenso.

– Não toque em mim, Sassenach – disse ele baixinho. – Ainda não. Deixe passar.

Ele tinha ido dormir de camisolão, porque fazia frio no quarto. Mas agora estava nu. Quando havia tirado a roupa? E por quê?

Ele não se mexeu, mas seu corpo pareceu estar fluindo, a débil claridade do fogo abafado na lareira se refletindo na pele conforme relaxava, pelo por pelo, e sua respiração se acalmava.

Reagi relaxando um pouco também, embora continuasse a observá-lo com cautela. Não era um sonho de Wentworth; ele não estava suando. Quando acordava desses sonhos eu quase conseguia sentir o cheiro de medo e de sangue. Era raro ele ter esses sonhos... mas eram terríveis quando vinham.

Um campo de batalha? Talvez. Torci para que fosse. Alguns desses eram piores do que outros, mas ele voltava razoavelmente depressa de um sonho de batalha e me deixava reconduzi-lo ao sono. Eu queria muito fazer isso agora. Uma brasa estalou na lareira atrás de mim e a leve saraivada de centelhas iluminou por um instante o rosto dele e me surpreendeu. Ele parecia... tranquilo, os olhos escuros, arregalados e fixos em algo que ainda podia ver.

– O que é? – sussurrei alguns instantes depois. – O que está vendo, Jamie?

Ele balançou a cabeça devagar, com o olhar ainda fixo. Bem lentamente, porém, seus olhos tornaram a entrar em foco e ele me viu. Suspirou uma vez, fundo, e seus ombros relaxaram. Estendeu a mão para mim e eu praticamente me joguei em seus braços e o segurei com força.

– Está tudo bem, Sassenach – disse ele junto a meus cabelos. – Eu não estou... Está tudo bem.

Sua voz soou esquisita, quase intrigada. Mas era verdade: ele estava bem. Esfregou de leve as minhas costas entre as escápulas e eu cuidadosamente relaxei um pouco. Apesar do frio, ele estava muito quente, e a parte clínica de minha mente o avaliou: não estava tremendo nem se retraindo... A respiração estava normal, assim como os batimentos cardíacos, facilmente perceptíveis junto a meu peito.

– Você... *consegue* me contar? – perguntei, recuando depois de um tempinho.

Às vezes ele contava e parecia ajudar. Com mais frequência não conseguia e ficava apenas tremendo até o sonho soltar sua mente e o deixar virar as costas.

– Não sei – respondeu ele, ainda com o mesmo tom de surpresa na voz. – Quero dizer... Era Culloden, mas foi diferente.

– Como? – indaguei, cautelosa.

Pelo que ele tinha me contado, sabia que só recordava pedaços soltos da batalha, imagens vívidas e avulsas. Eu nunca o incentivei a tentar recordar mais, mas tinha reparado que esses sonhos aconteciam com mais frequência quando íamos nos aproximando de algum conflito iminente.

– Você *viu* Murtagh?

– Vi, sim. – O tom de surpresa em sua voz se intensificou e sua mão se imobilizou em minhas costas. – Ele estava comigo, do meu lado. Mas eu consegui ver seu rosto: estava brilhando igual ao sol.

Essa descrição de seu finado padrinho era mais do que singular: Murtagh fora um dos exemplos mais carrancudos de macho escocês jamais produzidos nas Terras Altas.

– Ele estava... feliz? – arrisquei, dubitativa.

Não conseguia imaginar ninguém que tivesse posto o pé na charneca de Culloden naquele dia abrindo nem que fosse uma nesga de sorriso... nem mesmo o duque de Cumberland.

– Ah, mais do que feliz, Sassenach... Ele estava em júbilo. – Jamie então me soltou e me encarou de cima. – Todos nós estávamos.

– Todos...? Quem mais estava lá? – Minha preocupação com ele agora tinha quase sumido, substituída pela curiosidade.

– Não sei direito... Alex Kincaid estava lá, e Ronnie...

– Ronnie McNab? – disparei, atônita.

– É – respondeu ele, mal reparando em minha interrupção.

Jamie tinha as sobrancelhas contraídas, parecia concentrado, e de seu rosto emanava uma estranha radiação.

– Meu pai também estava lá, e meu avô... – Isso o fez rir, espantado. – Não consigo imaginar *por que* ele estaria lá... mas estava, claro como o dia, perto do campo de batalha e observando o que acontecia com uma cara zangada. Mesmo assim, aceso feito uma lanterna de nabo esculpido no festival de Samhain.

Não quis comentar que todos os que ele havia mencionado até ali estavam mortos. Muitos nem sequer estavam presentes no campo de batalha naquele dia: Alex Kincaid morrera em Prestonpans e Ronnie McNab... Olhei involuntariamente para o fogo que ardia sobre a pedra preta nova da lareira. Mas Jamie ainda mirava as profundezas do próprio sonho.

– O principal quando se luta é o esforço, sabe? Você fica cansado. Sua espada pesa tanto que você acha que não vai conseguir levantá-la outra vez... mas consegue. – Ele se espreguiçou, flexionando o braço e o virando para observar a movimentação da luz nos pelos clareados de sol e nos músculos profundamente marcados. – Faz um calor escaldante... ou então um frio gélido, e tudo que você quer é estar em outro lugar longe dali. Sente medo ou então fica ocupado demais para sentir medo até tudo acabar, e aí começa a tremer por causa do que acabou de fazer... – Ao dizer isso, ele balançou a cabeça com força para desalojar os pensamentos. – Não desta vez. Muito raramente alguma coisa toma conta de você... a coisa vermelha, é como eu sempre a chamei. – Ele olhou para mim, quase tímido. – Essa coisa tomou conta de mim... quando ataquei no campo de batalha de Culloden. Só que desta vez... – Ele correu as mãos pelos cabelos devagar. – No sonho... foi diferente. Eu não senti medo nem cansaço... Você alguma vez já suou durante um sonho, Sassenach?

– Literalmente, você quer dizer? Sim. Mas se tenho consciência de estar suando no sonho? Não, acho que não.

Ele assentiu, como se isso confirmasse alguma coisa.

– É. Tampouco acho que se sintam cheiros em um sonho, a não ser talvez fumaça porque a casa pegou fogo a seu redor enquanto você dormia. Mas agora há pouco eu senti coisas quando sonhava. As plantas da charneca arranhando minhas pernas, a urze grudando na barra de meu kilt e a textura do capim em minha bochecha quando caí. E a água na qual fiquei caído me deu frio... e eu senti o coração gelar dentro do peito e os batimentos ficarem mais lentos… Acho que estava sangrando, só que nada doía… e eu também não estava com medo.

– Você tirou a roupa no sonho? – perguntei, tocando seu peito nu.

Ele baixou os olhos para meu dedo com uma expressão de quem não entende. Então soltou uma expiração explosiva.

– Meu Deus. Tinha me esquecido dessa parte. Foi ele… Jack Randall. Ele apareceu do nada e começou a andar pelo meio do campo de batalha, nu em pelo.

– *O quê?*

– Bom, Sassenach, não me pergunte, eu não sei por quê. Ele simplesmente… estava lá. – Sua mão tornou a flutuar até o peito e tocou a pequena depressão do esterno. – E eu também não sei por que estava. Simplesmente… estava.

140

TRÊS ROUNDS COM UM RINOCERONTE

Cordilheira dos Frasers
16 de setembro de 1780

– Parece que você já fez isso antes – comentei, sorrindo entre os joelhos de Brianna.

– Se alguém acha que vou fazer *outra vez*… – arfou ela, mas se interrompeu e seu rosto suado se contorceu como o de um gárgula. – *HUMMMM.*

– Maravilha, querida – falei, com os dedos no objeto redondo e cabeludo que apareceu por um instante entre suas pernas.

Senti-o só por um segundo antes de ele voltar a sumir, um segundo de pulsação latejante, mas isso bastou. Não havia nada que indicasse algo fora do normal, apenas espanto e uma intensa curiosidade.

– Meu Deus, parece um coco – comentou Roger de onde estava sentado, ajoelhado no chão a meu lado.

– AAAARGHHHH! HUMMMMM! Eu vou *matar* você! Seu filho da…

Brianna se interrompeu, arfou feito um cachorro, então cravou com força no chão forrado de palha as pernas marcadas por filetes de sangue, levantou-se parcialmente da cadeira de parto e o bebê foi ejetado para fora e caiu pesadamente em minhas mãos.

– Ai, meu Deus! – exclamou Roger.

– Não vá desmaiar – falei, ocupada em liberar o nariz e a boca do menininho. – Fanny? Se ele cair, arraste-o para longe.

– Eu não vou desmaiar – disse ele com voz trêmula. – Ah, Bree. Ah. Ah, Bree!

Pude senti-lo agitar a palha ao se levantar para ficar com ela, mas minha atenção estava dividida entre Brianna e o bebê: ela havia perdido bastante sangue e sofrido um pequeno rasgo no períneo, mas não havia hemorragia aparente; já o bebê remexia o rostinho rosado contorcido na mesma expressão exata de gárgula da mãe segundos antes. Seu coração batia feito um martelete em miniatura e... eu já estava sorrindo, mas meu sorriso se alargou quando ele se desvencilhou de meu pedaço de gaze e se pôs a gritar como uma serra elétrica irada.

– Apgar nove ou dez – afirmei, feliz. – Muito bem, querida... vocês dois se saíram muito bem!

– Onde está o apgar dele? – perguntou Fanny, franzindo a testa para o bebê. – É assim que a senhora chama o...?

– Ah, não. É uma lista que se percorre com um recém-nascido para avaliar a condição dele. "Apgar" significa *Activity*, atividade, *Pulse*, batimentos cardíacos, *Grimace*, reflexos... isso ele com certeza tem... *Appearance*, cor... Viu como está rosado? Um bebê em dificuldade pode ter os dedos das mãos e dos pés azulados ou então estar inteiramente azul. Isso seria muito ruim.

Tive uma rápida visão do parto de Amanda e do último bebê azul que havia segurado, e meus braços se arrepiaram. Fechei os olhos enquanto fazia uma prece rápida por Abigail Cloudtree e pelo neto saudável que segurava no colo.

– E o R é de quê? – perguntou Roger, curioso.

Ergui os olhos: ele estava ninando a cabeça de Bree e afastando com delicadeza os fios de cabelo encharcados de suor grudados no rosto dela, mas seus olhos estavam pregados no bebê.

– De *Respiration*, respiração – falei, levantando um pouco a voz para me fazer ouvir apesar dos gritos ritmados e altos do bebê. – Se estiverem gritando, estão respirando. Venha cá cortar o cordão dele para mim, papai. Fanny, desça aqui também. A placenta vai sair a qualquer momento.

– Onde está Pa? – perguntou Brianna, levantando a cabeça.

– Bem aqui, menina.

Jamie, antes parado no vão da porta, guardou o terço no bolso e foi até Bree, abaixando-se para beijar sua testa e lhe murmurar algo em gaélico que fez seu rosto cansado, porém sorridente, desabrochar.

O recinto fedia a sangue, fezes e tinha o cheiro pantanoso fecundo e característico de líquido amniótico.

– Tome, meu amor. – Levantei-me, com os joelhos enrijecidos por ter passado uma hora ajoelhada no chão duro, e pus o bebê no colo dela. – Cuidado, ele ainda está um pouco escorregadio.

O menino tinha o aspecto levemente ceroso de um recém-nascido, ainda revestido com o vérnix protetor que o havia abrigado nas águas que acabara de atravessar. Minhas costas levaram alguns segundos para se destravar o suficiente e me permitir adotar uma postura ereta e estiquei os braços para cima enquanto gemia.

– Ainda não estou vendo – disse Fanny. Ela continuava ajoelhada, vigiando com atenção o espaço entre as pernas abertas de Brianna.

– Veja se ele mama, sim, querida? – falei para Bree. – Isso vai ajudar seu útero a se contrair.

– *Exatamente* do que eu preciso – resmungou ela, mas nada afetava o sorriso enlevado que não parava de aparecer e desaparecer por trás do véu de exaustão que lhe cobria o rosto.

Puxou para baixo o decote da combinação suja de suor e de sangue e, com todo o cuidado, guiou o rosto aos berros do bebê até o seio. Todos ficaram olhando, fascinados, ele esfregar o rosto no seio para lá e para cá, ainda aos berros. Bree tentou mover o mamilo com uma das mãos enquanto segurava o filho com a outra. Cada um dos mamilos exibia uma minúscula gota de líquido transparente.

– Está vendo? – falei para Fanny, apontando com um movimento da cabeça. – Isso é o colostro. Ele sai antes do leite de verdade. É cheio de anticorpos e coisas úteis. – Ela se virou para mim com um olhar atarantado. – Isso quer dizer que o bebê vai ficar protegido de qualquer doença... bom, da maioria das doenças que a mãe teve – expliquei.

O bebê se remexeu e Bree quase o deixou cair.

– Epa! – exclamou quase todo mundo.

Ela fez cara feia para Roger, que estava mais perto.

– Estou *segurando* – falou.

O bebê jogou a cabeça para trás, em seguida a jogou para a frente, encontrou o mamilo e o abocanhou com um suspiro irritado que disse com tanta eloquência "*Bom, até que enfim!*" que todos riram e o recinto relaxou.

Uma leve batida no batente da porta anunciou a chegada de Patience e Prudence Hardman, ambas com o semblante pleno de curiosidade.

– Ouvimos o bebê chorar – disse Prudence. – Por favor, é menino ou menina?

– E você está bem, amiga Bree? – perguntou Patience sorrindo com hesitação para Brianna, cujos cabelos começavam a secar e ganhar volume e que parecia um leão depois de lutar três rounds com um rinoceronte e ainda sem ter certeza de quem saíra vencedor. Continuava sorrindo, porém, e acariciou a cabeça do bebê enquanto olhava para ele.

– É um menininho – falou, a voz rouca de tanto gritar, mas suave.

– Aah! – fizeram Patience e Prudence juntas, então se entreolharam e riram. Patience se controlou, porém, e perguntou se Bree queria comer alguma coisa.

– Mamãe fez um pão de minuto com geleia, caso você ficasse faminta. E tem bastante leite com açúcar – acrescentou Prudence. – Qual é o nome do bebê?

– Estou faminta – disse Bree. – Quanto a... humm... – Ela se interrompeu e seus olhos se fecharam em uma careta. – Humm...

– Lá vem! – exclamou Fanny. – Está vindo, eu estou vendo... ah!

Ela estava de quatro no chão examinando atentamente e se levantou com um tranco quando a placenta escorregou para fora e aterrissou com um saudável *plof* nas tábuas cobertas de palha do chão. Roger e Jamie desviaram o rosto depressa, mas as duas jovens quacres aprovaram com um meneio de cabeça solene.

– Igualzinha à da mamãe quando ela teve Chastity – disse Prudence. – Nós usamos para fazer um chá.

A placenta escura, com seu emaranhado retorcido de vasos sanguíneos e os resquícios do cordão umbilical semelhante a uma corda, acrescentou seu cheiro carnoso ao suor pungente e ao aroma de palha fresca pisoteada.

– Acho que vamos enterrá-la no jardim – falei depressa ao ver a expressão no rosto de Bree. – Faz muito bem para a terra. Quanto aos nomes… você pensou em algum?

– Em vários – respondeu ela e baixou os olhos para aconchegar mais o bebê junto a si. – Mas decidimos esperar para conhecê-lo… antes de tomar a decisão.

– Pensamos em Jamie – disse Roger, erguendo a sobrancelha para o atual detentor desse nome, que fez que não com a cabeça.

– Não, não dá para ter um Jemmy *e* um Jamie – objetou ele. – Eles nunca vão saber quem está sendo chamado. E Jem já foi batizado em homenagem ao seu *da*, Roger Mac… mas quem sabe o reverendo?

Roger sorriu.

– É uma ideia gentil, mas o reverendo se chamava Reginald, e eu não acho que… e *você* já tem o mesmo nome do pai de Jamie – disse ele a Bree. – Claire? Qual era o nome de seu pai?

– Henry – respondi distraída e olhei para as nádegas minúsculas. Uma fralda seria necessária dali a instantes… – Mas ele não se parece muito com um Henry, não é? Ou Harry? – O fluxo de sangue diminuíra depois de a placenta sair, mas ainda continuava. – Meu amor, preciso que vá para a cama para eu poder massagear sua barriga.

Roger e Jamie levantaram Bree com o bebê e a transferiram com segurança até a cama, que eu havia forrado com um pedaço de lona. A conversa sobre nomes continuou por algum tempo – e todos deram sugestões, inclusive Fanny e as Hardmans, enquanto Bree declarou com ênfase que não deixaria o pequeno passar meses sem nome como Oggy-Hunter – enquanto eu massageava a barriga grande e cada vez mais flácida de Bree, parando de vez em quando para verificar seu coração, que batia normalmente. Ao sentir que o útero começava preguiçosamente a se contrair, costurei o pequeno rasgo no períneo e lavei delicadamente suas pernas.

– Bem, outra opção é David. – Jamie estava dizendo. – Era o segundo nome do meu *da*. Além disso, é um nome de rei. De dois reis, na verdade: o escocês e o hebreu. Um grande guerreiro, embora dado à fornicação.

Fez-se um instante de silêncio, pontuado por um débil rumor de reflexão cuidadosa.

– David – disse Bree, começando a ficar sonolenta. O bebê tinha pegado no sono e o mamilo dilatado lhe escapou lentamente da boca quando sua cabeça pendeu. – Pequeno David. Não é mau.

Ela deu um bocejo e olhou para Jamie, que fitava o menininho com tanto carinho que senti uma pontada no coração e fiquei com lágrimas nos olhos.

– Podemos chamá-lo de William como segundo nome, Pa? Eu gostaria.

Jamie pigarreou e assentiu.

– Sim – falou com a voz embargada. – Se quiser. Roger Mac?

– Sim – disse Roger. – E Ian, quem sabe?

– Ah, sim – disse Bree. – Meu Deus, isso é comida?

Eu tinha escutado vagamente passos na escada e então Silvia entrou com todo o cuidado no quarto segurando uma bandeja com pão e geleia, batatas fritas, uma tigela de sopa e uma jarra de leite.

– Vejo que está tudo bem com você, irmã – disse ela baixinho para Bree e pousou a bandeja. – E com o pequenino, Deus seja louvado!

– Tome, Roger – disse Bree, esforçando-se para se sentar ereta com o bebê no colo. – Pegue ele.

Roger o pegou e recuou alguns passos de modo a podermos acabar de arrumar Bree e apoiá-la para que pudesse comer. Ergui os olhos e o vi, com uma expressão suave, tirar os olhos do bebê recém-enrolado em uma manta e ver Jamie, que espiava timidamente o novo neto por cima de seu ombro.

– Tome, vovô – disse Roger.

E com todo o cuidado, passou o pequeno David William Ian Fraser MacKenzie para os braços do avô, com a cabeça do menininho envolta pela mão grande de Jamie, sustentada com a mesma delicadeza de uma bolha de sabão.

Fanny, que se levantava a meu lado, com os braços repletos de roupa suja e fedida, tirou os olhos dessa cena tocante e me encarou muito séria.

– Eu não vou me casar *nunca* – declarou.

141

NA CLAREIRA TOMADA POR ZUMBIDOS

Coronel Francis Locke, regimento de
milícias do condado de Rowan, comandante
26 de agosto de 1780

Coronel Fraser,

Escrevo para informar que recebi um despacho de Isaac Shelby me informando que no último dia 19, no Moinho de Musgrove, perto do rio Enoree, uma força com cerca de duzentos homens de uma Milícia Patriota das Milícias do condado da Carolina do Norte e Geórgia, liderados pelos coronéis Shelby, James Williams e Elijah Clarke, atacou e derrotou uma força legalista que protegia o moinho que controla o abastecimento de grãos e o rio da localidade, reforçada por sua vez por cem homens de Milícia Legalista e cerca de duzentos soldados regulares da província, a caminho de irem se unir às forças do major Patrick Ferguson.

Fui informado de que o embate foi duro e de que alguns da milícia legalista atacaram com baionetas, mas foram sobrepujados por soldados patriotas que corajosamente partiram para cima deles aos gritos, atirando e brandindo espadas contra todos, e assim interrompendo o ataque.

O capitão Shadrach Inman, da milícia da Geórgia comandada por Clarke, foi morto durante o primeiro ataque, mas conseguiu desorganizar os defensores, que se viram então em certa confusão e foram sobrepujados e dispersados, tendo cerca de setenta homens sido capturados e quase a mesma quantidade mortos, ao passo que as forças patriotas perderam somente quatro homens e uma dúzia foi capturada.

Embora saiba que o senhor vai compartilhar minha alegria ao se inteirar dessa notícia, deve compartilhar também minha preocupação. Se tantos soldados da província e outros legalistas estão seguindo ao encontro de Ferguson de um lugar como o Moinho de Musgrove, toda a zona do interior das Carolinas está mobilizada e devemos estar preparados para grandes perturbações caso Ferguson logre reunir uma força numerosa, o que parece muito provável. Precisamos impedi-lo enquanto ainda há tempo.

Renovo meu convite para o senhor e seus homens se unirem ao regimento de milícias do condado de Rowan, e reitero minha promessa de que, se o fizer, o senhor permanecerá no comando direto de seus homens, estando sujeito apenas a meu comando e em condições de igualdade com os outros comandantes de milícia, com direito a usar o aprovisionamento e a pólvora à disposição do regimento. Mantê-lo-ei a par das notícias que me chegarem e torço para ter sua companhia nessa grandiosa empreitada.

Francis Locke, coronel

Regimento de milícias do condado de Rowan, comandante

Jamie dobrou a carta com todo o cuidado, reparando distraído que seus dedos tinham borrado de leve a tinta da assinatura de Locke por causa do suor em suas mãos.

A tentação era grande. Ele *poderia* pegar seus homens e se unir a Locke em vez de lutar com os homens do outro lado das montanhas na Montanha dos Reis. Locke e seu regimento já tinham expulsado um grupo significativo de legalistas no Moinho de Ramseur, em junho, e tinham feito isso bastante bem. O livro de Randall fazia uma breve menção ao incidente, mas o que dizia correspondia aos relatos que havia escutado, inclusive no detalhe de um grupo improvável de alemães do Palatinado que tinha se unido às tropas de Locke.

Tirando isso... nada mais se dizia sobre Locke no livro (pois não conseguia deixar de pensar nele como tal) até uma escaramuça em um lugar chamado Moinho de Colson, no ano seguinte. A Montanha dos Reis se situava entre agora e essa data, projetando em sua direção sua comprida sombra. E, de toda forma, Jamie não podia deixar a Cordilheira indefesa por muito tempo. Sabia que ainda havia pró-britânicos entre seus colonos e pensou em Nicodemus Partland. Não ouvira falar em outra tentativa, mas sabia muito bem que quase tudo, e quase qualquer um, podia atravessar a Linha Cherokee sem que ele soubesse.

Com um suspiro, guardou a carta no bolso e, sem conseguir ficar parado sentado com os próprios pensamentos, subiu o morro até a horta de Claire, não com a intenção de contar sobre a carta de Locke, mas pelo reconforto momentâneo da presença dela.

Não a encontrou lá e hesitou após entrar pelo portão, mas então o fechou atrás de si e caminhou na direção da fileira de colmeias. Tinha construído para ela um banco comprido e sobre este havia agora nove colmeias, todas a zumbir tranquilamente sob o sol outonal. Algumas eram daquelas feitas de palha trançada, mas Brianna tinha construído também três caixas, com armações de madeira dentro e uma espécie de ralo para facilitar a colheita do mel.

Algo não lhe saía da cabeça, um poema que Claire certa vez lhe recitara sobre noves e abelhas. Só tinha guardado um pedacinho: *Lá hei de ter nove fileiras de pés de feijão, uma colmeia para as abelhas fazerem mel e sozinho hei de viver na clareira tomada por zumbidos.* O número nove sempre o deixava intrigado por causa de seu encontro com uma velha vidente em Paris.

"Você morrerá nove vezes antes de descansar em seu túmulo", tinha dito a mulher. Claire já havia tentado algumas vezes contar quantas vezes ele deveria ter morrido. Ele raramente o fazia, devido a um temor supersticioso de atrair má sorte por pensar a respeito.

As abelhas cuidavam da vida. O ar estava tomado por elas e o sol de fim de tarde se refletia em suas asas e as fazia luzir como centelhas em meio ao verde da horta. Alguns girassóis já em frangalhos margeavam uma das paliçadas, com suas sementes parecidas com seixos cinzentos, junto com bálsamo e cosmos. Gencianas cor-de-rosa... essas ele reconheceu, porque Claire as utilizava para fabricar um unguento que já usara nele mais de uma vez e porque trouxera uma muda de Wilmington e a transplantara para um espacinho arenoso na horta especialmente criado por ela. Tinha lhe trazido a areia e sorrido ao ver o trecho de solo claro em meio à greda mais escura. As abelhas pareciam apreciar as varas-de-ouro... mas, segundo Claire, elas agora estavam colhendo principalmente na floresta e nas campinas.

Ele avançou devagar até o banco e estendeu a mão para as colmeias, mas só tocou em uma delas depois de uma ou duas abelhas pousarem de leve em sua mão, fazendo cócegas na pele com as patas. "Para elas não acharem que você é um urso", tinha dito Claire rindo. A lembrança o fez sorrir e ele tocou a palha aquecida pelo sol e ficou simplesmente ali parado, livrando-se aos poucos dos pensamentos que o perturbavam.

– Vocês vão tomar conta dela, não vão? – indagou por fim, dirigindo-se baixinho às abelhas. – Se ela vier e disser a vocês que eu não estou mais aqui, vão alimentá-la e se preocupar com ela? – Ficou parado por mais alguns instantes, escutando o zumbido incessante. – Eu confio ela a vocês – falou por fim e se virou para ir embora com o coração mais leve no peito.

Só depois de fechar o portão atrás de si e começar a descida em direção à casa foi que outro trecho do poema lhe voltou à lembrança. *E lá hei de ter um pouco de paz, pois a paz vem caindo lentamente...*

142

... NÃO ACHA?

20 de setembro de 1780

De coronel John Sevier
Para coronel James Fraser

Ficamos sabendo que a milícia legalista de Ferguson saiu de Camden, onde estava reunida com Cornwallis, mas está agora se deslocando na direção sul rumo à Carolina do Norte.

Dizem que ele pretende atacar e incendiar os assentamentos patriotas que encontrar pelo caminho. Nossa intenção é encontrá-lo em algum ponto conveniente do trajeto. Se o senhor e suas tropas estiverem decididos a se unir a nós, iremos nos encontrar e nos reunir nos baixios de Sycamore no dia 25 de setembro.

Levem as armas e a pólvora que tiverem.

John Sevier, coronel de milícia

21 de setembro de 1780

Aos moradores da Carolina do Norte

Senhores: a menos que desejem ser devorados por uma inundação de bárbaros, que começaram assassinando um filho desarmado na frente do pai e, em seguida, deceparam-lhe os braços, e que pelas suas chocantes crueldades e irregularidades dão a melhor das provas de sua covardia e falta de disciplina, repito, se desejam ser amarrados, roubados e assassinados, e ver suas esposas e filhas daqui a quatro dias maltratadas pela escória da humanidade – em suma, se desejam viver e ser chamados de homens, peguem suas armas agora mesmo e corram para o acampamento.

Os homens do interior atravessaram as montanhas: McDowell, Hampton, Shelby e Cleveland os comandam, para saberem o que esperar. Se desejarem que um bando de vira-latas mije em cima de vocês para todo o sempre, digam logo e permitam que suas esposas lhes virem as costas e saiam em busca de homens de verdade para protegê-las.

Pat. Ferguson, major 71º Regimento

Cordilheira dos Frasers
22 de setembro, Anno Domini 1780

Eu, James Alexander Malcolm MacKenzie Fraser, em pleno gozo de minhas faculdades mentais

Jamie se perguntou quantos homens paravam nesse ponto para debater consigo mesmos o estado das faculdades mentais. Se a pessoa tivesse passado o último ano conversando com um morto, seria razoável ter algumas dúvidas. Por outro lado, quem admitiria por escrito ter certeza de não estar batendo bem da bola?

Ou ainda, se não estivessem de todo loucos, o que dizer dos homens que nunca haviam passado um dia sóbrios na vida ou dos que tinham voltado da guerra com algo faltando… ou com algo na consciência. Esse pensamento fez seus pelos se arrepiarem da nuca até o rego da bunda e ele apertou a pena com tanta força que ela se partiu com um minúsculo *clec*.

É, bem, se ele quisesse que seu Último Testamento fosse levado a sério, supunha que devesse *dizer* estar em pleno gozo de suas faculdades independentemente do que pensasse.

Suspirou e olhou para as penas que ainda tinha no vidro. Quase todas eram de ganso ou de peru… mas duas eram as penas listradas das asas de uma coruja. Bem, ele pretendia guardar silêncio em relação *àquilo…*

Cortou uma pena de coruja para afiá-la enquanto organizava as ideias. A tinta estava fresca e recendia fortemente a ferro e ao aroma vegetal de bugalhos de carvalho. Aquilo o acalmou. Um pouquinho.

… aqui declaro e juro perante Deus ser este meu Último Testamento.

Deixo para minha esposa, Claire Elizabeth Beauchamp Fraser (que o diabo me carregue se vou colocar o nome *dele* aqui), *todos os bens e mercadorias que possuir ao morrer, em sua totalidade, com exceção de algumas doações individuais conforme listadas abaixo:*

Para minha filha, Brianna Ellen Fraser MacKenzie, deixo 80 hectares das terras que me foram doadas pela Coroa… (bem, dali a mais dois anos a maldita Coroa não teria mais nada a dizer em relação ao assunto, se Claire e os outros estiverem certos quanto ao que está acontecendo, e até aqui eles pareceram estar)... Resmungou "*Ifrinn*" entre dentes e riscou *das terras que me foram doadas pela Coroa*, substituindo o trecho por *da concessão de terras conhecida como Cordilheira dos Frasers.*

Prosseguiu com doações semelhantes para Roger, Jeremiah, Amanda e, após pensar alguns instantes, Frances. Quer ela fosse de seu sangue ou não, não poderia deixá-la sem recursos. Se tivesse terras ali, Brianna e a família poderiam cuidar dela e ajudá-la a encontrar seu rumo na vida, quem sabe um bom marido...

Ah, espere um instante... o bebê novo de Brianna. *David*, acrescentou ele sorrindo.

Vinte hectares para Bobby Higgins; ele tinha sido um bom capanga. Bobby merecia.

Para meu filho Fergus Claudel Fraser e sua esposa, Marsali Jane MacKimmie Fraser, deixo a quantia de 500 libras em ouro.

Seria um exagero? Uma riqueza assim atrairia patifes como moscas eram atraídas por cocô, caso viesse à baila. Mas tanto Fergus quanto Marsali eram criaturas astutas. Podia confiar que tomariam cuidado.

Havia pequenos objetos a serem doados: seu alfinete de rubi, seus livros (talvez deixasse os do hobbit para Jem), duas ferramentas (essas ficariam para Brianna, claro) e armas (se elas voltarem sem mim)... mas restava ainda uma pessoa importante a ser considerada. Ele hesitou, mas então escreveu devagar, só para ver como aquilo ficava no papel...

Para meu filho... Pousou a pena com cuidado de modo a não borrar o papel, mas teria que passar a limpo de toda forma, por causa das rasuras.

William não precisava que ele deixasse nada de natureza material.

Ou será que precisava? Bree disse que o rapaz quer abrir mão do título; nesse caso, ele vai perder todos os bens ligados à propriedade. Mas o duque acha que ele não pode fazer isso... Mesmo se pudesse, ou mesmo que recusasse o título, John Grey cuidaria de seu bem-estar. Para quem ele iria deixar seu dinheiro se não para William?

Isso era o raciocínio lógico. Infelizmente, ele *não* estava raciocinando de maneira lógica, não no momento. E quer fosse por amor, por orgulho pecaminoso ou por algo ainda pior, não podia morrer sem deixar algo de si para William. *E não vou morrer sem reconhecer William publicamente, quer esteja ou não presente para ver a cara dele quando for informado.* Pensar nisso fez sua boca tremer e ele pressionou os lábios um contra o outro para fazê-la parar. Mais rasuras...

Para meu filho natural, William James Fraser, conhecido também como William Clarence Henry George Ransom, conhecido também como o nono conde de Ellesmere...

Mordeu a ponta da pena, sentiu um gosto amargo de tinta, então escreveu:

... 100 libras em ouro, os três caixotes de uísque identificados como JFS e minha Bíblia verde. Que ele encontre em suas páginas auxílio e sabedoria.

– Talvez os encontre mais no uísque – murmurou para si mesmo, mas sua alma estava mais leve.

Dez libras para cada um dos netos, nominalmente identificados. Ficou feliz ao ver a lista inteira. Jem, Mandy, Davy, Germain, Joanie, Félicité – fez uma cruzinha no papel para representar Henri-Christian e sentiu um aperto na garganta – e os dois novos bebês, Alexandre e Charles-Claire. *E qualquer descendente que vier a nascer... de qualquer um de meus filhos.* Era uma sensação esquisita pensar que não apenas Brianna poderia vir a ter mais filhos, mas também Marsali, sua irmã Joan, caso viesse a se casar (maldição, tinha me esquecido de colocar Joanie junto com seus outros filhos! Mais rasuras), ou então a esposa de William, fosse ela quem fosse.

Começava a lamentar não estar vivo para conhecer a esposa de William ou ver seus filhos, mas afastou esse pensamento com firmeza. Se chegasse ao Céu, estava certo de que lá teriam algo previsto para a pessoa saber como a família estava se virando sem ela e talvez o deixassem dar uma espiadinha ou ajudar de alguma forma. Pensou que ser um fantasma poderia ser até interessante... Não se importaria nada em visitar várias pessoas nessa condição, só para ver a expressão no rosto delas...

> *Os filhos são herança do Senhor, uma recompensa que ele dá. Como flechas nas mãos do guerreiro são os filhos nascidos na juventude. Como é feliz o homem cuja aljava está cheia deles!*

Esse pensamento o fez sorrir, mas pensar em filhos lhe trouxe à mente mais um. Maldição: tinha se esquecido de Jenny, Ian e Rachel, e do jovem Hunter James Pequeno Lobo... bem como do pequenino ainda desconhecido de Rachel, que só viria a nascer na primavera.

Esfregou dois dedos entre os olhos. Talvez devesse pensar mais e terminar aquilo depois.

O problema era que não se atrevia a ir à Montanha dos Reis sem ter disposto de seus bens, caso estivesse certo em relação ao que achava que Frank Randall estava lhe dizendo.

Será que ele mentiria? Um historiador, que tinha feito um juramento para si mesmo de dizer a verdade até onde lhe permitissem suas capacidades?

Qualquer homem seria capaz de mentir sob as circunstâncias certas... e considerando o que Frank Randall havia descoberto sobre Jamie Fraser...

Ele não podia correr o risco. Tornou a empunhar a pena e recomeçou a escrever:

Para minha irmã, Janet Flora Arabella Fraser Murray, deixo meu terço...

143

POSSO DIZER UMA COISA?

Baixios de Sycamore, Condado de Washington,
colônia da Carolina do Norte
26 de setembro de 1780

Mais do que qualquer pessoa, eu deveria ter sabido que a história possui apenas um vínculo frágil com os fatos reais. E ainda mais com os pensamentos, atos e reações dos envolvidos. Eu sabia disso, na verdade, mas por algum motivo tinha esquecido. E embarcara naquela excursão militar com o relato histórico gravado na mente, ainda que de forma subconsciente.

Tinha *mesmo* imaginado que o encontro nos Baixios de Sycamore fosse ser a costumeira agitação de pessoas variadas chegando em horários distintos, seguida pela confusão e a desorganização costumeiras que acompanhavam qualquer empreitada com mais de um líder, e de fato foi isso que aconteceu.

Mas *não* tinha imaginado que ninguém, exceto eu, fosse levar qualquer coisa significativa em matéria de comida ou material médico, nem me dado conta de que nenhum dos líderes da milícia sabia para onde estava indo.

Fazia muito tempo que eu vinha pensando na Montanha dos Reis como se fosse um pico rochoso rombudo envolto em perigo. Em minha mente, ela havia adquirido o aspecto do Monte da Perdição. Profetizado e inexorável. Entretanto, nenhum dos membros da milícia que estavam indo para lá a conhecia. Como ignoravam a breve, porém meticulosa, exegese da batalha feita por Franklin W. Randall (*Jesus H. Roosevelt Cristo*, pensei. *Será que os pais de Frank o batizaram em homenagem a Benjamin Franklin? Calma, Beauchamp, você está ficando histérica...*), Sevier, Shelby, Cleveland, Campbell, Hambright e os outros não faziam a menor ideia de que era para a Montanha dos Reis que estávamos indo. Estávamos indo atrás de Patrick Ferguson, um objetivo bem menos definido.

As notícias relacionadas a seus movimentos nos chegavam a conta-gotas e dependiam da chegada imprevisível de mensageiros e dos detalhes por eles relatados. Sabíamos que o major e seus cada vez mais numerosos soldados da província – a milícia britânica oficial –, além de legalistas que houvessem se juntado a ele por medo ou por fúria, estavam rumando para o sul, em direção à Carolina do Sul, com a intenção de atacar e destruir pequenos assentamentos patriotas. Como, por exemplo, a Cordilheira dos Frasers. Sabíamos, ou pensávamos saber, que as tropas dele consistiam em mais ou menos mil homens, o que não era uma quantidade desprezível.

Tínhamos uns novecentos mais ou menos, incluindo eu. Minha presença havia atraído muitos olhares e murmúrios, e Jamie fora convocado para falar com os outros líderes das milícias, decerto para lhe dizerem que me mandasse para casa.

– Respondi que não. – Foi sua resposta quando lhe perguntei *como* ocorrera essa conversa. – E disse que, caso você fosse molestada ou incomodada de qualquer modo, iria embora na mesma hora com meus homens e lutaria sozinho.

Consequentemente, não fui incomodada nem molestada e, embora os olhares e resmungos tivessem perdurado por algum tempo, não foi preciso mais de uma semana comigo cuidando de pequenos acidentes e moléstias para eles também cessarem. Eu tinha virado a médica da companhia e não houve mais perguntas quanto ao que estava fazendo ali.

Embora não soubéssemos *exatamente* onde Ferguson se achava, tampouco estávamos andando sem rumo pela mata. Ferguson não movia suas tropas por montanhas desprovidas de trilhas, e nós também não. Na maior parte do tempo, um exército precisa de estradas. E os mensageiros nos informavam sobre quais delas a milícia legalista estava usando. Era óbvio que iríamos convergir em algum ponto.

Jamie, o Jovem Ian, Roger e eu sabíamos onde se daria essa convergência, mas esse conhecimento não tinha valor prático, uma vez que não podíamos dizer ao coronel Campbell e aos outros *como* sabíamos isso.

Tampouco teria sido de grande valia dizer. Estávamos avançando depressa, e na direção geral da Montanha dos Reis... e Patrick Ferguson também.

Tínhamos deixado os Baixios de Sycamore no dia 26 de setembro. Segundo a história e Frank, a batalha iria acontecer no dia 7 de outubro.

Era outono e o tempo estava instável. Os primeiros dias de temperatura amena logo deram lugar a chuvas torrenciais e ventos gélidos nas montanhas, apenas para voltar em uma breve lufada de calor quando descemos para entrar em um vale. Não estávamos levando barracas e nosso único abrigo era um eventual pedaço de lona, de modo que vivíamos com frequência encharcados até os ossos. Embora cada homem tivesse levado um pouco de provisões, estas não duraram muito durante a marcha.

Na falta de qualquer coisa parecida com um intendente ou vagões de suprimentos, nosso bando sobrevivia de modo improvisado, recorrendo à hospitalidade dos parentes ou rebeldes conhecidos por cujas fazendas passasse, de vez em quando atacando as plantações e fazendas dos legalistas – embora Sevier e Campbell se esforçassem para impedir os homens de fuzilarem ou enforcarem os legalistas que vitimavam. A opção era passar fome. Havia duas ou três carroças, que viviam atolando e tendo que ser empurradas para fora da lama ou arrastadas por cursos d'água, mas que serviam ao transporte de armas e pólvora; a sra. Patton havia fornecido um número satisfatório de barris. Alguns homens andavam sempre com suas espingardas, bolsas de munição e chifres de pólvora; outros as deixavam nas carroças a menos ou até que algum problema se apresentasse. Jamie e o Jovem Ian andavam sempre com as deles. Eu andava com duas pistolas em coldres visíveis, além de uma faca no cinto e outra na meia. Até mesmo Roger andava armado, com uma pistola e uma faca, embora em geral não levasse sua arma carregada com munição e pólvora.

– Minha chance de acertar alguém na cabeça com ela é muito maior – disse ele. – Levá-la carregada significa apenas que seria mais fácil eu dar um tiro em meu pé.

Cuidar dos homens era o que eu fazia todas as noites durante os bate-bocas diários sobre quem mandava em quem. Estava claro que *alguém* precisava ficar responsável pelo grupo como um todo, mas nenhum dos líderes de milícia queria submeter seus homens às ordens de qualquer dos outros. Por fim, acabou ficando decidido que William Campbell seria o líder geral do grupo. Ele tinha 30 e poucos anos, assim como Benjamin Cleveland e Isaac Shelby, e era um patriota notório, um fazendeiro importante... e também cunhado de Patrick Henry. Até onde podia perceber, sua principal qualificação para aquele cargo de comando era o fato de ser da Virgínia e portanto estar livre das complicações e da competição entre os homens do outro lado das montanhas.

– E ele tem um vozeirão – observei para Jamie ao ouvir Campbell gritar a duas fogueiras de distância da nossa.

Ele parecia estar maldizendo a chuva, o fogo que teimava em apagar, e o fato de alguém ter tirado a lona de uma das carroças e deixado as armas molharem.

– É, tem mesmo – concordou Jamie sem muito entusiasmo. – É necessário, não? Se quiser mandar seus homens para uma batalha ou tirá-los de uma.

– Então é melhor você cuidar da sua – observei, passando-lhe uma caneca de madeira cheia de água quente aromatizada com hortelã.

Tinha acendido um fogo debaixo de uma espécie de alpendre em miniatura feito de lona, nossa lona, *não* a da carroça, apoiada em uma moita bem posicionada, mas o vento não parava de soprar em rajadas repentinas, sacudindo a lona e fazendo cair água das árvores, depois indo embora apenas para voltar outra vez dali a poucos minutos.

– Quer uma gotinha de uísque aí dentro?

Ele pensou no assunto por alguns instantes, mas então balançou a cabeça.

– Não. Pode ser que precisemos depois.

Sentei-me a seu lado e fiquei bebericando minha caneca, aquecendo tanto as mãos quanto as entranhas. Não tínhamos comida para preparar e pouquíssima para comer: biscoitos de milho e um saco de maçãs que Roger conseguira obter em uma casa de fazenda pela qual passáramos. Jamie tinha percorrido seus homens para se certificar de que cada um recebera alguma parte de qualquer alimento disponível e tinha um lugar para dormir. Então se recostou a meu lado no tronco de um grande pinheiro, tirou o chapéu e o sacudiu para retirar a água.

– Posso dizer uma coisa, Sassenach? – perguntou após um longo silêncio.

Ergueu os olhos na direção da lua crescente, que surgiu por um breve instante entre as nuvens esgarçadas, e pôs a mão em meu joelho. Foi a mão direita, e pude ver a linha fina da cicatriz onde eu havia amputado seu anular, branca em comparação com a escuridão manchada de frio de sua pele, os quatro dedos remanescentes doloridos por terem passado o dia inteiro segurando as rédeas.

– Pode – respondi, pegando a mão dele e começando a massageá-la.

Ele não parecia preocupado nem perturbado, então não era uma notícia ruim.

– Estava sentado na varanda pouco antes de partirmos, com o pequeno Davy no colo chupando meu polegar, e Mandy subiu os degraus da frente toda coberta de lama para me mostrar um osso que tinha encontrado perto do laguinho e perguntar de quem era. Eu peguei, olhei e disse a ela que era da coluna vertebral de um castor, e ela me encarou e perguntou se eu ouvia animais.

Comecei a endireitar as costas e a esticar seus dedos, e ele acomodou as costas com mais firmeza no tronco da árvore e produziu no fundo da garganta um pequeno som, misto de dor e prazer.

– Se os ouvia? Como assim?

Tinha chovido o dia inteiro, mas a chuva havia cessado no começo da noite. Embora eu estivesse úmida até a roupa de baixo, tinha conseguido equilibrar suficientemente a temperatura corporal para não tremer e onde estávamos era um lugar tranquilo, longe das fogueiras maiores.

– Foi aí que ela me contou algo interessante. Sabia que Jem e ela conseguem dizer onde o outro está sem precisar ver?

– É mesmo? – perguntei, um pouco espantada. – Não, não sabia. – Mas não estava surpresa por escutar isso. Imaginei que devesse ter visto os dois fazerem isso algumas vezes sem reparar de fato. – Acha que os pais sabem?

– Sim, ela disse que a mãe sabia… que tinha testado os dois em Boston, dito para eles ficarem um pouco afastados e dizerem se ainda conseguiam dizer onde o outro estava. Mandy não prestou atenção na distância… para eles foi só uma brincadeira, mas ela achou estranho quando percebeu que os pais não conseguiam dizer onde Jem ou ela estavam.

– São só Jem e ela? – perguntei. – Ou eles conseguem, ahn, ouvir outras pessoas também? Como os pais, digo.

– Perguntei isso e ela disse que sim… mas não todo mundo. Só os dois e os pais. E você… mas não tanto.

Isso me fez estremecer de um jeito que nada tinha a ver com frio.

– Eles… eles ouvem você?

Ele fez que não com a cabeça.

– Não. Mandy explicou que eu tenho uma cor diferente na cabeça dela. Sabe quando estou perto, mas não consegue me sentir de longe.

– E de que cor você é? – perguntei, fascinada.

Ele produziu um leve som bem-humorado.

– Da cor da água – respondeu.

– É mesmo? – Semicerrei os olhos para ele. Estava escuro e a minúscula fogueira engasgava com a madeira úmida, mas meus olhos tinham se adaptado à falta de luz e havia luar suficiente para eu poder distinguir seus traços. – Algum tipo de água especial? Azul como a do oceano ou marrom como a do córrego?

Ele balançou a cabeça.

– Só água.

– Você deveria perguntar a Jem se é isso que ele acha – falei e entrelacei nossos dedos de modo a esticar as articulações.

– Vou perguntar – disse ele com um tom levemente esquisito na voz. – Se o vir de novo.

E ali estava outra vez. A pedra em meu coração, o peso de chumbo quente em minhas vísceras. Eu tinha me esquecido por um curto tempo, exaurida pelo esforço do dia. Mas o pensamento sobre o que poderia acontecer na Montanha dos Reis nunca estava muito longe de minha mente.

Jamie sentiu meu choque e seus dedos se fecharam de repente em volta dos meus, ainda frios, mas firmes. Ele pôs também a outra mão por cima da minha para abrigá-la.

– Se eu morrer esta semana, quero pedir três coisas a você, *a nighean* – disse ele baixinho. – Três coisas. Você faz?

– Você sabe que sim – respondi, embora minha garganta estivesse travada e minha voz, pastosa. – Se eu puder.

– Sim, eu sei – disse ele suavemente e, erguendo minha mão, beijou-a. Senti seu hálito quente na pele fria. – Então. Quando puder, encontre um padre e mande rezar uma missa pela minha alma.

– Feito – falei. – Mas pode ser que leve algum tempo. Acho que o padre mais próximo deve estar em Maryland.

– Sim, não tem problema. Eu aguento as pontas no Purgatório até lá. Já estive lá antes. Não é tão ruim assim.

Achei que ele estivesse brincando. Pelo menos em relação ao Purgatório.

– E a segunda coisa?

– O pequeno Davy – disse ele. – Amanda disse que ele é como eu. Da cor da água. Não é igual a Jem e ela. Acho que isso talvez signifique que ele não consegue atravessar as pedras.

Por essa eu não esperava. Minhas pestanas estavam pesadas de água e gotas escorreram por minhas faces como lágrimas. As mãos dele apertaram mais as minhas e ele virou a cabeça em minha direção, um movimento quase imperceptível no escuro.

– Eu já disse isso antes, mas vou dizer de novo agora e estou falando sério. Se eu morrer, vocês devem voltar. Se por acaso Davy não puder ir, deixem ele com Rachel e o Jovem Ian. Eles irão amá-lo com todo o seu coração e mantê-lo seguro.

Minha vontade foi dizer: "Eu amo você com todo o meu coração… e não consigo mantê-lo seguro."

Mas apertei de volta sua mão e disse, da melhor maneira que pude devido às lágrimas de verdade que começavam a cair:

– Farei isso.

Ele ergueu minha mão e beijou os nós frios de meus dedos.

– *Tapadh leat, mo chridhe.*

Ficamos sentados juntos em silêncio, ouvindo a chuva bater nas folhas e a água pingar das árvores, escutando as vozes ao longe. O fogo incipiente tinha morrido, embora ainda pudéssemos sentir o cheiro do resquício da fumaça.

– Você disse três coisas – falei por fim. Minha voz saiu rouca. – Qual é a terceira?

Ele soltou minha mão e abriu meus dedos, como eu fizera com ele poucos segundos antes, mas seus dedos acompanharam as linhas de minha palma e pararam ao chegar à base do polegar, onde a letra J tinha quase se apagado na pele.

– Lembre-se de mim – sussurrou.

Fizemos amor sob as camadas de roupas ensopadas, mas encontramos pouco calor exceto o do ponto de conexão. Continuamos até bem depois do momento em que ficou claro que nenhum dos dois iria se satisfazer. Nossos corpos foram abandonando um ao outro devagar e ficamos abraçados no escuro até o dia amanhecer.

144

UM ASSUNTO PENDENTE

3 de outubro de 1780

Não era a primeira vez que ele entrava em um combate sabendo que iria morrer. A diferença era que da última vez tinha querido que isso acontecesse.

A chuva os impedira de acender fogueiras. Eles haviam comido os restos de que dispunham e então ficaram amontoados no escuro debaixo de qualquer abrigo que pudessem encontrar. Ele havia achado uma árvore caída, um choupo grande cujas raízes tinham sido desenterradas quando o tronco caíra, formando um abrigo rudimentar. O espaço era exíguo: ele se sentou de pernas cruzadas, com as costas apoiadas nas raízes, e Claire se encolheu com ele como um arganaz, envolta na própria capa molhada e coberta com metade da dele, a cabeça pousada em sua coxa quentinha sob as camadas de lã. Era o único lugar em que ele se sentia aquecido.

Não era o tipo de soldado dado a reviver antigas batalhas em tabernas, tomando cerveja e comendo pão de sal. Não tentava invocar fantasmas; eles vinham sozinhos, em seus sonhos.

Mas os sonhos nem sempre dizem a verdade: ele havia sonhado com Culloden muitas, muitas vezes ao longo dos anos… Apesar disso, nenhum de seus sonhos tinha mostrado como Murtagh morria ou lhe proporcionado a paz de espírito de saber que havia matado Jack Randall.

Dirigindo-se a Frank Randall, pensou de repente: *Você sabia?* O homem era um historiador... e Jack Randall tinha sido seu antepassado, ou pelo menos era o que pensava. Era assim que tudo havia começado, segundo contara Claire: Frank quisera ir à Escócia ver o que conseguia descobrir sobre seu hexavô. Talvez ele *tivesse* descoberto o que havia acontecido com Jamie, talvez tivesse encontrado o relato de algum sobrevivente que fazia referência a Jamie Vermelho, o jacobita que tinha eviscerado o galante capitão britânico. E talvez essa descoberta tivesse posto Frank no rastro desse jacobita...

Ele expirou com força pelo nariz e ficou observando a expiração se afastar na escuridão em arabescos brancos. Claire se mexeu e se aconchegou mais perto e ele pousou uma das mãos nela e lhe deu alguns tapinhas como quem tranquiliza um cão que acabou de escutar uma trovoada ao longe.

– Tio Jamie? – A voz de Ian saiu da escuridão próxima a seu ombro e o fez se sobressaltar, e Claire estremeceu e despertou.

– Sim – disse ele. – Estou aqui, Ian.

A forma alta e magra de Ian se destacou por um instante na noite e ele se agachou ao lado de Jamie, pingando água.

– Os coronéis estão chamando o senhor – disse ele em voz baixa. – Alguém trouxe uns prisioneiros pró-britânicos e eles estão debatendo se devem enforcar todos ou só um ou dois para dar o exemplo.

– Meu Deus do céu! Nem precisa me dizer de quem foi *essa* ideia.

– O que aconteceu? – perguntou Claire, grogue de sono. Tinha levantado a cabeça de sua perna e ele sentiu o frio repentino no lugar em que esta antes repousava. Ela se livrou do pano de sua capa e saiu para o ar esfriado pela chuva. – O que houve? Alguém está ferido?

– Não, *a nighean* – respondeu ele. – Mas preciso sair um instante. Olhe, aqui onde eu estava sentado está só úmido. Aninhe-se aqui. Voltarei assim que puder.

Ela pigarreou e balançou a cabeça para liberar o muco: estavam todos encatarrados por passarem o dia e a noite usando roupas úmidas junto à fumaça das fogueiras. Contudo, Ian teve a sensatez de ficar calado e ela se acomodou na pequena concavidade parcialmente aquecida que Jamie havia criado, enfiou-se debaixo das folhas molhadas e se encolheu até formar uma bola.

Na verdade, havia parado de chover. Mas a folhagem que pingava água em volta produzia o mesmo barulho da chuva. A trégua permitira a alguém acender uma minúscula fogueira – sem dúvida, alguém tinha pensado em trazer alguns gravetos secos dentro da bolsa –, mas a madeira chiava e fumegava com a umidade, fazendo a fumaça se agitar acima dos homens reunidos quando o vento mudava de direção.

Jamie sorveu uma lufada repentina e tossiu, semicerrando os olhos lacrimejantes para a forma imensa e escura de Benjamin Cleveland, que se dirigia a várias outras formas menores em uma linguagem violenta e com gestos de natureza semelhante.

– Ian – disse ele, enxugando o rosto na manga. – Vá encontrar o coronel Campbell, sim? Diga a ele o que está acontecendo.

Ian balançou a cabeça, movimento visível apenas porque estava de chapéu.

– Não, tio – respondeu ele. – O que quer que esteja acontecendo vai se revelar nos próximos minutos.

– Seu desgraçado covarde filho de um porco – praguejou Cleveland, em tom um tanto ameno, para uma das figuras menores. – Não temos lugar para guardar prisioneiros e de toda forma não precisamos julgá-los. Sei que cheiro tem um pró-britânico. Vamos enforcá-los e conversa encerrada!

Ouviu-se um arrastar de pés e murmúrios entre os homens, mas o Jovem Ian tinha razão: Jamie pôde sentir a mudança de disposição entre eles. Os que tinham dúvidas ainda tentavam defender a causa da clemência, mas estavam sendo sobrepujados por um fogo cada vez mais forte de raiva, aceso e incentivado pelo próprio Cleveland, que podia ser visto à luz entrecortada brandindo um grande rolo de corda.

Será que ele sempre viaja com uma dúzia de forcas só para o caso de necessidade?, foi a pergunta que Jamie fez a si mesmo. Estava irritado e começando a ficar com raiva. Empurrou dois homens para entrar no meio deles e chegou perto o suficiente de Cleveland para gritar alto o bastante para interrompê-lo:

– *Stad an sin!*

Como Jamie esperava que fizesse, Cleveland se virou para ele com um ar de incompreensão.

– Fraser? – falou, semicerrando os olhos na escuridão enfumaçada. – É o senhor?

– Sim, sou eu – respondeu Jamie, ainda em voz alta. – E não pretendo deixar o senhor me transformar em um assassino!

– Ora, se isso o incomoda, *senhor* Fraser… – disse Cleveland com elaborada cortesia – é só dar meia-volta e correr para sua esposa, e sua consciência não vai incomodá-lo nem um pouco.

Isso fez a maior parte dos homens reunidos rir, mas houve ainda quem continuasse a discordar aos gritos de "Assassinato! Ele tem razão! Sem julgamento, não passa de um maldito assassinato!".

A brisa tornou a mudar de direção e a nuvem de fumaça, que até então vinha escondendo os prisioneiros, foi soprada para longe e revelou uma linha de seis homens, todos com as mãos amarradas nas costas, oscilando para manter o equilíbrio. E as nuvens então se abriram por um instante e Jamie viu o rosto dos prisioneiros.

– Santa Maria! – exclamou ele, alto o suficiente para o Jovem Ian virar os olhos para o que Jamie estava vendo e dizer algo que devia ser o equivalente em mohawk.

No fim da fila estava Lachlan Hunt, um dos colonos que Jamie havia expulsado da

Cordilheira. Lachlan não permitira que sua esposa fosse implorar em seu nome. Era um dos que tinham ido embora. A barriga de Jamie se contraiu com força.

Lachlan também o havia visto e o encarava com um olhar arregalado de terror.

Ele hesitou, mas não mais do que uns poucos segundos.

– Pare! – gritou o mais alto que foi capaz e o Jovem Ian lhe deu cobertura. – Esse homem... – falou, apontando para Hunt. – Ele é um de meus colonos.

– Ele é um pró-britânico dos infernos, é isso que ele é! – rebateu Cleveland na mesma hora.

E, esticando o corpo para a frente, passou uma corda em volta do pescoço de Lachlan Hunt. Jamie flexionou os ombros e sentiu o Jovem Ian se empertigar atrás dele.

Antes de ele conseguir executar seu plano de dar uma cabeçada na imensa barriga de Cleveland e derrubá-lo no chão, em seguida pular em cima dele e aguentar o que quer que Cleveland pudesse lhe fazer por tempo suficiente para o Jovem Ian conseguir fugir com Hunt para a escuridão, outra voz angustiada ecoou:

– Locky! É meu irmão!

Um rapaz abria caminho a cotoveladas pela multidão, que começava a achar graça nessa segunda interrupção.

– E suponho que aquele dali seja o vovô de alguém, não? – gritou algum jovem, arremessando uma pinha molhada que acertou o prisioneiro mais novo no peito. Isso provocou risos, e Jamie conseguiu inspirar algum ar.

– Pouco importa quem são! – gritou outro alguém. – São pró-britânicos e vão morrer!

– Não sem julgamento!

– Por favor, por favor... deixem eu me despedir dele!

O irmão de Lachlan empurrava com urgência a multidão... e Jamie viu que o estavam deixando passar. Houve até um murmúrio de solidariedade: tanto o prisioneiro quanto o irmão eram rapazes jovens, com não mais de 20 anos de idade.

Jamie não esperou: afastou Ian com o cotovelo e escorregou de lado para o meio da multidão.

As nuvens tinham tornado a se fechar e a luz sob a árvore escolhida como cadafalso não passava de manchas esparsas de uma escuridão mais clara. A minúscula fogueira se extinguiu com uma derradeira lufada de fumaça e o Jovem Ian soltou o tipo de grito e uivo indígena calculado para assustar e gelar o sangue de quem quer que o escutasse. Jamie mergulhou debaixo da árvore, agarrou Hunt pelos braços amarrados e o arremessou violentamente para dentro da floresta próxima.

Lachlan cambaleou, desequilibrado, mas foi avançando o melhor que pôde e em poucos instantes saíram do raio de visão da fogueira e da confusão que se iniciava ali.

Jamie sacou sua adaga e serrou a corda.

– Você sabe onde estamos? – perguntou a Hunt. Ouvia-se um grande estardalhaço perto da árvore mais atrás.

– Não. – O rosto de Locky Hunt não passava de uma forma oval escura, mas o medo em sua voz estava claro como o dia. – Por favor, senhor. Minha… minha esposa…

– Cale essa matraca – disse Jamie, grunhindo enquanto puxava e serrava. – Escute. Por ali… – Ele apontou com o dedo bem debaixo do nariz de Hunt. – Ali é o oeste. A fazenda Medway deve ficar a uns 5 quilômetros naquela direção. O dono é um sobrinho de Francis Marion. Ele vai ajudar você. Não sei onde está morando agora, mas meu conselho é se mudar. Mande buscar sua esposa quando estiver em um lugar seguro.

– Ela… Mas ela… O grandalhão incendiou nosso chalé – disse Hunt, começando a chorar de aflição, alívio e medo renovado.

– Ela não morreu – disse Jamie, com uma certeza que torceu para ser justificada.

Cleveland era um bruto, mas até onde sabia nunca tinha matado uma mulher, a não ser talvez a esmagando ao se deitar em cima dela. Enfim, não de propósito…

– Ela deve ter buscado abrigo com alguém por perto. Mande um recado para seu vizinho mais próximo. Ele vai encontrá-la. Agora vá! – As últimas fibras cederam e os fios da corda se soltaram.

Lachlan Hunt ainda fez mais ruídos, balbuciando um "Obrigado", mas Jamie o virou e lhe deu um forte empurrão no meio das costas que o fez se afastar cambaleando. Não ficou para ver como o homem se virava, mas correu de volta para a árvore de enforcar, onde uma versão acalorada do que Claire chamava de bate-boca tinha se formado.

Para seu grande alívio, boa parte dos gritos estava sendo proferida por Isaac Shelby e pelo capitão Larkin, que se opunham à ideia de esporte defendida por Cleveland. Também tinha recomeçado a chover, o que acalmou ainda mais os ânimos em relação a enforcar os prisioneiros pró-britânicos. A multidão começava a se dispersar.

As forças de Jamie se esvaíam e, quando o Jovem Ian apareceu a seu lado, apenas assentiu, deu alguns tapinhas de agradecimento em seu ombro e caminhou de volta no escuro ao encontro de Claire, sentindo-se muito cansado.

145

O ESPELHO PARTIDO

7 de outubro de 1780

Quatro dias mais tarde a montanha surgiu, e com sua aparição uma corrente de expectativa percorreu os homens. Jamie sentiu o sangue esquentar e viu que todos os outros também sentiam a mesma coisa. Fazia muito tempo que não combatia com um exército, mas reconheceu a onda de força e calor que fazia desaparecerem o cansaço e a fome. Ainda carregava pensamentos sobre dor e perda, mas eles agora pareciam insignificantes. Com a ajuda de Deus, chegariam ao ponto da batalha em que a morte corria a seu lado e você às vezes conseguia cavalgá-la. Sentiu a boca seca; tomou um gole de água tépida e olhou para Claire, oferecendo-lhe o cantil.

Ela estava pálida até os lábios, mas conseguiu dar um sorriso e estendeu a mão para o cantil. Os cavalos, porém, tinham sentido aquela onda de energia entre os homens e bufavam, pateavam e jogavam as cabeças, e ela deixou o cantil cair. O objeto desapareceu pisoteado por cascos enlameados. Ele achou por um instante que Claire fosse mergulhar para pegá-lo e a segurou pelo braço para contê-la.

– Não se preocupe – falou, apesar de saber que ela não podia escutá-lo por causa do barulho cada vez maior dos homens.

Não havia vantagem no silêncio, e muitos dos mais novos davam vivas e gritavam ameaças incoerentes para um inimigo distante demais para escutá-los. Mesmo assim, ela assentiu e afagou sua mão.

Ele ouviu o grito rouco de Cleveland mais à frente e os homens reunidos começaram a diminuir a velocidade. Estava na hora de assumir posições e verificar as armas, fazer um xixi rápido e se preparar.

Jamie ergueu a espingarda para reunir seu grupo e desceu da sela. Roger Mac estava ali e ajudou Claire a apear. Suas pernas compridas e nuas foram um clarão branco em meio à ruína suja de lama de suas saias. O Jovem Ian apareceu junto ao ombro de Jamie. Tinha pintado o rosto ao amanhecer, e Jamie viu Roger Mac reparar e pestanejar. Quis rir, mas não o fez. Limitou-se a dar um tapa no ombro do Jovem Ian e fez um movimento de cabeça na direção dos homens enquanto dizia:

– Cuide deles, sim? Mantenha Claire por perto – emendou para Roger e foi confabular com os outros coronéis.

Estes haviam parado e desmontado perto de Campbell, ainda montado em seu capão negro. O irmão mais novo de John Sevier, Robert, e dois outros rapazes tinham deixado o acampamento ao amanhecer para averiguar a situação e Jamie teve uma breve sensação de estar caindo ao ouvi-los dizer as palavras que coloriam o relato de Frank Randall e lhe davam vida.

– Dá para reconhecer na hora o major Ferguson – dizia Robert Sevier enquanto passava a mão pelo peito para ilustrar seu relato. – Ele usa uma camisa quadriculada de vermelho e branco e não estava de casaco quando o vimos. Fica bem fácil de identificar no meio de todos aqueles soldados de verde da província.

Ele esticou o polegar e o indicador para imitar uma arma, fechou um olho e fingiu mirar.

John Sevier lhe franziu o cenho, mas não disse nada, e Campbell apenas assentiu.

– São todos soldados da província, é?

– Não, senhor – respondeu depressa outro jovem batedor, para impedir Sevier de se intrometer. – Quase metade pelo menos não está de uniforme.

– Mas todos têm armas, senhor – disse o terceiro batedor, sem querer ficar de fora.

– Quantos? – perguntou Jamie e sentiu as palavras soarem estranhas na garganta.

– Um pouco mais do que nós, mas não o suficiente para fazer diferença – respondeu Sevier, mas na mente de Jamie foi outra voz que soou: a de Frank Randall.

As forças eram quase equivalentes, embora as tropas de Ferguson contassem com mais de mil homens, contra os novecentos patriotas que o atacaram.

Uma espécie de murmúrio percorreu os homens: reconhecimento e satisfação. Jamie engoliu em seco e sentiu na boca um gosto de bile.

– Eles são mais numerosos, mas estão encurralados lá em cima. – Cleveland traduziu em palavras o clima do encontro. – Como ratos.

Ele riu e pisou firme com a bota grande como se estivesse esmigalhando um rato até transformá-lo em uma pasta sanguinolenta.

Provavelmente é isso que ele faz para se divertir, pensou Jamie. Ele escarrou e cuspiu sobre as folhas mortas.

Não foi preciso mais de poucos minutos para determinar que homens deviam seguir qual direção. O grupo de Jamie iria com Campbell e vários outros, e ele voltou para reuni-los e lhes informar como seria.

Roger tinha recebido ordem de se afastar e ficar de olho em mim – ou, como dizia Jamie de modo mais educado, de "esperar os atacantes chegarem à borda da montanha".

– O melhor vai ser vocês entrarem quando os homens mais estiverem precisando – tinha dito Jamie a nós dois, em tom firme para dar a entender que esperava ser obedecido.

Meu rosto deve ter expressado o que eu estava pensando, pois ele olhou para mim, deu um sorriso involuntário e baixou os olhos.

– Cuide dela, Roger Mac – falou, então segurou meu rosto com as duas mãos e me deu um beijo rápido.

Suas mãos e seu rosto pulsavam de tão quentes e eu senti um frio repentino quando seu toque se afastou de minha pele.

– *Tha gràdh agam ort, mo chridhe* – disse ele e se foi.

Roger e eu nos entreolhamos com perfeita compreensão.

– Ele contou para você, não contou? – Eu o observava desaparecer na vegetação encosta acima. – Sobre o livro de Frank?

– Contou. Não se preocupe. Vou atrás dele.

A vegetação morro acima estalava e zunia como se a montanha estivesse pegando fogo. Eu podia ver homens entrando e saindo por entre folhas e troncos, destemidos e cheios de propósito. Estava acontecendo.

A maldição recaiu sobre mim, disse a Dama de Shalott. Não pensei ter falado em voz alta até ver o olhar de espanto de Roger. Mas o que quer que ele pudesse ter dito foi abafado pelo grito de William Campbell:

– Gritem, rapazes, gritem! Urrem como o demônio e lutem como no inferno!

A encosta da montanha irrompeu em um mesmo grito e um esquilo em pânico pulou de um galho acima de mim e aterrissou no chão correndo, deixando atrás de si um esguicho de fezes úmidas.

Roger fez o mesmo, com exceção das fezes, e escalou a encosta o mais depressa que pôde por entre as árvores, segurando-se nos galhos para subir melhor.

Vi William Campbell um pouco mais abaixo de onde eu estava, ainda montado em seu grande cavalo preto. Ele também me viu e gritou, mas não escutei nem parei. Em vez disso, arregacei as saias e comecei a correr. O que quer que fosse acontecer com Jamie nos próximos minutos, eu estaria lá.

Roger

– Você não vai ajudar ninguém se estiver morto e pode ser que seja útil se não estiver. Pode até ser o capanga de Deus, mas por enquanto vai obedecer às minhas ordens. Fique aqui até chegar a hora.

Jamie tinha lhe dado um tapa no ombro, sorrindo, então girado nos calcanhares e gritado para seus homens que estava na hora. Tinha deixado com Roger duas pistolas decentes dentro de coldres, uma caixa de cartuchos e um chifre de pólvora. Além de uma grande cruz entalhada em madeira em uma correia de couro, que pendurara no pescoço do genro no último minuto.

– Para ninguém atirar em você – falou. – Pelo menos não na frente.

Claire tinha dado um sorriso involuntário ao ver a cruz, tensa e preocupada, em seguida passado para Roger um cantil no qual se escutava um barulho de líquido.

– Água – falou. – Com um pouco de uísque e mel. Jamie disse que não tem água lá no topo.

Os homens estavam prontos; saíram do meio das árvores e da vegetação na mesma hora, como um enxame, todos fortemente armados. Tinham o rosto suado e reluzente abaixo do chapéu e os dentes à mostra: estavam ansiosos para lutar. Roger sentiu essa ânsia zumbir por um breve instante no próprio sangue, mas sua participação naquele combate seria depois, entre os caídos, e a lembrança do campo de batalha em Savannah lhe gelou o coração apesar do calor do dia.

Para sua surpresa, porém, os homens estavam se reunindo à sua frente e tirando o chapéu com uma expressão de expectativa no rosto. Jamie apareceu de repente a seu lado.

– Abençoe-nos antes da batalha, *a mhinistear*, por favor – disse ele com respeito e tirou o chapéu, que segurou em frente ao peito.

Meu Deus. Mas que diabos...?

– Querido Deus – começou ele, sem a menor noção do que poderia vir a seguir, mas algumas palavras surgiram, e depois outras: – Protegei-nos, nós Vos rogamos, ó Senhor, e ficai conosco na batalha deste dia. Concedei-nos misericórdia em nossa hora extrema e concedei-nos a graça de mostrar misericórdia onde pudermos. Amém. Amém – repetiu com mais força e os homens murmuraram "amém" e tornaram a pôr o chapéu.

Jamie ergueu a espingarda acima da cabeça e gritou:

– Para o coronel Campbell! Em marcha acelerada!

A milícia se juntou com um rosnado de satisfação e partiu na mesma hora ao encontro do coronel Campbell, montado em seu capão negro na trilha grosseira no sopé da montanha. Jamie os observou se afastar, então se virou de repente e pressionou a mão na cruz no peito de Roger.

– Reze por mim – disse em voz baixa, então partiu.

146

A MALDIÇÃO SE CUMPRIU

Claire

O tiroteio começou antes de eu conseguir percorrer 3 metros morro acima, escorregando em folhas mortas e me segurando em galhos para não cair. Em pânico, virei-me e corri encosta abaixo, mas escorreguei quase na mesma hora, tropecei em uma pedra e deslizei de bruços por alguns metros, com os braços abertos.

Choquei-me contra uma árvore jovem de algum tipo. Esta se vergou e passei rolando por cima até parar deitada de costas. Fiquei imóvel por alguns segundos, arquejando para tentar respirar, enquanto escutava a batalha começar para valer.

Então me virei, fiquei de quatro no chão e comecei a subir a montanha de gatinhas.

Jamie

Foi rápido e feroz.

Frank Randall a havia descrito como uma "luta justa". Quanto a isso, não estava errado, embora talvez não estivesse refletindo pingando de suor e respirando um ar cheio de fumaça de armas.

Jamie deu um assobio agudo e os poucos de seus homens no raio de alcance do som acorreram até ele.

– Vamos subir, mas cuidado! – ordenou, gritando para se fazer ouvir apesar dos estampidos das armas. – Os soldados da província têm baionetas e vão usá-las. Se isso acontecer, recuem de lado e tornem a subir por algum outro ponto.

Meneios de cabeça e todos retomaram a subida, parando a cada poucos metros para atirar e recarregar, esquivar-se até outra árvore, depois repetir tudo outra vez. Agora não era apenas a fumaça das armas, mas também o cheiro das árvores atingidas, de seiva e de madeira queimada. Não eram as baionetas ainda.

Claire

Tive que parar uns 3 metros antes do cume. Fiquei colada em uma grande nogueira, de olhos fechados, segurando-me com força. Uma bala acertou em cheio o tronco logo acima de minha mão e joguei os braços para trás, em pânico. Mais balas zuniam por entre as árvores, rasgando folhas e emitindo pequenos e nítidos *toc* ao atingir a madeira. Gritos e gemidos breves indicavam de vez em quando que corpos também estavam sendo atingidos.

Eu tinha enterrado os dedos com tanta força na casca que havia farpas encravadas debaixo de minhas unhas, mas estava apavorada demais para me preocupar com isso. Tinham me visto me mexer: um segundo depois, tiros atingiram a árvore em uma saraivada que fez voarem lascas de casca e madeira. Elas fizeram meu rosto arder e entraram em meus olhos. Colei-me o máximo que pude na árvore, os olhos fechados com força e lacrimejando, usando toda a minha força para não descer correndo a encosta aos gritos. Estava tremendo, sem saber dizer se o que escorria pelas minhas pernas era suor ou urina. Não importava.

Isso pareceu durar muito tempo. Eu podia escutar meu coração ribombando nos ouvidos e me agarrei a esse som. Estava com medo, muito medo... mas não mais em pânico. Meu coração ainda batia. Eu não tinha levado um tiro.

Ainda.

A lembrança de Monmouth me fez estremecer. Meus olhos ardiam e estavam tomados pela tontura de folhas rodopiantes e de um céu vazio, e senti meu sangue se esvair e os joelhos cederem...

– Gritem! Gritem! Mais um, mais um!

Era a voz de Campbell, atrás e abaixo de mim. E no instante seguinte gritos, uivos e guinchos irromperam e homens passaram correndo bem perto de mim, emitindo clangores, pancadas e berros quando conseguiam tomar ar suficiente para gritar.

Onde está Roger, meu Deus?

Jamie

Ele enfiou a vareta com força dentro do cano e mais uma vez. Parou para tomar fôlego e tocou a bolsinha de munição pesada no cinto. Quanto ainda restava? O bastante...

Estavam perto o suficiente da campina para poder ver o inimigo. Ele saiu de trás da árvore onde havia se abrigado e disparou. Então escutou um assobio débil e agudo. Ferguson: era ele. Randall tinha dito que o homenzinho não tinha voz suficiente para gritar mais alto do que a barulheira da batalha, então usava um apito para dirigir suas tropas.

Como se estivesse chamando um bando de cães pastores, pensou.

Um grito veio de cima, repetido e ecoado por toda a campina.

– *Fixar baionetas!*

Claire

Gritos esparsos soavam ao longe, vindos de cima. De repente, ouviu-se um novo rugido entrecortado dos sitiantes e a floresta começou a se mover com os homens que saíam correndo do abrigo das árvores saltando e rastejando para cima à minha volta, os chifres de pólvora a se sacudir e as espingardas na mão. Ouvi um assobio agudo no meio da gritaria, bem lá em cima, então outro e mais outros. Era Ferguson, reunindo suas tropas.

Mas então escutei outra batalha começar... logo acima de mim. Eram poucos tiros agora e o tipo de grito que os homens dão quando não têm palavras. Um assobio agudo e o grito de "Baionetas!" se espalhando.

Ainda tremendo, forcei-me a me levantar. Esfreguei uma manga no rosto e vi a floresta borrada e estraçalhada à minha volta. Galhos quebrados pendiam das árvores e um cheiro denso de plantas esmagadas e fumaça de pólvora pairava no ar. E homens continuavam a subir correndo a encosta, arfando, entrando e saindo por entre as árvores; um deles trombou em mim ao passar e tornei a cair contra a grande nogueira.

– Tia! – O Jovem Ian surgiu de repente e agarrou meu braço. – O que está fazendo aqui? A senhora está bem? O que fez com Roger Mac?

Não tinha conseguido responder com mais do que um balbuciar quando ouvi a voz do coronel Campbell berrar em algum lugar abaixo de mim:

– Mais um, rapazes! Mais um grito!

Em resposta, gritos irromperam do peito de todos os homens perto o suficiente para escutá-lo. Ian desapareceu morro acima em meio à fumaça, deixando-me oscilando igual a um dos galhos quebrados das árvores, pendurado por um fiapo de casca.

De repente, ouviu-se um esmigalhar e um barulho de terra escorregando quando alguém perdeu o pé, um palavrão abafado e, ao me virar, deparei-me com um rosto de mulher. Ela ficou tão espantada quanto eu. Passamos um tempo nos encarando e tudo que registrei foi seu olhar, negro de terror. Ela passou por mim correndo, tropeçando, caindo e se levantando no que pareceu ser um único movimento, e desapareceu montanha abaixo. Pestanejei, sem ter certeza de que a tinha visto de fato. Mas tinha: ela havia rasgado o vestido e deixado uma tira de seu algodão amarelo flutuando em um arbusto de corniso. Olhei em volta, atarantada.

– O que a senhora está fazendo aqui? – O coronel Campbell agora estava a meu lado, ainda em mangas de camisa, o rosto negro de fumaça de pólvora. – Desça daqui, minha senhora, desça já daqui!

Ele não parou para ver se eu obedecia, mas continuou a subir correndo, aos gritos. Lamentos soaram lá em cima e uma onda de homens desceu recuando, mas só um pouco, então se deslocou para o lado e foi atrás de um oficial para uma nova tentativa. Dois corvos desceram planando e pousaram em uma árvore próxima, de onde ficaram me espiando com um interesse casual. Um deles reparou no pedaço de tecido amarelo que estalava ao vento e pulou da árvore para bicá-lo.

Senti a boca seca. Quando levantei a mão para enxugar o suor da testa, dei-me conta de que meu rosto estava marcado com a padronagem da casca da nogueira.

O apito guinchava lá em cima, então foi abafado por uma gritaria tremenda… e pelo som de tiros outra vez, em grande quantidade. Os atacantes tinham chegado à campina.

Jamie

O lenço em volta de sua cabeça estava encharcado e o suor e a fumaça das armas faziam seus olhos arderem. Ele piscou para limpá-los, sentiu nos ossos os estalos e a pancada da arma carregando, o peso da espingarda que segurava, a coronha dura encostada em seu ombro dolorido. *Verde…* A campina estava coalhada de homens, salpicada de poças de uniformes verdes. Ele disparou e uma delas caiu.

O assobio de Ferguson guinchou, fino e agudo em meio ao alarido. Ele continuava montado e tentava reunir seus homens, embora agora fosse como reunir peixes em uma rede: eles avançavam e recuavam em ondas, com as baionetas ainda fixadas, atacando o ar e alguns disparando tiros, mas sendo conduzidos cada vez mais para o centro, acotovelando-se enquanto tentavam encontrar um alvo.

Por que não?

Ele tornou a tossir, sentiu a fumaça arranhar seu peito e cuspiu. Agora não faltavam mais do que minutos. Graças ao livro de Randall, ele sabia o que iria acontecer com Ferguson. *Poupe-o de saber o que vai acontecer… Que pelo menos seja um escocês…* Não teve tempo de pensar mais nada e sua mira se fixou na camisa quadriculada e seu dedo se contraiu no gatilho. Ele deu um passo de lado, seguindo o alvo com o cano da espingarda, e algo agarrou em seu pé. Ele chutou com impaciência o arbusto que o atrapalhava e um espinho lhe espetou a panturrilha.

– *Ifrinn!*

Ele deu um tranco e olhou para baixo. A grande cobra que o havia picado estava se enroscando em sua perna, apavorada, e ele se jogou para longe, também em pânico e chutando com as duas pernas.

A primeira bala o acertou no peito.

147

MUITO SANGUE

Aquilo pareceu durar uma eternidade, mas eu sabia que tinham sido só minutos e que seriam só minutos mais. Gritos vindos de cima, tiros... o estampido do disparo de mosquetes e os estalos mais agudos das espingardas... Eu sentia cada tiro como se ele tivesse me acertado e estremeci colada à minha árvore.

Pude ouvir quando a maré virou. Alguns instantes de silêncio, então novos tiros e gritos, só que dessa vez diferentes. Menos barulho, os tiros menos numerosos... O apito silenciou e os gritos aumentaram, mas tinham um tom distinto. Selvagem. Exultante.

Não pude esperar mais tempo. Deixei o refúgio de minha árvore e subi aos tropeços a encosta da montanha, escorregando, caindo e engatinhando pelo chão.

Cheguei alto o bastante para conseguir ver o que acontecia. Um caos completo, porém os tiros tinham praticamente cessado. Subi mais e cheguei à campina. Estava encharcada de suor, minhas pernas tremiam por causa da tensão da última hora e meu coração batia com a mesma força de um martelo a vapor.

Onde você está? Onde você está?

Havia um amontoado de homens em um dos lados da campina: os prisioneiros legalistas, metade trajando o uniforme verde dos soldados da província, o restante, agricultores iguais a nossos homens...

Nossos homens: tentei olhar em todas as direções para ver, se não o próprio Jamie, algum conhecido.

Vi Cyrus. Árvore Alta parecia ter sido fulminado por um raio e tinha o rosto negro de fumaça de pólvora, exceto onde o suor havia deixado suas marcas ao escorrer. Mas estava de pé e olhava em volta de um jeito meio atordoado.

Pessoas se movimentavam por toda parte, empurrando-se e se reunindo. Um rapaz trombou comigo correndo e me desequilibrou. Eu me recuperei e comecei a dizer por reflexo "Sinto muito".

Então vi que ele segurava a espingarda de Jamie.

– Onde arrumou essa arma? – perguntei, furiosa, e o segurei pelo braço, apertando com todas as forças.

– Quem é você? – Chocado e ofendido, ele tentava se desvencilhar. Enterrei os dedos em sua axila e ele ganiu e deu um tranco para tentar se afastar.

– Onde arrumou isso? – berrei.

Eu o segurava com a força da própria morte e ele também berrou, contorcendo-se e praguejando. Deu-me um chute em cheio na canela, mas afrouxou um pouco a mão na espingarda e eu soltei seu outro braço e a arranquei de sua mão.

– Diga onde encontrou a porra desta arma ou juro por Deus que mato você de pancada com ela!

Ele ficou com os olhos brancos como um cavalo em pânico e recuou para longe de mim com as mãos erguidas para me aplacar.

– Ele está morto! Não precisa mais dela!

– Ele quem?

Mal escutei as palavras: o sangue tinha acorrido com tanta força a meus ouvidos que eles apitaram. A mão grande de alguém me segurou pelo ombro e me afastou do garoto, que rapidamente se virou para fugir. Mas Bill Amos – pois era dele que se tratava – me soltou e, com duas passadas de gigante, segurou o menino, levantou-o do chão com as duas mãos e o sacudiu como se fosse um trapo.

– O que está acontecendo, dona? – perguntou, pondo o garoto no chão e se virando para mim.

Disse as palavras com calma, mas ele não estava calmo: seu corpo inteiro tremia em um misto de sede de sangue e reação, e pensei que ele poderia simplesmente matar o jovem sem querer. Seu punho imenso apertava o ombro do jovem, como se ele não conseguisse parar, e o garoto guinchava e implorava para ele soltar.

– Isto... – Não consegui segurar a espingarda. Ela escorregou de minhas mãos e mal consegui apará-la, e a coronha acertou o chão. – É de Jamie. Preciso saber onde ele está!

Amos soltou uma longa expiração e bufou por alguns instantes enquanto assentia.

– Onde está o coronel Fraser? – perguntou ao menino, tornando a sacudi-lo, porém com mais delicadeza. – Onde está o homem de quem pegou isso?

O menino chorava, com a cabeça flácida e lágrimas abrindo caminho em meio às manchas de terra e pólvora em seu rosto.

– Mas ele está *morto* – falou e apontou um dedo trêmulo na direção de um pequeno afloramento de rocha perto da borda do morro, a uns 50 metros dali talvez.

– Não está *nada*! – gritei e lhe dei um tapa.

Empurrei-o para passar e saí mancando, pois o chute dele tinha me machucado a canela, embora eu não sentisse dor, e deixei Bill Amos encarregado de lidar com o que quer que tivesse vontade de fazer.

Encontrei Jamie caído em um trecho de grama seca logo atrás do afloramento rochoso. Havia muito sangue.

...

Caí ajoelhada no chão e tateei freneticamente suas roupas pesadas, molhadas de suor… e de sangue.

– Quanto desse sangue é seu? – perguntei.

– Todo.

Seus olhos estavam fechados e seus lábios mal se mexeram.

– Meu Deus do céu! Onde foi atingido?

– Por toda parte.

Tive muito medo de ele estar certo, mas eu precisava começar por algum lugar. Pude ver que uma das pernas de sua calça estava empapada de sangue. Não havia sangue arterial jorrando, o que era bom… Comecei a apalpar descendo pela coxa.

– Não se… preocupe, Sass… – Ele chiou forte. Com um esforço tremendo, abriu os olhos e virou a cabeça o suficiente para erguer os olhos para mim. – Não estou com… medo. Não estou.

Um acesso de tosse o dominou. Foi quase silencioso, mas a violência sacudiu seu corpo inteiro. Ele não estava tossindo *sangue*…

Por que será que está tossindo? Pneumotórax? Asma cardíaca? Sua camisa estava ensopada. Se uma bala tivesse lhe tocado o coração, mas sem penetrá-lo…

– Bom, droga, *eu* estou! – disparei e apertei com mais força sua coxa enquanto cravava os dedos na carne que não reagia. – Acha que vou ficar sentada aqui vendo você morrer aos poucos?

– Acho. – Seus olhos se fecharam e a palavra mal passou de um sussurro. Seus lábios estavam brancos.

Ele parecia ter certeza daquilo e o medo que me fazia formigar a pele de repente se enterrou e cravou as garras em meu coração.

Seu sangue se espalhava devagar, escuro e venoso. Eu estava ajoelhada na lama tingida de sangue e havia grandes manchas em meu avental, vermelhas, quase pretas. Podia sentir a quentura do sangue na pele, embora devesse ser apenas o calor do dia.

– Você não pode – falei, impotente. – Jamie… você não pode.

Seus olhos se abriram e eu o vi olhar para além de mim, como se estivesse mirando algo muito, muito distante.

– Me per… doe… – disse ele.

E sua voz mal passou de um fiapo. Não soube se ele estava falando comigo ou com Deus.

– Ai, meu Deus – lamentei e senti na língua o gosto frio do ferro. – Jamie… por favor. *Por favor*, não vá embora.

Suas pálpebras estremeceram e se fecharam.

Não consegui falar. Não consegui me mexer. A tristeza me dominou e me encolhi em posição fetal, ainda segurando seu braço com as duas mãos, com força, para impedir que ele se afogasse, que descesse para dentro da maldita terra, para longe de mim para sempre.

Por baixo da tristeza veio a fúria... e o tipo de desespero que torna uma mulher capaz de levantar um carro de cima do próprio filho. Ao pensar nisso e sentir o cheiro do sangue, por uma fração de segundo eu não estava ajoelhada no sangue de Jamie em uma planície escaldante e derrotada, mas sobre tábuas cheias de farpas junto a um fogo que relutava em pegar, ouvindo gritos e sentindo cheiro de sangue, sem nada em que me segurar exceto um fragmento úmido de vida e aquela única frase: *Não solte.*

Eu não soltei. Agarrei-o pelo ombro e consegui fazê-lo rolar de costas, abri o casaco ensopado e rasguei sua camisa no meio. O ferimento a bala no peito era evidente, ligeiramente à esquerda do centro, vertendo sangue. Vertendo, não jorrando. E não escutei o ruído característico de sucção de um tiro no peito: onde quer que a bala estivesse, não havia penetrado um pulmão.

Tive a sensação de estar avançando por um mar de melado, movendo-me com uma lentidão insuportável... mas a verdade era que eu estava fazendo uma dezena de coisas ao mesmo tempo: apertando com força um torniquete em volta da coxa dele (a artéria femoral estava bem, graças a Deus. Caso contrário, ele já estaria morto), fazendo pressão no ferimento do peito, gritando por ajuda, apalpando seu corpo para detectar outras lesões com uma só mão, gritando por ajuda...

– Tia! – Ian de repente surgiu ajoelhado a meu lado. – Ele está...?

– Aperte isto!

Agarrei sua mão e a espalmei sobre a compressa por cima do ferimento no peito de Jamie. O impacto o fez gemer, o que me deu um pequeno choque de esperança. Mas o sangue se espalhava abaixo dele.

Continuei a trabalhar obstinadamente.

– Me escute – falei depois do que pareceu um longo tempo.

O semblante dele estava fechado e pálido, e o rumor das pessoas reunidas me chegava aos ouvidos como uma longínqua trovoada em um céu limpo e azul. Senti o som se mover através de mim e concentrei a mente no azul, vasto e vazio, paciente, tranquilo... à espera dele.

– Me escute! – falei e sacudi seu braço com força. – Você acha que vai morrer por um triz, mas não. Você vai *viver* por um triz. Comigo.

– Tia, ele morreu. – A voz de Ian saiu baixa e áspera de choro e senti no ombro o calor de sua mão grande. – Venha. Levante-se agora. Deixe-me pegá-lo. Vamos levá-lo para casa.

...

Eu me recusei a soltar. Não conseguia mais falar, faltavam-me forças. Mas me recusei a soltar e me recusei a me mexer.

Ian falava comigo de vez em quando. Outras vozes iam e vinham. Alarme, preocupação, raiva, impotência. Eu não escutei.

Azul. Não é vazio. É lindo.

Achei quatro ferimentos. Uma bala havia atravessado o músculo da coxa, mas sem atingir nem o osso nem a artéria. Outra tinha pegado de raspão no flanco direito, abaixo da caixa torácica, deixando um sulco profundo que sangrava abundantemente, mas graças a Deus não penetrara o abdômen. Outra o atingira na patela esquerda. Uma sorte, devido à hemorragia mínima. Apenas o tempo diria se ele voltaria a andar. Já o ferimento no peito...

A bala não havia penetrado o esterno, ou ele estaria morto. Mas *talvez* tivesse passado e rompido o pericárdio ou alguns dos vasos cardíacos menores, o impacto interrompido pelo esterno mas sem impedir de todo o estrago.

– Respire – falei para ele ao reparar que seu peito não estava mais se erguendo de modo perceptível. – *Respire!*

Não vi movimento algum do peito. No entanto, quando pus a mão em frente à boca de Jamie, detectei um débil movimento de ar. Não podia fazer compressões torácicas, não com o esterno fraturado e um projétil invisível dentro ou debaixo do osso.

– Respire – falei entre dentes ao mesmo tempo que apertava um novo curativo no joelho e o envolvia depressa com um pedaço de atadura para manter uma leve compressão. – Por favor, por favor, por favor, respire...

O Jovem Ian tornou a aparecer em algum momento, agachou-se a meu lado e foi me passando as coisas de meu kit conforme eu precisava. Ele parecia estar rezando a Ave-Maria, embora eu não soubesse dizer se estava falando em gaélico ou em mohawk. Perguntei-me vagamente como sabia que era a Ave-Maria e me dei conta de que minha mente estava tomada pela visão de um vasto espaço azul.

Azul, como o manto da Virgem...

Pisquei os olhos ardidos de suor e vi o rosto de Jamie, calmo e tranquilo. Será que ele estava vendo o Paraíso, e eu também através de seus olhos fechados?

– Você está perdendo a razão, Beauchamp – resmunguei e continuei a trabalhar torcendo para o sangramento estancar. – Dê água com mel para ele – falei para Ian.

– Ele não consegue engolir, tia.

– Não estou nem *aí*, droga! *Dê para ele!*

A mão de alguém se estendeu por sobre o ombro de Ian e pegou o cantil. Era Roger, com o rosto e as mãos sujos de sangue e os cabelos pretos agora soltos, molhado de suor, cheio de folhas vermelhas e amarelas.

Eu poderia ter soluçado com o pequeno alívio de tê-lo ali. Ele levou o cantil até a boca de Jamie com uma das mãos; a outra se estendeu e tocou meu rosto com toda a delicadeza. Sua mão então pousou no ombro de Jamie e o sacudiu, menos delicadamente.

– Você não pode morrer. Presbiterianos não praticam a extrema-unção.

Eu poderia ter rido se tivesse algum fôlego para gastar. Minhas mãos e meus braços estavam vermelhos até os cotovelos.

Eu me recusei a soltar. Não conseguia mais falar, faltavam-me forças para isso. Mas me recusei a soltar e me recusei a sair dali.

Ian falava comigo de vez em quando. Outras vozes iam e vinham. Alarme, preocupação, raiva, impotência. Ian e Roger. Eu não escutei.

Azul.

Tão lindo.

Não é vazio.

Meu rosto estava pressionado com força no peito dele, minha boca encostada em seu esterno ferido, o gosto metálico de sangue e o sal de seu suor em minha língua. Pensei conseguir escutar as lentas, muito lentas batidas de seu coração.

Tá... Tum... Tá... Tum...

Pensei no coração acelerado de Bree, nas pequeninas e rápidas batidas do minúsculo David sob meus dedos, tentei sentir meu coração nas pontas dos dedos, forçar toda aquela vida a entrar no dele.

Não solte.

De vez quando eu tinha uma vaga consciência de coisas acontecendo a meu redor. Pessoas gritando, alguns tiros, mais gritos...

Ouvi a voz de Roger, mas não dediquei nem tive como dedicar atenção suficiente a saber o que estava dizendo. Mas senti quando ele se ajoelhou ao lado de Jamie e pousou nele uma das mãos. Algo se agitou através dele e através de mim, e eu o inalei como se fosse oxigênio.

...

O cheiro de Jamie tinha mudado e isso me deixou com muito medo. Eu podia sentir um odor de poeira quente, cavalos, metal aquecido, fumaça de armas, e o fedor enlameado de poças cheias de urina de cavalo, além do cheiro intenso e apavorado de plantas partidas e dos troncos arrebentados das árvores na encosta do morro mais abaixo. Podia sentir o cheiro do suor e do sangue de Jamie... Meu Deus, quanto sangue! Tinha saturado meu corpete e o espartilho, e o tecido grudava em mim e nele, uma fina crosta de calor aderente, não o aroma metálico e cortante de sangue fresco, mas a fedentina viscosa de um matadouro. O suor estava frio em sua pele, escorregadio e quase inodoro, já sem o cheiro pungente e vital da masculinidade.

Sua pele estava fria por baixo da camada de suor e sangue, e eu me apertei contra ele o mais forte que consegui, agarrando-me com força às formas de suas costas, tentando me forçar a penetrar as fibras de seus músculos, a alcançar o coração dentro da caixa óssea de seu peito para fazê-lo bater.

De repente me dei conta de algo quente e redondo em minha boca, um gosto de metal mais forte que o do sangue. Tossi, levantei a cabeça o suficiente para cuspir e descobri que era uma bala de mosquete ainda quente saída de seu corpo.

Ele ainda respirava... apenas um débil sopro de ar em minha testa, que eu só sentia porque aquilo refrescava meu suor.

Respire, pensei com toda a força e pressionei a testa em seu peito, sobre o buraco pequeno e escuro da ferida, vendo o rosa manchado de sangue e o azul privado de ar dos pulmões mais embaixo. Estendi a mão para seu coração, mas não encontrei palavras, apenas o peso das batidas suaves e cada vez mais lentas, o movimento semelhante a duas pequenas e pesadas bolas em minhas mãos, uma em cada, uma mais pesada do que a outra, e as fiquei jogando para lá e para cá, para lá e para cá, agarrando cada uma separadamente, mas em rápida sequência.

Tá-tum... tá-tum... tá... tum.

– Não seria melhor... tirá-la daí? – Uma voz áspera e hesitante em algum lugar bem longe acima de mim. – Quero dizer, ele está...

– Deixe-a.

O Jovem Ian. Ele se sentou a meu lado. Ouvi seus mocassins roçarem a terra do chão e a pele de cervo se esticando em suas coxas.

Sorvi uma inspiração rápida misturada com um soluço o mais fundo que consegui, puxando o ar por nós dois, e o Jovem Ian pousou a mão em meu ombro com hesitação, sem saber ao certo o que deveria fazer. Mas estava ali.

Ali. Uma forma sólida, mas sem contorno, brilhando com uma luz fraturada. Ian estava ferido, porém sem gravidade, e eu podia sentir sua força pulsar e se extinguir, pulsar e se extinguir...

Senti essa pulsação na própria carne. Por alguns instantes, fiquei desorientada e sem conseguir encontrar os limites de meu corpo. Sentia a lenta entrega de Jamie na barriga e nas veias, e no coração e nas artérias a pulsação forte de Ian.

Onde estou?

Concluí difusamente que pouco importava.

Ajude-me, pedi em silêncio e soltei meus limites.

148

AINDA... NÃO...

Ficamos os quatro ali durante o restante do dia, a noite que veio depois e a maior parte do dia seguinte. Quando por fim retomei contato com o mundo, estava encolhida ao lado de Jamie, com um pedaço de lona estalando acima de nós, sacudido por um vento suave.

– Venha, tia. – As mãos do Jovem Ian entraram debaixo de meus braços e ele delicadamente me pôs sentada.

– O quê...? – balbuciei, e ele aproximou um cantil de minha boca.

Bebi. Era sidra, e eu nunca tinha provado nada mais gostoso. Então me lembrei.

– Jamie? – Olhei em volta à procura dele com os olhos sonolentos, mas não consegui fazê-los entrar em foco.

– Ele está vivo, Claire. – Era Roger, agachado a meu lado e sorrindo. Com os olhos vermelhos e a barba por fazer, mas sorrindo. – Não sei como fez, mas ele está *vivo*. Ficamos com medo de mudar vocês de lugar... vocês dois, porque você se recusou a soltá-lo.

Olhei em volta. Continuávamos atrás do afloramento de rocha, protegidos do campo de batalha, mas eu podia ouvir a limpeza... e sentir seu cheiro. Grunhidos, conversas, o *tchuf* de pás e as pancadas suaves de terra sendo jogada para o lado. Estavam enterrando os mortos.

Mas não nós.

Pus uma das mãos em Jamie. Ele *parecia* morto. Eu certamente me *sentia* morta. Mas pelo visto não estávamos.

O peito dele se moveu sob minha mão. Ele estava respirando e, por mais leve que fosse o movimento, eu o senti como se fosse o vento suave a soprar através de mim.

– Acha que é seguro mudá-lo de lugar, tia? – perguntou o Jovem Ian. – Roger Mac encontrou uma casa de fazenda não muito longe daqui onde podemos ficar por um tempo, até estarem fortes o bastante para viajar.

Umedeci os lábios rachados e me inclinei por cima de Jamie.

– Está me ouvindo? – perguntei.

O rosto dele estremeceu por um breve instante, imobilizou-se outra vez e então, depois de um intervalo aflitivo, seus olhos se abriram. Somente uma nesga azul-escura com as bordas vermelhas, mas se abriram.

– Sim – sussurrou ele.

– A batalha acabou. Você não morreu.

Ele me encarou por vários instantes, com a boca entreaberta.

– *Ainda*... não – falou, no que pensei ter sido um tom um tanto contrariado.

– Estamos indo para casa – falei.

Ele respirou por um minuto, então disse "Ótimo" e tornou a fechar os olhos.

149

FILHOS DA MÃE BRAVOS, IRASCÍVEIS E DIFÍCEIS

Cordilheira dos Frasers
22 de outubro

– Eu não vou morrer dormindo – disse Jamie, teimoso. – Quero dizer... claro que eu vou se o Senhor decidir me levar quando estiver na cama. Mas, se eu for morrer pelas *suas* mãos, quero estar acordado.

Minhas mãos tremiam. Uni-as sob o avental, tanto para esconder o tremor quanto para controlar a ânsia de esganá-lo.

– Você *precisa* dormir – falei, no tom mais sensato de que fui capaz, o que não foi nem um pouco sensato. – Sua perna precisa estar imóvel, e com você acordado não vou conseguir. Não me importo *quão forte* acha que é, não vai conseguir ficar parado o suficiente, e mesmo amarrando você na mesa... algo que estou disposta a fazer... – fuzilei-o com os olhos – ... nem isso bastaria para deixar você imobilizado.

Minhas mãos tinham parado de tremer, graças a Deus, e eu as tirei de baixo do avental, peguei a máscara de éter e apontei um dedo para ele.

– Ou você se deita agora mesmo e inala isto aqui, ou vou mandar Roger e Ian amarrarem você na mesa. Mas você *vai* inalar, quer queira, quer não.

Na mesma hora ele se sentou e pôs os pés para fora da mesa, aparentemente decidido a tentar fugir, com ou sem a patela quebrada.

– Não.

Roger o segurou por um dos braços e um dos ombros, e Ian, escorregando até atrás da mesa feito uma cobra-d'água, segurou-lhe o outro braço com uma das mãos e lhe deu um mata-leão com o outro braço.

– Deite-se, tio – disse ele em tom tranquilizador, aliviando a pressão do mata-leão e puxando Jamie de costas para junto de si. – Vai ficar tudo bem. Tia Claire não vai matar você. No entanto, se ela matar o senhor por acidente, Roger Mac agora é pastor e pode fazer um belo funeral.

Jamie produziu um ruído a meio caminho entre um gorgolejo e um rosnado, e seu rosto adquiriu um tom vermelho-escuro congestionado quando se debateu. Na verdade, fiquei satisfeita ao ver que ele ainda tinha sangue suficiente para ficar daquela cor.

– Soltem-no.

Dispensei Roger e Ian com um aceno e os dois o soltaram com relutância. Jamie ficou me encarando, arfando, mas não tentou se afastar quando me aproximei. Pus a mão em seu joelho que não estava machucado e me inclinei mais para perto de modo a lhe falar em voz baixa:

– Se você deitar sozinho, vai apagar antes de eles o amarrarem. Eu o desamarro assim que terminar a cirurgia. Não deixo você acordar amarrado. Eu juro.

Ele agora estava respirando ar suficiente e seu rosto perdeu o aspecto de uma convulsão iminente.

– Jura também que vou acordar?

Ele falou em tom áspero, e não só por causa do mata-leão.

– Isso eu não posso prometer – falei com a voz mais firme que consegui. Apertei seu joelho. – Mas aposto cem contra um que vai.

Ele me encarou com ar perscrutador por vários instantes, então suspirou.

– É, bem, eu sou jogador desde menino. Não acho que seja hora de parar.

Ele se recostou na palma das mãos e tornou a suspender as pernas para cima da mesa. O esforço de mover a perna ferida fez suor brotar em sua testa, mas ele manteve os lábios pressionados e não fez ruído algum quando Roger e Ian o seguraram pelos ombros e o fizeram se deitar.

Na bancada atrás de mim havia um guardanapo fervido sobre o qual estavam dispostas quatro tiras finas de ouro martelado. Fora Bree quem as fabricara e laboriosamente fizera os minúsculos furos que eu iria usar para atarraxá-las no osso. Os parafusos de aço foram uma cortesia do relógio de Jenny, oferecidos na mesma hora quando pedi.

Aquela seria uma operação delicada e difícil, mas eu estava sorrindo por trás da máscara enquanto ensaboava, raspava e depois passava álcool na pele de seu joelho. A situação me lembrou muito o dia em que eu havia me preparado para amputar sua perna picada por uma cobra… aquela mesma perna. Ainda podia ver o sulco estreito deixado pela picada, logo acima do tornozelo, quase escondido pelo emaranhado de pelos louros arruivados. Naquele dia eu não temia pela vida de Jamie e me alegrei sabendo que o que iria fazer com seu joelho não iria doer enquanto eu o estivesse fazendo. Ergui os olhos para ele, deitado em cima da mesa. Jamie olhou feio para mim.

Remexi as sobrancelhas, zombando dele. Ele expirou pelo nariz e se deitou, mas seu rosto relaxou. Foi isso que me deixou mais feliz: ele tinha resistido e, muito embora houvesse sido forçado a ceder, não iria abrir mão de seu direito de ficar mal-humorado por isso.

Ao longo dos anos eu já tinha visto muitos pacientes dóceis, amáveis e obedientes sucumbirem em questão de horas aos males que os afligiam. Os filhos da mãe bravos, irascíveis e difíceis (de ambos os sexos) quase sempre sobreviviam.

A gaze de algodão da máscara tinha ficado úmida em minha mão e esfreguei essa mão no avental. Meneei a cabeça na direção do vidro de éter sobre a bancada, que Bree me passou com os olhos preocupados cravados no pai. Jamie tinha unido as mãos sobre a barriga e fitava o teto, perturbadoramente parecido com um cavaleiro medieval na cripta de alguma catedral.

– Está faltando só uma espada apertada junto ao peito e um cãozinho a seus pés – disse ela. – E quem sabe uma roupa de cota de malha.

Ele soltou um leve muxoxo, mas seu rosto relaxou um pouquinho.

– Agora respire, lenta e profundamente – falei em voz baixa e tranquilizadora.

O cheiro do éter tinha se erguido feito um fantasma quando abri o vidro e vi Ian prender a respiração ao senti-lo chegar.

O olhar de Jamie cruzou com o meu e seus músculos se tensionaram quando encaixei a máscara por sobre seu nariz e sua boca.

– Respire normalmente. Você vai ficar tonto um instante, mas só um instante. – As gotas transparentes foram caindo uma por uma na gaze e desaparecendo. – Inspire. Conte para ele, Bree, até dez, de trás para a frente.

Ela pareceu espantada, mas obedeceu e começou:

– Dez... nove... oito... sete... – As pálpebras dele estremeceram, então se abriram de supetão quando ele sentiu.

– *Respire* – falei com firmeza. – ... seis... cinco...

– Ele já se foi – disse Roger baixinho, então se deu conta do que acabara de dizer. – Digo... ele já dormiu.

– ... três, dois, um.

Passei o vidro para Roger.

– Certifique-se de que continue assim – falei. – Uma gota a cada trinta segundos.

Fui limpar minhas mãos com álcool uma última vez e verifiquei os instrumentos e materiais que havia separado enquanto Ian e Bree o amarravam com firmeza na mesa usando trapos e ataduras de pano. Seus dedos tinham relaxado e as mãos penderam flácidas quando eles posicionaram os braços ao longo do corpo. A luz estava boa: os finos pelos de seus braços e pernas luziam dourados e o sangue que manchava sua atadura tinha a mesma cor do centro de uma rosa. Minha respiração havia se acalmado e meu coração batia devagar; eu podia senti-lo na ponta dos dedos. Algum santo estava a meu lado agora. Quis afastar os cabelos macios de sua testa, mas, por não querer prejudicar qualquer arremedo de esterilidade que tivesse conseguido alcançar, deixei-os como estavam.

Jamie estava tão bem amarrado quanto um barril de fumo no porão de um navio, mas Brianna segurou sua perna e a firmou só para se certificar. Aquiesci para ela, virei-me para meu trabalho e estiquei o máximo que consegui a pele que cobria a patela de Jamie.

Peguei uma compressa e o cheiro forte de álcool veio se juntar ao almiscarado do éter, abafando o odor dos pinheiros e das castanhas caídas no chão da floresta que entrava pela janela.

– Está com cheiro de hospital de verdade, não é? – falei e amarrei bem apertada minha máscara no rosto.

Certifiquei-me de que Jamie despertaria em segurança com uma atadura e uma tala no joelho e uma dose maciça de láudano para combater a dor. Deixei-o dormindo no consultório e desci o hall de entrada até a cozinha um pouco ansiosa, embora com um profundo sentimento de satisfação. A cirurgia tinha corrido lindamente: ele tinha ossos ótimos, densos e que iriam se recuperar bem. Embora a convalescença sem dúvida fosse ser dolorosa, eu tinha certeza de que, com o tempo, voltaria a andar com desenvoltura.

A casa estava em silêncio: meus ajudantes haviam se espalhado. Fanny passeava em algum lugar com Cyrus e o restante tinha ido ao chalé dos Murrays tomar sidra de maçã e ordenhar as cabras. Portanto, espantei-me um pouco ao encontrar Jenny na cozinha, sentada sozinha no canapé, olhando contemplativa para o grande caldeirão a fumegar suavemente acima do fogo.

– Seu irmão está bem – falei em tom casual e abri o armário de tortas para ver o que havia à mão.

– Que bom – disse ela, distraída, mas então se sobressaltou e ficou mais atenta. – Quero dizer… sim, isso é muito bom. Acha que ele vai andar com facilidade?

– Provavelmente não por algumas semanas. Mas vai andar com certeza e quanto mais ele o fizer, mais fácil vai ficar. – Achei três quartos de uma torta de pêssegos secos e a levei até a mesa. – Quer comer um pouco disto aqui comigo?

– Não – respondeu ela automaticamente, mas então reparou no que era. – Ah. Aceito, sim, obrigada.

Cortei a torta, peguei leite na cisterna de resfriamento que Bree tinha construído no canto do piso da cozinha e servi a comida. Ela se levantou devagar e veio se sentar na minha frente.

– O *sachem* foi à minha casa hoje de manhã e disse que está na hora de ele voltar para o norte – falou.

– Ah, foi?

Comi uma garfada de torta: que delícia. Devia ter sido obra de Fanny. Ela era a melhor da família em matéria de tortas e empadões. Jenny não disse nada e, embora estivesse com o garfo na mão, ainda não tinha provado a torta.

– E? – perguntei.

Nenhuma resposta. Dei outra garfada e aguardei.

– Bom… – disse ela por fim. – Ele me beijou.

Arqueei a sobrancelha para ela.

– E você retribuiu o beijo?

– Retribuí, sim – disse ela, soando espantada. Passou um tempo sentada, refletindo, então me olhou de lado. – Não tinha a intenção de retribuir – falou, e eu sorri.

– Você gostou?

– Claire, não vou mentir para você. Eu gostei, sim. – Ela deixou a cabeça cair para trás e fitou o teto. – E *agora*?

– Está perguntando isso para mim?

– Não, estou perguntando para *mim* – disse ela, acrescentando um pequeno muxoxo escocês para enfatizar o que dizia. – Ele vai voltar para o norte, para junto do sobrinho. E contar tudo que descobriu sobre a guerra, assim poderá decidir se continua do lado britânico ou se… – Ela não completou a frase. – Vai ter que partir antes de o tempo virar.

– Ele pediu para você ir com ele? – perguntei, delicada.

Ela fez que não com a cabeça.

– Ele não precisou pedir nem eu precisei responder. Ele me quer e eu… bom, se fôssemos só ele e eu, seria uma coisa, mas não somos. Então é diferente. Não posso ir embora e deixar minha família aqui, principalmente sabendo todas as coisas que podem acontecer com vocês. E tem Ian…

A suavidade em sua voz me fez entender que ela se referia a Ian Mòr: seu marido, não seu filho.

– Eu sei que ele não iria se importar – afirmou. – E não sei só porque o *sachem* me disse – acrescentou, lançando-me um olhar azul direto. – Mas ele vê Ian comigo e eu *sei* que ele está comigo. E sempre estará – falou mais suavemente. – Um dia pode ser que isso mude. Não que Ian vá me abandonar, mas… talvez seja diferente. Eu disse isso e o *sachem* disse que vai voltar. Quando a guerra acabar.

Quando a guerra acabar. Senti um imenso nó na garganta. Já tinha escutado isso muito tempo antes, presa nas engrenagens de outra guerra. Dito naquele mesmo tom de anseio, antecipação e resignação. Sabendo que, se a guerra um dia acabasse… ela na verdade jamais acabaria. Que tudo seria diferente.

– Tenho certeza que vai – falei.

150

E O QUE ACONTECEU COM LÁZARO?

Cordilheira dos Frasers
11 de fevereiro de 1781

Senti Jamie acordar a meu lado. Ele se espreguiçou, então fez um barulho horrível e parou. Bocejei e me levantei apoiada em um cotovelo.

– Não sei por que isso acontece – falei. – Mas nos ferimentos do joelho e do pé a posição deitada na verdade dói mais do que em pé.

– Também dói quando fico em pé – assegurou Jamie.

Com um dar de ombros, ele dispensou minha oferta de ajuda e passou a perna operada pela borda da cama soltando um sibilo de dor e um "Mãe santíssima" sufocado. Usou o penico e ficou sentado reunindo forças antes de se levantar, apoiando uma das mãos na mesa de cabeceira, e ficar parado se balançando como uma flor sacudida pela brisa.

Pulei da cama, fui pegar sua bengala no canto em que a havia jogado na noite anterior e lhe entreguei, perguntando-me como teria sido a vida de Maria e Marta depois de seu irmão Lázaro ressuscitar. Então, ao ver Jamie lutando para se vestir, perguntei-me como teria sido *para Lázaro*.

Fosse qual fosse seu estado de espírito ao morrer, o pobre homem provavelmente havia deixado seu corpo pensando que o mundo para ele estava acabado. Ser reinserido sem a menor cerimônia naquele mesmo corpo era uma coisa... Voltar para uma vida que você nunca mais achava que fosse viver era outra bem diferente.

Jamie lançou um olhar desanimado para si mesmo no espelho, esfregou a mão na barba por fazer, resmungou algo em gaélico, passou a mesma mão pelos cabelos, balançou a cabeça e desceu a escada para fazer o desjejum, assinalando seu avanço com as batidas da bengala em cada dois degraus.

Enquanto começava a me vestir, pensei que, na verdade, aquilo acontecia com muita gente, que podia não ter chegado tão perto da morte física quanto Jamie, mas que ainda assim perdera a vida com a qual estava acostumada. Com um pequeno choque, dei-me conta de que eu mesma tivera essa experiência... e em mais de uma ocasião. Quando havia atravessado as pedras pela primeira vez, arrancada de Frank e de uma nova vida que acabáramos de começar depois da guerra, e novamente quando fora obrigada a abandonar Jamie antes de Culloden.

Fazia tempo que eu não revisitava *essas* lembranças. Tampouco as queria de volta... mas era reconfortante lembrar que elas haviam acontecido... e que eu tinha sobrevivido a ser desenraizada, perder tudo que conhecia e tudo que amava...

Mesmo assim, tinha tornado a florescer.

Reconfortei-me ainda mais pensando em Jenny, que tinha perdido a maior parte da vida quando Ian morrera e então corajosamente virou as costas para o que havia sobrado e partiu com Jamie rumo à América.

Os soldados da província aprisionados na batalha tinham sido desarmados, reunidos e conduzidos para longe; eu não sabia para onde. Mas as milícias tinham se desfeito assim que os tiros haviam cessado e os homens voltaram para suas respectivas vidas em pequenos grupos à procura do que perderam pelo caminho.

Quanto tempo iria demorar, pensei, para termos que fazer tudo outra vez? Estávamos em 1781. Em outubro, a Batalha de Yorktown seria travada... e vencida. Seria o fim da guerra ou um fim até onde as guerras acabam.

Haveria mais combates. A maioria no Sul, mas não perto de nós. Ou assim dizia o livro de Frank.

– Então ele vai ficar bem – falei para meu reflexo no espelho.

Fisicamente Jamie tinha se recuperado bem. O joelho melhoraria com o uso... e ele estava de volta à casa que tanto amava. A maior parte de sua milícia sobrevivera à batalha com ferimentos leves, embora ele tivesse perdido dois homens: o segundo filho mais velho de Tom McHugh, Greg, e Balgair Finney, um homem solteiro de 50 e poucos anos de Ullapool que vivia na Cordilheira havia menos de um ano. Mesmo que a inclinação de Jamie fosse ficar sentado no escritório encarando pensativamente o fogo na lareira ou então partir rumo à destilaria – e eu não sabia se conseguiria suportar vê-la abandonada e em mau estado, ou se ainda não era capaz de encarar o trabalho de recolocá-la em condições de funcionamento –, eu tinha fé de que ele iria se recuperar.

O pequeno Davy tinha sido de grande ajuda. O menininho alegrava o coração de todos e Jamie adorava ficar sentado com ele dizendo coisas em gaélico que faziam Fanny rir quando as escutava.

Mesmo assim... faltava algo nele. Olhei para trás na direção da cama desfeita. Ele não sentira vontade de fazer amor por mais de dois meses depois que voltamos para casa, o que não era de espantar muito, e embora eu tivesse conseguido excitá-lo fisicamente à medida que ele convalescia... *alguma* coisa estava faltando.

– Paciência, Beauchamp – falei para o espelho e peguei minha escova de cabelo. – Ele vai ficar bem. – Em geral, eu escovava os cabelos pelo tato, mas ainda olhava para o espelho quando ergui a escova... e me detive. – Caramba.

Meus cabelos estavam brancos. Jamie certa vez tinha me dito que meus cabelos tinham a cor do luar, mas na época não passavam de riscas brancas ao redor do rosto. Os fios não estavam totalmente brancos: a massa de cachos que borbulhava em volta de meus ombros ainda era uma mistura de castanho, louro e prateado... mas os fios mais recentes acima de minhas orelhas estavam pura e simplesmente brancos e cintilavam à luz do sol da manhã. Pousei a escova e olhei para minha mão, virando-a de um lado para outro. Estava como sempre estivera: fina e com dedos longos, os tendões bem marcados e veias azuis visíveis...

Lembrei-me então de Nayawenne e do que ela havia me dito: "Quando seus cabelos estiverem brancos... é nessa hora que você vai encontrar seu pleno poder." Fazia algum tempo que não pensava nisso e senti um formigamento me descer pela espinha. A lembrança de ter segurado a alma de Jamie naquele topo de montanha, de o ter chamado de volta para seu corpo... Roger tinha me dito baixinho, quando não havia ninguém por perto para escutar, que pensava ter visto uma débil luz azul se mover nas minhas mãos quando eu havia tocado em Jamie, piscando como um fogo-fátuo.

– Jesus H. Roosevelt Cristo – falei bem baixinho.

À tarde fui até a horta. O ar continuava gelado, mas pedaços de terra começavam a surgir em meio à neve derretida e estava na hora de cavar valas para as trepadeiras dos primeiros feijões e ervilhas. Jamie me acompanhou, dizendo que faria bem para ele pegar um pouco de ar, e subimos a encosta andando devagar por causa de seu joelho.

Os dois tenentes, Gilbert e Oliver, tinham cavado boas trincheiras para ervilhas, vagens e favas comestíveis, todas cuidadosamente guardadas das colheitas do ano anterior. Fiz uma breve oração por eles e também por Agnes (*Com qual dos dois ela se casou?*) e por Elspeth e Charles Cunningham. Estariam todos de volta à Inglaterra? Jamie me fez o favor de despejar o esterco em uma das valas e deu início ao trabalho de despejar pazadas de terra e misturá-las bem com o esterco, apenas sibilando entre dentes quando seu joelho ruim reclamava.

Essa vala passava atrás das colmeias. Eram onze agora: um dos enxames tinha se dividido antes da Montanha dos Reis e eu chegara a tempo de interceptar uma nova rainha prestes a partir e acomodá-la em uma nova colmeia com suas seguidoras; e o Jovem Ian tinha encontrado uma colmeia selvagem e fora com Rachel e Jenny capturar as abelhas e trazê-las para a horta. Todas haviam sobrevivido ao inverno. Algumas de vez em quando saíam e passeavam pelo espaço antes de tornar a entrar. Jamie olhou para trás com cautela, para ter certeza de que não iria derrubar as colmeias com a pá, então olhou para mim com ar surpreso.

– Estou ouvindo as abelhas! – exclamou. – Ou pelo menos acho que estou… – Ele avançou com cautela e chegou com o ouvido bem perto da palha trançada da colmeia.

– Está, sim – falei, achando graça na expressão dele. – Abelhas não morrem no inverno. Na verdade, elas tampouco hibernam… contanto que tenham mel suficiente armazenado para durar até a primavera. Elas se amontoam e ficam tremendo para gerar calor. Tirando isso, apenas comem… e dormem.

– Posso pensar em jeitos piores de passar o inverno – disse ele e sorriu. – Segurando os pés.

A interessante questão de que partes dele eu gostaria de segurar enquanto dormia teve que esperar, pois escutamos o farfalhar arrastado de passos pesados subindo o caminho.

Não me surpreendi ao ver John Quincy Myers, que frequentemente passava na Cordilheiras dos Frasers ao descer das aldeias cherokees, onde em geral passava o inverno, mas fiquei muito satisfeita.

– Como o senhor está? – perguntei, recuando para olhar para ele, uma vez trocados os cumprimentos e abraços.

Pelo visto, ele havia deixado sua bagagem na casa. Tinha o mesmo aspecto de sempre, só emagrecido por causa do inverno como todo mundo.

– Vou bem, dona, vou bem – disse ele, abrindo-me um largo sorriso que tinha um ou dois dentes a menos do que da última vez que o vira. – E vejo que suas abelhas também estão muito bem.

– Parecem estar, sim… Obrigada mais uma vez por ter me dado esse presente. Estávamos justamente falando sobre o que as abelhas fazem no inverno. Comer e dormir, imagino eu.

– Ah, estou certo de que elas fazem isso – disse ele e estendeu a mão para uma das colmeias. Sorriu ao sentir o leve zumbido na pele. – Mas acho que passam o tempo frio em grande parte como nós, contando histórias umas para as outras nas noites compridas.

Jamie riu ao escutar isso, mas se aproximou com cautela e pôs a mão em uma das colmeias também.

– Que tipo de histórias o senhor acha que as abelhas contam, *a charaid*?

– Imagino que histórias de ursos e flores. Mas uma rainha talvez sonhe com outras coisas.

– Se estiver se referindo a pôr milhares de ovos, isso me parece mais um pesadelo – falei.

John Quincy riu, mas inclinou a cabeça para um lado e para outro, em um gesto de quem pondera a questão.

– Isso não cabe a um homem dizer, mas ela talvez sonhe em voar livre e bem alto com cem zangões em uma nuvem de louco desejo. Ah... – Ele se deteve e tateou a bolsa. – Quase esqueci, dona. Tenho algo aqui para a senhora.

Ele pegou um pequeno embrulho envolto em um pedaço de algodão rosa encardido.

– De quem é? – perguntei, pegando o objeto. Era leve, pouco mais de algumas dezenas de gramas, e algo estalou de leve lá dentro.

– Isso eu não sei ao certo, dona Claire – respondeu ele. – Quem me deu foi uma mulher que tem uma taberna lá perto de Charlotte, em janeiro. Ela me contou que quem deixou isso foi um homem negro. Ele pediu para entregar para a feiticeira que vivia na Cordilheira dos Frasers. Imagino que estivesse se referindo à senhora – acrescentou com um sorriso. – Não existem muitas feiticeiras por estas bandas.

Intrigada, abri o pequeno embrulho e dentro dele encontrei uma folha de papel grosso, cuidadosamente embrulhada em volta de um objeto duro. Abri-o e uma pedra do tamanho de um ovo de galinha e mais ou menos do mesmo formato caiu em minha mão. Tinha um tom cinza mesclado de branco e verde. Era lisa e estava surpreendentemente quente, levando em conta o ar frio. Entreguei-a para Jamie e desdobrei a grande folha de papel na qual viera embrulhada. O recado estava escrito a pena e tinta, a caligrafia um pouco tremida mas bastante legível:

> *Abandonei o Exército e voltei para casa. Minha avó mandou isso para a senhora, em agradecimento. É uma pedra azul de um lugar antigo. Segundo ela, cura doenças do espírito e do corpo.*

Li o texto, atônita, e estava prestes a dizer para Jamie que aquilo devia ser do cabo, pelo visto agora *ex*-cabo Sipio Jackson, quando ele de repente estendeu a mão e pegou o papel.

– *A Mhoire Mhàthair!*

Interessado, John Quincy esticou o pescoço para olhar.

– Mas que coisa! – comentou ele. – Isso aí é seu nome, não é, Jamie?

O recado estava significativamente avariado: rasgado em um dos cantos, manchado e sujo, e parte da tinta pelo visto tinha se molhado e escorrido e o lacre de cera vermelha caído, deixando para trás uma mancha vermelha redonda... mas não restava dúvida alguma em relação ao que era.

Era uma cópia – a cópia original, assinada pelo governador William Tryon – da concessão de 4 mil hectares de terras na real colônia da Carolina do Norte para certo James Fraser, em reconhecimento por seus serviços prestados à Coroa. E costurada nela com um fio grosso e preto estava a carta de lorde George Germain.

151

UMA MENSAGEM EM UMA GARRAFA

A bordo do Pallas

John Grey tinha permissão para se exercitar no convés duas vezes ao dia, pelo tempo que quisesse, enquanto o navio estivesse ancorado. Durante esse período, era acompanhado por um marujo monoglota de corpulência avantajada cujo único objetivo aparente era impedi-lo de saltar pela amurada e fugir nadando, e cujo único idioma não era nem o inglês, nem o francês, nem o alemão, nem o latim, nem o hebraico nem o grego. Grey pensou que pudesse talvez ser o polonês. De qualquer forma, essa informação não o ajudaria.

No restante do tempo, ele ficava confinado à sua cabine com um grilhão em volta do tornozelo e uma longa corrente presa em um anel chumbado à divisória da cabine.

Refeições razoavelmente adequadas lhe eram fornecidas, bem como um penico e uma pequena pilha de livros, entre os quais diversos tratados sobre os males da escravidão. Se a intenção fosse fazê-lo se conformar com o que era decerto seu destino final, tinham errado feio o alvo e ele havia lançado os livros pela pequena escotilha antes de se acomodar com uma tradução de *Dom Quixote.*

Já ficara preso antes, mas não com frequência, graças a Deus, e nunca por muito tempo, embora a noite passada aos 16 anos amarrado em uma árvore em uma escura montanha da Escócia com o braço quebrado tivesse parecido interminável. *Por que pensar nisso agora?* Tinha quase se esquecido do episódio na confusão das circunstâncias relacionadas a seu primeiro contato com um homem que nunca mais pensara ver, e melhor assim. Mas Jamie Fraser não era um homem que se pudesse esquecer com facilidade, o desgraçado.

Perguntou-se o que Jamie poderia pensar de suas atuais circunstâncias... ou pior, das circunstâncias de sua provável morte. Mas afastou isso da mente como uma especulação inútil. Não tinha a intenção de morrer, maldição, então por que perder tempo imaginando isso?

A única coisa de que tinha razoável certeza com relação a Richardson e à singular motivação desse cavalheiro era que ele, Grey, não seria morto antes de Richardson localizar Hal, uma vez que sua vida só tinha valor como moeda de troca para afetar as ações de seu irmão.

Quanto a essas... Ele coçou distraidamente o queixo. Richardson não confiava nele o suficiente para lhe dar uma navalha: sua barba estava crescendo e coçava bastante.

De fato, Hal tinha feito comentários destemperados sobre a condução da guerra e mais de uma vez ameaçara ir à Inglaterra denunciar lorde North em relação ao desperdício de vidas e dinheiro. "Há coisas que precisam ser ditas, por Deus... e eu sou um dos poucos a poder dizê-las", fora o último comentário do tipo que Grey escutara do irmão. Quando fora mesmo? Seis semanas antes no mínimo, talvez mais.

Mas John tinha a convicção moral de que Hal fora para o Norte encontrar Ben, convicção esta sustentada pelo fato de Richardson até agora não ter conseguido encontrá-lo em nenhum dos portos do Sul. Sabia isso graças às idas e vindas dos agentes de Richardson em terra: seu compartimento ficava abaixo da grande cabine de popa e, embora ele não conseguisse distinguir muitas palavras, não havia como confundir o tom de frustração, acompanhado às vezes pelas pisadas de uma bota no teto.

Quanto tempo Hal poderia levar para encontrar Ben?, pensou. E o que aconteceria quando encontrasse? Como conhecia Hal, sabia que a única circunstância na qual ele *não* encontraria o filho errante seria se o maldito garoto àquela altura estivesse *mesmo* morto, quer em combate ou de doença: ele recordou a descrição de William do dr. Hunter vacinando a população de Nova Jersey contra varíola.

O vento havia mudado. O ar soprou dentro do recinto diminuto, levantou seus cabelos e fez cócegas em sua pele. Ele fechou os olhos por instinto e virou o rosto na direção do porto. Então se deu conta de que não fora o vento que havia mudado de direção: o navio tinha se mexido. Ergueu os olhos, em seguida foi até a porta de seu compartimento, onde uma pequena abertura de ripas na parte superior deixava entrar ocasionalmente a luz dos corredores. Pressionou a orelha na abertura e apurou os ouvidos. Não. Não se ouvia o som de ordens, passos velozes ou o ronco e os estalos de velas sendo desfraldadas. Graças a Deus não estavam prestes a levantar âncora e ir embora.

– Suponho que o navio deva só ter pegado um vento de frente, como minha avó costumava dizer em relação a uma brisa forte – murmurou ele, tentando ignorar o espasmo de alarme que tinha feito sua barriga se contrair por um instante quando cogitara que o navio pudesse estar a ponto de zarpar.

Richardson já havia mudado o navio de lugar várias vezes, mas não para muito longe. Grey tinha reconhecido o porto de Charles Town, mas houve dois outros portos menores que não conhecia. Agora estavam de volta a Savannah: ele podia ver o campanário atarracado da igrejinha perto de sua casa.

Havia tentado não falar sozinho por medo de enlouquecer, mas constatou que o esforço de não fazê-lo o levava a trincar os dentes, então se permitia um comentário ocasional. Falava também com o possível polonês, o que dava na mesma, mas era socialmente menos repreensível.

Mesmo assim, pegou-se perto da escotilha com um olhar ausente por períodos cada vez mais longos, acompanhando as pequenas embarcações, bandos de pelicanos ou de vez em quando alguma visão fugidia de toninhas, às vezes uma ou duas, outras, dezenas, que se moviam de modo espantosamente gracioso, saltando mais do que nadando, mas com tanta fluidez que pareciam fazer parte da água.

Estava ocupado com esse tipo de abstração sem importância quando ouviu uma chave rodar na fechadura atrás de si e, ao girar nos calcanhares, deu de cara com o maldito Percy Wainwright.

Para completar, o homem passou alguns instantes parado a encará-lo com a boca aberta, então desatou a rir.

– *Qual é a graça?* – perguntou John, ríspido.

E Percy parou de rir, embora sua boca continuasse a tremer. Fazia semanas que não o via. Pelo visto, Percy tinha cumprido sua função e recebido permissão para desembarcar.

– Desculpe-me, John – disse ele. – Eu não esperava... quero dizer... – Ele deu uma risadinha. – Você está parecendo o Papai Noel. Quero dizer... um Papai Noel bem *jovem*, mas...

– Malditos sejam seus olhos, Perseverance – disse John, zangado. Tocou a barba com um ar incomodado. – Está branca *mesmo*?

Percy assentiu e chegou mais perto.

– Bom, não *inteiramente* branca. Mas é que seu cabelo é tão claro, de toda forma, que ela, ahn, até que combina.

John fez um gesto de irritação e se sentou.

– Mas o que está fazendo aqui, afinal? Imagino que não tenha vindo me soltar. – Alguém tinha acompanhado Percy: ele ouvira a chave girar na fechadura uma segunda vez depois de a porta se fechar atrás de seu visitante.

– Não – disse Percy, subitamente grave. – Não. Eu soltaria se pudesse, John. Por favor, acredite em mim.

– Se isso o ajuda a dormir de noite, sim, eu acredito – disse John com o máximo de veneno que conseguiu imprimir às palavras e teve a satisfação desanimada de ver o semblante de Percy se desfazer. Suspirou. – O que você quer, Perseverance?

– Eu... bem. – Percy tomou coragem suficiente para encarar John. – Eu queria dizer duas coisas para você. A primeira é que... eu sinto muito. *De verdade.*

John o encarou por alguns instantes, então assentiu.

– Está certo. Eu penso o mesmo, se é que isso tem algum valor. O que não significa grande coisa, já que provavelmente em breve estarei morto. E a segunda?

– Que eu amo você.

As palavras saíram suaves, parecendo estar sendo dirigidas ao tampo da mesa mais do que a John, mas ele as ouviu e ficou ao mesmo tempo chocado e irritado por sentir um incômodo na garganta. Também baixou os olhos e não respondeu. Os barulhos do rio, do pântano e do mar ao longe invadiam o pequeno recinto e ele pôde sentir o sangue pulsar nas pontas dos dedos onde elas tocavam a madeira rugosa.

Estou vivo. Não sei como estar qualquer outra coisa.

Pigarreou.

– Por que os pelicanos não fazem barulho? – indagou. – Gaivotas gritam e esperneiam o tempo inteiro, como se fossem bruxas, mas nunca ouvi os pelicanos fazerem qualquer tipo de barulho.

– Eu não sei. – A voz de Percy soou mais forte, mas ele também precisou se deter para pigarrear. – Eu… era só isso que eu queria… só isso que *precisava* dizer para você, John. Você tem… alguma coisa para me dizer?

– Meu Deus. Por onde poderia começar? – Mas ele não falou sem alguma gentileza. – Não. Não, espere. Tem uma coisa.

A ideia tinha lhe surgido na cabeça e ele duvidou que fosse adiantar alguma coisa: Percy era e sempre seria um covarde. Mas talvez… Endireitou as costas e se inclinou na direção de Percy, fazendo a corrente chacoalhar no chão.

– Richardson não me deixa usar papel ou pena… Ele deve pensar que vou tentar mandar um recado para algum barco que estiver passando lá embaixo. Eu não posso escrever para ninguém… minhas últimas palavras, digo, ou um adeus. Mas, pelo que entendi, você tem alguma liberdade. – Da sua escotilha, tinha visto Percy ser levado de vez em quando a remo para terra firme, provavelmente encarregado por Richardson de alguma incumbência. – Se puder, será que pelo menos pode ir até minha casa…? Fica no número 12 da Oglethorpe Street…

– Eu sei onde fica. – Percy estava lívido, mas sua expressão estava calma.

– É claro que sabe. Bom, se o que disse é verdade, então em nome de qualquer amor que já tenha tido por mim… vá lá e diga a meu filho que eu o amo.

Ele queria muito gritar: "*Pelo amor de Deus, conte a Willie o que aconteceu! Diga a ele para procurar Prévost e pedir ajuda!*" Mas Percy tinha pavor de Richardson, *assim como de tudo no mundo*, pensou. Pedir-lhe para correr um risco assim provavelmente o faria fugir, se embebedar ou então cortar a própria garganta.

– Por favor – completou, suave.

Passaram-se vários instantes e ele imaginou ouvir bater as asas dos pelicanos que sobrevoavam o rio lá fora, graves, mas Percy por fim aquiesceu e se levantou.

– Adeus, John – sussurrou.

– Adeus, Perseverance.

152

TITUS ANDRONICUS

William voltou para casa depois de mais uma busca infrutífera pelas docas e pelas tabernas das estradas que saíam de Savannah, e encontrou Amaranthus andando de um lado para outro no jardim da frente.

– *Aí* está você – disse ela em um tom que misturava acusação e alívio. – Tem um homem aqui. Eu o vi no chá da sra. Fleury, mas não sei como se chama. Disse que é amigo de lorde John e que conhece você. Ele está no salão.

William encontrou o homem que lhe fora apresentado na casa da sra. Fleury como Cavalier Saint-Honoré. O visitante havia pegado no aparador um dos preciosos pratos de Meissen de lorde John e estava correndo um dedo com delicadeza pela borda dourada. Sim, era o mesmo homem, um francês. William também o vira rapidamente no almoço de madame Prévost.

– A seu dispor, senhor. *Puis-je vous aider?* – perguntou William na voz mais neutra de que foi capaz.

O homem se virou e sua expressão mudou quando viu William, passando de exaustão e preocupação para algo semelhante a alívio.

– Lorde Ellesmere? – indagou ele com um sotaque inglês.

William estava cansado e mal-humorado demais para fazer perguntas ou pedir explicações.

– Sim – respondeu, brusco. – O que o senhor quer?

O sujeito estava bem menos *soigné* do que da última vez que o vira: sem peruca, tinha os cabelos curtos e encaracolados, matizados de grisalho e empapados de suor, e suas roupas estavam manchadas e o traje caro, amarrotado.

– Meu nome é... Percy Wainwright – disse o sujeito, como se não tivesse certeza de que fosse. – Eu sou... eu *fui*... bom, imagino que ainda seja... irmão postiço de lorde John.

– Como é? – Por reflexo, William pegou o prato de Meissen antes de o sujeito o deixar cair e tornou a colocá-lo sobre o aparador. – O que quer dizer com irmão postiço? Nunca ouvi falar do senhor.

– Não achei que tivesse ouvido mesmo. – Um leve esgar que poderia ter começado como um sorriso esmaeceu, deixando Wainwright com o semblante pálido e exausto. – A família sem dúvida fez o melhor que pôde para me expurgar da lembrança depois... Bom, não importa. Houve uma ruptura e um afastamento... mas ainda considero John um irmão.

Ele engoliu em seco e se balançou um pouco, e William considerou que o homem não estava passando bem.

– Sente-se – falou, pegando uma das poltronas menores e a virando. – E me diga o que está acontecendo. O senhor sabe onde lorde John está?

Wainwright fez que não com a cabeça.

– Não. Quero dizer... sim. Mas ele não está...

– *Filius canis* – resmungou William. Olhou em volta e viu Amaranthus, parada curiosa do lado de fora da porta, e moveu o queixo em sua direção como se ela fosse a criada. – Traga-nos um pouco de conhaque, por favor.

Não esperou a bebida chegar, mas se sentou em frente a Wainwright. Sua barriga tinha se contraído, tesa de apreensão e animação.

– Onde o senhor o viu pela última vez? – perguntou, torcendo para restaurar a coerência do outro por meio de perguntas simples e lógicas. Um tanto para sua surpresa, funcionou.

– A bordo de um navio – respondeu Wainwright e se endireitou um pouco. – Um... um transatlântico chamado *Pallas*. Quero dizer, um nome grego... algum tipo de Deus?

– A deusa da batalha – disse Amaranthus, então olhou para William e arqueou a sobrancelha.

Será que deveria ficar ali ou se retirar? Ele indicou outra cadeira com um gesto breve e tornou a se virar para Wainwright.

– Um navio. Está bem. Onde está esse navio?

– Eu não sei. Eles... ficam mudando de lugar. Estavam levantando âncora quando... quando saí. Eu não o abandonei! – exclamou ao ver o cenho franzido de William. – Eu... eu jamais o teria abandonado, mas não tinha como ajudá-lo e pensei... Bem, na verdade ele me pediu... me pediu para vir encontrá-lo.

Amaranthus emitiu um pequeno som de dúvida. William também estava desconfiado, mas não tinha escolha além de seguir em frente e torcer para o homem poder ser incentivado a dizer coisas com mais sentido.

– Claro – falou, tentando ser tranquilizador. – E o que ele pediu para dizer?

– Ele não... falou nada... não exatamente. Quero dizer, não houve tempo para um recado. Eles estavam se preparando para...

– Mais conhaque? – perguntou Amaranthus, começando a se levantar.

– Ainda não.

William ergueu a mão e ela se sentou com os olhos pregados cautelosamente em Wainwright, que parecia cada vez mais consternado. Ficaram todos os três calados enquanto o relógio de lorde John tiquetaqueava no parapeito da lareira e a borboleta cloasonada dentro de sua cúpula erguia e abaixava as asas azuis e douradas. Por fim, Wainwright ergueu os olhos das mãos unidas com força.

– A culpa é minha – falou. Sua voz tremia. – Eu não sabia, juro que não. Mas... –

Ele umedeceu os lábios e endireitou os ombros. – Lorde John foi raptado e está nas mãos de um louco. Está correndo grave perigo. E sim, por favor, mais conhaque.

– Em um instante – disse Amaranthus, chegando até a borda do assento. – Diga-nos *quem é* esse louco, por favor.

Wainwright a encarou, pestanejando.

– Ah. O nome dele é Richardson. Ezekiel Richardson.

– Maldição! – Em um segundo, William tinha se levantado e levantado Wainwright da cadeira pela frente da roupa. – O que ele quer com meu pai?

– Ah – fez Amaranthus. – Então ele é *mesmo* um louco? Talvez seja melhor você pôr o sr. Wainwright no chão, William. Assim ele não consegue falar.

Com relutância, William o fez. O sangue pulsava com força em suas têmporas e ele teve a sensação de que sua cabeça iria explodir a qualquer momento. Soltou Wainwright e deu um passo para trás, tentando acalmar a respiração.

– Conte-me.

O corpo inteiro de Wainwright agora tremia e ele suava em bicas, mas assentiu com um tranco, como se fosse uma marionete, e começou a falar.

Wainwright levou vários minutos para contar a história toda, mas foi se acalmando conforme falava. Por fim, calou-se e fitou o tapete de estampa verde a seus pés.

William e Amaranthus trocaram olhares.

– Quer dizer que esse cavalheiro… enfim, essa *pessoa* – disse Amaranthus com a boca franzida – quer que o duque *não vá* para a Inglaterra dizer coisas sobre a guerra para lorde North, então raptou lorde John e está ameaçando matá-lo a não ser que seu tio concorde?

Ela soou incrédula, pensou William, e não era de espantar. Mas Wainwright fez que sim com a cabeça.

– Isso – disse ele em tom baixo. – Ele… ele tem motivos para querer que a guerra prossiga e acha que Pardloe talvez consiga convencer o primeiro-ministro a fazê-lo.

– Bem, ele não seria o único com interesse na continuidade da guerra – disse William, começando a se controlar. – A guerra é uma coisa cara… e isso significa que os responsáveis por seu aprovisionamento estão ganhando muito dinheiro. Posso pensar em dois ou três que desejariam impedir o duque de espalhar ideias contrárias pela Inglaterra. Mas Richardson…

Ele encarou Wainwright com os olhos semicerrados, mas o homem não dava sinal de engodo deliberado… nem de nada na verdade, a não ser uma profunda consternação.

– Eu conheço esse Richardson – disse William abruptamente, virando-se para Amaranthus. – E Deus me ajude, acho que é *mesmo* louco. Algumas das coisas que ele fez… – Ele balançou a cabeça. – Espere aqui – falou para Wainwright e estendeu a mão para Amaranthus. – Venha comigo um instante.

...

A casa estava silenciosa: Moira tinha ido ao mercado e a srta. Crabb estava deitada. Até Trevor estava dormindo, graças a Deus. Mesmo assim, William guiou Amaranthus até o jardim, só por garantia. A visão do pequeno caramanchão de videiras o fez pensar que nenhum dos dois havia mencionado seu pedido de casamento desde que voltaram, mas o pensamento desapareceu como fumaça.

– O que acha? – perguntou ele, olhando por cima do ombro na direção da casa.

– O sr. Wainwright me parece mais ou menos são. Quanto ao capitão Richardson, não estou tão certa… Essa é a patente dele, capitão?

– Bem, era quando estava do *nosso* lado – respondeu William dando de ombros. – Ele agora virou a casaca e os americanos talvez tenham lhe dado uma patente de major, ou mesmo um coronelato de algum tipo. Eles roubam oficiais graduados dos exércitos europeus porque não têm dinheiro. Os americanos, quero dizer.

– Então esse Richardson é vira-casaca *e* louco? Os americanos não parecem ter muito critério, não é?

– Pelo que entendi, eles tornaram James Fraser general, se é que isso tem alguma relevância.

As sobrancelhas dela se ergueram de espanto.

– Espero que *ele* não seja louco – disse ela e o encarou com ar de especulação. – Acho que não se transmite alta traição pelo sangue, mas tenho quase certeza de que a loucura é hereditária. Quero dizer, veja só o rei.

– Não – respondeu William. – O sr. Fraser pode ser muitas coisas, mas louco não é. E concordo com você em relação ao sr. Wainwright. Ele talvez esteja dizendo a verdade em relação a ser irmão postiço de papai: minha avó Benedicta se casou com um viúvo e esse homem pode muito bem ter tido um filho. Mas ele ser irmão postiço de papai só explica sua preocupação, não?

– Quer dizer que ele pode ter outro motivo para procurar você? – Amaranthus se inclinou para o lado e olhou na direção da casa atrás de William.

– Pode ser. – William descartou aquilo com um aceno. – Mas os fatos básicos pelo visto são: um, papai está nas mãos de Richardson, que é extremamente perigoso. Dois: Richardson, ao que tudo indica, o está mantendo refém para obrigar tio Hal a fazer, ou melhor, a *não fazer* alguma coisa. E três: quer seja ou não possível alguém de fato obrigar tio Hal a fazer qualquer coisa… ele não está aqui.

– Mas isso é bom, não? – objetou Amaranthus. – É de supor que, se o único motivo pelo qual Richardson está prendendo seu pai for obrigar o duque a fazer o que ele quer, então enquanto o duque não puder ser encontrado lorde John está seguro. Não?

– Humm… – murmurou William sem muita convicção. – Não sei. Segundo Wainwright, meu pai está correndo perigo. Ele deve ter motivos para pensar assim. Seja como for, preciso encontrá-lo, e o mais rapidamente possível. Se Richardson for mesmo louco, então é imprevisível: pode ser que tenha um capricho passageiro e jogue papai pela amurada em alto-mar.

O pensamento lhe atravessou o coração como um picador de gelo.

– Sim. – O rubor havia sumido das faces de Amaranthus, deixando-a da mesma cor do soro de leite. Ela meneou a cabeça em direção à casa. – O que ele afirmou mesmo? "Eles ficam mudando de lugar." Imagino que estivesse se referindo ao navio.

– Sim. E que estavam se preparando para mudar de lugar bem na hora em que ele sa... – William lhe agarrou o braço tão de repente que ela deu um gritinho. – Preciso ir até as docas! Se ainda não tiverem zarpado...

– Mas eles já zarparam! Ele disse que estavam levantando âncora... A esta altura já devem ter ido!

– Venha, preciso descobrir onde esse navio está... ou estava!

Ele soltou seu braço, virou-se e saiu correndo em direção à casa, com Amaranthus no seu encalço.

William entrou no corredor a toda velocidade e deu um susto em Moira, que vinha descendo carregando seu imenso cesto de compras transbordando de peixes e pães. Ela deu um pulo para sair da frente, mas sem querer largou o cesto. William ouviu gritos femininos atrás de si, mas não parou.

A porta da sala estava entreaberta e ele teve a vaga consciência de um cheiro ao abri-la com um empurrão. Conhaque e... vômito.

A origem de ambos era Percy Wainwright, caído no chão encolhido feito um ouriço, com as costas se arqueando conforme vomitava. Já tinha vomitado bastante, mas o cheiro era suplantado pelo odor mais forte do conhaque derramado.

– Meu Deus! – disse William, engolindo em seco e se ajoelhando para segurar Wainwright pelo ombro. – Moira! – gritou ao ver o rosto dele. – Amaranthus! Mandem chamar um médico! Tragam um pouco de água com sal, rápido!

Wainwright estava consciente, mas tinha o rosto contraído como o punho de um bebê, cheio de sulcos e calombos. Seus lábios estavam azuis... William nunca vira isso antes, mas sabia que não era bom.

– O que houve? – perguntou com urgência, tentando fazer Wainwright se desencolher e assumir uma posição mais confortável. – O que houve com o senhor?

– É... é que não... eu não consigo...

William já tinha visto mãe Claire tomar o pulso de pessoas mais de uma vez e encostou os dedos na lateral do pescoço de Wainwright. Não sentiu nada, mudou os dedos de lugar, tornou a não sentir nada... ali. Sentiu um único latejar. Depois outro. Mais um, seguido de um tamborilar leve e acelerado, mas aquilo não era nem um pouco o modo como um coração deveria bater.

– Aqui estão a água e o saleiro – disse Amaranthus atrás dele, ofegante. – Moira foi chamar o dr. Erasmus. O que houve com ele?

– Ah, meu Deus! Ele deve ter bebido o conhaque! – O pulso, se é que era isso, estava ficando mais lento e o corpo de Wainwright se contorceu, a boca escancarada tentando respirar. – O coração talvez, acho eu... Me dê aqui!

Ele pegou a jarra da mão dela e jogou água no rosto de Wainwright, o que o fez abrir os olhos, em seguida despejou um pouco dentro de sua boca aberta. A água escorreu pelo lado e a segunda tentativa também.

– Sal? – perguntou Amaranthus em tom de extrema dúvida.

– É o que se dá aos soldados que estão tendo um ataque do coração – explicou William e, sem ter outra possibilidade à mão, pegou o saleiro, despejou uma colherada de sal na parte de trás da língua de Wainwright e tentou fazê-lo engolir aquilo com água.

Funcionou a ponto de fazer Wainwright voltar suficientemente a si para engolir, mas segundos depois ele teve outro espasmo e pôs tudo para fora em uma golfada composta de sal, água... e sangue. Não *muito* sangue, mas ver aquilo deixou William mais alarmado do que tudo que ele tinha visto até então.

– Conhaque – disse ele com urgência e se sentou nos calcanhares.

Era o remédio mais popular para quase qualquer coisa, e talvez... Ele viu a garrafa no chão, pegou-a e ouviu o grito de Amaranthus no mesmo instante em que seus dedos tocaram a curva de vidro arredondada e preta.

– *Esse não!* – exclamou ela e se abaixou para tirá-la de sua mão.

A garrafa lhe escapuliu e rolou pelo tapete, derramando suas últimas gotas aromáticas avermelhadas e exibindo seu rótulo: *Blut der Märtyrer*.

Wainwright produziu um leve gorgolejo que se esvaiu em um suspiro, ecoado pelos débeis estampidos de seus intestinos se soltando.

153

ENTREGA ESPECIAL

Eu estava na horta, semeando nabos e conversando com as abelhas que começavam a flutuar pelo ar sozinhas e em duplas, atrás dos aromas fugidios de corniso e olaia, quando ouvi o leve sacolejar das rodas de uma carroça subindo a estrada até o pátio da frente. Então escutei, trazida pela brisa, uma saudação cantada inconfundível.

– É John Quincy! – falei para as abelhas.

Coloquei a pá no chão e desci apressada até a casa enquanto limpava a terra das mãos com o avental.

Era John Quincy, de fato, radiante de felicidade.

– Eu trouxe uma entrega especial para a senhora – disse ele.

E puxou a lona que cobria a carga de sua carroça, revelando os rostos animados de

Germain, Joanie e Félicité, escondidos entre os caixotes e barris e encaixados como repolhos.

As crianças pularam da carroça e correram para mim, todas falando ao mesmo tempo: "*Grand-mère!*", "Vovozinha!", "Vovó!". Abracei todas de uma vez, soterrada pelos corpos magricelos de pernas compridas das meninas e pelo cheiro doce e encardido de crianças que não tomaram banho. Germain recuou com um sorriso tímido, mas Jamie então apareceu pela quina da casa e gritou "Germain!", e o rapaz saiu correndo e pulou no colo do avô, quase o derrubando no chão.

O impacto fez Jamie grunhir, rindo e beijando o neto, e então erguer o rosto para John Quincy com uma pergunta nítida no olhar: *Onde estão os outros? O que aconteceu?*

– Fergus e Marsali me mandaram lhes transmitir todo o seu amor – garantiu John Quincy ao interpretar sua expressão. – E estão todos bem. Só acharam que poderia ser mais saudável para os pequenos respirar um pouco de ar das montanhas. Então, quando passei por Wilmington, os dois me perguntaram se eu poderia trazê-los. E eles foram uma ótima companhia!

– Mais saudável – repetiu Jamie com os olhos ainda pregados em John Quincy, que aquiesceu.

Os braços de Germain ainda estavam unidos em volta da cintura do avô, e seu rosto, enterrado na camisa de Jamie. Ele deu alguns tapinhas nas costas do garoto.

– É. Imagino que seja. Entrem, vamos comer e beber alguma coisa. Tem leitelho fresco e as meninas fizeram cerveja.

Germain estava mudado. Crianças *mudam*, claro, e com uma rapidez espantosa, mas ele tinha dado aquele passo abrupto por cima do abismo que leva à puberdade no tempo que passara fora, e ver aquele novo ser foi para mim uma espécie de choque. Não estava apenas mais alto, embora estivesse, sim, uns bons 10 centímetros, mas a ossatura de seu rosto agora emoldurava os olhos de um adulto e esses olhos se mantinham atentos às irmãs e a qualquer coisa que as pudesse ameaçar.

Tínhamos feito festa para todos eles e levado as crianças e John Quincy a entrarem para comer. As meninas me beijaram, então se atiraram em cima de Jamie com gritos de alegria, perguntas e exclamações de horror ao ver as ataduras em volta de seu joelho, a cicatriz recente no braço e os outros ferimentos total ou parcialmente cicatrizados no peito…

– *Grand-père* vai ficar bem – falei com firmeza, distraindo-as com biscoitos de melado. – Ele só precisa descansar.

Fiz um movimento rápido com as sobrancelhas para cima, indicando que ele poderia se refugiar no quarto, mas Jamie sorriu e fez que não com a cabeça.

– Vou ficar bem, *a nighean*. E com certeza você não acha que eu iria embora quando está segurando essa tigela de biscoitos, acha?

Fanny serviu leite para todo mundo e deu um sorriso especial para Germain, que ficou com o rosto todo corado e enterrou o nariz na própria caneca, enquanto eu distribuía os biscoitos.

– Muito obrigado, dona – disse John Quincy e começou a mordiscar o biscoito como se fosse um camundongo, pois seus dentes não permitiam nada mais forte. – Germain, você entregou para seu avô e sua avó o que trouxe para eles?

– Ah!

Germain deu um tapa na pequena bolsa de couro que carregava a tiracolo no peito. Lançou um olhar culpado para Jamie, mas pôs a mão dentro da bolsa e, como eu estava mais perto, entregou a carta a mim. Estava escrita em um papel de fibras de tecido de boa qualidade e fechada com um lacre de cera verde.

– Para a senhora e *grand-père* – falou, franzindo o cenho quando sua voz ficou esganiçada e falhou no meio da última palavra. – *Grand-père* – repetiu, com a voz mais grave de que foi capaz.

Mantive a expressão o mais solene possível e rompi o lacre.

Milorde, milady,

Houve um acontecimento aqui em Wilmington no mês passado que nos deixou muito perturbados. Não vou descrevê-lo porque, embora confie em meus filhos, não é incomum os lacres das cartas se romperem por acidente. Basta dizer que dois homens morreram, e de um modo que nos causou grande apreensão. É certa ironia termos ido embora de Richmond por considerar a cidade insegura e voltado para o terreno conhecido da Carolina do Norte.

Meu desejo era que Marsali e todas as crianças voltassem para junto de vocês e, se as coisas piorarem, ela prometeu que irá com os gêmeos para a Cordilheira. Por enquanto, porém, diz que não vai me abandonar... e eu não posso deixar de cumprir o trabalho da liberdade que é minha vocação. O senhor pôs a espada na minha mão, milorde, e não irei largá-la.

Votre fils et votre fille,
Fergus Claudel Fraser
Marsali Jane MacKimmie Fraser

– Ah – murmurei. Os lábios de Germain estavam muito comprimidos e seus olhos brilhavam. – Germain – falei e beijei sua testa –, estamos *muito* felizes em ver você. E como se saiu bem por ter acompanhado suas irmãs em segurança esse caminho todo.

– Humm... – fez ele, mas pareceu um pouco mais satisfeito.

...

Dois dias mais tarde, estávamos os dois em nosso quarto no meio da tarde, eu tentando ler *Manon Lescaut* em francês enquanto impedia Jamie de escapar de fininho daquilo a que ele se referia como o terceiro nível do Purgatório.

– Nenhuma das crianças contou para você qual foi o acontecimento de Fergus, Sassenach? – Ele fez uma pausa no meio de uma série de exercícios que eu havia preparado para ele e franzi o cenho.

– Você está só tentando escapar dos agachamentos – falei. – Eu *sei* que dói. Se algum dia espera voltar a andar sem bengala, faça assim mesmo.

Ele me fitou com um olhar direto e demorado, em seguida balançou a cabeça.

– *Quando a dor e a angústia o cenho franzem, És um anjo de cuidados* – resmungou.

Eu ri.

– *Ó mulher, em nossas horas de repouso, indecisa, coquete e difícil de agradar* – citei de volta. – Onde arrumou essa?

– Roger Mac – respondeu ele, dobrando devagar o joelho machucado enquanto apoiava nele o peso do corpo. – *Ifrinn!*

– Alguém, ou vários alguéns, abre uma porção de furos em você e fratura seu esterno, e você não dá um pio – observei. – Mas quando alguém pede para esticar uns poucos músculos...

– Eu estava ocupado morrendo – retrucou ele entre dentes. – E se acha que é simples falar com o esterno fraturado... Ah, meu Deus!

– Só mais três – incentivei. – Se prometer fazer depois as rotações de braço e as flexões, eu converso com Fanny. Germain tem passado um bocado de tempo com ela desde que voltou. Se ele contou para alguém, foi para ela.

Ele produziu um som que interpretei como um sim e enxuguei seu rosto com uma toalha úmida e saí à procura de Fanny. Por sorte, ela estava na despensa de legumes, e sozinha.

– Ah – falou quando expliquei minha curiosidade. – Sim, ele me contou. Eu perguntei – emendou, sincera. – Ele disse que não se importava em me contar, mas que não queria que as irmãs ou que as outras meninas ficassem sabendo. Mas tenho certeza de que não estava se referindo à senhora – garantiu ela.

A guerra estava por toda parte, de modo que não foi surpresa saber que a nova gráfica de Fergus em Wilmington fora alvo dos mesmos tipos de vandalismo mesquinho e ameaça anônima enfiada por baixo da porta que a de Charles Town. Nada de mais grave acontecera, porém, e a cidade como um todo estava relativamente tranquila.

A família tomava muito cuidado para passar a barra nas portas e o trinco nas persianas à noite, mas eles se sentiam seguros durante o dia.

– Germain e o sr. Fergus operavam a impressora. A mãe e as meninas tinham saído. Dois homens apareceram e Germain foi até o balcão ver o que queriam.

Em tom bastante cortês, um deles explicou que queriam falar com o dono. Mas o outro carregava uma espingarda de cano curto debaixo do casaco e Germain viu a arma. Não soube o que fazer, mas gaguejou que iria chamar o pai. Tinha se virado para voltar à sala da gráfica quando o primeiro homem abriu a parte móvel da bancada e o empurrou para o chão. Os dois correram na direção do recinto nos fundos onde Fergus trabalhava, mas Germain deu um jeito de se agarrar à perna do segundo homem e dar o grito mais alto de que foi capaz.

– Ele disse que ficou encarando direto o cano da espingarda – disse Fanny arregalando os olhos. – Pensou que fosse ser morto a qualquer momento, e imagino que pudesse ter sido, só que o sr. Fergus surgiu do recinto de trás com um balde cheio de chumbo quente da fornalha e jogou em cima do primeiro homem.

Como era de esperar, o homem se pôs a berrar de dor e pânico, virou-se e tentou sair correndo às cegas, tropeçou em Germain, que continuava caído no chão, e trombou com o segundo homem, que tentava erguer a arma.

– O sr. Fergus segurou a espingarda com uma das mãos e eles disputaram para ver quem ficava com ela enquanto o outro homem rastejava pelo chão aos gritos. A arma então disparou e abriu um rombo no telhado. Gesso e pedaços de madeira choveram por toda parte. Germain estava assustado demais para se mexer, mas seu pai tinha uma pistola grande em um coldre e a sacou e deu um tiro bem na cabeça do homem. – Fanny engoliu em seco. Parecia estar se sentindo um pouco mal. – E… ele então disse a Germain para ir para a sala dos fundos e Germain foi, mas olhou pela porta e viu o pai se ajoelhar e dar um tiro na cabeça do outro homem também. A pistola do sr. Fergus era um *canon* especial de cano duplo – acrescentou ela, impressionada com esse detalhe. – Porque ele só tem uma mão.

– Ah, santo Deus!

Fiquei quase tão chocada quanto se tivesse visto a cena com meus olhos: a gráfica toda suja de sangue e gesso quebrado, Fergus pálido e tremendo por causa do que tinha feito e Germain petrificado de medo.

– Germain e o pai dele tiveram que carregar os corpos pela porta dos fundos até a ruela antes de a mãe e as meninas chegarem. Ele contou que os irmãos choravam aos berros no berço, mas eles não puderam fazer nada em relação a isso.

Pai e filho tinham escondido os corpos debaixo de um pouco de lixo, em seguida varrido a gráfica e limpado tudo da melhor forma que conseguiram. Quando a mãe de Germain chegou em casa com as meninas, seu pai disse a ele para levar as meninas até a estalagem e trazer comida para o jantar. O sr. Fergus deve ter contado para a mãe de Germain o acontecido, porque ela não estava em casa quando ele voltou. Um tempo depois, ela retornou e disse algo em voz alta para o sr. Fergus. Naquela noite, Germain ouviu uma carroça na ruela. Quando foi espiar de manhã, os homens tinham sumido.

– Germain acha que foram os Filhos da Liberdade de Wilmington que levaram os homens embora – disse Fanny, séria. – O pai dele conhece todos.

– Eu… imagino que sim – murmurei, sentindo-me um pouco grata por pelo menos

Fergus e Marsali não estarem sem apoio e proteção. Saber disso nada fez para impedir a bola de gelo que tinha se formado em meu peito.

Eu não posso deixar de cumprir o trabalho da liberdade que é minha vocação.

– Ai, Marsali – falei entre dentes. – Ai, puxa vida!

Acordei com os sussurros da neve que caía e com a estranha luz cinzenta da nevasca se infiltrando pelas persianas. Espiei lá fora e vi a floresta, tanto as coníferas escuras quando os brotos das plantas de primavera todos vestidos de um branco puro e delicado. Era uma neve de primavera e iria desaparecer em poucas horas, mas por enquanto estava uma beleza. Encostei a mão na vidraça gelada da janela e inspirei seu frescor, querendo fazer parte dela.

Jamie ainda dormia e não fiz qualquer movimento para acordá-lo: Roger cuidaria dos animais naquela manhã com a ajuda das crianças mais novas. Saí do quarto de mansinho e desci até a cozinha, onde Silvia e Fanny estavam sentadas diante da mesa mordiscando torradas antes de começarem a preparar o desjejum. Bree cochilava no canto do canapé, com Davy junto ao seio emitindo ruídos estalados enquanto mamava.

Bocejei, pisquei e meneei a cabeça, mas não fui me juntar a eles. Tinha feito um caldo de carne na véspera e pensei que talvez uma boa caneca quentinha pudesse animar Jamie na hora de acordar.

Ele tinha tido uma noite ruim: uma daquelas noites que todo mundo com mais de 40 anos tem às vezes, quando o corpo é atacado por cãibras, juntas doloridas e sobressaltos repentinos que arrancam a pessoa do limiar do sono como se ela tivesse sido empurrada de um cadafalso. E, no caso dele, sem dúvida fisgadas repentinas nos ferimentos em grande parte cicatrizados quando se mexia e se virava.

Ele estava acordado quando subi, sentado na borda da cama, de camisa, amarfanhado, com a barba despontando no rosto e pelo visto ainda sonolento, os ombros caídos e as mãos penduradas entre as pernas.

Pousei as duas canecas que tinha trazido e passei a mão por seus cabelos despenteados.

– Como está se sentindo hoje? – perguntei.

Ele grunhiu e abriu os olhos um pouco mais.

– Como se alguém tivesse pisado no meu pau.

– É mesmo? Quem? – perguntei em tom leve.

Ele tornou a fechar os olhos.

– Não sei, mas parece que foi alguém pesado.

– Humm... – Encostei a mão na testa dele: estava quente, mas quente da cama, não de febre. Peguei uma caneca de caldo de carne e a pus em sua mão. Ele inalou o vapor, tomou um golinho, mas então a pôs de lado e se espreguiçou devagar, gemendo.

Encarei-o por alguns instantes, então me ajoelhei no chão na sua frente e empunhei a barra da sua camisa.

– Deixe eu ver como está isso – falei.

Ele abriu os olhos e me encarou também.

– Você sabe o que significa uma metáfora, Sassenach...? – começou ele, fazendo uma tentativa abortada de interceptar minhas mãos, mas meu toque, muito quente por causa das canecas, o fez expirar e se recostar um pouco.

– Humm... – Esfreguei um pouco com as duas mãos, devagar. – Eu *acho* que está tudo bem com sua circulação... Alguma dor?

– Bom, *ainda* não – disse ele em tom levemente apreensivo. – Sassenach, você quer por favor...?

Empurrei a camisa para trás e me curvei, e ele parou de falar. Pus as mãos mais embaixo, o que o fez abrir as pernas por reflexo, e vi os pequenos pelos encaracolados se arrepiarem.

– Pode soltar meu saco, Sassenach? – pediu ele, mexendo-se incomodado. – Não que não confie em você, mas...

– Estou verificando se não tem nenhum sinal de hérnia incipiente – falei e inseri dois dedos bem para cima, tateando com delicadeza o intenso calor da carne entre suas pernas. As coxas estavam magras e frias, mas...

– Ah, estou com uma coisa incipiente, sim – disse ele, remexendo-se um pouco. – Mas tenho certeza de que não é uma hérnia. E *agora*, o que está fazendo?

Eu o havia soltado. Virei-me e estendi a mão para a pequena mesa de cabeceira em que havia deixado objetos diversos espalhados, coisas retiradas dos bolsos de meu avental à noite e nem sempre recolhidas de manhã. A pedra azul que o cabo Jackson tinha me mandado estava ali e eu a tirei do meio dos outros objetos e a esfreguei entre as mãos para aquecê-la. Também havia sobre a mesa um vidrinho de óleo doce e derramei um pouco em cima da pedra. Jamie observava o processo, ainda apreensivo.

– Se sua intenção for enfiar isso no meu traseiro, Sassenach, eu ficaria muito agradecido se não o fizesse – disse ele.

– Você poderia gostar – sugeri e o empurrei com uma das mãos enquanto com a outra aplicava de modo terapêutico a pedra aquecida e besuntada de óleo.

– É disso que eu tenho medo.

Mas ele havia relaxado um pouco e se recostado apoiado nas mãos. Então relaxou mais um pouco, deu um suspiro e tornou a fechar os olhos. Continuei fazendo uma massagem bem lenta, mas estendi a outra mão para pegar uma das canecas e tomei um gole do caldo de carne ainda quente. Estava uma maravilha, calmante e delicioso. Engoli, pousei a caneca, então encostei minha boca nele.

Seus olhos se abriram de supetão e suas mãos agarraram a roupa de cama.

– Humm? – murmurei.

Ele disse alguma coisa em gaélico entre dentes, mas não foi uma palavra que eu conhecesse. Eu ri, mas para dentro, e soube que ele sentiu a vibração: sua mão estava pousada nas minhas costas, grande e morna.

Algo tinha acontecido entre nós dois no campo de batalha e, embora a maior parte tivesse desaparecido, ainda podia sentir os ecos de seu corpo de modo mais profundo do que antes. Senti o sangue subir por ele, pulsante, aquecendo sua pele, e o ar que ele respirava bem fundo e puro em meus pulmões.

De repente ele me segurou pelas axilas e me levantou com urgência.

– Dentro de você – falou, com a voz rouca. – Eu quero ficar dentro de você.

Levantei-me atabalhoadamente em meio a uma profusão de saias, e ele se deitou de costas na cama. Um leve roçar de roupas e então aquela união súbita, sólida e escorregadia que nunca era um choque e que era sempre um choque. Ambos suspiramos e nos acomodamos um com o outro.

Instantes depois, fiquei deitada em cima dele sentindo seu coração bater debaixo de mim, vagaroso e potente. Inspirei e senti seu cheiro forte e amargo.

– Você está com um cheiro maravilhoso – falei. Sentia-me sonolenta e profundamente feliz.

– O quê? – Ele levantou a cabeça, virou-a e farejou o colarinho da própria camisa. – Meu Deus, estou com cheiro de javali morto.

– Está mesmo – falei. – Graças a Deus.

154

NUNCA TENHA MEDO DE NEGOCIAR; NUNCA NEGOCIE POR MEDO

Eu estava esmagando punhados de assa-fétida com um martelo quando Jamie pôs a cabeça para dentro de meu consultório.

– Meu Deus, Sassenach. – Ele apertou o nariz com dois dedos. – O que é isso? E por que você está amassando com um martelo?

– Assa-fétida – respondi, soltando o ar que vinha prendendo e dando um passo para trás. – Primeiro você extrai a resina das raízes da planta *Ferula*, o que é relativamente simples... mas a resina é muito dura e não dá para ralar. Então é preciso esmagar os pedaços com um martelo... ou com pedras, caso não tenha um. Ahn...

Ocorreu-me que o martelo que eu usava na verdade era dele e o inverti na mão e lhe ofereci com o cabo para a frente, como quem entrega uma espada.

– Você quer de volta?

Ele pegou o martelo, inspecionou-o com o braço esticado para ver se estava estragado, então fez que não com a cabeça e o devolveu.

– Não tem problema. Lave-o antes de me devolver, sim? Isso é o que as pessoas chamam de estrume do diabo?

– Bom, é. Mas eu soube que algumas pessoas usam como condimento.

Ele pareceu querer cuspir, mas se conteve.

– Quem disse isso?

– John Grey. Provavelmente o gosto melhora quando cozido – falei depressa. – Você veio aqui procurar alguma coisa ou só estava atrás do martelo?

– Ah. Sim, mandaram aqui chamar você para servir de testemunha.

– Testemunha de quê? – Eu já estava esfregando pó de carvão nas mãos para remover o cheiro.

– Não sei direito. No momento está só uma pequena confusão, mas *talvez* vire um casamento se pararem de gritar uns com os outros.

Não perdi tempo pedindo detalhes. Enxaguei rapidamente o carvão e fui secando as mãos no avental enquanto atravessava o hall até a sala.

Rachel, Ian, Jenny e Silvia Hardman estavam lá, com Prudence, Patience e Chastity, e também Bobby Higgins e os filhos Aidan, Orrie e Rob. As Hardmans e os Higgins estavam enfileirados como exércitos oponentes, Silvia e as filhas no canapé, e Bobby de frente para elas afundado na poltrona grande de Jamie, com Aidan em pé a seu lado e Orrie e Rob sentados no tapete a seus pés – até onde se pode usar esse verbo quando se trata de meninos pequenos com menos de 6 anos.

Rachel, Jenny e Ian estavam junto a um dos cantos do canapé. Todos se viraram para olhar quando entrei e senti na mesma hora um clima de confusão no recinto.

Jamie tocou a base de minhas costas e me guiou até o lado de Bobby da sala, onde ele assumiu uma posição junto à grande poltrona.

– Estamos preparados – anunciou. – O que estava dizendo quando saí, amiga Silvia?

Ela o encarou com o olhar semicerrado e empertigou as costas, muito digna.

– Estava dizendo ao amigo Higgins que ele deveria saber que eu tenho reputação de prostituta – disse ela em tom neutro.

– Eu soube – disse Bobby diplomaticamente, sem revelar quem tinha contado. Ele a encarou e tocou a marca branca desbotada, mas ainda nítida, na própria face. – Eu sou um assassino condenado. Acho que a senhora deveria ficar mais incomodada do que eu.

Um tom rosado coloriu as faces de Silvia, mas ela não desviou os olhos.

– Não precisava que me contasse isso, mas agradeço a consideração – disse ela. – Embora eu deva deplorar a violência, entendo que as circunstâncias o levaram a acreditar que estava apenas cumprindo seu dever.

Bobby baixou os olhos rapidamente, mas logo tornou a encará-la.

– Verdade – falou baixinho e, inclinando-se para a frente, ergueu a mão para tocar de leve a bochecha macia de Chastity. – Imagino que a senhora estivesse cumprindo o seu.

A boca de Chastity se abriu, mas nenhuma palavra foi dita, e vi que seus olhos brilhavam com lágrimas contidas. Ela conseguiu menear de leve a cabeça e Patience e Prudence emitiram pequenos ruídos de aprovação, embora se mantivessem sentadas, muito eretas, com as mãos perfeitamente unidas no colo.

– Eu não sou mais soldado – disse Bobby. – Estou disposto a jurar... quero dizer, se um juramento não lhe desagradar... nunca mais pegar em armas a não ser para caçar comida. E... imagino que a senhora não pretenda... voltar à sua antiga situação.

Silvia olhou para Jamie com o lábio superior largo contraído por cima do inferior.

– Não, ela não pretende – disse Jamie com firmeza. – Nunca mais.

Bobby assentiu.

– Sendo assim – disse ele, tornando a se recostar e a encarando bem de frente –, aceita se casar comigo, amiga?

Ela engoliu em seco, com os olhos muito brilhantes, e se inclinou para a frente, mas Aidan se antecipou à sua resposta.

– Por favor, sra. Hardman, case-se com ele – disse o rapaz com urgência. – Ele não sabe cozinhar nada a não ser mingau e feijão com toucinho queimado.

– E você acha que eu sei? – retrucou ela com um leve tremor no canto da boca.

– Ela também não cozinha bem – disse Prudence, como alguém compelido a falar a verdade. – Mas sabe fazer pão.

– E *nós* sabemos fazer ensopado com nabos, batatas, feijão, cebolas e um osso de porco – contribuiu Patience. – Não deixaríamos vocês morrerem de fome.

Silvia, dessa vez com o rosto muito corado, pigarreou como quem dá um aviso.

– Se você conseguir abater um animal para comer, amigo Higgins, creio que eu consiga esquartejá-lo e cozinhá-lo – disse ela. – Você sempre pode cortar fora as partes queimadas.

– Excelente! – disse Aidan, felicíssimo. – Então está feito?

– Bom, talvez sim, se você parar de falar – disse Bobby, lançando a Aidan um olhar de leve exasperação.

– Papai? – disse Chastity animada, estendendo os braços para Bobby.

Silvia ficou muito vermelha e todos riram. Ela tapou a boca de Chastity com uma das mãos.

– Aceito – falou.

155

CASAMENTO QUACRE *REDUX*

Jamie se lembrava vividamente do primeiro casamento quacre ao qual assistira. Fora na Filadélfia, em uma igreja metodista, e a congregação era formada em grande parte por amigos – daquele tipo que defende a liberdade – mais um punhado de soldados ingleses em uniforme de gala completo, embora lorde John e o duque de Pardloe tivessem tido o tato de deixar as espadas em casa. A cerimônia fora singular, e ele pensava que provavelmente seria a mesma coisa dessa vez.

O mais impressionante era a quantidade de crianças presentes. Elas ocupavam dois bancos na parte da frente da Casa de Encontros, com a família Higgins inteira sentada em um e todas as Hardmans no outro. Bree e Roger estavam sentados na frente, Brianna com o pequeno Davy no colo. Fanny, Jem, Amanda, Tòtis, Germain, Joanie e Félicité (muito adequadamente apelidada de Fizzy, "esfuziante") se remexiam no banco em frente a Claire e ao patrão, provavelmente confiando na teoria de que um pigarro leve, porém ameaçador, dado por ele poderia garantir seu bom comportamento. Ele deu um leve murmúrio bem no fundo do peito, para se certificar que a voz estava em bom estado, e viu Jem e Germain se tensionarem de leve. Ótimo.

Seu esterno ainda doía quando respirava fundo, mas ele *conseguia* respirar fundo, e por isso agradecia a Deus.

Tinha ido a pé até a igreja. Em ritmo lento, pois seu joelho estava doendo para diabo, mas seu coração se encontrava leve. Estava vivo, conseguia andar, Claire estava a seu lado e a morte era mais uma vez uma questão com a qual não precisava se preocupar.

Bobby Higgins se levantou abruptamente e a congregação na mesma hora se calou.

– Agradeço a todos por terem vindo aqui hoje – disse, mas sua voz saiu guinchada e ele pigarreou alto e repetiu o que tinha dito enquanto meneava a cabeça para as pessoas reunidas.

Tinha o rosto corado, pois era um homem muito tímido e não um orador, mas se manteve firme de pé e estendeu a mão para Silvia, que, apesar de pálida, estava tranquila. Ela se levantou, segurou a mão dele e se virou também para a congregação.

– Como Robert disse, agradecemos por terem vindo – disse ela apenas.

– Eu nunca fiz isso antes – admitiu Bobby. – Talvez você precise me guiar.

– Não é difícil – disse Patience Hardman em tom de incentivo.

– Não é mesmo – concordou Prudence. – Você só precisa dizer que a desposa.

– Bom, mas ele precisa dizer que vai provê-la de comida… Bom, e a nós, não? – interveio Prudence. – E nos proteger?

– Ele pode dizer isso – concordou Patience com ar de dúvida. – Mas não *precisa.* "Eu a desposo" basta. Não basta, mamãe?

Silvia tinha os olhos fechados com força e estava ficando tão vermelha quanto o futuro marido.

– Meninas – murmurou ela. – *Por favor.*

A onda de bom humor que percorreu os presentes se extinguiu. Bobby e Silvia se entreolharam com o rosto em brasa. Aidan McCallum se levantou do banco e caminhou até ficar ao lado do padrasto. Estava com 13 anos e quase a mesma altura de Bobby.

– Está tudo bem, Da – disse ele e chamou com um aceno os irmãos menores, que vieram atabalhoadamente se postar ao seu lado.

Em seguida, acenou para as meninas Hardman, que se entreolharam com ar de interrogação, então chegaram a um acordo silencioso e também se levantaram.

– Nós as desposamos – disse Aidan com firmeza para as meninas. – Todos nós as desposamos. As senhoras todas... ah, perdão: todas *vocês* aceitam desposar todos nós?

– Aceitamos! – disseram Patience e Prudence a uma só voz, radiantes.

Patience se abaixou e murmurou alguma coisa no ouvido de Chastity, que virou o rostinho radiante de querubim para Rob, disse bem alto "Eu o deposo!", andou cambaleante até ele e o enlaçou pela cintura.

– Me dá beijo! – emendou ela e, ficando na ponta dos pés, tascou um "Muac!" bem estalado na bochecha do menino.

Foi preciso algum tempo para a paz ser restaurada.

O esterno parcialmente cicatrizado de Jamie doía muito e ele não era o único membro da congregação a ter chorado de tanto rir. Constatou, porém, que não conseguia parar de chorar. Claire lhe passou um lenço limpo e ele enterrou o rosto ali enquanto a lembrança da tristeza e a alegria do presente, o medo e a paz, tudo jorrava como se fosse uma água pura e fria.

Todos desceram o morro até a Casa Nova, onde tínhamos desembalado os cestos levados pelas mulheres e deixado dispostos os rudimentos de um banquete de casamento antes de sair para a Casa de Encontros. A cozinha agora era um caos em grande parte organizado e todos nos apressamos em fatiar frutas, carnes, tortas e pães, soltar a manteiga de seus moldes, encher tigelas de geleia, ketchups e molhos de diversos tipos e despejar mel sobre os inhames e castanhas assados.

Jamie, Roger e o Jovem Ian tinham trazido três barris do uísque de dois anos e Lizzie e Rachel haviam fabricado cerveja suficiente para afogar um exército de alces sedentos. Torci para ser suficiente.

Vi de relance Mandy perto da janela, com os cachos presos por um laço azul, pondo pedaços de comida na boca de Chastity, como se fosse uma mãe passarinho alimentando sua ninhada, embora a menina já tivesse idade mais do que suficiente para comer sozinha com uma colher. Sorri e olhei em volta à procura das outras meninas, e acabei encontrando-as bem debaixo de meu nariz, servindo animadamente favas com milho em várias tigelas de madeira grandes enquanto tagarelavam feito passarinhos.

– Que sorte a sua – dizia Fanny com a voz cheia de inveja. – *Três* irmãos! Eu nunca tive nem unzinho!

Prudence e Patience mal cabiam em si, coradas de animação sob as toucas recém-engomadas, e riram ao escutar isso.

– Nós dividimos com você, Frances – garantiu Patience. – Não vão faltar parentes.

Vi a expressão de Fanny mudar e ela baixou os olhos para disfarçar, e só então percebeu que tinha acidentalmente despejado uma colher de favas com milho na mesa em vez de dentro da tigela.

– Que *droga*! – exclamou.

Prudence e Patience arquejaram e deram um passo à frente com a intenção de intervir, mas Patience piscou: de repente tinha visto alguma coisa, e me virei para ver o que ela estava olhando.

Os Crombies não tinham ido ao casamento, por sentirem que duas pessoas se casarem sem a presença de um sacerdote era não apenas pecaminoso como imoral. Roger lhes assinalara que uma cerimônia quacre era a mesma coisa que um compromisso informal, que eles aceitavam na condição de nativos das Terras Altas. Hiram retrucara que o compromisso informal era uma necessidade quando não se podia encontrar um pastor, de modo a evitar um pecado explícito e filhos ilegítimos, mas, como a Cordilheira agora tinha um pastor, por que o sr. MacKenzie não ficara ofendido com aquela recusa de seus serviços?

Rachel tinha mandado Ian avisar aos Crombies que eles seriam mais do que bem-vindos ao banquete depois do casamento, mesmo que não se sentissem capazes de participar do encontro no qual o casamento iria ocorrer, mas eu duvidara que fossem aparecer.

E a maioria não tinha vindo. Mas Cyrus agora estava parado junto à porta da cozinha, com os olhos cravados em Fanny e uma expressão decidida apesar do forte rubor nas faces. Estava vestido com suas melhores roupas de domingo, com o que devia ser o pano xadrez azul-escuro antigo, porém bem conservado, de Hiram no ombro e os cabelos arrumados de modo formal em duas tranças por cima das orelhas.

– Ahn… – Peguei a colher da mão de Fanny e movi a cabeça na direção de Cyrus, que segurava um pequeno embrulho envolto em um guardanapo de pano. – Por que não leva Cyrus para dar parabéns ao feliz casal?

Fanny a essa altura estava tão vermelha quanto Cyrus, mas ajeitou a touca, alisou a frente de seu vestido branco bom, bordado de azul e amarelo, e foi ao encontro dele dando todas as mostras possíveis de compostura.

– Aaah – fez Patience em tom respeitoso. – Ele é… o *pretendente* de Fanny?

– O amigo Jamie aprova isso? – indagou Prudence, franzindo a testa para os dois. – Fanny é jovem demais para essas coisas, não?

– O fluxo dela já veio – disse Patience dando de ombros. – Ela me contou.

– Mas ele é tão alto. Como é que os dois vão…?

– Acho que está um pouco cedo para chamar Cyrus de qualquer coisa desse tipo – falei firme. – Eles são amigos, só isso. Venham aqui me ajudar com estas bandejas de peixe frito: elas precisam ir para a mesa grande debaixo do abeto.

Ajudei-as a sair para a varanda, então fiquei parada um instante observando as festividades. Silvia e Bobby estavam sentados lado a lado em duas cadeiras debaixo do grande carvalho-branco, e vi Fanny guiando Cyrus pela multidão para falar com eles. Ainda era cedo demais para as pessoas estarem bêbadas, mas algumas delas ficariam dali a uma ou duas horas. Pessoas comiam diante de mesas de cavalete e sobre o capim, na varanda e nos degraus da frente, e os aromas apetitosos de porco na brasa e bolo de canela perfumavam o ar misturados ao cheiro de uísque.

Minha barriga roncou de repente e Jamie, que tinha saído da casa atrás de mim, riu.

– Você não comeu nada ainda, Sassenach?

– Bom... não. Eu estava ocupada.

– Bem, agora não está mais – disse ele com firmeza e me passou o prato de milho na manteiga, carne de porco na brasa e inhames com castanhas que estava segurando. – Sente-se e coma, *a nighean*. Você está exausta.

– Mas ainda tem... – Engoli a saliva que tinha me enchido a boca. – Bom, quem sabe...

Ele segurou meu cotovelo e me conduziu até minha cadeira de balanço, que estava vazia. Sentei-me, agradecida pelo latejar de alívio que me subiu dos tornozelos até a nuca. Jamie pôs o prato em meu colo e empurrou um garfo para minha mão.

– Você não vai a lugar algum antes de comer isso, Sassenach, então nem venha me dizer o contrário. Jem! Traga um pouco de pão de castanha e um pouco do doce de pêssego para sua avó... com uma boa colherada de creme por cima.

– Eu... é que... bem, se você *insiste*...

Sorri para ele, espetei com o garfo um pedaço de inhame com mel, fechei os olhos e me entreguei ao êxtase.

Abri-os ao escutar uma leve mudança no rumor e nas conversas dos presentes.

Teria o resto dos Crombies decidido aparecer, afinal? Mas não: era um cavaleiro montado em um cavalo cinza, um único homem alto, de tricórnio na cabeça e usando um casacão escuro que estalava feito um par de asas enquanto vinha se aproximando a galope pela estrada de carroças.

– Se for o maldito Benjamin Cleveland... – falei, começando a me levantar.

Jamie me deteve com a mão no meu ombro.

– Não, não é ele.

Algo em sua voz fez que eu me pusesse de pé devagar. Pousei o prato debaixo da cadeira de balanço e fui me postar a seu lado. Ele estava tentando aparentar firmeza, mas sua mão direita tinha se fechado com força em volta do castão da bengala, e os nós dos dedos estavam brancos.

Distraídas de suas conversas, as pessoas se viravam para olhar o cavaleiro. Jamie se manteve imóvel, com o semblante inescrutável.

O cavaleiro então chegou até a beira da varanda e puxou as rédeas, e meu coração se alegrou ao ver de quem se tratava. Ainda montado, William tirou o chapéu e curvou as costas. Estava ofegante, com os cabelos escuros grudados na cabeça por causa do suor, e seu rosto largo tinha as bochechas cobertas por manchas vermelhas aleatórias. Com os olhos cravados em Jamie, ele sorveu o ar com força.

– Senhor – falou e engoliu em seco –, eu preciso de sua ajuda.

Simon, lorde Lovat ≈ Davina Porter
Legenda
= Casamento
≈ Caso extraconjugal
≠ Divórcio
Filhos biológicos
Filhos adotivos
Enteados
Brian Fraser = Ellen Caitriona Sileas MacKenzie
Janet MacKenzie = Ambrose MacKenzie
Flora MacKenzie
FRASERS DE LOVAT
UMA ÁRVORE GENEALÓGICA DE OUTLANDER
Ian Alastair Robert MacLeod Murray = Janet (Jenny) Flora Arabella Fraser
William Simon Murtagh MacKenzie Fraser
Robert Brian Gordon MacKenzie Fraser
James (Jamie) Alexander Malcolm MacKenzie Fraser
James (Jovem Jamie) Fraser Murray = Joan
Margaret (Maggie) Ellen Murray = [Desconhecido] Carmichael = Paul Lyle
Katherine (Kitty) Mary Murray = George (Geordie) Silvers
Michael Murray = Lilliane (Lillie)
Janet Ellen Murray
Ian (Joven Ian) Fraser Murray ≠ Wakyo'teyehsnonhsa (Trabalha com as Mãos/Emily)
= Rachel Hunter
Caitlin Maisri Murray
Fergus Claudel Fraser =
"Oggy"
Matthew Murray
Henry Murray
Caroline Murray
Benjamin Murray
Anthony Brian Montgomery Lyle
Angelica Lyle
Angus Walter (Wally) Edwin Murray Carmichael
Josephine Silvers
Abigail Silvers
Yeksa'a (Iseabaìl)
Tòtis

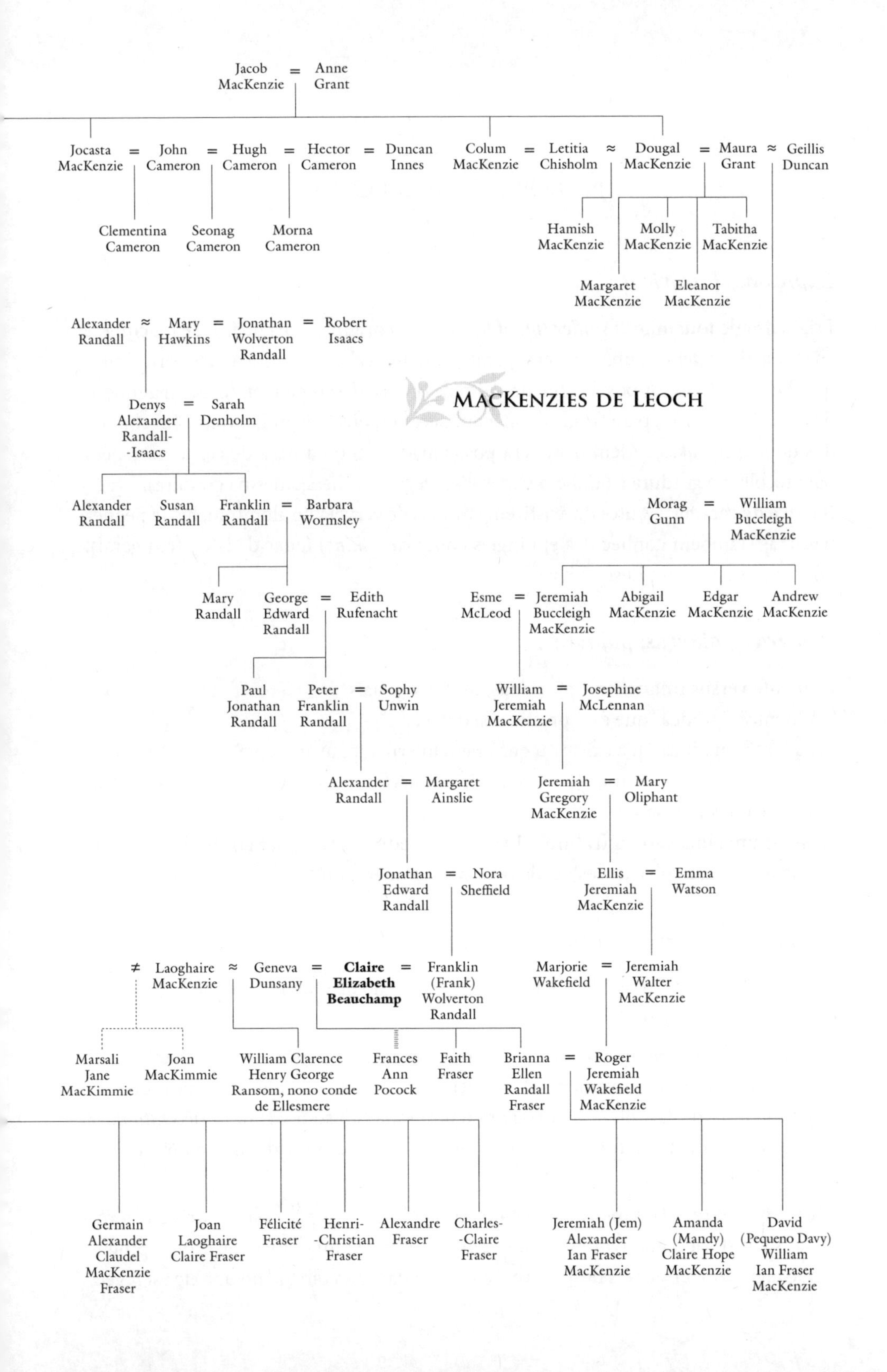
MacKenzies de Leoch
Jacob MacKenzie = Anne Grant
Jocasta MacKenzie = John Cameron = Hugh Cameron = Hector Cameron = Duncan Innes
Colum MacKenzie = Letitia Chisholm ≈ Dougal MacKenzie = Maura Grant ≈ Geillis Duncan
Clementina Cameron
Seonag Cameron
Morna Cameron
Hamish MacKenzie
Molly MacKenzie
Tabitha MacKenzie
Margaret MacKenzie
Eleanor MacKenzie
Alexander Randall ≈ Mary Hawkins = Jonathan Wolverton Randall = Robert Isaacs
Denys Alexander Randall-Isaacs = Sarah Denholm
Alexander Randall
Susan Randall
Franklin Randall = Barbara Wormsley
Morag Gunn = William Buccleigh MacKenzie
Mary Randall
George Edward Randall = Edith Rufenacht
Esme McLeod = Jeremiah Buccleigh MacKenzie
Abigail MacKenzie
Edgar MacKenzie
Andrew MacKenzie
Paul Jonathan Randall
Peter Franklin Randall = Sophy Unwin
William Jeremiah MacKenzie = Josephine McLennan
Alexander Randall = Margaret Ainslie
Jeremiah Gregory MacKenzie = Mary Oliphant
Jonathan Edward Randall = Nora Sheffield
Ellis Jeremiah MacKenzie = Emma Watson
≠ Laoghaire MacKenzie ≈ Geneva Dunsany = Claire Elizabeth Beauchamp = Franklin (Frank) Wolverton Randall
Marjorie Wakefield = Jeremiah Walter MacKenzie
Marsali Jane MacKimmie
Joan MacKimmie
William Clarence Henry George Ransom, nono conde de Ellesmere
Frances Ann Pocock
Faith Fraser
Brianna Ellen Randall Fraser = Roger Jeremiah Wakefield MacKenzie
Germain Alexander Claudel MacKenzie Fraser
Joan Laoghaire Claire Fraser
Félicité Fraser
Henri-Christian Fraser
Alexandre Fraser
Charles-Claire Fraser
Jeremiah (Jem) Alexander Ian Fraser MacKenzie
Amanda (Mandy) Claire Hope MacKenzie
David (Pequeno Davy) William Ian Fraser MacKenzie

NOTAS DA AUTORA

Expressões históricas

Frigideira de toucinho/*a spider full of bacon* – No original, a frigideira de toucinho é chamada de *spider* (aranha). Ela era grande, com um cabo comprido e três pernas altas que lhe permitiam ser posta sobre um leito de brasas, desempenhando assim a função de uma chapa, usada para fritar bacon, panquecas ou bolos de milho (também chamados de *journeycakes*). Além disso, era posicionada sob uma peça de carne no espeto para recolher a gordura e também para saltear legumes (nessa mesma gordura).

Barrica de cerveja – Antes de existirem latinhas de cerveja de alumínio, havia pequenas latas (também conhecidas em inglês como *cannikins*) feitas de latão (em geral). Só que elas não eram descartáveis.

Palavras, palavras, palavras...

Iminente versus imanente – parecidas, mas não iguais:
"iminente" significa "que está prestes a acontecer";
"imanente" significa "que existe ou que opera internamente; inerente".

Metanoia – "Mudança transformadora de opinião", em especial uma transformação espiritual ou conversão.

Reduzir uma luxação ou fratura – Expressão médica correta para o ato de recolocar no lugar uma articulação deslocada ou um osso quebrado.

Pessoas úteis e bons amigos cujos nomes roubei

Stephen Moore – Gerente dos escritórios de produção de *Outlander* e, além disso, um Cavalheiro Muito Capaz!

Gillebride MacIllemhaoil (traduzido para a ortografia inglesa como "MacMillan" por uma questão de conveniência) – Gillebride é o talentoso músico/cantor que interpretou o bardo Gwyllym na primeira temporada (episódio 3) da série *Outlander* e generosamente me autorizou a dar seu nome a um caçador de urso e um dos colonos leais de Jamie.

Chris Humphreys (também conhecido como C. C. Humphreys) – Chris é um romancista histórico maravilhoso e também um grande amigo meu. Se estiver procurando algo para ler depois deste livro, aconselho dar uma olhada no que ele escreveu.

Carmina Gadelica e gaélico/gàidhlig neste livro

A maior parte das expressões em gaélico contidas neste livro (e muitas das em francês) foram obtidas com o gentil auxílio da dra. Catherine MacGregor.

Formas em verso traduzidas para o gaélico foram retiradas (com permissão da Carmina Gadelica Society) do *Carmina Gadelica*, compilação de "hinos, preces e encantamentos" da tradição oral das Terras Altas e Ilhas da Escócia organizada no início do século XIX pelo reverendo Alexander Carmichael. (Algumas edições do *Carmina Gadelica* estão disponíveis na internet, para quem quiser explorar mais a fundo.)

Jornais

Os jornais da época eram impressos por indivíduos e seus nomes refletiam as simpatias políticas, os princípios ideológicos e a personalidade de seus donos, assim como acontece hoje em dia.

O *The Impartial Intelligencer*[1] (Repórter Imparcial) foi um jornal de verdade publicado na Carolina do Norte na década de 1770. Para o caso de alguém achar o *L'Oignon* de Fergus e Marsali uma criação improvável... entre uma profusão dos mais sóbrios "sentinelas", "gazetas", "diários" e "anunciantes", na Carolina do Norte setecentista podemos encontrar também: *The Herald of Freedom* (O Arauto da Liberdade), *The Post-Angel, or Universal Entertainment* (O Anjo Postal, ou Entretenimento Universal); *The North Carolina Minerva, or Anti-Jacobin* (O Minerva da Carolina do Norte, ou Antijacobino). (Observação: o *Anti-Jacobin*[2] foi pelo visto acrescentado em 1803, de modo que tecnicamente esse não é um jornal setecentista. Mesmo assim...)

Esportes

Golfe e bolas de golfe – O golfe é jogado nas Ilhas Britânicas desde o século XV. Portanto, William conhece bolas de golfe e poderia ter engolido uma, como na brincadeira do capítulo 44 (a bola também é citada no capítulo 98).

---

[1] Observação histórica: este jornal foi publicado em New Bern, Carolina do Norte, (aproximadamente) entre 1764 e 1775. *The Cape-Fear Mercury* (O Mercúrio do Cabo do Medo) foi editado um pouco mais tarde, por volta de 1783. Não há registros de impressão de jornais na Carolina do Norte durante os anos de guerra da Revolução Americana. Isso não significa que não havia jornais, apenas que tais periódicos não sobreviveram. Às vezes, os jornalistas também não. Noticiar era uma atividade arriscada.

[2] "Jacobino" não é/era a mesma coisa que "jacobita". A palavra "jacobino" tem mais de um significado (havia uma ordem de monges dominicanos franceses com esse nome, por exemplo), mas sua acepção mais comum é/era "membro de um grupo político extremista ou radical, em especial membro de um grupo desse tipo que defendeu a democracia igualitária e promoveu atividades terroristas durante a Revolução Francesa de 1789" (daí o acréscimo de "*Anti-Jacobin*" ao nome do jornal mencionado em 1803). Um jacobita, como todos nós provavelmente a esta altura já sabemos, era especificamente um defensor da monarquia dos Stuart, chefiada inicialmente pelo rei Jaime III (o Velho Pretendente), sendo "jacobita" um termo derivado de "Jacobus", forma latina do nome Jaime (James).

Pessoas e lugares reais

Sargento Bradford – Lamento não conhecer o primeiro nome do sargento Bradford. Ele é um encantador guia turístico que (pelo menos em 2019) conduzia os visitantes do Museu Histórico de Savannah por um tour pela Batalha de Savannah, tanto no museu quanto no campo de batalha em si, inclusive lhes dando a oportunidade de disparar armas de época do refúgio (não carregadas, uma pena). Ele me/nos fez um relato rico em detalhes do confronto, com observações sobre muitas das figuras políticas e militares envolvidas, e fez também uma excelente descrição do formato de mitra episcopal amassada da boina característica de seu uniforme.

Joseph Brant (Thayendanegea) – Uma das personalidades mais interessantes do período da Guerra Revolucionária, Joseph Brant vivia em dois mundos de modo muito eficiente. Importante líder militar entre os iroqueses (embora tenha sido denunciado como traidor por vender terras para os britânicos e expulso da confederação iroquesa), ele frequentou a universidade e viajou até a Inglaterra (a convite) para visitar o rei, que de modo nada insensato desejava estabelecer uma relação cordial com os iroqueses e outros grupos indígenas para que estes ajudassem a sufocar os rebeldes americanos.

Patrick Ferguson – Definitivamente um personagem real, o major Ferguson foi incumbido de formar uma milícia legalista no Sul e usá-la para forçar os rebeldes da região a se renderem. Algumas vezes isso funcionou. Outras…

Frederick Hambright – Um dos comandantes de milícia a ter participado da batalha na Montanha dos Reis (na verdade, vice de William Chronicle, morto no início do confronto), foi um ex-oficial da colônia e patriota da região. Eu gosto de visitar os campos de batalha sobre os quais escrevo, com frequência mais de uma vez. Tinha estado na Montanha dos Reis uns quinze anos antes, talvez, mas tive a oportunidade de revisitá-la mais recentemente. Nessa ocasião, cheguei no fim do dia e, depois de passar pela entrada, fui recebida por um guia do parque em cujo crachá estava escrito o nome *Hambright*. Ele me explicou que faltava só uma hora para fechar e que eu talvez não conseguisse completar a trilha inteira (circular). Eu garanti que conseguiria e cumpri o que prometi: a trilha tem menos de 1,5 quilômetro. Encontrei-o de novo na saída e parei para me despedir. Conversamos um pouco e ele me contou que um antepassado dele tinha lutado na Batalha da Montanha dos Reis. Agradeci e falei que citaria seu antepassado no livro… que ainda nem tinha começado a escrever. Mas eu lembrei. Quero dizer, "Hambright" não é um nome fácil de esquecer.

Benjamin Lincoln e narcolepsia – O general Benjamin Lincoln foi uma figura importante na campanha revolucionária do Sul. Ele se distinguiu desafortunadamente pelo fato de ter se rendido aos britânicos quatro vezes, na última das quais (o cerco a Charles Town) sendo obrigado a entregar um exército inteiro como prisioneiro. Há teorias de que ele sofria de narcolepsia, distúrbio em que a pessoa adormece com frequência sem aviso. Naturalmente não há como documentar isso de forma segura, mas as referências são frequentes o suficiente para eu retratá-lo cochilando quando Roger vai procurar Francis Marion pouco antes da Batalha de Savannah.

Francis Locke – Comandante do "Regimento de Milícias" da Carolina do Norte durante a Revolução Americana. Como você deve ter notado ao ler este livro, devido à irregularidade do terreno e à distribuição esparsa da população, havia *muitas* companhias de milícia independentes. A ideia de Locke era unir todas elas para que pudessem agir de modo organizado, ideia decerto melhor na teoria do que na prática. O Regimento de Milícias (ou parte dele) só atuou em duas ações pequenas durante a Revolução. Como observa Jamie, a distância e as dificuldades de comunicação tornavam o regimento inadequado para pequenas emergências e pouco prático para ocasiões de grande porte.

Francis Marion – Também conhecido como "Raposa do Pântano", Francis Marion foi uma figura importante na campanha sulista. Após começar como comandante independente da própria companhia (que se poderia descrever como uma milícia, mas também como mercenários de guerrilha independentes. Marion de fato perseguia e matava escravos forros que lutassem do lado britânico, detalhe que, como observa Claire, a Disney preferiu não incluir na série que produziu sobre ele). Posteriormente ele lutou de modo mais ortodoxo, como integrante do Exército Continental, no qual serviu como tenente-coronel e depois como general de brigada.

Casimir (Kasimierz) Pulaski – Oficial de cavalaria polonês vistoso e eficiente que se voluntariou para combater com o Exército Continental e se tornou general e comandante de cavalaria do Exército. Pulaski foi morto em um ataque arriscado durante a Batalha de Savannah… só que não morreu na hora. E assim teve início uma sequência de mistérios que perdura até os dias de hoje.

Pulaski foi seriamente ferido por metralha, tanto na cabeça quanto no corpo (você viu Roger tentando estancar a hemorragia no campo de batalha, antes de seus homens aparecerem para resgatá-lo), mas não morreu na hora. Foi visto por um médico do Exército Continental, mas, supostamente a pedido dele, foi transferido até a bordo do cúter da Marinha chamado *Vespa* (que aguardava por perto) e levado para alto-mar, sob os cuidados de outro médico. Ele morreu a bordo desse navio um dia depois, ou algo assim, e seu corpo foi então trazido de volta para terra firme. Segundo algumas fontes, ele foi enterrado em algum lugar próximo, embora sua (suposta) ossada tenha sido depois exumada e enterrada debaixo de um monumento na cidade de Savannah (o monumento existe até hoje).

Esse comportamento um tanto estranho *talvez* possa ser explicado por uma descoberta do século XXI, feita quando o que se supunha ser a ossada de Pulaski foi transferida temporariamente durante uma reforma do monumento… e se descobriu que a ossada em questão pertencia a uma mulher.

Bom, coisas mais estranhas do que isso já aconteceram. Basta ver a sensação recente quando o caixão de chumbo onde (supostamente) repousava Simon Fraser, a

Velha Raposa, foi aberto e se constatou que continha o corpo de uma jovem mulher. No caso de Pulaski, porém, é possível que a ossada de aspecto feminino fosse dele, uma vez que análises de DNA recentes parecem indicar que os ossos pertenciam a uma pessoa intersexual.

Se a ossada de fato fosse de Pulaski, e *se* ele fosse intersexual ou do sexo feminino, isso explica muito bem por que quis ser levado até a bordo do *Vespa* em vez de ser atendido em terra firme por um médico do Exército, onde seu segredo teria sido descoberto e vindo a público.

Haym Salomon – "O financiador da Revolução". Judeu polonês com talento para as finanças, Salomon foi um dos mais importantes nomes a terem contribuído para o sucesso da Revolução Americana, tendo conseguido repetidamente obter empréstimos e manter vivo o exército de Washington.

Ilha de St. John – Posteriormente batizada de Ilha do Príncipe Edward, como permanece até hoje, foi para onde Jocasta MacKenzie Cameron Cameron Cameron Innes e seu quarto marido, Duncan Innes, se mudaram quando a Revolução começou.

Taberna da Cidade – Ela realmente existiu em Salisbury, e se chamava assim mesmo. (Essa é para os leitores de olhar aguçado que devem ter pensado com seus botões que "taberna da cidade" não deveria estar em caixa-alta…) Os moradores de Salisbury pelo visto eram uma gente pragmática, se considerarmos os nomes de atrações locais como "Córrego da Cidade" ou "Velha Casa de Pedra (1766)". "Grande Estrada de Carroças" é o máximo de romantismo a que se podia chegar por aquelas bandas… e Salisbury não batizou a estrada, apenas estava nela.

Coronel Johnson, do Departamento do Sul (agentes indígenas) – Foram *dois* Jacksons a chefiar o departamento, um após outro, embora eu não ache que fossem parentes.

Figuras de linguagem em idiomas estrangeiros

à vos souhaits/à tes amours – É o "saúde" dos canadenses francófonos quando ouvem alguém espirrar. Em tradução literal, significa "aos seus sonhos/aos seus amores". (Talvez um pouco mais gracioso do que *Gesundheit* ou do que o onomatopaico *Blesshu* em inglês…)
stercus – "excremento" (latim).
filius canis – "filho da mãe" (latim).
cloaca obscaena – "esgoto obsceno" (latim).
"*tace quer dizer* vela em latim" – Ditado frequente nas conversas setecentistas da classe alta (que falava latim). "*Tace*" é o imperativo de "calar-se", e a vela é um símbolo de luz. A expressão significa portanto (essencialmente) "manter no escuro", em outras palavras, "manter a discrição e não dizer nada em relação ao que acabamos de discutir".
pozegnanie – "adeus" (polonês).

As expressões e figuras de linguagem em *gàidhlig* estão explicadas no texto.

William Butler Yeats – "A ilha do lago de Innisfree"

Agora vou me levantar e partir, partir rumo a Innisfree,
E lá hei de construir uma pequena cabana de pau a pique
E hei de ter nove fileiras de pés de feijão, uma colmeia para as abelhas fazerem mel,
E sozinho hei de viver na clareira tomada por zumbidos.

E lá hei de ter um pouco de paz, pois a paz vem caindo lentamente,
Derramada dos véus da manhã até onde os grilos cantam;
Lá a meia-noite cintila, e púrpura reluz o meio-dia,
E o anoitecer é tomado pelas asas de pintarroxo.

Agora vou me levantar e partir, pois dia e noite sempre escuto
As águas do lago a lamber com ruídos leves a margem;
Enquanto me detenho na estrada ou no cinza das calçadas,
Escuto isso no âmago profundo do coração.

Miscelânea

Shreddies – Peças de roupa íntima produzidas pela Real Força Aérea britânica. Eram chamadas assim porque a trama do tecido se parecia muito com o aspecto de um biscoito chamado *shredded wheat biscuit*, feito com grãos de trigo triturados, moldados em fios posteriormente entrelaçados e assados.
O título da Parte III vem de uma citação da escritora Florence King: "Em questões de sociedade, as convenções inúteis são não apenas a ferroada de abelha da etiqueta, mas também a picada de cobra da ordem moral."
Franco-maçons negros – Em determinado momento, Claire se pergunta se existem maçons negros. Na verdade, existiram, sim. Prince Hall, célebre abolicionista e líder negro, criou a Franco-Maçonaria Prince Hall (Boston).

Marinha do Haiti

Nos relatos históricos são frequentes as referências aos *chasseurs-volontaires* da "Marinha Haitiana", que combateram junto com os americanos durante o cerco a Savannah. Na verdade, o Haiti não existia politicamente nesse período da história e esses voluntários negros vinham na verdade da colônia de São Domingos (mais tarde Haiti) e outros lugares. Apesar de fascinante, sua origem não foi algo em que pude me aprofundar durante minha abordagem da Batalha de Savannah. Os detalhes a seguir, contudo, foram retirados do site blackpast.org e pintam um retrato mais completo:

> As tropas de D'Estaing consistiam principalmente de um regimento de coloniais vindos de diversos locais como Guadalupe, Martinica e São Domingos. Os oito-

centos homens das colônias francesas no Caribe formavam um regimento chamado *Chasseurs-Volontaires de Saint-Domingue.* Esses soldados eram *des gens de couleurs libres* (pessoas de cor livres), que se uniam voluntariamente às forças coloniais francesas. Os *gens de couleur* eram nativos de São Domingos de raça mista, de origem africana e europeia. Eram pessoas nascidas livres e portanto diferentes dos escravos forros, ou *affranchis,* nascidos na escravidão ou então escravizados ao longo da vida que posteriormente compraram ou ganharam a liberdade. Essa distinção permitia aos *gens de couleur* um papel social e político mais importante nas Índias Ocidentais coloniais francesas. Segundo o Código Negro Francês, de 1685, eles tinham os mesmos direitos e privilégios que a população colonial branca. Na prática, porém, uma forte discriminação por parte dos residentes coloniais franceses brancos impedia os *gens de couleur* de exercitá-los plenamente.

Culturas e linguagem

Aqui não é a hora nem o lugar para se debater a representação das culturas na ficção, com exceção das seguintes afirmações:

1. Ninguém que pertença a uma mesma cultura tem dela a mesma experiência;
2. Se os escritores se sentissem limitados a escrever apenas sobre as próprias experiência, cultura, história ou origem… as bibliotecas estariam repletas de biografias sem graça e muito daquilo que *constitui* uma cultura – a variedade e o vigor de sua arte – estaria perdido e a cultura morreria.

Dito isso, quando se escreve sobre qualquer coisa fora da própria experiência, a ajuda de terceiros se faz necessária, quer ela venha de livros (obrigatória quando se está escrevendo sobre situações e acontecimentos históricos) ou de relatos e conselhos pessoais.

Ao longo dos últimos 33 anos tive a sorte de esbarrar com várias pessoas gentis e prestativas que se mostraram mais do que dispostas a me falar sobre os detalhes das próprias culturas (conforme suas experiências); consequentemente, acho que as diversas representações dessas culturas foram se aprofundando e se aprimorando ao longo do processo de escrita destes livros. Tomara que sim.

Quando isso ocorre, porém, é natural que os detalhes variem e, à medida que você vai acumulando mais contatos e mais conhecimento, acaba encontrando alguns conflitos entre relatos distintos. Como não se pode voltar e corrigir acontecimentos e personagens importantes em livros anteriores, o melhor que se pode fazer é adaptar tanto quanto possível a escrita mais recente e usar as informações melhoradas ao escrever o livro seguinte.

Nas fases finais da redação de *Diga às abelhas que não estou mais aqui*, tive a honra e a sorte de conhecer kahentinetha, uma ativista mohawk de 82 anos que me forneceu detalhes culturais mais do que úteis, e também Eva Fadden, a consultora de língua mohawk da série de TV baseada em *Outlander*. Eva e sua família são os curadores do Centro Cultural Iroquês das Seis Nações (www.6nicc.com). Essas duas senhoras me passaram informações fascinantes, algumas das quais contradizem os relatos históricos usados em livros anteriores (todos escritos por pessoas não mohawk). Sendo assim, usei ao máximo as informações úteis fornecidas por elas e continuarei a usá-las em futuros livros (assim como qualquer outro conselho que elas ou outras pessoas venham a me dar).

Um exemplo rápido: transcrevo abaixo a descrição de kahentinetha[3] do processo de escolha do nome de uma pessoa, que contradiz o processo de escolha do nome do filho de Ian Murray nos romances. Seria possível argumentar que as circunstâncias eram distintas e que as pessoas envolvidas tinham relação com Joseph Brant e portanto não viviam dentro do ambiente cultural normal, e creio que esse seja um argumento válido. Mas quis reproduzir a informação de kahentinetha só a título de ilustração (e em agradecimento pelo seu comentário muito elegante):

> *Não rezamos como os cristãos rezam. Nós nos reunimos em nosso clã e descrevemos o sonho. Não interpretamos o sonho. Precisamos esperar o sonho seguinte e um sinal que vá dar significado ao sonho inicial. O nome também é dado pelo povo e o bebê é apresentado a todos os clãs na "casa comprida". Quando a pessoa morre, na última noite antes do enterro, há uma cerimônia para pegar o nome de volta de modo que ele ou ela parta sem o nome. Agora outra pessoa pode usá-lo. Não pode haver duas pessoas no mundo com o mesmo nome. A pessoa mais velha que tiver o nome pode ficar com ele, mas a mais jovem precisa voltar à casa comprida, vestir roupas novas e receber um novo nome.*

KAHENTINETHA
(citado mediante autorização)

[3] Segundo kahentinetha (o nome significa "aquela que faz o capim se mover"), os mohawks não usam letras maiúsculas, embora ela faça uma exceção para seu blog, Mohawk Nation News (www.mohawknationnews.com), para torná-lo mais acessível ao público em geral.

AGRADECIMENTOS

Como sempre, este livro é um Grande Monstrengo que levou sete anos para ser escrito. Durante esse tempo, dezenas ou até centenas de pessoas contribuíram com ajuda ou informação e, embora eu tenha tentado anotar e me lembrar de todas elas, tenho certeza de que estou me esquecendo de várias boas almas que fazem jus a meu profundo *Obrigada*!

Gostaria de agradecer em especial…

… às minhas mui estimadas editoras, Jennifer Hershey (Estados Unidos) e Selina Walker (Reino Unido), Erin Kane (editora associada), e ao "time" da Penguin Random House, que provou ter valor inestimável na edição, lançamento e promoção de meus livros ao longo de tantos anos e continua a fazê-lo até hoje;

… a Kara Welsh, Kim Hovey, Allison Schuster, Quinne Rogers, Melanie DeNardo, Jordan Pace, Bridget Kearney e…

… ao nobre e sofrido pessoal da produção, que realmente transforma um manuscrito gigante em um livro com capa e contracapa: Lisa Feuer, Kelly Chian e Maggie Hart. E…

… aos copidesques Laura Jorstad e Kathy Lord, cujo incansável ofício manteve este livro (quase sempre) nos trilhos em matéria de ortografia, uso da linguagem e outras coisas que não me teriam ocorrido. E…

… a Virginia Norey, Deusa dos Livros, designer dos lindos volumes americanos!

… a minha querida amiga e tradutora para o alemão Barbara Schnell, sem cujos olhar atento e comentários úteis este livro teria MUITO mais erros do que (sem dúvida) já tem.

E também…

… à reverenda Julia Wiley, da Igreja da Escócia, por suas observações e seus conselhos inestimáveis em relação ao desenvolvimento espiritual e à ordenação de um pastor presbiteriano;

… à dra. Karmen Schmidt, por seus elegantes conselhos sobre questões médicas, anatômicas e apiárias;

… a Susan Butler, assistente pessoal e revisora, sem a qual nada teria sido posto no correio e a casa teria se transformado em um pandemônio completo;

… a Loretta McKibben, minha webmistress (do site dianagabaldon.com), amiga mais antiga e especialista em assuntos astronômicos e astrofísicos;

... a Janice Milford, que organiza minha caixa de entrada de e-mails e me impede de viver permanentemente submersa;

... a Karen Henry, moderadora e Chefe Pastora de Mamangabas da seção Diana Gabaldon do fórum literário TheLitForum.com por tantos e tantos anos, e

... a Sandy Parker, que junto com Karen integra o Conselho de Preciosismo Extenuante sem o qual haveria muito mais erros nestes livros do que já há;

... a meus dois agentes, Russell Galen e Danny Baror, que juntos obtiveram Grandes Conquistas ao longo dos anos, tanto para a série *Outlander* quanto para mim;

... à fabulosa Catherine MacGregor, tradutora multilíngue *par excellence*, e às maravilhosas Cathy-Ann MacPhee e madame Claire Fluet, responsáveis pela maioria das expressões em gaélico e francês usadas neste livro; e também...

... a Adhamh O'Broin, que forneceu os xingamentos de Amy Higgins às formigas; e...

... a kahentinetha, que muito ajudou com as representações do idioma e da cultura kanienkehaka; e a Eva Fadden, que aconselhou e auxiliou com os diálogos em mohawk tanto neste livro quando na série de TV, e...

... às muitas, muitas boas almas dispersas nas mídias sociais a terem contribuído com observações geográficas regionais ou históricas, conselhos sobre ortografia e pronúncia de palavras em línguas que eu não falo, e anedotas úteis... além de centenas de fotografias incríveis de abelhas.

Além disso, um agradecimento especial a Tina Anderson e ao dr. Bill Amos, cada qual responsável por uma generosa doação em leilão durante o Amelia Island Book Festival para dar continuidade ao esforço educacional da Amelia Island Foundation (fornecimento individual de livros para cada criança da ilha), e que consequentemente estão representados neste livro como a) uma mulher glamourosa de Savannah, e b) um nativo forte de cabelos pretos das Terras Altas.

Minhas desculpas a todos aqueles de que estou me esquecendo agora. Vocês moram em meu coração e sempre me voltam à lembrança (ainda que de modo esporádico).

CONHEÇA A COLEÇÃO OUTLANDER

LIVRO 1

A viajante do tempo

LIVRO 2

A libélula no âmbar

LIVRO 3

O resgate no mar

LIVRO 4

Os tambores do outono

LIVRO 5

A cruz de fogo

LIVRO 6

Um sopro de neve e cinzas

LIVRO 7

Ecos do futuro

LIVRO 8

Escrito com o sangue do meu coração

LIVRO 9

Diga às abelhas que não estou mais aqui

COLETÂNEA

O círculo das sete pedras